FONO
açıköğretim kurumu

BÖLÜM BİR

İNGİLİZCE _ TÜRKÇE

PART ONE

ENGLISH _ TURKISH

Fono Yayınları Sözlük Dizisi

English Standard Dictionary
İngilizce Standart Sözlük

Hazırlama Kurulu:

Ali BAYRAM
Serdar TÜRET
Gordon JONES

ISBN: 975-471-019-8

KAHRAMAN OFSET LTD. ŞTİ.
Tesislerinde Basılıp Cildenmiştir.
MAS/SİT - İSTANBUL
0.212 629 00 01
2005

ÖNSÖZ

Bu sözlükte, İngilizce'de en sık kullanılan yaklaşık 35.000 sözcüğün en çok kullanılan anlamlarına gelişen ve özleşen Türkçe'nin sözvarlığı göz önünde tutularak, kısa ve özlü karşılıklar verilmiştir. Sözlük, gündelik dilde kullanılan binlerce sözcük ve deyimin yanı sıra, çeşitli bilim dallarına ait binlerce terimi de içine almaktadır.

Bir sözcüğe birden çok karşılık verilmesi durumunda eşanlamlı ve/veya yakın anlamlı karşılıklar virgül ile, değişik bir anlamı yansıtan karşılıklar ise noktalı virgül ile ayrılmıştır. Temel girişleri izleyen / / içindeki okunuşlar, okura kolaylık olması açısından Türk harfleri ile gösterilmiştir. Türkçe'de olmayan sesler, koyu bir harfle verilmiş, bunların tanımı ve nasıl çıkarılacağı sözlüğün kullanımı bölümünde açıklanmıştır.

İngilizce'de en çok kullanılan düzensiz eylemler ve ülkeler-insanlar (diller), bir liste halinde sözlüğün sonuna eklenmiştir.

Orta ve lise öğrencilerine olduğu gibi İngilizce ile ilgili hemen herkesin orta boy bir İngilizce-Türkçe sözlüğe duyacakları gereksinimler göz önüne alınarak hazırlanan bu sözlüğün güvenilir ve yararlı bir kılavuz olacağı inancındayız.

FONO

SÖZLÜĞÜN KULLANIMI

<u>Girişler:</u>

Madde başı sözcükler **temel giriş** olarak adlandırılır. Bu girişlerin altında yer alan türevler, deyimler ve deyişler *yan girişi* oluşturur.

forest /'forist/ *a.* orman ***forester*** ormancı ***forestry*** ormancılık

guard /ga:d/ *e.* korumak; beklemek,... ***on guard*** nöbette, tetikte ***keep guard*** nöbet beklemek

<u>Okunuşlar:</u>

Bütün temel girişlerin sesletimi (telaffuz) verilmiş, yerden kazanmak amacıyla yan girişlerinki verilmemiştir. Ancak yan girişin okunuşu ana girişten farklı ise, bu durum belirtilmiştir.

forest /'forist/ *a.* orman ***forester*** ormancı ***forestry*** ormancılık

Aşağıda abecesel sırayla bir liste halinde verilen sonekler yardımıyla türev niteliğindeki bu yan girişlerin okunuşları kolayca öğrenilebilir. Buna göre, sözgelimi, **-er** soneki /ı/, **-ry** soneki /rı/ olarak okunduğuna göre, yukarıdaki yan girişlerin sesletimi şöyle olur:

forest /'forist/ *a.* orman ***forester*** /'foristı/ ormancı ***forestry*** /'foristri/ ormancılık

Bir türevin sesletimi temel girişin sesletiminden ayrı ise, bu ayrılık belirtilmiştir:

microscope /ˈmaykrıskoup/ *a.* mikroskop *microscopic* /-ˈskopik/ mikroskobik

mortal /ˈmoːtl/ *s.* ölümlü *mortality* /-ˈtelıti/ ölümlülük

Türkçe'de Olmayan Sesler:

Bu sözlükte okura kolaylık olması düşüncesiyle, uluslararası sesçil abece ya da başka bir yöntem yerine, söz konusu sese en yakın sesi gösteren bir Türk harfi kullanılmıştır. Aşağıda koyu bir tonla verilen bu harflerin sağında yerini tuttuğu uluslararası sesçil abecenin harfi, altında ise bu sesin tanımı verilmiştir.

/ı/ → /ə/

Ağız Türkçe'deki /ı/ sesini çıkarmak için açıldığından biraz daha fazla açılarak /ı/ denirse bu ses çıkartılmış olur.

Örn: **about** /ıˈbaut/,   **banana** /bıˈnaːnı/,   **butter** /ˈbatı/

/e/ → /æ/

Ağız /a/ demek için açılmışken /e/ sesi çıkarılırsa bu ses elde edilmiş olur.

Örn: **bad** /bed/,   **cat** /ket/,   **sat** /set/

/öː/ → /əː/

Yukarıdaki /ı/ sesinin uzun biçimi olan bu ses Türkçe'deki uzun /ö/ sesine çok yakındır.

Örn: **urge** /öːc/,   **bird** /böːd/,   **fur** /föː/

/o/ → /ɒ/

Ağız /a/ demek için açılmışken /o/ sesi çıkarılırsa bu ses elde edilmiş olur.

Örn: **on** /on/,   **dog** /dog/,   **want** /wont/

/t/ → /ө/

Dilin ucu, üst dişlerin uç kısmına hafifçe dokunur durumdan
ayrılırken /t/ denecek olursa bu ses çıkarılmış olur.
Örn: **thing** /ting/,   **method** /`metıd/,   **tooth** /tu:t/

/d/ → /ŏ/

Dilin ucu üst dişlerin uç kısmına hafifçe dokunur durumdan
ayrılırken /d/ denecek olursa bu ses çıkarılmış olur.
Örn: **this** /dis/,   **father** /`fa:dı/,   **smooth** /smu:d/

/w/

Bunlara ekleyeceğimiz Türkçe'de olmayan bir ses de /w/ sesidir.
Uluslararası sesçil abecede de aynı biçimde gösterilen bu ses,
/duvak/ ve /duvar/'daki gibi dudakları yuvarlayarak söylenen /v/
sesine benzer.

:

Ünlüleri izleyen üst üste iki nokta (:), o sesin uzun okunacağını
gösterir.

Örneğin: **car** /ka:/'daki /a:/ sesi, "ağlamak" ve "talim"
sözcüklerindeki /a/ gibi biraz uzun okunur.

Sözcük Türleri:

Bütün temel girişlerin, dilbilgisel açıdan hangi sözcük türüne ait
olduğu sözcüğün sesletiminden hemen sonra kullanılan
kısaltmalarla belirtilmiştir. Türev niteliğindeki yan girişlerin
sözcük türleri verilmemiş olmasına rağmen bunları Türkçe
karşılıklarından ya da kullanılan soneklerinden kolayca anlamak
olanaklıdır.

KISALTMALAR

Sözcük Türleri

a.	_ ad	(noun -isim)
adl.	_ adıl	(pronoun -zamir)
bağ.	_ bağlaç	(conjunction)
be.	_ belirteç	(adverb -zarf)
e.	_ eylem	(verb -fiil)
ilg.	_ ilgeç	(preposition -edat)
s.	_ sıfat	(adjective)
tnm.	_ tanımlık	(article)
ünl.	_ ünlem	(exclamation)

Diğer Kısaltmalar

AE.	_ Amerikan İngilizcesi	(American English)
arg.	_ argo	(slang)
BE.	_ İngiliz İngilizcesi	(British English)
bkz.	_ bakınız	(see)
ç.	_ çoğul	(plural)
hkr.	_ hakaret	(derogatory)
kon.	_ konuşma dili	(colloquial)
mec.	_ mecaz	(figurative)
sb	_ somebody	(birisi)
sth	_ something	(bir şey)

* imi sözcük türünün değiştiğini gösterir.

BİLİM TERİMLERİ

anat.	_ anatomi	(anatomy)
ask.	_ askerlik	(military)
bitk.	_ bitkibilim	(botany)
biy.	_ biyoloji	(biology)
coğ.	_ coğrafya	(geography)
den.	_ denizcilik	(nautical)
elek.	_ elektrik	(electricity)
dilb.	_ dilbilim	(linguistics)
fel.	_ felsefe	(philosophy)
fiz.	_ fizik	(physics)
hayb.	_ hayvanbilim	(zoology)
hek.	_ hekimlik	(medical)
huk.	_ hukuk	(law)
kim.	_ kimya	(chemistry)
mat.	_ matematik	(mathematics)
müz.	_ müzik	(music)
oto.	_ otomobil	(automobile)
ruhb.	_ ruhbilim	(psychology)
sp.	_ spor	(sports)
tek.	_ teknoloji	(technology)
tic.	_ ticaret	(commerce)
topb.	_ toplumbilim	(sociology)
yaz.	_ yazın	(literature)

BAŞLICA SONEKLER

-able	/-ıbl/	**-er**	/-ı/
-age	/-ic/	**-ery**	/-(ı)ri/
-al	/-(ı)l/	**-ese**	/-i:z/
-an	/-(ı)n/	**-esque**	/-esk/
-ance	/-(ı)ns/	**-ess**	/-ıs,-is,-es/
-ant	/-(ı)nt/	**-ette**	/-et/
-arian	/-eıriın/	**-fic**	/-fik/
-ary	/-(ı)ri/	**-fold**	/-fould/
-ate	/-ıt, it/	**-form**	/-fo:m/
-ation	/-eyşn/	**-ful**	/-fl/
-ative	/-ıtiv/	**-gamy**	/-gımi/
-ator	/-eytı/	**-gon**	/-gın,-gon/
-cide	/-sayd/	**-gram**	/-grem/
-cracy	/-krısi/	**-graph**	/-gra:f/
-crat	/-kret/	**-hood**	/-hud/
-cy	/-(ı)si/	**-ial**	/-iıl,-I/
-d	/-d, -t, -id/	**-ially**	/-iıli,-li/
-dom	/-dım/	**-ian**	/-iın,-n/
-ed	/-d, -t, -id/	**-(i)ana**	/-(i)anı/
-ee	/-i:/	**-ible**	/-ıbl/
-eer	/-iı/	**-ic**	/-ik/
-en	/-(ı)n/	**-ical**	/-ikl/
-ence	/-(ı)ns/	**-ically**	/-ikli/

-ent	/-(ı)nt/	**-ician**	/-işın/
-ics	/-iks/	**-ly**	/-li/
-(i)fy	/-(i)fay/	**-man**	/-mın,-men/
-ing	/-ing/	**-mania**	/-meyniı/
-ise	/-ayz/	**-maniac**	/-meyniek/
-ish	/-iş/	**-ment**	/-mınt/
-ism	/-izm/	**-most**	/-moust/
-ist	/-ist/	**-ness**	/-nıs/
-ite	/-ayt/	**-oid**	/-oyd/
-ition	/-işn/	**-or**	/-ı/
-itis	/-aytis/	**-ory**	/-ıri/
-ity	/-ıti/	**-ous**	/-ıs/
-ive	/-iv/	**-ry**	/-ri/
-ize	/-ayz/	**-ship**	/-şip/
-less	/-lıs/	**-sion**	/-şn/
-lessly	/-lısli/	**-some**	/-sım/
-lessness	/-lısnıs/	**-tion**	/-şn/
-let	/-lıt/	**-tude**	/-tyu:d/
-like	/-layk/	**-ure**	/-yuı/
-ling	/-ling/	**-ward**	/-wıd/
-logue	/-log/	**-wise**	/-wayz/
-logy	/-lıci/	**-y**	/-i/

A

a /ı, ey/ *tnm.* (herhangi) bir

abacus /'ebıkıs/ *a.* hesap cetveli, sayıboncuğu

abandon /ı'bendın/ *e.* terk etmek, bırakmak

abase /ı'beys/ *e.* küçük düşürmek, aşağılamak

abashed /ı'beşt/ *s.* şaşırmış; utanmış

abate /ı'beyt/ *e.* (rüzgâr, fırtına, ağrı) azalmak, hafiflemek

abbey /'ebi/ *a.* manastır

abbreviate /ı'bri:vieyt/ *e.* kısaltmak **abbreviation** kısaltma

abdicate /'ebdikeyt/ *e.* vazgeçmek, çekilmek

abdomen /'ebdımın/ *a.* karın

abduct /eb'dakt/ *e.* (birini) zorla kaçırmak

aberration /ebı'reyşın/ *a.* doğru yoldan ayrılma, sapkınlık

abet /ı'bet/ *e.* (suça) katılmak

abhor /ıbho:/ *e.* nefret etmek, tiksinmek **abhorrence** nefret **abhorrent** nefret verici

abide /ı'bayd/ *e.* katlanmak, çekmek, tahammül etmek **abiding** sonsuz, ebedi

ability /ı'biliti/ *a.* yetenek, beceri

ablative /'eblıtiv/ *a. dilb.* ismin - den hali, çıkma durumu

ablaze /ı'bleyz/ *s.* tutuşmuş, yanan

able /eybıl/ *s.* yetenekli, becerikli **be able to** -ebilmek, -abilmek **able-bodied** sağlıklı, sağlam

ablution /ı'blu:şın/ *a.* aptes

abnormal /eb'no:mıl/ *s.* anormal **abnormality** anormallik

aboard /ı'bo:d/ *ilg. be.* gemide, gemiye; uçakta, uçağa, trende, trene

abolish /ı'boliş/ *e.* yürürlükten

kaldırmak, durdurmak

abolition /ebı'lişın/ *a.* yürürlükten kaldırma

A-bomb /'eybom/ *a.* atom bombası

abominable /ı'bominıbıl/ *s.* iğrenç, tiksindirici; *kon.* berbat, rezil

abort /ı'bo:t/ *e.* çocuk düşürmek **abortion** çocuk düşürme; düşük **abortive** başarısız

about /ı'baut/ *ilg.* hakkında; aşağı yukarı, yaklaşık; şurada burada, şuraya buraya; çevresin(d)e; yakın(lar)da **be about to** -mek üzere olmak **What/how about ...** - e ne dersin?, ya ...?, -den ne haber?

above /ı'bav/ *be.* yukarıda, yukarı; daha çok * *ilg.* üstünde, üstünden; -den yüksek, -den üstün; -den çok * *s.* sözü edilen, yukarıdaki **above all** her şeyden önce **above mentioned** yukarıda sözü geçen **over and above** -den başka, -nin yanı sıra

abrasion /ı'breyjın/ *a.* aşınma, aşındırma

abrasive /ı'breysiv/ *s.* aşındırıcı, törpüleyici

abreast /ı'brest/ *be.* bir hizada, yan yana

abridge /ı'bric/ *e.* kısaltmak, özetlemek **abridgement** kısaltma, özet

abroad /ı'bro:d/ *be.* yurtdışında, yurtdışına

abrupt /ı'brapt/ *s.* ani, beklenmedik; (davranış, söz) kaba

abscess /'ebses/ *a.* çıban, apse, irinşiş

abscond /ıb'skond/ *e.* gizlice kaçıp gitmek, sıvışmak

absence /'ebsıns/ *a.* yokluk, bulunmayış

absent /'ebsınt/ *s.* yok, bulunmayan **absent-minded** dalgın

absentee /ebsınti:/ *a.* (işe) gelmeyen kişi

absolute /'ebsılu:t/ s. tam, eksiksiz; kesin, mutlak, salt **absolutely** tümüyle; kesinlikle

absolve /ıb'zolv/ e. bağışlamak, kurtarmak

absorb /ıb'so:b/ e. emmek, içine çekmek, soğurmak **absorbent** emici, soğurucu **absorbing** sürükleyici **absorption** emme, içine çekme, soğurma

abstain /ıb'steyn/ e. uzak durmak, kaçınmak

abstinence /'ebstinıns/ a. uzak durma, kaçınma

abstract /'ebstrekt/ s. soyut, kuramsal * a. özet * e. çıkarmak, ayırmak, çekmek

absurd /ıb'sö:d/ s. saçma, anlamsız

abundance /ı'bandıns/ a. bolluk **abundant** bol, çok

abuse /ı'byu:z/ e. kötüye kullanmak

abusive /ı'byu:siv/ s. küfürbaz, ağzı bozuk

abysmal /ı'bizmıl/ s. berbat, çok kötü

abyss /ı'bis/ a. cehennem çukuru

acacia /ı'keyşı/ a. akasya

academic /eki'demik/ s. akademik

academy /ı'kedımi/ a. akademi

accelerate /ık'selıreyt/ e. hızlandırmak; hızlanmak **acceleration** hızlandırma; fiz. ivme **accelerator** gaz pedalı

accent /'eksınt/ a. vurgu; şive, ağız

accept /ık'sept/ e. kabul etmek, almak; razı olmak **acceptable** kabul edilebilir; uygun, makul **acceptance** kabul, onama

access /'ekses/ a. giriş, yol; hek. nöbet **accessible** elde edilebilir, ulaşılabilir

accessory /ık'sesıri/ a. aksesuar; eklenti; yardımcı, suçortağı

accident /'eksidınt/ a. kaza; rastlantı **by accident** kazara, tesadüfen **accidental** tesadüfi **accidentally** tesadüfen, rasgele

acclaim /ı'kleym/ e. alkışlamak

acclimatize /ı'klaymıtayz/ e. yeni bir iklime/ortama alışmak/alıştırmak

accommodate /ı'komıdeyt/ e. barındırmak, yerleştirmek **accommodation** kalacak yer, yatacak yer

accompany /ı'kampıni/ e. eşlik etmek **accompaniment** eşlik

accomplice /ı'kamplis/ a. suçortağı, yardakçı

accomplish /ı'kampliş/ e. başarmak, üstesinden gelmek **accomplished** becerikli, hünerli **accomplishment** yerine getirme, yapma; başarı

according to /ı'ko:ding tı/ ilg. -e göre

accordingly /ı'ko:dingli/ be. bu nedenle

accordion /ı'ko:dıın/ müz. akordeon

account /ı'kaunt/ a. hesap; rapor, açıklama; neden **on account of** yüzünden **on no account** hiçbir surette, asla **accountant** muhasebeci, sayman

accumulate /ı'kyu:myuleyt/ e. toplamak, biriktirmek; çoğalmak, yığılmak **accumulation** birikim; birikinti, yığın

accurate /'ekyırıt/ s. kesin, doğru, yanlışsız, tam

accuse /ı'kyu:z/ e. (of) suçlamak **the accused** sanık(lar) **accusation** /ekyu'zeyşın/ suçlama

accustom /ı'kastım/ e. alıştırmak **accustomed** her zamanki; alışkın **be accustomed to** -e alışmak

ace /eys/ a. as, birli, bey; as, yıldız

ache /eyk/ a. ağrı * e. ağrımak

achieve /ı'çi:v/ e. başarmak; ulaşmak, elde etmek **achievement** başarma, yapma; başarı

acid /'esid/ s. ekşi; dokunaklı, acı * a. asit, ekşi

acknowledge /ık'nolic/ e. kabul etmek, onaylamak, tanımak;

aldığını bildirmek **acknowledge-ment** kabul, onaylama; aldığını bildirme

acne /'ekni/ a. sivilce

acorn /'eyko:n/ a. *bitk.* meşe palamudu

acoustic /ı'ku:stik/ s. akustik, işitsel **acoustics** akustik, yankıbilim; akustik, yankılanım

acquaint /ı'kweynt/ e. bilgi vermek, bildirmek; göstermek, öğretmek **be acquainted (with)** (-den) haberi olmak, bilmek; (ile) tanışık olmak **acquaintance** tanıdık, tanış, haber; bilgi

acquire /ı'kwayı/ e. edinmek, kazanmak

acquisition /ekwi'zişın/ a. kazanma, edinme; kazanç, edinti

acquit /ı'kwit/ e. temize çıkarmak, aklamak **acquittal** beraat, aklanma

acre /'eykı/ a. İngiliz dönümü (0.404 hektar)

acrid /'ekrid/ s. acı, keskin, sert

acrobat /'eknbet/ a. akrobat, cambaz **acrobatic** akrobatik **acrobatics** cambazlık, akrobasi

acronym /'ekrınim/ a. sözcüklerin baş harflerinden oluşan sözcük

across /ı'kros/ be. ilg. bir yanından öteki yanına; öbür yanında, karşısında; çaprazlama(sına)

act /ekt/ e. hareket etmek, davranmak; (rol) oynamak; etki yapmak, etkilemek * a. hareket, iş; (oyun) perde; gösteri, numara **acting** oyunculuk; vekil, yerine bakan

action /'ekşın/ a. hareket, iş, eylem; etkinlik, işleme, etki; dava **out of action** bozuk, işlemez

activate /'ektiveyt/ e. harekete geçirmek, etkili hale getirmek

active /'ektiv/ s. çalışan, işleyen; faal, çalışkan; etkin, canlı; *dilb.* etken

activity /'ektiviti/ a. faaliyet, etkinlik

actor /'ektı/ a. erkek oyuncu, aktör

actress /'ektris/ a. kadın oyuncu, aktris

actual /'ekçuıl/ s. gerçek; şimdiki, bugünkü, güncel **in actual fact** aslında, gerçekte **actually** gerçekten, hakikaten; aslında

acumen /'ekyumın/ a. çabuk kavrayış

acupuncture /'ekyupankçı/ a. akupunktur

acute /'ıkyu:t/ s. zeki; şiddetli, ağır; (hastalık) ağır, ivegen

ad /ed/ a. kon. ilan, reklam

Adam's apple /edımz'epıl/ a. anat. gırtlak çıkıntısı

adapt /ı'dept/ e. uyarlamak, adapte etmek **adaptable** kolayca uyum sağlayan **adaptation** /edep'teyşın/ adaptasyon, uyarlama **adapter, adaptor** adaptör

add /ed/ e. eklemek, katmak; toplamak

adder /'edı/ a. hayb. engerek

addict /'ıdikt/ be · addicted to alışmak, bağımlı olmak

addict /'edikt/ a. düşkün, tiryaki, meraklı; (uyuşturucu) bağımlı

addition /ı'dişın/ a. ekleme, katma; mat. toplama; zam **in addition (to)** bundan başka, ayrıca **additional** katma, ek

address /ı'dres/ a. adres; söylev * e. hitap etmek, söz yöneltmek; adres yazmak

adequate /'edikwıt/ s. elverişli, yeterli

adhere /ıd'hıı/ e. yapışmak; bağlı kalmak **adherence (to)** bağlılık, sadakat **adherent** taraftar, üye

adhesive /ıd'hi:siv/ s. yapışkan * a. yapıştırıcı

adjacent /ı'ceysınt/ s. bitişik, komşu

adjective /'eciktiv/ a. dilb. sıfat, niteleç

adjourn /ı'cö:n/ *e.* ertelemek
adjust /ı'cast/ *e.* ayarlamak; uyum göstermek *adjustment* ayarlama; uyum
administer /ıd'ministı/ *e.* idare etmek, yönetmek; vermek, sağlamak; uygulamak *administration* idare, yönetim; hükümet *administrative* yönetimsel, idari *administrator* idareci, yönetici
admirable /'edmınbıl/ *s.* çok güzel, beğenilen
admiral /'edmınl/ *a.* amiral
admiration /edmi'reyşın/ *a.* takdir, hayranlık
admire /ıd'mayı/ *e.* hayran olmak, bayılmak *admirer* hayran
admission /ıd'mişın/ *a.* giriş; giriş ücreti; kabul
admit /ıd'mit/ *e.* kabul etmek, itiraf etmek *admittance* giriş; kabul
adolescence /edı'lesıns/ *a.* ergenlik *adolescent* ergen
adopt /ı'dopt/ *e.* kabul etmek, benimsemek; evlat edinmek
adore /ı'do:/ *e.* taparcasına sevmek; *kon.* bayılmak, bitmek *adorable* çok güzel *adoration* /edı'reyşın/ tapma
adorn /ı'do:n/ *e.* süslemek
adult /'edalt/ *a. s.* yetişkin, ergin
adultery /ı'daltırı/ *a.* eşini aldatma, zina
advance /ıd'va:ns/ *e.* ilerlemek; ilerletmek; yükselmek; yükseltmek * *a.* ilerleme; yükselme; avans, öndelik *in advance* önceden *advanced* ileri *advancement* ilerleme
advantage /ıd'va:ntic/ *a.* yarar, çıkar; üstünlük *advantageous* avantajlı
advent /'edvent/ *a.* geliş; baş gösterme
adventure /ıd'vençı/ *a.* serüven; tehlike, riziko *adventurer* maceracı serüven düşkünü

adverb /'edvö:b/ *a. dilb.* zarf, belirteç
adversary /'edvısıri/ *a.* düşman, hasım
adverse /'edvö:s/ *s.* ters, karşı, karşıt, zıt
advertise /'edvıtayz/ *e.* ilan etmek; ilan vermek
advertisement /ıd'vö:tismınt/ *a.* reklam, ilan
advice /ıd'vays/ *a.* öğüt, tavsiye; bilgi
advise /ıd'vayz/ *e.* tavsiye etmek, öğüt vermek, haberdar etmek, uyarmak *adviser* danışman *advisable* makul, mantıklı
advocate /'edvıkit/ *a.* savunucu, yanlı; avukat * *e.* desteklemek, savunmak
aerial /'eırıl/ *a.* anten
aerodrome /'eındroum/ *a.* havaalanı
aerodynamics /'eırouday'nemiks/ *a.* aerodinamik (bilimi)
aeroplane /'eınpleyn/ *a.* uçak
aerosol /'eınsol/ *a.* aerosol
aesthetic(al) /i:s'tetik(ıl)/ *s.* estetik *aesthetics* estetik
afar /ı'fa:/ *be.* uzak, uzakta *from afar* uzaktan
affair /ı'feı/ *a.* mesele, iş; cinsel ilişki
affect /ı'fekt/ *e.* etkilemek; gibi görünmek, taslamak *affectation* yapmacık, gösteriş, özenti
affection /ı'fekşın/ *a.* sevgi; düşkünlük, eğilim *affectioned* sevecen
affiliate /ı'filieyt/ *e.* (**with/to**) birleştirmek, üye etmek; birleşmek, üye olmak
affinity /ı'finiti/ *a.* hoşlanma, eğilim; benzerlik
affirm /ı'fö:m/ *e.* doğrulamak *affirmation* /efi'meyşın/ doğrulama *affirmative* (yanıt) olumlu
affix /ı'fiks/ *a.* önek, sonek
afford /ı'fo:d/ *e.* (parası, zamanı,

olanağı) olmak, gücü yetmek

afraid /ı'freyd/ *s.* korkar, korkmuş *be afraid of* -den korkmak *I'm afraid* ... maalesef, üzgünüm ki

after /'a:ftı/ *be. bağ. ilg.* -den sonra; ˙ peşinden, ardından; -e karşın; -e göre, uyan; -dığı için, yüzünden; tarzında, biçeminde *after all* her şeye rağmen, yine de *after you!* Önce siz buyurun!

aftermath /'a:ftımet/ *a.* sonuç

afternoon /a:ftı'nu:n/ *a.* öğleden sonra *in the afternoon* öğleden sonra *this afternoon* bugün öğleden sonra

afterwards /'a:ftıwıdz/ *be.* sonradan, sonra

again /ı'gen/ *be.* tekrar, yeniden, gene; bundan başka, ayrıca *again and again* sık sık, ikide bir, habire *now and again* arada sırada, kimi kez, bazen *once/yet again* bir kez daha

against /ı'genst/ *ilg.* -e karşı; -ye, -ya

age /eyc/ *a.* yaş; devir, dönem; *kon.* çok uzun süre * *e.* yaşlanmak, kocalmak *old age* yaşlılık *the Middle Ages* Ortaçağ *under age* reşit olmayan, küçük

aged /'eycid/ *s.* ... yaşında; yaşlı *middle aged* orta yaşlı

agency /'eycınsı/ *a.* acenta, büro

agenda /ı'cendı/ *a.* gündem

agent /'eycınt/ *a.* acenta, temsilci

aggravate /'egrıveyt/ *e.* ağırlaştırmak; *kon.* sinir etmek, kızdırmak

aggregate /'egrigit/ *s.* toplam, toplu, bütün

aggression /ı'greşın/ *a.* saldırı

aggressive /ı'gresiv/ *a.* saldırgan

agility /ı'ciliti/ *a.* çeviklik, atiklik

agitate /'eciteyt/ *e.* çalkalamak, sallamak *agitation* heyecan, acı, üzüntü; kışkırtma, tahrik *agitator* tahrikçi; karıştırıcı

ago /ı'gou/ *be.* önce

agony /'egıni/ *a.* şiddetli acı

agree /ı'gri:/ *e.* aynı fikirde olmak, katılmak; kabul etmek, razı olmak; uyuşmak; anlaşmak *agreeable* hoş, tatlı *agreed!* tamam! *agreement* anlaşma, uyuşma; ittifak

agriculture /'egrikalçı/ *a.* tarım *agricultural* tarımsal

aground /ı'graund/ *be.* karaya oturmuş, batık

ahead /ı'hed/ *s. be.* önde, ileride; ileri, ileriye *straight ahead* dosdoğru

aid /eyd/ *a.* yardım * *e.* yardım etmek *first aid* ilkyardım

Aids /eydz/ *a.* Aids *Aids victim* Aids kurbanı *Aids virus* Aids virüsü

aim /eym/ *e.* nişan almak, yöneltmek; niyetinde olmak; amaçlamak * *a.* amaç; nişan, hedef *aimless* amaçsız, başıboş *aimlessly* amaçsızca

air / eı/ *a.* hava * *e.* havalandırmak *airbase* hava üssü *airconditioning* havalandırma *aircraft* uçak *airfield* havaalanı *airforce* hava kuvvetleri *airhostess* hostes *airless* havasız, boğucu *airline* havayolu *airmail* uçak postası; havayolu taşımacılığı *airplane* *AE.* uçak *airport* havalimanı *air raid* askeri hava saldırısı *airs* hava, gösteriş *give oneself airs* havalara girmek *put on airs* havalara girmek, hava atmak *airways* hava yolları *by air* uçakla *in the open air* açık havada, açıkta *on the air* radyoda, dinlenebilir

aisle /ayl/ *a.* (sinema, uçak, vb.'de) ara yol, geçit

ajar /ı'ca:/ *s.* (kapı) yarı açık, aralık

akin /ı'kin/ *s.* benzer

alarm /ı'la:m/ *a.* alarm, korku *alarm clock* çalar saat

alas /ı'les/ *ünl.* vah! yazık! tüh!

albino /el'bi:nou/ *a.* akşın, çapar

album /'elbım/ *a.* albüm; uzunçalar

alcohol /'elkıhol/ *a.* alkol; alkollü içki *alcoholic* alkollü; ayyaş *alcoholism* alkolizm

ale /eyl/ *a.* (açık renkli) bir tür bira

alert /ı'lö:t/ *s.* tetik, uyanık * *a.* alarm

algebra /'elcıbrı/ *a. mat.* cebir

alias /'eyliıs/ *a.* takma ad * *be.* diğer adıyla

alibi /'elibay/ *a.* suçun işlenmesi sırasında başka yerde olduğunu kanıtlama

alien /'eyliın/ *a.* yabancı

align /ı'layn/ *e.* sıraya dizmek, aynı hizaya getirmek

alignment /ı'laynmınt/ *a.* sıraya dizme, düzenleme

alike /ı'layk/ *s.* aynı, benzer

alimentary /eli'mentıri/ *s.* beslenmeyle ilgili, besleyici *alimentary canal* sindirim borusu

alimony /'elimıni/ *a.* nafaka

alive /ı'layv/ *s.* canlı, hareketli

alkali /'elkılay/ *a. kim.* alkali

all /o:l/ *s.* bütün, tüm; her * *a.* her şey * *adl.* hep, hepsi; herkes; her şey * *be.* bütün bütün, tümüyle *above all* her şeyden önce, hepsinden çok *after all* her şeye karşın, yine de *at all* hiç, hiç de *for all* -e karşın *in all* topu topu, hepsi *not at all* bir şey değil, estağfurullah *all alone* yapayalnız, tek başına, yardımsız *all night* bütün gece süren/açık *all of a sudden* birdenbire, ansızın *all over* her tarafına, her tarafında; her tarafı(nı) her tarafta *all right* peki, tamam; fena değil, idare eder; (sağlığına) bir şey olmamış, iyi

Allah /'elı/ *a.* Allah

allegiance /ı'li:cıns/ *a.* bağlılık, sadakat

allegory /'eligıri/ *a.* kinaye

allergy /'elıci/ *a.* alerji; *kon.* hoşlanmama, sevmeme *allergic* alerjik; *kon.* nefret eden

alley /'eli/ *a.* dar yol

alliance /ı'layıns/ *a.* müttefik, bağlaşık

allied /'elayd/ *s.* müttefik, bağlaşık

alligator /'eligeytı/ *a. hayb.* timsah

alliteration /ılitı'reyşın/ *a. yaz.* aliterasyon

allocate /'elıkeyt/ *e.* paylaştırmak, dağıtmak *allocation* tahsisat, ödenek

allow /ı'lau/ *e.* izin vermek, bırakmak; kabul etmek; ayırmak, tahsis etmek; olanak vermek *allowable* izin verilebilir *allowance* izin; gelir, aylık, haftalık; indirim

alloy /'eloy/ *a.* metal alaşımı

allude /ı'lu:d/ *e.* dolaylı olarak anlatmak *allusion* dokundurma, ima, kinaye

ally /ı'lay/ *a.* müttefik ülke; dost, arkadaş * *e.* birleşmek; birleştirmek

almanac /'o:lmınek/ *a.* almanak, yıllık

almighty /o:l'mayti/ · *s.* her şeye kadir *the Almighty* Allah

almond /'a:mınd/ *a.* badem

almost /'o:lmoust/ *be.* hemen hemen, neredeyse

alms /a:mz/ *a.* sadaka

alone /ı'loun/ *s. be.* tek başına, yalnız *let/leave sb/sth alone* kendi haline bırakmak, ilişmemek

along /ı'long/ *be.* ileri, ileriye, yanına, yanında, birlikte * *ilg.* boyunca; süresince *all along* öteden beri *along with* ile birlikte *be along* gelmek, varmak *get along (with)* geçinmek, anlaşmak; gitmek

alongside /ılong'sayd/ *be.* yan yana * *ilg.* yanına, yanında amplify

aloof /ı'lu:f/ *be.* ayrı, uzakta
aloud /ı'laud/ *be.* yüksek sesle
alphabet /'elfibet/ *a.* alfabe, abece
   alphabetical alfabetik, abecesel
already /o:l'redi/ *be.* daha şim-
   diden, çoktan, bile, zaten
alright /o:l'rayt/ *be. bkz. all right*
also /'o:lsou/ *be.* de, da, dahi; hem
   de, üstelik
altar /'o:ltı/ *a.* sunak, kurban taşı
alter /'o:ltı/ *e.* değişmek; değiştir-
   mek *alteration* değiştirme;
   değişiklik
alternate /o:l'tö:nit/ *s.* (iki şey için)
   değişimli, bir o, bir öteki * *e.*
   birbirini ardından gelmek, bir-
   birini izlemek; sıra ile yapmak *on
   alternate days* günaşırı *alternate
   angles* ters açılar *alternating cur-
   rent* dalgalı akım
alternative /o:l'tö:nıtiv/ *s.* yerine
   geçebilen, başka * *a.* ikisinden
   birisini seçme; seçenek
although /o:l'tou/ *bağ.* her ne ka-
   dar, ise de, -e karşın
altitude /'eltityu:d/ *a.* (denizden)
   yükseklik; *coğ.* yükselti, rakım
alto /'eltou/ *a. müz.* alto
altogether /o:ltı'getı/ *be.* tamamen,
   tümüyle, bütün bütün
aluminium /elyu'minıım/ *a. kim.*
   alüminyum
always /'o:lwiz, 'o:lweyz/ *be.* her
   zaman, daima, hep
am /ım, em/ `*to be*` fiilinin `*I*` ile
   kullanılan biçimi, -ım, -im, -um,
   -üm
amateur /'emıtı/ *a.* amatör;
   deneyimsiz
amaze /ı'meyz/ *e.* hayrette bırak-
   mak *be amazed* şaşırmak *amaz-
   ing* şaşırtıcı *amazement* şaşkınlık
ambassador /em'besıdı/ *a.*
   büyükelçi
amber /'embı/ *a.* kehribar; kehribar
   rengi
ambience /'embııns/ *a.* bir yerin

havası, ambiyans
ambiguity /embi'gyu:iti/ *a.* anlam
   belirsizliği; çokanlamlı söz *am-
   biguous* belirsiz, muğlak; çokan-
   lamlı
ambition /em'bişın/ *a.* hırs, tutku
   ambitious hırslı, tutkulu; çok is-
   tekli
ambulance /'embyulıns/ *a.* cankur-
   taran
ambush /'embuş/ *e.* pusuya düşür-
   mek, tuzak kurmak * *a.* pusu, tu-
   zak
amen /a:'men/ *ünl.* amin
amenable /ı'mi:nıbıl/ *s.* uysal;
   uyumlu
amendment /ı'mendmınt/ *a.*
   değişiklik, düzeltme
amends /ı'mendz/ *a: make amends*
   tazmin etmek, telafi etmek
amenity /ı'mi:niti/ *a.* rahatlık, kon-
   for
amiable /'eynııbıl/ *s.* sevimli,
   samimi
amicable /'emikıbıl/ *s.* dostça
amid /ı'mid/ *ilg.* ortasında,
   arasında
ammonia /ı'mounıı/ *a.* amonyak
ammunition /emyu'nişın/ *a.*
   cephane, mühimmat
amnesia /em'ni:zıı/ *a. hek.* bellek
   yitimi
amnesty /'emnısti/ *a.* genel af
amoeba /ı'mi:bı/ *a. biy.* amip
amount /ı'maunt/ *a.* miktar; tutar,
   yekûn *amount to* olmak, etmek,
   varmak
ampere /'empiı/ *a. fiz.* amper
amphibian /em'fibıın/ *a. biy.* iki-
   yaşayışlı, amfibi; *ask.* yüzer-
   gezer, amfibi *amphibious* iki-
   yaşayışlı; amfibi, yüzergezer
amphitheatre /'emfitıtı/ *a.* am-
   fiteatr
ample /'empıl/ *s.* bol, yeterli; geniş,
   büyük
amplify /'emplifay/ *e.* ayrıntılarını

mek, güçlendirmek *amplification*
büyütme, genişletme; geniş
açıklama; yükseltme,
güçlendirme *amplifier tek.* am-
plifikatör, yükselteç
amplitude /'emplityu:d/ *a. fiz.* gen-
lik
ampoule /'empu:l/ *a. hek.* ampul
amulet /'emyulit/ *a.* muska, nazarlık
amuse /ı'myu:z/ *e.* eğlendirmek;
güldürmek *amusement* eğlence;
gülünçlük *amusing* eğlenceli,
güldürücü
an /ın, en/ *tnm.* (herhangi) bir
anaemia /ı'ni:mıı/ *a. hek.* kansızlık
anaesthesia /enis'ti:zıı/ *a.* anestezi,
uyuşturum, duyum yitimi
anaesthetic /enis'tetik/ *a. s.* uyuştu-
rucu
anaesthetist /ı'ni:stitist/ *a.* narkozcu
anaesthetize /ı'ni:stitayz/ *e.* anestezi
yapmak, narkoz vermek
anagram /'enıgrem/ *a.* (name-mean
gibi) çevrik sözcük, evirmece
analogous /ı'nelıgıs/ *s.* (to/with)
benzer; yakın, paralel
analogue /'enılog/ *a.* bir şeyin
benzeri olan şey
analogy /ı'nelıci/ *a.* benzerlik;
örnekseme
analyse /'enılayz/ *e.* analiz etmek,
çözümlemek
analysis /ı'nelisis/ *a.* çözümleme,
analiz etme, analiz, tahlil *analyst*
/'enılist/ analiz yapan kimse,
analist, *AE.* psikanalist, ru-
hçözümcü *analytical* /enı'litikıl/
çözümsel, analitik
anarchy /'enıki/ *a.* anarşi, kargaşa
anarchic anarşik *anarchism*
anarşizm, başsızlık, kargaşacılık
anatomy /ı'netımi/ *a.* anatomi,
yapıbilim *anatomical* anatomik,
yapısal
ancestor /'ensıstı/ *a.* ata, cet *an-
cestral* atalara ilişkin, atadan

kalma *ancestry* soy; atalar
anchor /'enkı/ *a.* gemi demiri,
çapa; güven veren şey/kimse,
güven kaynağı * *e.* demir atmak
anchovy /'ençıvi/ *a. hayb.* hamsi
ancient /'eynşınt/ *s.* çok eski; Ro-
malılar ve Yunanlılar zamanına
ait
ancillary /en'sihıri/ *s. tek.* yardımcı,
yan
and /ınd, ın, end/ *bağ.* ve; ile *and so
on* vesaire
anecdote /'enikdout/ *a.* eğlendirici
kısa öykü, fıkra, anekdot
angel /'eyncıl/ *a.* melek; melek gibi
kimse
angelica /en'celikı/ *a. bitk.* mele-
kotu
anger /'engı/ *a.* öfke, kızgınlık,
hiddet * *e.* kızdırmak
angle /'engıl/ *a.* açı; köşe; bakım;
görüş, açı; olta * *e.* oltayla balık
tutmak *acute angle* dar açı *right
angle* dik açı *obtuse angle* geniş
açı
Anglican /'englikın/ *a. s.* Anglikan
angry /'engrı/ *s.* kızgın, öfkeli;
dargın
anguish /'engwiş/ *a.* şiddetli acı
angular /'engyulı/ *s.* köşeli, açılı,
sivri; bir deri bir kemik, sıska
animal /'enimıl/ *a.* hayvan * *s.*
hayvani
animate /'enimeyt/ *e.* canlandırmak
animated hareketli; canlı *ani-
mated cartoon* çizgi film *anima-
tion* animasyon, çizgi film;
canlılık
animosity /eni'mositi/ *a.* kin,
düşmanlık
ankle /'enkıl/ *a.* ayak bileği, topuk
annex /ı'neks/ *e.* istila etmek,
müsadere etmek, eklemek *an-
nexation* müsadere, ilhak
annexe /'eneks/ *a.* ek yapı,
müştemilat, ek
annihilate /ı'nayıleyt/ *e.* yok etmek

annihilation yok etme

anniversary /eni'vö:sırı/ *a.* yıldönümü

annotate /'enıteyt/ *e.* notlar koymak, çıkmalar yapmak

announce /ı'nauns/ *e.* bildirmek, duyurmak *announcement* bildiri, duyuru *announcer* spiker

annoy /ı'noy/ *e.* rahatsız etmek, canını sıkmak; kızdırmak *annoyance* rahatsızlık, sıkıntı; baş belası, dert *annoying* can sıkıcı

annual /'enyuıl/ *s.* yıllık, yılda bir kez

annuity /ı'nyu:iti/ *a.* yıllık maaş, yıllık emekli maaşı

annul /ı'nal/ *e.* yürürlükten kaldırmak, bozmak *annulment* yürürlükten kaldırma

anode /'enoud/ *a.* anot, artıuç

anomalous /ı'nomılıs/ *s.* normal olmayan, anormal

anonymous /ı'nonımıs/ *s.* anonim, adsız, yazarı bilinmeyen

anorak /'enırek/ *a.* anorak, parka

another /ı'natı/ *s.* başka bir; başka, diğer, öbür * *adl.* bir başkası; başkası; diğeri, öbürü *one after another* birbiri arkasından *one another* birbirini

answer /'a:nsı/ *a.* yanıt, cevap, karşılık; (problem) cevap, sonuç * *e.* yanıtlamak, karşılık vermek; (çağrılınca) gitmek, gelmek; (kapıya/telefona) bakmak *answer back* terbiyesizce cevap vermek *answerable (to, for)* sorumlu

ant /ent/ *a. hayb.* karınca

antagonism /en'tegınızm/ *a.* düşmanlık, kin *antagonist* hasım, rakip

antagonize /en'tegınayz/ *e.* düşman etmek

antarctic /en'ta:ktik/ *s.* Güney Kutbuyla ilgili *the Antarctic* Güney Kutbu ve çevresi, Antarktika

antecedent /enti'si:dınt/ *s.* önceki *

a. bir olaydan önce olan olay; *dilb.* adılın yerini tutan ad, öncül

antelope /'entiloup/ *a. hayb.* antilop

antenatal /enti'neytıl/ *s.* doğum öncesi

antenna /en'tenı/ *a.* anten; *hayb.* duyarga, anten

anthem /'entım/ *a.* şükran ve sevinç duası *national anthem* ulusal marş

anther /'entı/ *a. bitk.* başçık

anthology /en'tolıci/ *a.* antoloji, seçki

anthracite /'entrısayt/ *a.* antrasit, parlak kömür

anthrax /'entreks/ *a. hek.* şarbon, karakabarcık

anthropoid /'entrıpoyd/ *s.* insan benzeri, insansı, maymunsu

anthropology /entrı'polıci/ *a.* antropoloji, insanbilim

anthropologist /entrı'polıcist/ *a.* antropolog, insanbilimci

antiaircraft /'entieıkra:ft/ *a. s.* uçaksavar

antibiotic /entibay'otik/ *a.* antibiyotik

antibody /'entibodi/ *a.* antikor

anticipate /en'tisipeyt/ *e.* ummak, beklemek *anticipation* umma, bekleme

anticlockwise /enti'klokwayz/ *be. s.* saat yelkovanının döndüğü yönün tersine

antics /'entiks/ *a.* maskaralık, soytarılık

antidote /'entidout/ *a.* panzehir, karşıtağı

antifreeze /'entifri:z/ *a.* antifriz, donmaönler

antigen /'enticın/ *a. biy.* antijen, bağıştıran

antipathy /en'tipıti/ *a.* hoşlanmama, antipati, sevmezlik *antipathetic* /entipı'tetik/ hoşlanılmayan, beğenilmeyen, antipatik, sevimsiz

antiquarian /enti'kweırıın/ a. antika meraklısı, antikacı

antiquated /'entikweytid/ s. eski, modası geçmiş; yaşı ilerlemiş

antique /en'ti:k/ s. antik; eski moda; antika * a. Eski Yunan ya da Roma sanatı; antika eşya *antiquity* /en'tikwiti/ eski çağlar, eski yapıtlar

antiseptic /enti'septik/ a. s. antiseptik, arıtkan

antitank /'entitenk/ a. s. ask. tanksavar

antithesis /en'titisis/ a. tezat, karşıtlık; antitez, karşısav

antonym /'entınim/ a. dilb. zıt/karşıt anlamlı sözcük

anus /'enıs/ a. anat. anüs, makat

anvil /'envil/ a. örs kemiği

anxiety /eng'zayıti/ a. tasa, kaygı, korku; şiddetli istek

anxious /'enkşıs/ s. kaygılı, üzüntülü; çok istekli

any /'eni/ s. herhangi bir, bir; hiç; bazı, birkaç *any longer* artık, daha fazla *any more* daha çok, biraz daha *in any case* ne olursa olsun

anybody /'enibodi/ adl. (bir) kimse, birisi; herkes; hiç kimse *anybody else* başka birisi

anyhow /'enihau/ adl. hiçbir şekilde, ne olursa olsun; her şeye karşın, yine de; nasıl olsa, nasılsa

anyone /'eniwan/ adl. bkz. *anybody*

anything /'eniting/ adl. (herhangi) bir şey; hiçbir şey; her şey, ne olsa *anything but* hiç değil, -den çok uzak *anything else* başka bir şey *like anything* kon. deli gibi, çılgınca

anyway /'eniwey/ be. kon. ne olursa olsun, yine de; neyse, her neyse

anywhere /'eniwcı/ be. her/hiç bir yerde/yere; neresi/nereye/nerede olursa olsun

aorta /ey'o:tı/ a. aort, ana atardamar

apart /ı'pa:t/ be. ayrı; bir yana, bir yanda *apart from* -den başka *joking apart* şaka bir yana

apartheid /ı'pa:theyt/ a. ırk ayrımı

apartment /ı'pa:tmınt/ a. AE. daire; BE. lüks daire, apartman dairesi *apartment house* AE. apartman

apathy /'epıti/ a. duygusuzluk, duyarsızlık; ilgisizlik *apathetic* duygusuz, duyarsız; ilgisiz

ape /eyp/ a. (kuyruksuz) maymun

aperitif /ıperi'ti:f/ a. aperitif, açar

aperture /'epıçı/ a. açık, delik, boşluk

apex /'eypeks/ a. (kon. *apexes, apices* /'eypisi:z/) zirve, doruk; uç, tepe

aphrodisiac /efrı'diziek/ a. s. afrodizyak

apiculture /'eypikalçı/ a. arıcılık

apiece /ı'pi:s/ be. her biri(ne); adam başı; tanesi

apish /'eypiş/ s. maymun gibi; salak

apocalypse /ı'pokılips/ a. kıyamet, dünyanın sonu

apologetic /ıpolı'cetik/ s. özür dileyen; savunan, savunmalı

apologize /ı'polıcayz/ e. özür dilemek

apology /ı'polıci/ a. özür; mazeret

apoplexy /'epıpleksi/ a. hek. felç, inme; beyin kanaması

apostle /ı'posıl/ a. 12 havariden biri

apostrophe /ı'postrıfi/ a. dilb. kesme işareti, apostrof

appal /ı'po:l/ e. şoka uğratmak, sarsmak *appalling* korkunç; kon. berbat, rezil

apparatus /epı'reytıs/ a. alet, cihaz

apparent /ı'perınt/ s. açık, ortada *apparently* görünüşe göre, anlaşılan

appeal /ı'pi:l/ e. yalvarmak, daha yüksek bir mahkemeye başvurmak; hoşuna gitmek, sarmak * a. yalvarış, yakarış; cazibe, çekicilik, alımlılık; daha yüksek bir mahkemeye başvurma **appealing** çekici, hoş, tatlı; duygulandırıcı, dokunaklı

appear /ı'pıı/ *e.* görünmek, ortaya çıkmak; varmak, gelmek; gibi görünmek **appearance** ortaya çıkma, göze görünme; görünüş, görünüm

appease /ı'pi:z/ *e.* gidermek, dindirmek, yatıştırmak; tatmin etmek

append /ı'pend/ *e.* eklemek

appendicitis /ıpendi'saytis/ *a. hek.* apandisit, ekbağırsak yangısı

appendix /ı'pendiks/ *a. (ç. -es, -dices* /disi:z/) ek, ek bölüm; apandis, körbağırsak

appetite /'epitayt/ *a.* iştah, arzu; şehvet

appetizer /'epitayzı/ *a.* iştah açıcı yiyecek, meze, çerez **appetizing** iştah açıcı

applaud /ı'plo:d/ *e.* alkışlamak; beğenmek, onaylamak, benimsemek

applause /ı'plo:z/ *a.* alkış

apple /'epıl/ *a.* elma

appliance /ı'playıns/ *a.* alet, araç

applicable /ı'plıkıbıl/ *s.* uygulanabilir

applicant /'eplikınt/ *a.* başvuran kişi, aday, istekli

application /epli'keyşın/ *a.* başvuru; uygulama, uygulamaya koyma; merhem, sürme; ilaç **application form** başvuru formu

apply /ı'play/ *e.* başvurmak; uygulamak; sürmek, koymak **applied** uygulamalı

appoint /ı'poynt/ *e.* atamak, görevlendirmek, tayin etmek; kararlaştırmak, saptamak **appointment** randevu, iş, görev

appraise /ı'preyz/ *e.* değer biçmek

appreciable /ı'prı:şıbıl/ *s.* fark edilir, kayda değer

appreciate /ı'prı:şieyt/ *e.* değer biçmek; takdir etmek, değerini bilmek; farkında olmak **appreciation** minnettarlık, teşekkür; takdir, değerlendirme

appreciative /ı'prı:şıtiv/ *s.* değer bilen; anlayan, beğenen

apprehend /eprı'hend/ *a.* anlamak, kavramak; *huk.* tutuklamak

apprehension /eprı'henşın/ *a.* anlayış, kavrayış; korku; *huk.* tutuklama **apprehensive** *(of)* korkan, endişeli; kuruntulu

apprentice /ı'prentis/ *a.* çırak * *e.* çırak olarak vermek **apprenticeship** çıraklık; çıraklık süresi

approach /ı'prouç/ *e.* yaklaşmak, yanaşmak; ele almak, ile konuşmak; başvurmak * *a.* yaklaşma, yanaşma; yol, geçit; ele alış biçimi, yaklaşım **approachable** yaklaşabilir, cana yakın, dostça

appropriate /ı'prouprieyt/ *e.* (for) ayırmak, tahsis etmek; kendine mal etmek, kendine ayırmak; çalmak

appropriate /ı'prouprıit/ *s.* uygun

approval /ı'pru:vıl/ *a.* onama, onaylama; uygun bulma, tasvip; resmi izin, onay **on approval** beğenilmediğinde geri verilmek koşuluyla

approve /ı'pru:v/ *e.* onaylamak, onamak, uygun bulmak, tasvip etmek **approvingly** onaylayarak

approximate /ı'proksimit/ *s.* yaklaşık **approximately** yaklaşık olarak

apricot /'eyprıkot/ *a.* kayısı; zerdali

April /'eyprıl/ *a.* nisan **April fool** 1 nisanda aldatılan kimse **April Fools' Day** 1 nisan

apron /'eyprın/ *a.* önlük **tied to sb's apron** birine aşırı bağlı

apt /ept/ *s.* eğilimli, yatkın; uygun, yerinde; çabuk kavrayan **aptly**

uygun bir biçimde, yerinde
aptitude /'eptityu:d/ *a.* yetenek
aqualung /'ekwılang/ *a.* dalgıç ok-
sijen tüpü
aquarium /ı'kweırıım/ *a.* akvaryum
Aquarius /ı'kweırııs/ *a.* Kova (burcu)
aquatic /ı'kwotik/ *s.* suda yaşayan;
suyla ilgili **aquatic sports** su
sporları
aqueduct /'ekwidakt/ *a.* sukemeri ·
arable /'erıbıl/ *s.* tarıma uygun,
ekilebilir
arbitrary /'a:bitrırı/ *s.* isteğe bağlı,
keyfi
arbitrate /a:bi'treyt/ *e.* (hakem
sıfatıyla) karar vermek **arbitra-
tion** sorun ya da anlaşmazlığın
hakem kararıyla çözümü **arbi-
trator** yansız aracı, hakem
arbour /'a:bı/ *a.* çardak, gölgelik
arc /a:k/ *a.* kavis, yay
arcade /a:'keyd/ *a.* pasaj, kemeraltı
arch /a:ç/ *a.* kemer altı, pasaj
archaeology /a:ki'olıcı/ *a.* arkeoloji,
kazıbilim **archaeological**
/a:kiı'locikıl/ arkeolojik,
kazıbilimsel **archaeologist**
arkeolog, kazıbilimci
archaic /a:'keyik/ *s.* modası geçmiş,
eski
archbishop /a:ç'bışıp/ *a.* başpisk-
opos
archer /'a:çı/ *a.* okçu **archery**
okçuluk
archipelago /a:ki'pelıgou/ *a.*
takımadalar
architect /'a:kitekt/ *a.* mimar
architectural /a:ki'tekçırıl/ *s.* mimari
architecture /'a:kitekçı/ *a.* mimarlık,
mimari
archives /'a:kayvz/ *a.* resmi evrak,
arşiv
archway /'a:çwey/ *a.* kemerli geçit
arctic /'a:ktik/ *s.* Kuzey Kutbuyla
ilgili **the Arctic** Kuzey Kutbu
ardent /'a:dınt/ *s.* ateşli, coşkun
ardour /'a:dı/ *a.* gayret, istek; heye-

can, heves, azim
arduous /a:'dyuıs/ *s.* güç, yorucu
are /ı, a:/ *e.* -sin, -iz, -siniz; -dirler
area /'eırıı/ *a.* alan, bölge,
yüzölçümü
arena /ı'ri:nı/ *a.* arena, oyun alanı
argue /'a:gyu:/ *e.* tartışmak,
atışmak; kanıtlamaya çalışmak;
neden olarak göstermek **argue
against** karşı çıkmak **argue for** -i
savunmak
argument /'a:gyumınt/ *a.* tartışma,
münakaşa, anlaşmazlık; tez,
kanıt, sav, düşünce **argumenta-
tive** /a:gyu'mentıtiv/ tartışmayı
seven
aria /'a:rıı/ *a. müz.* arya
arid /'erid/ *s.* kurak, kıraç
Aries /'eırı:z/ *a.* Koç burcu; Koç
Takımyıldızı
arise /ı'rayz/ *e.* **arose** /ı'rouz/,
arisen /ı'rızın/ yükselmek; baş
göstermek; ortaya çıkmak; ileri
gelmek, kaynaklanmak; (**from/out
of**) çıkmak
arisen /ı'rızın/ *bkz.* **arise**
aristocracy /eri'stokrısı/ *a.* soylular
sınıfı; aristokrasi
aristocrat /'eristıkret/ *a.* soylu,
aristokrat
arithmetic /ı'ritmıtik/ *a. s.* arit-
metik; ölçme, sayma, hesap;
aritmetiksel
ark /a:k/ *a.* Nuh'un gemisi
arm /a:m/ *a.* kol; giysi/koltuk kolu;
güç; otorite; dal, şube **arm in
arm** kol kola **at arm's length** kol
boyu uzaklıkta **keep sb at arm's
length** soğuk davranmak, yüz
vermemek
arm /a:m/ *e.* silahlandırmak, savaşa
hazırlamak
armada /a:'madı/ *a.* donanma, deniz
kuvvetleri
armament /'a:mımınt/ *a.* silah-
lanma; silahlandırma, donatım,
teçhizat; *kon.* silahlar; *kon.* silahlı

kuvvetler

armchair /'a:mçeı/ *a.* koltuk

armed /a:md/ *s.* silahlı *armed forces* silahlı kuvvetler

armistice /'a:mistis/ *a.* ateşkes

armour /'a:mı/ *a.* zırh; zırhlı güçler

armoured /'a:mıd/ *s.* zırhlı *armoured car* zırhlı araba *armoured division* zırhlı tümen

armpit /'a:mpit/ *a.* koltuk altı

arms /a:mz/ *a.* silahlar; cephane *arms race* silahlanma yarışı *under arms* silah altında, silahlanmış

army /'a:mi/ *a.* ordu, kara ordusu; kalabalık, sürü *army corps* kolordu *enter/join the army* askere gitmek, asker olmak

aroma /ı'roumı/ *a.* güzel koku, aroma *aromatic* /en'metik/ güzel kokulu

arose /ı'rouz/ *bkz.* **arise**

around /ı'raund/ *ilg.* çevresin(d)e; dolayında, yakınında; ötesinde berisinde, sağında solunda, sağına soluna; sıralarında, sularında * *be.* çevrede, ortalıkta; her yanına, çevresine; ötede beride, öteye beriye; aşağı yukarı, yaklaşık; arkaya, geriye *all around* çepçevre, dört yandan *have been around* çok deneyimli olmak, görmüş geçirmiş olmak *up and around* hastalıktan kalkmış, iyileşmiş

arouse /ı'rauz/ *e.* uyandırmak; canlandırmak, harekete geçirmek

arrange /ı'reync/ *e.* dizmek, düzeltmek; düzenlemek, ayarlamak; kararlaştırmak, saptamak; halletmek, çözümlemek *arrangement* düzenleme; anlaşma; *müz.* uyarlama, düzenleme; *kon.* hazırlık

array /ı'rey/ *a.* sıra, düzen; sergi * *e.* sıraya koymak, dizmek

arrears /ı'rıız/ *s.* gecikmiş borç;

gecikmiş ve yapılmayı bekleyen iş

arrest /ı'rest/ *e.* tutuklamak; yakalamak; durdurmak, önlemek * *a.* tutuklama

arrival /ı'rayvıl/ *a.* geliş, varış; gelen

arrive /ı'rayv/ *e.* varmak, gelmek; dönmek; (zaman) gelmek, gelip çatmak

arrogant /'engınt/ *s.* kendini beğenmiş, küstah *arrogance* kibir, kendini beğenme

arrow /'erou/ *a.* ok; ok işareti

arsenal /'a:sınıl/ *a.* cephanelik

arsenic /'a:sınik/ *a. kim.* arsenik

arson /'a:sın/ *a.* kundakçılık, yangın çıkarma *arsonist* kundakçı

art /a:t/ *a.* sanat; sanat ürünü; deneyim; ustalık; *kon.* güzel sanatlar *Bachelor of Arts* Edebiyat Fakültesi mezunu *fine arts* güzel sanatlar *liberal arts* toplumsal bilimler *Master of Arts* lisansüstü öğretim görmüş Edebiyat Fakültesi mezunu *work of art* sanat yapıtı

artery /'a:tırı/ *a. hek.* atardamar, arter; merkez yol *arterial* atardamarla ilgili

artesian well /a:ti:zıın'wel/ *a.* artezyen kuyusu

artful /'a:tfıl/ *s.* aldatıcı, hileci; akıllıca düşünülmüş, beceriyle yapılmış

arthritis /a:'traytis/ *a. hek.* kireçlenme, eklem yangısı

artichoke /'a:tiçouk/ *a.* enginar *Jerusalem artichoke* yerelması

article /'a:tikıl/ *a.* eşya, parça; makale, yazı; madde, fıkra; *dilb.* artikel, tanımlık *leading article* başyazı

articulate /a:'tikyulit/ *s.* açık seçik, anlaşılır; düşünce ve duygularını rahatça dile getirebilen; eklemli, boğumlu * /a:'tikyuleyt/ *e.* açık seçik konuşmak, tane tane söylemek; eklemlerle birleştirmek **articulation** dilb. boğumlanma; eklem

artificial /a:ti'fişil/ s. yapay, suni; yapmacık, yalancı **artificial insemination** suni döllenme **artificial respiration** suni solunum

artillery /a:'tılıri/ a. ask. topçu sınıfı, toplar

artisan /a:ti'zen/ a. zanaatçı, esnaf

artist /'a:tist/ a. sanatçı, artist; ressam **artistic** sanatsal, artistik

artless /'a:tlis/ s. doğal; içten, yalın

as /ız, ez/ be. aynı derecede, o kadar; örneğin, sözgelimi * **bağ**. -dığı sıra, -ken; -den dolayı; -dığı halde; -e karşın; -dığı gibi; gibi * ilg. olarak; gibi **as a rule** genellikle **as ... as ... ...** kadar **as follows** aşağıdaki gibi **as for** -e gelince **as if/though** -miş gibi, sanki **as is** olduğu gibi **as it is** gerçekte, hakikatte **as it were** bir yerde, bir bakıma **as long as** sürece, -dikçe, -mek koşuluyla, yeter ki **as regards** ... konusunda; ... ile ilgili olarak; -e göre **as to** konusunda, -le ilgili olarak; -e göre **as usual** her zamanki gibi **as well** de, da **as yet** şu ana kadar, şimdiye dek **so as** için, amacıyla, -cek biçimde **such as** gibi

asbestos /es'bestıs/ a. kim. asbest, amyant

ascend /ı'send/ e. yükselmek; tırmanmak, çıkmak

ascendancy /ı'sendınsi/ a. üstünlük, nüfuz, güç

ascent /ı'sent/ a. yükselme, tırmanma; yol, yokuş, yamaç

ascertain /esı'teyn/ e. doğrusunu bulmak, araştırmak

ascetic /ı'setik/ s. kendini her türlü dünyevi zevkten/işten soyutlamış

ascribe /ı'skrayb/ e. (to) atfetmek, yüklemek, -e yormak

ash /eş/ a. kül; dişbudak ağacı

ashes /'eşiz/ a. yakılmış cesedin külleri

ashamed /ı'şeymd/ s. utanmış, mahcup

ashen /'eşın/ s. kül renginde; küllü

ashore /ı'şo:/ be. kıyıda, kıyıya, karada, karaya

ashtray /'eştrey/ a. kül tablası

Asia /'ey'şı/ a. Asya **Asian, Asiatic** Asya ile ilgili, Asyalı

aside /ı'sayd/ be. bir yana; kenara, yana

asinine /'esinayn/ s. aptalca, saçma

ask /a:sk/ e. sormak; rica etmek, istemek; çağırmak, davet etmek **ask for** istemek, aramak

askew /ı'skyu:/ be. yanlamasına

asleep /ı'sli:p/ s. uykuda; uyumakta

asparagus /ı'sperıgıs/ a. bitk. kuşkonmaz

aspect /'espekt/ a. görünüş; bakım, yön

asperity /e'speriti/ a. sertlik, haşinlik; kötü söz, davranış

aspersion /ı'spö:şın/ a. iftira, kara çalma

asphalt /'esfelt/ a. asfalt * e. asfaltlamak

aspiration /espi'reyşın/ a. tutku, istek

aspire /ı'spayı/ e. çabalarını bir amaca yöneltmek, çok istemek

ass /es/ a. eşek; kon. aptal, salak

assail /ı'seyl/ e. saldırmak **assailant** saldırgan

assassinate /ı'sesineyt/ e. suikast yapmak **assassin** suikastçı **assassination** suikast, cinayet

assault /ı'so:lt/ e. vahşice saldırmak * a. ani saldırı, tecavüz

assemble /ı'sembıl/ e. toplamak; toplanmak; kurmak, takmak

assembly /ı'sembli/ a. toplantı, montaj **assembly line** montaj hattı

assert /ı'sö:t/ e. ileri sürmek, savunmak **assertion** iddia, açıklama, bildiri **assertive** iddialı, hakkını savunan

assess /ı'ses/ *e.* değer biçmek; vergi koymak

asset /'eset/ *a.* servet, varlık, mal; *kon.* aktif, alacak **assets and liabilities** alacak verecek **real assets** taşınmaz mallar

assiduous /ı'sidyuıs/ *s.* çalışkan

assign /ı'sayn/ *e.* ayırmak, vermek, atamak, seçmek **assignment** görev; ayırma

assimilate /ı'simileyt/ *e.* özümlemek, sindirmek **assimilation** özümseme, sindirim

assist /ı'sist/ *e.* yardım etmek; yardımcı olmak **assistance** yardım, destek **assistant** yardımcı, asistan

assize /ı'sayz/ *a.* yargılama, muhakeme

associate /ı'souşieyt/ *e.* birleştirmek; birleşmek; arkadaşlık etmek * *a.* ortak çalışma arkadaşı

association /ısousi'eyşın/ *a.* dernek, kurum, birlik; çağrışım **association football** futbol

assort /ı'so:t/ *e.* sınıflandırmak, ayırmak **assorted** çeşitli **assortment** tasnif, sınıflandırma; cins, çeşit

assume /ı'syu:m/ *e.* varsaymak, farz etmek; (iş, görev) üzerine almak; üstlenmek; almak, takınmak

assumption /ı'sampşın/ *a.* üzerine alma; farz, zan; azamet, kibir

assurance /ı'şuırıns/ *a.* güven, özgüveni; teminat, güvence; sigorta

assure /ı'şuı/ *e.* inandırmaya çalışmak; güven vermek, garanti etmek; inandırmak; sigortalamak **assured** kendine güvenen, kendinden emin

asterisk /'estırisk/ yıldız imi

asteroid /'estıroyd/ *a.* Mars ve

Jüpiter arasındaki çok küçük gezegenlerden biri

asthma /'esmı/ *a.* astım **asthmatic** astımlı

astigmatism /ı'stigmıtizım/ *a. hek.* astigmatizm, astigmatlık

astonish /ı'stoniş/ *e.* çok şaşırtmak, hayrete düşürmek **be astonished** hayret etmek **astonishing** hayret verici, şaşırtıcı **astonishment** hayret, şaşkınlık

astound /ı'staund/ *e.* hayretler içinde bırakmak

astray /ı'strey/ *s. be.* doğru yoldan çıkmış, sapıtmış

astride /ı'strayd/ *be.* bacakları iki yana açık olarak

astrology /ı'strolıci/ *a.* astroloji, yıldızbilim **astrologer** yıldızbilimci

astronaut /'estrıno:t/ *a.* astronot

astronomy /ı'stronımi/ *a.* astronomi, gökbilim **astronomer** gökbilimci

astronomical /estrı'nomikıl/ *s.* astronomik, gökbilimsel; çok fazla, aşırı

astute /ı'styu:t/ *s.* akıllı, cin gibi

asylum /ı'saylım/ *a.* sığınak, barınak; himaye, koruma **political asylum** siyasi iltica, sığınma

at /ıt; et/ *ilg.* -de, -da, -e, -a, -ye, -ya

ate /et, eyt/ *bkz.* **eat**

atheism /'eytiizım/ *a.* ateizm, tanrıtanımazlık **atheist** ateist, tanrıtanımaz

athlete /'etli:t/ *a.* atlet, sporcu

athletic /et'letik/ *s.* atletik, atletizmle ilgili; bedence güçlü, atletik **athletics** atletizm

atlas /'etlıs/ *a.* atlas

atmosphere /'etmısfiı/ *a.* atmosfer, havaküre, gazyuvar; çevre, hava

atmospheric /etmıs'ferik/ *s.* atmosferle ilgili, atmosferik

atom /'etım/ *a.* atom, öğecik; zerre

atom bomb atom bombası
atomic /ı'tomik/ atomik, atomal
atomic energy atom enerjisi
atomic number atom sayısı
atomic pile/reactor nükleer reaktör **atomic weight** atom ağırlığı
atone /ı'toun/ e. gönlünü almak, -i telafi etmek
atrocious /ı'trouşıs/ s. zalim; berbat
attach /ı'teç/ e. bağlamak, iliştirmek, bitiştirmek, takmak; yapıştırmak **attachment** bağ; bağlılık, sevgi
attache /ı'teşey/ a. ataşe
attack /ı'tek/ e. saldırmak, basmak; eleştirmek; çatmak; (işe) girişmek * a. saldırı; nöbet, kriz
attain /ı'teyn/ e. elde etmek, erişmek
attempt /ı'tempt/ e. kalkışmak, girişmek, yeltenmek, çalışmak, denemek * a. girişim, kalkışma; çaba, deneme
attend /ı'tend/ e. bakmak, ilgilenmek; hazır bulunmak, katılmak, gitmek; eşlik etmek **attendance** hazır bulunma, katılma, gitme; eşlik **attendant** yardımcı, hizmetçi; görevli
attention /ı'tenşın/ a. dikkat, özen; bakım, ilgi **pay attention** dikkatini vermek, kulak vermek, dinlemek
attentive /ı'tentiv/ s. dikkatli; nazik, kibar
attest /ı'test/ e. ispat etmek, kanıtlamak; tasdik etmek, doğrulamak
attic /'etik/ a. çatı odası, tavan arası
attire /ı'tayı/ e. giydirmek, süslemek, donatmak * a. elbise, üst baş, kıyafet
attitude /'etityu:d/ a. davranış, tutum; duruş, durum; fikir, düşünce
attorney /ı'tö:ni/ a. vekil, yetkili; dava vekili, avukat **attorney gen-**

eral başsavcı
attract /ı'trekt/ e. cezbetmek, çekmek **attraction** cazibe, çekim; alımlılık, çekicilik, cazibe **attractive** çekici, cazip
attribute /ı'tribyu:t/ e. (to) atfetmek, bağlamak, vermek
attribute /'etribyu:t/ a. özellik, nitelik
aubergine /'oubiji:n/ a. BE. patlıcan
auburn /'o:bın/ a. s. kestanerengi; (saç) kumral
auction /'o:kşın/ a. mezat, açık artırma ile satış **by auction** açık artırma ile **auctioneer** mezat tellalı
audacious /o:'deyşıs/ s. gözü pek, atılgan; arsız, yüzsüz
audible /'o:dibıl/ s. duyulabilir, işitilir
audience /'o:diıns/ a. dinleyiciler, izleyiciler, seyirciler; resmi görüşme; duruşma
audio /'o:diou/ önek işitme ile ilgili, işitsel **audio-visual** işitsel-görsel
audit /'o:dit/ a. (yıllık) hesap denetimi **auditor** murakıp, denetçi
auditorium /o:di'to:rıım/ a. konferans salonu, konser salonu
augment /o:g'ment/ e. artırmak
August /'o:gıst/ a. ağustos
aunt /a:nt/ a. teyze; hala; (dayı/amca karısı) yenge **auntie** kon. teyze, hala, yenge
au pair /ou'peı/ a. yaptığı ev işlerine karşılık bir aile yanında kalan kız
aura /'o:rı/ a. hava, gizemli ortam; izlenim **aural** işitsel
auspices /'o:spisiz/ a. yardım, destek
austere /o'stiı/ s. hoşgörüsüz, sert; çetin, zor; yalın, süssüz **austerity** sertlik, güçlük; ciddiyet, katılık; idareli geçinme
authentic /o:'tentik/ s. esas, asıl,

doğru, otantik **authenticate**
gerçekliğini/doğruluğunu kanıt-
lamak; belgelemek **authenticity**
gerçek olma özelliği, doğruluk
author /'o:tı/ a. yazar; yaratıcı,
yapan **authorship** yazarlık
authoritative /o:'torıtıtiv/ s. otori-
ter, sözünü geçirir; yetkili; güve-
nilir, inanılır
authority /o:'toriti/ a. otorite,
yetkili; bilirkişi, uzman
authorize /'o:tırayz/ e. izin vermek;
yetki vermek; onaylamak
autobiography /o:tıbay'ogrıfı/ a.
özyaşamöyküsü, özgeçmiş
autocracy /o:'tokrısi/ a. otokrasi,
saltıkçı yönetim **autocrat**
/'o:tıkret/ otokrat, saltıkçı **auto-
cratic** /o:tı'kretik/ zorba
autograph /'o:tıgra:f/ a. (ünlü) bir-
inin imzası * e. (kitap, vb.)
imzalamak
automate /'o:tımeyt/ e. otomatik-
leştirmek, makineleştirmek
automatic /o:tı'metik/ s. otomatik,
farkında olmadan yapılan; istenç
dışı **automatically** otomatik
olarak, kendiliğinden
automation /o:tı'meyşın/ a. tek.
otomasyon
automobile /'o:tımıbi:l/ a. AE. oto-
mobil, araba
autonomous /o:'tonımıs/ s. özerk
autonomy /o:'tonımı/ a. özerklik
autopsy /o:'topsi/ a. otopsi
autumn /'o:tım/ a. sonbahar, güz
auxiliary /o:g'zilyırı/ s. a. yardımcı
auxiliary verb dilb. yardımcı fiil
available /ı'veylıbıl/ s. mevcut, elde;
işe yarar, kullanılabilir, elde
edilebilir **availability** hazır bu-
lunma; işe yararlık; elde edile-
bilirlik
avalanche /'evıla:nş/ a. çığ
avenge /ı'venc/ e. öcünü almak
avenue /'evinyu:/ a. bulvar, geniş
cadde

average /'evıric/ a. s. ortalama, orta
* e. ortalamasını almak
averse /ı'vö:s/ s. karşı, muhalif,
isteksiz
aversion /ı'vö:şın/ a. nefret, tiksinti
avert /ı'vö:t/ e. başka yöne çevir-
mek; önlemek
aviary /'eyvıırı/ a. kuşhane
aviation /eyvi'eyşın/ a. havacılık
avocado /evı'ka:dou/ a. bitk. avo-
kado, amerikaarmudu
avoid /ı'voyd/ e. uzak durmak,
kaçınmak, sakınmak; önüne
geçmek, kurtarmak **avoidable**
uzak durulabilir, kaçınılabilir
await /ı'weyt/ e. beklemek
awake /ı'weyk/ e. **awoke** /ı'wouk/
uyandırmak, uyanmak * s. uy-
anık
awaken /ı'weykın/ e. **awoke**
/ı'wouk/ uyandırmak, uyanmak
award /ı'wo:d/ e. ödül; hüküm,
karar * e. (ödül, vb.) vermek;
hükmetmek, verilmesini istemek
aware /ı'weı/ s. farkında, haberdar,
bilir **awareness** farkında olma
away /ı'wey/ be. uzağa, uzakta; -
den, -dan; deplasmanda * s.
uzak, deplasmanda oynanan;
başka yerde, yok **far away** çok
uzakta **right away** hemen **play
away** deplasmanda oynamak **take
away** alıp götürmek, kaldırmak
awe /o:/ a. (saygıdan ileri gelen)
korku
awesome /'o:sım/ s. korku veren
awful /'o:fıl/ s. korkunç; kon. ber-
bat, rezil **awfully** çok, oldukça
awhile /ı'wayl/ be. kısa bir süre,
biraz
awkward /'o:kwıd/ s. kullanımı zor,
kullanışsız; uygunsuz; sakar; be-
ceriksiz
awoke /ı'wouk/ bkz. **awake**
awl /o:l/ a. biz, tığ
axe /eks/ a. balta * e. baltayla
budamak; (gider, vb.) azaltmak,

kısmak
axiom /'eksıım/ *a.* aksiyom, belit
axis /'eksis/ *a.* eksen
axle /'eksıl/ *a.* dingil, mil
azure /'ejı/ *a. s.* gök mavisi

B

babble /'bebıl/ *e.* gevezelik etmek,
saçmalamak; mırıldanmak * *a.*
gevezelik, boşboğazlık; mırıltı
babe /beyb/ *a.* bebek
baboon /bı'bu:n/ *a.* köpek may-
munu
baby /'beybi/ *a.* bebek; hayvan
yavrusu *babyish* çocuksu *baby-
sit* çocuk bakıcılığı yapmak *baby-
sitter* çocuk bakıcısı
bachelor /'beçılı/ *a.* bekâr erkek;
üniversite mezunu
bacillus /bı'silıs/ *a.* basil, çomak
bakteri; *kon.* bakteri
back /bek/ *a.* arka, sırt; belkemiği *
be. arkaya, geriye; geçmişte,
geçmişe; eski yerine, yine; önce
* *e.* desteklemek, arka çıkmak;
üzerine para koymak, üzerine
oynamak *be back* geri dönmek
behind one's back arkasından,
yokken *get/put sb's back up* gıcık
etmek *go back* dönmek *go back
on* sözcünden caymak *back down*
hatalı olduğunu kabul etmek,
boyun eğmek *back out*
vazgeçmek, caymak *back up* de-
steklemek *turn one's back on*
sırtını çevirmek *backache* sırt
ağrısı, bel ağrısı
backbone /'bekboun/ *a.* belkemiği,
omurga; en büyük destek
backdate /bek'deyt/ *e.* eski bir tarih
atmak
backer /'bekı/ *a.* destekçi, destek
olan kimse
backfire /bek'fayı/ *e.* (plan, vb.) geri

tepmek, olumsuz sonuç vermek
backgammon /'bekgemın/ *a.* tavla
background /'bekgraund/ *a.* arka
plan; fon, zemin
backing /'beking/ *a.* destek, yardım
backlash /'bekleş/ *a.* geri tepme
backlog /'beklog/ *a.* geciktirilmiş,
ihmal edilmiş işler
backmost /'bekmoust/ *s.* en geri, en
arka
backside /'beksayd/ *a.* arka, kıç
backstage /bek'steyc/ *a.* perde ar-
kasında * *s.* perde gerisinde olan
backstroke /'bekstrouk/ *a.* sırtüstü
yüzme
backward /'bekwıd/ *s.* geriye doğru
yapılan; geç öğrenen, kafasız
backwards /'bekwıdz/ *be.* geriye
doğru, arkaya; arka tarafa
backwater /'bekwo:tı/ *a.* durgun yer
backyard /bek'ya:d/ *a.* avlu
bacon /'beykın/ *a.* domuz pastır-
ması
bacteria /bek'tıırii/ *a.* bakteriler
bad /bed/ *s.* kötü; bozuk, çürük;
geçersiz; yaramaz; şiddetli, sert;
ahlaksız; zararlı; sağlıksız * *a.*
kötü şey, kötülük *bad fortune*
şanssızlık, talihsizlik *not (so) bad*
fena değil *not too bad* şöyle
böyle *be bad of sth* pek iyi bil-
memek *badly* kötü; *kon.* çok
badge /bec/ *a.* rozet
badger /'becı/ *a. hayb.* porsuk
badminton /'bedmintın/ *a. sp.* tenis
benzeri bir oyun, badminton
baffle /'befıl/ *e.* şaşırtmak
bag /beg/ *a.* çanta; torba * *e.* çan-
taya/torbaya koymak
baggage /'begic/ *a.* bagaj
bail /beyl/ *a.* kefalet, kefalet ücreti
bailiff /'beylif/ *a.* mübaşir; çiftlik
kâhyası; şerif yardımcısı
bait /beyt/ *a.* yem * *e.*
(oltaya/tuzağa) yem koymak;
kasten kızdırmak
baize /beyz/ *a.* yeşil masa çuhası

bake /beyk/ e. fırında pişirmek/pişmek **baker** fırıncı **bakery** fırın

balance /'belıns/ a. denge; terazi; bakiye, kalıntı * e. dengelemek; kıyaslamak **balance of payments** ödemeler dengesi **balance sheet** bilanço **balanced** dengeli, aklı başında

balcony /'belkıni/ a. balkon

bald /bo:ld/ s. kel, dazlak

bale /beyl/ a. balya, denk **bale out** paraşütle uçaktan atlamak

baleful /'beylfıl/ s. şeytani

balk /bo:k/ a. kütük * e. engel olmak; anlaşmaya yanaşmamak, duraksamak

ball /bo:l/ a. top; küre; yumak; balo **keep the ball rolling** devam etmek, sürdürmek **play ball** kon. birlikte çalışmak, imece yapmak

ballad /'belıd/ a. türkü; şiirsel öykü

ballast /'belıst/ a. safra, ağırlık; balast, kırmataş

ballcock /'bo:lkok/ a. (sifon, su deposu, vb.) şamandıra

ballerina /belı'ri:nı/ a. balerin

ballet /'beley/ a. bale

ballistics /bı'listiks/ a. balistik, atış bilimi

balloon /bı'lu:n/ a. balon

ballot /'belıt/ a. oy pusulası; gizli oylama **ballot box** oy sandığı

ballpoint /'bo:lpoynt/ a. tükenmezkalem

ballroom /'bo:lrum/ a. dans salonu

balm /ba:m/ a. melisa, oğulotu

balsam /'bolsım/ a. belesan yağı

bamboo /bem'bu:/ a. bitk. bambu

ban /ben/ e. yasaklamak * a. yasak, yasaklama

banal /bı'na:l/ s. adi, bayağı, banal, sıradan

banana /bı'na:nı/ a. muz

band /bend/ a. bağ, şerit, kayış, bant; müz. grup, topluluk

bandage /'bendic/ a. sargı * e. sarmak, bağlamak

bandit /'bendit/ a. haydut

bandy /'bendi/ s. çarpık bacaklı * e. lafa laf koymak; verip veriştirmek

bane /beyn/ a. felaket, kötülük, zarar, ziyan

bang /beng/ a. büyük patlama; şiddetli vuruş * e. hızla çarpmak, vurmak

banger /'bengı/ a. sosis; külüstür araba

bangle /'bengıl/ a. bilezik, halka

banish /'beniş/ e. sürgün etmek; aklından çıkarmak

banister /'benistı/ a. tırabzan

banjo /'bencou/ a. müz. banço

bank /benk/ a. banka; nehir/göl kıyısı, kenar; tümsek, yığın, küme; bayır; (oyun) banko **bank account** banka hesabı **bank holiday** resmi tatil **banknote** kâğıt para **bank rate** banka faiz oranı

banker /'benkı/ a. bankacı; çeşitli kumar oyunlarında kasa olan kişi, kasa

bankrupt /'benkrıpt/ s. a. müflis, batkın, iflas etmiş **go bankrupt** iflas etmek **bankruptcy** iflas

banner /'benı/ a. bayrak; sancak, pankart

banquet /'benkwit/ a. ziyafet, şölen

baptize /'beptayz/ e. vaftiz etmek

baptism /'beptizım/ a. vaftiz

bar /ba:/ a. demir çubuk; engel, bariyer; sırık, çubuk; kalıp; bar * e. parmaklıklarla örtmek, kapatmak; hapsetmek; kısıtlamak

barbarian /ba:'beırıın/ a. s. barbar, uygarlaşmamış kimse **barbaric** barbar, vahşi **barbarism** barbarlık, vahşilik **barbarity** acımasızlık, vahşilik **barbarous** uygarlaşmamış, kaba, barbar

barbecue /'ba:bikyu:/ a. açık hava ızgarası, ızgara; açıkta ızgara yemeklerin yendiği toplantı

barbed wire /ba:bd'wayı/ a. dikenli

barber 30

tel
barber /'baːbı/ *a.* berber
bard /baːd/ *a.* ozan, şair
bare /beı/ *s.* çıplak; yalın; tamtakır; kılsız **bareback** ata eyersiz binen **barefaced** arsız **barefoot** yalınayak
barely /'beıli/ *be.* ancak, zar zor
bargain /'baːgin/ *a.* pazarlık, anlaşma; kelepir; ucuz şey * *e.* pazarlık etmek **bargain for** hesaba katmak, beklemek **drive a hard bargain** sıkı pazarlık etmek **into the bargain** üstelik, ayrıca
barge /baːc/ *a.* mavna, salapurya * *e.* çarpmak, toslamak **barge into** (konuşmayı) kesmek, bölmek, müdahale etmek **barge in** hızla içeri dalmak
baritone /'beritoun/ *a. müz.* bariton
bark /baːk/ *e.* havlamak * *a.* havlama, ağaç kabuğu
barley /'baːli/ *a.* arpa
barmaid /'baːmeyd/ *a.* kadın barmen
barman /'baːmın/ *a.* barmen
barn /baːn/ *a.* ambar; ağıl, ahır
barnacle /'baːnıkıl/ *a.* yapışıkça: kayalara/gemi diplerine yapışan bir tür midye
barnyard /'baːnyaːd/ *a.* çiftlik avlusu
barometer /bı'romitı/ *a.* barometre, basınçölçer
baron /'berın/ *a.* baron **baroness** baronun karısı; kadın baron
baroque /bı'rok/ *s. a.* barok
barrack /'berık/ *e. BE. kon.* bağırarak sözünü kesmek
barracks /'berıks/ *a.* kışla
barrel /'berıl/ *a.* fıçı, varil; namlu
barren /'berın/ *s.* kıraç, çorak, verimsiz; kısır, sıkıcı, yavan
barricade /'berikeyd/ *a.* barikat, engel
barrier /'berıı/ *a.* engel; duvar, çit, korkuluk
barrister /'berıstı/ *a.* avukat, dava

vekili
barrow /'berou/ *a.* el arabası
barter /'baːtı/ *a.* takas, değiş tokuş * *e.* değiş tokuş etmek
base /beys/ *a.* temel; taban; esas; *ask.* üs; *mat.* doğru, düzlem; *kim.* baz; *dilb.* kök, gövde * *s.* aşağılık, alçak; değersiz * *e.* (on) dayandırmak; tesis etmek, kurmak
baseball /'beysboːl/ *a. sp.* beysbol
basement /'beysmınt/ *a.* bodrum katı
bash /beş/ *e.* şiddetle vurmak * *a.* şiddetli darbe **have a bash (at)** bir denemek
bashful /'beşfıl/ *s.* utangaç, sıkılgan
basic /'beysik/ *s.* temel, ana, esas **basics** esaslar, temel ilkeler
basin /'beysın/ *a.* leğen; çanak, tas; havuz; lavabo; *coğ.* havza
basis /'beysis/ *a.* (*kon.* **bases** /-siːz/) temel, esas; temel ilke
bask /baːsk/ *e.* tadını çıkarmak; güneşlenmek
basket /'baːskit/ *a.* sepet; *sp.* basket, sayı
basketball /'baːskitboːl/ *a. sp.* basketbol
bass /beys/ *a. müz.* bas
bass /bes/ *a. hayb.* (*kon.* **bass)** levrek
bassoon /bı'suːn/ *a. müz.* fagot
bastard /'baːstıd/ *a.* piç
bat /bet/ *a.* yarasa; *sp.* kriket/beysbol sopası; *sp.* pinpon raketi * *e.* topa sopayla vurmak **off one's own bat** kendi başına; kendisine söylenmeden
batch /beç/ *a.* dizi, grup, küme
bath /baːt/ *a.* küvet; banyo yapma, yıkanma; banyo odası, banyo; *kon.* hamam; kaplıca; havuz * *e.* banyo yapmak yıkanmak **bathroom** banyo odası; *AE.* tuvalet **bathrobe** bornoz
bathe /beyt/ *e.* yüzmek; suya/ilaca

sokmak, yıkamak; yıkanmak
bathing yıkanma; yüzme **bathing
suit** kadın mayosu
batman /'betmın/ a. BE. emir eri
baton /'beton/ a. müz. baton; cop;
sopa .
batsman /'betsmın/ a. (kriket) vu-
rucu
battalion /bı'teliın/ a. ask. tabur
batter /'betı/ a. dövmek; yumruk-
lamak * a. pasta hamuru
battery /'betırı/ a. akü, pil; ask.
batarya; takım, seri, dizi; huk.
müessir fiil, dövme
battle /'betıl/ a. savaş, muharebe;
çarpışma, vuruşma; mücadele *
e. savaşmak, çarpışmak;
mücadele etmek **battlefield** savaş
alanı **battleship** savaş gemisi
bauble /'bo:bıl/ a. ucuz mücevher,
incik boncuk
bauxite /'bo:ksayt/ a. boksit, alümi-
nyumtaşı
bawl /bo:l/ e. bas bas bağırmak
bay /bey/ a. körfez, koy; bitk. de-
fne; bölme, bölüm, kısım; çıkma,
cumba; havlama, uluma; doru at
* e. havlamak, ulumak **at bay**
köşeye sıkıştırılmış, çıkmazda
bayonet /'beyınit/ a. süngü, ka-
satura
bazaar /bı'za:/ a. çarşı
be /bi, bi:/ e. **was, were** /woz, wö:/,
been /bi:n/ olmak, var olmak,
bulunmak
beach /bi:ç/ a. kıyı, sahil; plaj,
kumsal
beacon /'bi:kın/ a. işaret ateşi;
deniz feneri
bead /bi:d/ a. boncuk; kon. tespih,
kolye
beak /bi:k/ a. gaga
beaker /'bi:kı/ a. büyük bardak;
deney şişesi
beam /bi:m/ a. ışık, ışın, ışık de-
meti; sinyal, dalga; kiriş, direk;
kalas * e. (ışık vb.) saçmak, yay-

mak
bean /bi:n/ a. fasulye; tane,
çekirdek **full of beans** hayat dolu,
yerinde duramayan **spill the
beans** baklayı ağzından kaçırmak
bear /beı/ e. **bore** /bo:/, **borne**
/bo:n/ taşımak, götürmek; kabul
etmek, üstlenmek, katlanmak,
çekmek; sahip olmak, taşımak;
(meyve, ürün) vermek **bearable**
katlanılır, çekilir, dayanılır **bear
down** yenmek, güç kullanmak
bear on ile ilgili olmak; üstüne
basmak, ezmek **bear out** doğru-
lamak **bear up** cesaretini elden
bırakmamak **bear with** sabır
göstermek, katlanmak
bear /beı/ a. ayı; spekülatör, vur-
guncu
beard /bııd/ a. sakal **bearded**
sakallı
bearer /'beın/ a. tic. taşıyan, hamil
bearing /'beıring/ a. bedenin du-
ruşu, duruş biçimi; ilgi, ilişki;
taşıma, dayanma; bağıntı; yön;
mil yatağı
beast /bi:st/ a. (dört ayaklı) hayvan;
kaba kimse, hayvan
beat /bi:t/ e. **beat, beaten** /bi:tın/
dövmek, vurmak; yenmek; (kalp,
nabız) atmak; çırpmak; (davul,
vb.) çalmak * a. vurma, vuruş;
yürek atışı; müz. ritm, tempo;
devriye bölgesi **beat
about/around the bush** lafı
ağzında gevelemek **beat time**
tempo tutmak **beat about**
endişeyle aramak; rota değiştir-
mek **beat down** indirmek, azalt-
mak **beat into** kafasına sokmak,
öğretmek **beat off** defetmek,
püskürtmek **beat out** (ateş)
vurarak söndürmek **beat up**
pataklamak, döverek yaralamak
beat the air akıntıya kürek çek-
mek **beaten** (metal) vurularak
biçimlendirilmiş, dövme; (yol)

ayak izleriyle belirginleşmiş;
yenik, mağlup *off the beaten
track* herkesce pek bilinmeyen,
sapa *'beater* mikser *beating*
dayak; (kalp, vb) atış, çarpma
beautician /byu:'tişın/ *a.* güzellik
uzmanı
beautiful /'byu:tifıl/ *s.* güzel
beautify /'byu:tifay/ *e.* güzelleştir-
mek
beauty /'byu:ti/ *a.* güzellik; güzel
kişi; güzel şey *beauty par-
lour/shop* güzellik salonu *beauty
sleep* güzellik uykusu *beauty
spot* güzelliğiyle bilinen yer
beaver /'bi:vı/ *a.* kunduz
became /bi'keym/ *bkz.* **become**
because /bi'koz/ *bağ.* çünkü, -dığı
için *because of*-den dolayı
beckon /'bekın/ *e.* el etmek, çağır-
mak
become /bi'kam/ *e.* **became**
/bi'keym/, *become* olmak; uy-
mak, yakışmak; gitmek *becoming*
uygun, üzerine yakışan; yerinde,
doğru
bed /bed/ *a.* yatak; tarh; çiçeklik *
e. yerleştirmek, oturtmak *bed
and board* kalacak yer ve yiyecek
go to bed yatmak *bedclothes*
yatak takımı *bed ridden* yatalak
bedroom yatak odası *bedsitter*
bekâr odası, tek kişilik oda *bed-
spread* yatak örtüsü *bedstead*
karyola
bedbug /'bedbag/ *a.* tahtakurusu
bedding /'beding/ *a.* yatak takımı
bedevil /bi'devıl/ *e.* bozmak;
şaşırtmak
bedlam /'bedlım/ *a.* *kon.* gürültülü
patırtılı yer, çıfıt çarşısı
bedraggled /bi'dregıld/ *s.* üstü başı
darmadağınık, pejmürde
bee /bi:/ *a.* arı *beehive* arı kovanı *a
bee in one's bonnet* fikri sabit,
saplantı
beech /bi:ç/ *a.* *bitk.* kayın ağacı

beef /bi:f/ *a.* sığır; sığır eti *beef-
steak* biftek
been /bi:n, bin/ *e.* *bkz.* **be**
beer /biı/ *a.* bira
beeswax /'bi:zweks/ *a.* balmumu
beet /bi:t/ *a.* pancar; şekerpancarı
beetle /'bi:tıl/ *a.* kanatlılardan her-
hangi bir böcek; iri kara böcek
beetroot /'bi:tru:t/ *a.* *bitk.* pancar
before /bi'fo:/ *ilg.* önünde; -den
önce * *be.* önde, önden; (daha)
önce * *bağ.* -meden önce *before
long* çok geçmeden
beforehand /bi'fo:hend/ *be.* önce-
den
befriend /'bi'frend/ *e.* arkadaşça
davranmak, yardım etmek
beg /beg/ *e.* rica etmek, istemek,
yalvarmak; dilenmek *I beg your
pardon* affedersiniz; efendim!
began /bi'gen/ *bkz.* **begin**
beggar /'begı/ *a.* dilenci
begin /bi'gin/ *e.* **began** /bi'gen/
begun /bi'gan/ başlamak;
başlatmak *to begin with* evvela,
bir kere *beginner* yeni başlayan,
acemi *beginning* başlangıç
begrudge /bi'grac/ *e.* istemeyerek
vermek; çok görmek, içine otur-
mak
beguile /bi'gayl/ *e.* aldatmak,
kandırmak; büyülemek, cezbet-
mek
begun /bi'gan/ *bkz.* **begin**
behalf /bi'ha:f/ *a.* taraf, leh *on be-
half of*-in adına/yararına
behave /bi'heyv/ *e.* hareket etmek,
davranmak; (makine) çalışmak,
işlemek *behave oneself* terbi-
yesini takınmak, uslu oturmak
well-behaved terbiyeli, uslu
behaviour /bi'heyvıı/ *a.* davranış,
hareket, tavır *behaviourism*
davranışçılık
behead /bi'hed/ *e.* kellesini uçur-
mak
behind /bi'haynd/ *ilg.* arkasında,

gerisinde * *be.* arkada, arkaya, arkadan *behindhand* gecikmiş, geç

behold /bi'hould/ *e.* farkına varmak, görmek

beige /beyj/ *a. s.* bej

being /'bı:ing/ *a.* varoluş, varlık; yaratık

belch /belç/ *e.* geğirmek; püskürtmek

belfry /'belfri/ *a.* çan kulesi

belie /bi'lay/ *e.* yanıltmak; gizlemek, maskelemek

belief /bi'li:f/ *a.* inanç; güven; kanı

believe /bi'li:v/ *e.* inanmak; güvenmek; sanmak *believable* inanılır *believe in* varlığına inanmak; -e inancı olmak, inanmak *believer* inanan

belittle /bi'litıl/ *e.* küçümsemek, küçük görmek

bell /bel/ *a.* çan, zil *bell-bottoms* İspanyol paça pantolon *bell boy* otel garsonu

belligerent /bi'licırınt/ *s.* (ülke) savaş halinde; (insan) kavgacı

bellow /'belou/ *e.* böğürmek

bellows /'belouz/ *a.* körük

belly /'beli/ *a.* karın, mide; göbek; *kon.* göbek deliği *bellyache* karın ağrısı *belly dance* göbek dansı *bellyful* çok fazla

belong /bi'long/ *e.* (to) ait olmak; (in) uygun olmak *belongings* birinin kişisel eşyaları

beloved /bi'lavd/ *s. a.* sevgili

below /bi'lou/ *be.* aşağı, aşağıda, altta * *ilg.* -in altında; -den aşağı * *s.* aşağıdaki, alttaki; *kon.* çok

belt /belt/ *a.* kemer, kuşak; kayış; bölge, yöre, kuşak * *e.* kemerle/kuşakla bağlamak; kemerle dövmek *tighten one's belt kon.* kemerleri sıkmak

bemoan /bi'moun/ *e.* kederlenmek, üzülmek; sızlanmak

bemused /bi'myu:zd/ *s.* aklı karışık, şaşkın

bench /benç/ *a.* sıra, bank; tezgâh; yargıç kürsüsü

bend /bend/ *e.* eğmek, bükmek; eğilmek, bükülmek * *a.* eğme, bükme; dönemeç, viraj *round the bend kon.* deli, çılgın

beneath /bi'ni:t/ *be.* altta, alta * *ilg.* altında, altına

benediction /beni'dikşın/ *a.* kutsama

benefaction /beni'fekşın/ *a.* iyilik, hayır *benefactor* hayırsever

beneficent /bi'nefisınt/ *s.* hayır sahibi, hayırsever

beneficial /beni'fişıl/ *s.* yararlı, hayırlı

beneficiary /beni'fişıri/ *a.* yararlanan kimse

benefit /'benifit/ *a.* yarar, çıkar, kâr; kazanç; avantaj * *e.* yaramak, yararı olmak *benefit from/by* -den yararlanmak

benevolence /bi'nevılıns/ *a.* hayırseverlik *benevolent* iyilikçi, hayırsever

benign /bi'nayn/ *s.* iyi huylu, tatlı, sevecen; (ur) tehlikesiz

bent /bent/ *a.* eğilim; yetenek

bent /bent/ *bkz.* **bend**

bequeath /bi'kwi:t/ *e.* miras olarak bırakmak

bequest /bi'kwest/ *a.* miras, kalıt

bereaved /bi'ri:vd/ *s.* yakınlarından birisi ölmüş

bereavement /bi'ri:vmınt/ *a.* büyük kayıp, matem

beret /'berey/ *a.* bere

berry /'beri/ *a.* (çilek, kiraz, vb. gibi) küçük, yumuşak meyve

berserk /bö:'sö:k/ *s.* çılgın gibi, delice

berth /bö:t/ *a.* (trende/gemide) yatak, kuşet; ranza; demirleme yeri * *e.* palamarla bağlamak; yatacak yer sağlamak

beseech /bi'si:ç/ *e.* yalvarmak, rica

etmek; istemek

beseem /bi'si:m/ e. uygun düşmek

beset /bi'set/ e. *beset* kuşatmak, sarmak

beside /bi'sayd/ ilg. yanında, yanına *beside oneself* çılgın gibi *beside the point* konunun dışında

besides /bi'saydz/ be. bunun yanı sıra, ayrıca, bununla birlikte, üstelik, bir de * ilg. -deri başka, -e ilaveten

besiege /bi'si:c/ e. ask. kuşatmak; sıkıştırmak, rahat vermemek

best /best/ s. en iyi * be. en iyi biçimde; en çok, en fazla * a. en iyi taraf/yan/kısım; en iyi *best man* sağdıç *best seller* en çok satılan kitap *at (the) best* en iyimser ihtimalle

bestial /'bestiıl/ s. hayvan gibi; kaba, hayvani *bestiality* kabalık, hayvanlık; acımasızlık

bestow /bi'stou/ e. bağışlamak

bet /bet/ e. *bet* ya da *betted* bahse girmek * a. bahis, iddia *betting shop* müşterek bahis oynanan dükkân, ganyan bayii *I bet* kon. Bahse girerim ki

betray /bi'trey/ e. ihanet etmek; ele vermek; ağzından kaçırmak *betrayal* ihanet; ele verme *betrayer* hain

better /'betı/ s. be. daha iyi, daha güzel * e. gelişmek, iyileşmek, daha iyi hale gelmek *better half* kon. eş, karı *better off* daha zengin *get better* iyileşmek *get the better off* -i yenmek *had better* iyi olur

between /bi'twi:n/ be. ilg. (iki şeyin) arasına, arasında *between you and me* laf aramızda

bevel /'bevıl/ e. eğmek

beverage /'bevırıc/ a. içecek, meşrubat

bewail /bi'weyl/ e. ağlamak, dövünmek

beware /bi'weı/ e. (of) sakınmak, kaçınmak

bewilder /bi'wildı/ e. şaşırtmak, sersemletmek *bewilderment* şaşkınlık

bewitch /bi'wiç/ e. büyülemek

beyond /bi'yond/ be. ötede, öteye, ileri * ilg. ötesinde, ötesine; -den başka

bi- /bay/ önek iki, çift

bias /'bayıs/ a. önyargı; eğilim *biased* önyargılı

bib /bib/ a. bebek önlüğü

Bible /'baybıl/ a. İncil, Kutsal Kitap

bibliography /bibli'ogrıfi/ a. kaynakça, bibliyografi

bicarbonate /bay'ka:bınit/ a. bikarbonat

bicentenary /baysen'ti:nırı/ a. iki yüzüncü yıldönümü

biceps /'bayseps/ a. pazı, iki başlı kol kası

bicker /'bikı/ e. tartışmak, atışmak

bicycle /'baysıkıl/ a. bisiklet * e. bisiklete binmek, bisikletle gezmek

bid /bid/ e. *bid* fiyat teklif etmek; deklare etmek * a. fiyat teklifi, teklif *bidding* buyruk, emir; deklarasyon

bide /bayd/ e. (uygun zamanı) sabırla beklemek

biennial /bay'eniıl/ s. iki yılda bir olan

bier /biı/ a. cenaze teskeresi

bifocals /bay'foukılz/ a. çift odaklı gözlük

big /big/ s. büyük, iri; önemli; kon. popüler, ünlü

bigamy /'bigımi/ a. ikieşlilik, bigami

bigot /'bigıt/ a. dar kafalı kimse, bağnaz *bigoted* dar kafalı, yobaz

bigwig /'bigwig/ a. kon. önemli kimse, kodaman

bike /bayk/ a. bisiklet; motosiklet

bikini /bi'ki:ni/ a. bikini

bilateral /bay'letınl/ *s.* iki yönlü
bile /bayl/ *a.* safra, öd
bilingual /bay'lingwıl/ *s.* ikidilli
bill /bil/ *a.* hesap, fatura; yasa
tasarısı; afiş, ilan; *AE.* kâğıt para;
tahvil, poliçe; gaga *billboard* ilan
tahtası
billet /'bilit/ *a.* kışla, baraka
billiards /'bilyıdz/ *a.* bilardo
billion /'bilyın/ *a. AE.* milyar; *BE.*
trilyon
billow /'bilou/ *a.* büyük dalga
billy goat /'bili gout/ *a.* erkek keçi,
teke
bin /bin/ *a.* kutu, sandık, teneke
binary /'baynıri/ *s.* çift, ikili
bind /baynd/ *e.* **bound** /baund/
bağlamak; yarayı sarmak; ciltle-
mek; yasal olarak bağlamak
binder bağlayan şey; sicim, tut-
kal; ciltçi *bindery* ciltevi *binding*
ciltçilik; kitap kapağı; kenar süsü;
bağlayıcı, zorunlu
bingo /'bingou/ *a.* bingo oyunu
binoculars /bi'nokyulız/ *a.* dürbün
biochemistry /bayou'kemistri/ *a.*
biyokimya
biography /bay'ogrıfi/ *a.*
yaşamöyküsü, biyografi
biology /bay'olıci/ *a.* biyoloji *biolo-*
gist biyolog *biological* biyolojik
bionic /bay'onik/ *s.* insanüstü
güçleri olan
biped /'bayped/ *a.* iki ayaklı yaratık
birch /böç/ *a. bitk.* huş ağacı
bird /böd/ *a.* kuş *bird-brained* kuş
beyinli, aptal *birdcage* kuş kafesi
bird's eye view kuşbakışı
görünüm *bird's nest* kuş yuvası
early bird erken kalkan/gelen
kimse *kill two birds with one*
stone bir taşla iki kuş vurmak
biro /'bayırou/ *a.* tükenmezkalem
birth /böt/ *a.* doğum; doğurma *by*
birth doğuştan *birth control*
doğum kontrolü *birthday* doğum
günü *birthmark* doğum lekesi

birthplace doğum yeri *birthrate*
doğum oranı *birthright* doğuştan
kazanılan ulusal hak, vatandaşlık
hakkı
biscuit /'biskit/ *a.* bisküvi; *AE.*
çörek, pasta
bisect /bay'sekt/ *e.* iki eşit parçaya
bölmek
bisexual /bay'sekşuıl/ *s.* çift cinsi-
yetli, ikieşeyli, erselik
bishop /'bişıp/ *a.* piskopos
bison /'baysın/ *a. hayb.* bizon
bistro /'bi:strou/ *a.* küçük
bar/lokanta
bit /bit/ *a.* miktar, parça; lokma,
kırıntı; kısa süre; gem; matkap,
delgi *a bit* biraz *bits and pieces*
ıvır zıvır, ufak şeyler *bit by bit*
azar azar, yavaş yavaş *not a bit*
hiç değil, zerre kadar
bit /bit/ *bkz.* **bite**
bitch /biç/ *a.* dişi köpek, kancık;
kon. orospu
bite /bayt/ *e.* **bit** /bit/, **bitten**
/'bitın/ ısırmak; (böcek, yılan,
vb.) sokmak; acıtmak; yakmak;
aşındırmak; yemek * *a.* ısırık;
ısırma; sokma; lokma; parça; ke-
skinlik; acılık
biting /'bayting/ *s.* kaskın; acı
bitten /bitın/ *bkz.* **bite**
bitter /'bitı/ *a.* acı, keskin, yakıcı;
üzücü, acı * *a.* acılık, keskinlik;
acı bira *bitterish* acımsı *bitterly*
acı acı *bitterness* acılık, keskinlik
bizarre /bi'za:/ *s.* acayip, garip,
tuhaf
black /'blɛk/ *a.* siyah, kara;
karanlık; kirli, pis; çok kızgın;
koyu tenli; (kahve) sütsüz, sade;
uğursuz * *a.* siyah renk; siyah gi-
ysi; zenci * *e.* karartmak; (göz)
morartmak *black belt sp.* siyah
kuşak *black box* (uçakta) kara
kutu *black eye* morarmış göz
black letter gotik matbaa harfi
black magic kara büyü *black*

market karaborsa *black out* karartma yapmak; bayılmak *black pepper* karabiber *Black Sea* Karadeniz *black sheep* yüz karası, kara koyun

blackberry /'blekbıri/ *a. bitk.* böğürtlen

blackbird /'blekbö:d/ *a. hayb.* karatavuk

blackboard /'blekbo:d/ *a.* karatahta, tahta

blackcurrant /'blekkarınt/ *a. bitk.* kuşüzümü

blacken /'blekın/ *e.* karartmak; kara çalmak, kötülemek

blackjack /'blekcek/ *a.* yirmi bir oyunu

blacklist /'bleklist/ *a.* kara liste

blackmail /'blekmeyl/ *a.* şantaj * *e.* şantaj yapmak

blackout /'blekaut/ *a.* karartma; bayılma, baygınlık

blacksmith /'bleksmit/ *a.* nalbant, demirci

bladder /'bledı/ *a.* sidiktorbası, mesane

blade /bleyd/ *a.* (bıçak, jilet, vb.) ağız

blame /bleym/ *e.* suçlamak, kınamak; sorumlu tutmak * *a.* suç; kınama; sorumluluk *blameless* suçsuz *blameworthy* kusurlu, ayıp

blanch /bla:nç/ *e.* beyazlatmak, ağartmak; (with/at) (yüzünün rengi) solmak

bland /blend/ *s.* uysal, yumuşak başlı; (besin) hafif

blank /blenk/ *s.* yazısız, boş; (çek) açık; anlamsız, boş * *a.* boş yer; boşluk *blank cartridge* kurusıkı kurşun *blank cheque* açık çek *blank verse* serbest nazım, uyaksız şiir

blanket /'blenkit/ *a.* battaniye

blare /bleı/ *a.* boru sesi

blarny /'bla:ni/ *e.* yaltaklanmak

blast /bla:st/ *a.* şiddetli rüzgâr; patlama * *e.* havaya uçurmak; yok etmek; yakmak, kavurmak *blasted* kahrolası; yok olmuş *blast off* (uzay aracı) havalanma, fırlatılma

blatant /'bleytınt/ *s.* terbiyesiz, utanmaz

blaze /bleyz/ *a.* alev, ateş; parlak ışık * *e.* alev alev yanmak, tutuşmak

blazing /'bleyzing/ *s.* cayır cayır yanan; *kon.* aşikâr, gün gibi ortada

blazer /'bleyzı/ *a.* spor ceket, blazer

bleach /bli:ç/ *e.* beyazlatmak, ağartmak; beyazlamak, ağarmak * *a.* beyazlatıcı madde

bleak /bli:k/ *s.* soğuk, tatsız, nahoş

bleary /'bliıri/ *s.* (göz) kızarmış, sulanmış

bleat /bli:t/ *e.* melemek * *a.* meleme

bleed /bli:d/ *bled* /bled/ *e.* kanamak; (for) yüreği kan ağlamak, içi sızlamak

blemish /'blemiş/ *e.* güzelliğini bozmak, lekelemek * *a.* leke, kusur

blench /blenç/ *e.* (korkudan) irkilmek

blend /blend/ *e.* harmanlamak; karıştırmak; kaynaşmak * *a.* harman; karışım *blender* karıştırıcı, blendır

bless /bles/ *e.* kutsamak, takdis etmek; hayırdua etmek *blessed* /'blesid/ kutsal; mutlu, huzurlu

blessing /'blesing/ *a.* kutsama, takdis; lütuf, iyilik; şükran duası

blight /blayt/ *a.* bitki hastalığı; kötü etki * *e.* bozmak, kötü etkilemek

blind /blaynd/ *s.* kör; düşüncesiz, akılsızca; görünmez; gizli * *a.* perde, güneşlik * *e.* kör etmek, körleştirmek *blind alley* çıkmaz sokak *blindfold* gözbağı *blind*

man's buff körebe *blindly* gözü kapalı, körü körüne
blink /blink/ *e.* (göz) kırpmak/kırpıştırmak; (ışık) yanıp sönmek
blinkers /'blinkız/ *a.* at gözlüğü
blip /blip/ *a.* bip sesi
bliss /blis/ *a.* çok büyük mutluluk
blister /'blistı/ *a.* kabarcık, kabartı * *a.* su toplamak, kabarmak
blithe /blayt/ *s.* neşeli, kaygısız
blitz /blits/ *a.* ani saldırı
blizzard /'blizıd/ *a.* kar fırtınası, tipi
bloated /'bloutid/ *s.* davul gibi şişmiş; normalden fazla
blob /blob/ *a.* damla; leke
block /blok/ *a.* blok, birlik; kütük/kaya/taş parçası; blok; binalar dizisi, tıkanma, engel * *e.* tıkamak, önünü kesmek, engellemek
blockade /blo'keyd/ *a.* abluka, kuşatma
blockage /'blokic/ *a.* tıkanma; tıkanıklık
blockhead /'blokhed/ *s. kon.* dangalak; mankafa, aptal
bloke /blouk/ *a. BE. kon.* herif, adam
blond /blond/ *a. s.* (erkek) sarışın; (saç) sarı
blonde /blond/ *a. s.* (bayan) sarışın; (saç) sarı
blood /blad/ *a.* kan; mizaç, huy; aile, soy *blood bank* kan bankası *blood brother* kan kardeşi *blood feud* kan davası *blood group/type* kan grubu *blood poisoning* kan zehirlenmesi *blood pressure* tansiyon *blood sport* sürgün avı, zevk için hayvan öldürme *blood test* kan tahlili *blood vessel* kan damarı *fresh/new blood* taze kan, yeni eleman *in cold blood* soğukkanlılıkla *make sb's blood boil* tepesini attırmak, kudurtmak *make sb's blood run cold* ödünü

koparmak *blood bank* kan bankası *bloodbath* kıyım, katliam
bloodless kansız; öldürücü olmayan *bloodshed* kan dökme, katliam
bloodshot (gözü) kanlanmış, kızarmış *bloodstain* kan lekesi *bloodstream* kan akımı *bloodthirsty* kana susamış *bloody* kanlı; kana susamış; acımasız; *arg.* lanet olası *bloody well* kesinlikle, pekâlâ, gayet iyi
bloom /blu:m/ *a.* çiçek; en güzel çağ/dönem, gençlik * *e.* çiçek açmak, çiçeklenmek
blot /blot/ *a.* mürekkep lekesi; kusur, ayıp * *e.* lekelemek, kirletmek *blotting paper* kurutma kâğıdı
blotch /bloç/ *a.* büyük leke
blouse /blauz/ *a.* bluz
blow /blou/ *e.* **blew** /blu:/, **blown** /bloun/ (rüzgâr) esmek; üflemek; çalmak; öttürmek; (sigorta, ampul) atmak, yanmak; açığa vurmak, söylemek * *a.* darbe, vuruş; talihsizlik, darbe, şok *blow in* çıkagelmek *blow out* üfleyerek söndürmek *blow over* geçmek, dinmek *blow up* havaya uçurmak; (fotoğraf) büyültmek; kızmak
blown /bloun/ *bkz.* **blow**
blowout /'blouaut/ *a.* (lastik) patlama
blow-up /blouap/ *a.* patlama
blubber /'blabı/ *a.* balina yağı
blue /blu:/ *s.* mavi; *kon.* üzgün, hüzünlü; morarmış * *a.* mavi renk; çivit; *kon.* hüzün, keder *kon.* Amerikalılara özgü bir tür ezgi, blues * *e.* maviye boyamak; çivitlemek *blue blood* doğuştan soyluluk *blue film* seks filmi *blue jacket* denizci, bahriyeli *once in a blue moon kon.* kırk yılda bir
bluebell /'blu:bel/ *a. bitk.* çançiçeği

blue-collar /blu:'kolı/ s. ağır işçi sınıfına ilişkin

blueprint /'blu:print/ a. mavi kopya, ozalit; ayrıntılı tasarı

bluff /blʌf/ a. blöf; uçurum; kurusıkı * s. dik, sarp * e. blöf yapmak

blunder /'blʌndı/ e. gaf yapmak, pot kırmak * a. gaf, pot

blunt /blʌnt/ s. keskin olmayan, kör; patavatsız *bluntly* dobra dobra, açıkça

blur /blö/ a. net görülmeyen şey, karaltı * e. bulandırmak; bulanmak

blurt /'blö:t/ e. (out) ağzından kaçırmak, yumurtlamak

blush /blʌş/ e. yüzü kızarmak, utanmak * a. utanma, utanıp kızarma

bluster /'blʌstı/ e. kabadayılık taslamak; (rüzgâr) sert esmek *blustery* (hava) rüzgârlı

boa /bouı/ a. *hayb.* boa yılanı

boar /bo:/ a. *hayb.* (damızlık) erkek domuz; yaban domuzu

board /bo:d/ a. tahta, kereste; (satranç, dama, vb.) oyun tahtası; ilan tahtası; sofra, masa; yönetim kurulu; *kon.* sahne * e. tahta döşemek; (gemi, tren, vb.) binmek; pansiyoner olarak almak *on board* gemide, gemiye; trende, trene; uçakta; uçağa *boarder* pansiyoner; yatılı öğrenci *boarding* tahta kaplama *boarding house* pansiyon *boarding school* yatılı okul

boast /boust/ e. övünmek; iftihar etmek; kıvanç duymak * a. övünç; kıvanç *boastful* övüngen

boat /bout/ a. tekne; gemi; kayık; sandal * e. sandalla/kayıkla gezmek *boathouse* kayıkhane

bob /bob/ e. aşağı yukarı hareket etmek; sallamak * a. reverans; *kon.* şilin

bobbin /'bobin/ a. bobin, makara

bobsleigh /'bobsley/ a. kar kızağı

bodily /'bodili/ be. bütün olarak; tümüyle * s. bedensel

body /bodi/ a. beden, vücut; gövde; ceset; kitle; heyet, kurul *bodyguard* koruyucu, muhafız *bodywork* (taşıt) karoser

bog /bog/ a. bataklık *boggy* batak

boggle /'bogıl/ e. çekinmek, ürkmek

bogus /'bougıs/ s. yapmacık, sahte

bohemian /bou'hi:mıın/ a. s. bohem

boil /boyl/ e. kaynatmak; haşlamak; kaynamak; haşlanmak * a. kaynama; kaynatma; kaynama noktası; çıban *boil away* kaynayıp buharlaşmak *boil over* kaynayıp taşmak *boil up* tehlikeli bir boyuta ulaşmak, kızışmak

boisterous /'boystırıs/ s. gürültülü; (hava) kötü, sert

bold /bould/ s. cesur, yürekli, gözü pek, atılgan; küstah, arsız; (görünüş) keskin hatlı

bollard /'bolıd/ a. iskele babası; kısa kalın direk

boloney /bı'louni/ a. *arg.* zırva, palavra, boş laf

bolster /'boulstı/ a. uzun yastık * e. (up) desteklemek

bolt /boult/ a. cıvata; kapı sürgüsü, mandal; yıldırım; (kumaş, vb.) top

bomb /bom/ a. bomba * e. bombalamak

bombard /bom'ba:d/ a. bombardıman etmek; (soru, vb.) yağmuruna tutmak *bombardment* bombardıman

bomber /'bomı/ a. bombardıman uçağı

bonanza /bı'nenzı/ a. çok kârlı iş/şey

bond /bond/ a. bono, senet; sözleşme; zincir; bağ * e. yapıştırmak, birleştirmek;

yapışmak, birleşmek
bondage /'bondic/ *a.* kölelik
bone /boun/ *a.* kemik; kılçık * *e.*
kemiklerini ayıklamak *bonedry*
kupkuru *bone to pick* paylaşıla-
cak koz *bonesetter* çıkıkçı *bony*
kemikli, kılçıklı
bonfire /'bonfayı/ *a.* şenlik ateşi
bonnet /'bonit/ *a.* başlık, bone;
motor kapağı
bonny /'boni/ *s.* sağlıklı, gürbüz,
güzel; yeterli, iyi
bonus /'bounıs/ *a.* ikramiye; prim
boo /bu:/ *a. ünl.* yuh * *e.* yuhala-
mak
book /buk/ *a.* kitap; defter; *kon.*
telefon rehberi *bookbinder* ciltçi
bookbinding ciltçilik *bookcase*
kitaplık *bookkeeper* muhasebeci,
sayman *bookmaker* at yarışında
müşterek bahisleri düzenleyen
kimse *bookseller* kitapçı *book-
shop* kitabevi *bookstore* kitabevi
bookstall kitap, dergi vb. satıldığı
yer
book /buk/ *e.* (yer) ayırtmak;
deftere geçirmek, kaydetmek
booking rezervasyon, yer ayırtma
booking clerk BE. gişe memuru
booking office BE. gişe
booklet /'buklit/ *a.* kitapçık, broşür
boom /bu:m/ *a. den.* seren; güm-
bürtü; hızlı büyüme, artış, yük-
seliş * *e.* gümbürdemek; birden
artmak
boomerang /'bu:mıreng/ *a.* bumer-
ang
boost /bu:st/ *e.* arttırmak, yükselt-
mek * *a.* artış, yükselme; teşvik,
yardım, destek *booster* etkiyi
artırıcı
boot /bu:t/ *a.* çizme, bot; oto, *BE.*
bagaj * *e. kon.* tekmelemek;
sepetlemek, kovmak
booth /bu:t/ *a.* kulübe, baraka
border /'bo:dı/ *a.* kenar; sınır * *e.*
sınırdaş olmak, bitişik olmak

borderline sınır çizgisi, sınır
bore /bo:/ *e.* canını sıkmak; del-
mek, oymak * *a.* can sıkıcı
şey/kimse, baş belası; delik,
oyuk; kalibre, çap *be bored* canı
sıkılmak *boredom* can sıkıntısı
boring can sıkıcı
bore /bo:/ *bkz.* **bear**
born /bo:n/ *bkz.* **bear**; *be born*
doğmak
borne /bo:n/ *bkz.* **bear**
borough /'barı/ *a.* İngiltere'de par-
lamentoya üye gönderen kent
borrow /'borou/ *e.* ödünç almak,
borç almak *borrower* borç alan
kimse *borrowing* ödünç alma,
borç alma; alıntı
bosom /'buzım/ *a.* sine, koyun,
göğüs
boss /bos/ *a.* patron; işveren * *e.*
yönetmek *bossy* emretmeyi
seven
botany /'botıni/ *a.* bitkibilim,
botanik *botanical* /bı'tenikıl/ bit-
kibilimsel, botanik *botanist* bit-
kibilimci
botch /boç/ *e.* beceriksizce onar-
mak * *a.* baştan savma yapılmış
şey
both /bout/ *adl.* her ikisi (de) *both
... and ...* hem ... hem de
bother /'botı/ *e.* canını sıkmak,
üzmek; (with/about) zahmet et-
mek * *a.* sıkıntı, zahmet; *kon.*
kavga, kargaşa, huzursuzluk
bottle /'botıl/ *a.* şişe; biberon *bot-
tle-fed* biberonla beslenen *bot-
tle-green* koyu yeşil *bottleneck*
dar geçit; darboğaz
bottom /'botım/ *a.* alt; dip; kıç; etek
bottomless dipsiz, çok derin
bough /bau/ *a.* ağaç (dal)
bought /bo:t/ *bkz.* **buy**
boulder /'bouldı/ *a.* büyük taş/kaya
boulevard /'bu:lva:d/ *a.* bulvar
bounce /bauns/ *e.* zıplamak;
zıplatmak; hoplamak; *kon.* (çek)

karşılıksız olduğu için geri çevrilmek * a. zıplama, hoplama, sıçrama

bouncing /'baunsing/ s. (bebek) sağlıklı

bound /baund/ s. **(for)** gitmeye hazır; giden, gitmek üzere olan * e. sınırlamak, sınır koymak * s. bağlı, bağlanmış; kesin; yükümlü, mecbur; ciltli; kesin niyetli

bound /baund/ a. sıçrama, hoplama; sınır * e. hoplamak, zıplamak, sıçramak; sekmek

boundary /'baundıri/ a. sınır

boundless /'baundlis/ s. sınırsız, sonsuz

bounty /'baunti/ a. cömertlik; cömertçe verilmiş şey; bağış

bouquet /bou'key/ a. buket; (şarap) koku

bourgeois /'buıjwa:/ a. s. kentsoylu, burjuva

bout /baut/ a. kısa dönem, devre; kriz, nöbet; boks maçı

boutique /bu:'ti:k/ a. butik

bow /bau/ e. başıyla selamlamak; reverans yapmak; eğmek; boyun eğmek * a. reverans, başla selamlama

bow /bou/ a. (ok atmakta kullanılan) yay; müz. yay; kavis; fiyonk; gökkuşağı **bow legged** çarpık bacaklı **bow tie** papyon

bowels /'baulz/ a. bağırsak; iç kısımlar

bowl /boul/ a. kâse, tas, çanak; bovling topu * e. (kriket/bovling) topu atmak; bovling oynamak; yuvarlamak

bowling /'bouling/ a. bovling oyunu

box /boks/ a. kutu, sandık; (mahkeme) kürsü; tiy. loca; kulübe * e. kutuya/sandığa koymak **box office** bilet gişesi

box /boks/ e. yumruklaşmak; boks yapmak **boxer** boksör **boxing**

boks

boy /boy/ a. erkek çocuk, oğlan; oğul **boy friend** erkek arkadaş

boycott /'boykot/ a. boykot * e. boykot etmek

boyhood /'boyhud/ a. (erkek) çocukluk çağı

bra /bra:/ a. sutyen

brace /breys/ a. destek, bağ; dişlere takılan tel; kon. pantolon askısı * e. sağlamlaştırmak, desteklemek

bracelet /'breyslit/ a. bilezik

bracket /'brekit/ a. destek, dirsek; ayraç, parantez; grup * e. parantez içine almak

brackish /'brekiş/ s. (su) hafif tuzlu

brag /breg/ e. böbürlenmek

braid /breyd/ a. saç örgüsü; şerit, kordon * e. örmek

braille /breyl/ a. körler için kabartma yazı

brain /breyn/ a. beyin; zekâ, akıl, kafa; kon. zeki kimse **brain drain** beyin göçü **brainfag** zihin yorgunluğu **brainless** beyinsiz, kafasız **brainwash** beyin yıkamak **brainwashing** beyin yıkama **brainwave** (aniden akla gelen) parlak fikir **brainy** akıllı, kafalı

braise /breyz/ e. kapalı kapta ve ağır ateşte pişirmek

brake /breyk/ a. fren * e. fren yapmak

bramble /'brembıl/ a. bitk. böğürtlen çalısı

bran /bren/ a. kepek

branch /bra:nç/ a. dal; (akarsu, yol) kol; şube, bölüm

brand /brend/ e. dağlamak, damgalamak; derinden etkilemek * a. marka; damga, dağ **brand-new** yepyeni, gıcır gıcır

brandy /'brendi/ a. brendi

brash /breş/ s. küstah; toy, acemi

brass /bra:s/ a. pirinç; pirinçten yapılmış eşya **brassy** pirinç renkli

brave /breyv/ s. cesur, yiğit * e.

cesaretle karşılamak **bravery** cesaret, yiğitlik

bravo /'bra:vou/ e. Bravo! Aferin!

brawl /bro:l/ e. kavga, dalaş, dövüş
 * e. dalaşmak, sesli sesli tartışmak

brawn /bro:n/ a. kas; kas gücü

brawny /'bro:ni/ s. kaslı

bray /brey/ e. anırmak * a. anırma, anırtı

brazen /'breyzın/ s. arsız, yüzsüz, şımarık

brazier /'breyzyı/ a. mangal

breach /bri:ç/ a. (yasa) uymama, çiğneme; yerine getirmeme; gedik, yarık, oyuk * e. gedik açmak, yarmak

bread /bred/ a. ekmek; rızk; geçim, kazanç; kon. para **breadcrumb** ekmek kırıntısı

breadth /bredt, brett/ a. genişlik, en

break /breyk/ e. **broke** /brouk/, **broken** /'broukın/ kırmak, parçalamak; kırılmak; parçalanmak, kopmak; patlamak; bozmak; bozulmak; patlak vermek; çıkmak; uymamak; çiğnemek * a. ara, mola; teneffüs, dinlenme; açıklık; kırık; ani değişim, değişiklik; tan, şafak vakti **break away** birinden kaçmak **break down** bozulmak, parçalamak **break even** ne kâr ne zarar **break in** zorla girmek **break off** kesmek; son vermek **break out** patlak vermek, çıkmak **break up** sona erdirmek; sona ermek, dağılmak **break with** ile bağını koparmak

breakage /'breykıc/ a. kırma, kırılma kırık, çatlak

breakdown /'breykdaun/ a. arıza, bozulma; (sinirsel) bozukluk, çöküntü

breakfast /'brekfıst/ a. kahvaltı

breakthrough /'breyktru:/ a. atılım, ilerleme; ani saldırı, hücum

breakup /'breykap/ a. (arkadaşlık,

birlik, vb.) sona erme, son bölüm, parsel

breakwater /'breykwo:tı/ a. dalgakıran

breast /brest/ a. meme, göğüs; gönül, sine **breaststroke** kurbağalama yüzüş

breath /bret/ a. soluk, nefes; hafif rüzgâr, esinti **breathless** soluk soluğa kalmış; soluk kesici **breathtaking** soluk kesici **draw one's last breath** son nefesini vermek **hold one's breath** nefesini tutmak; heyecanla beklemek **out of breath** nefes nefese **take one's breath away** birinin nefesini kesmek

breathe /bri:t/ e. solumak; nefes almak; fısıldamak; (koku, duygu, vb.) vermek **breather** kon. mola, ara

breeches /'bri:çiz/ a. golf pantolon

breed /bri:d/ e. (hayvan) doğurmak, yavrulamak; yetiştirmek, büyütmek * a. cins, soy çeşit, tür

breeze /bri:z/ a. meltem, esinti

brew /bru:/ e. (bira) yapmak; (çay ya da kahve) yapmak **brewery** bira fabrikası

bribe /brayb/ e. rüşvet vermek * a. rüşvet **bribery** rüşvetçilik, rüşvet

brick /brik/ a. tuğla **bricklayer** duvarcı **brickwork** tuğla işi

bridal /'braydıl/ s. gelin/düğün ile ilgili

bride /brayd/ a. gelin **bridegroom** damat, güvey **bridesmaid** gelinin nedimesi

bridge /bric/ a. köprü; den. kaptan köprüsü burun kemiği; briç * e. köprü kurmak

bridle /'braydıl/ a. at başlığı, yular * e. (at) dizginlemek; yular takmak; tutmak, dizginlemek

brief /bri:f/ s. kısa * a. özet; talimat, bilgi; kon. külot, don * e. gerekli bilgiyi vermek; son tali-

42

matı vermek *in brief* kısaca, özetle, kısacası *briefcase* evrak çantası *briefing* brifing
brier /'brayı/ *a.* yabangülü
brigade /brɪ'geyd/ *a. ask.* tugay; ekip, takım *fire brigade* itfaiye
brigadier /brɪgı'dıı/ *a.* tugay komutanı, tümgeneral
brigandage /'brɪgındıc/ *a.* haydutluk, eşkıyalık, kanunsuzluk
bright /brayt/ *s.* parlak; aydınlık; akıllı, zeki, parlak; umut verici
brighten /'braytın/ *e.* parlamak, canlanmak; parlatmak; canlandırmak
brilliant /'brilıınt/ *s.* ışıl ışıl, pırıl pırıl, parlak; görkemli; akıllı
brim /brim/ *a.* (bardak, kap) ağız, kenar
brine /brayn/ *a.* tuzlu su, salamura
bring /brɪng/ *e. brought* /bro:t/ getirmek; neden olmak; ikna etmek, kandırmak *bring about* neden olmak *bring down* (vurup) düşürmek; fiyat indirmek; sürdürmek *bring forward* ileri sürmek, ortaya atmak *bring in* kâr getirmek; öne almak; tanıtmak *bring into* başlatmak *bring off* üstesinden gelmek *bring out* üretmek, ortaya çıkarmak *bring round* ayıltmak *bring through* -den kurtarmak *bring up* (çocuk) büyütmek; yetiştirmek; ortaya atmak; kusmak
brink /brink/ *a.* kenar, kıyı
brisk /brisk/ *s.* çevik, canlı
bristle /'brisıl/ *a.* sert kıl * *e.* (tüy, kıl, saç, vb.) diken diken olmak
British /'britiş/ *s.* Britanya ile ilgili, Britanyalı, İngiliz
brittle /'britıl/ *s.* kırılgan, gevrek
broad /'bro:d/ *s.* geniş, enli; genel; serbest; hoşgörülü; açık, belli *broad bean* bakla *broad jump sp. AE.* uzun atlama *broad-minded* serbest fikirli, hoşgörülü

broadcast /'bro:dka:st/ *a.* radyo/televizyon yayını * *e.* (radyo/televizyon) yayın yapmak; yayınlamak; yaymak, bildirmek *broadcasting* radyo veya televizyon ile yayın yapma, yayın
broaden /'bro:dın/ *e.* genişlemek; genişletmek
brocade /brı'keyd/ *a.* işlemeli, simli kumaş
broccoli /'brokıli/ *a.* brokoli: karnabahara benzer bir bitki
brochure /'brouşı/ *a.* broşür, kitapçık
brogue /broug/ *a.* kalın ve dayanıklı ayakkabı; İrlanda aksanı
broil /broyl/ *e.* ızgara yapmak; kızartmak
broke /brouk/ *bkz. break; s. kon.* züğürt, meteliksiz
broken /'broukın/ *bkz. break; s.* kırık; kırılmış; bozuk
broker /'broukı/ *a.* komisyoncu, simsar
brolly /'broli/ *a. BE. kon.* şemsiye
bronchitis /brong'kaytis/ *a. hek.* bronşit
bronze /bronz/ *a.* bronz, tunç; bronz rengi
brooch /brouç/ *a.* broş, süs iğnesi
brood /bru:d/ *a.* (kuş) yavruları * *e.* kuluçkaya yatmak
brook /bruk/ *a.* dere, çay
broom /bru:m/ *a.* süpürge
broth /brot/ *a.* et suyu, çorba
brothel /'brotıl/ *a.* genelev
brother /'bratı/ *a.* erkek kardeş, birader *brotherhood* kardeşlik; birlik, camia, topluluk *brother-in-law* kayınbirader; enişte; bacanak
brought /bro:t/ *bkz. bring*
brow /brau/ *a.* kaş; alın; tepe, yamaç
brown /braun/ *a. s.* kahverengi * *e.* esmerleşmek; esmerleştirmek, kızartmak

browse /brauz/ e. otlamak; (kitap) gözden geçirmek, karıştırmak

bruise /bru:z/ a. çürük, bere, ezik * e. çürütmek, berelemek; çürümek

brunch /branç/ a. kon. geç kahvaltı/erken öğle yemeği

brunette /bru:'net/ a. esmer kadın

brush /braş/ a. fırça; fırçalama; çalı * e. fırçalamak; hafifçe değmek, sürtünmek

brusque /bru:sk/ s. kaba saba, ters

brussels sprout /brasılz'spraut/ a. bitk. brüksellahanası

brutal /'bru:tıl/ s. acımasız, vahşice, hayvanca

brute /bru:t/ a. hayvan; hayvan gibi kişi

brutish /'bru:tiş/ s. hkr. hayvani, hayvanlara yakışır, kaba

bubble /'babıl/ a. kabarcık; fokurtu bubble gum balonlu çiklet

buck /bak/ a. erkek geyik/tavşan; antilop; AE. kon. bir dolar * e. (at) sıçramak; (binicisini) üzerinden atmak

bucket /'bakit/ a. kova

buckle /'bakıl/ a. toka, kopça * e. toka ile tutturmak; eğilmek, bükülmek

bud /bad/ a. gonca, tomurcuk * e. tomurcuklanmak; gonca vermek

Buddhism /'budizm/ a. Budizm Buddhist Budist

buddy /'badi/ a. kon. arkadaş, kafadar, ahbap

budge /bac/ e. kıpırdatmak; kıpırdamak

budgerigar /'bacıriga:/ a. muhabbetkuşu

budget /'bacit/ a. bütçe

buff /baf/ a. s. soluk sarı, kösele rengi * e. yumuşak bir şeyle parlatmak

buffalo /'bafılou/ a. hayb. bufalo

buffer /'bafı/ a. tampon

buffet /'bufey/ a. büfe

buffoon /bı'fu:n/ a. soytarı, maskara

bug /bag/ a. AE. böcek; kon. mikrop, virüs; kon. gizli mikrofon; tahtakurusu

bugle /'byu:gıl/ a. borazan

build /bild/ e. kurmak, yapmak, inşa etmek builder inşaatçı, müteahhit building yapı, inşaat; inşaatçılık, inşa etme building society yapı kooperatifi build up gelişmek; büyümek; güçlenmek; geliştirmek; büyütmek

bulb /balb/ a. çiçek soğanı; ampul

bulge /balc/ a. şişkinlik, şiş * e. şişmek, kabarmak

bulk /balk/ a. oylum, hacim; hantal gövde in bulk büyük miktarda, toptan bulky iri cüsseli, hantal; hacimli

bull /bul/ a. hayb. boğa bulldog buldok

bulldozer /'buldouzı/ a. buldozer

bullet /'bulit/ a. kurşun, mermi bulletproof kurşun geçirmez

bulletin /'bulıtin/ a. ilan, bildiri; bülten

bullfight /'bulfayt/ a. boğa güreşi

bullion /'bulyın/ a. külçe altın

bullock /'bulık/ a. iğdiş edilmiş boğa

bullring /'bulring/ a. arena

bullshit /'bulşit/ a. arg. bok

bully /'buli/ a. kabadayı, zorba * e. kabadayılık etmek, zorbalık etmek

bulrush /'bulraş/ a. saz, hasırotu

bulwark /'bulwık/ a. siper, istihkâm

bum /bam/ a. kon. kıç, popo

bumblebee /'bambılbı:/ a. yabanarısı

bump /bamp/ e. çarpmak, vurmak, toslamak; çarpışmak * a. vurma, çarpma, gümbürtü; şişlik, yumru bump into rastlamak

bumper /'bampı/ a. tampon

bumpy /'bampi/ s. yamru yumru,

çıkıntılı, tümsekli

bun /ban/ *a.* kurabiye, çörek; (saç) topuz

bunch /'banç/ *a.* demet, deste, salkım; *kon.* grup * *e.* demet yapmak, bir araya toplamak

bundle /'bandıl/ *a.* bohça, çıkın; deste, tomar * *e.* paldır küldür gitmek; tıkıştırmak

bung /bang/ *a.* tapa, tıkaç

bungalow /'bangılou/ *a.* tek katlı ev, bungalov

bungle /'bangıl/ *e.* yüzüne gözüne bulaştırmak

bunk /bank/ *a.* ranza; kuşet, yatak

bunker /'bankı/ *a.* kömür ambarı, kömürlük; *ask.* yeraltı sığınağı

bunkum /'bankım/ *a.* palavra, zırva, boş laf

buoy /boy/ *a.* şamandıra; cankurtaran simidi *life buoy* cankurtaran simidi

buoyant /'boyınt/ *s.* batmaz, yüzen; neşeli, kaygısız

burden /'bö:dın/ *a.* ağır yük * *e.* yüklemek; sıkıntı vermek

bureau /'byuırou/ *a.* büro, yazıhane

bureaucracy /byuı'roknısi/ *a.* bürokrasi

bureaucrat /'byuınkret/ *a.* bürokrat

burglar /'bö:glı/ *a.* (ev, dükkân, vb. soyan) hırsız *burglary* ev soyma, hırsızlık

burial /'beriıl/ *a.* defin, gömme

burlesque /'bö:lesk/ *a.* alaya alma, taşlama, yerme

burly /'bö:li/ *s.* iriyarı, yapılı

burn /bö:n/ *e. burnt* /bö:nt/ ya da *burned* yakmak; yanmak * *a.* yanık *burn up* yakıp kül etmek; yanıp kül olmak *burning* yanan, yakıcı

burnish /'bö:niş/ *e.* cilalamak, parlatmak

burrow /'barou/ *a.* oyuk, yuva, in

bursar /'bö:sı/ *a.* veznedarlık

burst /bö:st/ *a.* patlamak; patlat-

mak; dolup taşmak * *a.* patlama *burst into* aceleyle girmek *burst out* aniden söylemek, patlamak

bury /'beri/ *e.* gömmek, defnetmek; gizlemek, saklamak

bus /bas/ *a.* otobüs *bus stop* otobüs durağı

bush /buş/ *a.* çalı, çalılık *bushy* '(saç, vb.) gür; çalılı, çalılık

business /'biznis/ *a.* iş; ticaret; işyeri *Mind your own business.* Sen kendi işine bak *none of your business* seni ilgilendirmez *businessman* işadamı *businesswoman* işkadını

bust /bast/ *a.* büst; (kadın) göğüsler; (kadın) göğüs çevresi ölçüsü

bustle /'basıl/ *e.* acele etmek * *a.* telaş

busy /'bizi/ *s.* meşgul; hareketli; işlek

but /bıt, bat/ *bağ.* ama, ancak; ne var ki; oysa * *ilg.* -den başka

butane /'byu:teyn/ *a.* bütan gazı

butcher /'buçı/ *a.* kasap; katil, cani * *e.* (hayvan) kesmek; öldürmek, doğramak

butler /'batlı/ *a.* baş kâhya

butt /bat/ *e.* toslamak * *a.* fıçı; sigara izmariti; dipçik

butter /'batı/ *a.* tereyağı *butter up kon.* yağlamak, yağ çekmek

butterfly /'batıflay/ *a.* kelebek

buttery /'batıri/ *s.* tereyağlı

buttock /'batık/ *a.* but, kaba et

button /'batın/ *a.* düğme * *e.* (up) düğmelemek *buttonhole* ilik, düğme iliği; yakaya takılan çiçek

buttress /'batris/ *a.* payanda, destek

buxom /'baksım/ *s.* (kadın) etli butlu, dolgun

buy /bay/ *e. bought* /bo:t/ satın almak *buyer* alıcı, müşteri

buzz /baz/ *e.* vızıldamak; (for) sinyalle çağırmak * *a.* vızıltı; sinyal

buzzard /'bazıd/ *a. BE.* bir tür şahin; *AE.* akbaba

by /bay/ *ilg.* yanında, yakınında; yanından; -dan, yoluyla; -e kadar; ile, vasıtasıyla; tarafından; -e göre; -e bakarak; (ölçü ve sayılarda) -le, -la; boyunca; -den, -dan * *be.* geçerek, geçip; yakında; bir kenara *by the way* aklıma gelmişken, bu arada

bye, byebye /bay, bay'bay/ *ünl.* güle güle; allahaısmarladık, hoşça kal

byproduct /'bayprodakt/ *a.* yan ürün; yan etki

bystander /'baystendı/ *a.* görgü tanığı, seyirci

C

cab /keb/ *a.* taksi; fayton

cabaret /'kebırey/ *a.* kabare

cabbage /'kebic/ *a. bitk.* lahana

cabin /'kebin/ *a. kon.* kamara; kulübe

cabinet /'kebinit/ *a.* dolap; bakanlar kurulu

cable /'keybıl/ *a.* kablo; telgraf, telyazı

cacao /kı'ka:ou/ *a.* kakao

cachet /'keşey/ *a.* kaşe, mühür, damga

cackle /'kekıl/ *e.* (tavuk) gıdaklamak * *a.* gıdaklama; kıkırtı

cactus /'kektıs/ *a. bitk.* kaktüs

cadaver /kı'deyvı/ *a.* kadavra

cadet /kı'det/ *a.* harp okulu öğrencisi

caesarean /si'zeırıın/ *a. hek.* sezaryen

café /'kefey/ *a.* kafe

cafeteria /kefi'tiırıı/ *a.* (selfservis) kafeterya

caffeine /'kefi:n/ *a.* kafein

caftan /'keften/ *a.* kaftan

cage /keyc/ *a.* kafes

cagey /'keyci/ *s. kon.* ağzı sıkı, ketum

cake /keyk/ *a.* pasta, kek; kalıp; topak

calamity /kı'lemiti/ *a.* felaket, afet

calcify /'kelsifay/ *e.* kireçlenmek; kireçlendirmek

calcium /'kelsıım/ *a.* kalsiyum

calculate /'kelkyuleyt/ *e.* hesaplamak *calculation* hesap *calculator* hesap makinesi

calculus /'kelkyulıs/ *a. mat.* hesap

calendar /'kelindı/ *a.* takvim

calf /ka:f/ *a.* buzağı, dana; baldır

calibre /'kelibı/ *a.* kalite; kalibre, çap

calico /'kelikou/ *a.* patiska

caliph /'keylif/ *a.* halife *caliphate* halifelik

call /ko:l/ *e.* seslenmek, bağırmak; telefon etmek; adlandırmak, demek * *a.* bağırış, sesleniş; çığlık; çağrı *call for* istemek; ihtiyaç duymak *call in* yardıma çağırmak *call on* uğramak *call up* telefon etmek *call box BE.* telefon kulübesi *caller* telefonla arayan kimse, arayan

calligraphy /kı'lignıfi/ *a.* güzel el yazısı (sanatı); hattatlık

calling /'ko:ling/ *a.* istek, heves; meslek, ticari unvan

callipers /'kelipız/ *a.* çap pergeli; kumpas

callus /'kelıs/ *a.* nasır

calm /ka:m/ *a.* (hava) sakinlik; (deniz) durgunluk; rahat, huzur * *s.* (hava) rüzgârsız; (deniz) durgun, dalgasız; sakin, huzurlu * *e.* sakinleştirmek *calm down* sakinleşmek; sakinleştirmek

calorie /'kelıri/ *a.* kalori

calypso /kı'lipsou/ *a. müz.* kalipso

camel /'kemıl/ *a.* deve

camellia /kı'mi:lıı/ *a. bitk.* kamelya

camera /'kemırı/ *a.* fotoğraf makinesi

camomile /'kemımayl/ a. bitk. papatya; papatya çayı

camouflage /'kemıfla:j/ a. kamuflaj * e. kamufle etmek

camp /kemp/ a. kamp * e. kamp yapmak

campaign /kem'peyn/ a. kampanya * e. kampanya yapmak

camphor /'kemfı/ a. kâfur

camping /'kemping/ a. kamping

campus /'kempıs/ a. kampus, yerleşke

can /kın, ken/ e. (olumsuzu cannot /'kenıt, kenot/, can't /ka:nt/ geçmiş biçimi could /kud/, olumsuzu couldn't /'kudınt/) - ebilmek, -abilmek

can /ken/ a. teneke kutu * e. konserve yapmak, konservelemek

canal /kı'nel/ a. kanal

canary /kı'neıri/ a. kanarya

cancel /'kensıl/ e. iptal etmek, feshetmek, bozmak cancellation iptal, fesih

cancer /'kensı/ a. Yengeç burcu; hek. kanser

candid /'kendid/ s. içten, samimi, dürüst; (kamera) gizli

candidate /'kendidit/ a. aday

candle /'kendıl/ a. mum candlestick şamdan

candy /'kendi/ a. şeker, şekerleme

cane /keyn/ a. kamış; sopa, değnek

canine /'keynayn/ s. köpeklerle ilgili

canister /'kenistı/ a. teneke kutu

canker /'kenkı/ a. hek. pamukçuk

cannibal /'kenibıl/ a. yamyam

cannon /'kenın/ a. ask. büyük top

cannot /'kenıt, 'kenot/ e. bkz. can

canny /'keni/ a. kurnaz, akıllı, uyanık

canoe /kı'nu:/ a. kano

canon /'kenın/ a. genel kural, ilke

canopy /'kenıpi/ a. gölgelik, tente örtü

can't /ka:nt/ bkz. can

cantankerous /ken'tenkırıs/ s. huy-suz, aksi, geçimsiz

canteen /ken'ti:n/ a. kantin; matara

canvas /'kenvıs/ a. çadır bezi; çadır; tuval

canyon /'kenyın/ a. coğ. kanyon, kapız

cap /kep/ a. kasket, başlık, kep; kapak * e. kaplamak, örtmek

capability /keypı'biliti/ a. yetenek

capable /'keypıbıl/ s. yetenekli, elinden gelir

capacity /kı'pesiti/ a. kapasite; yetenek; sıfat, mevki

cape /keyp/ a. coğ. burun; pelerin

capillary /kı'pilıri/ a. kılcal damar

capital /'kepitıl/ a. başkent; büyük harf; sermaye, anamal capital letter büyük harf

capitalism /'kepitılizım/ a. kapitalizm capitalist kapitalist

capitulate /kı'piçuleyt/ e. (düşmana şartlı) teslim olmak, silahları bırakmak capitulation şartlı teslim olma, kapitülasyon

caprice /kı'pri:s/ a. kapris, şımarıklık

capricious /kı'prişıs/ s. kaprisli; dönek, değişken

Capricorn /'kepriko:n/ a. Oğlak burcu

capsicum /'kepsikım/ a. bitk. (dolmalık/uzun) biber

capsize /kep'sayz/ e. alabora olmak; ters dönmek

capsule /'kepsyu:l/ a. kapsül

captain /'keptın/ a. den. kaptan; takım başı; ask. yüzbaşı; den. kaptan

caption /'kepşın/ a. manşet, başlık

captive /'keptiv/ a. s. tutsak captivity tutsaklık, esaret

captor /'keptı/ a. esir alan kişi

capture /'kepçı/ a. esir alma; ganimet * e. zapt etmek, ele geçirmek; tutsak etmek

car /ka:/ a. otomobil, araba; vagon car park otopark dining car yemekli vagon *sleeping car* yataklı vagon

caramel /'kerımıl/ *a.* karamela

carat /'kerıt/ *a.* kırat, ayar

caravan /'kenven/ *a.* kervan; karavan

caravanserai /ken'vensıray/ *a.* kervansaray

carbohydrate /ka:bou'haydreyt/ *a.* karbonhidrat

carbon /'ka:bın/ *a. kim.* karbon; karbon kâğıdı

carbuncle /'ka:bankıl/ *a.* şirpençe, çıban

carburettor /ka:byu'retı/ *a.* karbüratör

carcass, carcase /'ka:kıs/ *a.* leş, ceset

card /ka:d/ *a.* oyun kâğıdı; kart; kartvizit; kartpostal

cardboard /'ka:dbo:d/ *a.* mukavva, karton

cardiac /'ka:diek/ *s. hek.* kalple ilgili

cardigan /'ka:dıgın/ *a.* hırka

cardinal /'ka:dınıl/ *s.* önemli, ana * *a.* kardinal *cardinal number* asal sayı

care /keı/ *a.* kaygı, dikkat, özen; ilgi, bakım * *e.* aldırmak, umursamak; ilgi duymak; kaygılanmak *medical care* tıbbi bakım *take care of* -e bakmak *care for* istemek; bakmak, ilgilenmek *carefree* kaygısız *careful* dikkatli; özenli *carefully* dikkatle; özenle *careless* dikkatsiz; aldırışsız, ilgisiz *carelessly* dikkatsizce *caretaker* hademe, odacı; ev bekçisi

career /kı'rıı/ *a.* meslek yaşamı, kariyer

caress /kı'res/ *a.* okşama; öpme * *e.* okşamak; öpmek

cargo /'ka:gou/ *a.* yük, kargo

caricature /'kerikıçuı/ *a.* karikatür

carnage /'ka:nic/ *a.* katliam, kırım

carnation /ka:'neyşın/ *a. bitk.* karanfil

carnival /'ka:nivıl/ *a.* karnaval, şenlik

carnivore /'ka:nivo:/ *a.* etobur hayvan *carnivorous* etobur, etçil

carol /'kerıl/ *a.* Noel şarkısı, neşeli şarkı

carp /ka:p/ *a.* sazanbalığı * *e. kon.* mızmızlanmak, dırdır etmek

carpenter /'ka:pıntı/ *a.* marangoz, doğramacı, dülger *carpentry* marangozluk, doğramacılık

carpet /'ka:pit/ *a.* halı; kilim * *e.* halı döşemek

carriage /'keric/ *a.* araba, at arabası; nakliye, taşıma

carrier /'kerıı/ *a.* taşıyıcı; *ask.* kariyer *carrier bag* saplı naylon çanta

carrot /'kerıt/ *a.* havuç

carry /keri/ *e.* taşımak, götürmek; ağırlığını çekmek *carry off* alıp götürmek; kazanmak *carry on* sürdürmek, yapmak; yönetmek *carry out (through)* uygulamak, gerçekleştirmek

cart /ka:t/ *a.* at arabası

cartilage /'ka:tilic/ *a.* kıkırdak

carton /'ka:tın/ *a.* karton kutu

cartoon /ka:'tu:n/ *a.* karikatür; çizgi film

cartridge /'ka:tric/ *a.* fişek; kartuş

carve /ka:v/ *e.* oymak; kesmek, dilimlemek *carving* oyma; oymacılık

cascade /ke'skeyd/ *a.* çağlayan

case /keys/ *a.* hal, durum; olay; sorun; *huk.* dava; kutu, sandık; çanta; kasa; *dilb.* ad durumu *in any case* ne olursa olsun *in case of* -dığı takdirde, ... durumunda *(just) in case* ne olur ne olmaz

casement /'keysmınt/ *a.* pencere kanadı

cash /keş/ *a.* nakit para * *e.* paraya çevirmek, bozdurmak *cash register* yazar kasa

cashew /'keşu:/ *a. bitk.* maun

cashier /ke'şıı/ *a.* kasiyer

cashmere /'keşmıı/ a. kaşmir

casino /kı'si:nou/ a. gazino

cask /ka:sk/ a. fıçı, varil

casket /'ka:skit/ a. küçük kutu; AE. tabut

casserole /'kesıroul/ a. güveç

cassette /kı'set/ a. kaset

cast /ka:st/ e. fırlatmak, atmak; dökmek; rol vermek * a. atma, atış; kalıp, döküm; oynayanlar, oyuncular; çeşit, tür cast iron dökme demir

castaway /'ka:stıwey/ a. deniz kazazedesi

caste /ka:st/ a. sınıf, kast

castigate /'kestigeyt/ e. cezalandırmak

casting /'ka:sting/ a. döküm; oyuncu seçme

castle /'ka:sıl/ a. şato, kale

castrate /ke'streyt/ e. hadım etmek

casual /'kejuıl/ s. tesadüfi; geçici; (giysi) günlük; gelişigüzel casually dikkatsizce, gelişigüzel

casualty /'kejuılti/ a. kazazede, yaralı; ask. zayiat, kayıp Casualty Ward/Department ilkyardım koğuşu

cat /ket/ a. kedi rain cats and dogs kon. şakır şakır yağmur yağmak

catalogue /'ketılog/ a. katalog, liste

catapult /'ketıpalt/ a. sapan; mancınık

cataract /'ketırekt/ a. büyük çağlayan; hek. katarakt, aksu

catarrh /kı'ta:/ a. hek. nezle, soğuk algınlığı

catastrophe /kı'testrıfi/ a. yıkım, felaket, facia

catch /keç/ e. caught /ko:t/ tutmak, yakalamak; yetişmek; anlamak; sıkıştırmak * a. yakalama, tutma; tutulan şey, av; bityeniği catch on sevilmek; anlamak catch up with -e yetişmek catchword slogan

catching /'keçing/ s. kon. bulaşıcı

catchy /'keçi/ s. kolayca akılda kalan

categorical /keti'gorikıl/ s. kesin, koşulsuz

categorize /'ketigırayz/ e. sınıflandırmak

category /'ketigıri/ a. sınıf, kategori

cater /'keytı/ e. yiyecek ve içecek sağlamak

caterpillar /'ketıpilı/ a. hayb. tırtıl

catfish /'ketfiş/ a. hayb. yayınbalığı

cathedral /kı'ti:dnl/ a. katedral, başkilise

cathode /'ketoud/ a. katot, eksiuç

catholic /'ketılik/ s. (beğeni, ilgi, vb.) genel, yaygın, geniş Catholic Katolik

catsup /'ketsıp/ a. ketçap, domates sosu

cattle /'ketıl/ a. büyükbaş hayvan, sığır

caught /ko:t/ bkz. catch

cauliflower /'koliflauı/ a. bitk. karnabahar

causative /'ko:zıtiv/ s. neden olan; dilb. ettirgen

cause /ko:z/ a. neden, sebep; huk. dava; amaç, hedef * e. -e neden olmak

causeway /'ko:zwey/ a. geçici yol, geçit

caution /'ko:şın/ a. dikkat, sakınma cautious dikkatli, tedbirli, sakıngan

cavalry /'kevılri/ a. ask. süvari

cave /keyv/ a. mağara caveman mağara adamı

caviar /'kevia:/ a. havyar

cavity /'keviti/ a. çukur, oyuk, boşluk

cavy /'keyvi/ a. kobay

cayenne pepper /keyen'pepı/ a. bitk. arnavutbiberi

cease /si:s/ e. durdurmak, kesmek; durmak without cease sürekli, durmaksızın cease-fire ateşkes ceaseless sürekli, aralıksız cedar /'si:dı/ a. bitk. sedir, dağservisi

ceiling /'si:ling/ a. tavan

celebrate /'selibreyt/ e. kutlamak; övmek celebrated ünlü, bilinen, meşhur celebration kutlama; tören

celebrity /si'lebriti/ a. ünlü kişi; ün, şöhret

celery /'selıri/ a. bitk. kereviz

cell /sel/ a. hücre; biy. hücre, göze; pil

cellar /'selı/ a. mahzen, kiler

cellist /'çelist/ a. müz. viyolonselist

cello /'çelou/ a. müz. viyolonsel

cellular /'selyulı/ s. hücresel, gözesel; hücreli, gözeli

celluloid /'selyuloyd/ a. selüloit

cellulose /'selyulous/ a. selüloz

Celsius /'selsius/ a. s. santigrat

cement /si'ment/ a. çimento; tutkal, macun, dolgu, çiriş

cemetery /'semitri/ a. gömütlük, mezarlık

censor /'sensı/ a. sansürcü * e. sansürden geçirmek censorship sansür

censure /'senşı/ e. kınamak * a. kınama

census /'sensıs/ a. nüfus sayımı, sayım

cent /sent/ a. doların yüzde biri değerindeki para, sent

centennial /sen'teniıl/ s. yüz yılda bir olan

center /'sentı/ a. e. AE. bkz. centre

centenary /sen'ti:nıri/ a. yüzüncü yıldönümü

Centigrade /sen'tigreyd/ a. santigrat

centimetre /'sentimi:tı/ a. santimetre

centipede /'sentipi:d/ a. hayb. kırkayak

central /'sentrıl/ s. merkezi; ana, temel; uygun central heating merkezi ısıtma sistemi

centralize /'sentrılayz/ e. merkez-

ileştirmek

centre /'sentı/ a. merkez; orta * e. bir merkezde toplamak; ortaya koymak

centrifugal /sentri'fyu:gıl/ s. merkezkaç

century /'sençıri/ a. yüzyıl, asır

ceramic /si'remik/ s. seramikle ilgili, seramik ceramics seramik, çömlek; seramikçilik

cereal /'siırıl/ a. tahıl

cerebral /'seribrıl/ s. hek. beyinle ilgili

ceremony /'serimıni/ a. tören, merasim; resmiyet

certain /'sö:tın/ s. kesin, kati; emin, kuşkusuz; belirli, kesin certainly kesinlikle; tabii, elbette

certainty /'sö:tınti/ a. kesinlik, kuşkusuzluk; kesin olan şey

certificate /sı'tifikıt/ a. sertifika, belge

certify /'sö:tifay/ e. doğrulamak, onaylamak

cesarean /si'zeıriın/ a. kon. sezaryen

cesspool /'sespu:l/ a. lağım çukuru

chafe /çeyf/ e. sürterek yaralamak, ovarak acıtmak; kızmak, sinirlenmek

chaff /ça:f/ a. tahıl kabuğu; saman; çöp

chain /çeyn/ a. zincir; sıra, dizi * e. zincirle bağlamak chain reaction zincirleme reaksiyon chain store bir firmaya bağlı mağazalardan biri

chair /çeı/ a. iskemle, sandalye; makam, koltuk; profesörlük kürsüsü * e. (toplantı) başkan olmak, yönetmek, başkanlık yapmak

chairman /'çeımın/ a. başkan, yönetici; toplantı başkanı

chalet /'şeley/ a. dağ evi, ahşap yazlık

chalice /'çelis/ a. kadeh

chalk /ço:k/ a. tebeşir
challenge /'çelinc/ e. meydan oku-
mak; (düelloya, kavgaya, vb.)
davet etmek; karşı çıkmak * a.
meydan okuma;
(düelloya/kavgaya) davet; karşı
çıkma *challenger* meydan okuyan
kimse
chamber /'çeymbı/ a. oda; meclis,
kamara; toplantı salonu; yasama
meclisi; (tüfek) hazne *chamber-
maid* oda hizmetçisi *chamber or-
chestra* oda orkestrası
champagne /şem'peyn/ a. şampa-
nya
champion /'çempıın/ a. şampiyon;
savunucu, destekleyici
championship /'çempıınşip/ a. şam-
piyona; şampiyonluk
chance /ça:ns/ a. şans, talih; ihti-
mal, olasılık; fırsat, olanak * e.
tesadüfen olmak, şans eseri ol-
mak, riske girmek, göze almak
by chance tesadüfen, şans eseri
chancellor /'ça:nsılı/ a. bakan; şan-
sölye, başbakan; rektör
chandelier /şendı'lıı/ a. avize
change /çeync/ e. değiştirmek;
değişmek, değiş tokuş etmek;
üstünü değiştirmek * a.
değiştirme, değişme, değişiklik;
bozuk para; para üstü *change
one's mind* fikrini değiştirmek
changeable değişebilir
channel /'çenıl/ a. kanal; oluk * e.
yönlendirmek; kanal açmak
chant /ça:nt/ a. (dinsel) şarkı
chaos /'keyos/ a. karışıklık, kargaşa,
kaos
chap /çep/ a. (ciltte) çatlak; adam,
arkadaş * e. (cilt) çatlamak; çat-
latmak
chapel /'çepıl/ a. küçük kilise;
ibadet yeri
chaplain /'çeplin/ a. (okul, ordu,
vb.'de) papaz, vaiz
chapter /'çeptı/ a. (kitap, yazı, vb.)
bölüm
character /'kerıktı/ a. karakter,
kişilik; nitelik, özellik
characteristic /kerıktı'ristik/ s. tipik,
karakteristik
characterize /'kerıktırayz/ e.
nitelendirmek, tanımlamak; -in
ayırıcı özelliği olmak
charades /şı'ra:dz/ a. sessiz sinema
oyunu
charcoal /'ça:koul/ a. man-
galkömürü; odunkömürü
charge /ça:c/ e. fiyat istemek;
suçlamak; yüklemek; doldurmak;
saldırmak * a. yük; yükleme;
doldurma; saldırı *in charge of*
görevli, sorumlu
chariot /'çerııt/ a. savaş arabası
charitable /'çerıtıbıl/ s. cömert;
hayırsever
charity /'çerıti/ a. hayırseverlik;
sadaka; hayır kurumu
charlatan /'şa:lıtın/ a. hkr. şarlatan
charm /ça:m/ a. çekicilik, alım,
cazibe
* e. hayran bırakmak, büyüle-
mek *charming* çekici, büyüleyici,
hoş
chart /ça:t/ a. harita; grafik, çizim
charter /ça:tı/ a. kiralama, tutma;
patent * e. patent vermek; kira-
lamak *charter flight* çarter seferi
chase /çeys/ e. peşine düşmek,
kovalamak; koşuşturmak * a.
takip, kovalama; av
chassis /'şesi/ a. şasi
chat /çet/ e. sohbet etmek * a.
sohbet, muhabbet, hoşbeş
chateau /'şetou/ a. şato
chatter /'çetı/ e. çene çalmak,
sohbet etmek
chatterbox /'çetıboks/ a. kon.
geveze
chatty /'çeti/ s. kon. geveze, çene-
baz
chauffeur /'şoufı/ a. özel şoför
cheap /çı:p/ s. ucuz; kalitesiz,

değersiz **cheapen** ucuzlamak; ucuzlatmak, itibarını düşürmek **cheaply** ucuz olarak

cheat /çi:t/ *a.* hile, aldatma, dolap; dolandırıcı * *e.* aldatmak, dolandırmak

check /çek/ *e.* kontrol etmek, denetlemek; engel olmak, tutmak * *a.* kontrol, denetim; zapt, tutma; emanet makbuzu, fiş; (satranç) şah; ekose desen **check in** gelip kayıt yaptırmak, giriş işlemlerini yaptırmak **check out** otelden ayrılmak **check-up** sağlık muayenesi

checkmate /'çekmeyt/ *e.* mat etmek; yenilgiye uğratmak * *a.* (satranç) mat

cheddar /'çedı/ *a.* çedar peyniri

cheek /çi:k/ *a.* yanak; *kon.* yüzsüzlük, arsızlık, küstahlık **cheekbone** elmacıkkemiği **cheeky** *kon.* küstah, arsız, yüzsüz

cheer /'çıı/ *a.* alkış, bağırış; neşe, keyif * *e.* neşelendirmek; alkışlamak, "yaşa" diye bağırmak **cheerful** neşeli, şen; hoş, güzel **cheerfully** neşeyle **cheerless** keyifsiz, neşesiz

cheerio /çıırı'ou/ *ünl. BE. kon.* hoşça kal!; güle güle!

cheerleader /'çılı:dı/ *a.* amigo

cheese /çi:z/ *a.* peynir

cheetah /'çi:tı/ *a. hayb.* çita

chef /şef/ *a.* şef, aşçıbaşı

chemical /'kemikıl/ *s.* kimyasal * *a.* kimyasal madde

chemist /'kemist/ *a.* kimyager, kimyacı **chemistry** kimya

cheque /çek/ *a.* çek **cheque book** çek defteri

cherish /'çeriş/ *e.* sevmek; hatırasında yaşatmak

cherry /'çeri/ *a.* kiraz

chess /çes/ *a.* satranç

chest /çest/ *a.* sandık, kutu; *anat.* göğüs, bağır **chest of drawers**

konsol

chestnut /'çesnat/ *a.* kestane

chew /çu:/ *e.* çiğnemek * *a.* ·çiğneme; lokma **chewing gum** çiklet, sakız

chick /çik/ *a.* civciv

chicken /'çikin/ *a.* piliç, tavuk; piliç eti **chicken pox** *hek.* suçiçeği

chickpea /'çikpı:/ *a.* nohut

chief /çi:f/ *a.* başkan, baş, amir, şef; reis * *s.* baş; en önemli, ana

child /çayld/ *a.* (*kon.* **children** /'çildrın/) çocuk; evlat, çocuk **childhood** çocukluk **childish** çocuksu, çocuk gibi

chill /çil/ *e.* soğumak; soğutmak; ürpertmek * *s.* soğuk * *a.* titreme, ürperti; soğuk algınlığı **chilly** soğuk, serin

chilli /'çili/ *a. bitk.* kırmızıbiber

chime /çaym/ *a.* zil/çan sesi * *e.* (saat, zil, vb.) çalmak

chimney /'çimni/ *a.* baca; lamba şişesi **chimneysweep(er)** baca temizleyicisi

chimp /çimp/ *a. hayb.* şempanze

chimpanzee /çimpen'zi:/ *a. hayb.* şempanze

chin /çin/ *a.* çene

china /'çaynı/ *a.* çini, porselen

chinaware /'çaynıweı/ *a.* çin işi, çini/porselen eşya

chink /çink/ *a.* yarık, çatlak * *e.* şıngırdamak, şıngırdatmak

chip /çip/ *a.* kırıntı, yonga; *ç. BE.* patates kızartması; *AE.* cips * *e.* ·yontmak; çentmek, dilimlemek

chipping /'çiping/ *a.* çakıltaşı

chiropody /ki'ropıdi/ *a.* ayak bakımı

chirp /çö:p/ *a.* cıvıltı * *e.* cıvıldamak **chirpy** neşeli, cıvıl cıvıl

chisel /'çizıl/ *a.* keski * *e.* oymak, yontmak

chivalry /'şivılri/ *a.* şövalyelik; yiğitlik, kahramanlık; incelik, kibarlık chive /çàyv/ *a. bitk.* frenksoğanı

chlorinate /'klo:rineyt/ *e.* klorlamak

chlorine /'klo:ri:n/ *a.* klor

chloroform /'klo:rfo:m/ *a.* kloroform

chlorophyll /'klo:rıfil/ *a.* klorofil

chocolate /'çoklit/ *a.* çikolata

choice /çoys/ *a.* seçme; seçim; seçilen kişi/şey; seçenek * *s.* seçkin

choir /'kwayı/ *a.* koro; koro üyelerinin yeri

choke /çouk/ *e.* boğmak; boğulmak; tıkamak; tıkanmak * *a.* jikle, hava kelebeği

choose /çu:z/ *e.* **chose** /çouz/, **chosen** /'çouzın/ seçmek; karar vermek; istemek **choosy** güç beğenen, titiz

chop /çop/ *e.* (balta, vb. ile) kesmek; kıymak, doğramak * *a.* balta, vb. vuruşu; vuruş, darbe; (deniz) çırpıntı; pirzola, külbastı **first chop** birinci sınıf, kaliteli **chopper** balta; satır **choppy** (deniz) çırpıntılı, dalgalı; (rüzgâr) değişken **chopstick** Çinlilerin kullandığı yemek çubuğu

choral /'ko:rıl/ *s.* koro ile ilgili

chord /ko:d/ *a. müz.* tel; *müz.* akort; *mat.* kiriş

chore /ço:/ *a.* sıkıcı iş; günlük ev işi

choreography /kori'ogıfi/ *a.* koreografi

chorus /'ko:rıs/ *a.* koro; nakarat; uğultu

chose, chosen /çouz, 'çouzın/ *bkz.* **choose**

Christ /krayst/ *a.* İsa

christen /'krisın/ *e.* vaftiz etmek; ad koymak

Christendom /'krisındım/ *a.* Hıristiyan âlemi

Christian /'krişçın/ *a. s.* Hıristiyan **Christian name** ön ad, vaftiz adı

Christianity /kristi'eniti/ *a.* Hıristiyanlık

Christmas /'krismıs/ *a.* Noel **Christmas Eve** Noel arifesi

chrome /kroum/ *a.* krom

chromium /'kroumiım/ *a.* krom

chromosome /'kroumısoum/ *a. biy.* kromozom

chronic /'kronik/ *s.* müzmin, süreğen

chronicle /'kronikıl/ *a.* kronik, vakayiname

chronological /'kronı'locikıl/ *s.* kronolojik, zamandizinsel

chronology /krı'nolıci/ *a.* kronoloji, zamandizin

chronometer /krı'nomitı/ *a.* kronometre, süreölçer

chrysanthemum /kri'sentimım/ *a. bitk.* kasımpatı, krizantem

chuck /çak/ *e.* atmak, fırlatmak

chuckle /'çakıl/ *e.* kıkır kıkır gülmek * *a.* kıkırdama

chug /çag/ *e.* (motor) pat pat etmek, teklemek

chum /çam/ *a. kon.* iyi arkadaş, ahbap **chummy** samimi, arkadaş canlısı

chump /çamp/ *a.* kütük, takoz

chunk /çank/ *a.* iri parça **chunky** bodur ve tıknaz

church /çö:ç/ *a.* kilise **churchyard** kilise mezarlığı

churlish /'çö:liş/ *s.* kaba, ters, aksi

churn /çö:n/ *a.* yayık * *e.* yayıkta tereyağı yapmak; çalkalamak

chute /şu:t/ *a.* küçük çağlayan; oluk

chutney /'çatni/ *a.* bir tür acı sos

cider /'saydı/ *a. BE.* elma şarabı, elma şırası

cigar /si'ga:/ *a.* puro

cigarette /sigı'ret/ *a.* sigara

cinder /'sındı/ *a.* kor, köz

cinema /'sinimı/ *a.* sinema

cinnamon /'sinımın/ *a.* tarçın

cipher, cypher /'sayfı/ *a.* sıfır; şifre

circa /'sö:kı/ *ilg.* tahminen; yaklaşık

circle /'sö:kıl/ *a.* çember, daire; halka; çevre; (tiyatro, vb.) balkon

* e. çember içine almak; çevresini dolaşmak
circuit /'sö:kit/ a. dolaşma, devir, tur; çevre; ring seferi; fiz. devre, çevrim circuit breaker şalter
circuitous /sö:'kyu:itıs/ s. dolambaçlı, kıvrımlı, dönemeçli
circular /'sö:kyulı/ s. dairesel; dolambaçlı * a. genelge
circulate /'sö:kyuleyt/ e. dolaşmak; dolaştırmak; yaymak; yayılmak circulation dolaşım; tiraj
circumcise /'sö:kımsayz/ e. sünnet etmek circumcision sünnet
circumference /sı'kamfırıns/ a. mat. çember, çevre
circumflex /'sö:kımfleks/ a. düzeltme/uzatma işareti
circumstance /'sö:kımstens/ a. durum, koşul, hal in/under no circumstances asla, hiçbir şekilde in/under the circumstances şartlar gerektirdiğinden
circumvent /sö:kım'vent/ e. -den kaçmak, kaçınmak; atlatmak
circus /'sö:kıs/ a. sirk; BE. alan, meydan
cirrus /'sirıs/ a. sirrus, saçakbulut
cistern /'sistın/ a. sarnıç
citadel /'sitıdıl/ a. kale
citation /say'teyşın/ huk. celpname; alıntı
cite /sayt/ e. huk. mahkemeye çağırmak; celpname göndermek; bahsetmek; örnek olarak vermek/göstermek
citizen /'sitizın/ a. vatandaş, yurttaş citizenship vatandaşlık, yurttaşlık
citric acid /sitrik'esid/ a. sitrik asit
citrus /'sitrıs/ s. turunçgillerle ilgili
city /'siti/ a. kent, şehir
civic /'sivik/ a. şehirle ilgili, kentsel; yurttaşlıkla ilgili civics yurttaşlık bilgisi
civil /'sivıl/ s. sivil; uygar; kibar, nazik; huk. medeni hukukla ilgili civil defence sivil savunma civil

law medeni hukuk civil rights vatandaşlık hakları civil servant devlet memuru civil service devlet memurluğu, devlet hizmeti; devlet memurları civil war iç savaş
civilian /si'vilıın/ a. s. sivil
civility /si'viliti/ a. incelik, nezaket, kibarlık
civilization /sivilay'zeyşın/ a. uygarlık, medeniyet; uygarlaştırma; uygarlaşma
civilize /'sivılayz/ e. uygarlaştırmak; adam etmek, kibarlaştırmak
claim /kleym/ e. hak talep etmek; almak, sahip çıkmak; iddia etmek * e. istek, talep; hak; iddia
clam /klem/ a. hayb. deniztarağı
clamour /'klemı/ a. gürültü, patırtı
clamp /klemp/ a. mengene, kenet, kıskaç * e. mengeneyle sıkıştırmak
clan /klen/ a. kabile, oymak
clandestine /klen'destın/ s. gizli kapaklı, el altından yapılan
clang /kleng/ e. çınlamak * a. çınlama
clap /klep/ e. (el) çırpmak; alkışlamak * a. alkış; gürleme
clarify /'klerifay/ e. açıklamak, açıklık getirmek; açıklanmak; arıtmak
clarinet /kleri'net/ a. müz. klarnet
clarity /'kleriti/ a. açık seçiklik
clash /kleş/ e. çarpışmak, çatışmak; (renk) uymamak * a. gürültü, patırtı; çatışma
clasp /kla:sp/ a. toka, kopça; sıkı tutma; kavrama * e. sıkıca tutmak; kavramak; kopça/toka ile tutturmak
class /kla:s/ a. sınıf, zümre; (okul) sınıf; ders; çeşit, tür * e. sınıflandırmak first class birinci mevki middle class orta sınıf classmate sınıf arkadaşı classroom derslik

classic /'klesik/ s. klasik; bilinen, tipik * a. klasik yapıt, klasik
classical /'klesikıl/ s. klasik
classify /'klesifay/ e. sınıflandırmak
classification /klesifi'keyşın/ a. sınıflama; bölümleme, tasnif, sınıflandırma
classified /'klesifayd/ s. sınıflandırılmış, tasnif edilmiş; (askeri bilgi, vb.) gizli classified ad küçük gazete ilanı
clatter /'kletı/ e. tangırdamak; tangırdatmak * a. tangırtı
clause /klo:z/ a. dilb. cümlecik, yantümce; huk. madde, fıkra
claustrophobia /klo:strı'foubiı/ a. kapalı yer korkusu, klostrofobi
claw /klo:/ a. pençe; kıskaç * e. pençelemek, tırmalamak
clay /kley/ a. kil
clean /kli:n/ s. temiz; masum; düzgün, adil, kurallara uygun; net * be. kon. tam anlamıyla, bütünüyle * e. temizlemek; temizlenmek clean-cut biçimli, düzgün; belirgin, açık seçik clean out temizlemek; kon. soyup soğana çevirmek clean up temizlemek; tertemiz yapmak; kon. çok kâr etmek, vurgun vurmak cleaner temizlik işçisi; temizleyici cleaner's temizleyici dükkânı
cleanliness /'klenlinis/ a. temizlik
cleanly /'kli:nli/ be. temiz bir biçimde
cleanse /klenz/ e. temizlemek
clear /kliı/ s. açık, parlak; anlayışlı, kolayca kavrayan; emin; açık, engelsiz; masum, temiz; belirgin, ortada, aşikâr * be. açıkça; tamamen; uzağa, uzakta; dışarı * e. temizlemek, açmak; temizlemek; temize çıkarmak, aklamak clear away kaldırıp götürmek clear off çekip gitmek, defolmak clear out boşaltıp temizlemek,

çekilip gitmek clear up (hava) açılmak; çözümlemek clearly kesinlikle
clearance /'kliırıns/ a. (gemi, vb.) geçiş izni
cleave /kli:v/ e. yarmak, ayırmak, bölmek cleaver kasap satırı
clef /klef/ a. müz. anahtar
clemency /'klemınsi/ a. acıma, merhamet; (hava) yumuşaklık
clench /klenç/ e. (diş, el, vb.)` sıkmak, sımsıkı kapamak; sıkıca kavramak
clergy /'klö:ci/ a. ruhban sınıfı clergyman papaz, rahip
clerical /'klerikıl/ s. rahiplerle ilgili; daire/büro işleriyle ilgili
clerk /kla:k/ a. yazman, kâtip; tezgâhtar, satıcı
clever /'klevı/ s. akıllı, becerikli; usta
cliché /'kli:şey/ a. basmakalıp söz
click /klik/ a. tıkırtı * e. tıkırdamak; tıkırdatmak
client /'klayınt/ a. müşteri, alıcı; huk. müvekkil
clientele /kli:ın'tel/ a. müşteriler, müşteri
cliff /klif/ a. uçurum
climate /'klaymit/ a. iklim
climatic /'klaymetik/ s. iklimsel
climatology /klaymı'tolıci/ a. klimatoloji, iklimbilim
climax /'klaymeks/ a. zirve, doruk
climb /klaym/ e. tırmanmak; yükselmek * a. tırmanış climber tırmanıcı; dağcı; bitk. sarmaşık
clinch /klinç/ e. çözümlemek; kucaklamak, sarılmak
cling /kling/ s. clung /klang/ tutunmak, yapışmak
clinic /'klinik/ a. klinik clinical klinik; soğuk, ilgisiz, umursamaz
clink /klink/ e. şangırdamak * a. şangırtı
clip /klip/ a. ataş; toka; klips; şarjör; klip; kesme, kırılma * e.

(ataş, vb. ile) tutturmak; kırkmak; vurmak

clippers /'klipız/ a. kırpma makası, saç kesme makinesi *nail clippers* tırnak makası

clipping /'kliping/ a. kupür, kesik

clique /kli:k/ a. klik, hizip

clitoris /'klitıris/ a. klitoris, bızır

cloak /klouk/ a. pelerin * e. gizlemek *cloakroom* vestiyer

clock /klok/ a. masa/duvar saati * e. saat tutmak *clockwise* saat yelkovanı yönünde

clod /klod/ e. tıkamak; tıkanmak

cloister /'kloystı/ a. manastır

clop /klop/ a. nal sesi

close /klouz/ e. kapatmak; kapanmak; bitirmek, son vermek * a. son, sonuç, nihayet * /klous/ s. yakın; samimi; sık, az aralıklı; dikkatli, titiz; (hava) sıkıntılı, boğucu; havasız, kapalı; az farklı, hemen hemen eşit * be. yakın, yakından, yakına *close call/shave/thing* kon. kıl payı kurtuluş *close fitting* dar *close season* av yasağı dönemi *close-up* yakından çekilen fotoğraf *closed circuit* kapalı devre televizyon sistemi *closely* yakından; dikkatle

closet /'klozit/ a. AE. gömme dolap; tuvalet; küçük oda

clot /klot/ e. pıhtılaşmak * a. pıhtı

cloth /klot/ a. kumaş; bez

clothe /klout/ e. giydirmek

clothes /kloutz/ a. giysi, elbise

clothing /'klouting/ a. giyecek, giyim, kıyafet

cloud /klaud/ a. bulut * e. bulutlanmak; karartmak; kararmak *cloudy* bulutlu; bulanık

clove /klouv/ a. karanfil; sarmısak dişi

clover /'klouvı/ a. yonca

clown /klaun/ a. palyaço; soytarı

club /klab/ a. kulüp, dernek; sopa;

golf sopası; sinek, ispati

cluck /klak/ a. gıdaklama * e. gıdaklamak

clue /klu:/ a. ipucu

clump /klamp/ a. küme, yığın * e. ağır ve gürültülü adımlarla yürümek

clumsy /'klamzi/ s. beceriksiz, sakar; biçimsiz

cluster /'klastı/ a. salkım, demet, küme

clutch /klaç/ e. kavramak, yakalamak * a. kavrama, tutma; debriyaj; pençe

clutter /'klatı/ a. karışıklık, darmadağınıklık * e. karmakarışık etmek

coach /kouç/ a. at arabası, fayton; be. yolcu otobüsü; yolcu vagonu; sp. antrenör, koç, çalıştırıcı * e. çalıştırmak, yetiştirmek

coagulate /kou'egyuleyt/ e. koyulaşmak, pıhtılaşmak; koyulaştırmak, pıhtılaştırmak *coagulant* pıhtılaştırıcı madde *coagulation* pıhtılaşma

coal /koul/ a. kömür *coalgas* havagazı *coalminer* maden kömürü işçisi

coalesce /kouı'les/ e. birleşmek

coalescence /kouı'lesıns/ a. birleşme, bütünleşme

coalition /kouı'lişın/ a. koalisyon, birleşme

coarse /ko:s/ s. kaba, terbiyesiz; bayağı; adi; işlenmemiş

coast /koust/ a. kıyı, sahil; AE. kızakla kayılabilecek yokuş * e. kıyı boyunca gitmek; yokuş aşağı inmek *coastguard* sahil koruma görevlisi; sahil koruma *coastline* kıyı, sahil şeridi

coat /kout/ a. palto; ceket; mont; post; tabaka, kat * e. kaplamak

coating /'kouting/ a. tabaka, kat, astar

coax /kouks/ e. tatlılıkla ikna et-

mek; tatlılıkla elde etmek
cob /kob/ *a.* mısır koçanı
cobalt /'koubo:lt/ *a.* kobalt
cobble /'kobıl/ *a.* arnavut kaldırım taşı * *e.* kaldırım taşı döşemek
cobbler /'koblı/ *a.* ayakkabı tamircisi
cobra /'kobrı/ *a. hayb.* kobra
cobweb /'kobweb/ *a.* örümcek ağı
cocaine /kou'keyn/ *a.* kokain
cock /kok/ *a.* horoz; tetik; musluk * *e.* (silah) kurmak, tetiğe almak; (kulak, vb.) dikilmek, kalkmak
cockcrow /'kokkrou/ *a.* şafak, sabahın ilk saatleri
cockerel /'kokırıl/ *a.* yavru horoz
cockle /'kokıl/ *a.* bir tür midye
Cockney /'kokni/ *a. s.* (Doğu) Londralı
cockpit /'kokpit/ *a.* horoz dövüşü yapılan küçük alan; pilot kabini; yarış arabasında sürücü yeri
cockroach /'kokrouç/ *a. hayb.* hamamböceği
cocktail /'kokteyl/ *a.* kokteyl
coco /'koukou/ *a.* hindistancevizi ağacı
cocoa /'koukou/ *a. bitk.* kakao
coconut /'koukınat/ *a. bitk.* hindistancevizi
cocoon /kı'ku:n/ *a.* koza
cod /kod/ *a.* morina balığı
coda /'koudı/ *a. müz.* koda, final
coddle /'kodıl/ *e.* ağır ateşte kaynatmak; üzerine titremek, şımartmak
code /koud/ *a.* şifre; kod; kural * *e.* şifrelemek, şifreyle yazmak; kodlamak
codein /'koudi:n/ *a.* kodein
codify /'koudifay/ *e.* düzenlemek, kodlamak
coed /kou'ed/ *s.* (okul) karma eğitim yapan, karma
coeducation /kouecu'keyşın/ *a.* karma eğitim
coefficient /koui'fişınt/ *a.* katsayı

coerce /kou'ö:s/ *e.* zorlamak; baskı yapmak
coercion /kou'ö:şın/ *a.* zorlama, baskı
coexist /kouig'zist/ *e.* barış içinde birlikte yaşamak *coexistence* bir arada varoluş
coffee /'kofi/ *a.* kahve *coffeepot* cezve
coffer /'kofı/ *a.* sandık, kutu, çekmece
coffin /'kofin/ *a.* tabut
cog /kog/ *a.* çark dişi, diş
cogent /'koucınt/ *s.* ikna edici, inandırıcı, telkin edici
cogitate /'kociteyt/ *e.* (bir şey üzerinde) enine boyuna iyice düşünmek *cogitation* iyice düşünme
cognac /'konyek/ *a.* konyak
cognate /'kogneyt/ *s.* aynı kökenli, aynı soydan gelen, akraba
cognition /kog'nişın/ *a.* bilme, kavrama, idrak
cognitive /'kognitiv/ *s.* bilmeye, kavramaya ya da idrak etmeye ilişkin
cohabit /kou'hebit/ *e.* (nikâhsızca) birlikte yaşamak *cohabitation* birlikte yaşama
cohere /kou'hiı/ *e.* yapışmak; birbirini tutmak *coherent* uygun, tutarlı; yapışık
cohesion /kou'hi:jın/ *a.* yapışma
coiffeur /kwo'fö:/ *a.* kuaför
coil /koyl/ *a.* bobin, kangal * *e.* sarmak
coin /koyn/ *a.* madeni para * *e.* para basmak; (sözcük, vb.) uydurmak
coinage /'koynic/ *a.* madeni para basma; para sistemi; (yeni sözcük, vb.) uydurma
coincide /kouin'sayd/ *e.* aynı zamana rastlamak, çatışmak; (düşünce, vb.) uymak
coincidence /kou'insidıns/ *a.* rast-

lantı, tesadüf; uygunluk *coinci-dental* rastlantısal, tesadüfi

coke /kouk/ *a.* kok kömürü; *kon.* koka kola

cola /'koulı/ *a.* kolalı içecekler

colander /'kalındı/ *a.* süzgeç, kevgir

cold /kould/ *s.* soğuk * *a.* soğuk; nezle *cold-blooded* soğukkanlı *cold-hearted* soğuk, duygusuz *cold war* soğuk savaş *catch a cold* nezle olmak; üşütmek

collaborate /kı'lebıreyt/ *e.* işbirliği yapmak *collaboration* işbirliği

collage /'kola:j/ *a.* kolaj, kolaj resim

collapse /kı'leps/ *e.* çökmek; yıkılmak; açılır kapanır olmak * *a.* çöküş, yıkılış, çökme; ani düşüş, yıkım; başarısızlık *collapsible* açılır kapanır

collar /'kolı/ *a.* yaka; tasma; kolye *collarbone anat.* köprücükkemiği

collateral /kı'letırıl/ *s.* yan yana, paralel; yardımcı, ek; aynı soydan gelen

colleague /'koli:g/ *a.* meslektaş

collect /kı'lekt/ *e.* toplamak, biriktirmek; uğrayıp almak *collection* toplama; toplanma; koleksiyon, biriktiri; yığın *collector* toplayan

collective /kı'lektiv/ *s.* ortaklaşa, ortak, toplu *collective agreement* toplusözleşme *collective bargaining* toplu pazarlık *collective noun dilb.* topluluk adı

college /'kolic/ *a.* yüksekokul, fakülte

collide /kı'layd/ *e.* çarpışmak; çatışmak, zıt olmak

collier /'kolıı/ *a.* kömür işçisi; kömür gemisi

colliery /'kolyıri/ *a.* kömür ocağı, kömür madeni

collision /kı'lijın/ *a.* çarpışma; çatışma, düşünce ayrılığı

colloquial /kı'loukwııl/ *s.* konuşma diline özgü

collude /kı'lu:d/ *e.* dolap çevirmek,

tezgâh hazırlamak *collusion* gizli anlaşma, dolap, tezgâh

cologne /kı'loun/ *a.* kolonya

colon /'koulın/ *a.* iki nokta üst üste (:) * *anat.* kolon

colonel /'kö:nıl/ *a.* albay

colonial /kı'lounııl/ *s.* sömürgeci

colonialism /kı'lounıılizım/ *a.* sömürgecilik

colonize /'kolınayz/ *a.* kolonileştirmek, sömürgeleştirmek

colony /'kolıni/ *a.* sömürge; koloni

color /'kalı/ *a. AE. bkz. colour*

colossal /kı'losıl/ *s.* dev gibi, kocaman

colossus /kı'losıs/ *a.* dev

colour /'kalı/ *a.* renk; boya; *kon.* bayrak * *e.* boyamak *colour bar/line* ırk ayrımı *oil colours* yağlıboya *water colours* suluboya *colour-blind* renk körü *coloured* renkli *colourfast* boyası çıkmaz, solmaz *colourful* renkli *colouring* boya, gıda boyası; boyama, renklendirme *colourless* renksiz; solgun; sıkıcı, itici; donuk

colt /koult/ *a.* tay; sıpa

column /'kolım/ *a.* sütun *columnist* köşe yazarı

coma /'koumı/ *a. hek.* koma

comb /koum/ *a.* tarak * *e.* taramak

combat /'kombet/ *a.* mücadele, savaşım; çarpışma, savaş * *e.* mücadele etmek; savaşmak *combatant* savaşçı

combination /kombi'neyşın/ *a.* birleştirme; birleşme; *kim.* bileşim, terkip

combine /kım'bayn/ *e.* birleşmek; birleştirmek *combine harvester* biçerdöver

combustible /kım'bastibıl/ *s.* yanabilir, kolayca tutuşabilir, yanıcı

combustion /kım'basçın/ *a.* yanma, tutuşma

come /kam/ *e. came* /keym/ *come*

/kam/ gelmek; varmak; ulaşmak; olmak *come about* olmak *come across* karşılaşmak, rastlamak *come along* ilerlemek, gelişmek; (sağlık) iyiye gitmek; olmak, ortaya çıkmak; takip etmek *come apart* kopuvermek, dağılıvermek *come back* yeniden gözde olmak *come by* elde etmek, sahip olmak; karşılaşmak; tesadüfen edinmek *come down* aşağıya inmek; (fiyat) düşmek *come in* içeri girmek *come into* girmek; mirasa konmak *come off* çıkmak, kopmak *come on!* hadi!, haydi! *come on* gelişmek, ilerlemek; elini çabuk tutmak *come out* çıkmak *come round* uğramak; kendine gelmek, ayılmak *come through* kurtulmak; atlatmak *come to* ayılmak; tutmak, varmak *come true* gerçekleşmek *come up* çıkmak, yükselmek *comeback* eski gücüne kavuşma, yeniden başarma *comedown* düş kırıklığı, düşüş

comedian /kı'mi:diın/ *a.* komedyen
comedy /'komidi/ *a.* komedi, güldürü
comet /'komit/ *a.* kuyrukluyıldız, komet
comfort /'kamfıt/ *a.* rahatlık; refah, konfor; teselli * *e.* rahatlatmak, teselli etmek
comfortable /'kamfıtıbıl/ *s.* rahat; konforlu; huzurlu
comic /'komik/ *s.* komik, gülünç * *a.* komedyen *comic strips* karikatür şeklinde öykü dizisi *comics* resimli mizah dergileri; karikatür öyküsü
coming /'kaming/ *a.* gelme, geliş, varış * *s.* gelen, gelmekte olan
comma /'komı/ *a.* virgül
command /kı'ma:nd/ *e.* emretmek, buyurmak; komuta etmek, yönetmek; hâkim olmak * *a.*

buyruk, emir, komut; kontrol, komuta, kumanda yönetim; yetki; hâkimiyet
commandant /komın'dent/ *a.* komutan
commandeer /komın'diı/ *e. ask.* el koymak
commander /kı'ma:ndı/ *a.* komutan; deniz yarbayı *commander-in-chief* başkomutan
commando /kı'ma:ndou/ *a. ask.* komando
commemorate /kı'memıreyt/ *e.* anmak, anısını kutlamak; anısı olmak
commence /kı'mens/ *e.* başlamak *commencement* başlangıç, başlama; diploma töreni
commend /kı'mend/ *e.* övmek, takdir etmek; emanet etmek; tavsiye etmek *commendable* övgüye layık *commendation* övgü; takdir; resmi takdirname, onurlandırma
commensurate /kı'menşırit/ *s.* uygun, oranlı, eşit
comment /'koment/ *a.* yorum * *e.* yorum yapmak; yorumlamak
commentary /'komıntıri/ *a.* açıklama, yorum; (maç, vb.) anlatma, nakil
commentate /'komınteyt/ *e.* (maç, vb.) anlatmak
commentator /'komınteytı/ *a.* (maç, vb.) anlatıcı
commerce /'komö:s/ *a.* ticaret, tecim *chamber of commerce* ticaret odası
commercial /kı'mö:şıl/ *s.* ticari * *a.* televizyon/radyo reklamı
commercialize /kı'mö:şılayz/ *e.* ticarete dökmek
commiserate /kı'mizıreyt/ *e.* (with) acısını paylaşmak *commiseration* acısını paylaşma, derdine ortak olma
commission /kı'mişın/ *a.* iş, görev;

yetki; kurul, heyet, komisyon; komisyon, yüzde * *e.* görevlendirmek

commissionaire /kımişı'neı/ *a.* (sinema, otel, vb.'de) kapıcı

commissioner /kı'mişını/ *a.* komisyon üyesi; hükümet temsilcisi; (devlet dairesinde) yetkili memur, şube müdürü

commit /kı'mit/ *e.* yapmak, işlemek; teslim etmek; üstlenmek *commitment* taahhüt, üstlenme; sorumluluk; söz; bağlantı *committed* kendini adamış

committee /kı'miti/ *a.* komisyon, heyet, komite

commodity /kı'moditi/ *a.* eşya, mal

commodore /'komıdo:/ *a.* tuğamiral

common /'komın/ *s.* ortak, genel; sıradan; toplumsal, kamusal; yaygın, bilinen * *a.* halka açık yeşil alan, park; ortak, müşterek *Common Market* Ortak Pazar *common noun* dilb. cins ismi *common sense* sağduyu *commonly* genellikle, çoğunlukla, ekseriya

commoner /'komını/ *a.* halk tabakasından olan kimse

commonplace /'komınpleys/ *s.* alelade, sıradan, basit

Commons /'komınz/ *a.* Avam Kamarası

commonwealth /'komınwelt/ *a.* ulus; cumhuriyet *The Commonwealth* İngiliz Uluslar Topluluğu

commotion /kı'mouşın/ *a.* kargaşa

communal /'komyunıl/ *s.* halka ait, toplumsal; ortaklaşa kullanılan

communicate /kı'myu:nikeyt/ *e.* (haber, düşünce, vb.) geçirmek, nakletmek, iletmek, bildirmek, açıklamak; **(with)** görüş alışverişi yapmak, iletişim kurmak; birleşmek *communication* iletişim, haberleşme, komünikasyon; haber, mesaj; *kon.* komünikasyon sistemi

communicative /kı'myu:nikıtiv/ *s.* konuşkan, geveze, boşboğaz

communion /kı'myu:niın/ *a.* görüş alışverişi; duygu, düşünce, vb. paylaşma

communiqué /kı'myu:nikey/ *a.* bildiri

communism /'komyunizım/ *a.* komünizm *communist* komünist

community /kı'myu:niti/ *a.* halk, toplum; topluluk; ortak iyelik, ortaklaşalık

commute /kı'myu:t/ *e.* (cezayı) hafifletmek; ev ile iş arasında gidip gelmek; değiş tokuş etmek

compact /kım'pekt/ *s.* yoğun, sıkı, sık

companion /kım'peniın/ *a.* arkadaş, yoldaş *companionship* arkadaşlık; dostluk

company /'kampıni/ *a.* şirket; arkadaşlık, eşlik; dost; birlik, grup; *den.* tayfa; *ask.* bölük

comparable /'kompırıbıl/ *s.* karşılaştırılabilir

comparative /kım'perıtiv/ *s.* karşılaştırmalı, mukayeseli; göreceli, nispi; *dilb.* üstünlük derecesi

compare /kım'peı/ *e.* karşılaştırmak, mukayese etmek; benzetmek

comparison /kım'perisın/ *a.* karşılaştırma, mukayese; benzerlik

compartment /kım'pa:tmınt/ *a.* bölme, daire; (tren) kompartıman; *oto.* torpido gözü, torpido

compass /'kampıs/ *a.* pusula; pergel; sınır, alan

compassion /kım'peşın/ *a.* acıma, şefkat *compassionate* merhametli, sevecen

compatible /kım'petıbıl/ *s.* bir arada olabilir, bağdaşabilir compatriot 60

compatriot /kım'petrıt/ a. yurttaş, hemşeri

compel /kım'pel/ e. zorlamak

compensate /'kompınseyt/ e. tazminat ödemek; bedelini vermek, zararı ödemek, telafi etmek *compensation* bedel, tazminat; yerini doldurma, telafi

compére /'kompeı/ a. *BE.* (eğlence programında) sunucu * e. *BE* sunuculuk yapmak

compete /kım'pi:t/ e. yarışmak; yarışmaya katılmak

competence /'kompitıns/ a. yetenek, beceri, ustalık; yetki *competent* yetenekli, usta; doyurucu; yetkili

competition /kompi'tişın/ a. yarışma, müsabaka; rekabet, çekişme

competitive /kım'petitiv/ s. rekabete dayanan; rekabetçi

competitor /kım'petitı/ a. yarışmacı; rakip

compilation /kompi'leyşın/ a. derleme

compile /kım'payl/ e. derlemek, bir araya getirmek *compiler* derleyen

complacent /kım'pleysınt/ s. halinden memnun, keyfi yerinde

complain /kım'pleyn/ e. şikâyet etmek, yakınmak *complaint* yakınma, şikâyet; hastalık; dert

complement /'komplimınt/ a. tamamlayıcı şey; tam; bütün * e. tamamlamak *complementary* /-'mentıri/ tamamlayıcı

complete /kım'pli:t/ s. tam, eksiksiz; tamam, bitmiş; yetkin * e. tamamlamak, bitirmek; bütünlemek *completely* tamamen, bütünüyle

complex /'kompleks/ s. çok parçalı; karmaşık, karışık * a. kompleks

complexion /kım'plekşın/ a. ten; ten rengi

compliance /kım'playıns/ a. rıza, uyum

compliant /kım'playınt/ s. yumuşak başlı, uysal, itaatkâr

complicate /'komplikeyt/ e. karıştırmak, güçleştirmek *complicated* karışık, zor *complication* karışıklık

complicity /kım'plisiti/ a. suçortaklığı

compliment /'komplimınt/ a. övgü, iltifat, kompliman; *kon.* selamlar, saygılar, iyi dilekler * e. övmek, tebrik etmek *complimentary* övgü niteliğinde; parasız

comply /kım'play/ e. (with) uymak; razı olmak

component /kım'pounınt/ a. (makine, vb.) parça; bileşen

compose /kım'pouz/ e. birleştirmek, oluşturmak; yazmak; bestelemek; yatıştırmak *composer* besteci

composite /'kompızit/ s. birçok parçalardan oluşan, karma, bileşik

composition /kompı'zişın/ a. bileşim; beste; kompozisyon; nitelik, yapı

compositor /kım'pozitı/ a. dizgici

compost /'kompost/ a. çürümüş organik maddeli gübre

composure /kım'poujı/ a. soğukkanlılık, kendine hâkimiyet

compound /kım'paund/ s. bileşik * e. katmak, eklemek; birleştirmek * a. bileşim *compound interest* bileşik faiz

comprehend /kompri'hend/ e. anlamak, kavramak *comprehensible* anlaşılabilir *comprehension* anlama, kavrama; (okulda) kavrama testi *comprehensive* geniş, ayrıntılı *comprehensive (school)* sanat okulu, çok amaçlı okul

compress /kım'pres/ e. basmak,

sıkıştırmak, bastırmak; birkaç sözcükle anlatmak, özetlemek *compression* sıkıştırma; özetleme

comprise /kım'prayz/ e. -den oluşmak; içermek, kapsamak

compromise /'komprımayz/ a. uzlaşma * e. uzlaşmak; şerefine gölge düşürmek

compulsion /kım'palşın/ a. zorlama, baskı *compulsiv* zorunlu, mecburi

compulsory /kım'palsıri/ s. zorunlu

compunction /kım'pankşın/ a. vicdan azabı, pişmanlık; utanma

computation /kompyu'teyşın/ a. ölçüm, hesap, hesaplama

compute /kım'pyu:t/ e. hesap yapmak, hesaplamak *computer* bilgisayar

computerize /kım'pyu:tırayz/ e. bilgisayarlaştırmak; bilgisayara yüklemek

comrade /'komrid/ a. arkadaş, yoldaş

con /kon/ a. aleyhte nokta/kimse; *kon.* kazık, üçkâğıt * e. *kon.* kazıklamak, dolandırmak

concave /kon'keyv/ s. çukur, içbükey

conceal /kın'si:l/ e. gizlemek, saklamak

concede /kın'si:d/ e. teslim etmek; kabul etmek; vermek, bağışlamak

conceit /kın'si:t/ a. kendini beğenmişlik *conceited* kendini beğenmiş

conceive /kın'si:v/ e. tasarlamak, kurmak; gebe kalmak *conceivable* akla yatkın, olası

concentrate /'konsıntreyt/ e. toplanmak, derişmek; toplamak, deriştirmek; konsantre olmak

concentration /konsın'treyşın/ a. toplama; toplanma; konsantrasyon *concentration camp* toplama kampı

concentric /kın'sentrik/ s. eşmerkezli

concept /'konsept/ a. genel kavram, genel düşünce

conception /kın'sepşın/ a. anlayış, kavrayış, kavrama; düşünce, görüş, kavram, fikir; gebe kalma

concern /kın'sö:n/ e. ilgilendirmek, ilişiği olmak; kaygılandırmak, üzmek *concerned* ilgili, ilişkili; endişeli, kaygılı *as far as I'm concerned* bence, bana kalırsa *concerning* hakkında; -e dair, ile ilgili

concert /'konsıt/ a. konser *in concert* birlikte, işbirliği içinde

concerto /kın'çö:tou/ a. *müz.* konçerto

concession /kın'seşın/ a. ödün, taviz; ayrıcalık, imtiyaz

conciliate /kın'silieyt/ e. gönlünü almak, gönlünü yapmak *conciliation* gönül alma *conciliatory* gönül alıcı

concise /kın'says/ s. kısa, özlü

conclude /kın'klu:d/ e. bitirmek; bitmek; sonucuna varmak; karara varmak

conclusion /kın'klu:jın/ a. son; sonuç; yargı; anlaşma *in conclusion* neticede, sonuç olarak

conclusive /kın'klu:siv/ s. kesin, son

concord /'konko:d/ a. uyum, anlaşma; dostluk

concourse /'konko:s/ a. bir araya gelme, toplanma

concrete /'konkri:t/ s. somut; açık, kesin, belli * a. beton * e. beton dökmek

concur /kın'kö:/ e. anlaşmak, uyuşmak; aynı zamanda oluşmak *concurrent* aynı zamanda oluşan, rastlantısal

concussion /kın'kaşın/ a. beyin sarsıntısı

condemn /kın'dem/ e. kınamak, ayıplamak; mahkûm etmek

condensation /kondın'seyşın/ a. yoğunlaşma, sıvılaşma; buğu

condense /kın'dens/ e. (gaz) yoğunlaşmak; özetlemek

condenser /kın'densı/ a. kondansatör; kondansör

condescend /kondi'send/ e. tenezzül etmek; lütfetmek

condiment /'kondimınt/ a. baharat, sos, çeşni

condition /kın'dişın/ a. durum, hal, vaziyet; koşul, şart; genel sağlık durumu, kondisyon, form * e. şart koşmak; şartlandırmak; koşullandırmak; alıştırmak *on condition that* eğer, şartıyla *on no condition* asla, hiçbir surette

conditional /kın'dişınıl/ s. şartlı, koşullara bağlı *conditional clause dilb.* koşul yantümcesi

condolence /kın'doulıns/ a. başsağlığı; acısını paylaşma, avutma

condom /'kondım/ a. kaput, prezervatif

condone /kın'doun/ e. bağışlamak, göz yummak

conduce /kın'dyu:s/ e. (to/towards) yardım etmek, katkıda bulunmak

conducive /kındyu:siv/ s. yardım eden, olanak sağlayan

conduct /'kondakt/ a. davranış; yönetme, idare

conduct /'kın'dakt/ e. davranmak, hareket etmek; yönetmek, yürütmek; götürmek, kılavuzluk etmek, taşımak, nakletmek; (elektrik, ısı, vb.) iletmek, geçirmek; *müz.* orkestra yönetmek *conduction* taşıma, götürme; iletme *conductive* iletken *conductor* orkestra şefi; biletçi, kondüktör; iletken

cone /koun/ a. koni; kozalak; külah

confection /kın'fekşın/ a. şekerleme *confectioner* şekerci *confectionery* şekerleme; şekerci dükkânı

confederacy /kın'fedırısi/ a. konfederasyon, birlik

confederate /kın'fedırıt/ s. konfedere, birleşik * a. müttefik; suçortağı *confederation* konfederasyon, birlik

confer /kın'fö:/ e. (on/upon) (unvan, vb.) vermek; (with) danışmak, görüşmek

conference /'konfırıns/ a. (fikir alışverişi için düzenlenen) toplantı, görüşme, müzakere

confess /kın'fes/ e. itiraf etmek; kabul etmek; günah çıkarmak

confession /kın'feşın/ a. itiraf; günah çıkarma

confetti /kın'feti/ a. konfeti

confidant /'konfident/ a. sırdaş, dert ortağı

confide /kın'fayd/ e. (sır, vb.) vermek, açmak; (in) güvenmek, açılmak

confidence /'konfidıns/ a. güven; sır, gizli şey *in confidence* gizlilikle *confident* kendinden emin *confidential* gizli; güvenilir

configuration /konfigyu'reyşın/ a. biçim, şekil

confine /kın'fayn/ e. kapatmak, hapsetmek; sınırlandırmak *confinement* hapsedilme, kapatılma; hapis; loğusalık

confines /'konfaynz/ a. sınırlar

confirm /kın'fö:m/ e. doğrulamak; pekiştirmek; onaylamak *confirmation* /konfi'meyşın/ doğrulama, onaylama *confirmed* /kın'fö:md/ alışkanlıklarını değiştirmez

confiscate /'konfiskeyt/ e. el koymak *confiscation* el koyma

conflict /'konflikt/ a. çatışma, çarpışma; uyuşmazlık, zıtlık, anlaşmazlık * e. bağdaşmamak, çatışmak

conform /kın'fo:m/ e. uymak

conformity /kın'fo:miti/ a. uymacılık; uyum

confound /kın'faund/ *e.* karıştırmak, allak bullak etmek, şaşırtmak

confront /kın'frant/ *e.* karşı koymak, göğüs germek; **(with)** yüzleştirmek

confuse /kın'fyu:z/ *e.* şaşırtmak, kafasını karıştırmak **confusion** kargaşa; karışıklık

congeal /kın'ci:l/ *e.* dondurmak, donmak

congenial /kın'ci:niıl/ *s.* hoş, kafa dengi, kafasına uygun

congenital /kın'cenitıl/ *s.* (hastalık) doğuştan

congestion /kın'cesçın/ *a. hek.* kan birikmesi; tıkanıklık

conglomerate /kın'glomırit/ *a.* küme, yığın; büyük işletme/şirket; *tek.* çakıl kayaç

congratulate /kın'greçuleyt/ *e.* kutlamak, tebrik etmek **congratulation** kutlama, tebrik *Congratulations!* Tebrikler!

congregate /'kongrigeyt/ *e.* bir araya gelmek, toplanmak **congregation** cemaat, topluluk

congress /'kongres/ *a.* kongre, kurultay, toplantı *Congress* (ABD'de) Millet Meclisi **congressman** ABD Millet Meclisi üyesi

congruous /'kongruıs/ *s.* uygun, yakışır

conical /'konikıl/ *s.* koni biçiminde, konik

conifer /'kounifı/ *a. bitk.* kozalaklı ağaç

conjecture /kın'cekçı/ *a.* varsayım; tahmin

conjugal /'koncugıl/ *s.* evlilikle ilgili

conjugate /'koncugeyt/ *e. dilb.* (eylem) çekmek; (eylem) çekilmek **conjugation** *dilb.* eylem çekimi

conjunction /kın'cankşın/ *a. dilb.* bağlaç; birleşme, birleşim *in*

conjunction with ile birlikte

conjure /'kancı/ *e.* hokkabazlık yapmak; el çabukluğu ile çıkarmak *conjurer* hokkabaz, sihirbaz

connect /kı'nekt/ *e.* bağlamak, birleştirmek *connected* bağlı, ilgili

connection /kı'nekşın/ *a.* bağlantı; ilişki, bağ; aktarma *in connection with* ile ilgili olarak

connive /kı'nayv/ *e.* gizlice işbirliği yapmak; **(at)** görmezlikten gelmek

connoisseur /konı'sö:/ *a.* uzman, ehil

connotation /konı'teyşın/ *a.* yan anlam

conquer /'konkı/ *e.* fethetmek, zapt etmek; yenmek *conqueror* fatih

conquest /'konkwest/ *a.* fetih, fethetme; alt etme

conscience /'konşıns/ *a.* vicdan

conscientious /konşi'enşıs/ *s.* vicdanlı, dürüst; özenli

conscious /'konşıs/ *s.* bilinçli; farkında, bilincinde; kasti *consciousness* bilinç

conscript /kın'skript/ *e.* askere almak

consecrate /'konsikreyt/ *e.* kutsamak; adamak

consecutive /kın'sekyutiv/ *s.* art arda gelen, ardışık

consensus /kın'sensıs/ *a.* ortak karar, oybirliği, anlaşma

consent /kın'sent/ *e.* izin vermek, razı olmak * *a.* izin, rıza *age of consent* rüşt, erginlik

consequence /'konsikwıns/ *a.* sonuç; önem *consequently* sonuç olarak, bu nedenle

conservation /konsı'veyşın/ *a.* koruma *conservatism* tutuculuk

conservative /kın'sö:vıtiv/ *s.* muhafazakâr

conservatoire /kın'sö:vıtwa:/ *a.* konservatuvar

conservatory /kın'sö:vıtıri/ *a.* konservatuvar; limonluk, ser

conserve /kın'sö:v/ *e.* korumak

consider /kın'sıdı/ *e.* düşünüp taşınmak; olduğunu düşünmek, saymak; göz önünde tutmak

considerable /kın'sidırbıl/ *s.* büyük, önemli, hatırı sayılır *considerably* çok

considerate /kın'sidırit/ *s.* düşünceli, saygılı

consideration /kınsidı'reyşın/ *a.* göz önüne alma; saygı; husus, etmen; önem

considering /kın'sidıring/ *ilg.* -e göre, -e karşın

consign /kın'sayn/ *e.* mal göndermek; vermek, teslim etmek; tahsis etmek *consignment* mal gönderme; gönderilen mal

consist /kın'sist/ *e.* (of) oluşmak; (in) bağlı olmak, dayanmak

consistency /kın'sıstınsi/ *a.* koyuluk, yoğunluk; tutarlılık, uyum

consistent /kın'sıstınt/ *s.* istikrarlı, tutarlı; devamlı, sürekli *consistent with* -e uygun olarak *consistently* sürekli olarak

console /kın'soul/ *e.* avutmak, teselli etmek *consolation* /konsı'leyşın/ teselli; avuntu

console /'konsoul/ *a.* konsol; dirsek

consolidate /kın'solideyt/ *e.* sağlamlaştırmak; birleştirmek; birleşmek *consolidation* sağlamlaştırma; birleşim, ünite; birleştirme, birleşme

consommé /kın'somey, 'konsımey/ *a.* et suyu

consonant /'konsınınt/ *a. dilb.* ünsüz harf, ünsüz

consort /'konso:t/ *a.* karı, koca, eş

consortium /kın'so:tıım/ *a.* konsorsiyum, birlik

conspicuous /kın'spikyuıs/ *s.* göze çarpan, çarpıcı, dikkat çekici

conspiracy /kın'spirısi/ *a.* komplo

conspirator komplocu

conspire /kın'spayı/ *e.* plan yapmak, komplo kurmak; suikast hazırlamak

constable /'kanstıbıl/ *a. BE.* polis memuru

constancy /'konstınsi/ *a.* karar, metanet, sebat; tutarlılık

constant /'konstınt/ *s.* değişmeyen; sadık; bağlı *constantly* sürekli olarak

constellation /konsti'leyşın/ *a.* takımyıldız

consternation /konstı'neyşın/ *a.* şaşkınlık, dehşet, korku

constipation /konsti'peyşın/ *a.* kabızlık, peklik

constituency /kın'stiçuınsi/ *a.* seçmenler; seçim bölgesi

constituent /kın'stiçuınt/ *a.* seçmen; bileşen; öğe * *s.* kurucu

constitute /'konstityu:t/ *e.* oluşturmak; kurmak

constitution /konsti'tyu:şın/ *a.* oluşum, bileşim; yapı, bünye; anayasa *constitutional* yapısal; bünyesel; anayasal

constrain /kın'streyn/ *e.* zorlamak, zorla yaptırmak *constraint* zorlama; baskı, tehdit

constrict /kın'strikt/ *e.* daraltmak; sıkmak; kısmak

construct /kın'strakt/ *e.* inşa etmek, yapmak; kurmak *construction* yapılış, yapım, inşa *constructive* yapıcı, yardımcı, yararlı

construe /kın'stru:/ *e.* yorumlamak, anlam vermek; *dilb.* (cümle) analiz etmek

consul /'konsıl/ *a.* konsolos

consulate /'konsyulit/ *a.* konsolosluk

consult /kın'salt/ *e.* danışmak, başvurmak *consultant* danışman *consultation* danışma, başvurma

consume /kın'syu:m/ *e.* tüketmek; yok etmek, yakmak

consumer /kın'syu:mı/ *a.* tüketici

consummate /"konsımeyt/ e. tamamlamak, mükemmelleştirmek

consumption /kın'sampşın/ a. tüketim; verem

contact /'kontekt/ a. dokunma, temas; bağlantı, irtibat; kontak * e. görüşmek, bağlantı kurmak *contact lens* kontaklens

contagious /kın'teycıs/ s. bulaşıcı

contain /kın'teyn/ e. içermek, kapsamak; tutmak, bastırmak

container /kın'teynı/ a. (kutu, şişe, vb.) kap

contaminate /kın'temineyt/ e. bulaştırmak, kirletmek; zehirlemek, bozmak

contemplate /"kontımpleyt/ e. bakmak; niyetinde olmak, tasarlamak; üzerinde düşünmek *contemplation* düşünceye dalma *contemplative* /kın'templıtiv/ düşünceli, dalgın

contemporary /kın'tempırıri/ s. çağdaş * a. çağdaş; yaşıt

contempt /kın'tempt/ a. küçümseme; saygısızlık *contemptible* alçak, aşağılık *contemptuous* /-çuıs/ hor gören, aşağılayıcı

contend /kın'tend/ e. yarışmak; iddia etmek

content /kın'tent/ s. memnun, hoşnut * e. doyurmak, tatmin etmek * a. içerik *contented* memnun, hoşnut

contents /'kontents/ a. içindekiler

contest /'kontest/ a. mücadele; yarışma

contestant /kın'test/ e. yarışmak, çekişmek; doğruluğu hakkında tartışmak *contestant* yarışmacı

context /'kontekst/ a. bağlam

continent /'kontinınt/ a. coğ. kıta, anakara *the Continent* BE. Britanya dışındaki Avrupa ülkeleri *continental* /konti'nentıl/ kıtasal

contingency /kın'tincınsi/ a. olasılık

contingent /kın'tincınt/ s. -e bağlı; şans eseri olan, umulmadık * a. ask. birlik, grup; bölüm

continual /kın'tinyuıl/ s. sürekli, devamlı

continue /kın'tinyu:/ e. devam etmek, sürmek; devam ettirmek, sürdürmek

continuity /konti'nyu:iti/ a. süreklilik

continuous /kın'tinyuıs/ s. sürekli, devamlı

contort /kın'to:t/ e. burmak, bükmek; çarpıtmak

contour /'kontuı/ a. dış hatlar; (haritada) yükseklik çizgisi, kontur

contraband /'kontrıbend/ a. kaçak eşya; kaçakçılık

contraception /kontrı'sepşın/ a. doğum kontrolü *contraceptive* gebelik önleyici

contract /'kontrekt/ a. sözleşme, kontrat

contract /kın'trekt/ e. sözleşme yapmak; (hastalık, vb.) kapmak; küçülmek, büzülmek

contraction /kın'trekşın/ a. küçülme, büzülme; küçültme; hastalık kapma; (kas) kasılma

contractor /kın'trektı/ a. müteahhit

contradict /kontrı'dikt/ e. inkâr etmek; yalanlamak; birbirini tutmamak, çelişmek *contradiction* tersini söyleme, inkâr; yalanlama; zıtlık, çelişki *contradictory* çelişkili, tutarsız

contrary /'kontrırı/ s. karşıt, aksi; ters *on the contrary* aksine, tersine

contrast /'kontra:st/ a. karşıtlık, tezat

contravene /kontrı'vi:n/ e. karşı gelmek; ihlal etmek

contribute /kın'tribyu:t/ e. katkıda bulunmak, katılmak; -de payı olmak; yazı hazırlamak *contribution* katılım; katkı, yardım *contributory* payı olan, neden olan

contrite /'kontrayt/ *s.* pişman

contrition /kın'trişın/ *a.* pişmanlık

contrive /kın'trayv/ *e.* bulmak, icat etmek; planlamak; bir yolunu bulup becermek

control /kın'troul/ *e.* kontrol etmek; dizginlemek; denetlemek * *a.* denetim, kontrol; idare, hâkimiyet; *kon.* (uçak, vb.) kumanda donanımı *out of control* kontrolden çıkmış *under control* kontrollü, disiplinli

controversial /kontrı'vö:şıl/ *s.* tartışmaya yol açan

controversy /'kontrıvö:si/ *a.* tartışma; anlaşmazlık, uyuşmazlık

convalesce /konvı'les/ *e.* iyileşmek *convalescence* nekahet, iyileşme dönemi *convalescent* iyileşen

convection /kın'vekşın/ *a.* *fiz.* konveksiyon, ısıyayım

convene /kın'vi:n/ *e.* toplantıya çağırmak; buluşmak, toplanmak

convenience /kın'vi:nıns/ *a.* uygunluk, elverişlilik; rahat, çıkar; uygun zaman *convenient* uygun, elverişli

convent /'konvınt/ *a.* rahibe manastırı

conventional /kın'venşınıl/ *s.* törel, geleneksel; (silah) konvansiyonel

converge /kın'vö:c/ *e.* bir noktada birleşmek

conversant /kın'vö:sınt/ *s.* (with) bilgisi olan, bilen

conversation /konvı'seyşın/ *a.* konuşma; sohbet, muhabbet

converse /kın'vö:s/ *e.* konuşmak

converse /'konvö:s/ *a. s.* zıt, ters, karşıt

conversion /kın'vö:şın/ *a.* değişme, dönüşme; din değiştirme

convert /kın'vö:t/ *e.* değiştirmek,

dönüştürmek *convertible* (para) konvertibl; üstü açılır araba

convex /kon'veks/ *s.* dışbükey

convey /kın'vey/ *e.* taşımak, götürmek; ifade etmek *conveyance* taşıma, nakil; taşıt, vasıta *conveyor* taşıyıcı

convict /'konvikt/ *e.* suçluluğunu kanıtlamak * *a.* mahkûm

conviction /kın'vikşın/ *a.* mahkûmiyet; inanç, kanı, kanaat

convince /kın'vins/ *e.* inandırmak, ikna etmek *convincing* inandırıcı

convoke /kın'vouk/ *e.* toplantıya çağırmak

convoy /'konvoy/ *e.* (korumak amacıyla) eşlik etmek

convulse /kın'vals/ *e.* şiddetle sarsmak *convulsion* çırpınma

coo /ku:/ *e.* (kumru gibi) ötmek

cook /kuk/ *a.* aşçı * *e.* (yemek) pişirmek; pişmek *cook up* uydurmak, kafadan atmak

cooker /'kukı/ *a.* ocak *cookery* aşçılık

cookie /'kuki/ *a.* kurabiye, bisküvi

cooky /'kuki/ *a. bkz. cookie*

cool /ku:l/ *s.* serin; sakin, soğukkanlı, serinkanlı; (davranış) soğuk, uzak * *e.* soğumak, serinlemek; soğutmak, serinletmek

coop /ku:p/ *a.* kümes

co-op /'kouop/ *a. kon.* kooperatif

cooperate /kou'opıreyt/ *e.* işbirliği yapmak *cooperation* işbirliği, elbirliği; destek *cooperative* yardımcı; kooperatif

coordinate /kou'o:dineyt/ *e.* düzenlemek, ayarlamak *coordination* koordinasyon, eşgüdüm

cop /kop/ *a. kon.* polis, aynasız

cope /koup/ *e.* (with) başa çıkmak, üstesinden gelmek

copious /'koupııs/ *s.* bol, çok

copper /'kopı/ *a.* bakır; *BE. kon.* polis, aynasız

copse /kops/ *a.* çalılık; koru

67 cosmonaut

copulate /'kopyuleyt/ e. (hayvan) çiftleşmek
copy /'kopi/ a. kopya, suret; gazete vb.'nin bir tek sayısı, nüsha * e. kopyasını çıkarmak; örnek almak, taklit etmek; hkr. kopya çekmek
copyright /'kopirayt/ a. telif hakkı
coral /'konl/ a. mercan
cord /ko:d/ a. ip, sicim; tel, şerit; (ses) tel spinal cord omurilik vocal cords ses telleri
cordial /'ko:dıl/ s. candan, yürekten, içten * a. meyve suyu; likör
cordially /'ko:dıli/ be. içtenlikle, yürekten
cordon /'ko:dın/ a. kordon
corduroy /'ko:dıroy/ a. fitilli kadife
core /ko:/ a. (meyve) göbek, koçan; öz, çekirdek
cork /ko:k/ a. şişe mantarı corkscrew tirbuşon; burgu, spiral
cormorant /'ko:mınnt/ a. hayb. karabatak
corn /ko:n/ a. BE. tahıl; buğday; AE. mısır; tahıl; ekin, tane; nasır corn flour mısır unu
cornea /'ko:nıı/ a. anat. kornea
corner /'ko:nı/ a. köşe * e. kıstırmak, köşeye sıkıştırmak
cornet /'ko:nit/ a. müz. kornet; dondurma külahı, kornet
cornflakes /'ko:nfleyks/ a. mısır gevreği
cornice /'ko:nis/ a. pervaz, korniş; saçak silmesi
coronary /'konnıri/ s. anat. kalple ilgili
coronation /kon'neyşın/ a. taç giyme töreni
coroner /'konnı/ a. sorgu yargıcı
coronet /'konnit/ a. küçük taç
corporal /'ko:pınl/ s. bedensel * a. ask. onbaşı
corporate /'ko:pırıt/ s. birleşmiş; huk. tüzel
corporation /ko:pı'reyşın/ a. dernek, kurum; lonca; tüzel kişi; kuruluş,

şirket
corps /ko:ps/ a. kurul, heyet; ask. kolordu
corpse /ko:ps/ a. ceset, ölü
corpulent /'kopyulınt/ s. çok şişman, şişko
corpuscle /'ko:pısıl/ a. anat. yuvar
corral /ko'ra:l/ a. ağıl
correct /kı'rekt/ e. düzeltmek * s. doğru; kurala uygun correction düzeltme; düzelti; ceza, cezalandırma corrective düzeltici
correlation /kori'leyşın/ a. karşılıklı bağıntı, ilişki
correspond /kori'spond/ e. uymak, uyuşmak; -in karşılığı olmak; (düzenli olarak) yazışmak, mektuplaşmak corresponding uyan, benzeyen
correspondence /kori'spondıns/ a. uygunluk, mutabakat; benzerlik; mektuplaşma, yazışma, muhaberat correspondence course mektupla öğretim correspondent mektup arkadaşı; muhabir
corridor /'korido:/ a. koridor, aralık
corroborate /kı'robıreyt/ e. desteklemek; güçlendirmek
corrode /kı'roud/ e. aşındırmak, çürütmek; paslanmak
corrosion /kı'roujın/ a. aşınma, aşındırma; korozyon corrosive aşındırıcı
corrugated /'korgeytid/ s. dalgalı, kıvrımlı
corrupt /kı'rapt/ e. baştan çıkarmak; ayartmak bozmak * s. namussuz; bozuk açka
corset /'ko:sit/ a. korsa
cortege /ko:'teyj/ a. kortej, tören alayı
cosmetic /koz'metik/ s. a. kozmetik, güzelleştirici
cosmic /'kozmik/ s. evrensel; engin, geniş, sınırsız
cosmonaut /'kozmıno:t/ a. uzayadamı

cosmopolitan /kozmı'politın/ s. kozmopolit; evrendeş

cosmos /'kozmos/ a. evren

cost /kost/ a. fiyat; değer, paha; masraf, maliyet * e. değerinde olmak; mal olmak *at all costs* ne pahasına olursa olsun *cost of living* geçim gideri

co-star /'kousta:/ a. başrol oyuncularından biri

costume /'kostyum/ a. giysi, kostüm

cosy /'kouzi/ s. rahat, sıcacık * a. örtü, kılıf

cot /kot/ a. beşik; baraka, kulübe

cotangent /kou'tencınt/ a. kotanjant

cottage /'kotic/ a. küçük ev, kulübe

cotton /'kotın/ a. pamuk *cotton wool* ham pamuk

couch /kauç/ a. sedir, kanape

couchette /ku:'şet/ a. (trende) kuşet

cougar /'ku:gı/ a. *hayb.* puma

cough /kof/ e. öksürmek * a. öksürük; öksürme

could /kıd, kud/ e. *bkz. can*

council /'kaunsıl/ a. konsey, danışma kurulu, meclis

counsel /'kaunsıl/ a. öneri, tavsiye; avukat * e. önermek *counsellor* danışman

count /kaunt/ e. (sayı) saymak; içermek, kapsamak; göz önünde tutmak, saymak * a. sayma, sayım; hesap; toplam; *huk.* şikâyet maddesi *count out* hesaba katmamak, saymamak

countable /'kauntıbıl/ s. sayılabilen, sayılabilir

countdown /'kauntdaun/ a. geri-sayım

countenance /'kauntınıns/ a. yüz ifadesi; uygun bulma, destek * e. desteklemek, onaylamak

counter /'kauntı/ a. tezgâh; *BE.* marka, fiş; sayaç * e. karşı çıkmak; karşılık vermek * s. be. karşı

counterattack /'kauntırıtek/ a. karşı saldırı

counterbalance /'kauntıbelıns/ a. eş ağırlık, karşılık * e. denkleştirmek

counterclockwise /kauntı'klokwayz/ s. be. saat yönünün tersine

counterfeit /'kauntıfit/ s. sahte, taklit * e. (para, vb.) sahtesini yapmak

counterfoil /'kauntıfoyl/ a. makbuz dip koçanı

counterpane /'kauntıpeyn/ a. yatak örtüsü

counterpart /'kauntıpa:t/ a. tam benzeri, kopyası

countersign /'kauntısayn/ a. *ask.* parola; onay imzası * e. (onay için) ayrıca imzalamak

countess /'kauntis/ a. kontes

countless /'kauntlis/ s. çok fazla, sayısız

country /'kantri/ a. ülke, yurt; kır, taşra, kırsal kesim; ulus, halk; bölge, yöre

countryside /'kantrisayd/ a. kırsal bölge

county /'kaunti/ a. *AE.* ilçe; kontluk; il idare bölgesi

coup /ku:/ a. darbe *coup d'état* /ku:dey'ta:/ hükümet darbesi

coupé /'ku:pey/ a. iki kapılı spor araba

coupe /ku:p/ a. *bkz. coupé*

couple /'kapıl/ a. çift; karı koca, çift; (of) *kon.* birkaç * e. bağlamak, birleştirmek; cinsel ilişkide bulunmak, çiftleşmek

couplet /'kaplit/ a. beyit

coupon /'ku:pon/ a. kupon

courage /'karic/ a. yüreklilik, cesaret, mertlik *courageous* /kı'reycıs/ cesur, yiğit, mert

courier /'kurıı/ a. haberci, kurye

course /ko:s/ a. yön, rota; pist; akış; alan, pist; kurs; dizi, seri; kap, tabak; yemek *in due course* zamanında, vaktinde *of course* elbette, tabii

court /ko:t/ *a.* mahkeme; mahkeme üyeleri; oturum; avlu; saray, saray halkı; *sp.* kort, saha; konak * *e.* gözüne girmeye çalışmak; kur yapmak *courthouse* mahkeme; adliye sarayı *courtyard* avlu, iç bahçe

courteous /'köːtııs/ *s.* nazik, kibar

courtesy /'köːtisi/ *a.* nezaket, kibarlık

courtier /'koːtıı/ *a.* saraylı

court-martial /ko:t'ma:şıl/ *a.* askeri mahkeme, divanıharp

cousin /'kazın/ *a.* kuzen

cove /kouv/ *a.* koy, körfezcik

cover /'kavı/ *e.* örtmek, kaplamak; katetmek, yol almak; içine almak, kapsamak * *a.* kapak, örtü; kılıf; sığınak; (kitap) kap *covering* kat, örtü

covert /'kavıt/ *s.* gizli, saklı, örtülü

covet /'kavıt/ *e.* göz dikmek

cow /kau/ *a.* inek * *e.* gözünü korkutmak, yıldırmak *cowboy* kovboy, sığırtmaç *cowhand* sığırtmaç *cowhide* sığır derisi

coward /'kauıd/ *a.* korkak *cowardice* korkaklık *cowardly* korkak

cower /'kauı/ *e.* sinmek, büzülmek

cowslip /'kauslip/ *a. bitk.* çuhaçiçeği

cox /koks/ *a. kon.* dümenci

coy /koy/ *s.* çekingen, utangaç; nazlı, cilveli

crab /kreb/ *a. hayb.* yengeç

crack /krek/ *e.* çatlamak; çatlatmak; şaklamak; şaklatmak * *a.* çatlak; çatırtı; vuruş, darbe; *kon.* girişim

crackle /'krekıl/ *e.* çatırdamak; çıtırdatmak

cradle /'kreydıl/ *a.* beşik

craft /kra:ft/ *a.* beceri, hüner, ustalık; kurnazlık, hile; gemi, uçak; teknik eleman *craftsman* usta, zanaatçı *crafty* kurnaz

crag /kreg/ *a.* yalçın kayalık *craggy*

dik ve pütürlü

cram /krem/ *e.* tıkmak, sıkıştırmak; tıka basa doldurmak; acele ile sınava hazırlanmak

cramp /kremp/ *a.* kramp, kasınç; mengene; engel * *e.* engel olmak

cranberry /'krenbıri/ *a. bitk.* yabanmersini

crane /kreyn/ *a.* vinç; *hayb.* turna

cranium /'kreynıım/ *a. anat.* kafatası

crank /krenk/ *a. tek.* dirsek, kol; *kon.* saplantılı kimse; deli, kaçık

crash /kreş/ *e.* (araba, vb.) gürültüyle çarpmak; çarptırmak; düşmek; düşürmek * *a.* çatırtı, gürültü; (uçak, otomobil, vb.) kaza; iflas

crate /kreyt/ *a.* kafesli sandık, kasa

crater /'kreytı/ *a.* krater, yanardağ ağzı

cravat /krı'vet/ *a. BE.* boyunbağı, kravat

crawl /kro:l/ *e.* emeklemek; sürünmek; (böcek, vb. ile) dolu olmak; ürpermek * *a.* krol yüzme; çok yavaş hareket; ağır gidiş

crayfish /'kreyfiş/ *a. hayb.* kerevit, kerevides

crayon /'kreyın/ *a.* renkli kalem, boyalı kalem

craze /kreyz/ *e.* çılgına çevirmek, çıldırtmak, deli etmek * *a.* geçici akım, moda

crazy /'kreyzi/ *s.* deli, çılgın *crazy about* -e hayran, tutkun

creak /kri:k/ *a.* gıcırtı *creaky* gıcırtılı

cream /kri:m/ *a.* kaymak, krema; krem; merhem * *a. s.* krem rengi * *e.* kaymağını almak; kaymağını yemek

crease /kri:s/ *a.* buruşukluk, kırışıklık; kat, pli * *e.* buruşmak, kırışmak

create /krı'eyt/ *e.* yaratmak *creation*

creator /kri'eytı/ *a.* yaratıcı **the Creator** Tanrı, Yaradan

creature /'kri:çı/ *a.* yaratık

crèche /kreş/ *a.* kreş, bebekevi, yuva

credentials /kri'denşılz/ *a.* güven belgesi, itimatname

credible /'kredıbıl/ *s.* inanılır, güvenilir

credit /'kredit/ *a.* inanç, güven, sadakat; övgü, onur; kredi; saygınlık * *e.* inanmak, güvenmek, itimat etmek; para yatırmak **creditable** şerefli **creditor** alacaklı **credit card** kredi kartı

creed /kri:d/ *a.* inanç, iman, itikat

creek /kri:k/ *a. BE.* çay, ırmak kolu

creep /kri:p/ *e.* **crept** /krept/ sürünmek; sessizce sokulmak; (sarmaşık, vb.) sarılmak

creepy /'kri:pi/ *s.* tüyler ürpertici

cremate /kri'meyt/ *e.* (ölüyü) yakmak

crepe /kreyp/ *a.* krep

crept /krept/ *bkz.* **creep**

crescendo /kri'şendou/ *a. müz.* kreşendo

crescent /'kresınt/ *a.* hilal, ayça, yeniay

cress /kres/ *a. bitk.* tere

crest /krest/ *a.* ibik, taç; tepe, doruk

crew /kru:/ *a.* tayfa, mürettebat; ekip

crick /krik/ *a.* boyun tutulması, kasılma

cricket /'krikit/ *a. hayb.* cırcırböceği; *sp.* kriket

crime /kraym/ *a.* suç

criminal /'kriminıl/ *s.* suçla ilgili; cezai * *a.* suçlu

crimson /'krimzın/ *s. a.* koyu kırmızı

cripple /'kripıl/ *a.* sakat, topal, kötürüm * *e.* sakatlamak

crisis /'kraysis/ *a.* bunalım, kriz

crisp /krisp/ *s.* gevrek; körpe, taze; (hava) soğuk * *a. BE.* cips

crispy /'krispi/ *s.* gevrek, körpe, taze

criterion /kray'tiırın/ *a.* ölçüt, kriter

critic /'kritik/ *a.* eleştirmen

critical /'kritikıl/ *s.* kritik, çok önemli; her şeye kusur bulan, eleştiren; eleştirel

criticism /'kritisizım/ *a.* eleştiri

criticize /'kritisayz/ *e.* eleştirmek

croak /krouk/ *e.* kurbağa gibi bağırmak * *a.* kurbağa sesi, vırak

crock /krok/ *a.* çanak, çömlek, toprak kap **crockery** çanak, çömlek

crocodile /'krokıdayl/ *a. hayb.* timsah

crocus /'kroukıs/ *a. bitk.* çiğdem

croissant /'krwa:song/ *a.* ayçöreği

crook /kruk/ *a.* kanca; sopa, değnek; *kon.* hırsız, dolandırıcı * *e.* kıvırmak, bükmek

crooked /'krukid/ *s.* eğri, yamuk; *kon.* namussuz

crop /krop/ *a.* ekin, ürün, mahsul * *e.* (hayvan) otlamak, yemek; (saç/kuyruk) kesmek

cross /kros/ *a.* çarpı/artı işareti; çarmıh; haç; üzüntü, gam, elem; çapraz * *e.* karşıdan karşıya geçmek; (kol, bacak) kavuşturmak, üst üste atmak; karşı koymak; engellemek * *s.* kızgın, sinirli, aksi

crossbred /'krosbred/ *s.* melez

cross-country /kros'kantri/ *s. be.* kırlar boyunca, kırlarda

cross-examine /krosig'zemin/ *e.* çaprazlama sorguya çekmek

cross-eyed /'krosayd/ *s.* şaşı

crossfire /'krosfayı/ *a. ask.* çapraz ateş

crossing /'krosing/ *a.* deniz yolculuğu; geçiş yeri, geçiş

crossroads /'krosroudz/ *a.* birkaç yolun kesiştiği yer; dönüm noktası

cross-section /'krossekşın/ *a.* yatay kesit

crossword (puzzle) /'kroswö:d (pazıl)/ *a.* çapraz bulmaca

crotch /kroç/ *a.* kasık; pantolon ağı, apışlık

crouch /krauç/ *e.* çömelmek, sinmek

croupier /'kru:pıı/ *a.* krupiye

crow /krou/ *a.* karga * *e.* (horoz) ötmek

crowd /kraud/ *e.* toplanmak, doluşmak, kalabalık oluşturmak * *a.* kalabalık; yığın ***crowded*** kalabalık, tıkış tıkış, dopdolu

crown /kraun/ *a.* taç giydirmek * *a.* taç; 25 penny değerinde madeni para; şampiyonluk

crucial /'kru:şıl/ *s.* çok önemli, kesin, son

crucifix /'kru:sifiks/ *a.* İsa'lı haç ***crucifixion*** çarmıha germe

crucify /'kru:sifay/ *e.* çarmıha germek

crude /kru:d/ *s.* ham, işlenmemiş; kaba

cruel /'kru:ıl/ *s.* acımasız, zalim, gaddar ***cruelty*** acımasızlık, gaddarlık, zulüm

cruise /kru:z/ *e.* gemiyle gezmek, deniz gezisi yapmak * *a.* deniz gezisi, tekne gezisi

cruiser /'kru:zı/ *a.* kotra; kruvazör

crumb /kram/ *a.* ekmek kırıntısı, kırıntı

crumble /'krambıl/ *e.* ufalamak; ufalanmak

crumpet /'krampit/ *a.* hamburger ekmeği

crumple /'krampıl/ *e.* buruşturmak, kırıştırmak

crunch /kranç/ *e.* çatır çutur yemek; çatırdamak; çatırdatmak * *a.* çatırtı, çuturtu

crusade /kru:'seyd/ *a.* Haçlı Seferi; mücadele, savaşım

crush /kraş/ *e.* ezmek; izdiham oluşturmak * *a.* izdiham, kalabalık; sıkma meyve suyu

crust /krast/ *a.* kabuk, ekmek kabuğu; tabaka

crusty /'krasti/ *s.* kabuklu, gevrek; ters, huysuz

crutch /kraç/ *a.* koltuk değneği; kasık; pantolon ağı

cry /kray/ *e.* ağlamak; bağırmak * *a.* çığlık, feryat; haykırma, bağırma

crypt /kript/ *a.* yeraltı türbesi

cryptic /'kriptik/ *s.* gizli, kapalı, örtük

crystal /'kristıl/ *a.* kristal; kırılca; billur

cub /kab/ *a.* yavru ayı/aslan/kaplan/tilki; yavrukurt, izci; acemi

cube /kyu:b/ *a.* küp * *e.* (bir şeyi) küp biçiminde kesmek, doğramak; *mat.* küpünü almak

cubic /'kyu:bik/ *s.* küp biçiminde, kübik

cubicle /'kyu:bıkıl/ *a.* küçük oda, kabin, odacık

cuckoo /'kuku:/ *a.* guguk kuşu

cucumber /'kyu:kambı/ *a.* *bitk.* salatalık, hıyar

cuddle /'kadıl/ *e.* sarılmak, kucaklamak

cudgel /'kacıl/ *a.* kısa kalın sopa

cue /kyu:/ *a.* işaret; ipucu; bilardo sopası, isteka

cuff /kaf/ *a.* kolluk, manşet, yen; tokat

cuisine /kwi'zi:n/ *a.* yemek pişirme yöntemi, aşçılık

cul-de-sac /'kaldısek/ *a.* çıkmaz sokak

culminate /'kalmineyt/ *e.* (*in*) doruğuna yükselmek; sonuçlanmak ***culmination*** sonuç, son; doruk

culprit /'kalprit/ *a.* sanık, suçlu

cult /kalt/ *a.* mezhep; tapınma;

rağbet, moda

cultivate /'kaltiveyt/ *e.* toprağı işlemek, ekip biçmek; yetiştirmek *cultivated* kültürlü, terbiyeli *cultivation* toprağı işleme

culture /'kalçı/ *a.* kültür *cultural* kültürel *cultured* kültürlü

cumbersome /'kambısım/ *s.* biçimsiz, kullanışsız, taşıması zor

cumin /'kamin/ *a.* kimyon

cumulative /'kyu:myulıtiv/ *s.* gittikçe artan

cunning /'kaning/ *s.* kurnaz

cup /kap/ *a.* fincan; kupa

cupboard /'kabıd/ *a.* dolap

curative /'kyu:rıtiv/ *s.* iyileştirici

curb /kö:b/ *a.* fren, engel, zapt, kontrol * *e.* tutmak, engellemek, dizginlemek

curd /kö:d/ *a.* kesmik, lor

curdle /'kö:dıl/ *e.* (süt) kesilmek

cure /kyu:/ *e.* (hastayı) iyileştirmek, tedavi etmek; tuzlamak; tütsülemek * *a.* tedavi; ilaç, çare; iyileşme

curfew /'kö:fyu:/ *a.* sokağa çıkma yasağı

curio /'kyu:riou/ *a.* nadir ve değerli eşya, antika

curiosity /kyu:ri'ositi/ *a.* merak; antika

curious /'kyu:rııs/ *s.* meraklı; garip, acayip

curl /kö:l/ *a.* büklüm, kıvrım; bukle * *e.* (saç) kıvırmak; kıvrılmak, bükülmek *curler* bigudi *curly* kıvırcık

curlew /'kö:lyu:/ *a.* çulluk

currant /'karınt/ *a.* kuşüzümü; frenküzümü

currency /'karınsi/ *a.* geçerlilik, revaç; para

current /'karınt/ *s.* şimdiki, bugünkü, güncel; yaygın, geçerli, genel, cari * *a.* akıntı; akım, cereyan *current/checking account* cari hesap

curriculum /kı'rikyulım/ *a.* müfredat programı *curriculum vitae* özgeçmiş belgesi

curry /'karı/ *a.* köri, acılı bir Hint yemeği

curse /kö:s/ *a.* lanet; lanetleme; küfür * *e.* lanetlemek, beddua etmek; küfür etmek

curtail /kö:'teyl/ *e.* kısa kesmek; kısmak, azaltmak

curtain /'kö:tın/ *a.* perde; tiyatro perdesi

curtsy /'kö:tsi/ *a.* (kadınların yaptığı) reverans

curve /kö:v/ *a.* eğri, kavis, dönemeç * *e.* eğmek; eğilmek

cushion /'kuşın/ *a.* minder, yastık; (bilardo) bant, kenar

custard /'kastıd/ *a. BE.* muhallebi; krema

custodian /ka'stoudiın/ *a.* (kütüphane, müze, vb.) sorumlu, yönetici kimse

custody /'kastıdi/ *a.* gözetim, bakım; nezaret, gözaltı

custom /'kastım/ *a.* gelenek, görenek, töre; alışkanlık, âdet *customary* geleneksel, alışılmış

customer /'kastımı/ *a.* alıcı, müşteri

customs /'kastımz/ *a.* gümrük vergisi; gümrük

cut /kat/ *e. cut* /kat/ kesmek; biçmek; dilimlemek; (ders) asmak; kesilmek * *a.* kesik, yarık, yara; dilim, parça; kısıntı, kesinti; indirim *cut across* kestirmeden gitmek *cut back (on)* azaltmak *cut down* kesip düşürmek, devirmek; azaltmak, kısmak *cut in* sözünü kesmek; (arabayla) araya girmek, araya dalmak *cut off* kesmek *cut out* kesip çıkarmak; (içki, sigara, vb.) bırakmak *cut up* parçalamak *cutback* indirim *cut-out* elektrik akımını kesen aygıt

cute /kyu:t/ *s.* şirin, hoş, sevimli

cuticle /'kyu:tikıl/ a. tırnakların çevresindeki ölü deri, üst deri
cutlery /'katlıri/ a. çatal-bıçak-kaşık, sofra takımı
cutlet /'katlit/ a. pirzola, külbastı
cyanide /'sayınayd/ a. siyanür
cybernetics /'saybı'netiks/ a. sibernetik, güdümbilim
cybersex /'saybıseks/ a. sanal seks
cyberspace /'saybıspeys/ a. sanal âlem
cyclamen /'siklımın/ a. bitk. siklamen, tavşankulağı
cycle /'saykıl/ a. devir, tur, dönüş; bisiklet; motosiklet * e. bisiklet sürmek cyclist bisikletçi
cyclone /'saykloun/ a. kasırga, siklon
cylinder /'silindı/ a. silindir cylindrical silindirik
cymbal /'simbıl/ a. müz. büyük zil
cynical /'sinikıl/ s. iyiliğe inanmayan
cypher /'sayfı/ a. bkz. cipher
cypress /'saypris/ a. bitk. servi
cyst /sist/ a. hek. Kist

D

dab /deb/ a. dokunma, hafif vuruş * e. hafifçe dokunmak, hafifçe vurmak
dabble /'debıl/ e. (at/in) bir işle amatörce uğraşmak, takılmak
dad /ded/ a. kon. baba
daddy /'dedi/ a. kon. baba, babacığım
daffodil /'defıdil/ a. bitk. zerrin, fulya, nergis
daft /da:ft/ s. kon. aptal, salak, budala
dagger /'degı/ a. hançer, kama
daily /'deyli/ s. günlük * be. her gün * a. günlük gazete
dainty /'deynti/ s. narin, sevimli;

zarif
dairy /'deıri/ a. mandıra; süthane
dais /'deyis, deys/ a. konuşmacı kürsüsü
daisy /'deyzi/ a. papatya
dale /deyl/ a. yaz. vadi
dally /'deli/ e. (about/over) oyalanmak, sallanmak
dam /dem/ a. baraj, set * e. baraj yapmak; set çekmek
damage /'demic/ a. zarar, hasar * e. zarar vermek
damask /'demısk/ a. Şam kumaşı
dame /deym/ a. AE. kon. kadın
damn /dem/ e. lanetlemek, sövmek, mahkûm etmek damn it arg. Allah kahretsin! damnation lanetleme damned melun; çok
damp /demp/ a. ıslaklık, nem * s. nemli, rutubetli * e. ıslatmak; söndürmek, azaltmak
dampen /'dempın/ e. ıslatmak, ıslanmak
damson /'demzın/ a. bitk. mürdümeriği
dance /da:ns/ e. dans etmek * a. dans dancer dansör; dansöz
dandelion /'dendılayın/ a. bitk. karahindiba
dandruff /'dendrıf/ a. (saçta) kepek
dandy /'dendi/ a. züppe, çıtkırıldım
danger /'deyncı/ a. tehlike
dangerous /'deyncırıs/ s. tehlikeli
dangle /'dengıl/ e. sarkıtmak; sarkmak
dank /denk/ s. nemli, soğuk, yaş
dappled /'depıld/ s. benekli, puanlı
dare /deı/ e. cüret etmek; kalkışmak; cesaret etmek I daresay galiba, sanırım daredevil gözü pek, yiğit
daring /'deıring/ s. cüretkâr, cesur
dark /da:k/ s. karanlık; koyu; esmer * a. karanlık darkness karanlık
darling /'da:ling/ a. sevgili
darn /da:n/ e. örerek onarmak, yamamak * a. örülen yer

dart /da:t/ *a.* küçük ok; ani hareket; (dikiş) pens * *e.* (across/out/towards) fırlamak, atılmak; fırlatmak *darts* dart oyunu

dash /deş/ *e.* çarpmak, vurmak; fırlamak, hızla koşmak; (ümit, vb.) yıkmak * *a.* saldırma; fırlama; atılma; darbe; vuruş; az miktar; eser; çizgi; tire (-) işareti; kısa mesafe koşusu *dashboard* gösterge tablosu *dashing* canlı, atılgan, enerjik

data /'deytı/ *a.* veri *data processing* veri işlem, bilgi işlem

date /deyt/ *a.* tarih; randevu; flört edilen (kimse); kurma * *e.* tarih atmak; tarihli olmak; birisiyle çıkmak *out of date* modası geçmiş *dated* tarihli; modası geçmiş

dative /'deytiv/ *a. dilb.* ismin -e hali, yönelme durumu

daub /do:b/ *e.* (with/on) sıvamak, (yumuşak bir şeyle) kaplamak, sürmek * *a.* harç, sıva; acemice yapılmış resim

daughter /'do:tı/ *a.* kız (evlat) *daughter-in-law* gelin

daunt /do:nt/ *e.* yıldırmak, korkutmak *dauntless* gözü pek, korkusuz

dawdle /'do:dıl/ *e. kon.* salınmak, zaman harcamak

dawn /do:n/ *a.* şafak, tan * *e.* (gün) ağarmak

day /dey/ *a.* gün; gündüz; zaman, çağ, ömür *day by day* günden güne *from day to day/day by day* günden güne, günbegün *one day* bir gün, günün birinde *some day* (gelecekte) bir gün *make sb's day* birini çok mutlu etmek, sevindirmek *the other day* geçen gün, geçenlerde *daybreak* tan, şafak, seher *daydream* hayal, düş *daylight* gün ışığı, gündüz *daytime* gündüz

daze /deyz/ *e.* sersemletmek, afallatmak

dazzle /'dezıl/ *e.* (gözlerini) kamaştırmak

dead /ded/ *s.* ölü; uyuşmuş, uyuşuk; durgun; solgun; sıkıcı *dead asleep* derin uykuda *dead drunk* zilzurna sarhoş *dead end* açmaz, çıkmaz; çıkmaz sokak *the dead* ölüler *deadly* öldürücü; çok

deaden /'dedın/ *e.* hafifletmek, azaltmak

deadline /'dedlayn/ *a.* son teslim/bitirme tarihi

deadlock /'dedlok/ *a.* çözümlenemeyen anlaşmazlık, çıkmaz

deaf /def/ *s.* sağır *deafen* sağırlaştırmak *deafmute* sağırdilsiz

deal /di:l/ *e.* pay etmek; dağıtmak; vermek; alışveriş etmek; ele almak, işlemek * *a.* oyun kâğıtlarını dağıtma; alışveriş; iş *a great deal of* pek çok *dealer* satıcı; oyunda kâğıtları dağıtan kişi *dealings* ilişkiler; alışveriş, iş

dealt /delt/ *bkz.* deal

dean /di:n/ *a.* dekan; baş papaz

dear /dıı/ *s.* sevgili; değerli; pahalı; (mektup başında) sevgili, sayın *Oh dear!* Aman Allahım!, Hay Allah! *dearly* pek çok

dearth /dö:t/ *a.* yokluk, kıtlık

death /det/ *a.* ölüm *put to death* öldürmek *deathless* ölümsüz

debar /di'ba:/ *e.* (from) mahrum bırakmak; engel olmak

debase /di'beys/ *e.* itibarını düşürmek

debatable /di'beytıbıl/ *s.* şüpheli, kuşku uyandıran

debate /di'beyt/ *a.* tartışma, müzakere * *e.* tartışmak, görüşmek

debauch /di'bo:ç/ *a.* sefahat; ahlaksızlık * *e.* ayartmak, baştan çıkartmak *debauchery* sefahat, uçarılık; alemcilik

debilitate /di'biliteyt/ *e.* güçsüzleştirmek, takatten düşürmek **debility** /di'biliti/ güçsüzlük, takatsızlık

debit /'debit/ *a.* deftere kaydedilen borç * *e.* zimmetine geçirmek

debris /'debri, 'deybri/ *a.* enkaz, yıkıntı, çöküntü

debt /det/ *a.* borç **debtor** borçlu

debut /'deybu:/ *a.* sosyal bir alanda ilk beliriş, sahneye ilk kez çıkış

decade /'dekeyd/ *a.* on yıl

decadent /'dekıdınt/ *s.* gözden düşen, itibarını yitiren

decanter /di'kentı/ *a.* şarap sürahisi

decathlon /di'ketlon/ *a. sp.* dekatlon, onlu yarış

decay /di'key/ *e.* çökmek, çürütmek * *a.* çürüme, bozulma; çöküş

decease /di'si:s/ *a.* ölüm, vefat * *e.* ölmek **deceased** merhum, ölü

deceit /di'si:t/ *a.* aldatma, hile, yalan **deceitful** hilekâr, yalancı; aldatıcı

deceive /di'si:v/ *e.* aldatmak

December /di'sembı/ *a.* aralık (ayı)

decent /'di:sınt/ *s.* terbiyeli; saygılı; uygun, makul; hoş; *kon.* nazik, ince, kibar

decentralize /di:'sentrılayz/ *e.* merkezden birkaç yere yetki dağıtmak

deception /di'sepşın/ *a.* aldatma; aldanma; hile

deceptive /di'septiv/ *s.* aldatıcı, yanıltıcı

decibel /'desibel/ *a. tek.* desibel

decide /di'sayd/ *e.* karar vermek, kararlaştırmak **decided** açık, kesin; kararlı **decidedly** kuşkusuz

deciduous /di'sidyuıs/ *s.* (ağaç) her yıl yaprakları dökülen

decimal /'desimıl/ *s. a.* ondalık **decimal fraction** ondalık kesir **decimal system** ondalık sistem

decimalize ondalık sisteme çevirmek

decimate /'desimeyt/ *e.* büyük kısmını yok etmek

decipher /di'sayfı/ *e.* şifresini çözmek

decision /di'sijın/ *a.* karar

decisive /di'saysiv/ *s.* kararlı; kesin, sonuca götüren; şüphesiz

deck /dek/ *a.* güverte; *AE.* (iskambil) deste; kat * *e.* süslemek, donatmak **deckchair** şezlong

declaim /di'kleym/ *e.* yüksek sesle ve el kol hareketleriyle konuşmak/söylemek

declaration /deklı'reyşın/ *a.* bildiri; demeç

declare /di'kleı/ *e.* ilan etmek; bildirmek; iddia etmek; *huk.* deklare etmek

decline /di'klayn/ *e.* geri çevirmek; çökmek; gerilemek * *a.* iniş, gerileme, çöküş

decode /di:'koud/ *e.* şifresini çözmek

decompose /di:kım'pouz/ *e.* çürümek, bozulmak; ayrışmak

décor /'deyko:/ *a.* dekor

decorate /'dekıreyt/ *e.* süslemek, donatmak, dekore etmek; badanalamak, boyamak; (for) nişan vermek **decoration** süsleme, dekorasyon; süs; nişan, madalya **decorative** süsleyici, dekoratif **decorator** dekoratör

decoy /'di:koy/ *a.* tuzak; yem; hile

decrease /di'kri:s/ *e.* azalmak; azaltmak

decree /di'kri:/ *a.* emir, kararname; *huk.* karar, hüküm * *e.* emretmek

decry /di'kray/ *e.* kötülemek, yermek

dedicate /'dedikeyt/ *e.* adamak; ithaf etmek **dedicated** (işine) kendini adamış **dedication**

76

adama; ithaf

deduce /di'dyu:s/ *e.* sonuç çıkarmak

deduct /di'dakt/ *e.* çıkarmak, azaltmak

deduction /di'dakşın/ *a.* · kesinti, indirme, azaltma; tümdengelim, türetim; sonuç

deed /di:d/ *a.* iş, hareket, eylem; *huk.* senet, tapu senedi

deem /di:m/ *e.* saymak, sanmak, zannetmek

deep /di:p/ *s.* derin; (renk) koyu; (ses) boğuk, alçak; (duygu) derin, içten; yoğun, ciddi * *be.* derine, dibe, derinden *deep freeze* dip-friz, derin dondurucu *deep seated* köklü

deepen /'di:pın/ *e.* derinleşmek; derinleştirmek

deer /dıı/ *a. hayb.* geyik, karaca

deface /di'feys/ *e.* görünüşünü bozmak, çirkinleştirmek

defame /di'feym/ *e.* kara çalmak, ününe leke sürmek

default /di'fo:lt/ *e.* yapmama, savsama, gelmeme, hazır bulunmayış

defeat /di'fi:t/ *e.* yenmek, bozguna uğratmak * *a.* yenilgi, bozgun

defect /'di:fekt/ *a.* kusur, eksiklik

defect /di'fekt/ *e.* kendi ülke/parti, vb.'ni terk etmek; iltica etmek

defective /di'fektiv/ *s.* hatalı, kusurlu, eksik

defence /di'fens/ *a.* savunma

defend /di'fend/ *e.* savunmak, korumak, müdafaa etmek *defendant* sanık, davalı *defender* savunucu; koruyucu

defensive /di'fensiv/ *s.* savunan, savunmalı, koruyucu

defer /di'fö:/ *e.* ertelemek, sonraya bırakmak *defer to* saygı göstermek, kabul etmek *deference* /'defırıns/ uyma, saygı gösterme, riayet etme

defiant /di'fayınt/ *s.* meydan okuyan, küstah

deficiency /di'fişınsi/ *a.* eksiklik, kusur; yetersizlik

deficient /di'fişınt/ *s.* yetersiz; eksik

deficit /'defisit/ *a.* (bütçe, hesap) açık

defile /di'fayl/ *e.* kirletmek

define /di'fayn/ *e.* tanımlamak; açıklamak

definite /'definit/ *s.* belirli, açık, kesin *definitely* kesinlikle

definition /defi'nişın/ *a.* tanım; (foto vb.) netlik

definitive /di'finitiv/ *s.* nihai, kesin

deflate /di:'fleyt, di'fleyt/ *e.* havasını boşaltmak, söndürmek; sönmek; piyasadaki para miktarını azaltmak *deflation* deflasyon, para darlığı

deflect /di'flekt/ *e.* saptırmak, çevirmek, sapmak

deform /di'fo:m/ *e.* biçimini bozmak *deformation* deformasyon, bozunum *deformed* biçimi bozulmuş *deformity* biçimsizlik, sakatlık

defraud /di'fro:d/ *e.* dolandırmak, aldatmak

defrost /di:'frost/ *e.* buzlarını çözmek/temizlemek

deft /deft/ *s.* becerikli, usta

defunct /di'fankt/ *s.* ölü, ölmüş

defy /di'fay/ *e.* karşı gelmek, başkaldırmak; kafa tutmak; meydan okumak

degenerate /di'cenıreyt/ *e.* yozlaşmak *degeneration* yozlaşma

degrade /di'greyd/ *e.* küçük düşürmek, alçaltmak

degree /di'gri:/ *a. tek.* derece; düzey, derece, kademe; öğrenim derecesi

deify /'di:ifay, 'deyfay/ *e.* tanrılaştırmak, yüceltmek

deign /deyn/ *e. hkr.* tenezzül etmek

deity /'di:iti, 'deyti/ *a.* tanrı, tanrıça

dejected /di'cektid/ *s.* üzgün,

hüzünlü

delay /di'ley/ e. . gecikmek; geciktirmek; ertelemek * a. gecikme

delectable /di'lektıbıl/ s. nefis

delegate /'deligit/ a. temsilci, delege * e. temsilci olarak görevlendirmek/atamak; delege olarak göndermek

delegation /deli'geyşın/ a. delegasyon; yetki verme, görevlendirme

delete /di'li:t/ e. silmek, çıkarmak *deletion* silme, çıkarma

deliberate /di'libırıt/ s. kasıtlı; temkinli, dikkatli *deliberately* kasten, bile bile

delicacy /'delikısi/ a. duyarlılık, narinlik; az bulunur/pahalı/leziz yiyecek

delicate /'delikıt/ s. narin, zarif, ince; nazik; (yemek) leziz ve hafif

delicatessen /delikı'tesın/ a. mezeci dükkânı, şarküteri

delicious /di'lişıs/ s. nefis, leziz

delight /di'layt/ e. zevk vermek, sevindirmek; (in) zevk almak * a. zevk, haz; sevinç *Turkish delight* lokum *delightful* zevkli, hoş

delinquency /di'linkwınsi/ a. görevi ihmal etme; kurallara uymama *delinquent* suçlu

delirious /di'lıırıs/ s. sayıklayan; çılgın gibi, azgın

delirium /di'lıırım/ a. sayıklama; coşma

deliver /di'lıvı/ e. teslim etmek, götürmek; dağıtmak; serbest bırakmak; doğurtmak

delivery /di'lıvıri/ a. teslim, dağıtım, servis; doğum

delta /'deltı/ a. coğ. delta, çatalağız

delude /di'lu:d/ e. kandırmak, aldatmak

deluge /'delyu:c/ a. büyük sel, su baskını; şiddetli yağmur * e. ... yağmuruna tutmak

delusion /di'lu:jın/ a. aldatma; aldanma; saplantı; yanlış inanç,

kuruntu

de luxe /di'laks/ s. lüks, kaliteli

demagogic /demı'gogik/ s. demagojik

demagogue /'demıgog/ a. demagog, halkavcısı

demand /di'ma:nd/ a. istek, talep; rağbet * e. istemek, talep etmek; gerektirmek *in demand* rağbette

demarcation /dima:'keyşın/ a. ayırma, sınırlarını belirtme

demean /di'mi:n/ e. küçük düşürmek, alçaltmak

demeanour /di'mi:nı/ a. davranış biçimi, tavır, tutum

demented /di'mentid/ s. deli, çılgın

demo /'demou/ a. kon. gösteri

demobilize /di:'moubilayz/ e. terhis etmek

demobilization /dimoubilay'zeyşın/ a. ask. terhis; seferberliğin bitmesi

democracy /di'mokrısi/ a. demokrasi

democrat /'demıkret/ a. demokrat *democratic* demokratik

demography /di'mogrıfi/ a. demografi, nüfusbilim

demolish /di'moliş/ e. yıkmak, yok etmek

demolition /demı'lişın/ a. yıkma, yok etme; yıkılma, yıkım

demon /'di:mın/ a. şeytan

demonstrate /'demınstreyt/ e. göstermek; kanıtlamak; gösteri yapmak/düzenlemek *demonstration* gösteri; kanıt *demonstrative* duygularını gizlemeyen; *dilb.* işaret zamiri, gösterme adılı

demoralize /di'morılayz/ e. cesaretini kırmak, moralini bozmak

demote /di'mout/ e. rütbesini indirmek

demure /di'myuı/ s. ağırbaşlı, uslu

den /den/ a. in, mağara; yatak, uğrak; kon. çalışma odası

denial /di'nayıl/ a. inkâr; yalanlama

denim /'denim/ *a.* blucin kumaşı, kot; *ç. kon.* blucin, kot

denomination /dinomi'neyşın/ *a.* mezhep; birim; ad

denote /di'nout/ *e.* belirtmek, göstermek, anlamına gelmek

denounce /di'nauns/ *e.* alenen suçlamak, kınamak

dense /dens/ *s.* yoğun; koyu; *kon.* aptal, kalın kafalı

density /'densiti/ *a.* yoğunluk; sıklık

dent /dent/ *a.* ezik, çukur; *kon.* incinme * *e.* göçürmek, yamultmak

dental /'dentıl/ *s.* dişlerle ilgili, diş ...

dentist /'dentist/ *a.* dişçi, diş hekimi **dentistry** dişçilik

denture /'dençı/ *a.* takma diş

denude /di'nyu:d/ *e.* soymak, çıplak hale getirmek

denunciation /dinansi'eyşın/ *a.* alenen suçlama, kınama; kınanma

deny /di'nay/ *e.* inkâr etmek; yalanlamak, tanımamak

deodorant /di:'oudırınt/ *a.* deodoran, kokugideren

depart /di'pa:t/ *e.* ayrılmak, hareket etmek, kalkmak

department /di'pa:tmınt/ *a.* kısım, bölüm, reyon; şube, daire, kol **department store** (çeşitli reyonlardan oluşan) büyük mağaza

departure /di'pa:çı/ *a.* hareket, gidiş, kalkış

depend /di'pend/ *e.* bağlı olmak; (on) güvenmek; göre değişmek **dependable** güvenilir

dependant /di'pendınt/ *a.* başkasının eline bakan, muhtaç

dependence /di'pendıns/ *a.* bağımlılık; güven, güvenme

dependent /di'pendınt/ *s.* başkasının eline bakan; muhtaç (on) bağlı

depict /di'pikt/ *e.* göstermek; dile getirmek

deplete /di'pli:t/ *e.* tüketmek; boşaltmak

deplore /di'plo:/ *e.* teessüf etmek, üzülmek

deploy /di'ploy/ *e. ask.* mevzilenmek, konuşlanmak; mevzilendirmek, konuşlandırmak

deployment /di'ploymınt/ *a. ask.* yayılma

deport /di'po:t/ *e.* sınır dışı etmek

depose /di'pouz/ *e.* tahttan indirmek; azletmek, görevden çıkarmak

deposit /di'pozit/ *e.* koymak, bırakmak; (bankaya) yatırmak; (kaparo) vermek; (tortu) bırakmak * *a.* yatırılan para, mevduat; kaparo, depozit; tortu **deposit account** mevduat hesabı

depositor /di'pozitı/ *a.* mudi, yatıran

depot /'depou/ *a.* depo, ambar; *ask.* cephanelik; küçük istasyon

deprave /di'preyv/ *e.* ahlaksızlaştırmak

depraved /di'preyvd/ *s.* ahlaksız

depreciate /di'pri:şieyt/ *e.* (para, vb.) değer kaybetmek; küçümsemek, hor görmek

depress /di'pres/ *e.* üzmek, keyfini kaçırmak, içini karartmak; durgunlaştırmak

depression /di'preşın/ *a. hek.* depresyon, çökkünlük, çöküntü, bunalım; alçak basınç alanı

deprive /di'prayv/ *e.* (of) yoksun bırakmak, mahrum etmek

depth /dept/ *a.* derinlik

deputation /depyu'teyşın/ *a.* temsilciler heyeti

depute /di'pyu:t/ *e.* vekil tayin etmek, yetki vermek

deputy /'depyuti/ *a.* vekil; milletvekili

derby /'da:bi, 'dö:bi/ *a. AE.* melon şapka **the Derby** İngiltere'de Epsom'da her yıl yapılan geleneksel

at yarışı
derelict /'derilikt/ s. terk edilmiş, sahipsiz
deride /di'rayd/ e. ile alay etmek
derision /di'rijın/ a. alay, alay etme *object of derision* alay konusu
derive /di'rayv/ e. **(from)** elde etmek, çıkarmak; türemek *derivation* türetme *derivative* türev
derogatory /di'rogıtıri/ s. küçültücü, onur kırıcı, aşağılayıcı
derrick /'derik/ a. vinç; petrol sondaj kulesi
descend /di'send/ e. (aşağı) inmek, alçalmak *descendant* torun
descent /di'sent/ a. iniş, inme; soy, nesil; baskın
describe /di'skrayb/ e. tanımlamak; **(as)** görmek, saymak, gözüyle bakmak; çizmek
description /di'skripşın/ a. tanımlama; tanım, tarif; *kon.* çeşit, tür *descriptive* tanımlayıcı; betimsel
desecrate /'desikreyt/ e. kutsallığını bozmak
desert /'dezıt/ a. çöl
desert /di'zö:t/ e. terk etmek; firar etmek, kaçmak *deserter* asker kaçağı
deserve /di'zö:v/ e. hak etmek, layık olmak
design /di'zayn/ e. çizmek; plan çizmek; tasarlamak *designer* tasarımcı, tasarçizimci, dizayncı * a. plan, proje; tasarım, çizim, dizayn; desen, taslak
designate /'dezigneyt/ e. göstermek, işaret etmek; görevlendirmek; **(as)** unvanlandırmak
desirable /di'zayrıbıl/ s. istenilir, hoş
desire /di'zayı/ e. arzu etmek, istemek * a. arzu, emel; istek, dilek
desist /di'zist/ e. vazgeçmek
desk /desk/ a. okul sırası; yazı masası; kürsü; resepsiyon
desolate /'desılıt/ s. ıssız, boş;

yalnız
despair /di'speı/ e. **(of)** umudunu kesmek * a. umutsuzluk
despatch /di'speç/ a. e. *bkz.* *dispatch*
desperate /'despırıt/ a. umutsuz, çaresiz; gözü dönmüş; çok ciddi
desperation /despı'reyşın/ a. gözü dönmüşlük, çaresizlik
despicable /di'spikıbıl/ s. aşağılık, adi
despise /di'spayz/ e. küçümsemek, hor görmek, aşağılamak
despite /di'spayt/ ilg. -e rağmen, -e karşın
despot /'despot/ a. despot, zorba
dessert /di'zö:t/ a. (yemeğin sonunda yenen) tatlı
destination /desti'neyşın/ a. gidilecek/gönderilen yer
destine /'destin/ e. kaderini/geleceğini önceden belirlemek
destiny /'destini/ a. alınyazısı, yazgı, kader
destitute /'destityu:t/ s. yoksul; -den yoksun
destroy /di'stroy/ e. yok etmek, mahvetmek; yıkmak *destroyer* destroyer, muhrip
destruction /di'strakşın/ a. yıkma, yok etme; yıkım
destructive /di'straktiv/ s. yıkıcı
detach /di'teç/ e. ayırmak, sökmek *detached* ayrı; yansız; (ev) müstakil *detachment* ayırma, çıkarma; ayrılma; *ask.* müfreze
detail /'di:teyl/ a. ayrıntı, detay
detailed /'di:teyld/ s. ayrıntılı, detaylı
detain /di'teyn/ e. alıkoymak, tutmak
detect /di'tekt/ e. bulmak, ortaya çıkarmak *detection* bulma, ortaya çıkarma *detector* dedektör, bulucu
detective /di'tektiv/ a. dedektif,

detention /di'tenşın/ *a.* alıkoyma, engelleme; alıkonma

deter /di'tö:/ *e.* vazgeçirmek, caydırmak

detergent /di'tö:cınt/ *a.* deterjan, arıtıcı

deteriorate /di'tırıreyt/ *e.* kötüleşmek; kötüleştirmek

determination /ditö:mi'neyşın/ *a.* azim, kararlılık; belirleme, saptama

determine /di'tö:min/ *e.* karar vermek; kararlaştırmak; belirlemek *determined* kararlı, azimli *determiner dilb.* belirtici, bir adın anlamını sınırlayan ve bu adı tanımlayan sözcük

determinism /di'tö:minizım/ *a. fel.* determinizm, gerekircilik

detest /di'test/ *e.* nefret etmek

detonate /'detıneyt/ *e.* patlamak; patlatmak

detour /'di:tuı/ *a.* dolambaçlı yol

detract /di'trekt/ *e.* (from) düşürmek, eksiltmek, azaltmak

detriment /'detrimınt/ *a.* zarar, hasar *detrimental* zararlı

deuce /dyu:s/ *a.* (tenis) düs, beraberlik; (zar) dü

devaluation /di:velyu'eyşın/ *a.* devalüasyon, değer düşürümü

devalue /di:'velyu:/ *e.* paranın değerini düşürmek; değerini düşürmek

devastate /'devısteyt/ *e.* harap etmek *devastation* harap etme/olma

develop /di'velıp/ *e.* gelişmek, büyümek; geliştirmek, büyütmek; harekete geçirmek; (filmi) banyo etmek *development* gelişme; geliştirme; kalkınma; (film) banyo

deviate /'di:vieyt/ *e.* sapmak, ayrılmak *deviation* sapma

device /di'vays/ *a.* aygıt, alet; hile,

oyun

devil /'devıl/ *a.* (the) şeytan; kötü ruh

devious /'di:vııs/ *s.* dolambaçlı

devise /di'vayz/ *e.* planlamak, bulmak

devoid /di'voyd/ *s.* (of) yoksun

devote /di'vout/ *e.* (to) -e adamak, vermek *devoted* sadık, bağlı *devotee* hayran, düşkün *devotion* adama; bağlılık, düşkünlük; dindarlık

devour /di'vauı/ *e.* yiyip yutmak; bitirmek, yok etmek

devout /di'vaut/ *s.* dindar; içten, samimi

dew /dyu:/ *a.* çiy, şebnem *dewdrop* çiy damlası

dexterity /dek'steriti/ *a.* yetenek, el becerisi *dexterous* becerikli, usta

diabetes /day'bi:ti:z/ *a. hek.* şeker hastalığı, diyabet *diabetic* /-'betik/ diyabetik; şeker hastası

diagnose /'dayıgnouz/ *e.* teşhis etmek, tanılamak *diagnosis* /-'nousis/ teşhis, diyagnoz

diagonal /day'egınıl/ *a.* köşegen * *s.* çapraz

diagram /'dayıgrem/ *a.* diyagram, çizenek

dial /'dayıl/ *a.* (saat/telefon, vb.) kadran * *e.* (telefon) numaraları çevirmek

dialect /'dayılekt/ *a.* lehçe, diyalekt

dialectic /dayı'lektik/ *a.* diyalektik, eytişim

dialogue /'dayılog/ *a.* diyalog, söyleşme

diameter /day'emitı/ *a.* çap

diamond /'dayımınd/ *a.* elmas; baklavabiçimi; (iskambil) karo

diaper /'dayıpı/ *a. AE.* çocuk bezi

diaphragm /'dayıfrem/ *a. anat.* diyafram; *fiz.* diyafram, ışık bebeği, zar

diarrhea /dayı'rıı/ *a. bkz. diarrhoea*

diarrhoea /dayı'rıı/ *a.* ishal, amel

diary /'dayırı/ *a.* günlük; anı defteri; not defteri

dice /days/ *a.* zar, oyun zarları

dictate /dik'teyt/ *e.* (söyleyerek) yazdırmak

dictation /dik'teyşın/ *a.* dikte, yazdırma

dictator /dik'teytı/ *a.* diktatör

diction /'dikşın/ *a.* telaffuz, diksiyon

dictionary /'dikşınırı/ *a.* sözlük

didactic /day'dektik/ *s.* (konuşma ya da yazı) didaktik, öğretici

die /day/ *e.* ölmek; sona ermek ∗ *a.* metal kalıp; oyun zarı *die away* (ses, ışık, rüzgâr, vb.) azalmak *die out* tamamen yok olmak *be dying for* -i çok istemek

diesel /'di:zıl/ *a.* dizel, içten yanmalı *diesel oil* mazot

diet /'dayıt/ *a.* perhiz, rejim; günlük besin *go on a diet* rejim yapmak ∗ *e.* perhiz yapmak, rejim yapmak

differ /'difı/ *e.* (from) farklı olmak; (with) farklı görüşte olmak

difference /'difrıns/ *a.* fark, ayrım *different* farklı; başka, değişik; ayrı; çeşitli

differential /difı'renşıl/ *a.* ücret farkı; diferansiyel

differentiate /difı'renşieyt/ *e.* ayırmak; fark gözetmek

difficult /'difikılt/ *s.* zor, güç; güç beğenir; huysuz *difficulty* zorluk, güçlük

diffident /'difidınt/ *s.* çekingen

diffuse /di'fyu:s/ *s.* yayılmış, dağınık ∗ *e.* yaymak, dağıtmak; yayılmak *diffusion* yayma; yayılma

dig /dig/ *e.* *dug* /dag/ kazmak; kazı yapmak; *arg.* hoşlanmak ∗ *a.* kazı yeri; iğneli söz *dig out* kazıp ortaya çıkarmak

digest /day'cest/ *e.* sindirmek; anlamak, kavramak; sindirilmek ∗ *a.* özet

digestion /day'cesçın, di'cesçın/ *a.* sindirim

digit /'dicit/ *a.* rakam; parmak *digital* sayısal

dignified /'dignifayd/ *s.* ağırbaşlı

dignitary /'dignitırı/ *a.* yüksek mevki sahibi, ileri gelen

dignity /'digniti/ *a.* değer; saygınlık; ciddiyet; ağırbaşlılık

digress /day'gres/ *e.* konu dışına çıkmak

digs /digz/ *a. BE. kon.* pansiyon

dike /dayk/ *a.* set, bent; hendek

dilate /day'leyt/ *e.* genişlemek; büyümek; genişletmek

dilemma /di'lemı/ *a.* ikilem

diligent /'dilicınt/ *s.* dikkatli, çalışkan, gayretli *diligence* dikkat, çalışkanlık

dilute /day'lu:t/ *e.* seyreltmek, sulandırmak

dim /dim/ *s.* loş, sönük, bulanık; *kon.* ahmak, budala

dime /daym/ *a. AE.* (ABD ve Kanada'da) 10 sent değerindeki madeni para

dimension /day'menşın, di'menşın/ *a.* boyut *dimensional* ... boyutlu

diminish /di'miniş/ *e.* azalmak; azaltmak

diminutive /di'minyutiv/ *s.* çok küçük, minik

dimple /'dimpıl/ *a.* gamze

din /din/ *a.* gürültü

dine /dayn/ *e.* akşam yemeği yemek *diner* yemek yiyen kimse; *AE.* vagon restoran *dine out* akşam yemeğini dışarıda yemek

dingdong /ding'dong/ *a.* çan/zil ses

dinghy /'dingı/ *a.* küçük sandal; lastik bot *rubber dinghy* lastik bot

dingy /'dinci/ *s.* kirli; soluk

dining room /'dayning ru:m/ *a.* yemek odası

dinner /'dinı/ *a.* akşam yemeği; (bazen) öğle yemeği; yemek, iş

yemeği **dinner jacket** smokin
dinosaur /'daynıso:/ *a. hayb.* dinozor
dip /dip/ *e.* daldırmak, batırmak; (güneş, vb.) batmak; azalmak, azaltmak * *a.* dalma, batma; *kon.* kısa yüzüş, dalıp çıkma
diphtheria /dif'tıırıı/ *a. hek.* difteri
diphthong /'diftong/ *a. dilb.* diftong, ikili ünlü
diploma /di'ploumı/ *a.* diploma
diplomacy /di'ploumısi/ *a.* diplomasi, diplomatlık *diplomat* diplomat *diplomatic* diplomatik
dire /'dayı/ *s.* korkunç; müthiş
direct /di'rekt, day'rekt/ *s.* doğru, düz; dolaysız * *be.* dosdoğru, duraklamadan * *e.* yolu tarif etmek; emretmek; yöneltmek; çevirmek; yönetmek *direct current* doğru akım *direct object* dolaysız tümleç *direct speech* dolaysız anlatım *directly* doğrudan doğruya; derhal; hemen
direction /di'rekşın, day'rekşın/ *a.* yön; idare, yönetim; talimat, yönerge
directive /di'rektiv/ *a.* direktif, yönerge
director /di'rektı/ *a.* müdür, yönetici; yönetmen
directory /di'rektıri/ *a.* adres rehberi; telefon rehberi
dirge /dö:c/ *a.* ağıt
dirt /dö:t/ *a.* kir, pislik; toz, toprak, çamur *dirty* pis, kirli; iğrenç; çirkin; *kon.* (hava) bozuk, fırtınalı; *kon.* adi, alçakça
disable /dis'eybıl/ *e.* sakatlamak; mahrum etmek *the disabled* sakatlar
disadvantage /disıd'va:ntic/ *a.* dezavantaj; zarar, kayıp
disagree /dısı'gri:/ *e.* (with) aynı düşüncede olmamak; yaramamak, dokunmak *disagreeable* ters, huysuz; nahoş; tatsız *disa-*

greement anlaşmazlık, uyuşmazlık
disappear /dısı'pıı/ *e.* gözden kaybolmak; ortadan kalkmak, yok olmak *disappearance* kayboluş, kaybolma, gözden kayboluş
disappoint /dısı'poynt/ *e.* hayal kırıklığına uğratmak *disappointed* düş kırıklığına uğramış *disappointing* düş kırıklığına uğratıcı *disappointment* düş kırıklığı; düş kırıklığına uğratan şey/kimse
disapprove /dısı'pru:v/ *e.* (of) uygun görmemek *disapproval* uygun görmeme, onaylamama
disarm /dis'a:m/ *e.* silahsızlandırmak; silahsızlanmak; yatıştırmak, yumuşatmak *disarmament* silahsızlanma
disaster /di'za:stı/ *a.* felaket, yıkım, facia *disastrous* felaket getiren, feci
disbelief /disbi'li:f/ *a.* inançsızlık, güvensizlik, inanmazlık
disc /disk/ *a.* yuvarlak yüzey; yuvarlak şey; disk, plak *disc jockey* diskcokey, plak sunucu
discard /dis'ka:d/ *e.* atmak, ıskartaya çıkarmak, başından atmak
discern /di'sö:n/ *e.* fark etmek, ayırt etmek *discerning* zeki, anlayışlı
discharge /dis'ça:c/ *e.* (yük) yerine getirmek, yapmak; boşaltmak; tahliye etmek; (borç) ödemek; (silah, ok, vb.) ateşlemek, atmak; (gaz, sıvı, vb.) akıtmak * *a.* boşaltma; ateş etme; tahliye; terhis; akma
disciple /di'saypıl/ *a.* mürit, havari
discipline /'dısıplin/ *a.* disiplin; bilgi, dalı * *e.* kontrol altında tutmak, eğitmek
disclaim /dis'kleym/ *e.* -e ile ilişkisi olmadığını söylemek; vazgeçmek
disclose /dis'klouz/ *e.* açığa vurmak

disco /'diskou/ a. *kon.* disko

discolour /dis'kalı/ e. rengini değiştirmek; rengi değişmek, bozulmak

discomfort /dis'kamfıt/ a. rahatsızlık; sıkıntı

disconnect /dis'kınekt/ e. bağlantısını kesmek; ayırmak

discontent /diskın'tent/ a. hoşnutsuzluk

discontinue /diskın'tinyu:/ e. devam etmemek, bırakmak, kesmek; durmak

discord /'disko:d/ a. düşünce ayrılığı, uyuşmazlık; ihtilaf; *müz.* ahenksizlik

discotheque /'diskıtek/ a. diskotek, disko

discount /'diskaunt/ a. indirim * e. (senet, bono) kırmak

discourage /dis'karic/ e. cesaretini kırmak; vazgeçirmek, engellemek

discourse /'disko:s/ a. söylev

discourteous /dis'kö:tııs/ s. kaba, saygısız *discourtesy* kabalık, saygısızlık

discover /dis'kavı/ e. keşfetmek, bulmak; farkına varmak, anlamak *discoverer* kâşif *discovery* keşif, buluş

discredit /dis'kredit/ e. gözden düşürmek; kuşkuyla bakmak * a. gözden düşme; yüzkarası, leke; inanmama, şüphe

discreet /di'skri:t/ s. sağduyulu, saygılı

discretion /di'skreşın/ a. sağduyu; denlilik

discriminate /di'skrimineyt/ e. ayırmak; farkı görmek; fark gözetmek, ayrım yapmak *discrimination* ayrım, fark gözetme; ince farkları görebilme yeteneği *racial discrimination* ırk ayrımı

discus /'diskıs/ a. *sp.* disk

discuss /di'skas/ e. ele almak, tartışmak, görüşmek *discussion* tartışma, görüşme

disdain /dis'deyn/ e. hor görmek, tepeden bakmak; tenezzül etmemek

disease /di'zi:z/ a. hastalık *diseased* hastalıklı

disembark /disim'ba:k/ e. karaya çıkmak

disembody /disim'bodi/ e. gövdeden ayırmak

disgrace /dis'greys/ e. küçük düşürmek, itibarını zedelemek; gözden düşürmek, rezil etmek * a. yüzkarası; gözden düşme

disgruntled /dis'grantıld/ s. (at/with) üzgün, canı sıkılmış

disguise /dis'gayz/ e. görünüşünü/kılığını değiştirmek; saklamak, gizlemek * a. sahte kılık; maske, numara

disgust /dis'gast/ a. iğrenme, tiksinme, tiksinti * e. tiksindirmek, iğrendirmek *disgusting* iğrenç

dish /diş/ a. tabak; yemek *dishes* tabak çanak; bulaşık *dishwasher* bulaşık makinesi *dishwater* bulaşık suyu *wash the dishes* bulaşıkları yıkamak

dishonest /dis'onist/ s. namussuz

dishonour /dis'onı/ e. namusuna leke sürmek * a. onursuzluk, şerefsizlik; leke

disillusion /disi'lu:jın/ e. gözünü açmak, yanlış bir düşünceden kurtarmak

disillusioned /disi'lu:jınd/ s. üzgün, kırgın, hayal kırıklığına uğramış

disinfect /disin'fekt/ e. dezenfekte etmek

disinfectant /disin'fektınt/ a. dezenfektan

disintegrate /dis'intigreyt/ e. parçalamak, dağıtmak, ufalamak; parçalanmak, dağılmak

disinterested /dis'intristid/ s. kişisel duygularla etkilenmeyen, yansız, önyargısız; *kon.* ilgisiz, umursamaz

disjoint /dis'coynt/ *e.* parçalarına ayırmak

disjointed /dis'coyntid/ *s.* (konuşma, yazı, vb.) bağlantısız, kopuk

disk /disk/ *a. AE. bkz. disc*

dislike /dis'layk/ *e.* sevmemek, hoşlanmamak * *a.* sevmeme, hoşlanmama

dislocate /'dislıkeyt/ *e.* (kemik) yerinden çıkarmak; altüst etmek

disloyal /dis'loyıl/ *s.* vefasız *disloyalty* vefasızlık

dismal /'dizmıl/ *s.* kasvetli, iç karartıcı

dismantle /dis'mentıl/ *e.* sökmek

dismay /dis'mey/ *e.* dehşete düşürmek, korkutmak * *a.* korku, dehşet

dismiss /dis'mis/ *e.* (işten) çıkarmak, yol vermek; gitmesine izin vermek *dismissal* çıkarma, kovma; izin, bırakma, gönderme

dismount /dis'maunt/ *e.* (at, bisiklet, vb.'den) inmek

disobedience /dısı'bi:dııns/ *a.* söz dinlemezlik, itaatsizlik *disobedient* itaatsiz, söz dinlemez

disobey /dısı'bey/ *e.* söz dinlememek, itaat etmemek; (kural, yasa, vb.) çiğnemek, uymamak

disorder /dis'o:dı/ *a.* karışıklık, düzensizlik; kargaşa, patırtı; hastalık, rahatsızlık * *e.* karıştırmak, bozmak

disorganized /dis'o:gınayzd/ *s.* düzensiz

dispatch, despatch /di'speç/ *e.* göndermek; bitirivermek * *a.* yollama, gönderme; mesaj; telyazı, telgraf

dispel /di'spel/ *e.* dağıtmak, def etmek; yok etmek, gidermek

dispense /di'spens/ *e.* dağıtmak, vermek; (ilaç reçetesini) hazırlamak

dispensable /di'spensıbıl/ *s.* gereksiz; vazgeçilebilir

dispensary /di'spensıri/ *a.* dispanser, bakımevi

dispense /di'spens/ *e.* dağıtmak, vermek; (ilaç/reçete, vb.) hazırlamak

disperse /di'spö:s/ *e.* dağılmak, yayılmak; yaymak, dağıtmak

displace /dis'pleys/ *e.* yerinden çıkarmak; -in yerine geçmek; ülkesinden çıkarmak

display /di'spley/ *e.* göstermek; sergilemek * *a.* gösterme; gösteri; sergi

displease /dis'pli:z/ *e.* canını sıkmak; gücendirmek *displeasure* hoşnutsuzluk, gücenme

dispose /di'spouz/ *e.* (of) kurtulmak, başından atmak; alt etmek; düzenlemek, yerleştirmek *disposable* kullandıktan sonra atılan *disposal* elden çıkarma; düzenleme; idare, yönetim; kurtulma

disposition /dispı'zişın/ *a.* yaradılış, huy; düzenleme; eğilim, istek

disproportionate /dısprı'po:şınıt/ *s.* oransız, çok fazla ya da çok az

disprove /dis'pru:v/ *e.* yanlış olduğunu kanıtlamak

dispute /di'spyu:t/ *e.* tartışmak; çekişmek; karşı çıkmak, itiraz etmek, kabul etmemek * *a.* tartışma; çekişme, kavga; anlaşmazlık, uyuşmazlık *disputable* tartışılabilir, kuşkulu, su götürür

disqualify /dis'kwolifay/ *e.* diskalifiye etmek

disregard /dısrı'ga:d/ *e.* aldırmamak, önemsememek * *a.* aldırmazlık, önemsememe; ihmal

disrepute /dısrı'pyu:t/ *a.* kötü ün *disreputable* adı çıkmış, kötü ünlü

disrespect /dısrı'spekt/ *a.* saygısızlık, kabalık

dither /'dıtı/ e. kon. telaşa kapıl-
mak
ditto /'ditou/ a. aynı şey; denden (")
işareti
ditty /'diti/ a. kısa ve basit şarkı
divan /di'ven/ a. divan, sedir
dive /dayv/ e. (suya) balıklama
atlamak; dalmak diver dalgıç
diverge /day'vö:c/ e. (yol, görüş,
vb.'den) ayrılmak, uzaklaşmak
divergence ayrılma, uzaklaşma
divergent birbirinden ayrılan
diverse /day'vö:s/ s. çeşitli; farklı,
değişik diversity farklılık; çeşitli-
lik
diversify /day'vö:sifay/ e.
çeşitlendirmek
diversion /day'vö:şın/ a. yönünü
değiştirme, saptırma; eğlence;
oyun
divert /day'vö:t/ e. başka yöne
çevirmek; oyalamak, eğlendir-
mek
divide /di'vayd/ e. bölmek; ayırmak
dividend /di'vidınd/ a. kâr hissesi;
mat. bölünen
dividers /di'vaydız/ a. pergel
divine /di'vayn/ s. kutsal, tanrısal;
ilahi; kon. süper, çok iyi
divinity /di'viniti/ a. ilahiyat
divisible /di'vizıbıl/ s. bölünebilir
division /di'vijın/ a. bölme;
bölünme; parça; fikir ayrılığı;
ask. tümen
divisor /di'vayzı/ a. mat. bölen
divorce /di'vo:s/ a. boşanma * e.
boşanmak; boşamak
divorcé /di'vo:si:, di'vo:sey/ a. dul
erkek
divorcee /divo:'si:/ a. boşanmış
kimse, dul kimse
divorcée /di'vo:si:/ a. dul kadın
divulge /day'valc/ e. açığa vurmak
dizzy /'dizi/ s. başı dönen; baş
döndürücü; kon. aptal feel dizzy
başı dönmek
do /du:/ e. did /did/ done /dan/

yapmak, etmek do away with
ortadan kaldırmak; yok etmek,
öldürmek do with -e ihtiyacı ol-
mak do without idare etmek, ol-
madan yapmak have to do with
ile bir ilgisi olmak
dock /dok/ a. rıhtım; gemi havuzu,
dok; (mahkemede) sanık yeri * e.
(kuyruğunu) kesmek; (ücret, vb.)
kısmak, azaltmak; (gemi) limana
girmek be in the dock sanık ol-
mak put in the dock suçlamak
dockage /'dokic/ a. kesinti
dockyard /'dokya:d/ a. tersane
doctor /'doktı/ a. doktor, hekim;
doktora yapmış kişi; AE. diş
doktoru * e. kon. tedavi etmek;
onarmak; değiştirmek
doctorate /'doktırıt/ a. doktora
doctrinaire /doktri'neı/ s. kuramcı
doctrine /'doktrin/ a. öğreti, doktrin
document /'dokyumınt/ a. belge *
e. belgelemek documentation
/dokyumen'teyşın/ belgelerle
kanıtlama, belgeleme
documentary /dokyu'mentıri/ s.
belgesel; belgeli * a. belgesel
(film)
dodge /doc/ e. hızla yana çekilmek;
hile ile kurtulmak, atlatmak * a.
yana kaçış; kon. üçkâğıt, oyun;
kon. plan, yol
dodgy /'doci/ s. BE. kon. riskli,
tehlikeli; üçkâğıtçı, namussuz
doe /dou/ a. dişi geyik ya da tavşan
dog /dog/ a. köpek; it * e. izlemek,
peşini bırakmamak dog-cheap
sudan ucuz, çok ucuz dog days
yılın en sıcak günleri dogtooth
köpekdişi
dogma /'dogmı/ a. dogma dog-
matic /-metik/ s. dogmatik dog-
matism dogmatizm
doh /dou/ a. müz. do notası
doing /'du:ing/ a. (birisinin yaptığı)
iş; sıkı çalışma
dole /doul/ a: go/be on the dole BE.

kon. hükümetten işsizlik maaşı almak * *e.* (out) yoksullara (para, yiyecek, vb.) dağıtmak *doleful* üzgün, kederli, mahzun

doll /dol/ *a.* oyuncak bebek; *kon.* (aptal) güzel kadın, bebek

dollar /'dolı/ *a.* dolar

dolly /'doli/ *a. kon. bkz. doll*

dolphin /'dolfin/ *a. hayb.* yunusbalığı

domain /dı'meyn/ *a.* beylik arazi; alan

dome /doum/ *a.* kubbe

domestic /dı'mestik/ *s.* evle ilgili, aileyle ilgili; evcil; yerli * *a.* hizmetçi *domesticate* (hayvan) evcilleştirmek; ev işlerine alıştırmak

dominant /'dominınt/ *s.* egemen; üstün; *biy.* başat, dominant

dominate /'domineyt/ *e.* egemen olmak; en önemli yeri tutmak *domination* egemenlik, hâkimiyet

domineering /domi'niıring/ *s.* despotça davranan, zorba

dominion /dı'minıın/ *a.* egemenlik; yönetme hakkı; dominyon; yönetilen bölge/ülke

domino /'dominou/ *a.* domino taşı; *kon.* domino oyunu

don /don/ *a.* (İngiltere'de) üniversitede öğretim görevlisi

donate /dou'neyt/ *e.* (para, vb.) bağışta bulunmak

donation /dou'neyşın/ *a.* bağış

done /dan/ *s.* bitmiş, sona ermiş; çok yorgun; pişmiş *Done! Tamam!, Kabul!*

donkey /'donki/ *a.* eşek *donkeywork* ağır ve sıkıcı iş

donor /'dounı/ *a.* bağışta bulunan kimse

doom /du:m/ *a.* kötü kader, yazgı; ölüm *doomsday* kıyamet günü

door /do:/ *a.* kapı; giriş *next door* kapı komşu, yakın *out of doors* açık havada, dışarıda *doorbell* kapı zili *doorkeeper* kapıcı *doormat* paspas *doorstep* eşik *doorway* kapı yeri, giriş

dope /doup/ *a.* uyuşturucu madde; budala, salak; *arg.* bilgi * *e.* doping yapmak *doping test* doping testi

dormant /'do:mınt/ *s.* hareketsiz, etkin olmayan; uykuda

dormitory /'do:mitıri/ *a.* yatakhane, koğuş; *AE.* öğrenci yurdu

dormouse /'do:maus/ *a. hayb.* fındıkfaresi

dorsal /'do:sıl/ *s. anat.* sırtla ilgili, sırt ..., arka ...

dosage /'dousic/ *a.* dozaj, düzem

dose /dous/ *a.* doz; miktar

dosshouse /'dohaus/ *a.* çok ucuz pansiyon

dot /dot/ *a.* nokta; benek * *e.* noktasını koymak

dotage /'doutic/ *a.* bunaklık

double /'dabıl/ *s.* çift, iki; iki kişilik; iki misli, iki kat; ikili, çifte * *a.* benzer, eş; (içki) duble * *be.* iki misli, iki katı * *e.* iki katına çıkarmak; iki misli olmak *doublebreasted* (giysi) kruvaze *doublecross* iki yüzlülük etmek *doubledealer* ikiyüzlü *doubledecker* iki katlı otobüs; iki katlı ev *doublefaced* ikiyüzlü *doubleglazing* çift cam *doublejointed* iki eklemli

doubles /'dabılz/ *a.* (tenis) çiftler maçı

doubly /'dabli/ *be.* iki misli, iki kat

doubt /daut/ *e.* -den kuşkulanmak; emin olmamak, kuşkusu olmak *no doubt* kuşkusuz *doubtful* kuşkulu, güvenilmez; kesin olmayan, şüpheli *doubtless* kuşkusuz, şüphesiz, kesin; muhtemelen

dough /dou/ *a.* hamur; *kon.* para

doughnut /'dounat/ *a.* lokma benzeri bir tür tatlı

douse /daus/ *e.* ıslatmak, sulamak;

kon. söndürmek

dove /dav/ *a.* güvercin, kumru

down /daun/ *be.* aşağı, aşağıya; aşağıda * *ilg.* aşağısına; aşağısında *down with* ...! kahrolsun ...! *down to earth* gerçekçi

downcast /'daunka:st/ *s.* üzgün, mahzun; (gözler) yere doğru bakan

downfall /'daunfo:l/ *a.* düşüş, çöküş, mahvolma; ani yağış, sağanak

downgrade /'daungreyd/ *e.* (rütbe, derece, vb.) indirmek, alçaltmak

downhearted /daun'ha:tid/ *s.* üzgün, mutsuz

downhill /'daunhil/ *be.* yokuş aşağı *go downhill* kötüye gitmek

downpour /'daunpo:/ *a.* sağanak

downstairs /daun'steız/ *be.* alt katta, aşağıda; alt kata, aşağıya

downstairs /daun'steız/ *a. s.* alt kat

downward /'daunwıd/ *s.* aşağı inen, düşen; *AE* aşağıya doğru

downwards /'daunwıdz/ *be.* aşağıya doğru

downwind /'daunwind/ *s. be.* rüzgâr yönünde

dowry /'dauıri/ *a.* çeyiz

doze /douz/ *a.* şekerleme, kestirme, kısa uyku * *e.* şekerleme yapmak, kestirmek, uyuklamak

dozen /'dazın/ *a.* düzine

draft /dra:ft/ *e.* taslak; karalama, müsvedde; poliçe; *AE* askere alma * *e.* taslağını çizmek; *AE* askere almak

drag /dreg/ *a.* çekme, sürükleme; sürüklenen şey; tırmık, tarak * *e.* sürüklemek, sürümek, çekmek; (ağ, kanca, vb.) dibini yoklamak, taramak *drag on* gereksiz yere uzamak

dragon /'dregın/ *a.* ejder, ejderha *dragonfly* yusufçuk, kızböceği

drain /dreyn/ *e.* akmak; akıtmak; kurumak; kurutmak;

güçsüzleşmek * *a.* pissu borusu; kanal, lağım; akaç; masraf *drainage* suları akıtma; kanalizasyon *drainpipe* pissu akıtma borusu

drake /dreyk/ *a.* erkek ördek

dram /drem/ *a.* dirhem

drama /'dra:mı/ *a.* (radyo, televizyon ya da tiyatroda oynanan) oyun; drama, tiyatro sanatı; heyecanlı olaylar dizisi *dramatic* tiyatroyla ilgili, dramatik; heyecanlandırıcı *dramatics* oyun yazma (sanatı) *dramatist* oyun yazarı

dramatize /'dremıtayz/ *e.* oyunlaştırmak, sahneye uyarlamak; (olayı) heyecanlı bir biçimde anlatmak; abartmak

drape /dreyp/ *e.* (kumaş, vb. ile) üstünü örtmek, kaplamak; kumaşla süslemek *draper BE.* kumaşçı *drapery BE.* kumaşçılık; kumaş

drastic /'drestik/ *s.* güçlü, şiddetli, etkili

draught /dra:ft/ *a.* cereyan, hava akımı; yudum; geminin yüzebileceği derinlik; *BE.* dama taşı *draught beer* fıçı birası

draughts /'dra:fts/ *a. BE.* dama oyunu *draughtsman* teknik ressam; dama taşı

draw /dro:/ *e.* *drew* /dru:/, *drawn* /dro:n/ (resim) çizmek; çekmek; ilgisini çekmek, cezbetmek; (oyun, savaş, vb.) berabere bitirmek/bitmek * *a.* kura, çekiliş; (maç, vb.) beraberlik; ilgi toplayan şey/kimse *draw away* hızla çekmek, uzaklaştırmak *draw back* gerilemek; düşünmekten/yapmaktan çekinmek *draw on/upon* kullanmak, yararlanmak *draw out* (zaman içinde) uzatmak, yaymak; hesabından para çekmek; konuşturmak *draw up* oluşturmak; (taşıt) belli bir

drop

noktaya ulaşıp durmak; düzenlemek, yazmak; sıralamak, dizmek

drawback /'dro:bek/ a. dezavantaj; engel; sorun, güçlük

drawer /'dro:/ a. çekmece, göz

drawing /'dro:ing/ a. çizim; eskiz; plan, tasar, kroki **drawing pin** raptiye **drawing room** salon, misafir odası

drawn /dro:n/ bkz. **draw**

dread /dred/ e. çok korkmak * a. korku, dehşet; korku nedeni **dreadful** korkutucu, ürkütücü, korkunç **dreadfully** çok; çok fena, korkunç bir şekilde

dream /dri:m/ e. **dreamed, dreamt** /dremt/, rüya görmek; rüyasında görmek; düşlemek, düş kurmak * a. düş, rüya; hayal; kon. çok güzel şey **dream away** (zaman) çarçur etmek **dreamer** rüya gören kimse; hayalperest kimse **dreamy** hayalci; kon. harika, nefis

dreamt /dremt/ bkz. **dream**

dreary /'drıırı/ s. can sıkıcı, kasvetli

dredge /drec/ e. (ırmak ya da denizin) dibini taramak * a. dip tarama aracı, tarak

dregs /dregz/ a. tortu, çökelti

drench /drenç/ e. ıslatmak, sırılsıklam etmek

dress /dres/ e. giydirmek; giyinmek; yaraya pansuman yapmak, sarmak; saç yapmak; (yemeği) hazırlamak, süslemek * a. giysi, elbise; kılık kıyafet, giyim * s. elbiselik; (giysi) uygun, düzgün

dresser /'dresı/ a. mutfak rafı, tabaklık; AE. şifoniyer

dressing /'dresing/ a. giydirme; giyinme, kuşanma; pansuman, sargı; salça, sos, terbiye **dressing gown** sabahlık **dressing table** tuvalet masası

drew /dru:/ bkz. **draw**

dribble /'dribıl/ e. (salya, vb.) damlamak; damlatmak, salya akıtmak; sp. top sürmek

drift /drift/ a. sürükleme, sürüklenme; sürüklenen şey; genel anlam * e. sürüklemek; sürüklenmek; biriktirmek, yığmak; birikmek **drifter** avare, başıboş

drill /dril/ e. (matkapla delik) açmak, delmek; alıştırmak, eğitmek, talim yaptırmak * a. delgi, matkap; alıştırma; talim

drink /drink/ e. **drank** /drenk/ **drunk** /drank/ içmek; içki içmek; emmek; yutmak * a. içilecek şey, içecek; (alkollü) içki **drinkable** içilebilir, içilir **drinker** içkici

drip /drip/ e. damlamak; damlatmak * a. damlama; damla; arg. sevimsiz, renksiz kimse

drip-dry /'dripdray/ s. (giysi) asılarak kurutulan, ütü istemeyen

dripping /'driping/ a. pişirilen etten damlayan yağ

drive /drayv/ e. **drove** /drouv/ **driven** /'drivın/ sürmek; (taşıt) kullanmak; (araba, vb. ile) götürmek; -e zorlamak; sıkıştırmak * a. taşıtta yolculuk; (park yerine) giriş yolu; girişim; dürtü; pratik zekâ; (araba, vb.) çekiş **drive-in** otomobille girilen (sinema, lokanta, vb. yer) **driver** sürücü, şoför **driver's license** AE. sürücü belgesi, ehliyet **driving licence** sürücü belgesi, ehliyet

driven /'drivın/ bkz. **drive**

drizzle /'drizıl/ e. (yağmur) ince ince yağmak, çiselemek * a. ince yağmur, çisenti

drone /droun/ a. erkek arı; asalak, parazit

droop /dru:p/ e. sarkmak, eğilmek * a. düşüş uzaklığı, düşüş

drop /drop/ e. (yere) düşürmek; düşmek; kon. (arabadan) indirmek; bırakmak; son vermek, kesmek; (artık) görüşmemek * *a.* damla, azıcık şey; düşüş, iniş *drop by/in/on* şöyle bir uğramak *drop off* uyuyakalmak; azalmak *drop out* ayrılmak, bırakmak *dropper* /'dropı/ damlalık

droppings /'dropingz/ *a.* ters, hayvan dışkısı

dross /dros/ *a.* cüruf, süprüntü, artık

drought /draut/ *a.* kuraklık, susuzluk

drove /drouv/ *bkz. drive;* *a.* sürü *drover* davar çobanı, celep

drown /draun/ *e.* (suda) boğulmak; suda boğmak; (ses) bastırmak, boğmak

drowse /drauz/ *e.* kestirmek, uyuklamak *drowsy* uykulu; uyutan, uyutucu

drudge /drac/ *e.* ağır, zor ve tatsız iş yapmak *drudgery* ağır, tatsız iş

drug /drag/ *a.* ilaç; uyuşturucu madde * *e.* ilaç vermek; uyuşturucu vermek, ilaçla uyutmak *druggist AE.* eczacı *drugstore AE.* eczane

drum /dram/ *a.* davul, bateri, dümbelek * *e.* davul çalmak; davul sesi çıkartmak *drummer* davulcu, baterist *drumstick* davul sopası, baget

drunk /drank/ *a. s.* sarhoş, içkili

drunkard /'drankıd/ *a.* ayyaş, sarhoş

drunken /'drankın/ *s.* sarhoş

dry /dray/ *s.* kuru; kurumuş, kupkuru, susuz; susamış; yavan, sevimsiz; basit, sade; (içki) sek * *e.* kurumak; kurutmak *dry-clean* kuru temizleme yapmak *dry cleaner's* kuru temizleme dükkânı

dryer /'drayı/ *a.* kurutma makinesi

dual /'dyu:ıl/ *s.* ikili, iki eş parçalı, dual, çift

dub /dab/ *e.* (film, vb.) seslendirmek, dublaj yapmak

dubious /'dyu:bııs/ *s.* kuşkulu, belirsiz

duchess /'daçis/ *a.* düşes

duck /dak/ *a.* ördek * *e.* (görülmemek, vurulmamak için) başını eğmek; (başını) suya daldırmak; *kon.* kaçmak, kaytarmak

duckling /'dakling/ *a.* yavru ördek

duct /dakt/ *a.* guddelerden salgıları akıtan kanal; boru

dud /dad/ *s. kon.* işe yaramaz; bozuk

due /dyu:/ *s.* hak edilen, gerekli; tam, uygun, yeterli; (para) ödeme zamanı gelmiş; beklenen * *a.* hak, kişinin hakkı * *be.* direkt olarak, tam olarak, doğruca *due to* ... yüzünden

duel /'dyu:ıl/ *a.* düello * *e.* düello yapmak

dues /dyu:z/ *a.* resmi vergiler, aidat

duet /dyu:'et/ *a. müz.* düet

dugout /'dagaut/ *a.* kütükten oyularak yapılmış kayık; *ask.* yeraltı sığınağı

duke /dyu:k/ *a.* dük

dulcet /'dalsit/ *s.* (ses, vb.) tatlı, hoş, huzur veren

dull /dal/ *s.* sönük, donuk; boğuk; yavaş düşünen; sıkıcı; tekdüze * *e.* sönükleştirmek, donuklaştırmak, köreltmek; körelmek

duly /'dyu:li/ *be.* zamanında; tam olarak, layıkıyla, hakkıyla

dumb /dam/ *s.* dilsiz; dilini yutmuş, sessiz, suskun; *kon.* aptal

dumbfound /dam'faund/ *e.* hayretten konuşamaz hale getirmek

dummy /'dami/ *a.* (cansız) manken; emzik; yapma şey, taklit; *arg.* aptal, salak

dump /damp/ *e.* yere dökmek, düşürmek; indirim yapmak, fiyatta damping yapmak * *a.* çöplük/artık yığma yeri; *arg.*

çöplük, batakhane
dumpling /'dampling/ *a.* meyveli bir tatlı; etli hamur
dumpy /'dampi/ *s.* tıknaz, bodur
dunce /dans/ *a.* kolay öğrenemeyen kimse; aptal
dune /dyu:n/ *a.* kum tepesi, kumul
dung /dang/ *a.* hayvan gübresi
dungarees /dangı'ri:z/ *a.* kalın işçi tulumu
dungeon /'dancın/ *a.* zindan •
dunk /dank/ *e.* (çaya, kahveye, vb.) batırmak, banmak
duo /'dyu:ou/ *a. müz.* düo, ikili
dupe /dyu:p/ *a.* kandırılan, aldatılan, kazıklanan * *e.* kandırmak, aldatmak, kazıklamak
duplicate /'dyu:plikit/ *a. s.* diğerinin aynısı, kopyası, eşi; iki kısımlı, ikili, çift * *e.* kopya etmek, aynısını yapmak *duplicator* teksir makinesi
duplicity /dyu:'plisiti/ *a.* ikiyüzlülük, düzenbazlık, hile
durable /'dyuırbıl/ *s.* dayanıklı, uzun ömürlü *durability* dayanıklılık
duration /dyu'reyşın/ *a.* süre
duress /dyu'res/ *a.* zorlama, baskı
during /'dyuıring/ *be.* sırasında, esnasında, süresince
dusk /dask/ *a.* akşam karanlığı
dust /dast/ *a.* toz; pudra; toz toprak, çöp; toz bulutu * *e.* toz almak *dustbin* çöp kutusu, çöp tenekesi *dustcart BE.* çöp kamyonu *duster* toz bezi; silgi *dustman* çöpçü *dustpan* faraş *dusty* tozlu; sıkıcı
Dutch /daç/ *s.* Hollandaya/Hollanda diline ilişkin; Hollanda'lı *Dutch treat* Alman usulü *go Dutch* masrafları paylaşmak
dutiful /'dyu:tifil/ *s.* sorumluluk taşıyan, görevine bağlı
duty /'dyu:ti/ *a.* görev, sorumluluk; hizmet, iş; vergi *on duty* nöbetçi,

işbaşında, nöbette *duty-free* gümrüksüz, gümrükten muaf
dwarf /dwo:f/ *a.* cüce * küçük göstermek, gölgede bırakmak
dwell /dwel/ *e. dwelt* /dwelt/ yaşamak, hayat sürmek; oturmak, ikamet etmek *dweller* sakin, oturan kimse *dwelling* ikametgâh
dwelt /dwelt/ *bkz. dwell*
dwindle /'dwindıl/ *e.* azalmak, küçülmek
dye /day/ *a.* kumaş boyası, boya maddesi * *e.* boyamak
dynamic /day'nemik/ *s.* enerjik, hareketli *dynamics* devimbilim, dinamik
dynamism /'daynımizım/ *a.* devingenlik, canlılık, hareketlilik
dynamite /'daynımayt/ *a.* dinamit
dynamo /'daynımou/ *a.* dinamo
dynasty /'dınısti/ *a.* hanedan
dysentery /'disıntıri/ *a. hek.* dizanteri

E

each /i:ç/ *s.* her, her biri * *be.* her biri, tanesi * *adl.* her biri; herkes *each other* birbiri(ni)
eager /'i:gı/ *s.* istekli, hevesli; sabırsız *eagerly* büyük bir istekle *eagerness* şevk, istek
eagle /'i:gıl/ *a.* kartal
ear /iı/ *a.* kulak; başak *earache* kulak ağrısı *eardrum* kulakzarı *earlobe* kulakmemesi *earmark* bir kenara koymak, ayırmak *earphone* kulaklık *earrings* küpe *earshot* işitme mesafesi
earl /ö:l/ *a.* İngiliz lordu
early /'ö:li/ *s. be.* erken; önceki, ilk; eski
earn /ö:n/ *e.* kazanmak
earnest /'ö:nist/ *s.* ciddi, azimli *in*

earnest ciddiyetle **earnestly** ciddiyetle, istekle
earnestness ciddiyet, içtenlik; istek
earnings /'ö:ningz/ *a.* kazanç
earth /ö:t/ *a.* yerküre, dünya; toprak, yer; doğa; *elek.* toprak hattı; hayvan ini **earthly** dünyevi; maddi; olanaklı
earthenware /'ö:tınweı/ *a.* çanak, çömlek
earthquake /'ö:tkweyk/ *a.* deprem
earthworm /'ö:twö:m/ *a.* solucan
ease /i:z/ *a.* rahatlık, kolaylık, rahat, huzur * *e.* hafifletmek, dindirmek, yatıştırmak; azalmak, dinmek; yavaşlatmak
easel /'i:zıl/ *a.* ressam sehpası
easily /'i:zili/ *be.* kolayca; kuşkusuz
east /i:st/ *a.* doğu **the Far East** Uzakdoğu **the Middle East** Ortadoğu **eastern** doğu ... **easterly** doğudan, doğuda **eastward(s)** doğuya (doğru)
Easter /'i:stı/ *a.* Paskalya yortusu
easy /'i:zi/ *s.* kolay; rahat **easy chair** koltuk **easy-going** kaygısız, yüreği geniş
eat /i:t/ *e.* **ate** /et/ **eaten** /'i:tın/ yemek, yemek yemek; **(away/into)** çürütmek, aşındırmak, kemirmek, yemek **eatable** yenebilir
eaten /'i:tın/ *bkz.* **eat**
eau de cologne /ou dı kı'loun/ *a.* kolonya
eaves /i:vz/ *a.* dam saçağı
ebb /eb/ *a.* suların alçalması, çekilme * *e.* (deniz) çekilmek; azalmak
ebony /'ebını/ *a. s.* abanoz
eccentric /ik'sentrik/ *s.* tuhaf; *mat.* dışmerkezli
ecclesiastical /ikli:zi'estikıl/ *s.* Hıristiyan kilisesine ilişkin
echo /'ekou/ *a.* yankı * *e.* yankı yapmak; yankılanmak

eclipse /i'klips/ *a.* güneş/ay tutulması; düşüş, çöküş * *e.* (güneş/ay) tutmak; gölgede bırakmak, geçmek
ecology /i'kolıci/ *a.* çevrebilim, ekoloji
economic /ekı'nomik/ *s.* ekonomik, iktisadi **economical** az masraflı, ekonomik
economics /ekı'nomiks/ *a.* ekonomi, iktisat bilimi **economist** /i'konımist/ ekonomist, iktisatçı
economize /i'konımayz/ *e.* idareli harcamak, masrafları kısmak
economy /i'konımi/ *a.* ekonomi, iktisat
ecstasy /'ekstısi/ *a.* kendinden geçme, aşırı mutluluk, coşku
eczema /'eksımı/ *a. hek.* egzama, mayasıl
eddy /'edi/ *a.* burgaç, anafor, girdap
edge /ec/ *a.* kenar, uç; ağız, keskin kenar, yalman * *e.* kenar yapmak; kenardan yavaş yavaş ilerlemek **be on the edge** sinirli olmak **have the edge on** -den üstün olmak
edging /'ecing/ *a.* kenar, şerit
edible /'edıbıl/ *s.* yenilebilir
edit /'edit/ *e.* (kitap, film, vb.) yayına hazırlamak; (bilgisayar) edit etmek; biçimlemek
edition /i'dişın/ *a.* baskı, yayın
editor /'editı/ *a.* yayıncı, editör **editorial** (gazetede) başyazı
educate /'edyukeyt, 'ecıkeyt/ *e.* eğitmek, öğretmek, okutmak
education /ecu'keyşın/ *a.* eğitim; tahsil; öğretim **educational** eğitimsel, eğitsel
eel /i:l/ *a. hayb.* yılanbalığı
efface /i'feys/ *e.* silmek; silerek yüzeyini bozmak
effect /i'fekt/ *a.* sonuç; etki; anlam * *e.* gerçekleştirmek; sonuçlandırmak; başarmak **in**

effect yürürlükte, geçerli; etki
itibariyle **into effect** yürürlüğe,
uygulamaya **take effect** yürür-
lüğe girmek; sonuç vermeye
başlamak
effective /i'fektiv/ s. etkili; yürür-
lükte, geçerli **effectiveness** etki;
geçerlilik
effectual /i'fekçuıl/ s. etkili, istenen
sonucu veren
effervesce /efı'ves/ e. köpürmek,
kabarmak, köpüklenmek
efficiency /i'fışnsi/ a. işbilirlik,
yeterlik; etki; verim
efficient /i'fişınt/ s. iyi çalışan, hızlı
ve verimli, becerikli
effluent /'efluınt/ a. fabrika artığı
sıvı
effort /'efıt/ a. çaba, emek; uğraş;
çaba harcama **effortless** zahmet-
siz; çaba göstermeyen
effrontery /i'frantıri/ a. arsızlık,
yüzsüzlük
effusive /i'fyu:siv/ s. taşkın, azgın
egg /eg/ a. yumurta **boiled egg**
rafadan yumurta **fried egg** sa-
handa yumurta **egg-cup** yumurta
kabı
eggplant /'egpla:nt/ a. bitk. patlıcan
ego /'i:gou/ a. ben, benlik, ego
egocentric /i:gou'sentrik/ s. hkr.
bencil
egoism /'i:gouizım/ a. bencillik,
egoizm **egoist** bencil, egoist
egotism /'i:goutizım/ a. hep kendin-
den söz etme **egotist** benlikçi
eiderdown /'aydıdaun/ a. kuştüyü
yorgan
eight /eyt/ a. s. sekiz **eighth** /eitt/
sekizinci
eighteen /ey'ti:n/ a. s. on sekiz
eighteenth /-tint/ on sekizinci
eightieth /'eytııt/ a. s. sekseninci
eighty /'eyti/ a. s. seksen
either /'aytı/ s. adl. ikisinden biri;
iki; her iki * be. (olumsuz cüm-
lelerde) de, da **either ... or** ya ...

ya da
ejaculate /i'cekyuleyt/ e. fışkırtmak,
atmak **ejaculation** fışkırtma,
atma; haykırma
eject /i'cekt/ e. kovmak, dışarı
atmak
eke /i:k/ e. (out) idareli kullanmak
eke out a living güçlükle geçin-
mek
elaborate /i'lebınt/ s. ayrıntılı,
detaylı; özenle hazırlanmış
elapse /i'leps/ e. (zaman) geçmek
elastic /i'lestik/ s. esnek **elasticity**
esneklik
elated /i'leytid/ s. mutlu, sevinçli
elbow /'elbou/ a. dirsek * e. dirsek
atmak, dirsekle dürtmek
elder /'eldı/ s. (yaşça) büyük **elderly**
yaşlıca, geçkin **eldest** yaşça en
büyük
elect /i'lekt/ e. oylayarak seçmek;
(önemli bir) karar vermek **elector**
seçmen **electoral** seçimle ilgili
electorate seçmenler
election /i'lekşın/ a. seçim **by-
election** ara seçim **general elec-
tion** genel seçim **local election**
yerel seçim
electric /i'lektrik/ s. elektrikle ilgili;
elektrikli **electrical** elektrikle il-
gili, elektrik ... **electrical engi-
neer** elektrik mühendisi
electrician /ilek'trişın/ a. elektrikçi
electricity /ilek'trisiti/ a. elektrik
electrify /ilek'trifay/ e. elektrik-
lendirmek; heyecanlandırmak
electrode /i'lektroud/ a. elektrot
electron /i'lektron/ a. elektron
electronic /ilek'tronik/ s. elektronik
electronics elektronik, elektronik
bilimi
elegant /'eligınt/ s. zarif, ince,
güzel, şık **elegance** incelik,
güzellik, zarafet
elegy /'elici/ a. ağıt
element /'elimınt/ a. öğe, unsur,
eleman; element **the element**

hava *the four elements* dört temel öğe: toprak, su, ateş, hava

elementary /eli'mentırı/ *a.* basit; ilk, temel

elephant /'elifınt/ *a. hayb.* fil

elevate /'eliveyt/ *e.* yükseltmek, kaldırmak; (aklı) geliştirmek

elevation /eli'veyşın/ *a.* yükseltme; yüksek yer

elevator /'eliveytı/ *a. AE.* asansör

eleven /i'levın/ *a. s.* on bir *eleventh* /i'levınt/ on birinci

elf /elf/ *a.* cin, peri

elicit /i'lisit/ *e.* çıkartmak, ortaya çıkarmak

eligible /'elicıbıl/ *s.* hak sahibi, haklı; uygun, seçilebilir

eliminate /i'limıneyt/ *e.* elemek, atmak; -den kurtarmak, çıkarmak *elimination* eleme, çıkarma, atma

elite /ey'li:t/ *a.* seçkinler, elit

ellipse /i'lips/ *a.* elips

elm /elm/ *a.* karaağaç

elocution /elı'ku:şın/ *a.* hitabet

elope /i'loup/ *e.* sevgilisi ile kaçmak

else /els/ *be* başka, daha *or else* yoksa *elsewhere* başka yerde, başka yere

elucidate /i'lu:sideyt/ *e.* açıklamak

elude /i'lu:d/ *e.* -den kurtulmak, atlatmak

elusive /i'lu:siv/ *s.* yakalanması/bulunması zor; bir türlü akla gelmeyen

emaciated /i'meyşieytid/ *s.* sıska, bir deri bir kemik

e-mail /'i:meyl/ *a.* imeyl, e-posta

emanate /'emıneyt/ *e.* (from) çıkmak, meydana gelmek

emancipate /i'mensipeyt/ *e.* özgürlüğüne kavuşturmak, bağlarından kurtarmak, serbest bırakmak

embalm /im'ba:m/ *e.* (ölüyü) mumyalamak

embankment /im'benkmınt/ *a.* toprak set, set, bent

embargo /im'ba:gou/ *a.* ambargo * *e.* ambargo koymak

embark /im'ba:k/ *e.* gemiye binmek; gemiye bindirmek

embarrass /im'berıs/ *e.* utandırmak, bozmak *embarrassed* sıkılgan, çekingen *embarrassing* can sıkıcı; utandırıcı *embarrassment* utanma, sıkılma, bozuntu

embassy /'embısi/ *a.* elçilik

embed /im'bed/ *e.* iyice yerleştirmek, oturtmak, sokmak, gömmek

embellish /im'beliş/ *e.* süsleyerek güzelleştirmek

ember /'embı/ *a.* kor, köz

embezzle /im'bezıl/ *e.* (para) zimmetine geçirmek, çalmak

embitter /im'bitı/ *e.* üzmek, canından bezdirmek

emblem /'emblım/ *a.* simge, amblem

embody /im'bodi/ *e.* somutlaştırmak; katmak, eklemek, dahil etmek

emboss /im'bos/ *e.* üzerine kabartma yapmak

embrace /im'breys/ *a.* kucaklama, bağrına basma, sarılma * *e.* kucaklamak, sarılmak; içine almak, kapsamak; benimsemek, kabul etmek

embroider /im'broydı/ *e.* nakış işlemek *embroidery* nakış

embryo /'embriou/ *a.* embriyon, oğulcuk

emerald /'emırıld/ *a. s.* zümrüt; zümrüt yeşili

emerge /i'mö:c/ *e.* ortaya çıkmak *emergence* ortaya çıkma, belirme

emergency /i'mö:cınsi/ *a.* acil vaka, olağanüstü durum

emery /'emıri/ *a.* zımpara

emetic /i'metik/ *a.* kusturucu ilaç

emigrant /'emigrınt/ *a.* göçmen

emigrate /'emigreyt/ *e.* (başka bir

ülkeye) göç etmek *emigration*
göç, dışgöç

eminence /'eminins/ *a.* şöhret,
saygınlık, ün

eminent /'eminint/ *s.* seçkin, ünlü,
saygın *eminently* çok; son
derece; müthiş

emirate /'emirit/ *a.* emirlik

emissary /'emisiri/ *a.* kurye, gizli
ajan

emit /i'mit/ *e.* göndermek, yolla-
mak, vermek, yaymak, salmak

emolument /i'molyumint/ *a.* ücret

emotion /i'mouşın/ *a.* heyecan,
duygu *emotional* duygusal, duy-
gulu

emotive /i'moutiv/ *s.* duygulandırıcı

emperor /'empın/ *a.* imparator

emphasis /'emfisis/ *a.* vurgu; bir
şeye verilen önem, üzerinde
durma

emphasize /'emfisayz/ *e.* üzerinde
durmak, belirtmek, vurgulamak

emphatic /im'fetik/ *s.* vurgulu,
önemli

empire /'empayı/ *a.* imparatorluk

employ /im'ploy/ *e.* iş vermek,
çalıştırmak; kullanmak *employee*
/im'ployi:/ işçi, hizmetli, çalışan
employer /im'ployı/ işveren *em-
ployment* /im'ploymınt/
çalıştırma, iş verme

empower /im'pauı/ *e.* yetki vermek

empress /'empris/ *a.* imparatoriçe

empty /'empti/ *s.* boş * *e.* boşalt-
mak, içini boşaltmak, dökmek
empty-handed eli boş *empty-
headed* boş kafalı, ahmak *empti-
ness* boşluk

emulate /'emyuleyt/ *e.* bir diğer
kişiden daha iyisini yapmaya
çalışmak

emulsion /i'malşın/ *a.* merhem;
sübye, emülsiyon

enable /i'neybıl/ *e.* imkân tanımak

enact /i'nekt/ *e.* (yasa) çıkarmak

enamel /i'nemıl/ *a.* emay; (diş)

mine

enamoured /i'nemıd/ *s.* (of/with)
düşkün, hayran

encampment /in'kempmınt/ *a.*
kamp yeri

encase /in'keys/ *e.* kılıfa sokmak,
kutulamak, örtmek

enchant /in'ça:nt/ *e.* büyülemek
enchanting büyüleyici *enchant-
ment* büyülenme; büyüleyici şey

encircle /in'sö:kıl/ *e.* kuşatmak,
çevrelemek

enclose /in'klouz/ *e.* çevresini sar-
mak, kuşatmak; içine koymak,
iliştirmek

enclosure /in'kloujı/ *a.* çevirme,
kuşatma; çit, duvar; ilişikte
gönderilen şey

encompass /in'kampıs/ *e.* kuşatmak,
çevrelemek

encounter /in'kauntı/ *e.* (tehlike,
sorun, vb. ile) karşılaşmak;
(biriyle) tesadüfen karşılaşmak *
a. karşılaşma, rast gelme

encourage /in'karic/ *e.* yürek-
lendirmek, cesaretlendirmek

encroach /in'krouç/ *e.* ileri gitmek,
haddini aşmak; (birinin hakkına)
tecavüz etmek

encrusted /in'krastid/ *s.* (mücevher,
vb.) kaplı, kaplanmış

encyclopedia /insayklı'pi:dıı/ *a.*
ansiklopedi, bilgilik

end /end/ *a.* son; uç; amaç * *e.*
sona erdirmek, bitirmek *in the
end* sonunda *endless* sonsuz
endlessly sürekli olarak, dur-
madan

endanger /in'deyncı/ *e.* tehlike
yaratmak

endear /in'dıı/ *e.* (to) sevdirmek

endeavour /in'deyvı/ *e.* çalışmak,
çabalamak
* *a.* emek, çaba

endemic /en'demik/ *s.* (hastalık,
vb.) belli biryere özgü

endorse /in'do:s/ *e.* desteklemek;

ciro etmek; (ceza, isim, vb.) yazmak

endow /in'dau/ *e.* (okul, hastane, vb.'ne) bağışta bulunmak

endurance /in'dyuırıns/ *a.* dayanma; tahammül, sabır

endure /in'dyuı/ *e.* dayanmak, katlanmak, sürmek *enduring* dayanıklı; sürekli

enemy /'enımi/ *a.* düşman

energetic /enı'cetik/ *s.* çalışkan, enerjik

energy /'enıci/ *a.* enerji, güç

enforce /in'fo:s/ *e.* zorlamak, zorla yaptırmak; uygulamak, yürütmek *enforcement* zorlama; uygulama

enfranchise /in'frençayz/ *e.* oy hakkı vermek

engage /in'geyc/ *e.* çalıştırmak; birbirine geçirmek, tutturmak; saldırmak *engaged* nişanlı; (telefon hattı) meşgul *engagement* nişan, nişanlanma; söz, randevu

engine /'encin/ *a.* motor; makine

engineer /enci'niı/ *a.* mühendis *engineering* mühendislik

English /ingliş/ *s. a.* İngiliz; İngilizce *the English* İngilizler

engrave /in'greyv/ *e.* oymak, hakketmek

engrossing /in'grousing/ *s.* çok ilginç, sürükleyici

engulf /in'galf/ *e.* içine çekmek, yutmak

enhance /in'ha:ns/ *e.* (değer, güç, güzellik, vb.) artırmak, çoğaltmak

enigma /i'nigmı/ *a.* muamma, anlaşılmaz şey *enigmatic* /enig'metik/ bilmece gibi; anlaşılmaz

enjoy /in'coy/ *e.* zevk almak, hoşlanmak, beğenmek *enjoy oneself* mutlu olmak, eğlenmek *enjoyable* zevkli, eğlenceli *enjoyment* zevk, haz

enlarge /in'la:c/ *e.* büyütmek, genişletmek; büyümek, genişlemek; (on) uzatmak *enlargement* büyütme, genişletme

enlighten /in'laytın/ *e.* aydınlatmak, bilgi vermek, açıklamak

enlist /in'list/ *e.* askere almak; asker olmak; (yardım, sempati, vb.) kazanmak

enliven /in'layvın/ *e.* canlandırmak, hareketlendirmek

enmity /'enmiti/ *a.* düşmanlık, husumet

enormity /i'no:miti/ *a.* büyük kötülük, alçaklık; büyüklük

enormous /i'no:mıs/ *s.* çok geniş, çok büyük, koskoca, kocaman *enormously* pek çok

enough /i'naf/ *s. be.* yeterli; yeteri kadar * *a.* yeter miktar

enquire /in'kwayı/ *e.* soruşturmak *enquiry* soruşturma

enrage /in'reyc/ *e.* çileden çıkarmak

enrich /in'riç/ *e.* zenginleştirmek

enrol, enroll /in'roul/ *e.* üye olmak; üye etmek, kaydetmek

en route /on'ru:t/ *be.* yolda, ... yolunda

ensemble /on'sombıl/ *a.* birlik, grup, takım; küçük müzik topluluğu

ensign /'ensayn, 'ensın/ *a.* (donanma, vb.) bayrak; *AE.* deniz teğmeni

ensue /in'syu:/ *e.* (sonuç olarak ya da sonra) ortaya çıkmak, ardından gelmek

ensure /in'şuı/ *e.* (olmasını) kesinleştirmek; sağlama almak, garantiye almak

entail /in'teyl/ *e.* gerektirmek, zorunlu kılmak, istemek

entangle /in'tengıl/ *e.* (ip, saç, vb.) dolaştırmak, karıştırmak

enter /'entı/ *e.* girmek; yazmak, kaydetmek; üyesi olmak *enter into* başlamak, girişmek; yer almak, katılmak

enterprise /'entıprayz/ *a.* girişim, yatırım; girişkenlik, açıkgözlülük *enterprising* girişken

entertain /entı'teyn/ *e.* eğlendirmek, hoşça vakit geçirtmek; (konuk) ağırlamak *entertaining* eğlendirici *entertainment* eğlence

enthral, enthrall /in'tro:l/ *e.* (bir şey anlatarak) büyülemek

enthrone /in'troun/ *e.* tahta çıkarmak, taç giydirmek

enthusiasm /in'tyu:ziezım/ *a.* heves, büyük ilgi, isteklilik *enthusiastic* şevkli, ateşli

entice /in'tays/ *e.* ayartmak, kandırmak

entire /in'tayı/ *s.* bütün, tüm, tam; saf *entirely* bütünüyle, tümüyle

entirety /in'tayırıti/ *a.* bütünlük, tamlık

entitle /in'taytıl/ *e.* ad vermek; yetki vermek

entity /'entiti/ *a.* varlık, mevcudiyet

entrails /'entreylz/ *a.* sakatat

entrance /'entrıns/ *a.* giriş

entrance /in'tra:ns/ *e.* kendinden geçirmek, büyülemek

entreat /in'tri:t/ *e.* yalvarmak, yakarmak

entrenched /in'trençt/ *s.* yerleşik, köklü

entrepreneur /ontrıprı'nö:/ *a.* müteşebbis, girişimci; müteahhit

entrust /in'trast/ *e.* emanet etmek

entry /'entri/ *a.* giriş; yarışmacı(lar)

entwine /in'twayn/ *e.* sarmak, dolaştırmak

enumerate /i'nyu:mıreyt/ *e.* sıralamak, belirtmek

enunciate /i'nansieyt/ *e.* telaffuz etmek; düşünceleri açıkça belirtmek

envelop /in'velıp/ *e.* sarmak, örtmek

envelope /'envıloup/ *a.* zarf

enviable /'envıbıl/ *s.* imrenilecek; başarılı

envious /'envıis/ *s.* kıskanç

environment /in'vayırınmınt/ *a.* çevre, ortam *environmental* çevresel

envisage /in'vizic/ *e.* gözünün önüne getirmek

envoy /'envoy/ *a.* delege; elçi

envy /'envi/ *e.* gıpta etmek, kıskanmak, imrenmek * *a.* kıskançlık, çekememezlik

enzyme /'enzaym/ *a.* enzim

epaulet, epaulette /epı'let/ *a.* apolet

ephemeral /i'femınl/ *s.* kısa ömürlü, geçici

epic /'epik/ *a.* epik, destan

epidemic /epi'demik/ *a. hek.* salgın

epigram /'epigrem/ *a.* nükteli şiir/söz

epilepsy /'epilepsi/ *a. hek.* sara

epilogue /'epilog/ *a.* son deyiş; son bölüm, kapanış

episode /'episoud/ *a.* olay, serüven; (roman, vb.) bölüm

epitaph /'epita:f/ *a.* mezar taşı kitabesi

epitome /i'pitımi/ *a.* somut örnek, ideal

epitomize /i'pitımayz/ *e.* somut örneği olmak

epoch /'i:pok/ *a.* dönem, çağ

equable /'ekwıbıl/ *s.* değişmez, dengeli, sakin

equal /'i:kwıl/ *s.* eşit, eş, denk * *e.* eşit olmak * *a.* eş, akran *equality* /i'kwoliti/ eşitlik *equalize* /'i:kwılayz/ eşitlemek *equally* /'i:kwıli/ eşit olarak, aynı derecede

equanimity /i:kwı'nimiti/ *a.* soğukkanlılık, temkin, sakinlik

equate /i'kweyt/ *e.* eşit yapmak, eşit saymak, eşitlemek

equation /i'kweyjın/ *a. mat.* denklem

equator /i'kweytı/ *a.* ekvator

equestrian /i'kwestrıın/ s. a. bini-
cilikle ilgili; atlı, binici
equilateral /i:kwi'letırıl/ s. (üçgen)
eşkenar
equilibrium /i:kwi'librıım/ a. denge
equip /i'kwip/ e. donatmak, teçhiz
etmek equipment /i'kwipmınt/
donatım, teçhizat, gereç
equity /'ekwiti/ a. adalet, dürüstlük
equivalent /i'kwivılınt/ a. s.
eşdeğer, denk, eşit * a. karşılık
equivocal /i'kwivıkıl/ s. (sözcük) iki
anlamlı, iki anlama gelebilen
era /'ıın/ a. devir, çağ, dönem
eradicate /i'redikeyt/ e. yok etmek,
kökünü kurutmak
erase /i'reyz/ e. (yazı, vb.) silmek;
kazımak eraser silgi
erect /i'rekt/ e. dikmek; yapmak,
inşa etmek erection inşa; yapma,
kurma, dikme, yapı, bina
ermine /'ö:min/ a. hayb. ermin, as
erode /i'roud/ e. yemek, aşındır-
mak, yıpratmak; aşınmak
erosion /i'roujın/ a. aşınma,
aşındırma
erotic /i'rotik/ s. erotik
err /ö:/ e. yanılmak, hata etmek
errand /'erınd/ a. ayak işi; olmay-
acak iş
erratic /i'retik/ s. değişen, kararsız,
düzensiz
erroneous /i'rounııs/ s. hatalı,
yanlış
error /'erı/ a. yanlışlık, hata
erudite /'erudayt/ s. bilgili, engin
bilgili
erupt /i'rapt/ e. (yanardağ) patla-
mak, püskürmek; patlak vermek
eruption patlama, püskürme
escalate /'eskıleyt/ e. (savaşı)
kışkırtmak; (fiyat, ücret) yüksel-
mek
escalator /'eskıleytı/ a. yürüyen
merdiven
escapade /'eskıpeyd/ a. çılgınlık,
aptalca hareket

escape /i'skeyp/ e. kaçmak; atlat-
mak, kurtulmak; hatırından
çıkmak * a. kaçış, firar; kurtuluş;
(gaz, sıvı, vb.) sızıntı, kaçak
escort /'esko:t/ a. muhafız, maiyet;
kavalye, refakatçi
escort /i'sko:t/ e. eşlik etmek
esoteric /esı'terik/ s. belirli bir
kesime hitap eden
especial /i'speşıl/ s. özel, ayrı,
müstesna especially özellikle
espionage /'espıına:j/ a. casusluk
esquire /i'skwayı/ a. bay, efendi
essay /'esey/ a. deneme essayist
deneme yazarı
essence /'esıns/ a. öz, esas; esans
essential /i'senşıl/ s. gerekli;
başlıca, esaslı, öz essentially
esasen, aslında
establish /i'stebliş/ e. kurmak, tesis
etmek; yerleştirmek; kanıtlamak
establishment kuruluş, kurum,
tesis
estate /i'steyt/ a. arazi, mülk, em-
lak; arsa estate agent emlak
komisyoncusu estate car pikap
personal estate taşınabilir mallar
real estate taşınamaz mallar
esteem /i'sti:m/ a. saygı, itibar * e.
saygı göstermek; gözüyle bak-
mak
estimate /'estimeyt/ e. değer
biçmek, tahmin etmek estima-
tion tahmin, takdir
estimate /'estimit/ a. tahmin, hesap
estuary /'esçuıri/ a. coğ. haliç
et cetera /et'setın/ be. vesaire, ve
benzeri
etch /eç/ e. asitle maden üzerine
resim oymak
eternal /i'tö:nıl/ s. sonsuz, öncesiz
sonrasız, ebedi eternally ebedi-
yen
eternity /i'tö:niti/ a. sonsuzluk
ether /'i:tı/ a. kim. eter
ethic /'etik/ a. ahlak sistemi
ethical /'etikıl/ s. ahlaki, törel;

(davranış, vb.) ahlaklı **ethics** törebilim, ahlak bilimi; ahlak, ahlak kuralları

ethnic /'etnik/ *s.* budunsal, etnik

ethnology /et'nolıci/ *a.* budunbilim, etnoloji

etiquette /'etiket/ *a.* görgü kuralları

etymology /eti'molıci/ *a.* kökenbilim, etimoloji

eucalyptus /yu:kı'liptıs/ *a.* *bitk.* okaliptüs, sıtmaağacı

eulogize /'yu:lıcayz/ *e.* övmek, methetmek

eulogy /'yu:lıci/ *a.* övgü, methiye

eunuch /'yu:nık/ *a.* hadım, haremağası

Europe /yuın'p/ *a.* Avrupa

European /yuın'pıın/ *s.* Avrupa ile ilgili * *a.* Avrupalı **European Community** Avrupa Topluluğu, AT

euthanasia /yu:tı'neyzıı/ *a.* acısız ölüm

evacuate /i'vekyueyt/ *e.* tahliye etmek; tehlikeden uzaklaştırmak

evade /i'veyd/ *e.* *hkr.* -den kaçmak, kaytarmak; sıvışmak

evaluate /i'velyueyt/ *e.* değer biçmek

evangelical /i:ven'celikıl/ *s.* İncil ya da İsa'nın öğretisi ile ilgili

evaporate /i'vepıreyt/ *e.* buharlaşmak; buharlaştırmak; uçup gitmek, yok olmak

evasion /i'veyjın/ *a.* *hkr.* kaçma, atlatma

eve /i:v/ *a.* arife, öngün

even /'i:vın/ **-s:** düz; yatay, pürüzsüz; eşit, aynı; (sayı) çift * *be.* bile; hatta **even if though** -se bile, -e rağmen, öyle olsa da **even now/so/then** ona rağmen, yine de **even out** denklemek, eşitlemek **get even with sb** birisinden öcünü almak, acısını çıkarmak

evening /'i:vning/ *a.* akşam

event /i'vent/ *a.* olay; sonuç; *sp.* karşılaşma **eventful** olaylı

eventual /i'vençuıl/ *s.* sonuç olarak **eventually** sonunda, neticede

ever /'evı/ *be.* hiç; her zaman; hep **ever so/such** *BE. kon.* çok

evergreen /'evıgri:n/ *s.* *a.* yaprak dökmeyen

everlasting /evı'la:sting/ *s.* ölümsüz, sonsuz

evermore /evı'mo:/ *be.* her zaman, sonsuza kadar

every /'evri/ *s.* her, her bir **everybody** herkes **everyday** her günkü, günlük **everything** her şey **everywhere** her yerde, her yere

evict /i'vikt/ *e.* *huk.* tahliye ettirmek

evidence /'evidıns/ *a.* kanıt, delil

evident /'evidınt/ *s.* besbelli, açık

evil /'i:vıl/ *s.* kötü, kem; uğursuz, aksi * *a.* fenalık, kötülük

evoke /i'vouk/ *a.* uyandırmak; anımsatmak

evolution /i:vı'luşın, evı'lu:şın/ *a.* değişim, gelişim; evrim

evolve /i'volv/ *e.* gelişmek, evrim geçirmek

ewe /yu:/ *a.* dişi koyun

ewer /'yu:ı/ *a.* ibrik

exacerbate /ig'zesıbeyt/ *e.* kötüleştirmek, ağırlaştırmak

exact /ig'zekt/ *s.* tam, kesin, doğru, kati * *e.* tehditle elde etmek, zorla almak; ısrarla istemek **exactly** tam, tamamen, tam olarak

exaggerate /ig'zecıreyt/ *e.* abartmak **exaggeration** abartma, şişirme

exalt /ig'zo:lt/ *e.* övmek, göklere çıkarmak; (rütbe) yükseltmek, paye vermek; yüceltmek

exam /ig'zem/ *a.* sınav

examination /igzemi'neyşın/ *a.* sınav; yoklama, muayene

examine /ig'zemin/ *e.* incelemek; muayene etmek; sınamak, sınavdan geçirmek example 100

example /ig'zɑːmpıl/ *a.* örnek *for example* örneğin, mesela

exasperate /ig'zɑːspıreyt/ *e.* kızdırmak, sinirlendirmek

excavate /'ekskıveyt/ *e.* kazmak, (çukur) açmak *excavation* kazı

excavator /ekskı'veytı/ *a.* kazı makinesi

exceed /ik'siːd/ *e.* aşmak, geçmek *exceedingly* çok, son derece

excel /ik'sel/ *e.* üstün olmak, geçmek

excellence /'eksılıns/ *a.* üstünlük, mükemmellik

Excellency /'eksılınsi/ *a.* ekselans

excellent /'eksılınt/ *s.* mükemmel, çok iyi, üstün, kusursuz

except /ik'sept/ *ilg.* hariç, -den başka * *e.* hariç tutmak, dışlamak *except for* -den başka

exception /ik'sepşın/ *a.* istisna *with the exception of* -in dışında, - hariç *exceptional* olağanüstü, istisnai

excerpt /'eksöːpt/ *a.* alıntı

excess /'ekses/ *s.* aşırı, fazla * *a.* aşırılık, fazlalık *excessive* aşırı, çok fazla

exchange /iks'çeync/ *e.* değiş tokuş etmek; değiştirmek * *a.* değiştirme, değiş tokuş; (borsa) kambiyo *exchange rate* döviz kuru

exchequer /iks'çekı/ *a.* finans kaynağı, mali kaynak; *BE.* devlet hazinesi, maliye

excise /'eksayz/ *a.* bir ülkede üretilen ve kullanılan kimi mallardan alınan vergi

excite /ik'sayt/ *e.* heyecanlandırmak; yol açmak, uyandırmak, tahrik etmek *excitable* kolayca heyecanlanır *excited* heyecanlı, heyecanlanmış *excitement* heyecan *exciting* heyecanlı, heyecan verici

exclaim /ik'skleym/ *e.* bağırmak,

haykırmak *exclamation* bağırış, haykırış; ünlem *exclamation mark* ünlem işareti

exclude /ik'skluːd/ *e.* kabul etmemek, içeri sokmamak; dışlamak, hesaba katmamak; dışarı atmak, kovmak

excluding /iks'kluːding/ *ilg.* hariç, -den başka, -in dışında

exclusion /iks'kluːjın/ *a.* çıkarma, çıkarılma; hariç tutma

exclusive /ik'skluːsiv/ *s.* herkese açık olmayan; lüks; pahalı *exclusive of* ... hariç, -in dışında *exclusively* sadece, yalnız

excommunicate /ekskı'myuːnikeyt/ *e.* aforoz etmek

excrement /'ekskrimınt/ *a.* dışkı

excreta /ik'skriːtı/ *a.* dışkı, sidik, ter

excrete /ik'skriːt/ *e.* (dışkı, sidik, ter) vücuttan çıkarmak

excursion /ik'sköːşın/ *a.* kısa gezi, gezinti

excusable /ik'skyuːzıbıl/ *s.* bağışlanabilir, affedilebilir

excuse /ik'skyuːz/ *e.* bağışlamak, mazur görmek *Excuse me* Affedersiniz

excuse /ik'skyuːs/ *a.* özür, mazeret; bahane

execute /'eksikyuːt/ *e.* yürütmek, uygulamak; idam etmek; *müz.* çalmak, icra etmek *execution* yapma, yürütme; idam; infaz *executioner* cellat

executive /ig'zekyutiv/ *a.* yönetici, idareci * *s.* yürütücü, yürütmeye ilişkin

executor /ig'zekyutı/ *a. huk.* vasiyet hükümlerini yerine getiren kimse

exemplary /ig'zemplıri/ *s.* örnek niteliğinde, örnek

exemplify /ig'zemplifay/ *e.* örneklerle açıklamak

exempt /ig'zempt/ *s.* bağışık, muaf * *e.* muaf tutmak

exercise /'eksısayz/ *a.* antrenman,

idman; *ask.* talim, tatbikat * *e.*
egzersiz/alıştırma yapmak;
egzersiz yaptırmak; uygulamak

exert /ig'zö:t/ *e.* (çaba, gayret, vb.)
sarf etmek *exertion* çaba, gayret,
güç harcama

exhale /eks'heyl/ *e.* (soluk) dışarı
vermek; (koku, gaz, vb.) çıkar-
mak, yaymak

exhaust /ig'zo:st/ *e.* çok yormak;
tüketmek, bitirmek; boşaltmak *
a. egzoz *exhausted* çok yorgun,
bitkin *exhaustion* yorgunluk, bit-
kinlik

exhaustive /ig'zo:stiv/ *s.* ayrıntılı,
etraflı, eksiksiz

exhibit /ig'zibit/ *e.* sergilemek;
göstermek * *a.* sergilenen şey

exhibition /eksi'bişın/ *a.* sergi *exhi-
bitionist* teşhirci

exhilarate /ig'zilıreyt/ *e.* keyif ver-
mek, neşelendirmek

exhort /ig'zo:t/ *e.* hararetle
öğütlemek, teşvik etmek

exile /'eksayl, 'egzayl/ *e.* sürgüne
göndermek * *a.* sürgün

exist /ig'zist/ *e.* var olmak, mevcut
olmak, olmak, bulunmak;
yaşamak *existence* varlık, var
oluş; yaşam

exit /'egzit,'eksit/ *a.* çıkış; çıkış yeri

exonerate /ig'zonıreyt/ *e.* suçsuz
çıkarmak; beraat ettirmek

exorbitant /ig'zo:bitınt/ *s.* fahiş,
aşırı

exorcist /'ekso:sist/ *a.* kötü ruhları
kovan kimse

exorcize /'ekso:sayz/ *e.* dua ya da
büyü ile şeytan kovmak

exotic /ig'zotik/ *s.* egzotik, yabancı;
çekici

expand /ik'spend/ *e.* genişlemek,
büyümek; genişletmek; büyüt-
mek

expanse /ik'spens/ *a.* geniş alan

expansion /ik'spenşın/ *a.*
genişleme, genleşme, büyüme

expect /ik'spekt/ *e.* (olmasını) bek-
lemek; ummak, ümit etmek; *kon.*
sanmak *expectancy* ümit, bek-
lenti *expectant* bekleyen, uman,
umutlu *expectation* umut, bek-
lenti

expedient /ik'spi:dınt/ *s.* uygun;
yararlı

expedite /'ekspidayt/ *e.* çabuk-
laştırmak, kolaylaştırmak

expedition /ekspi'dişın/ *a.* yolculuk,
sefer

expel /ik'spel/ *e.* çıkarmak, dışarı
atmak

expend /ik'spend/ *e.* tüketmek,
harcamak

expenditure /ik'spendiçı/ *a.* masraf,
gider, harcama

expense /ik'spens/ *a.* masraf, gider,
harcama *at the expense of* -i
yitirerek *at sb's expense of* -in
hesabından/parasıyla

expensive /ik'spensiv/ *s.* pahalı,
masraflı

experience /ik'spiirıns/ *a.* tecrübe,
deneyim * *e.* görmek, görüp
geçirmek

experienced /ik'spiirınst/ *s.*
deneyimli, tecrübeli

experiment /ik'sperimınt/ *a.* deney
* *e.* deney yapmak *experimental*
deneysel

expert /'ekspö:t/ *a.* uzman, bilirkişi

expertise /ekspö:'ti:z/ *a.* uzmanlık;
bilirkişi raporu

expire /ik'spayı/ *e.* süresi dolmak,
sona ermek * *a.* süresi dolma

explain /ik'spleyn/ *e.* açıklamak
explanation /ekspıl'neyşın/ açık-
lama

explanatory /ik'splenıtıri/ *s.* açık-
layıcı

explicit /ik'splisit/ *s.* açık, belirgin

explode /ik'sploud/ *e.* patlamak;
patlatmak

exploit /'eksployt/ *a.* olağanüstü
başarı, yiğitlik

exploit

exploit /ik'sployt/ *e.* işletmek, sömürmek

explore /ik'splo:/ *e.* keşfe çıkmak, inceleme gezisi yapmak; araştırmak *exploration* /eksplı'reyşın/ araştırma, keşif *explorer* /ik'splorı/ kâşif

explosion /ik'sploujın/ *a.* patlama

explosive /ik'splousiv/ *a. s.* patlayıcı

exponent /ik'spounınt/ *a.* (görüş, inanç) taraftar; *mat.* üs

export /ik'spo:t/ *e.* ihraç etmek * /'ekspo:t/ dışsatım, ihracat; ihraç malı *exporter* ihracatçı

expose /ik'spouz/ *e.* maruz bırakmak, karşı karşıya getirmek, ortaya çıkarmak

exposition /ekspı'zişın/ *a.* açıklama

exposure /ik'spoujı/ *a.* maruz kalma, açık olma; açığa vurma; poz

expound /ik'spaund/ *e.* açıklamak

express /ik'spres/ *e.* dile getirmek, anlatmak, göstermek * *s.* açık, kesin; ekspres, hızlı * *a.* ekspres tren

expression /ik'spreşın/ *a.* anlatım, ifade

expressionism /ik'spreşınizım/ *a.* dışavurumculuk

expressive /ik'spresiv/ *s.* anlamlı

expressway /ik'spreswey/ *a. AE.* otoyol, otoban

expropriate /ik'sprouprıeyt/ *e.* kamulaştırmak, istimlak etmek

expulsion /ik'spalşın/ *a.* kovma, çıkarma

exquisite /ik'skwizit/ *s.* mükemmel, enfes, harika, ince

extend /ik'stend/ *e.* uzatmak; genişletmek; büyütmek; uzanmak; yayılmak

extension /ik'stenşın/ *a.* uzatma; genişletme; büyütme; ek; (telefon) dahili hat

extensive /ik'stensiv/ *s.* geniş, yaygın

extent /ik'stent/ *a.* uzunluk, genişlik, büyüklük, alan; derece; ölçü

exterior /ik'stırıı/ *s.* dış, harici

exterminate /ik'stö:mineyt/ *e.* yok etmek, kökünü kazımak

external /ik'stö:nıl/ *s.* dış, harici

extinct /ik'stinkt/ *s.* (hayvan, vb.) nesli tükenmiş; sönmüş

extinguish /ik'stingwiş/ *e.* (ışık, ateş) söndürmek *extinguisher* yangın söndürücü

extort /ik'sto:t/ *e.* (from) tehditle almak, gasp etmek

extra /'ekstrı/ *a.* ek, ilave, ekstra * *s.* gereğinden çok, ek; üstün * *a.* ek; (gazete) özel baskı; ek ücret; figüran

extract /ik'strekt/ *e.* çekmek, çekip çıkarmak; elde etmek, çıkarmak; parça, vb. seçmek; aktarmak * *a.* öz, ruh, esans; özet *extraction* çekme, çıkarma; soy, köken

extracurricular /ekstrıkı'rikyulı/ *s.* ders programının dışında, müfredat dışı

extraordinary /ik'stro:dınırı/ *s.* olağanüstü, görülmemiş

extraterrestrial /ekstrıtı'restrıl/ *s.* dünya dışından gelen, dünya dışı

extravagance /ik'strevıgıns/ *a.* savurganlık, israf

extravagant /ik'strevıgınt/ *s.* savurgan, müsrif; aşırı

extreme /ik'stri:m/ *s.* en uçtaki, son, aşırı; çok büyük, son derece, çok * *a.* en uzak nokta, sınır, uç; son derece *extremely* son derece, çok

extremity /ik'stremiti/ *a.* (acı, üzüntü, vb.) en yüksek derece; *kon.* eller ve ayaklar

extrovert /'ekstrıvo:t/ *a.* dışadönük kişi

exuberant /ig'zyu:bırınt/ *a.* coşkun, taşkın; (bitki) bol, verimli

exude /ig'zyu:d/ *e.* sızmak; sızdırmak, akıtmak

exult /ıg'zalt/ e. çok sevinmek, bayram etmek

eye /ay/ a. göz; görme gücü, görüş; iğne deliği; dişi kopça; bakış, nazar * e. gözden geçirmek; dikkatle bakmak **eyeball** göz küresi, göz yuvarlağı **eyebrow** kaş **eyecatching** dikkat çekici, göze çarpan **eyelash** kirpik **eyelid** gözkapağı **eyesight** görme gücü, görme yeteneği **eyesore** gözü rahatsız eden **eyestrain** göz yorgunluğu **eyewitness** görgü tanığı, şahit **in the eyes of** -in gözünde **keep an eye on** kon. göz kulak olmak **keep an eye out for** anımsamaya çalışmak **under/before one's very eyes** -in gözü önünde **with one's eyes open** göz göre göre, bile bile

F

fable /'feybıl/ a. masal, hayvan masalı, fabl

fabric /'febrik/ a. dokuma, kumaş, bez; yapı, iskelet, bünye

fabricate /'febrikeyt/ e. uydurmak, yalan söylemek, bir araya getirmek, yapmak

fabrication /'febrikeyşın/ a. yapım; imalat; uydurma, yalan

fabulous /'febyulıs/ s. inanılmaz, şaşılacak; kon. mükemmel, harika, müthiş

facade /fı'sa:d/ a. binanın ön yüzü, bina cephesi

face /feys/ a. yüz, surat, çehre; görünüş, şekil * e. cesaretle karşılamak, karşı koymak; yüzüne -ye doğru çevirmek; -in karşısında olmak **face to face** yüz yüze **have the face** yüzü tutmak, cüret etmek **in the face of** -e karşın, -e rağmen **to sb's face**

yüzüne karşı **facecloth** el-yüz havlusu **face-lift** yüz gerdirme ameliyatı

facial /'feyşıl/ s. yüze ilişkin, yüzle ilgili

facile /'fesayl/ s. kolay yapılmış

facilitate /fı'siliteyt/ e. kolaylaştırmak

facility /fı'silti/ a. kolaylık kon. vasıta, bina, tesis, olanak

facsimile /'fek'simili/ a. kopya, suret, tıpkısı, tıpkıbasım

fact /fekt/ a. gerçek, olgu, olmuş şey; durum **as a matter of fact, in (actual) fact, in point of fact** gerçekten, hakikatte, işin doğrusu, hatta

faction /'fekşın/ a. hizip, grup

factor /'fektı/ a. etmen, faktör; mat. çarpan

factory /'fektırı/ a. fabrika, üretimlik

factual /'fekçuıl/ s. gerçeklere, olgulara dayanan

faculty /'fekıltı/ a. fakülte; yetenek, beceri

fad /fed/ a. geçici heves/merak

fade /feyd/ e. solmak; soldurmak **fade away** ortadan kaybolmak, yok olmak **fade out** (ses, vb.) yavaş yavaş kısmak; kısılmak

fag /feg/ a. kon. angarya; BE. sigara

faggot /'fegıt/ a. çalı çırpı demeti, çıra demeti

fail /feyl/ e. başaramamak, becerememek, başarısız olmak; (sınavda) kalmak; (sınıfta) bırakmak; yetersiz kalmak * a. başarısızlık

failure /'feylyı/ a. başarısızlık; yetersizlik, eksiklik; yetmezlik

faint /feynt/ s. zayıf, güçsüz; soluk, donuk, sönük, zayıf, silik * e. bayılmak güçsüzleşmek * a. baygınlık, bayılma

fair /feı/ s. adil, dürüst, doğru;

sarışın, kumral; (hava) açık; orta, şöyle böyle * *a.* fuar, panayır, pazar, sergi * *be.* adilane, hakça, dürüstçe, kurallara uygun *fair and square* dürüst bir şekilde; doğrudan, direkt *fair play* centilmence oyun; dürüst davranış, yansızlık *fairly* dürüst bir biçimde, hakça; oldukça

fairy /'feırı/ *a.* peri *fairy tale* peri masalı; palavra, uydurma, yalan

faith /feyt/ *a.* güven, güçlü inanç, itikat *faithful* sadık, bağlı; aslına uygun, doğru *faithfully* içtenlikle; tam olarak *yours faithfully* (mektup sonlarında) saygılarımla *faithless* vefasız

fake /feyk/ *a.* sahte, taklit; sahtekâr * *s.* sahte * *e.* taklidini/sahtesini yapmak

falcon /'fo:lkın/ *a.* *hayb.* şahin, doğan

fall /fo:l/ *e.* *fell* /fel/, *fallen* /'fo:lın/ *e.* düşmek; azalmak, düşüş göstermek; inmek; yıkılmak, çökmek; rastlamak, denk gelmek * *a.* düşüş, düşme; azalma; çöküş, yıkılma; *AE.* sonbahar, güz *fall back* geri çekilmek *fall back on* (başka bir yola/şeye) başvurmak *fall behind* zamanında bitirememek *fall for* kazıklanmak, aldatılmak; *kon.* -e âşık olmak *fall off* (kalite, miktar, vb.) düşmek

fallen /'fo:lın/ *bkz.* *fall*

false /fo:ls/ *s.* yanlış; takma, sahte; yapma, taklit *false teeth* takma dişler *falsehood* yalan; yalancılık

falsify /'fo:lsifay/ *e.* değiştirmek, tahrif etmek, saptırmak * *a.* yanlışlık, yanlış olma; yalan

falter /'fo:ltı/ *e.* sendelemek; duraksamak, bocalamak, tereddüt etmek

fame /feym/ *a.* ün, şöhret

familiar /fı'mıliı/ *s.* bildik, tanıdık;

bilen, anlayan; alışık *familiarity* aşinalık; yakınlık, içtenlik; samimilik; laubalilik

family /'femılı/ *a.* aile; soy; çoluk çocuk; *biy.* familya *family planning* aile planlaması *family tree* soyağacı, şecere

famine /'femın/ *a.* kıtlık

famish /'femiş/ *e.* çok acıkmak *kon.* açlıktan ölmek

famous /'feymıs/ *s.* ünlü, meşhur

fan /fen/ *a.* yelpaze; pervane, vantilatör

fan /fen/ *a.* hayran

fanatic /fı'netik/ *s.* bağnaz, fanatik

fanciful /'fensifıl/ *s.* hayal ürünü

fancy /'fensi/ *e.* imgelemek, aklında canlandırmak, düşünmek; sanmak; hoşlanmak, beğenmek * *a.* hayal gücü; kuruntu; istek, arzu * *s.* süslü *fancy-dress party* maskeli balo

fantastic /fen'testik/ *s.* düşsel, inanılmaz, hayal ürünü; acayip; *kon.* harika, süper

fantasy /'fentısi/ *a.* düş, fantezi

far /fa:/ *s.* uzak * *be.* uzakta; uzağa; epeyce; çok; bir hayli *far from* -den ziyade; -in yerine *how far* ne kadar *so far* şimdiye dek; bir yere kadar *far better* çok daha iyi *as far as I know* bildiğim kadarıyla *far sighted* ileriyi görür; öngörülü; uzağı gören

farce /fa:s/ *a.* sulu komedi, kaba güldürü

fare /feı/ *a.* yol parası; yiyecek

farewell /feı'wel/ *a.* veda * *ünl.* elveda!

farm /fa:m/ *a.* çiftlik; çiftlik evi * *e.* çiftçilik yapmak *farmer* çiftçi *farmhouse* çiftlik evi *farming* çiftçilik *farmyard* çiftlik avlusu

farther /'fa:tı/ *s.* uzak, daha uzaktaki, ötedeki * *be.* daha ileri, daha uzağa, daha uzakta

farthest /'fa:tist/ *s.* *be.* en uzak, en

ileri, en uzağa, en uzakta

fascinate /'fesıneyt/ *e.* etkilemek, büyülemek *fascinating* etkileyici, büyüleyici

fascism /'feşızım/ *a.* faşizm *fascist* faşist

fashion /'feşın/ *a.* moda; biçim, tarz, üslup; tavır, davranış *fashion parade* defile *fashion plate* elbise modeli *fashionable* modaya uygun, moda *out of fashion* demode, modası geçmiş

fast /fa:st/ *s.* hızlı, süratli, çabuk; sıkı, sağlam; (renk) sabit, solmaz;(saat) ileri * *be.* hızla, süratle; sıkıca, sağlamca *fast asleep* derin uykuda

fast /fa:st/ *e.* oruç tutmak * *a.* oruç

fasten /'fa:sın/ *e.* bağlamak; iliştirmek, tutturmak; (giysi) iliklemek *fastener* tutturucu, bağlayıcı şey; bağ, toka

fastidious /fe'stidiıs/ *s.* müşkülpesent, zor beğenir

fat /fet/ *s.* şişman, tombul; (et) yağlı * *a.* yağ, içyağı * *fatty* (yiyecek) yağlı

fatal /'feytıl/ *s.* ölümcül, öldürücü *fatalism* kadercilik

fatality /fi'teliti/ *a.* ölümle sonuçlanan kaza, ölüm, felaket

fate /feyt/ *a.* alınyazısı; kader; kısmet *fateful* alında yazılı olan; kaçınılmaz; çok önemli

father /'fa:tı/ *a.* baba; papaz *Father Christmas* Noel Baba *The father* Tanrı *fatherhood* babalık *father-in-law* kayınpeder *fatherly* babacan, baba gibi

fathom /'fedım/ *a.* kulaç * *e.* anlamak

fatigue /fı'ti:g/ *a.* aşırı yorgunluk, bitkinlik; *tek.* malzeme yorgunluğu * *e.* yormak, yorgunluk vermek

fatten /'fetın/ *e.* şişmanlatmak, semirtmek

fatuous /'feçuıs/ *s.* saçma, akılsız

faucet /'fo:sit/ *a. AE.* musluk

fault /fo:lt/ *a.* hata, yanlışlık; suç; kusur, arıza, bozukluk; *coğ.* fay, çatlak * *e.* hata bulmak, kusur bulmak *faultless* hatasız, kusursuz *faulty* hatalı; arızalı

favour /'feyvı/ *a.* dostça davranış, güler yüz, yakınlık; iyilik; yardım; destek * *e.* lütfetmek, vermek; uygun görmek, desteklemek *in favour of* -in yanında, tarafında, lehinde *do sb a favour* birisine bir iyilikte bulunmak *favourable* olumlu, lehte; uygun

favourite /'feyvırit/ *a.* en çok sevilen, gözde * *a.* favori

fear /fiı/ *a.* korku * *e.* korkmak, ürkmek, çekinmek; (for) endişe etmek, telaşlanmak *I fear* korkarım, korkarım ki *fearful* korkunç; endişeli, kaygılı *fearless* korkusuz, yürekli

feasible /'fi:zıbıl/ *s.* yapılabilir, makul, mantıklı

feast /fi:st/ *a.* şölen, ziyafet; bayram * ziyafet vermek; bol bol yiyip içmek

feat /fi:t/ *a.* ustalık isteyen hareket, marifet

feather /'fetı/ *a.* kuştüyü, tüy *feather duster* tüy süpürge *featherweight* (boks) tüysıklet

feature /'fi:çı/ *a.* özellik, yüzün herhangi bir kısmı; uzun film; makale * *e.* -in belirleyici/göze çarpan özelliği olmak; yer/rol vermek; yer/rol almak

February /'februıri/ *a.* şubat

feckless /'feklıs/ *s.* dikkatsiz, düşüncesiz, sorumsuz

fed /fed/ *bkz.* **feed;** *be fed up with* -den bıkıp usanmak

federal /'fedınl/ *s.* federal, birleşik

federate /'fedıreyt/ *e.* federasyon halinde birleştirmek; birleşmek *federation* federasyon, birlik fee /fi:/ *a.* ücret, vizite; giriş ücreti

feeble /'fi:bıl/ *s.* zayıf, güçsüz **fee-bleminded** geri zekâlı

feed /fi:d/ *e.* **fed** /fed/ beslemek, yiyecek vermek; beslenmek * *a.* yiyecek, besin; yem, ot; mama

feedback /'fi:dbek/ *a.* geribesleme, besleni

feel /fi:l/ *e.* **felt** /felt/ hissetmek, duymak; dokunmak, ellemek; kanısında olmak; anlamak, sezmek **feel cold** üşümek **feel like** canı istemek

feeling /'fi:ling/ *a.* duygu, his; dokunma; hassasiyet; sezgi; izlenim

feign /feyn/ *e.* ... numarası yapmak, gibi yapmak; bahane uydurmak

feint /feynt/ *a.* savaş hilesi, sahte saldırı

feline /'fi:layn/ *s. a. hayb.* kedigil

fell /fel/ *bkz.* **fall**

fell /fel/ *e.* (ağaç) kesmek; düşürmek

fellow /'felou/ *a. kon.* adam, herif, ahbap; arkadaş; akademi üyesi **fellowship** dernek, grup; üniversite bursu

felony /'felıni/ *a.* ağır suç

felt /felt/ *bkz.* **feel**; *a.* keçe, fötr **felttip pen** keçeli kalem

female /'fi:meyl/ *a.* dişi; kadın

feminine /'feminin/ *s.* kadınla ilgili; kadınsı **femininity** kadınsılık **feminism** feminizm

fen /fen/ *a.* bataklık arazi, bataklık

fence /fens/ *a.* çit, tahta perde, parmaklık * *e.* çitle çevirmek; eskrim sporu yapmak

fencing /'fensing/ *a. sp.* eskrim; çit; duvar

fender /'fendı/ *a.* şömine paravanası; *AE. oto.* çamurluk

ferment /fi'ment/ *e.* mayalanmak; mayalamak; heyecanlanmak, telaşlanmak **fermentation** may-

alanma

fern /fö:n/ *a. bitk.* eğreltiotu

ferocious /fi'rouşıs/ *s.* vahşi, yırtıcı

ferret /'ferit/ *a. hayb.* yaban gelinciği

ferrous /'ferıs/ *s.* demirle ilgili

ferry /'feri/ *a.* feribot, araba vapuru **ferryboat** feribot, araba vapuru

fertile /'fö:tayl/ *s.* verimli, bereketli, doğurgan

fertility /'fö:tiliti/ *a.* verimlilik, bereketlilik, doğurganlık

fertilize /'fö:tilayz/ *e.* döllemek, aşılamak, gübrelemek **fertilizer** kimyasal gübre

fervent /'fö:vınt/ *s.* ateşli, coşkun

fester /'festı/ *e.* (yara) mikrop kapmak, irinlenmek

festival /'festivıl/ *a.* şenlik, festival

festive /'festiv/ *s.* festival/şenlik ile ilgili **festivity** şenlik, eğlence

festoon /fe'stu:n/ *a.* çiçek ya da yaprak zinciri

fetch /feç/ *e.* gidip getirmek, gidip almak; para getirmek, para kazandırmak

fête /feyt/ *a.* eğlence, şenlik, şölen

fetish /'fetiş/ *a.* fetiş, tapıncak

fetter /'fetı/ *a.* pranga, zincir * *e.* pranga vurmak; engellemek

fetus /'fi:tıs/ *a. bkz.* **foetus**

feud /fyu:d/ *a.* kan davası, düşmanlık

feudal /'fyu:dıl/ *s.* derebeyliğe ilişkin, feodal **feudalism** derebeylik, feodalizm

fever /'fi:vı/ *a. hek.* ateş, hararet; heyecan, telaş **feverish** ateşli, hararetli; heyecanlı, telaşlı

few /fyu:/ *s. adl. a.* az **a few** birkaç **no fewer than** en azından, hiç yoksa **quite a few** birçok

fez /fez/ *a.* fes

fiancé /fi'onsey/ *a.* (erkek) nişanlı

fiancée /fi'onsey/ *a.* (kız) nişanlı

fiasco /fi'eskou/ *a.* başarısızlık, fiyasko

fib /fib/ *e.* küçük yalan söylemek

fiberglass /'faybıgla:s/ *a.* *AE.* *bkz.* *fibreglass*

fibre /'faybı/ *a.* lif; tel, elyaf; iplik

fibreglass /'faybıgla:s/ *a.* fiberglas, camyünü

fickle /'fikıl/ *s.* vefasız, dönek

fiction /'fikşın/ *a.* hayal ürünü; uyduruk; roman, öykü türü

fictitious /fik'tişıs/ *s.* gerçek olmayan, uydurma, kurmaca

fiddle /'fidıl/ *a.* keman; dolandırıcılık, üçkâğıt, dalavere * *e.* keman   çalmak; **(with/about/around)** oyalanmak; zaman öldürmek *fiddler* kemancı; *arg.* düzenbaz, üçkâğıtçı

fidelity /fi'deliti/ *a.* bağlılık, sadakat; aslına uygunluk

fidget /'ficit/ *e.* kıpırdanmak, yerinde duramamak

field /fi:ld/ *a.* tarla; alan, saha; açık arazi; kırlık; iş, etkinlik alanı *field events* atlama ve atma karşılaşmaları *field glasses* arazi dürbünü *field marshal* mareşal *field research* alan araştırması *field sports* açık hava sporları

fiend /fi:nd/ *a.* şeytan, iblis, kötü ruh

fierce /fıs/ *s.* azılı, acımasız, vahşi, kızgın

fiery /'fayırı/ *s.* ateşten, ateşli, ateş gibi, kızgın

fiesta /fi'estı/ *a.* yortu, bayram, fiesta

fifteen /fif'ti:n/ *a.* *s.* on beş *fifteenth* on beşinci

fifth /'fift/ *a.* *s.* beşinci

fifty /'fifti/ *a.* *s.* elli *fiftyfifty* yarı yarıya, eşit olarak

fig /fig/ *a.* *bitk.* incir; incir ağacı

fight /fayt/ *e.* *fought* /fo:t/ savaşmak, çarpışmak; kavga etmek * *a.* dövüş, kavga; savaş *fight off* ile mücadele etmek; def etmek *fighter* kavgacı, savaşçı;

ask. avcı uçağı

figment /'figmınt/ *a.* hayal ürünü ya da uydurma şey

figurative /'figyurıtiv/ *s.* değişmeceli, mecazi

figure /'figı/ *a.* biçim, şekil, figür; beden yapısı, boy bos, endam; sayı, rakam *figure on* planlamak, hesaba katmak *figure out* çözmek; hesaplamak

filament /'filimınt/ *a.* filaman, ince tel

file /fayl/ *a.* eğe, törpü; dosya, klasör * *e.* eğelemek, törpülemek; dosyalamak; sıralamak

filings /'faylıngz/ *a.* eğe talaşı

fill /fil/ *e.* doldurmak; dolmak; dolmak, kaplamak; yerine getirmek * *a.* istiap haddi *fill in* doldurmak, tamamlamak; bilgi vermek *fill up* dolmak; doldurmak

fillet /'filit/ *a.* kemiksiz/kılçıksız et, fileto

fillet /'filit/ *e.* (eti) fileto kesmek

filling /'filing/ *a.* doldurma; dolgu, diş dolgusu *filling station* benzinci, benzin istasyonu

filly /'fili/ *a.* yavru kısrak, dişi tay

film /film/ *a.* film; ince tabaka; zar * *e.* film çekmek, filme almak

filter /'filtı/ *a.* süzgeç, filtre * *e.* süzmek, filtreden geçirmek; süzülmek

filth /'filt/ *a.* pislik *filthy* pis, kirli; kaba, çirkin

fin /fin/ *a.* *hayb.* yüzgeç; palet

final /'faynıl/ *s.* sonda gelen, sonuncu, son; kesin, kati * *a.* *sp.* final, son karşılaşma; dönem sonu sınavı *finalist* finalist *finally* sonunda; kesin olarak

finale /fi'na:li/ *a.* *müz.* final

finance /'faynens, fi'nens/ *a.* maliye; iş kurmada gereken para; *kon.* mali durum * *e.* paraca desteklemek, finanse etmek *financial* finch   **108**

mali, parasal *financier* sermayedar

finch /fınç/ *a. hayb.* ispinoz

find /faynd/ *e. found* /faund/ bulmak; anlamak, fark etmek *find out* çözmek, keşfetmek, anlamak, öğrenmek *finder* bulan kimse, bulucu; vizör *finding* bulgu; *huk.* sonuç, karar

fine /fayn/ *s.* güzel; çok ince; (hava) güzel, açık; sağlıklı, keyfi yerinde; (iş) dikkatli, iyi; (maden) saf, som * *be.* ince ince; çok iyi * *a.* para cezası * *e.* para cezasına çarptırmak *fine arts* güzel sanatlar *finely* ince ince; çok iyi bir biçimde

finery /'faynırı/ *a.* süslü takılı güzel elbise

finesse /fi'nes/ *a.* (insan ilişkilerinde) yönetme yeteneği, ustalık

finger /'fıngı/ *a.* parmak * *e.* parmakla dokunmak *fingernail* tırnak *fingerprint* parmak izi *fingertip* parmak ucu *keep one's fingers crossed* en iyisini dilemek

finicky /'fınikı/ *s.* huysuz; güç beğenir

finish /'finiş/ *e.* bitirmek, tamamlamak, sona erdirmek; bitmek * *a.* bitiş, son; *sp.* finiş; cila, perdah, rötuş *finished* bitmiş, hazır; bitmiş, yıkılmış *finish with* ile işini bitirmek, ilişkisini kesmek

finite /'faynayt/ *s.* sonu olan, sonlu, sınırlı

fiord /'fi:o:d/ *a. bkz. fjord*

fir /fö:/ *a. bitk.* köknar

fire /'fayı/ *a.* ateş, alev, yanma; yangın; parıltı, parlaklık; ateş etme * *e.* yakmak, tutuşturmak; (silah) ateş etmek, atmak; tahrik etmek, teşvik etmek; *kon.* işten çıkarmak, kovmak *catch fire* ateş almak, tutuşmak *fire alarm* yangın alarmı *fire brigade* itfaiye *fire engine* itfaiye arabası *fire es-*

cape yangın merdiveni *fire station* itfaiye merkezi *on fire* alevler içinde, yanmakta *firearm* ateşli silah *firefly* ateşböceği *fireguard* şömine ızgarası *fireman* itfaiyeci *fireplace* şömine, ocak *fireraising* kundakçılık *fireside* (ev içinde) şömine yanı, ocak başı *firewood* odun *firework* havai fişek *firing line* ateş hattı

firm /fö:m/ *s.* sert, katı; sağlam; sıkı; kararlı * *a.* firma *firmly* sıkıca, sımsıkı; metanetle

first /fö:st/ *s. a.* birinci, ilk * *be.* önce, ilk önce, başta, ilk kez *at first* başlangıçta, önceleri *first aid* ilkyardım *first class* birinci sınıf, birinci mevki *first floor BE.* birinci kat, *AE.* zemin katı *first lady* başbakanın karısı *first of all* en önce, ilkin *first name* isim, ad *first rate* birinci sınıf, en iyi *firsthand* ilk elden, dolaysız *firstly* önce, ilk önce, ilk başta

fiscal /'fıskıl/ *s.* mali

fish /fiş/ *a.* balık; balık eti * *e.* balık tutmak *fisherman* balıkçı *fishing* balıkçılık *fishing line* olta *fishmonger* balık satıcısı, balıkçı *fishy* balık gibi; şüpheli, kuşku uyandıran

fission /'fışın/ *a.* bölünme, yarılma, yarma

fissure /'fışı/ *a.* çatlak, yarık

fist /fıst/ *a.* yumruk

fit /fit/ *s.* uygun, elverişli; sağlıklı, zinde * *a.* hastalık nöbeti, sara; galeyan, kriz * *e.* uymak; uydurmak; yakışmak, uymak; tutmak; prova etmek *fitness* zindelik, form; uygunluk

fitting /'fiting/ *a.* terzi provası; bina tesisatı, tertibat

five /fayv/ *a. s.* beş

fix /fiks/ *e.* saptamak, belirlemek, düzenlemek; tutturmak; **(on)** (zihnini) vermek; **(on)** gözlerini dikmek, kararlaştırmak; *kon.* ile ilgilenmek, icabına bakmak

fixation /fik'seyşın/ *a.* yerleştirme, oturtma, takma; saplantı

fixed /fıkst/ *s.* sabit, oynamaz; değişmez; belirlenmiş

fixture /'fiksçı/ *a. sp.* fikstür; sabit eşya, demirbaş

fizz /fiz/ *e.* (gazoz gibi) vızlamak, fışırdamak * *a.* fışırtı, vızıltı; *kon.* şampanya

fizzle /'fizıl/ *e.* (out) boşa çıkmak

fjord /'fyo:d/ *a. coğ.* fiyort

flabby /'flebi/ *s.* sarkık, pörsük

flag /fleg/ *a.* bayrak, sancak; *den.* bandıra, flama * *e.* canlılığını yitirmek, güçsüzleşmek **flagpole** bayrak direği

flagon /'flegın/ *a.* bir tür kulplu sürahi

flagrant /'fleygrınt/ *s.* (kötü bir şey) alenen yapan/yapılan

flail /fleyl/ *e.* sağa sola sallamak/sallanmak

flair /fleı/ *a.* özel yetenek, beceri

flake /fleyk/ *a.* ince tabaka, ince parça

flamboyant /flem'boyınt/ *s.* gösterişli, havalı, tantanalı

flame /fleym/ *a.* alev; ateş * *e.* alev alev yanmak

flamingo /flı'mingou/ *a. hayb.* flaman kuşu, flamingo

flammable /'flemıbıl/ *s.* çabuk yanar, kolay tutuşur

flan /flen/ *a.* meyveli pasta

flank /flenk/ *a.* böğür, yan; *ask.* kanat, cenah

flannel /'flenıl/ *a.* pazen, flanel; fanila

flap /flep/ *a.* (aşağı sarkan) kapak, flap

flare /fleı/ *a.* ışık; alev; işaret fişeği * *e.* birden alev almak, parlamak

flared /fleıd/ *s.* (etek, pantolon) alt kısmı geniş

flash /fleş/ *e.* parlamak, ışıldamak;

(telgraf ya da radyo mesajı) yollamak, göndermek; etmek * *a.* parıltı, ışıltı; flaş **flashback** (film) geriye dönüş **flashbulb** flaş **flasher** (oto) flaşör **flashlight** sinyal, flaş; *AE.* cep feneri **flashy** gösterişli

flask /fla:sk/ *a.* dar boyunlu küçük şişe; termos

flat /flet/ *s.* düz, yassı; havasız, patlak; yavan, sıkıcı, tekdüze; mat, donuk; yüzüstü, sırtüstü; *müz.* bemol * *a.* apartman dairesi

flatten /'fletın/ *e.* düzleştirmek, yassılaştırmak; düzleşmek

flatter /'fletı/ *e.* dalkavukluk etmek, yağlamak, yağ çekmek **flattery** dalkavukluk, yağcılık

flavour /'fleyvı/ *a.* tat, lezzet, çeşni * *e.* tat vermek **flavouring** tatlandırıcı şey, çeşni

flaw /flo:/ *a.* kusur

flawless /'flo:lis/ *s.* kusursuz, mükemmel

flaxen /'fleksın/ *s.* soluk sarı, lepiska

flea /fli:/ *a. hayb.* pire **flea market** bitpazarı

fleck /flek/ *a.* benek

fled /fled/ *bkz.* **flee**

fledge /flec/ *e.* tüy takmak

flee /fli:/ *e.* **fled** /fled/ kaçmak

fleece /fli:s/ *a.* koyun postu, yapağı * *e.* soymak, yolmak, kazıklamak

fleet /fli:t/ *a.* filo **merchant fleet** ticaret filosu

flesh /fleş/ *a.* et; vücut, beden **fleshy** etli; şişmanca, toplu

flex /fleks/ *e.* bükmek, germek * *a.* tel, kordon, esnek kablo **flexibility** bükülgenlik, esneklik **flexible** bükülgen, esnek

flick /flik/ *a.* fiske, hafif vuruş * *e.* hafifçe vurmak, fiske vurmak

flicker /'flikı/ *e.* titremek, titreşmek, yanıp sönmek * *a.* titreme, titreşme

flight /flayt/ a. uçuş, hava yolculuğu; (kuş, uçak, vb.) sürü; filo; kaçış

flimsy /'flimzi/ s. zayıf, güçsüz; çürük, dayanıksız

flinch /flinç/ e. geri çekilmek; kaçınmak; ürkmek

fling /fling/ e. **flung** /flang/ fırlatıp atmak, savurmak * a. atma, atış; deneme, girişim

flint /flint/ a. çakmaktaşı

flip /flip/ e. fiske vurmak * a. fiske

flippant /'flipınt/ s. saygısız, küstah

flipper /'flipı/ a. palet

flirt /flö:t/ e. flört etmek, kur yapmak

float /'flout/ e. yüzmek, batmamak; yüzdürmek * a. şamandıra, duba

flock /flok/ a. sürü; küme * e. toplanmak, üşüşmek

flog /flog/ e. dövmek, kırbaçlamak **flogging** kırbaç cezası, kamçılama

flood /flad/ a. su basması, sel * e. su basmak, sel basmak **floodlight** /'fladlayt/ projektör

floor /flo:/ a. zemin, döşeme; kat

flop /flop/ e. birdenbire düşmek, çöküvermek; kon. (plan, vb.) suya düşmek **floppy** gevşek, sarkık

flora /'flo:rı/ a. bitey, flora

florist /'flo:rist/ a. çiçekçi

flotilla /flı'tilı/ a. küçük filo, filotilla

flounder /'flaundı/ e. çırpınmak, çabalamak * a. dilbalığı, dere pisisi

flour /flauı/ a. un

flourish /'flariş/ e. gelişmek, ilerlemek, savurmak, sallamak * a. gelişme; sallama, savurma

flout /flaut/ e. zıddına gitmek, burun kıvırmak

flow /flou/ e. (sıvı) akmak; sallanmak, sarkmak; çıkmak, doğmak * a. akış; akıntı; akın; met, kabarma

flower /'flauı/ a. çiçek * e. çiçek açmak **flowerbed** çiçek tarhı **flowered** çiçekli, çiçeklerle süslü **flowerpot** çiçek saksısı **flowery** çiçekli, çiçeklerle süslü

flu /flu:/ a. grip

fluctuate /'flakçueyt/ e. inip çıkmak, dalgalanmak

flue /flu:/ a. boru, baca borusu

fluency /'flu:ınsi/ a. (konuşma) akıcılık **fluent** akıcı, rahat, pürüzsüz **fluently** akıcı bir biçimde, rahatça

fluid /'flu:id/ s. akıcı, akışkan * a. sıvı

fluke /flu:k/ a. kon. şans, talih

flung /flang/ bkz. **fling**

fluorescent /flu'resınt/ s. fiz. ışınır, floresan

flurry /'flari/ a. coşku, heyecan; ani rüzgâr/kar/yağmur; sağanak * e. (birisinin) kafasını karıştırmak

flush /flaş/ a. fışkırma, fışkırtma; heyecan; kızarma, coşkunluk * e. fışkırmak; fışkırtmak; yüzü kızarmak * s. düz, bir hizada; kon. varlıklı

fluster /'flastı/ e. şaşırtmak, telaşlandırmak * a. telaş, şaşkınlık

flute /flu:t/ a. müz. flüt **flutist** AE. flütçü

flutter /'flatı/ e. (kanat) çırpmak; çırpınmak; telaşlanmak * a. kon. telaş, heyecan; kon. ufak bahis

flux /flaks/ a. akma, akış; değişim, oynaklık

fly /flay/ e. **flew** /flu:/, **flown** /floun/ uçmak; uçakla gitmek; çabuk gitmek; uçurmak; uçup gitmek; kaçmak * a. sinek **fly in the ointment** küçük ama mide bulandıran bir pürüz

flying /'flaying/ a. uçma, uçuş * s. uçan **flying saucer** uçandaire

flyover /'flayouvı/ a. üstgeçit

foal /foul/ a. tay

foam /foum/ a. köpük * e. köpürmek

focal point /foukıl 'poynt/ *a.* merkez noktası, ilgi merkezi

focus /'foukıs/ *a.* (*kon. focuses, foci* /'fouki:/) odak, fokus, merkez; merkez nokta * *e.* bir noktaya toplamak; odak ayarı yapmak

fodder /'fodı/ *a.* kuru ot, saman, yem

foe /fou/ *a. yaz.* düşman

foetus /'fi:tıs/ *a.* cenin, dölüt

fog /fog/ *a.* sis * *e.* sislenmek; (gözlük, vb.) buğulanmak; kafasını karıştırmak *foggy* sisli, dumanlı

foil /foyl/ *a.* yaldız kâğıdı; metal yaprak, varak; eskrim kılıcı, meç * *e.* işini bozmak, engel olmak

fold /fould/ *e.* katlamak; katlanmak; (elleri) kavuşturmak, bağlamak * *a.* kıvrım *folder* dosya

folio /'fouliou/ *a.* iki ya da dörde katlanmış kâğıt tabakası; bu biçimde katlanmış yapraklardan oluşmuş kitap

folk /fouk/ *a.* halk; insanlar, ahali *folk dance* halk oyunu *folk music* halk müziği *folk singer* halk türküleri sanatçısı *folk song* halk türküsü

folklore /'fouklo:/ *a.* halkbilim, folklor

follow /'folou/ *e.* takip etmek, izlemek; dinlemek, uymak; anlamak; sonucu çıkmak *as follows* aşağıdaki gibi *follower* taraftar, destekçi *follow through* sonunu getirmek, bitirmek *follow up* sonuna kadar götürmek

following /'folouing/ *ilg.* -den sonra, -in ardından * *s.* aşağıdaki; izleyen; ertesi

folly /'foli/ *a.* akılsızlık, aptallık

fond /fond/ *s.* sever, düşkün *be fond of* -e düşkün olmak, -den hoşlanmak *fondly* sevgiyle; safça

fondle /'fondıl/ *e.* okşamak, sevmek

food /fu:d/ *a.* yiyecek, besin, gıda

fool /fu:l/ *a.* aptal, budala, enayi * *e.* kandırmak, aldatmak, aptal yerine koymak *fool about/around* aylak aylak dolaşmak *fool away* çarçur etmek, israf etmek *fool with* ile oynamak, kurcalamak *foolery* aptallık *foolhardy* delifişek, çılgın

foolish /'fu:liş/ *s.* aptal, akılsız, budala; saçma, budalaca *foolishly* aptalca *foolishness* aptallık

foot /fut/ *a.* (*ç. feet* /fi:t/) ayak; 30.48 cm.; etek, dip *get/have cold feet* cesaretini yitirmek, korkmak *have one foot in the grave* bir ayağı çukurda olmak *on foot* yayan, yürüyerek *football* futbol; futbol topu *football pools* sportoto *footbridge* yaya köprüsü *foothill* dağ eteğindeki tepe *foothold* ayak basacak sağlam yer, basamak *footing* ayak basacak yer; karşılıklı ilişki *footlights* sahnenin önündeki ışıklar *footnote* dipnot *footpath* keçiyolu, patika *footprint* ayak izi *footsore* ayakları acımış/şişmiş *footstep* ayak sesi; ayak izi; adım; basamak *footwear* ayakkabı, ayak giyecekleri

for /fı, fo:/ *ilg.* için; adına, için; uğruna; lehine, lehinde; yüzünden, -den; karşılık; zarfında, -dır; süresince; yerine * *bağ.* çünkü, zira

foray /'forey/ *a.* akın, yağma, baskın

forbade *bkz.* forbid

forbear /fo:'beı/ *e. forbore* /fo:'bo:/, *forborne* /fo:'bo:n/ kendini tutmak, çekinmek, sakınmak

forbid /fı'bid/ *e. forbade* /fı'beyd/, *forbidden* /fı'bidın/ yasaklamak *forbidden* yasak *forbidding* sert; ürkütücü; tehditkâr force 112

force /fo:s/ a. güç, kuvvet; zor, baskı, şiddet; nüfuz, etki * e. zorlamak; mecbur etmek by force zorla in force yürürlükteki forced mecburi, zorunlu forced landing mecburi iniş forceful güçlü, etkili
forceps /'fo:seps/ a. hek. pens, kıskaç
forcible /'fo:sıbıl/ s. zorla yapılan
fore /fo:/ s. ön
forearm /'fo:ra:m/ a. önkol
foreboding /fo:'bouding/ a. önsezi
forecast /'fo:ka:st/ e. tahmin etmek * a. tahmin
forefather /'fo:fa:tı/ a. ata, cet
forefinger /'fo:fıngı/ a. işaretparmağı
forefront /'fo:frant/ a. ön taraf, ön sıra
foregoing /'fo:gouing/ s. daha önce belirtilen; yukarıdaki
foregone /'fo:gon/ s. önceden bilinen, kaçınılmaz, beklenen
foreground /'fo:graund/ a. ön plan
forehead /'forid, 'fo:hed/ a. alın
foreign /'forin/ s. yabancı, dış, ecnebi foreign affairs dışişleri foreign exchange kambiyo foreigner yabancı
foreman /'fo:mın/ a. ustabaşı
foremost /'fo:moust/ s. en başta gelen, en önemli
forename /'fo:neym/ a. ad, ilk ad
forensic /fı'rensik/ s. mahkemeye ait, adli
forerunner /'fo:ranı/ a. haberci, müjdeci
foresee /fo:'si:/ e. foresaw /fo:'so:/, foreseen /fo:'si:n/ önceden görmek, tahmin etmek
foreshadow /fo:'şedou/ e. önceden göstermek, belirtisi olmak
foresight /'fo:sayt/ a. sağgörü, öngörü, seziş
forest /'forist/ a. orman forester ormancı forestry ormancılık

foretell /fo:'tel/ e. foretold /fo:'tould/ önceden haber vermek
forever /fı'revı/ be. ebediyen, sonsuza kadar, daima
forewarn /fo:'wo:n/ e. önceden uyarmak
foreword /'fo:wö:d/ a. önsöz
forfeit /'fo:fit/ e. kaybetmek, yoksun kalmak * a. ceza, kayıp
forge /'fo:c/ a. demirhane * e. sahtesini yapmak, kalpazanlık yapmak; demir dövmek forger sahtekâr; kalpazan forgery sahtekârlık; kalpazanlık
forget /fı'get/ e. forgot /fı'got/, forgotten /fı'gotın/ unutmak forgetful unutkan
forgivable /fı'givıbıl/ s. bağışlanabilir, affedilebilir
forgive /fı'giv/ e. forgave /fı'geyv/, forgiven /fı'givın/ affetmek, bağışlamak forgiveness af; affetme forgiving bağışlayıcı
forgiven /fı'givın/ bkz. forgive
forgo /'fo:gou/ e. bırakmak, vazgeçmek
fork /fo:k/ a. çatallı bel, yaba * e. çatallaşmak forked çatallı forklift forklift
forlorn /fı'lo:n/ s. üzgün, mahzun
form /fo:m/ a. şekil, biçim; görünüş; basılı kâğıt; kondisyon * e. biçim vermek; düzenlemek; düzenlenmek
formal /'fo:mıl/ s. resmi; biçimsel
formality /fo:'meliti/ a. resmiyet; formalite
format /'fo:met/ a. kitap boyu, format; genel düzen
formation /fo:'meyşın/ a. oluşum
former /'fo:mı/ s. önceki formerly eskiden, önceden
formula /'fo:myulı/ a. formül; reçete
formulate /'fo:myuleyt/ e. açıkça belirtmek; formülleştirmek

fornicate /'fo:nikeyt/ e. zina yapmak

forsake /fi'seyk/ e. **foresook** /fi'suk/, **forsaken** /fi'seykın/ bırakmak, terk etmek

forswear /fo:'sweı/ e. tövbe etmek, bırakmaya yemin etmek

fort /fo:t/ a. kale

forte /'fo:tey/ a. birinin en iyi yaptığı şey

forth /fo:t/ be. ileri; dışarı **and so forth** vesaire

forthcoming /fo:t'kaming/ s. gelecek, gelecekte olacak

forthwith /fo:t'wit, fo:t'wit/ be. hemen, derhal

fortieth /'fo:ti:t/ a. s. kırkıncı

fortification /fo:tifi'keyşin/ a. güçlendirme, sağlamlaştırma

fortify /'fo:tifay/ e. güçlendirmek, sağlamlaştırmak

fortitude /'fo:tityu:d/ e. dayanıklılık, yüreklilik, metanet

fortnight /'fo:tnayt/ a. iki hafta

fortress /'fo:tris/ a. büyük kale

fortunate /'fo:çınıt/ s. şanslı, talihli; uğurlu, hayırlı **fortunately** Allahtan, şükür ki, şansa

fortune /'fo:çın/ a. şans, talih; kısmet; servet **fortuneteller** falcı

forty /'fo:ti/ a. s. kırk

forum /'fo:rım/ a. forum

forward /'fo:wıd/ s. ön, öndeki; ileri; küstah, şımarık * be. ilg. ileri, ileriye; daha önceye * e. göndermek * a. forvet

fossil /'fosıl/ a. fosil, taşıl

foster /'fo:stı/ e. beslemek, bakmak

foul /faul/ s. iğrenç, pis; (hava) bozuk, fırtınalı; çirkin, ayıp; sp. faul

found /faund/ bkz. **find**

found /faund/ e. yapmak, inşa etmek; kurmak; yaptırmak **founder** kurucu

foundation /faun'deyşın/ a. kuruluş, tesis; temel

foundry /'faundri/ a. dökümhane

fountain /'fauntin/ a. çeşme; fıskiye **fountainpen** dolmakalem

four /fo:/ a. s. dört **fourth** dördüncü

fourteen /fo:'ti:n/ a. s. on dört **fourteenth** on dördüncü

fowl /faul/ a. kümes hayvanı

fox /foks/ a. tilki

foyer /'foyey/ a. fuaye, giriş, antre

fraction /'frekşın/ a. küçük parça, bölüm, kesim; mat. kesir

fracture /'frekçı/ a. kırılma; çatlama; kırık, çatlak

fragile /'frecayl/ s. kırılgan; narin

fragment /'fregmınt/ a. parça, kırıntı

fragrance /'freygrıns/ a. güzel koku **fragrant** güzel kokulu

frail /freyl/ s. zayıf, narin; kırılgan, kolay kırılır **frailty** zayıflık, dayanıksızlık, narinlik

frame /freym/ a. iskelet, çatı; beden; çerçeve * e. çerçevelemek **framework** çatı, iskelet, kafes

franc /frenk/ a. frank

franchise /'frençayz/ a. oy hakkı; isim hakkı

frank /frenk/ s. açıksözlü, içten, samimi * e. (mektup) damgalamak

frankfurter /'frenkfö:tı/ a. bir tür sosis

frantic /'frentik/ s. çılgın

fraternity /fn'tö:niti/ a. kardeşlik; birlik, cemiyet, dernek

fraternize /'fretınayz/ e. kardeşçe davranmak, dost olmak

fraud /fro:d/ a. sahtekârlık, dolandırıcılık, hile; dolandırıcı **fraudulent** /'fro:dyulınt/ hileli, hileyle kazanılan

fraught /fro:t/ s. dolu, yüklü

fray /frey/ a. yaz. kavga, arbede, çekişme * e. yıpranmak; yıpratmak

freak /fri:k/ a. hilkat garibesi, ucube; kaçık; kon. koyu hayran,

düşkün
freckle /'frekıl/ a. çil
free /fri:/ s. özgür, hür; bağımsız;
boş, serbest; parasız, bedava;
(davranış) rahat * *be.* hür olarak;
bedava * *e.* serbest bırakmak,
özgürlüğüne kavuşturmak *free-
dom* özgürlük; bağımsızlık *free
and easy* rahat, kaygısız, teklifsiz
freehold mülkiyet; mülk *freely*
çekinmeden, rahatça; serbestçe;
açıkça *freeway* AE. karayolu *free
will* irade özgürlüğü
freeze /fri:z/ e. *froze* /frouz/ *frozen*
/'frouzın/ donmak; dondurmak;
(hava) çok soğuk olmak;
donakalmak * *a.* donma; don,
dondurucu soğuk; (ücret fiyat,
vb.) dondurma *freezer* soğutucu,
dondurucu *freezing point* donma
noktası
freight /freyt/ a. taşıma, nakliye;
yük
French /frenç/ s. Fransız *French
fries* AE. patates kızartması,
patates tava *French* Fransızca;
(the) Fransızlar
frenzy /'frenzi/ a. çılgınlık, cinnet,
taşkınlık
frequency /'fri:kwınsi/ a. sık sık
oluş, sıklık; frekans
frequent /'fri:kwınt/ s. yaygın, sık
sık olan; olağan; alışılmış, sık
görülen *frequently* sık sık
fresh /freş/ s. taze, körpe; yeni;
temiz; taze pişmiş; sağlıklı
freshen /'freşın/ e. (rüzgâr)
sertleşmesek
freshman /'freşmın/ a. kon. üniver-
sitede birinci sınıf öğrencisi
friar /'frayı/ a. keşiş, papaz
friction /'frikşın/ a. sürtme,
sürtünme; anlaşmazlık, sürtüşme
Friday /'fraydi/ a. cuma
fridge /rıc/ a. kon. buzdolabı
friend /frend/ a. arkadaş, dost
make friends (with) (ile) arka-

daşlık kurmak *friendly* dost,
dostça; yardımsever; içten, sıcak
friendship dostluk, arkadaşlık
frieze /fri:z/ a. duvar ya da tavan
süsü, friz
frigate /'frigit/ a. *ask.* fırkateyn
fright /frayt/ a. korku
frighten /'fraytın/ e. korkutmak,
ürkütmek *frightened* korkmuş,
ürkmüş *frightful* korkunç,
ürkütücü
frigid /'fricid/ s. çok soğuk, buz
gibi, dondurucu
frill /fril/ a. farbala, fırfır; gereksiz
süs *frilly* fırfırlı
fringe /frinc/ a. saçak; perçem;
kenar
frisk /frisk/ e. sıçrayıp oynamak,
hoplayıp zıplamak, koşuşmak
frisky /'friski/ s. oynak, oyuncu,
canlı
frizz /friz/ e. kon. (saç) kıvırmak
frizzy (saç) kıvırcık
fro /frou/ be: *to and fro* öteye
beriye
frock /frok/ a. kadın giysisi
frog /frog/ a. kurbağa
from /frım, from/ ilg. -den, -dan; -
den beri; -den sonra; göz önünde
tutulursa, göre
front /frant/ a. ön, ön taraf; çehre,
yüz; *ask.* cephe * *e.* ile karşı
karşıya olmak, -e bakmak *in
front of* önünde
frontier /'frantiı/ a. sınır, hudut
frost /frost/ a. ayaz, don; kırağı * *e.*
donmak, buzlanmak *frosty* don-
durucu; içten donmayan, soğuk
froth /frot/ a. köpük * *e.* köpür-
mek, köpüklenmek *frothy*
köpüklü
frown /fraun/ e. kaşlarını çatmak
frown on/upon uygun görmemek,
karşı çıkmak
fruit /fru:t/ a. meyve; sonuç, ürün *
e. meyve vermek *fruitful* sonuç
veren, verimli *fruitless* meyvesiz;

kısır

fruition /fruːˈiʃın/ a. muradına erme, istediğini elde etme, gerçekleşme

frustrate /fraˈstreyt/ e. boşa çıkarmak, engellemek; düş kırıklığına uğratmak **frustration** düş kırıklığı; engelleme, bozma

fry /fray/ e. (yağda) kızartmak; kızarmak **frying pan** tava

fuchsia /ˈfyuːʃı/ a. bitk. küpeçiçeği

fudge /fac/ a. bir çeşit yumuşak şekerleme

fuel /ˈfyuıl/ a. yakıt; yakacak; benzin

fugitive /ˈfyuːcitiv/ s. kaçak; akılda tutulması zor; geçici, gidici * a. kaçak

fulcrum /ˈfulkrım/ a. tek. (kaldıraç) dayanak noktası, taşıma noktası

fulfil /fulˈfil/ e. yerine getirmek, yapmak; gerçekleştirmek **fulfilment** yapma, yerine getirme, ifa

full /ful/ s. dolu; tam, tüm, bol *to the full* tümüyle *in full* tamamen, tam olarak *full moon* dolunay *fullscale* aslının ölçüsünde; tüm gücünü kullanan *full stop* nokta (.) *fulltime* tam gün, tam gün olan/çalışan/yapılan *fully* en az, en azından; tamamen, tam olarak

fumble /ˈfambıl/ e. el yordamıyla aramak, yoklamak; beceriksizce yapmak

fume /fyuːm/ a. duman, buhar, gaz * e. duman çıkarmak, tütmek; öfkelenmek, köpürmek

fun /fan/ a. oyunculuk, neşe; eğlence, zevk *for fun/for the fun of it* gırgırına, zevk olsun diye *make fun of* -e gülmek/güldürmek, alay etmek

function /ˈfankşın/ a. görev, iş, işlev, fonksiyon; amaç * e. çalışmak, işlemek, iş görmek *functional* işlevsel, fonksiyonel; iş görür

fund /fand/ a. sermaye, para, fon; stok, birikim * e. para sağlamak, finanse etmek

fundamental /fandıˈmentıl/ s. esas, ana, belli başlı, temel * a. kural, temel ilke

funeral /ˈfyuːnırıl/ a. cenaze töreni, gömme; cenaze alayı

funfair /ˈfanfeı/ a. BE. eğlence parkı, lunapark

fungus /ˈfangıs/ a. bitk. mantar

funnel /ˈfanıl/ a. huni; tek. baca

funny /ˈfani/ s. gülünç; acayip; garip

fur /föː/ a. kürk, post

furious /ˈfyuırıs/ s. öfkeli; azgın

furlong /ˈföːlong/ a. 201 metre

furnace /ˈföːnıs/ a. ocak, fırın

furnish /ˈföːniş/ e. döşemek, donatmak; tedarik etmek

furniture /ˈföːnıçı/ a. mobilya

furrier /ˈfarı/ a. kürkçü

furrow /ˈfarou/ a. (toprakta) saban izi

furry /ˈföːri/ s. kürklü; kürk gibi

further /ˈföːtı/ be. daha ileri; daha fazla; ayrıca * s. daha çok; başka bir; daha uzaktaki * e. ilerlemesine yardım etmek *furthermore* bundan başka, ayrıca, üstelik *furthermost* en uzak, en uzağa

furthest /ˈföːtist/ be. s. en uzak

furtive /ˈföːtiv/ s. gizli, kaçamak

fury /ˈfyuırı/ a. korkunç öfke, kızgınlık

fuse /fyuːz/ a. elek. sigorta; ask. tapa * e. (metal) eritmek, eriterek birleştirmek

fuselage /ˈfyuːzılaːj/ a. uçak gövdesi

fusion /ˈfyuːjın/ a. birleşme, birleştirme

fuss /fas/ a. gürültü patırtı, yaygara, velvele * e. gereksiz yere telaşlanmak *fussy* huysuz, yaygaracı; titiz, mızmız, kılı kırk yaran

futile /'fyu:tayl/ s. boş, boşuna, beyhude
future /'fyu:çı/ a. gelecek *in future* bundan sonra, artık
fuzzy /'fazi/ s. (saç) kıvırcık, kabarık; (kumaş, vb.) tüylü; bulanık, belirsiz

G

gab /geb/ a. *kon.* gevezelik
gabardine /'gebıdi:n/ a. gabardin
gabble /'gebıl/ e. çabuk çabuk ve anlaşılmaz biçimde konuşmak
gadget /'gecit/ a. *kon.* becerikli alet, dalga, zımbırtı
gag /geg/ a. ağız tıkacı; *kon.* şaka * e. ağzını tıkamak; susturmak
gaggle /'gegıl/ a. kaz sürüsü
gaiety /'geyiti/ a. neşe; şenlik, eğlence
gaily /'geyli/ be. neşeli bir şekilde, neşeyle
gain /geyn/ a. kazanç, kâr; çıkar, yarar; ilerleme, artma * e. kazanmak, elde etmek, edinmek
gait /geyt/ a. yürüyüş, gidiş, yürüyüş biçimi
gala /'ga:lı/ a. gala, şenlik
galaxy /'gelıksi/ a. galaksi *the Galaxy* Samanyolu
gale /geyl/ a. sert rüzgâr, bora
gall /go:l/ a. safra, öd; kin, nefret; küstahlık; sürtünme sonucu oluşan yara
gallant /'gelınt/ s. yürekli, yiğit, cesur; güzel, görkemli * s. (erkek) kibar, şık *gallantry* kadınlara karşı incelik, kibarlık; yiğitlik, cesaret
galleon /'gelıın/ a. kalyon
gallery /'gelıri/ a. galeri
galley /'geli/ a. kadırga; gemi mutfağı
gallon /'gelın/ a. galon (*BE.* 54 lt,;

AE. 78 lt.)
gallop /'gelıp/ a. dörtnal * e. dörtnala gitmek
gallows /'gelouz/ a. darağacı
Gallup poll /'gelıp poul/ a. kamuoyu araştırması
galore /gı'lo:/ be. s. pek çok, bol bol
galvanize /'gelvınayz/ e. galvanizlemek; canlandırmak
galvanometer /gelvı'nomıtı/ a. galvanometre, küçük akımölçer
gambit /'gembit/ a. (satranç) gambit; hesaplı hareket
gamble /'gembıl/ a. rizikolu iş, kumar * e. kumar oynamak; (away) kumarda kaybetmek *gambler* kumarbaz
game /geym/ a. oyun; av; hile * s. yiğit, gözü pek; topal, sakat *game-keeper* av bekçisi *game-licence* avlanma ruhsatı
gamma /'gemı/ a. gama *gamma rays* gama ışınları
gammon /'gemın/ a. tütsülenmiş jambon
gamut /'gemıt/ a. *müz.* nota dizisi, gam; bir şeyin tamamı
gander /'gendı/ a. erkek kaz
gang /geng/ a. arkadaş grubu, ekip; çete
gangplank /'gengplenk/ a. iskele tahtası
gangrene /'gengri:n/ a. *hek.* kangren
gangster /'gengstı/ a. gangster
gangway /'gengwey/ a. dar yol, geçit; borda iskelesi
gantry /'gentri/ a. (demiryolu) sinyal köprüsü
gaol /ceyl/ a. *BE.* cezaevi, hapishane
gap /gep/ a. boşluk, aralık, yarık; (görüş) ayrılık
gape /geyp/ e. (ağzı açık) alık alık bakmak; açılmak, yarılmak
garage /'gera:j, 'geric/ a. garaj; ben-

117
generalize

zin istasyonu
garbage /'ga:bic/ a. süprüntü, çöp
  garbage can AE. çöp tenekesi
garbled /'ga:bıld/ s. karmaşık,
  karışık, yanlış
garden /'ga:dın/ a. bahçe gardener
  bahçıvan
gargle /'ga:gıl/ e. gargara yapmak *
  a. gargara
garish /'geıriş/ s. gösterişli, parlak,
  cafcaflı
garland /'ga:lınd/ a. çelenk
garlic /'ga:lik/ a. sarmısak
garment /'ga:mınt/ a. giyim eşyası,
  giysi
garnet /'ga:nit/ a. lal taşı
garnish /'ga:niş/ a. süs, garnitür *
  e. (yemek) süslemek
garret /'gerit/ a. tavan arası
garrison /'gerisın/ a. ask. garnizon
garter /'ga:tı/ a. jartiyer
gas /ges/ a. (hava) gaz; sıvı gaz;
  AE. kon. benzin * e. gazla zehir-
  lemek; kon. uzun süre konuşmak
  gas mask gaz maskesi gas station
  AE. benzin istasyonu step on the
  gas gaza basmak
gaseous /'gesıus/ s. gaz gibi, gazlı
gash /geş/ a. derin yara * e. derin
  yara açmak
gasket /'geskit/ a. conta
gasoline /'gesıli:n/ a. AE. kon. ben-
  zin
gasp /ga:sp/ e. güçlükle solumak,
  soluğu kesilmek; nefes nefe-
  seyken söylemek * a. soluk
  soluğa konuşma
gassy /'gesi/ s. gazlı, gaz dolu
gastritis /ge'straytis/ a. hek. gastrit,
  mide yangısı
gastronomy /ge'stronımi/ a. iyi
  yemek yeme ve pişirme sanatı,
  gastronomi
gasworks /'geswö:ks/ a. havagazı
  fabrikası
gate /geyt/ a. kapı; giriş yeri gate-
  way giriş yeri, kapı

gather /'getı/ e. (round) toplanmak;
  bir araya gelmek; toplamak,
  koparmak; (bilgi, vb.) kazanmak;
  sonuç çıkarmak, anlamak gath-
  ering toplantı
gauche /gouş/ s. patavatsız, be-
  ceriksiz
gaudy /'go:di/ s. gösterişli, çok
  parlak
gauge /geyc/ a. ölçü, ayar; ölçü
  aygıtı * e. ölçmek; ölçüp biçmek
gaunt /go:nt/ s. sıska, bir deri bir
  kemik
gauntlet /'go:ntlit/ a. uzun eldiven
gauze /go:z/ a. tül
gawk /go:k/ e. aval aval bakmak
gay /gey/ s. şen, neşeli; parlak,
  canlı; kon. eşcinsel
gaze /geyz/ e. gözünü dikerek
  bakmak * a. sürekli bakış
gazelle /gı'zel/ a. hayb. ceylan,
  gazel
gazette /gı'zet/ a. resmi gazete
gear /gıı/ a. vites; dişli; tertibat,
  donatı; çark out of gear boşta
  gear lever/stick/shift vites kolu
  gearbox vites kutusu
geisha /'geyşı/ a. geyşa
gel /cel/ e. bkz. jell
gelatine /'celıtin/ a. jelatin
gem /cem/ a. değerli taş, mücevher
Gemini /'cemini, 'ceminay/ a. İkizler
  burcu
gendarme /'jonda:m/ a. jandarma
gender /'cendı/ a. dilb. cins
genealogy /ci:ni'elıci/ a. soy, soy
  kütüğü, şecere
general /'cenırıl/ s. genel; yaygın,
  genel; baş, şef General Staff
  Genelkurmay general strike
  genel grev
general /'cenırıl/ a. general briga-
  dier general tuğgeneral full gen-
  eral orgeneral lieutenant general
  korgeneral major general tüm-
  general
generalize /'cenırılayz/ e.

generate

genelleştirmek; genelleme yapmak *generalization* genelleştirme; genelleme *generally* çoğunlukla, genellikle; genelde

generate /'cenıreyt/ e. üretmek

generation /cenı'reyşın/ a. nesil, kuşak; (elektrik, vb.) üretme, üretim

generator /'cenıreytı/ a. üreteç, jeneratör

generic /ci'nerik/ s. cinsle ilgili; genel

generosity /cenı'rosıti/ a. cömertlik

generous /'cenırıs/ s. eli açık, cömert

genesis /'cenisis/ a. başlangıç, başlama noktası

genetic /ci'netik/ s. kalıtsal, kalıtımsal *genetics* genetik, kalıtımbilim

genial /'ci:niıl/ s. hoş, tatlı, cana yakın

genital /'cinitıl/ s. üreme organlarıyla ilgili *genitals* cinsel organlar, üreme organları

genitive /'cenitiv/ a. *dilb.* -in hali, tamlayan durumu

genius /'ci:niıs/ a. üstün yetenek, deha; dahi

genocide /'cenısayd/ a. soykırım

gentle /'centıl/ s. ince, kibar, nazik; tatlı, yumuşak, hafif, yavaş *gentleman* centilmen; bey, beyefendi *gently* yavaşça; tatlılıkla

gents /cents/ a. *BE. kon.* erkekler tuvaleti

genuine /'cenyuin/ s. hakiki, gerçek

geography /ci'oğrıfi/ a. coğrafya *geographer* coğrafyacı *geographical* /ci'ıgrıfikıl/ coğrafi

geology /ci'olıci/ a. yerbilim, jeoloji

geometry /ci'omitri/ a. geometri *geometric* geometrik

geophysics /ci:ou'fiziks/ a. jeofizik, yer fiziği

geopolitics /ci:ou'politiks/ a. jeopolitik

geranium /cı'reynüm/ a. *bitk.* sardunya

geriatrics /ceri'etriks/ a. yaşlılık hekimliği

germ /cö:m/ a. mikrop; başlangıç

germinate /'cö:mineyt/ e. (tohum) filizlenmek, çimlenmek

gerund /'cerınd/ a. *dilb.* ulaç, isim-fiil

gestation /ce'steyşın/ a. gebelik

gesture /'cesçı/ a. jest, el kol hareketi * e. el kol hareketi yapmak

get /get/ e. *got* /got/ almak, elde etmek; gidip getirmek; gidip almak; olmak, hale gelmek; varmak, ulaşmak; ettirmek, yaptırmak; hazırlamak; götürmek; anlamak; (hastalık, soğuk) kapmak, tutulmak; *kon.* kızdırmak, canını sıkmak *get sth done* yaptırmak, ettirmek, başına gelmek *have got* sahip olmak, -sı olmak *get about/around* iyileşmek; seyahat etmek, gezmek; (haber, vb.) yayılmak *get across* anlaşılmak, kabul edilmek; anlatmak, anlatmayı başarmak *get ahead* ilerlemek, önüne geçmek *get along* gitmek, ayrılmak; geçinmek, iyi ilişkiler içinde olmak; sürdürmek; ilerlemek *get around/round to* vakit bulmak, -e zaman ayırmak *get at* ulaşmak, erişmek; demek istemek *get away* kaçmak *getaway kon.* kaçış, firar *get away with* kötü bir şey yapmak ve cezasından kurtulmak *get back* dönmek, geri gelmek, geri dönmek *get back at sb kon.* -den intikam almak, öç almak *get by* yaşamını sürdürmek; şöyle böyle olmak *get down* yazmak, kaydetmek; güçlükle yutmak; rahatsız etmek, üzmek *get down to* dört elle sarılmak *get in* içeri girmek; varmak; (taşıta) binmek;

seçilmek *get into* binmek; öğrenmek, alışmak *get (sb) into* durumuna koymak; (derde, vb.) sokmak *get off* (bir araçtan, vb.) inmek; hareket etmek, yola çıkmak; (işten) paydos etmek; cezadan kurtulmak *get on* anlaşmak, geçinmek; (bir taşıta) binmek; ilerlemek, gitmek *get out* çıkmak, gitmek; sıvışmak, tüymek, kaçırmak; (sır, vb.) sızmak, yayılma *get out of* sorumluluktan kaçmak *get over* (hastalık) iyileşmek, kurtulmak; anlaşılmak; anlaşılmasını sağlamak *get round* ikna etmek; yararlanmak *get through* (telefonda) bulmak, görüşebilmek; anlaşılmak; anlaşılmasını sağlamak *gettogether* toplantı, buluşma *get together* toplanmak, bir araya gelmek *get up* yataktan kalkmak *get up to* varmak, yetişmek; (özellikle kötü bir şey) yapmak, yapmak üzere olmak

geyser /'gi:zə/ *a.* gayzer, kaynaç; *BE.* şofben

ghastly /'ga:stli/ *s.* sarı benizli, sapsarı, soluk; korkunç; *kon.* berbat

gherkin /'gö:kin/ *a.* turşuluk hıyar

ghetto /'getou/ *a.* azınlıkların ve yoksulların oturdukları mahalle, geto

ghost /goust/ *a.* hayalet, hortlak *ghostly* hayalet gibi

giant /'cayınt/ *a.* dev

gibbet /'cibit/ *a.* darağacı

giblets /'ciblits/ *a.* tavuk, kuş, vb.'nin yürek, ciğer, katı gibi iç organları

giddy /'gidi/ *s.* başı dönen; hoppa, uçarı

gift /gift/ *a.* armağan, hediye; Allah vergisi, yetenek *gifted* yetenekli

gigantic /cay'gentik/ *s.* devasa, kocaman

giggle /'gigıl/ *e.* kıkır kıkır gülmek, kıkırdamak *giggle* kıkırdama

gild /gild/ *e.* yaldızlamak

gill /cil/ *a.* solungaç

gilt /gilt/ *a.* yaldız

gin /cin/ *a.* (içki) cin

ginger /'cıncı/ *a. bitk.* zencefil * *s.* kızıl renk, kızıl *ginger ale* zencefilli gazoz

gipsy /'cipsi/ *a.* çingene

giraffe /ci'ra:f/ *a. hayb.* zürafa

girder /'gö:dı/ *a.* kiriş, direk

girdle /'gö:dıl/ *a.* kuşak, kemer, korse

girl /gö:l/ *a.* kız; kız arkadaş *girlfriend* sevgili, kız arkadaş *girlhood* kızlık *girlish* kız gibi

girth /gö:t/ *a.* bel ölçüsü, çevre ölçüsü; kolan, çevre

gist /cist/ *a.* öz, ana fikir, ana noktalar

give /giv/ *e. gave* /geyv/, *given* /'givın/ vermek; armağan etmek; ödemek; (hastalık) geçirmek, bulaştırmak; indirmek, atmak *giveandtake* karşılıklı özveri *give away* vermek, armağan etmek; ele vermek *give back* geri vermek *give in* teslim olmak, boyun eğmek; teslim etmek *give off* (koku, vb.) çıkarmak, yaymak *give out* dağıtmak; sona ermek *give up* vazgeçmek, bırakmak; umudunu kesmek

gizzard /'gizıd/ *a.* (kuşlarda) katı, taşlık

glacial /'gleyşıl/ *s.* buz ya da buzulla ilgili

glacier /'glesıı/ *a.* buzul

glad /gled/ *s.* mutlu, memnun, hoşnut; memnun edici, sevinçli *gladly* gönülden, zevkle, istekle, seve seve

gladden /'gledın/ *a.* sevindirmek, mutlu etmek

glade /gleyd/ *e.* ormanda ağaçsız alan

gladiator /'gledieytı/ a. gladyatör
glamour /'glemı/ a. çekicilik, alım,
büyü *glamorous* çekici, göz alıcı
glance /gla:ns/ e. göz atmak, bak-
mak * a. kısaca bakış; bir
bakışta, hemen
gland /glend/ a. anat. bez
glare /gleı/ e. parıldamak; ters ters
bakmak * a. parıltı; ters bakış *
glaring göz kamaştırıcı
glass /gla:s/ a. cam; bardak *glasses*
gözlük *glassware* zücaciye, cam
eşya *glassy* cam gibi; (bakış)
cansız, donuk
glaze /gleyz/ e. sırlamak; cam tak-
mak; (bakış) anlamsızlaşmak * a.
sır, perdah, cila
glazier /'gleyzıı/ a. camcı
gleam /gli:m/ a. ışık, parıltı, pırıltı
* e. parıldamak, parlamak
glee /gli:/ a. sevinç, neşe
glib /glib/ s. güzel ve rahat
konuşan
glide /glayd/ e. kaymak, akmak,
süzülmek; planörle uçmak *glider*
planör
glimmer /'glimı/ e. zayıf bir şekilde
parlamak * a. donuk ışık; zerre
glimpse /glimps/ e. bir an için
görmek, gözüne ilişmek * a. kısa
bakış, gözüne ilişme
glint /glint/ e. parıldamak, parla-
mak * a. parıltı
glisten /'glisın/ e. parıldamak, par-
lamak
glitter /'glitı/ e. parlamak,
parıldamak * a. parıltı *glittering*
görkemli, parlak
globe /gloub/ a. top, küre; dünya;
gezegen *global* geniş çaplı,
ayrıntılı; dünya çapında, evrensel
gloom /glu:m/ a. karanlık; üzüntü,
hüzün *gloomy* karanlık; üzün-
tülü, mahzun, karanlık
glorify /'glo:rifay/ e. övmek;
yüceltmek; güzel göstermek
glorious /'glo:rııs/ s. şanlı, şerefli;

görkemli, parlak
glory /'glo:ri/ a. şan, ün, şeref;
görkem
gloss /glos/ a. parlaklık * a. açık-
lama, yorum *glossy* parlak ve
düz
glossary /'glosıri/ a. ek sözlük
glove /glav/ a. eldiven
glow /glou/ e. parıldamak; içini
ateş basmak; kızarmak * a. kızıl
ışık, kızıllık; sıcaklık, hararet;
çaba, gayret
glower /'glauı/ e. ters ters bakmak
glowworm /'glouwö:m/ a.
ateşböceği
glucose /'glu:kous/ a. glikoz
glue /glu:/ a. tutkal, zamk
glum /glam/ s. asık suratlı, üzgün
glut /glat/ a. bolluk, furya
glutton /'glatın/ a. obur *gluttonous*
obur, açgözlü
glycerin(e) /'glisırin/ a. gliserin
gnash /neş/ e. (diş) gıcırdatmak
gnat /net/ a. hayb. sivrisinek, ta-
tarcık
gnaw /no:/ e. kemirmek
go /gou/ e. **went** /went/, **gone**
/gan/ gitmek; hareket etmek,
kalkmak; ayrılmak; işlemek,
çalışmak; sığmak; kırılmak, kop-
mak; ilerlemek, gelişmek;
götürmek; devam etmek; uymak
* a. sınama, deneme; sefer *be
going to* -ecek, -acak *go about*
(birisiyle) birlikte olmak; do-
laşmak *go after* peşinden
koşmak, izlemek *go against* -e
karşı gelmek *go ahead* ilerlemek,
gelişmek; başlamak *go along*
aynı fikirde olmak *go by* geçmek,
geçip gitmek; -e göre davranmak
go down inmek; batmak *go for*
aramak, çağırmak; saldırmak;
hoşlanmak, beğenmek *go in for*
katılmak, yer almak; alışkanlık
haline getirmek *go into* (yer, iş,
vb.'e) girmek; girişmek, ilgilen-

mek **go off** kesilmek; sönmek; bozulmak, çürümek; (bomba) patlamak **go on** devam etmek; vakit geçirmek **go out** dışarı çıkmak; (ışık, vb.) sönmek; modası geçmek **go over** başarı kazanmak; tutmak, gözden geçirmek, incelemek **go through** gözden geçirmek, incelemek; araştırmak; yoklamak; kabul edilmek; harcamak, tüketmek; katlanmak, çekmek **go over** başarı kazanmak, tutmak; gözden geçirmek, incelemek **go with** uymak, gitmek; birbirini tamamlamak **go without** -sız idare etmek

goad /goud/ e. kışkırtmak, dürtmek

goal /goul/ a. amaç, hedef, gaye; sp. kale; gol **goalkeeper** kaleci

goat /gout/ a. keçi, teke

gobble /'gobıl/ e. çabuk çabuk yemek

goblet /'goblit/ a. kadeh

goblin /'goblin/ a. gulyabani, cin

god /god/ a. mabut, put, tapı

God /god/ a. Tanrı, Allah **for God's sake** Allah aşkına **God forbid/grant that** Allah göstermesin, Allah korusun **God (alone) knows** kon. Allah bilir **God willing** inşallah, Allah isterse **Oh God/My God/Good God** Aman Tanrım **Thank God** Allah'a şükür **godchild** vaftiz çocuğu **goddess** tanrıça **godfather** vaftiz babası

goggle /'gogıl/ e. hayretle bakmak

goggles /'gogılz/ a. koruyucu gözlük

going /'gouing/ a. gidiş, ayrılış; yol durumu; gidiş hızı * s. şu anki; mevcut, yaşayan; işleyen, çalışan **goingson** olup bitenler, gidişat

gokart /'goukа:t/ a. küçük yarış arabası, gokart

gold /gould/ a. altın; altın rengi **gold dust** altın tozu **goldfinch**

saka kuşu **goldmine** altın madeni **gold smith** kuyumcu

golden /'gouldın/ s. altından, altın; altın rengi **golden handshake** emeklilik ikramiyesi **golden jubilee** ellinci yıldönümü

golf /golf/ a. sp. golf **golf course/links** golf sahası **golf club** golf kulübü; golf sopası

gondola /'gondılı/ a. gondol

gone /gon/ bkz. go

gong /gong/ a. gong

good /gud/ s. iyi, güzel, hoş; uygun, yerinde; uslu; yararlı; yetenekli; sağlıklı; güvenilir, sağlam * a. iyilik; yarar, fayda **be good at** -de başarılı olmak, iyi olmak **do sb good** iyi gelmek; iyileştirmek **in good time** erken, erkenden **for good** temelli, ebediyen **good afternoon** tünaydın **good evening** iyi akşamlar **good morning** günaydın **good night** iyi geceler **no good** işe yaramaz **goodbye** allahaısmarladık, hoşça kal **goodfornothing** hiçbir işe yaramaz, haylaz **good-humoured** neşeli, şen, güler yüzlü **good-looking** yakışıklı **goodnatured** iyi huylu **goodness** iyilik **for goodness' sake** Allah aşkına **My goodness** Tanrım!, Yarabbim! **good-will** iyi niyet

goods /gudz/ a. eşya, mal; yük

goofy /'gu:fi/ s. aptal, çatlak, kaçık

goose /gu:s/ a. hayb. kaz

gooseberry /'guzbıri/ a. bektaşiüzümü

gore /go:/ e. boynuzla yaralamak

gorge /go:c/ a. coğ. geçit, boğaz

gorgeous /'go:cıs/ s. harika, çok güzel, hoş

gorilla /gı'rilı/ a. hayb. goril

gorse /go:s/ a. bitk. karaçalı

gory /'go:ri/ s. kanlı

gosh /goş/ ünl. Allah Allah, vay canına, hayret

gosling /'gozling/ *a. hayb.* kaz palazı

goslow /gou'slou/ *a. BE.* işi yavaşlatma eylemi

gospel /'gospıl/ *a. kon.* hakikat; ilke *gospel truth* asıl gerçek *the Gospel* İncil

gossamer /'gosımı/ *a.* örümcek ağı; çok ince şey

gossip /'gosip/ *a.* dedikodu; dedikoducu * *e.* dedikodu yapmak

got /got/ *bkz. get*

Gothic /'gotik/ *s. a.* Gotik

gotta /'gotı/ *e. kon.* -meli, -malı

gotten /gotın/ *bkz. get*

gouge /gauc/ *a.* heykeltıraş kalemi; ucu kıvrık bıçak

goulash /'gu:leş/ *a.* tas kebabı

gourd /guıd/ *a. bitk.* sukabağı

gourmet /'guımey/ *a.* yemek ve içkinin iyisinden anlayan kimse

gout /gaut/ *a. hek.* gut, damla sayrılığı

govern /'gavın/ *e.* yönetmek, idare etmek; etkilemek

governess /'gavınıs/ *a.* mürebbiye

government /'gavımınt/ *a.* yönetim; hükümet

governor /'gavını/ *a.* vali; yönetici; şef, amir; *kon.* patron, işveren; *AE.* eyalet başkanı

gown /gaun/ *a.* uzun kadın giysisi, gece giysisi; cüppe

grab /greb/ *e.* kapmak * *a.* kapma

grace /greys/ *a.* zarafet, güzellik; lütuf; şükran duası *graceful* zarif, hoş

gracious /'greyşıs/ *s.* hoş, nazik; (Tanrı) bağışlayıcı, merhametli

gradation /grı'deyşın/ *a.* derece derece değişme

grade /greyd/ *a.* rütbe; derece; cins; *AE.* eğim, meyil; *AE.* sınıf; not * *e.* ayırmak, sınıflandırmak

gradient /'greydıınt/ *a.* eğim, eğiklik, meyil

gradual /'grecuıl/ *s.* derece derece olan, aşamalı *gradually* azar azar

graduate /'grecuit/ *a.* üniversite mezunu

graduate /'grecueyt/ *e.* (üniversiteden) mezun olmak

graduation /grecu'eyşın/ *a.* mezuniyet; diploma töreni

graffiti /gre'fi:ti/ *a.* duvar yazıları

graft /gra:ft/ *a. bitk.* aşı; *hek.* (doku) yama * *e.* (ağaç) aşılamak; *hek.* doku yerleştirmek

grain /greyn/ *a.* tahıl, hububat; tane

gram /greın/ *a.* gram

grammar /'greını/ *a.* dilbilgisi, gramer *grammar school BE.* (üniversiteye hazırlayan) orta dereceli okul *grammatical* dilbilgisel

gramme /'grem/ *a. bkz. gram*

gramophone /'greınıfoun/ *a.* gramofon

gran /gren/ *a. BE. kon.* büyükanne, nine

granary /'grenıri/ *a.* tahıl ambarı

grand /grend/ *s.* ulu, yüce, görkemli; gösterişli; en önemli, ana; tam; bütün; büyük, yüce *grand piano* kuyruklu piyano

grandad, granddad /grended/ *a. kon.* büyükbaba, dede

grandchild /'grençayld/ *a.* torun

granddaughter /'grendo:tı/ *a.* kız torun

grandeur /'grencı/ *a.* büyüklük, görkem

grandfather /'grenfa:tı/ *a.* büyükbaba, dede

grandiose /'grendious/ *s.* gösterişli, tantanalı, görkemli

grandma /'grenma:/ *a. kon.* büyükanne, nine

grandmother /'grenmatı/ *a.* büyükanne, nine

grandpa /'grenpa:/ *a. kon.* büyükbaba, dede

grandparent /'grenpeıınt/ *a.* büyükbaba ya da büyükanne grandson /'grensan/ a. erkek torun

grandstand /'grendstend/ a. tribün

granite /'grenit/ a. granit

granny /'greni/ a. kon. büyükanne, nine

grant /gra:ıt/ e. vermek, bahşetmek; onaylamak; varsaymak; kabul etmek * a. bağış; burs; ödenek, tahsisat take sth/sb for granted itirazsız kabul etmek

granular /'grenyulı/ s. taneli

granulate /'grenyuleyt/ e. tanelemek granulated sugar tozşeker

granule /'grenyu:l/ a. tanecik

grape /greyp/ a. bitk. üzüm

grapefruit /'greypfru:t/ a. greyfurt, altıntop

grapevine /'greypvayn/ a. bitk. asma

graph /gra:f/ a. çizge, grafik

graphic /'grefik/ s. çizgesel, grafik; (anlatımı, vb.) canlı, açık, tam

grapple /'grepıl/ e. (with) boğuşmak

grasp /gra:sp/ e. yakalamak, kavramak, tutmak; anlamak, kavramak * a. sıkı sıkı tutma, kapma; anlama, kavrama

grass /gra:s/ a. ot, çimen; çayır, otlak grasshopper çekirge grassland otlak grassy otlu, çimenli

grate /greyt/ a. ocak ızgarası * e. rendelemek; gıcırdatmak; gıcırdamak

grateful /'greytfıl/ s. minnettar, müteşekkir

grater /'greytı/ a. rende

gratify /'gretifay/ e. sevindirmek, mutlu etmek

grating /'greyting/ a. ızgara, demir parmaklık

gratis /'gretis, 'gra:tis/ s. be. bedava, bedavadan, karşılıksız

gratitude /'gretityu:d/ a. minnettarlık

gratuitous /grı'tyu:ıtıs/ s. karşılıksız, bedava, karşılık beklemeden; nedensiz

gratuity /grı'tyu:ıti/ a. bahşiş

grave /greyv/ a. mezar * s. ciddi; ağır gravestone mezar taşı graveyard mezarlık

gravel /'grevıl/ a. çakıl

gravitation /grevi'teyşın/ a. yerçekimi

gravity /'greviti/ a. yerçekimi; ciddiyet, ağırlık, önem

gravy /'greyvi/ a. et suyu; salça, sos

gray /grey/ s. a. AE. bkz. grey

graze /greyz/ e. otlamak; otlatmak; sıyırmak, sıyırıp geçmek * a. sıyrık

grease /gri:s/ a. (hayvansal) yağ; gres, katıyağ * e. yağlamak greasy yağlı

great /greyt/ s. büyük; kocaman; yüce, ulvi; önemli; kon. harika a great deal çok great-grandfather babasının dedesi great-grandson oğlunun/kızının erkek torunu greatly çokça, pek greatness büyüklük

greed /gri:d/ a. açgözlülük greedy açgözlü

green /gri:n/ s. yeşil; (meyve) ham, olmamış; kon. toy; benzi sararmış * a. yeşil renk; yeşil; çayır; kon. yeşil yapraklı sebzeler, yeşillik green belt yeşil alan, yeşil kuşak greenish yeşilimsi

greengage /'gri:ngeyc/ a. bitk. bardakeriği

greengrocer /'gri:ngrousı/ a. manav

greenhouse /'gri:nhaus/ a. limonluk, ser

greet /gri:t/ e. selamlamak, selam vermek; karşılamak greeting selam; iyi dilek, tebrik

gregarious /gri'geırıs/ s. sokulgan; sürü halinde yaşayan

grenade /gri'neyd/ a. el bombası

grey /grey/ s. gri, külrengi; kır saçlı * a. külrengi

greyhound /'greyhaund/ a. tazı

grid /grid/ a. ızgara, parmaklık
grief /gri:f/ s. acı, keder, üzüntü
grievance /'gri:vıns/ a. yakınma, şikâyet, dert
grieve /gri:v/ e. üzülmek, üzmek
grievous /'gri:vıs/ s. acı, üzücü
grill /gril/ a. ızgara; ızgara et * e. ızgarada pişirmek
grim /grim/ s. sert, acımasız; kon. zevksiz, neşesiz
grimace /gri'meys/ e. yüzünü ekşitmek, yüzünü buruşturmak
grime /graym/ a. kir tabakası, kir
grin /grin/ a. sırıtma, sırıtış * e. sırıtmak
grind /graynd/ e. ground /graund/ öğütmek; gıcırdatmak * a. öğütme; sıkıcı zor iş, angarya grinder öğütücü grindstone bileğitaşı
grip /grip/ e. sımsıkı tutmak, kavramak; ilgisini çekmek, etkilemek * a. sıkıca tutma, kavrama; sap
gripe /grayp/ e. (at/about) kon. yakınmak, sızlanmak
gripping /'griping/ s. dikkat çekici, sürükleyici
grisly /'grizli/ s. korkunç, ürkütücü
gristle /'grisıl/ a. anat. kıkırdak
grit /grit/ a. çakıl; kon. azim, kararlılık
groan /groun/ e. inlemek * a. inilti
grocer /'grousı/ a. bakkal groceries bakkaliye
groggy /'grogi/ s. kon. dizleri tutmayan, halsiz, dermansız, bitkin
groin /groyn/ a. anat. kasık
groom /gru:m/ a. damat; seyis * e. (at) tımar etmek; bir iş için hazırlamak, eğitmek
groove /gru:v/ a. yiv, oluk * a. yiv açmak
grope /group/ e. el yordamıyla aramak, yoklamak
gross /grous/ s. şişko, iriyarı; hantal; brüt; kaba * a. on iki düzine

grotesque /grou'tesk/ s. acayip, garip
grotto /'grotou/ a. mağara
grouch /grauç/ a. kon. yakınma; dırdır * e. yakınmak, şikâyet etmek
ground /graund/ a. yer, zemin; toprak; alan, saha; zemin; temel, esas * e. (gemi) karaya oturmak; (uçak) kalkışa izin vermemek groundless yersiz, nedensiz groundnut yerfıstığı
ground /graund/ bkz. grind
group /gru:p/ a. topluluk, grup, küme
grove /grouv/ a. koru, ağaçlık
grovel /'grovıl/ e. hkr. yerde sürünmek; ayaklarına kapanmak
grow /grou/ e. grew /gru:/, grown /groun/ büyümek, gelişmek; olmak; yetiştirmek, üretmek; (sakal) uzatmak grower yetiştirici
growl /graul/ a. hırıltı, hırıldama
grown /graun/ bkz. grow; grownup yetişkin, olgun
growth /grout/ a. büyüme, gelişme; artış
grub /grab/ e. toprağı kazmak, eşelemek
grub /grab/ a. larva * e. kazmak, eşelemek
grubby /'grabi/ s. pis, kirli
grudge /grac/ e. esirgemek, vermek istememek, çok görmek * a. kin, garaz, haset
gruelling /gru:ling/ s. çok yorucu
gruesome /'gru:sım/ s. korkunç, ürkünç, tüyler ürpertici
gruff /graf/ s. sert, hırçın, kaba
grumble /'grambıl/ e. yakınmak, söylenmek, homurdanmak
grumpy /'grampi/ s. huysuz, aksi
grunt /grant/ e. (hayvan) hırıldamak; (insan) homurdanmak * a. hırıltı, homurtu
guarantee /gerın'ti:/ a. güvence, garanti; kefil * e. güvence ver-

mek, garanti etmek, kefil olmak

guarantor /gerın'to:/ *a.* kefil, garantör

guard /ga:d/ *a.* koruma; nöbetçi, bekçi * *a.* nöbet * *e.* korumak; beklemek; önlemler° almak, korunmak *on guard* nöbette *keep guard* nöbet beklemek

guarded /'ga:did/ *s.* (söz) dikkatli

guardian /'ga:dıın/ *a.* gardiyan, koruyucu; *huk.* veli, vasi

guerilla, guerrilla /gı'rılı/ *a.* gerilla

guess /ges/ *e.* tahmin etmek; sanmak * *a.* tahmin *guesswork* tahmin, tahmin işi

guest /gest/ *a.* misafir; otel müşterisi

guidance /'gaydıns/ *a.* rehberlik, kılavuzluk; öğüt; yol gösterme

guide /gayd/ *a.* kılavuz, rehber * *e.* kılavuzluk etmek, yol göstermek, rehberlik etmek *guidebook* turist kılavuzu *guided missile* güdümlü mermi

guild /gild/ *a.* dernek, lonca

guile /gayl/ *a.* hile, hilekârlık, kurnazlık

guillotine /'gilıti:n/ *a.* giyotin; kâğıt kesme makinesi * *e.* giyotinle başını uçurmak

guilt /gilt/ *a.* suçluluk *guilty* suçlu

guinea pig /'gini pig/ *a. hayb.* kobay; denek

guise /gayz/ *a.* (aldatıcı) dış görünüş, kılık

guitar /gi'ta:/ *a.* gitar

gulf /galf/ *a.* körfez; (görüş) ayrılık

gull /gal/ *a. hayb.* martı; enayi, saf

gullet /'galit/ *a. kon.* boğaz, gırtlak

gulp /galp/ *e.* yutuvermek, aceleyle yutmak; yutkunmak

gum /gam/ *a.* dişeti; zamk; sakız; çiklet * *e.* zamkla yapıştırmak

gun /gan/ *a.* top; tüfek; tabanca *gunfire* top ateşi *gunman* silahlı haydut *gunner ask.* topçu *gunpowder* barut *gun running* silah

kaçakçılığı

gurgle /'gö:gıl/ *a.* lıkırtı * *e.* lıkırdamak

gush /gaş/ *e.* fışkırmak * *a.* fışkırma

gust /gast/ *a.* bora

gusto /'gastou/ *a.* zevk, haz, heves

gut /gat/ *a. anat.* bağırsak * *e.* bağırsaklarını çıkarmak

gutter /'gatı/ *a.* oluk, suyolu

guy /gay/ *a. kon.* adam, herif

guzzle /'gazıl/ *e.* hapur hupur yemek, höpür höpür içmek

gym /cim/ *a. kon.* spor salonu; jimnastik

gymnasium /cim'neyzıım/ *a.* jimnastik salonu; (Almanya'da) lise

gymnast /'cimnest/ *a.* jimnastikçi

gymnastics /cim'nestiks/ *a.* jimnastik

gynaecology /gayni'kolıcı/ *a. hek.* jinekoloji

gypsum /'cipsım/ *a.* alçıtaşı

gypsy /'cipsı/ *a.* Çingene

H

haberdasher /'hebıdeşı/ *a. BE.* tuhafiye *haberdashery* /'hebıdeşıri/ *a.* tuhafiye; tuhafiye dükkânı

habit /'hebit/ *a.* alışkanlık; alışkı *be in the habit of* alışkanlığında olmak *fall/get into the habit of* -e alışmak

habitable /'hebitıbıl/ *s.* oturmaya elverişli, oturulabilir

habitat /'hebitet/ *a.* bir hayvan ya da bitkinin yetiştiği doğal ortam

habitation /hebi'teyşın/ *a.* oturma; konut, oturacak yer

habitual /hı'biçuıl/ *s.* alışılagelmiş, her zamanki

hack /hek/ *e.* kesmek, yarmak * *a.* kira beygiri

hackneyed   126

hackneyed /'heknid/ *s.* (söz) bayat, beylik, eskimiş
hacksaw /'hekso:/ *a.* demir testeresi, vargel testere
had /hıd, hed/ *e. bkz. have*
haddock /'hedık/ *a. hayb.* mezgit
haggard /'hegıd/ *s.* (yüz) yorgun, kırışık, bitkin
haggle /'hegıl/ *e.* pazarlık etmek, çekişmek, tartışmak
hail /heyl/ *a.* dolu * *e.* dolu yağmak *hailstone* dolu tanesi *hailstorm* dolu fırtınası
hair /heı/ *a.* saç; kıl; tüy *hairbrush* saç fırçası *haircut* saç tıraşı; saç kesimi *hairdo* saç biçimi, saç tuvaleti *hairdresser* kuaför *hairgrip* saç tokası *hairnet* saç filesi *hairpiece* takma saç, peruka *hairpin* firkete, saç tokası *hairpin bend* keskin viraj *hairy* kıllı
hale /heyl/ *s.* sağlıklı, dinç, zinde
half /ha:f/ *a.* yarı, buçuk; yarım * *s.* yarı, yarısı; yarım * *be.* yarı yarıya *halfback* hafbek *halfbrother* üvey erkek kardeş *halfhearted* isteksiz, gönülsüz *halfmast* yarı gönder *half-sister* üvey kız kardeş *half time* haftaym, ara *halfway* yarı yolda *half-wit* aptal, geri zekâlı
hall /ho:l/ *a.* salon; (toplantı, vb.'nin yapıldığı) resmi bina; koridor, hol, giriş
hallelujah /heli'lu:yı/ *ünl.* Elhamdülillah! Allah'a şükür!
hallmark /'ho:lma:k/ *a.* altın ya da gümüşte ayar damgası * *e.* ayar damgası vurmak
hallo /hı'lou/ *a. bkz. hello*
hallow /'helou/ *e.* kutsamak, kutsallaştırmak
Halloween /helou'i:n/ *a.* Azizler Günü'nün arifesi (31 ekim gecesi)
hallucination /hılu:si'neyşın/ *a.* halüsinasyon, sanrı
hallway /'ho:lwey/ *a. AE.* koridor,

geçit, hol
halo /'heylou/ *a.* ışık halkası, hale, ağıl
halt /ho:lt/ *e.* durmak; durdurmak * *a.* duruş, durma
halter /'ho:ltı/ *a.* yular, dizgin
halting /'ho:lting/ *s.* ara ara konuşan; duraksayan
halve /ha:v/ *e.* yarıya bölmek; yarıya indirmek
ham /hem/ *a.* jambon
hamburger /'hembö:gı/ *a.* hamburger
hamlet /'hemlit/ *a.* küçük köy
hammer /'hemı/ *a.* çekiç * *e.* çekiçle vurmak, çakmak
hammock /'hemık/ *a.* hamak
hamper /'hempı/ *e.* engellemek, zorluk çıkarmak * *a.* kapaklı sepet
hamster /'hemstı/ *a. hayb.* hamster, cırlak sıçan
hand /hend/ *a.* el; akrep, ibre; yardım, taraf, yan; yardımcı, işçi; işe karışma; kontrol; alkış * *e.* (elden ele) vermek, uzatmak *at hand* yakın; yanında, hazır *by hand* elle; elden *change hands* el değiştirmek *hand in hand* el ele, birlikte *Hands off!* Elleme!, Dokunma! *get/keep one's hand in* (işe) alışmak *give sb a free hand* arzusuna bırakmak *have a hand in* -de katkısı bulunmak *on hand* el altında, hazır *on the one hand* bir taraftan *on the other hand* diğer taraftan *hand down* kuşaktan kuşağa geçmek *hand in* teslim etmek, vermek *hand out* dağıtmak *hand over* teslim etmek, vermek *handbag* el çantası *handball* beyzbol *handbook* el kitabı, rehber *handbrake* el freni *handcuffs* kelepçe *handful* avuç dolusu *handshake* el sıkma, tokalaşma *handwriting* el yazısı
handicap /'hendikep/ *a.* engel;

engelli koşu * e. engellemek, engel olmak

handicraft /'hendikra:ft/ a. el becerisi, el sanatı

handiwork /'hendiwö:k/ a. el işi, el becerisi

handkerchief /'henkıçif/ a. mendil

handle /'hendıl/ a. sap, kulp, kol * e. el sürmek, ellemek; ele almak; idare etmek

handsome /'hensım/ s. yakışıklı; güzel; cömert

handy /'hendi/ s. kullanışlı, pratik; kon. el altında, hazır **handyman** elinden her iş gelen erkek

hang /heng/ e. hung /hang/ asmak; asılmak, asılı durmak; eğmek; sarkmak; sürtmek * e. idam etmek, asmak (bu anlamda düzenli bir fiildir) **hang about (around)** kon. aylak aylak dolaşmak **hang back** çekinmek, tereddüt etmek **hang on** sıkıca tutmak, beklemek **hang up** telefonu kapamak **hangman** cellat **hangover** akşamdan kalmışlık, humar

hangar /'hengı/ a. hangar

hanger /'hengı/ a. askı, elbise askısı

hang gliding /'heng glayding/ a. uçma sporu

hanging /'henging/ a. idam, asma

hanker /'henkı/ e. kon. (after/for) özlemini çekmek, can atmak

hanky /'henki/ a. kon. mendil

haphazard /'hep'hezıd/ s. gelişigüzel, plansız, programsız

happen /'hepın/ e. olmak; başına gelmek, olmak; (to) tesadüfen - mek **happening** olay

happy /'hepi/ s. mutlu; memnun, sevinçli **happy-go-lucky** kaygısız, tasasız **happily** mutlulukla, neşeyle; bereket versin ki **happiness** mutluluk

harass /'herıs/ e. usandırmak, bezdirmek **harassment** usanç

harbour, harbor /'ha:bı/ a. liman;

sığınak, barınak * e. barındırmak, korumak

hard /ha:d/ s. sert, katı; güç, zor; şiddetli; (su) kireçli, acı * be. sıkıca, kuvvetlice; hızla; gayretle, harıl harıl, çok **hardback** ciltli kitap **hardboard** kalın mukavva **hard-boiled** (yumurta) çok pişmiş, katı **hard cash** nakit para, madeni para **hard currency** sağlam döviz, sağlam para **hardcore** sabit fikirli, inatçı; müstehcen **hardheaded** mantıklı, açıkgöz **hardhearted** katı yürekli **hard luck** şansızlık, kör talih **hardware** madeni eşya, hırdavat; (bilgisayar) donanım

harden /'ha:dın/ e. sertleşmek, katılaşmak; sertleştirmek

hardly /'ha:dli/ be. hemen hemen, ancak; güçlükle; hemen hiç; az bir olasılıkla

hardy /'ha:di/ s. dayanıklı, güçlü

hare /heı/ a. hayb. yabani tavşan

harem /'heırım/ a. harem

haricot /'herikou/ a. fasulye **haricot bean** kuru fasulye

harm /ha:m/ a. zarar, ziyan, hasar; kötülük * e. zarar vermek, incitmek **harmful** zararlı **harmless** zararsız

harmonica /ha:'monikı/ a. müz. armonika

harmonize /'ha:mınayz/ e. uydurmak, bağdaştırmak

harmony /'ha:mıni/ a. müz. armoni; uyum, ahenk

harness /'ha:nis/ a. koşum takımı * e. (atı) koşmak; (doğal güçleri) kullanmak, yararlanmak

harp /ha:p/ a. müz. harp **harpist** harpçı **harp on (about)** dönüp dolaşıp aynı şeyi anlatmak

harpoon /ha:'pu:n/ a. zıpkın * e. zıpkınlamak

harrowing /'herouing/ s. üzücü, hırpalayıcı, acı veren

harsh /ha:ş/ *s.* sert; (renk) cırtlak; kaba, zalim, haşin

harvest /'ha:vist/ *a.* hasat, ekin toplama; mahsul, ürün * *e.* biçmek, tarladan kaldırmak

has /hız, hez/ *e. bkz. have*

hash /heş/ *a.* kıymalı yemek *make a hash of it* yüzüne gözüne bulaştırmak

hashish /'heşi:ş/ *a.* haşhaş, esrar

haste /heyst/ *a.* acele, telaş

hasten /'heysın/ *e.* acele etmek; acele ettirmek; hemen söylemek

hasty /'heysti/ *s.* acele, aceleyle/telaşla yapılan *hastily* acele ile, hemen

hat /het/ *a.* şapka

hatch /heç/ *e.* (civciv) yumurtadan çıkmak * *a.* ambar ağzı, ambar kapağı; (gemi, uçak) yolcu kapısı

hatchback /'heçbek/ *a.* steyşın araba

hatchet /'heçit/ *a.* küçük balta

hate /heyt/ *a.* nefret * *e.* nefret etmek; *kon.* hoşlanmamak, beğenmemek *hateful* nefret verici, tatsız, iğrenç

hatred /'heytrid/ *a.* nefret, kin

haughty /'ho:ti/ *s.* kibirli, kendini beğenmiş

haul /ho:l/ *e.* çekmek, sürüklemek; taşımak; çıkarmak * *a.* çekme, çekiş; taşıma uzaklığı

haunch /ho:nç/ *a.* kalça, kıç, but

haunt /ho:nt/ *e.* (cin, peri, vb.) uğramak, sık sık görünmek; dadanmak; hiç aklından çıkmamak * *a.* sık sık gidilen yer, uğrak *haunting* akıldan çıkmayan

have /hıv, hev/ *e. had* /hed/ geniş zamanda (I, **you, we,** they) öznelerıyle *have; he, she, it* öznelerıyle *has* biçiminde çekimlenir.) sahip olmak; yemek; içmek; doğurmak; görmek, geçirmek; karşılaşmak *had better* -sa iyi olur *have got* sahip olmak

have (got) to -meli, -malı, -mek zorunda olmak *have on* giymek; işi olmak; kandırmak, işletmek *have sth done* -tirmek, -tırmak *have done with* bitirmek, son vermek, -i kalmamak *have/be to do with* -le bir ilgisi olmak

haven /'heyvın/ *a. yaz.* sığınak, liman, barınak

havoc /'hevık/ *a.* hasar, zarar ziyan

hawk /ho:k/ *a. hayb.* doğan, atmaca * *e.* gezgin satıcılık yapmak

hay /hey/ *a.* saman, kuru ot *hay fever* saman nezlesi

hazard /'hezıd/ *a.* tehlike * *e.* riske etmek, tehlikeye atmak

haze /heyz/ *a.* ince sis, duman, pus

hazel /'heyzıl/ *a. bitk.* fındık ağacı * *a. s.* ela *hazel-nut* fındık

hazy /'heyzi/ *s.* bulutlu, sisli, puslu, bulanık

H-bomb /'eyç bom/ *a.* hidrojen bombası

he /hi:/ *adl.* (erkek) o; kendi

head /hed/ *a.* baş, kafa; baş taraf; akıl, kafa; lider, başkan; üst kısım; tuğra; (para) tura * *e.* başında olmak, başı çekmek; sorumlu olmak, baş olmak; (topa) kafa vurmak *a/per head* kişi başı, adam başı *come to a head* dönüm noktasına gelmek *go to sb's head* aklını başından almak *have one's head in the clouds* aklı bir karış havada olmak *lose one's head* sapıtmak, pusulayı şaşırmak *off one's head kon.* kaçık, üşütük *headache* baş ağrısı *headband* kafa bandı *headdress* başlık *headed* başlı; başlıklı *heading* (yazılarda) başlık *headles* kafasız *headlight* (oto) far *headline* başlık, manşet; özet haber *headmaster* okul müdürü *headphones* kulaklık *headquarters* karargâh

heal /hiːl/ e. (yara, vb.) iyileşmek; iyileştirmek; son vermek
health /helt/ a. sağlık **healthy** sağlıklı
heap /hiːp/ a. yığın, küme * e. yığmak
hear /hiə/ e. işitmek, duymak; haber almak; dinlemek **hear about** duymak, haberini almak **hear from** (mektup, vb.) haber almak **hear of** bahsini işitmek, (adını) duymak
hearing /'hiːring/ a. işitme duyusu, işitme; huk. duruşma, oturum
hearsay /'hiːsey/ a. söylenti, şayia
hearse /höːs/ a. cenaze arabası
heart /haːt/ a. kalp, yürek; kalp, gönül, yürek; merkez; (iskambil) kupa **break sb's heart** kalbini kırmak **by heart** ezbere **set one's heart on** -e gönlünü vermek, çok istemek **take (sth) to heart** yüreğinde hissetmek, ciddiye almak **heartache** gönül yarası, ıstırap, acı **heart attack** kalp krizi **heartbeat** kalp atışı **heartbreak** ıstırap, acı, üzüntü **heartbreaking** kalp kırıcı, çok üzücü **heartbroken** kalbi kırık, kederli **heartburn** hek. mide ekşimesi **heart failure** kalp yetmezliği
hearten /'haːtın/ e. yüreklendirmek, cesaret vermek; neşelendirmek
hearth /haːt/ a. ocak, şömine
heartily /'haːtili/ be. iştahla, istekle; çok, fazla, fazlasıyla
heartless /'haːtlıs/ s. acımasız, katı yürekli, zalim, kalpsiz
hearty /'haːti/ s. içten, yürekten, samimi; (yiyecek) doyurucu, bol
heat /hiːt/ a. ısı; sıcaklık, sıcak; ısıtma * e. ısınmak; ısıtmak **heated** hararetli, ateşli **heater** ısıtıcı **heatwave** sıcak dalgası
heath /hiːt/ a. fundalık, kır, çalılık; funda, süpürgeotu
heathen /'hiːtın/ s. putperest, dinsiz

heather /'hetı/ a. bitk. funda, süpürgeotu
heating /'hiːting/ a. ısıtma sistemi, ısıtma
heave /hiːv/ e. **heaved, hove** /houv/ kaldırmak, yukarı çekmek; kon. fırlatmak; inip kalkmak **heave a sigh** of çekmek
heaven /'hevın/ a. cennet **Heaven** Allah, Yaradan **For Heaven's sake** Allah aşkına **Heaven forbid** Allah göstermesin **Thank Heaven** Tanrıya şükür **heavenly** cennete ilişkin; tanrısal; kon. harika, nefis
heavy /'hevi/ s. ağır; yoğun, ağır, şiddetli; ciddi, ağır; yorucu, güç; (hava) boğucu; (deniz) dalgalı; üzgün **heavy-handed** sert, zalim; patavatsız **heavyweight** sp. ağırsıklet
Hebrew /'hiːbruː/ a. İbrani, Yahudi; İbranice * s. İbraniler/İbranice ile ilgili
heckle /'hekıl/ e. sıkıştırmak, sorularla sözünü kesmek
hectare /'hektıː/ a. hektar
hectic /'hektik/ s. heyecanlı, telaşlı, hareketli
hedge /hec/ a. çit * e. çitle çevirmek; kaçamak yanıt vermek, dolaylı konuşmak
hedgehog /'hechog/ a. hayb. kirpi
heed /hiːd/ e. dikkat etmek, önemsemek * a. dikkat, önem
heel /hiːl/ a. anat. topuk; ökçe, topuk
hefty /'hefti/ s. güçlü kuvvetli, etkili
hegemony /hi'gemıni/ a. üstünlük, egemenlik, hegemonya
height /hayt/ a. yükseklik; coğ. yükselti; doruk, tepe **heighten** yükselmek; yükseltmek, artırmak
heir /eı/ a. varis, kalıtçı **heiress** kadın varis **heirloom** kuşaktan kuşağa geçen değerli şey
helicopter /'helikoptı/ a. helikopter
helium /'hiːlıım/ a. kim. helyum

hell /hel/ *a.* cehennem * *ünl. kon.* kahrolasıca! kahretsin! *hellish kon.* berbat

hello /hı'lou/ *ünl.* merhaba; alo

helm /helm/ *a.* dümen *helmsman* dümenci

helmet /'helmit/ *a.* kask, miğfer, tolga

help /help/ *e.* yardım etmek; işe yaramak; önlemek; yemek/içecek vermek * *a.* yardım; yardımcı *Help* İmdat! Yetişin! *helper* yardımcı *helpful* yardımcı, yararlı *helpless* yardıma muhtaç, çaresiz, aciz *helping* yardım; (yemek) porsiyon *can't help* elinde olmamak, -dan, -den edememek

hem /hem/ *a.* (giysi) kenar, baskı * *e.* kıvırıp kenarını bastırmak

hemisphere /'hemisfıı/ *a.* yarıküre

hemlock /'hemlok/ *a. bitk.* köknara benzer bir çam ağacı; baldıran, ağıotu

hemoglobin /hi:mı'gloubin/ *a.* hemoglobin

hemorrhage /'hemıric/ *a. hek.* kanama

hemorrhoid /'hemıroyd/ *a. hek.* basur, hemoroit

hemp /hemp/ *a.* kenevir, kendir

hen /hen/ *a.* tavuk; dişi kuş

hence /hens/ *be.* bu nedenle, bundan dolayı; şu andan itibaren *henceforth/henceforward* bundan böyle, şimdiden sonra

henchman /'hençmın/ *a.* dalkavuk

henna /'hen/ *a. bitk.* kına

hepatitis /hepı'taytis/ *a. hek.* hepatit

her /hö:, hı/ *adl.* (dişil) onu, ona * *s.* onun

herald /'henld/ *a.* haberci, müjdeci * *e.* bir şeyin müjdecisi olmak

heraldry /'henldri/ *a.* arma, armacılık

herb /hö:b/ *a.* (nane, vb.) ot, bitki *herbal* otlarla ilgili *herbalist* şifalı bitkiler yetiştiren/satan kimse

herbivorous /hö:'bivırıs/ *s.* (hayvan) otobur, otçul

herd /hö:d/ *a.* hayvan sürüsü *herdsman* çoban, sığırtmaç

here /hiı/ *be.* burada, buraya *here and there* şurada burada *Here you are* işte, buyurun *hereabouts* buralarda, yakında *hereafter* bundan sonra, gelecekte; ölümden sonraki yaşam, ahret *hereby* şimdi, bu vesileyle, bundan ötürü *harewith* bununla, ilişikte

hereditary /hi'reditıri/ *s.* kalıtsal

heresy /'herisi/ *a.* dinsel/toplumsal değerlere aykırı görüş

heritage /'heritic/ *a.* miras, kalıt

hermetic /hö:'metik/ *s.* sımsıkı kapalı, havageçirmez

hermit /'hö:mıt/ *a.* münzevi kimse *hermitage* inziva yeri

hernia /'hö:nıı/ *a. hek.* fıtık

hero /'hıırou/ *a.* kahraman *heroic* /hı'rouik/ *cesur;* yiğitçe, kahramanca *heroism* /'herouizım/ kahramanlık

heroin /'herouin/ *a.* eroin

heroine /'herouin/ *a.* kadın kahraman

heron /'herın/ *a. hayb.* balıkçıl

herring /'hering/ *a. hayb.* ringa balığı

hers /hö:z/ *adl.* (dişil) onunki, onun

herself /hö:'self, hı'self/ *adl.* (dişil) kendisi

hesitant /'hezitınt/ *s.* kararsız, ikircikli

hesitate /'heziteyt/ *e.* tereddüt etmek *hesitation* tereddüt

heterogeneous /hetırou'ci:nııs/ *s.* heterojen, çoktürel

hew /hyu:/ *e.* kesmek, yarmak

hexagon /'heksıgın/ *a.* altıgen

hey /hey/ *ünl.* hey

heyday /'heydey/ *a.* en parlak dönem, altın çağ

hi /hay/ *ünl. kon. bkz. hello*

hibernate /'haybıneyt/ *e.* kış uykusuna yatmak

hiccup /'hikap/ *a.* hıçkırık * *e.* hıçkırmak, hıçkırık tutmak

hid /hid/ *bkz.* **hide**

hidden /hidın/ *bkz.* **hide**

hide /hayd/ *e.* **hid** /hid/, **hidden** /'hidın/ saklamak, gizlemek; gizlenmek, saklanmak * *a.* deri, post **hiding** saklama, saklanma; *kon.* dayak, kötek

hideous /'hidı:s/ *s.* çirkin, iğrenç

hierarchy /'hayıra:ki/ *a.* hiyerarşi, aşama düzeni, sıradüzen

hi-fi /'hayfay, hay'fay/ *a. s.* sesi çok doğal bir biçimde veren (müzik seti, pikap, vb.)

high /hay/ *s.* yüksek; yüce, ulu; (ses) tiz; (zaman) tam **high court** yüksek mahkeme **high jump** yüksek atlama **high life** sosyete yaşamı **high school** lise **highbrow** aydın (kimse) **high-class** kaliteli, birinci sınıf **higher education** yüksek öğrenim **high-handed** despot, zorba **high-heeled** yüksek ökçeli **highland** dağlık (bölge) **high-level** çok önemli, zirve; yüksek seviyeli **highlight** ışıklı kısım; en önemli/göze çarpan kısım **high-pitched** yüksek perdeli, çok tiz **high-powered** güçlü **high-pressure** enerjik, girgin **high-rise** yüksek (yapı) **highway** karayolu **highwayman** eşkıya, soyguncu

highly /'hayli/ *be.* son derece, pek çok

Highness /'haynis/ *a.* **(His/Her/Your)** Ekselansları

hijack /'haycek/ *e.* (uçak, gemi, vb.) kaçırmak **hijacker** uçak, gemi, vb. kaçıran kimse, korsan

hike /hayk/ *a.* (kırda) uzun yürüyüş * *e.* uzun yürüyüşe çıkmak

hilarious /hi'leırıs/ *s.* çok şamatalı, neşeli **hilarity** neşe, şamata

hill /hil/ *a.* tepe **hillock** küçük tepe, tepecik **hillside** yamaç

hilt /hilt/ *a.* kabza **(up) to the hilt** tamamen

him /im, him/ *adl.* (eril) onu, ona; o

himself /im'self, him'self/ *adl.* (eril) kendisi

hind /haynd/ *s.* arka

hinder /'hindı/ *e.* engellemek

hindrance /'hindrıns/ *a.* engel

Hindu /'hindu:/ *a.* Hinduizm dininden olan kimse, Hindu

hinge /hinc/ *a.* menteşe * *e.* menteşe takmak

hint /hint/ *a.* sezindirme, ima; belirti * *e.* ima etmek, çıtlatmak

hinterland /'hintılend/ *a.* iç bölge

hip /hip/ *a.* kalça

hippie /'hipi/ *a.* hippi

hippo /'hipou/ *a. kon.* suaygırı

hippopotamus /hipı'potımıs/ *a. hayb.* suaygırı

hire /'hayı/ *e.* kiralamak, tutmak * *a.* kira, kiralama **hire out** kiraya vermek **hire purchase, HP** taksit

his /hiz, iz/ *s.* (eril) onun * *adl.* onunki, onun

hiss /his/ *e.* tıslamak, ıslıklamak * *a.* tıslama, ıslık

history /'histıri/ *a.* tarih; tarihsel öykü/olay; geçmiş **historian** tarihçi **historic** (olay, yer) tarihi **historical** tarihi; tarihle ilgili

hit /hit/ *e.* vurmak; çarpmak; üzmek; varmak, ulaşmak * *a.* vurma, vuruş, çarpma; (şarkı, vb.) sevilen/tutulan şey **hit it off (with)** *kon.* iyi geçinmek

hitch /hiç/ *e.* bağlamak, takmak; *kon.* otostop yapmak * *a.* çekiş; düğüm, bağ; otostop

hitchhike /'hiçhayk/ *e.* otostop yapmak **hitchhiker** otostopçu

hive /hayv/ *a.* arı kovanı

hoard /ho:d/ *a.* istif * *e.* istif etmek, biriktirmek, stoklamak

hoarfrost /'ho:frost/ *a.* kırağı

hoarse 132

hoarse /hoːs/ s. (ses) kısık, boğuk; kısık sesli

hoary /'hoːri/ s. (saç) kır, ak

hoax /houks/ a. muziplik, şaka * e. işletmek, gırgır geçmek

hobble /'hobıl/ e. topallamak

hobby /'hobi/ a. hobi, düşkü

hockey /'hoki/ a. sp. hokey

hod /hod/ a. tuğla ve harç tenekesi

hoe /hou/ a. çapa, bahçe çapası * e. çapalamak

hoist /hoyst/ e. yükseltmek, kaldırmak; (bayrak) çekmek * a. yükseltme; ağır yük asansörü

hold /hould/ e. *held* /held/ tutmak; tutturmak; düzenlemek; içine almak; elinde tutmak; işgal etmek; inanmak, saymak * a. tutma, tutuş; tutunacak yer; nüfuz, etki *hold back* zapt etmek, tutmak *hold down* (bir işi) yürütmek; aşağıda tutmak *hold off* uzakta tutmak, yaklaştırmamak *hold on* (telefonda) beklemek; devam ettirmek *hold out* dayanmak; uzatmak *hold over* ertelemek *hold to* korumak, bağlı kalmak *hold together* tutturmak, bir arada tutmak *hold up* geciktirmek; yolunu kesip soymak *hold with* uzlaşmak, aynı düşüncede olmak

holding /'houlding/ a. mal, arazi, tahvil *holding company* holding şirketi

holdup /'houldap/ a. (trafik nedeniyle) gecikme; kon. silahlı soygun

hole /houl/ a. delik, çukur; kovuk, in

holiday /'holidey, 'holidi/ a. tatil, dinlence *on holiday* tatilde

holiness /'houlinis/ a. kutsallık

holler /'holı/ e. AE. kon. bağırmak

hollow /'holou/ s. boş, oyuk; (ses) boğuk * a. çukur

holly /'holi/ a. bitk. çobanpüskülü

holocaust /'holıkoːst/ a. büyük

tahribat

holy /'houli/ s. kutsal

homage /'homic/ a. saygı, hürmet

home /houm/ a. ev, yuva, aile ocağı; yurt, vatan *at home* evde *be/feel at home* kendini evindeymiş gibi hissetmek *homeland* anayurt, memleket *home-made* evde yapılmış, yerli malı *homesick* sıla hasreti çeken *homeward* eve doğru giden *homework* ev ödevi

homely /'houmli/ s. sade, gösterişsiz

homicide /'homisayd/ a. adam öldürme

homogeneous /houmı'ciːnııs/ s. homojen, türdeş, tektürel

homonym /'homınim/ a. okunuş ve yazılışları özdeş, anlamları ayrı sözcük, eşadlı

homosexual /houmı'sekşuıl/ a. s. homoseksüel, eşcinsel

hone /houn/ e. (bıçak, kama, vb.) bilemek

honest /'onist/ s. dürüst, namuslu; içten, açık kalpli *honestly* dürüstçe; gerçekten *honesty* dürüstlük, doğruluk

honey /'hani/ a. bal; AE. tatlım, canım *honeycomb* petek *honeymoon* balayı

honeysuckle /'hanisakıl/ a. bitk. hanımeli

honk /honk/ a. korna sesi * e. ötmek; (korna) öttürmek

honor /'onı/ a. e. AE. bkz. *honour*

honorary /'onırıri/ s. onursal; fahri

honour /'onı/ a. onur, şeref, haysiyet * e. onur vermek, şereflendirmek *honourable* namuslu, onurlu; saygıdeğer

hood /hud/ a. kukuleta, başlık; AE. (oto) kaput

hoodwink /'hudwink/ e. kandırmak, aldatmak

hoof /huːf/ a. toynak

hook /hu:k/ *a.* çengel, kanca; olta iğnesi; kopça; orak * *e.* olta ile tutmak; çengellemek

hooligan /'hu:ligın/ *a.* serseri, kabadayı

hoop /hu:p/ *a.* çember

hoot /hu:t/ *e.* (at/with) ötmek; öttürmek * *a.* baykuş sesi; yuhalama

hoover /'hu:vı/ *a.* elektrikli süpürge * *e.* elektrikli süpürgeyle temizlemek

hop /hop/ *e.* sekmek; sıçramak; hoplamak * *a.* sıçrama, sekme; *bitk.* şerbetçiotu

hope /houp/ *e.* umut etmek, ummak * *a.* umut, ümit *hopeful* umut verici; umutlu *hopefully* umarım, inşallah *hopeless* umutsuz; boşuna

hopscotch /'hopskoç/ *a.* seksek oyunu

horde /ho:d/ *a.* kalabalık, sürü

horizon /hı'rayzın/ *a.* ufuk, çevren *horizontal* yatay, düz

hormone /'ho:moun/ *a.* hormon

horn /ho:n/ *a.* boynuz; korna, klakson; *müz.* boru

hornet /'ho:nit/ *a. hayb.* eşekarısı

horoscope /'ho:ıskoup/ *a.* yıldız falı, burç

horrible /'ho:ıbıl/ *s.* korkunç; *kon.* berbat, iğrenç

horrid /'ho:id/ *s.* iğrenç; *kon.* berbat

horrify /'ho:ıfay/ *e.* korkutmak

horror /'ho:ı/ *a.* korku, dehşet

hors d'oeuvre /o:'dö:v/ *a.* ordövr, meze, çerez

horse /ho:s/ *a.* at, beygir; *sp.* atlama beygiri *horseback* at sırtı *horse chestnut* atkestanesi *horseman* atlı, binici *horseplay* eşek şakası *horsepower* beygirgücü *horse-racing* at yarışı *horseshoe* at nalı

horticulture /'ho:tikalçı/ *a.* ba-

hçıvanlık

hose /houz/ *a.* su hortumu; *kon.* (külotlu) çorap

hosiery /'ho:zıri/ *a.* çoraplar, iç çamaşırı

hospitable /'hospitıbıl/ *s.* konuksever

hospital /'hospitıl/ *a.* hastane

hospitality /hospi'teliti/ *a.* konukseverlik

hospitalize /'hospitılayz/ *e.* hastaneye yatırmak, hastaneye kaldırmak

host /houst/ *a.* ev sahibi, mihmandar; hancı, otelci; sunucu * *e.* ev sahipliği yapmak, konuk ağırlamak

hostage /'hostic/ *a.* rehine

hostel /'hostıl/ *a.* öğrenci yurdu *youth hostel* özellikle genç turistlerin kaldığı otel

hostess /'houstis/ *a.* ev sahibesi; hostes; konsomatris

hostile /'hostayl/ *s.* düşmanca, düşman

hostility /ho'stiliti/ *a.* düşmanlık, kin; *ç.* savaş

hot /hot/ *s.* sıcak; biberli, acı; (haber) sıcak, taze *hot-blooded* ihtiraslı, tutkulu *hot dog* sosisli sandviç *hot-house* limonluk, ser, camlık

hotel /hou'tel/ *a.* otel

hound /haund/ *a.* av köpeği, tazı

hour /auı/ *a.* saat *at all hours* sürekli, her saat *visiting hours* ziyaret saatleri *working hours* çalışma saatleri *hourly* saatte bir, saat başı

house /haus/ *a.* ev; meclis, kamara * *e.* barındırmak *house detective* özel dedektif *housebreaker* ev hırsızı *household* ev halkı *householder* ev sahibi *housekeeper* (otel, ev) idarecisi; kâhya *housekeeping* ev idaresi *housemaid* orta hizmetçisi *housewife* ev kadını *housework* ev işi

housing /'hauzing/ *a.* barınak; iskân *housing estate* site, toplu konutlar

hovel /'hovıl/ *a.* mezbele, ahır gibi ev

hover /'hovı/ *e.* (over/around) havada belli bir noktada durmak; bekleyip durmak

hovercraft /'hovıkra:ft/ *a.* hoverkraft

how /haw/ *be.* nasıl; ne kadar; ne kadar, nasıl da * *bağ.* hangi yolla, nasıl *How come kon.* nasıl olur, neden *How do you do?* Memnun oldum; Nasılsınız? *How long* ne kadar zamandır *How many* kaç tane, kaç *How much* ne kadar; kaç para

however /haw'evı/ *be.* bununla birlikte, yine de

howl /haul/ *e.* ulumak, inlemek * *a.* uluma, inleme, inilti

hub /hab/ *a.* (oto) tekerlek göbeği

hubbub /'habab/ *a.* gürültü

huddle /'hadıl/ *e.* bir araya sıkışmak, toplanmak

hue /hyu:/ *a.* renk

huff /haf/ *a.* huysuzluk, dargınlık

hug /hag/ *e.* sevgiyle sarılmak, bağrına basmak * *a.* kucaklama, bağrına basma

huge /hyu:c/ *s.* çok büyük, kocaman

hulk /halk/ *a.* gemi enkazı *hulking* ağır, hantal, iri

hull /hal/ *a.* gemi omurgası, geminin tekne kısmı

hullabaloo /'halıbılu:/ *a.* gürültü, velvele, yaygara

hullo /ha'lou/ *ünl. a. bkz. hello*

hum /ham/ *e.* vızıldamak; (şarkı) mırıldanmak

human /'hyu:mın/ *s.* insana ilişkin, insani; insancıl, insanca * *a.* insan *human being* insan, insanoğlu

humane /hyu:'meyn/ *s.* insancıl,

sevecen

humanism /'hyu:mınizm/ *a.* hümanizm, insancılık *humanist* hümanist, insancıl

humanitarian /hyu:meni'teıriın/ *a. s.* yardımsever, insancıl

humanities /hyu:'menitiz/ *a.* (yazın, dil, tarih, vb.) konusu insan olan bilimler

humanity /hyu:'meniti/ *a.* insanlık

humble /'hambıl/ *s.* alçakgönüllü, gösterişsiz; fakir

humbug /'hambag/ *a.* saçmalık; *BE.* nane şekeri

humdrum /'hamdram/ *s.* sıradan, tekdüze, monoton, yavan

humid /'hyu:mid/ *s.* (hava) nemli *humidity* havadaki nem, nem oranı

humiliate /hyu'milieyt/ *e.* küçük düşürmek, utandırmak *humiliation* aşağılama, utandırma

humility /hyu:'militi/ *a.* alçakgönüllülük

humorist /'hu:mırist/ *a.* şakacı kimse; güldürü yazarı

humorous /'hyu:mırıs/ *s.* komik, gülünç, güldürücü

humour /'hyu:mı/ *a.* gülünçlük, komiklik; mizah, güldürü; mizaç, huy * *e.* eğlendirmek; istediğini yerine getirmek *sense of humour* mizah/espri anlayışı

hump /hamp/ *a.* kambur; hörgüç; tümsek

humus /hyu:mıs/ *a.* kara toprak, humus

hunch /hanç/ *a.* kambur * *e.* kamburlaştırmak *hunchback* kambur

hundred /'handrıd/ *a. s.* yüz *hundredth* yüzüncü

hunger /'hangı/ *a.* açlık *hunger march* açlık yürüyüşü *hunger strike* açlık grevi

hungry /'hangri/ *s.* aç; acıktırıcı

hunk /hank/ *a.* iri parça

hunt /hant/ *e.* avlamak; araştırmak,

aramak * *a.* avlanma, av **hunter** avcı

hurdle /'hö:dıl/ *a.* engel, çit

hurl /hö:l/ *e.* fırlatmak, fırlatıp atmak * *a.* fırlatma, savurma

hurly-burly /'hö:libö:li/ *a.* gürültü, kargaşa, har gür

hurrah /hu'ra:/ *ünl. bkz.* **hurray**

hurray /hu'rey/ *ünl.* yaşa! hurra!

hurricane /'harikın/ *a.* kasırga **hurricane lamp** gemici feneri

hurry /'hari/ *e.* acele etmek; acele ettirmek * *a.* acele, telaş **be in a hurry** acelesi olmak **Hurry up!** Çabuk ol

hurt /hö:t/ *e.* acıtmak, incitmek; acımak, incinmek; kalbini kırmak, üzmek; ağrımak

hurtle /'hö:tıl/ *e.* hızla hareket etmek, fırlamak

husband /'hazbınd/ *a.* koca, eş

hush /haş/ *e.* susmak; susturmak * *a.* sessizlik

husk /hask/ *a.* (bitki) dış yapraklar, kabuk **husky** (ses) kısık, boğuk

hustle /'hasıl/ *e.* itip kakmak, acele ettirmek; acele etmek

hut /hat/ *a.* kulübe

hutch /haç/ *a.* küçük hayvan kafesi

hyacinth /'hayısint/ *a. bitk.* sümbül

hybrid /'haybrid/ *a.* melez

hydrant /'haydrınt/ *a.* yangın musluğu

hydraulic /hay'drolik/ *s.* hidrolik

hydroelectric /haydroui'lektrik/ *s.* hidroelektrik

hydrogen /'haydrıcın/ *a.* hidrojen

hydrophobia /haydrı'foubiı/ *a. hek.* kuduz

hyena /hay'i:nı/ *a. hayb.* sırtlan

hygiene /'hayci:n/ *a.* sağlık bilgisi; temizlik **hygienic** sağlıklı, hijyenik, sağlıksal; temiz

hymn /him/ *a.* ilahi

hyperbole /hay'pö:bılı/ *a.* abartma, büyütme

hypermarket /'haypıma:kit/ *a.* hipermarket

hyphen /'hayfın/ *a.* kısa çizgi, tire

hypnosis /hip'nousis/ *a.* (*kon. -ses* /-si:z/) hipnoz **hypnotism** hipnotizma **hypnotize** hipnotize etmek

hypocrisy /hi'pokrisi/ *a.* ikiyüzlülük

hypocrite /'hipıkrit/ *s.* ikiyüzlü **hypocritical** ikiyüzlü

hypodermic /haypı'dö:mik/ *a.* iğne, şırınga * *s.* deri altı ile ilgili

hypothesis /hay'potisis/ *a.* hipotez, varsayım **hypothetical** /haypı'tetikıl/ varsayımlı, varsayıma dayanan

hysteria /hi'stıriı/ *a. hek.* isteri

hysterical /hi'sterikıl/ *s.* isterik

I

I, i /ay/ *adl.* ben

ice /ays/ *a.* buz; dondurma **ice age** buzul çağı **ice cream** dondurma **ice skating** buz pateni **iceberg** buzdağı

icy /'aysı/ *s.* çok soğuk, buz gibi; buzlu

idea /ay'dıı/ *a.* düşünce, fikir; plan; görüş

ideal /ay'dııl/ *s.* ideal, mükemmel, kusursuz * *a.* ideal; ülkü **idealism** idealizm, ülkücülük **idealist** idealist, ülkücü

idealize /ay'dıılayz/ *e.* mükemmel olarak görmek

identical /ay'dentikıl/ *s.* (**with/to**) benzer; aynı

identification /aydentifi'keyşın/ *a.* tanıma; teşhis; kimlik, hüviyet

identify /ay'dentifay/ *e.* tanımak, kimliğini saptamak; fark gözetmemek, bir tutmak

identity /ay'dentiti/ *a.* benzerlik, özdeşlik; kimlik **identity (card)** kimlik (kartı)

ideology /aydi'olıci/ *a.* ideoloji

idiocy /'idıısi/ *a.* aptallık, ahmaklık
idiom /'idıım/ *a.* deyim *idiomatic* /-'metik/ deyimsel; deyimlerle dolu
idiot /'idııt/ *a.* geri zekâlı kimse; *kon.* aptal, salak
idle /'aydıl/ *s.* işsiz, aylak; tembel; yararsız, sonuçsuz, boş
idol /'aydıl/ *a.* put, tapıncak; çok sevilen kimse/şey
idolatry /ay'dolıtri/ *a.* puta tapma, putperestlik
idolize /'aydılayz/ *e.* putlaştırmak, tapmak
if /if/ *bağ.* eğer, ise *if I were you* senin yerinde olsam *if only* keşke *as if* sanki *even if* ise bile
igloo /'iglu:/ *a.* Eskimo evi
ignite /ig'nayt/ *e.* tutuşmak; tutuşturmak
ignition /ig'nişın/ *a.* tutuşma, tutuşturma; (oto) ateşleme, kontak
ignorance /'ıgnırıns/ *a.* bilgisizlik, cahillik, cehalet
ignorant /'ıgnırınt/ *s.* bilgisiz, cahil; *kon.* görgüsüz, kaba, inceliksiz
ignore /ig'no:/ *e.* aldırmamak, görmemezlikten gelmek
ill /il/ *s.* hasta; kötü, fena *ill-advised* düşüncesiz, tedbirsiz *ill-bred* görgüsüz *ill-fated* şansız, talihsiz; uğursuz *ill-natured* huysuz, ters
illegal /i'li:gıl/ *s.* yasadışı, yolsuz
illegible /i'lecıbıl/ *s.* okunaksız
illegitimate /ili'citimit/ *s.* yasalara aykırı; (çocuk) evlilik dışı doğmuş
illicit /i'lisit/ *s.* yasadışı, yasak
illiterate /i'litırit/ *s.* okuma yazma bilmeyen
illness /'ilnis/ *a.* hastalık, sayrılık
illogical /i'locikıl/ *s.* mantığa aykırı
illuminate /i'lu:mineyt/ *e.* aydınlatmak *illumination* ışıklandırma
illusion /i'lu:jın/ *a.* aldatıcı görünüş; düş, kuruntu, hayal
illustrate /'ilıstreyt/ *e.* (kitap, sözlük, vb. resimlemek; örnek-

lerle açıklamak *illustration* resim; örnek *illustrative* açıklayıcı, aydınlatıcı
illustrious /i'lastrıs/ *s.* ünlü
ill will /il'wil/ *a.* nefret, kin
image /'ımic/ *a.* hayal, görüntü; izlenim, imaj; kopya, eş, aynı
imaginary /i'mecınıri/ *s.* hayali, düşsel
imagine /i'mecin/ *e.* hayalinde canlandırmak, hayal etmek; sanmak, düşünmek *imagination* hayal gücü; *kon.* düş, düş ürünü *imaginative* hayal gücü kuvvetli, yaratıcı
imitate /'imiteyt/ *e.* taklit etmek; örnek almak; benzemek *imitation* taklit; taklit eser
immaculate /i'mekyulit/ *s.* tertemiz, lekesiz; kusursuz, tam
immaterial /ımı'tıırıl/ *s.* önemsiz; maddi olmayan, manevi
immature /ımı'çuı/ *s.* olgunlaşmamış
immediate /i'mi:dııt/ *s.* acele, acil; en yakın *immediately* hemen, derhal
immense /i'mens/ *s.* kocaman; harika *immensely* pek çok
immerse /i'mö:s/ *e.* daldırmak
immigrant /'imigrınt/ *a.* göçmen
immigrate /'ımıgreyt/ *e.* göç etmek *immigration* göç
imminent /'imınınt/ *s.* yakın, yakında olacak
immoral /i'morıl/ *s.* ahlaka aykırı, ahlaksız, terbiyesiz
immortal /i'mo:tıl/ *s.* ölümsüz *immortality* /-telıti/ ölümsüzlük *immortalize* ölümsüzleştirmek
immune /i'myu:n/ *s.* bağışık, muaf *immunity* bağışıklık; dokunulmazlık
imp /ımp/ *a.* küçük şeytan; yaramaz çocuk, afacan çocuk
impact /'impekt/ *a.* çarpma, çarpışma

impair /im'peı/ *e.* zarar vermek, bozmak

impartial /im'pa:şıl/ *s.* yansız, tarafsız

impassable /im'pa:sıbıl/ *s.* geçit vermez, geçilmez

impassioned /im'peşınd/ *s.* ateşli, heyecanlı, coşkun

impatience /im'peyşıns/ *a.* sabırsızlık **impatient** sabırsız

impeccable /im'pekıbıl/ *s.* kusursuz

impede /im'pi:d/ *e.* engel olmak

impediment /im'pedimınt/ *a.* engel

impending /im'pending/ *s.* olması yakın

imperative /im'perıtiv/ *s.* zorunlu, gerekli * *a. dilb.* emir, buyruk

imperfect /im'pö:fikt/ *s.* kusurlu

imperial /im'pırııl/ *s.* imparatorluk ile ilgili *imperialism* emperyalizm *imperialist* emperyalist

impersonal /im'pö:sınıl/ *s.* kişisel olmayan

impersonate /im'pö:sıneyt/ *e.* rolüne girmek, canlandırmak, taklidini yapmak

impertinent /im'pö:tinınt/ *s.* saygısız, kaba, terbiyesiz, küstah

impervious /im'pö:vııs/ *s.* sugeçirmez

impetuous /im'peçuıs/ *s.* tez canlı, düşünmeden hareket eden, aceleci

impetus /'impitıs/ *a.* şiddet, hız, enerji; yüreklendirme

impish /'impiş/ *s.* şeytani, yaramaz

implant /im'pla:nt/ *e.* kafasına sokmak, aşılamak

implement /'implimınt/ *a.* alet

implicate /'implikeyt/ *e.* (suç, vb.'de) ilişiği olduğunu göstermek

implication /impli'keyşın/ *a.* (suç) bulaştırma, karıştırma; ima, kinaye

implicit /im'plisit/ *s.* dolaylı olarak belirten, kapalı, örtük; tam, kesin

implore /im'plo:/ *e.* yalvarmak, dilemek

imply /im'play/ *e.* anlamına gelmek; dolayısıyla anlatmak, ima etmek; içermek, kapsamak

impolite /impı'layt/ *s.* kaba, terbiyesiz

import /im'po:t/ *e.* ithal etmek, getirtmek * *a.* ithal, dışalım; ithal malı

importance /im'po:tıns/ *a.* önem

important /im'po:tınt/ *s.* önemli

impose /im'pouz/ *e.* (vergi) koymak; zorla kabul ettirmek *imposing* görkemli

impossible /im'posıbıl/ *s.* imkânsız, olanaksız; çekilmez, güç, dayanılmaz

impotent /'impıtınt/ *s.* yetersiz; iktidarsız

impound /im'paund/ *e. huk.* haczetmek, el koymak

impractical /im'prektikıl/ *s.* yapılamaz, uygulanamaz; mantıksız; saçma

impregnable /im'pregnıbıl/ *s.* alınmaz, ele geçirilmez, zapt edilemez

impregnate /'impregneyt/ *e.* hamile bırakmak; emdirmek

impress /im'pres/ *e.* hayran bırakmak, etkilemek; kafasına sokmak

impression /im'preşın/ *a.* etki, izlenim; baskı *impressionism* empresyonizm

impressive /im'presiv/ *s.* etkileyici

imprint /im'print/ *e.* basmak, damgalamak * *a.* damga; iz

imprison /im'prizın/ *e.* hapsetmek *imprisonment* tutukluluk, hapis

improbable /im'probıbıl/ *s.* olmayacak, inanılmaz

impromptu /im'promptyu:/ *s. be.* hazırlıksız, önceden tasarlanmadan

improper /im'propı/ *s.* uygunsuz, yersiz; yanlış; ahlaksız improve /im'pru:v/ e. geliştirmek, ilerletmek; gelişmek, iyiye gitmek **improvement** ilerleme, gelişme

improvise /'imprıvayz/ e. irticalen söylemek; uyduruvermek, yapıvermek

impudence /'impyudıns/ a. arsızlık, yüzsüzlük, küstahlık

impudent /'impyudınt/ s. arsız, yüzsüz, saygısız, küstah

impulse /'impals/ a. itme, itiş, itici güç; içtepi, güdü

impulsive /im'palsiv/ s. itici; atılgan, düşüncesizce hareket eden

impure /im'pyuı/ s. pis, kirli; katışık

in /in/ ilg. içinde; içine; giymiş; sonunda, sonra; göre; bakımından * be. içeriye, içeride; evde; moda; iktidarda **in all** topu topu, hepsi **in that** mademki; çünkü

inability /inı'biliti/ a. yeteneksizlik; yetersizlik; yapamama

inaccessible /inık'sesıbıl/ s. ulaşılmaz, erişilmez

inaccurate /in'ekyurit/ s. yanlış, hatalı

inadequate /in'edikwit/ s. yetersiz

inane /i'neyn/ s. anlamsız, saçma, boş

inanimate /in'enimit/ s. cansız, ölü

inapplicable /in'eplikıbıl/ s. uygulanamaz

inappropriate /inı'prouprıt/ s. uygunsuz

inarticulate /ina:'tikyulit/ s. (konuşma) anlaşılmaz, belirsiz

inasmuch as /inız'maç ız/ bağ. çünkü, -dığı için

inaudible /in'o:dıbıl/ s. işitilemez, duyulamaz

inaugurate /i'no:gyureyt/ e. törenle açmak; törenle göreve getirmek

inborn /in'bo:n/ s. doğuştan

incalculable /'in'kelkyulıbıl/ s. hesaplanamaz

incapable /in'keypıbıl/ s. yeteneksiz, güçsüz, gücü yetmeyen

incapacitate /inkı'pesiteyt/ e. yetersiz kılmak, âciz bırakmak

incarnate /in'ka:nit/ s. insan şeklinde olan **incarnation** vücut bulma, canlanma; somut örnek

incendiary /in'sendıri/ s. yangın çıkartan; fesatçı, kışkırtıcı * a. kundakçı

incense /'insens/ a. tütsü, günlük

insense /in'sens/ e. kızdırmak

incentive /in'sentiv/ a. dürtü, güdü

incessant /in'sesınt/ s. aralıksız, sürekli

incest /'insest/ a. hısımla cinsel ilişki

inch /inç/ a. inç, pus (2.54 cm.) **inch by inch** azar azar, milim milim **every inch** tam, komple, sapına kadar

incidence /'insidıns/ a. tekrar oranı, oran

incident /'insidınt/ a. olay **incidental** tesadüfi **incidentally** tesadüfen, bir ara

incinerate /in'sınıreyt/ e. yakıp kül etmek

incipient /in'sipıınt/ s. yeni başlamış

incision /in'sijın/ a. kesme, yarma; kesik, yarık **incisive** soruna doğrudan eğilen, direkt

incisor /in'sayzı/ a. ön diş, kesicidiş

incite /in'sayt/ e. kışkırtmak, körüklemek

inclination /inkli'neyşın/ a. eğilim; eğiklik, eğim

incline /in'klayn/ e. eğmek; eğilmek * a. yokuş, bayır, eğim **inclined** eğimli, yatkın, meyilli

include /in'klu:d/ e. dahil etmek; içine almak, kapsamak, içermek; eklemek **included** dahil **including** dahil **inclusion** /-jın/ dahil etme; alınma **inclusive** dahil, her şey dahil

incognito /inkog'ni:tou/ s. be. takma

adla

incoherent /inkou'hiırınt/ *s.* tutarsız, anlamsız, abuk sabuk

income /'inkam/ *a.* gelir *income tax* gelir vergisi

incomparable /in'kompınbıl/ eşsiz

incompatible /inkım'petıbıl/ *s.* birbirine zıt, uyuşmaz, bağdaşmaz

incompetent /in'kompitınt/ *s. a.* yeteneksiz, yetersiz, beceriksiz (kimse)

incomplete /inkım'pli:t/ *s.* tamamlanmamış, bitmemiş, eksik

incomprehensible /inkompri'hensıbıl/ *s.* anlaşılmaz, akıl ermez

inconceivable /inkın'si:vıbıl/ *s.* tasavvur olunamaz, hayal edilemez, inanılmaz; *kon.* olanaksız, inanılamaz

inconclusive /inkın'klu:siv/ *s.* yetersiz, sonuçsuz

incongruous /in'kongruıs/ *s.* birbirine uymayan, uyuşmaz, bağdaşmaz

inconsiderate /inkın'sidırit/ *s.* düşüncesiz, bencil

inconsistent /inkın'sistınt/ *s.* çelişkili, tutarsız, birbirini tutmayan; değişken, saati saatine uymayan

inconspicuous /inkın'spikyuıs/ *s.* göze çarpmayan, önemsiz

inconvenience /inkın'vi:nııns/ *a.* sıkıntı, rahatsızlık * *e.* zahmet olmak, işini zorlaştırmak

inconvenient /inkın'vi:nıınt/ *s.* rahatsız edici, zahmet verici; elverişsiz

incorporate /in'ko:pıreyt/ *e.* birleştirmek, dahil etmek; birleşmek *incorporated* birleşmiş, anonim *incorporation* birleşme; ortaklık

incorrect /inkı'rekt/ *s.* yanlış

incorrigible /in'koricıbıl/ *s.* adam olmaz, düzelmez

increase /in'kri:s/ *e.* artmak, çoğalmak; artırmak, çoğaltmak * *a.* artış *increasingly* gittikçe

incredible /in'kredıbıl/ *s.* inanılmaz, akıl almaz; *kon.* harika, müthiş

increment /'inkrimınt/ *a.* artma, artış; zam

incriminate /in'krimineyt/ *e.* suçlu çıkarmak, suçlu olduğunu göstermek

incubate /'inkyubeyt/ *e.* kuluçkaya yatmak *incubation* kuluçkaya yatma *incubator* kuluçka makinesi

incur /in'kö:/ *e.* -e uğramak, girmek, yakalanmak

incurable /in'kyuınbıl/ *s.* tedavi edilemez, çaresiz

incursion /in'kö:şın/ *a.* akın, baskın

indebted /in'detid/ *s.* borçlu; minnettar

indecent /in'di:sınt/ *s.* uygunsuz; edepsiz; açık saçık, çirkin

indecision /indi'sijın/ *a.* kararsızlık

indecisive /indi'saysiv/ *s.* kararsız

indeed /in'di:d/ *be.* gerçekten

indefensible /indi'fensıbıl/ *s.* savunulamaz; bağışlanamaz

indefinite /in'definit/ *s.* belirsiz; sınırsız, sonsuz *the indefinite article dilb.* belgisiz tanımlık *(a, an)*

indelible /in'delibıl/ *s.* silinmez, çıkmaz

indemnify /in'demnifay/ *e.* zararını ödemek, tazmin etmek

indemnity /in'demniti/ *a.* tazminat

indent /in'dent/ *e.* çentmek, kertmek; (satır) içerden başlamak

independence /indi'pendıns/ *a.* bağımsızlık

independent /indi'pendınt/ , *s.* bağımsız

indescribable /indis'kraybıbıl/ *s.* anlatılmaz, tanımlanamaz, tarifsiz

indestructible /indi'straktıbıl/ *s.* yıkılamaz, yok edilemez

index /'indeks/ *a.* (*ç. -dexes, -dices* /'indısı:z/) fihrist, dizin, indeks; gösterge *index finger* işaretparmağı
Indian /'indıın/ *a. s.* Hintli; Kızılderili *American Indian* Kızılderili
indicate /'indikeyt/ *e.* göstermek; belirtmek *indication* belirti; iz, işaret *indicative* gösterici, belirtici *indicator* oto. sinyal; ibre, gösterge
indices /'indisi:z/ *a. ç. bkz. index*
indict /in'dayt/ *e. huk.* suçlamak
indifferent /in'dıfırınt/ *s.* aldırışsız, kayıtsız *indifference* ilgisizlik, kayıtsızlık
indigestion /indi'cesçın/ *a.* sindirim güçlüğü
indignant /in'dignınt/ *s.* kızgın, dargın
indignity /in'digniti/ *a.* onur kırıcı/küçük düşürücü durum
indirect /indi'rekt/ *s.* dolaylı *indirect speech dilb.* dolaylı anlatım
indiscreet /indi'skri:t/ *s.* düşüncesiz, patavatsız, boşboğaz
indiscriminate /indi'skriminit/ *s.* rasgele, gelişigüzel; ayırım yapmayan
indispensable /indi'spensıbıl/ *s.* vazgeçilmez, kaçınılmaz, gerekli
indisposed /indi'spouzd/ *s.* isteksiz; rahatsız, keyifsiz
indisputable /indi'spyu:tıbıl/ *s.* tartışılmaz, kesin, su götürmez
indistinguishable /indi'stingwişıbıl/ *s.* ayırt edilemez, seçilemez
individual /indi'vicuıl/ *s.* bireysel; kişisel, özel; tek * *a.* kişi, birey; *kon.* insan *individually* teker teker
indivisible /indi'vizıbıl/ *s.* bölünmeyen, bölünmez
indoctrinate /in'doktrineyt/`e.* (fikir) aşılamak, öğretmek, doldurmak
indolence /'indılıns/ *a.* tembellik,

uyuşukluk, üşengeçlik
indolent /'indılınt/ *s.* tembel, üşengeç
indoor /'indo:/ *s.* ev içinde olan/yapılan
indoors /'indo:z/ *be.* ev içinde, ev içine
induce /in'dyu:s/ *e.* ikna etmek, kandırmak *inducement* kandırma, ikna, teşvik; neden, güdü
induction /in'dakşın/ *a.* tümevarım *inductive* tümevarımlı
indulge /in'dalc/ *e.* isteklerini yerine getirmek, şımartmak, yüz vermek *indulgence* göz yumma, hoşgörü; şımartma; şımartılma, düşkünlük
industrial /in'dastrııl/ *s.* endüstriyel *industrialist* sanayici, fabrikatör *industrialize* sanayileştirmek; sanayileşmek
industrious /in'dastrıs/ *s.* çalışkan
industry /'indıstri/ *a.* endüstri, sanayi
inebriate /i'ni:brieyt/ *e.* sarhoş etmek
inedible /in'edıbıl/ *s.* yenmez
ineffective /inı'fektiv/ *s.* etkisiz, sonuçsuz
inefficient /ini'fişınt/ *s.* etkisiz, yetersiz, verimsiz
ineligible /in'elicıbıl/ *s.* uygun olmayan, seçilemez
inept /i'nept/ *s.* uygunsuz, yersiz
inequality /ini'kwoliti/ *a.* eşitsizlik; pürüzlülük
inert /i'nö:t/ *s.* hareketsiz, cansız; yavaş, tembel, uyuşuk
inertia /i'nö:şı/ *a.* atalet, süredurum; tembellik, uyuşukluk
inescapable /inis'keypıbıl/ *s.* kaçınılamaz
inevitable /i'nevitıbıl/ *s.* kaçınılmaz
inexcusable /inik'skyu:zıbıl/ *s.* bağışlanamaz, hoş görülemez
inexpensive /inik'spensiv/ *s.* ucuz

inexperience /inik'spuruns/ *a.* tecrübesizlik **inexperienced** tecrübesiz, deneyimsiz

inexplicable /inik'splikıbıl/ *s.* açıklanamaz

infallible /in'felibıl/ *s.* yanılmaz, şaşmaz

infamous /'infımıs/ *s.* alçak, rezil; ayıp, iğrenç

infancy /'infınsi/ *a.* bebeklik, çocukluk; başlangıç

infant /'infınt/ *a.* küçük çocuk, bebek

infantile /'infıntayl/ *s.* çocukla ilgili, çocuksu, çocukça

infantry /'infıntri/ *a. ask.* piyade

infect /in'fekt/ *e.* (hastalık) bulaştırmak, geçirmek **infection** mikrop kapma; (hastalık) bulaşma, bulaştırma **infectious** bulaşıcı

infer /in'fö:/ *e.* (from) sonucunu çıkarmak, anlamak

inferior /in'fıırı/ *s.* (to) aşağı, alt, ikinci derecede, ast

infernal /in'fö:nıl/ *s.* cehennemi, şeytani; *kon.* sinir bozucu

inferno /in'fö:nou/ *a.* cehennem

infertile /in'fö:tayl/ *s.* kısır; çorak

infest /in'fest/ *e.* (with) (fare, vb.) istila etmek, sarmak

infestation /infe'steyşın/ *a.* istila

infidel /'infidıl/ *a.* kâfir, imansız

infidelity /infi'deliti/ *a.* sadakatsizlik, aldatma

infiltrate /'infiltreyt/ *e.* süzülmek, girmek

infinite /'infinit/ *s.* sonsuz, sınırsız

infinitive /in'finitiv/ *a. dilb.* mastar, eylemlik

infinity /in'finiti/ *a.* sonsuzluk

infirm /in'fö:m/ *s.* halsiz, güçsüz

infirmary /in'fö:mıri/ *a.* revir, hastane

inflame /in'fleym/ *e.* tutuşturmak, alevlendirmek

inflammable /in'flemıbıl/ *s.* tutuşur,

yanar, yanıcı

inflammation /inflı'meyşın/ *a. hek.* iltihap, yangı

inflammatory /in'flemıtıri/ *s.* tahrik eden, alevlendiren, kışkırtıcı

inflate /in'fleyt/ *e.* şişirmek; şişmek **inflation** enflasyon, para bolluğu; şişkinlik

inflect /in'flekt/ *e. dilb.* çekmek; kullanıma göre sözcüğün biçimini değiştirmek

inflexible /in'fleksıbıl/ *s.* eğilmez, bükülmez; değişmez

inflict /in'flikt/ *e.* (on/upon) uğratmak, çektirmek, vermek

influence /'influıns/ *a.* etki; nüfuz, sözü geçerlik * *e.* etkilemek **under the influence of** -in etkisi altında

influential /influ'enşıl/ *s.* güçlü, etkili

influenza /influ'enzı/ *a. hek.* grip

influx /'inflaks/ *a.* istila, akın, üşüşme; içeriye akma

inform /in'fo:m/ *e.* haberdar etmek, bildirmek, bilgi vermek; ihbar etmek **informant** bilgi veren kimse, bilgi kaynağı **informer** muhbir

informal /in'fo:mıl/ *s.* resmi olmayan teklifsiz; gündelik

information /infı'meyşın/ *a.* bilgi, haber; danışma **information desk** danışma

informative /in'fo:mıtiv/ *s.* bilgi verici, aydınlatıcı

infrared /infrı'red/ *s.* kızılötesi

infrequency /in'fri:kwınsi/ *a.* seyreklik **infrequent** seyrek, nadir

infringe /in'frinc/ *e.* çiğnemek, bozmak

infuriate /in'fyuırieyt/ *e.* çileden çıkarmak

infuse /in'fyu:z/ *e.* demlemek; aşılamak

ingenious /in'ci:nıs/ *s.* becerikli, usta, ustaca yapılmış

ingenuity /inci'nyu:iti/ *a.* zekâ, ustalık, beceri

ingot /'ingıt/ *a.* külçe

ingrained /in'greynd/ *s.* kökleşmiş, yerleşmiş

ingratitude /in'gretityu:d/ *s.* nankörlük

ingredient /in'gri:diınt/ *a.* karışımı oluşturan madde

inhabit /in'hebit/ *e.* -de yaşamak, oturmak *inhabitant* sakin, oturan

inhale /in'heyl/ *e.* içine çekmek

inherent /in'hiırınt/ *s.* doğasında olan, doğal

inherit /in'herit/ *e.* miras olarak almak *inheritance* kalıt, miras

inhibit /in'hibit/ *e.* tutmak, dizginlemek *inhibited* çekingen, utangaç *inhibition* çekingenlik, utangaçlık

inhuman /in'hyu:mın/ *s.* acımasız, gaddar

initial /i'nişıl/ *s.* ilk, önceki * *a.* ilk harf * *e.* parafe etmek *initially* başlangıçta, ilkin

initiate /i'nişieyt/ *e.* başlamak, başlatmak; temel bilgileri vermek; göstermek

initiative /i'nişitiv/ *a.* ilk adım, başlangıç; insiyatif *have/take the initiative* ilk adımı atmak, -e ön ayak olmak

inject /in'cekt/ *e.* iğne yapmak; zerk etmek *injection* iğne, enjeksiyon *injector* enjektör, püskürteç

injure /'incı/ *e.* incitmek, yaralamak; zarar vermek, incitmek *injured* yaralı

injury /'incırı/ *a.* hasar, zarar, ziyan

injustice /in'castis/ *a.* haksızlık, adaletsizlik *do sb an injustice* haksız davranmak

ink /ink/ *a.* mürekkep

inkling /'inkling/ *a.* seziş, kuşku

inland /'inlınd/ *s.* ülkenin iç kısmında olan, iç

in-laws /'inlo:z/ *a.* evlilik yoluyla akrabalar

inlet /'inlet, 'inlit/ *a.* körfezcik, koy; giriş, ağız

inmate /'inmeyt/ *a.* (hastane, hapishane, vb.) oda arkadaşı

inn /in/ *a.* han, otel

innate /i'neyt/ *s.* (nitelik) doğuştan

inner /'inı/ *s.* iç, içerdeki; merkeze en yakın *innermost* en içteki

innocent /'inısınt/ *s.* masum, suçsuz; zararsız; temiz kalpli

innocuous /i'nokyuıs/ *s.* zararsız, incitmeyen

innovate /'inıveyt/ *e.* yenilik yapmak *innovation* yenilik, buluş

innumerable /i'nyu:mınbıl/ *s.* sayısız

inoculate /i'nokyuleyt/ *e.* aşılamak

inoffensive /inı'fensiv/ *s.* zararsız, incitmeyen

inopportune /in'opıtyu:n/ *s.* zamansız, sırasız, yersiz, uygunsuz, mevsimsiz

inorganic /ino:'genik/ *s.* inorganik

inpatient /in'peyşınt/ *a.* hastanede tedavi gören hasta

input /'input/ *a.* girdi; giriş

inquest /'inkwest/ *a.* soruşturma

inquire /in'kwayı/ *e.* sormak; bilgi almak, sorup öğrenmek, araştırmak *inquiring* araştırıcı, meraklı

inquiry /in'kwayırı/ *a.* soruşturma, araştırma

inquisition /inkwi'zişın/ *a.* hkr. sorgu, sorgulama

inquisitive /in'kwizitiv/ *s.* başkalarının işleriyle ilgilenen, meraklı

inroads /'inroudz/ *a.* akın, baskın; gedik

insane /in'seyn/ *s.* deli, çılgın

insanity /in'senıti/ *a.* delilik, çılgınlık

inscribe /in'skrayb/ *e.* yazmak, kaydetmek *inscription* /in'skripşın/ kitabe, yazıt

insect /'insekt/ *a.* böcek

insecticide /in'sektisayd/ *a.* böcek ilacı

insecure /insi'kyuı/ *s.* güvensiz, endişeli; emniyetsiz, güvenilmez **insecurity** emniyetsizlik

insensible /in'sensıbıl/ *s.* bilinçsiz, baygın; bilgisiz, habersiz

insensitive /in'sensitiv/ *s.* duygusuz, anlayışsız; duyarsız, etkilenmeyen

inseparable /in'sepırbıl/ *s.* ayrılmaz, bağlı, yapışık

insert /in'sö:t/ *e.* sokmak, içine koymak

inshore /in'şo:/ *be.* kıyıya (doğru)

inside /in'sayd/ *a.* iç, iç kısım * *be.* içeriye, içerde **inside out** tersyüz

insidious /in'sidııs/ *s.* sinsi, gizlice zarar veren

insight /'insayt/ *a.* kavrayış, anlayış

insignificant /insig'nifikınt/ *s.* değersiz, önemsiz

insincere /insin'sıı/ *s.* içtenliksiz, samimiyetsiz, ikiyüzlü

insinuate /in'sinyueyt/ *e.* üstü kapalı söylemek, ima etmek, anıştırmak

insipid /in'sipid/ *s.* tatsız, yavan, lezzetsiz

insist /in'sist/ *e.* **(on/upon)** ısrar etmek, dayatmak **insistence** ısrar; ısrarlılık **insistent** ısrarlı; sürekli

insolent /'insılınt/ *s.* arsız, saygısız

insoluble /in'solyubıl/ *s.* çözünmez, erimez; içinden çıkılmaz, çözülemez

insolvent /in'solvınt/ *s. a.* borcunu ödeyemeyen

insomnia /in'somniı/ *a.* uykusuzluk

inspect /in'spekt/ *e.* denetlemek, incelemek; gözden geçirmek, yoklamak **inspection** denetim, yoklama **inspector** müfettiş

inspiration /inspi'reyşın/ *a.* esin, ilham *kon.* parlak fikir

inspire /in'spayı/ *e.* esinlemek, ilham vermek

instability /insti'biliti/ *a.* kararsızlık, değişkenlik

install /in'sto:l/ *e.* (aygıt) döşemek, düzenlemek, kurmak; yerleştirmek **installation** tesisat, donanım; yerleştirme

instalment /in'sto:lmınt/ *a.* taksit; kısım, bölüm **by instalments** taksitle **instalment sale** taksitle satış

instance /'instıns/ *a.* örnek, misal **for instance** mesela, örneğin, sözgelimi **in the first instance** önce, başlangıç olarak

instant /'instınt/ *a.* an, dakika * *s.* hemen olan, acil; (yiyecek) çabuk ve kolay hazırlanabilen **instant coffee** neskafe **instantly** hemen, anında

instead /in'sted/ *be.* onun yerine **instead of**-nin yerine

instigate /'instigeyt/ *e.* ön ayak olmak, kışkırtmak **instigation** teşvik, öneri, uyarı **instigator** kışkırtıcı

instil /in'stil/ *e.* **(in/into)** fikir aşılamak

instinct /'instinkt/ *a.* içgüdü; sezgi **instinctive** içgüdüsel

institute /'instityu:t/ *a.* enstitü, kurum

institution /insti'tyu:şın/ *a.* kurum, kuruluş, dernek; yerleşmiş gelenek/yasa

instruct /in'strakt/ *e.* öğretmek, okutmak; talimat vermek **instruction** öğretim; talimat, yönerge **instructive** öğretici **instructor** eğitmen, öğretmen

instrument /'instrımınt/ *a.* aygıt, alet; *müz.* çalgı **instrumental (in)** yardımcı; *müz.* enstrümantal

insufferable /in'safırbıl/ *s.* (davranış) katlanılmaz, çekilmez

insufficient /insı'fişınt/ *s.* yetersiz, eksik

insular /'insyu:lı/ *s.* dar görüşlü

insulate /'insyuleyt/ *e*

(from/against) izole etmek, yalıtmak; ayırmak *insulation* yalıtım, izolasyon; izolasyon maddesi

insult /in'salt/ *e.* aşağılamak, hakaret etmek * *a.* hakaret

insurance /in'şuırıns/ *a.* sigorta; sigortacılık; sigorta primi

insure /in'şuı/ *e.* sigorta ettirmek; *AE.* garantilemek, sağlama almak

insurgent /in'sö:cınt/ *s. a.* asi, başkaldıran, ayaklanan

insurmountable /insı'mauntıbıl/ *s.* çok büyük, çok güç, yenilemez, başa çıkılmaz

insurrection /insı'rekşın/ *a.* isyan, ayaklanma

intact /in'tekt/ *s.* bozulmamış, tam

intake /'inteyk/ *a.* giriş, ağız

integer /'intıcı/ *a. mat.* tamsayı

integral /'intigrıl/ *s.* gerekli, önemli; *mat.* integral, tümlev

integrate /'intıgreyt/ *e.* **(with/into)** bütünleşmek, kaynaşmak; katmak, kaynaştırmak

integrity /in'tegriti/ *a.* güvenilirlik, doğruluk; bütünlük

intellect /'intilekt/ *a.* akıl, zihin *intellectual* /-'lekçuıl/ *a.* akli, zihinsel; akıllı, zeki; aydın

intelligence /in'telicıns/ *a.* zekâ; istihbarat, haber alma

intelligent /in'telicınt/ *s.* zeki, akıllı

intelligible /in'telicıbıl/ *s.* anlaşılabilir, açık, net

intend /in'tend/ *e.* tasarlamak, niyet etmek

intense /in'tens/ *s.* şiddetli, güçlü; heyecanlı, ateşli

intensify /in'tensifay/ *e.* yoğunlaşmak; yoğunlaştırmak

intensity /in'tensiti/ *a.* güçlülük, yoğunluk

intensive /in'tensiv/ *s.* yoğun; şiddetli *intensive care* yoğun bakım

intent /in'tent/ *a.* amaç, niyet * *s.* dikkatli; niyetli, azimli, istekli

intention /in'tenşın/ *a.* niyet, maksat; kasıt *intentional* kasıtlı *intentionally* kasten, bile bile

interact /intı'rekt/ *e.* (with) birbirini etkilemek *interaction* etkileşim

intercept /intı'sept/ *e.* yolunu kesmek

interchange /intı'çeync/ *e.* yerlerini değiştirmek; değiş tokuş etmek *interchangeable (with)* birbirinin yerine geçebilir

intercom /'intıkom/ *a.* iç telefon sistemi

intercommunication /intıkomyuni'keyşın/ *a.* dahili haberleşme, iç haberleşme

intercontinental /intıkonti'nentıl/ *s.* kıtalararası

intercourse /'intıko:s/ *a.* (cinsel) birleşme; görüşme, ilişki

interest /'intrist/ *a.* ilgi, merak; ilgi çekme; faiz; yarar; çıkar * *e.* ilgilendirmek; ilgisini çekmek *interested* ilgili, meraklı *interesting* ilginç, enteresan *be interested in* ile ilgilenmek

interfere /intı'fiı/ *e.* burnunu sokmak, karışmak; engel olmak

interior /in'tıırı/ *a. s.* iç

interject /intı'cekt/ *e.* arada söylemek, eklemek *interjection* ünlem

interlock /intı'lok/ *e.* birbirine bağlamak

interlude /'intılu:d/ *a.* ara, teneffüs; (tiyatro, vb.) perde arası; *müz.* ara faslı

intermediary /intı'mi:dıri/ *a.* arabulucu, aracı

intermediate /intı'mi:dıt/ *s.* arada bulunan, ara, orta

intermission /intı'mişın/ *a. AE.* perde arası, ara

intermittent /intı'mitınt/ *s.* kesik kesik, aralıklı, süreksiz

intern /in'tö:n/ *e.* enterne etmek, gözaltına almak * *a.* stajyer; stajyer doktor

internal /in'töːnıl/ s. dahili, iç
international /intı'neşınıl/ s. uluslararası
internet /'in'tınet/ a. internet *on the internet* internette
interpose /intı'pouz/ e. araya girmek, lafa karışmak
interpret /in'töːprit/ e. (konuşarak) tercümanlık yapmak; yorumlamak; anlamını açıklamak *interpretation* yorum, tefsir *interpreter* tercüman
interrogate /in'tengeyt/ e. soru sormak; sorguya çekmek *interrogation* sorgu *interrogative* soru sözcüğü
interrupt /intı'rapt/ e. sözünü kesmek; akışını durdurmak *interruption* kesilme, yarıda kesme
intersect /intı'sekt/ e. kesişmek, birbiri üzerinden geçmek *intersection* kesişme; kavşak
interval /'intıvıl/ a. ara, aralık; perde arası
intervene /intı'viːn/ e. (in) araya girmek, karışmak, müdahale etmek
interview /'intıvyuː/ a. mülakat, görüşme; röportaj * e. görüşmek; röportaj yapmak
intestine /in'testin/ a. *anat.* bağırsak
intimacy /'intimısi/ a. mahremlik, kişisellik; yakın arkadaşlık, dostluk
intimate /'intimit/ s. içli dışlı, candan; kişisel, özel
intimidate /in'timideyt/ e. korkutmak, gözünü korkutmak, gözdağı vermek
into /'intı, 'intu, 'intuː/ *ilg.* içine, -ye, -ya; haline, biçimine
intolerable /in'tolırbıl/ s. çekilmez, dayanılmaz
intolerant /in'tolırınt/ s. hoşgörüsüz
intonation /intı'neyşın/ a. ses perdesi, titremleme

intoxicate /in'toksikeyt/ e. sarhoş etmek
intractable /in'trektıbıl/ s. kontrol edilmesi zor, ele avuca sığmaz
intransitive /in'trensitiv/ a. s. *dilb.* (eylem) geçişsiz
intrepid /in'trepid/ s. korkusuz, cesur
intricacy /'intrikısi/ a. karışıklık, anlaşılmazlık; karışık şey
intricate /'intrikit/ s. karmakarışık
intrigue /in'triːg/ e. ilgisini çekmek; entrika çevirmek * a. entrika, dolap
intrinsic /in'trinsik/ s. gerçek, aslında olan, esas
introduce /intrı'dyuːs/ e. tanıştırmak, tanıtmak; ortaya çıkarmak
introduction /intrı'dakşın/ a. tanıtma, tanıtım, takdim; tanıştırma; önsöz; giriş, başlangıç
introductory /intrı'daktırı/ s. giriş niteliğinde, tanıtıcı
introvert /'ıntrıvöːt/ a. içedönük kimse
intrude /in'truːd/ e. davetsiz olarak girmek *intruder* davetsiz misafir
intuition /ıntyu'işın/ a. sezgi, önsezi
inundate /'ınındeyt/ e. sel basmak; gark etmek, boğmak
invade /in'veyd/ e. istila etmek; akın etmek; baskın yapmak
invalid /'invıliːd, 'invılid/ s. hasta, sakat * s. hükümsüz, geçersiz
invaluable /in'velyubıl/ s. çok değerli, paha biçilmez
invasion /in'veyjın/ a. akın, saldırı, istila
invective /in'vektiv/ a. hakaret, sövgü
invent /in'vent/ e. icat etmek, bulmak; uydurmak, kıvırmak *invention* icat, buluş *inventive* yaratıcı *inventor* mucit
inventory /'invıntırı/ a. sayım çizelgesi, envanter

inverse /'invö:s/ a. s. ters
invert /in'vö:t/ e. tersyüz etmek;
sırasını değiştirmek *inverted
commas* tırnak işareti
invertebrate /in'vö:tibrit,
in'vö:tibreyt/ s. a. *hayb.* omurgasız
invest /in'vest/ e. (in) para yatırmak, yatırım yapmak *investment*
yatırım *investor* yatırımcı
investigate /in'vestigeyt/ e. araştırmak, soruşturmak *investigation*
araştırma, soruşturma *investigator* müfettiş
invidious /in'vidıs/ s. gücendirici,
kıskandırıcı, haksız
invigorate /in'vigıreyt/ s.
güçlendirmek, canlandırmak,
dinçleştirmek
invincible /in'vinsıbıl/ s. yenilmez
invisible /in'vizıbıl/ s. görünmez,
görülemez
invitation /invi'teyşın/ a. davet,
çağrı
invite /in'vayt/ e. davet etmek,
çağırmak *inviting* davetkâr,
çekici, göz alıcı
invoice /'invoys/ a. fatura
invoke /in'vouk/ e. yakarmak, dua
etmek
involuntary /in'volıntıri/ s. istenilmeden yapılan, gönülsüzce
yapılan
involve /in'volv/ e. (*in/with*)
karıştırmak, sokmak, bulaştırmak; içermek, kapsamak
inward /'inwıd/ s. içeride olan, iç;
AE. bkz. *inwards*
inwards /'inwıdz/ be. içeriye doğru
iodine /'ayıdi:n/ a. kim. iyot
ion /'ayın/ a. iyon
irate /ay'reyt/ s. kızgın, öfkeli
iris /'ayırıs/ a. bitk. süsen çiçeği;
anat. iris
irksome /'ö:ksım/ s. usandırıcı,
bıktırıcı, sıkıcı
iron /'ayın/ a. demir; ütü * e.

ütülemek *ironing board* ütü
sehpası *ironmonger* hırdavatçı
ironic /ay'ronik/ s. alaylı, alaycı,
istihzalı
irony /'ayırıni/ a. istihza, ince alay
irrational /i'reşınıl/ s. akılsız,
mantıksız
irregular /i'regyulı/ s. (biçim)
çarpık, eğri; (zaman) düzensiz;
başıbozuk; dilb. düzensiz
irrelevance /i'relivıns/ a. konu dışı
olma *irrelevant* konu dışı, ilgisiz
irreplaceable /iri'pleysıbıl/ s. yeri
doldurulamaz
irresistible /iri'zistıbıl/ s. karşı
konulamaz, dayanılmaz, çok
güçlü
irresponsible /iri'sponsıbıl/ s.
sorumsuz
irrevocable /i'revıkıbıl/ s. dönülemez, geri alınamaz, değiştirilemez
irrigate /'irigeyt/ e. (toprağı) sulamak
irritable /'iritıbıl/ s. çabuk kızan,
alıngan
irritant /'iritınt/ s. a. tahriş edici
(madde)
irritate /'iriteyt/ e. kızdırmak,
sinirlendirmek; tahriş etmek
is /iz/ e. bkz. *be*
Islam /'isla:m/ a. İslam, İslamiyet
island /'aylınd/ a. ada
isle /ayl/ a. yaz. ada
isolate /'aysıleyt/ e. ayırmak, izole
etmek, yalıtmak *isolated* izole,
ayrılmış, tek *isolation* izolasyon,
yalıtım, yalnızlık
issue /'işu:, 'isyu:/ a. yayımlama;
(dergi) sayı; emisyon, piyasaya
çıkarma; çıkış * e. yayımlamak;
çıkarmak; dağıtmak; ortaya
çıkmak, doğmak; sonuçlanmak
it /it/ adl. o, onu, ona
italics /i'teliks/ a. italik yazı
itch /iç/ e. kaşınmak; kon. can
atmak, çok istemek * a. kaşıntı;

güçlü istek, şiddetli arzu
itchy /'içi/ s. kaşıntılı, kaşınan
item /'aytim/ a. parça, adet; madde, fıkra *news item* kısa haber, özet haber
itinerary /ay'tinınri/ a. yolculuk planı, yolculuk programı
its /its/ s. onun, -ın, -in
itself /it'self/ adl. kendisi, kendi
ivory /'ayvıri/ a. fildişi
ivy /'ayvı/ a. bitk. sarmaşık

J

jab /ceb/ e. dürtmek, itmek * a. dürtme, itme; kon. iğne, şırınga
jabber /'cebı/ e. hızlı ve anlaşılmaz bir biçimde konuşmak
jack /cek/ a. kriko; (iskambil) vale, bacak
jackal /'ceko:l/ a. hayb. çakal
jacket /'cekit/ a. ceket, mont; patates kabuğu; ciltli kitabın üzerine geçirilen kâğıt kap; AE. plak kabı
jackpot /'cekpot/ a. büyük ikramiye
jade /ceyd/ a. yeşimtaşı, yeşim
jagged /'cegid/ s. çentikli, sivri uçlu
jaguar /'cegyuı/ a. hayb. jaguar
jail /ceyl/ a. hapishane, cezaevi
jailer /'ceylı/ a. gardiyan
jam /cem/ a. reçel; sıkışıklık, tıkanıklık * e. sıkıştırmak; tıkamak; bastırmak; sıkışmak
jangle /'cengıl/ e. ahenksiz sesler çıkartmak
janitor /'cenitı/ a. kapıcı, hademe
January /'cenyuıri/ a. ocak (ayı)
jar /ca:/ a. kavanoz; şok, sarsıntı * e. sarsmak; (renk) gitmemek, sırıtmak; (kulak) tırmalamak
jargon /'ca:gın/ a. anlaşılmaz dil, teknik dil
jasmine /'cezmin/ a. bitk. yasemin
jaundice /'co:ndis/ a. hek. sarılık

jaunt /co:nt/ e. (about/around) gezintiye çıkmak * a. kısa gezinti
javelin /'cevılin/ a. sp. cirit; kargı, mızrak
jaw /co:/ a. çene
jay /cey/ a. hayb. alakarga
jazz /cez/ a. caz *jazzy* göz alıcı, gösterişli
jealous /'celıs/ s. kıskanç *jealousy* kıskançlık
jeans /ci:nz/ a. blucin, kot pantolon
jeep /ci:p/ a. cip
jeer /cıı/ e. alay etmek, gülmek
jelly /'celi/ a. jöle, pelte; marmelat; jelatin
jellyfish /'celifiş/ a. denizanası
jeopardize /'cepıdayz/ e. tehlikeye atmak *jeopardy* tehlike
jerk /cö:k/ e. birdenbire çekmek; silkip atmak, silkelemek * a. ani çekiş; itiş, kakış; AE. arg. aptal, ayı, kazma
jersey /'cö:zi/ a. kazak
jest /cest/ a. şaka, espri *in jest* şakadan, gırgırına
jet /cet/ a. jet uçağı; fıskıye; siyah kehribar
jettison /'cetisın/ e. (tehlike anında eşyayı) gemiden atmak
jetty /'ceti/ a. dalgakıran, mendirek
Jew /cu:/ a. Yahudi
jewel /'cu:ıl/ a. değerli taş; mücevher, takı *jeweller* kuyumcu *jewellery* mücevherat; kuyumculuk
jiggle /'cigıl/ e. kon. sallamak, çalkalamak
jigsaw /'cigso:/ a. makineli oyma testeresi; bozyap (oyunu) *jigsaw puzzle* bozyap (oyunu)
jingle /'cingıl/ e. şıngırdamak; şıngırdatmak * a. şıngırtı; basit vezinli şiir
jinx /cinks/ a. uğursuzluk şey/kişi
job /cob/ a. iş, görev, meslek
jockey /'coki/ a. cokey
jog /cog/ e. yavaş yavaş koşmak;

itmek, dürtmek *jogging* yavaş koşu

join /coyn/ e. birleştirmek; birleşmek; katılmak

joiner /'coynı/ a. doğramacı, marangoz *joinery* doğramacılık, marangozluk

joint /coynt/ a. eklem, ek yeri; et parçası * s. ortak, birleşik

joist /coyst/ a. kiriş

joke /couk/ a. şaka; fıkra *play a joke on sb* oyun oynamak, işletmek

joker /'couki/ a. şakacı kimse; (iskambil) joker

jolly /'coli/ s. mutlu, neşeli * be. BE. kon. çok

jolt /coult/ e. sarsmak * a. şok, sarsıntı

jostle /'cosil/ e. itip kakmak, dürtüklemek

journal /'cö:nıl/ a. gazete, dergi *journalism* gazetecilik *journalist* gazeteci

journey /'cö:ni/ a. seyahat, yolculuk

jowl /caul/ a. gerdan, gıdık

joy /coy/ a. sevinç, neşe *joyful* neşeli, sevinçli; sevindirici *joyous* sevinçli *joystick* (uçak, bilgisayar, vb.'de) manevra kolu

jubilant /'cu:bilınt/ s. neşe dolu, çok sevinçli

jubilee /'cu:bili:, cu:bi'li:/ a. yıldönümü şenliği; jübile *diamond jubilee* altmışıncı yıldönümü *golden jubilee* ellinci yıldönümü *silver jubilee* yirmi beşinci yıldönümü

Judaism /'cu:deyizım/ a. Yahudilik

judge /cac/ e. -e yargıçlık etmek; (yarışma, vb.'de) değerlendirmek * a. hâkim, yargıç; hakem; bilirkişi

judgment /'cacmınt/ a. yargı, hüküm, karar; yargılama; görüş, düşünce *judgment day* kıyamet günü

judicial /cu:'dişıl/ s. adli, türel; hukuki, tüzel

judiciary /cu:'dişıri/ a. adliye, yargıçlar

judicious /cu:'dişıs/ s. sağgörülü, doğru karar veren

judo /'cu:dou/ a. sp. judo

jug /cag/ a. testi, sürahi

juggernaut /'cagıno:t/ a. BE. kon. büyük kamyon, tır

juggle /'cagıl/ e. hokkabazlık yapmak; yolsuzluk yapmak

juice /cu:s/ a. meyve/sebze/et suyu; (vücut) salgı *juicy* sulu; kon. ilginç, merak uyandırıcı

July /cu'lay/ a. temmuz

jumble /'cambıl/ e. birbirine karıştmak; karmakarışık etmek * a. düzensizlik, karmakarışık şey *jumble sale* kullanılmış eşya satışı

jumbo /'cambou/ s. kocaman

jump /camp/ e. sıçramak, atlamak; üzerinden atlamak; fırlamak * a. sıçrama, atlama, zıplama, sıçrayış

jumper /'campı/ a. BE. kazak, süveter

jumpy /'campi/ s. sinirli, gergin

junction /'cankşın/ a. kavşak

June /cu:n/ a. haziran

jungle /'cangıl/ a. balta girmemiş orman, cengel

junior /'cu:nıı/ a. s. yaşça küçük, daha genç; ast

junk /cank/ a. kon. ıvır zıvır, döküntü eşya, pılı pırtı

junta /'cantı/ a. cunta

Jupiter /'cu:pıtı/ a. Jüpiter

jurisdiction /cuıris'dikşın/ a. huk. yargılama yetkisi

juror /'cuırı/ a. jüri üyesi

jury /'cuırı/ a. huk. jüri; yarışma jürisi, jüri

just /cast/ s. adil, doğru, dürüst * be. tam, tastamam; sadece, yalnız; az önce, demin; güçlükle, darı darına; hemen, şimdi

justice /'castis/ *a.* adalet; adliye, mahkeme; *AE.* yargıç

justify /'castifay/ *e.* haklı çıkarmak, doğruluğunu kanıtlamak *justifiable* savunulabilir, haklı çıkarılabilir

jut /cat/ *e.* (out) çıkıntı yapmak

jute /cu:t/ *a. bitk.* hintkeneviri

juvenile /'cu:vınayl/ *s.* genç, gençlere özgü

juxtaposition /cakstıpı'zişın/ *a.* yan yana koyma

K

kaleidoscope /kı'laydıskoup/ *a.* çiçek dürbünü, kaleydoskop

kangaroo /kengı'ru:/ *a. hayb.* kanguru

karate /kı'ra:ti/ *a.* karate

kebab /ki'beb/ *a.* kebap, şiş kebap

keel /ki:l/ *a.* gemi omurgası

keen /ki:n/ *s.* keskin; acı, sert; akıllı *keen on* meraklı, hevesli, hasta

keep /ki:p/ *e.* **kept** /kept/ tutmak; alıkoymak; korumak; saklamak; yerine getirmek; yönetmek; işletmek; geçindirmek, bakmak; engel olmak * *a.* yiyecek, yemek; kale *keep back* söylememek, vermemek *keep down* kontrol altına almak; baskı altında tutmak *keep in with* ile dost kalmak *keep off* -den uzak durmak *keep on* -e devam etmek, sürdürmek; elden çıkarmamak *keep out* girmemek, uzak durmak; sokmamak, uzak tutmak *keep to* bağlı kalmak, sadık olmak *keep up* ayakta tutmak; bakımını sağlamak; sürdürmek

keeper /'ki:pı/ *a.* bekçi, bakıcı

keg /keg/ *a.* küçük fıçı, varil

kennel /'kenıl/ *a.* köpek kulübesi

kerb /kö:b/ *a.* kaldırımın kenar taşı

kernel /'kö:nıl/ *a.* çekirdek içi; esas, öz

kerosene /'kensi:n/ *a. AE.* gazyağı, gaz

kestrel /'kestrıl/ *a. hayb.* kerkenez

ketchup /'keçıp/ *a.* ketçap, domates sosu

kettle /'ketıl/ *a.* çaydanlık; güğüm; kazan; tencere

key /ki:/ *a.* anahtar; tuş * *e.* uydurmak, ayarlamak, uygun duruma getirmek *key ring* anahtarlık

keyboard /'ki:bo:d/ *a.* klavye, tuş

keyhole /'ki:houl/ *a.* anahtar deliği

keynote /'ki:nout/ *a.* temel düşünce, ana ilke, temel, dayanak

khaki /'ka:ki/ *a. s.* haki renk, haki

kick /kik/ *e.* tekmelemek, tekme atmak; (gol) atmak; çifte atmak * *a.* tekme; *kon.* heyecan, coşku

kickoff /'kikof/ *a.* (futbol) başlama vuruşu, ilk vuruş *kick out* kovmak, defetmek

kid /kid/ *a. kon.* oğlak; çocuk * *e. kon.* takılmak, aldatmak, işletmek

kidnap /'kidnep/ *e.* (adam/çocuk) kaçırmak *kidnapper* zorla insan kaçıran kimse

kidney /'kidni/ *a. anat.* böbrek *kidney beans* barbunya; börülce

kill /kil/ *e.* öldürmek; yok etmek *killer* katil *killjoy* neşe kaçıran kimse, oyunbozan

kiln /kiln/ *a.* ocak, fırın

kilo /'ki:lou/ *a. kon.* kilo

kilogram /'kilıgrem/ *a.* kilogram

kilometre /'kilımi:tı, ki'lomitı/ *a.* kilometre

kilt /kilt/ *a.* İskoç erkeklerinin giydiği eteklik

kimono /ki'mounou/ *a.* kimono

kin /kin/ *a.* akraba, hısım *next of kin* en yakın akraba

kind /kaynd/ *a.* tür, çeşit, cins; tip *

s. nazik, kibar; iyi kalpli, sevecen; candan, yürekten *a kind of* bir çeşit *It's very kind of you.* Çok naziksiniz. *kind-hearted* iyi kalpli, sevecen *kind of kon.* adeta, az çok *kindness* şefkat, sevecenlik; nezaket

kindergarten /'kindıga:tın/ *a.* anaokulu

kindle /'kindıl/ *e.* yakmak, tutuşturmak; yanmak, tutuşmak

kindling /'kindling/ *a.* (gaz, çıra, ot, vb.) tutuşturucu madde

kindly /'kayndli/ *s.* müşfik, sevecen * *be.* nazikçe, kibarca; lütfen

kindred /'kindrid/ *a.* akrabalık, soy

kinetic /ki'netik/ *s. tek.* kinetik, devimsel

king /king/ *a.* kral; (satranç) şah; (iskambil) papaz

kingdom /'kingdım/ *a.* krallık; *bitk. hayb.* âlem

kink /kink/ *a.* halat, tel, ip, saç, vb.'nin dolaşması; acayiplik, tuhaflık

kiosk /'ki:osk/ *a.* küçük kulübe; *BE.* telefon kulübesi

kiss /kis/ *e.* öpmek * *a.* öpücük, öpüş

kit /kit/ *a.* teçhizat, donatı; avadanlık'

kitchen /'kiçın/ *a.* mutfak

kite /kayt/ *a.* uçurtma; *hayb.* çaylak

kitten /'kitın/ *a.* kedi yavrusu, yavru kedi

kiwi /'kiwi:/ *a. hayb.* kivi

kleptomania /kleptı'meyniı/ *a.* çalma hastalığı, kleptomani *kleptomaniac* çalma hastası, kleptoman

knack /nek/ *a. kon.* ustalık, beceri

knead /ni:d/ *e.* yoğurmak; ovmak

knee /ni:/ *a.* diz; (giyside) diz yeri

kneel /ni:l/ *e.* **knelt** /nelt/ (down/on) diz çökmek

knickers /'nikız/ *a.* kadın külotu

knife /nayf/ *a.* bıçak; çakı * *e.* bıçaklamak

knight /nayt/ *a.* şövalye *knighthood* şövalyelik

knit /nit/ *e.* örmek; birleşmek, kaynaşmak *knitting* örgü *knitting needle* örgü şişi *knitwear* örgü eşya

knob /nob/ *a.* top, yumru; topuz, tokmak

knock /nok/ *e.* vurmak; çarpmak; *kon.* kusur bulmak, eleştirmek * *a.* vurma, vuruş; *kon.* eleştiri *knock down* vurup yere sermek *knock out* nakavt etmek, yere sermek *knock up* uyandırmak; çok yormak

knock-out /'nokaut/ *a.* nakavt; çekici kimse/şey

knot /not/ *a.* düğüm; budak, boğum deniz mili *knotty* düğüm düğüm, düğümlü

know /nou/ *e.* **knew** /nyu:/, **known** /noun/ bilmek; tanımak *know-how* ustalık, beceri, teknik

knowledge /'nolic/ *a.* bilgi

known /noun/ *s.* tanınmış, bilinen, tanınan, ünlü

knuckle /'nakıl/ *a.* parmağın oynak yeri

koala /kou'a:lı/ *a. hayb.* koala

Koran /ko:'ra:n, kı'ra:n, 'ko:ren/ *a.* Kuran

kung fu /kang'fu:, kung'fu:/ *a.* kung fu

L

lab /leb/ *a. kon.* laboratuvar

label /'leybıl/ *a.* etiket, yafta * *e.* etiketlemek

laboratory /lı'borıtri/ *a.* laboratuvar

laborious /lı'bo:rıs/ *s.* yorucu, zahmetli, güç

labour /'leybı/ *a.* çalışma, emek, iş; işçi, işçi sınıfı; doğum, doğurma

* *e.* çalışmak, uğraşmak; ayrıntılara girmek *labour exchange* iş ve işçi bulma kurumu *labour union* işçi sendikası *labourer* işçi, emekçi
labyrinth /'lebırint/ *a.* labirent
lace /leys/ *a.* bağcık, bağ; dantela
lack /lek/ *e.* -sizlik çekmek, -den yoksun olmak * *a.* olmayış, eksiklik
lacquer /'lekı/ *a.* vernik
lad /led/ *a. kon.* delikanlı, genç
ladder /'ledı/ *a.* el merdiveni; çorap kaçığı * *e. BE.* (çorap) kaçmak; kaçırmak
laden /'leydın/ *s.* (*with*) yüklü, dolu
ladle /'leydıl/ *a.* kepçe
lady /'leydi/ *a.* hanımefendi; kadın, bayan *ladybird* uğurböceği *ladykiller* kadın avcısı, çapkın *lady like* hanım hanımcık, kibar
lag /leg/ *e.* yavaş ilerlemek
lager /'la:gı/ *a.* bir tür hafif bira
lagoon /lı'gu:n/ *a. coğ.* denizkulağı, kıyı gölü
laid /leyd/ *bkz. lay*
lain /leyn/ *bkz. lie*
lair /leı/ *a.* vahşi hayvan ini
lake /leyk/ *a.* göl
lamb /lem/ *a.* kuzu; kuzu eti
lame /leym/ *s.* topal, aksak; sakat
lament /lı'ment/ *e.* ağlayıp sızlamak * *a.* ağıt; ağlama, inleme *lamentable* içler acısı, acınacak
lamp /lemp/ *a.* lamba, ışık *lamppost* elektrik direği *lampshade* abajur
lance /la:ns/ *a.* mızrak, kargı
land /lend/ *a.* toprak, kara parçası; ülke; arsa * *e.* karaya çıkmak; (uçak) yere inmek *landlady* ev sahibesi; pansiyoncu kadın *landlocked* kara ile çevrili *landlord* mal sahibi; otelci, pansiyoncu *landmark* sınır taşı; dönüm noktası *landscape* kır manzarası; peyzaj *landslide* heyelan, toprak kayması
lane /leyn/ *a.* dar sokak; yol, şerit
language /'lengwic/ *a.* dil, lisan
lank /lenk/ *s.* (saç) düz ve cansız
lanky /lenki/ *s.* uzun boylu ve zayıf
lantern /'lentın/ *a.* fener
lap /lep/ *a.* kucak; (yarışta) tur * *e.* yalayarak içmek
lapel /lı'pel/ *a.* klapa
lapse /leps/ *a.* küçük kusur, hata, yanlış; ara * *e.* sona ermek; yanılmak
larceny /'la:sıni/ *a. huk.* hırsızlık
larch /la:ç/ *a. bitk.* çam
lard /la:d/ *a.* domuz yağı
larder /'la:dı/ *a.* kiler
large /la:c/ *s.* büyük, iri; geniş; bol *at large* başıboş, serbest; etraflı, ayrıntılı olarak; genelde *large scale* büyük çapta *largely* çoğunlukla *largeness* büyüklük
largesse /la:'ces/ *a.* ihsan, bağış
lark /la:k/ *a. kon.* şaka, gırgır; *hayb.* tarlakuşu
larva /'la:vı/ *a.* larva, tırtıl, kurtçuk
laryngitis /lerin'caytis/ *a. hek.* larenjit, gırtlak yangısı
larynx /'lerinks/ *a. anat.* gırtlak
lascivious /lı'sivıs/ *s.* şehvetli, şehvet düşkünü
laser /'leyzı/ *a.* lazer (aygıtı)
lash /leş/ *e.* kırbaçlamak; (about) aniden hareket etmek; sıkıca bağlamak * *a.* kamçı darbesi; ani ve haşin hareket
lasso /lı'su:, 'lesou/ *a.* kement
last /la:st/ *s.* sonuncu, son; geçen, önceki * *be.* en son * *a.* son * *e.* devam etmek, sürmek; dayanmak *at last* en sonunda *lasting* sürekli, kalıcı
latch /leç/ *a.* kapı mandalı; kapı kilidi
late /leyt/ *s.* geç, gecikmiş; sabık, eski; son zamanlardaki; yeni * *be.* geç *lately* son günlerde, son zamanlarda

latent /'leytınt/ s. ortada olmayan, gizli

lateral /'letırıl/ s. tek. yan, yanal

latest /'leytist/ a. kon. en son haber/moda, vb. **at (the) latest** en geç

lathe /leyt/ a. torna tezgâhı

lather /'la:tı/ a. sabun köpüğü, köpük * e. (sabun) köpürmek; köpürtmek, sabunlamak

Latin /'letin/ a. s. Latin, Latince

latitude /'letityu:d/ a. coğ. enlem

latrine /lı'tri:n/ a. (özellikle kamplarda) hela

latter /'letı/ s. sonraki, son **latter day** çağdaş, yeni **latterly** son zamanlarda

lattice /'letis/ a. kafes

laugh /la:f/ e. (kahkahayla) gülmek * a. gülüş, kahkaha **laughable** gülünç, komik **laugh at** -e gülmek; gülüp geçmek **laughter** kahkaha, gülüş

launch /lo:nç/ e. (gemi) suya indirmek; (roket) fırlatmak * a. (gemiyi) suya indirme

launder /'lo:ndı/ e. (giysi) yıkayıp ütülemek

launderette /lo:n'dret/ a. çamaşırhane

laundromat /'lo:ndrımet/ a. AE. çamaşırhane

laundry /'lo:ndri/ a. çamaşırhane; çamaşır

laurel /'lorıl/ a. bitk. defne ağacı

lav /lev/ a. BE. kon. yüznumara

lava /'la:vı/ a. lav

lavatory /'levıtıri/ a. hela, tuvalet, yüznumara

lavender /'levindı/ a. bitk. lavanta

lavish /'leviş/ s. savurgan, tutumsuz

law /lo:/ a. kanun, yasa; kural; hukuk **law-abiding** yasaya saygı gösteren **lawful** yasal **lawless** yasadışı **lawsuit** dava

lawn /lo:n/ a. çimen, çimenlik; patiska **lawn mower** çim biçme makinesi

lawyer /'lo:yı/ a. avukat

lax /leks/ s. umursamaz, kaygısız; savsak

laxative /'leksıtiv/ a. s. müshil

lay /ley/ e. **laid** /leyd/ yaymak, sermek; koymak; yatırmak; hazırlamak, kurmak; yumurtlamak * a. durum, duruş **lay aside** bir kenara koymak **lay-by** BE. (karayolunda) duraklama cebi, cep **lay down** belirlemek, saptamak **lay off** işten çıkarmak **lay on** temin etmek, sağlamak **lay up** (hastalık) yatağa düşürmek

layer /'leyı/ a. tabaka, kat

layout /'leyaut/ a. tertip, düzen; mizanpaj

lazy /'leyzi/ s. tembel; ağır, uyuşuk

lead /li:d/ e. **led** /led/ götürmek, komuta etmek, yönetmek; sürmek, yaşamak **lead to** -e yol açmak, neden olmak **lead up to** sözü belli bir noktaya getirmek

lead /led/ a. kurşun; kalem kurşunu, grafit; anterlin

leader /'li:dı/ a. lider, önder **leadership** liderlik, önderlik

leading /'li:ding/ s. başta gelen, en önemli **leading article** başyazı

leaf /li:f/ a. (bitki) yaprak; sayfa, yaprak

leaflet /'li:flit/ a. broşür

league /li:g/ a. dernek; birlik; lig

leak /li:k/ a. sızıntı, akıntı; delik, kaçak yeri * e. sızdırmak, akıtmak; sızmak **leakage** sızıntı, sızma **leaky** sızıntılı, delik

lean /li:n/ e. **leaned** ya da **leant** /lent/ dayanmak, yaslanmak, eğilmek * s. çok zayıf, sıska; (et) yağsız; verimsiz, kıt **leaning** eğilim

leap /li:p/ e. **leaped, leapt** /lept/ sıçramak, atlamak * a. sıçrayış, atlama **leap year** artıkyıl

learn /lö:n/ *e.* öğrenmek *learned* bilgili *learner* öğrenci *learning* bilgi

lease /li:s/ *a.* kira kontratı * *e. (out)* kontratla kiralamak

least /li:st/ *be.* en küçük; en az *at least* en azından, hiç olmazsa

leather /'letı/ *a.* deri

leave /li:v/ *e. left* /left/ ayrılmak, bırakmak, terk etmek * *a.* izin *on leave* izinli *by/with your leave* izninizle *leave alone* rahat bırakmak *leave out* atlamak; dahil etmemek

lecture /'lekçı/ *a.* konferans; (üniversitede) ders * *e.* ders vermek; konferans vermek *lecturer* konferansçı; okutman; doçent

led /led/ *bkz. lead*

ledger /'lecı/ *a.* defteri kebir

leech /li:ç/ *a. hayb.* sülük; asalak, parazit

leek /li:k/ *a.* pırasa

left /left/ *bkz. leave*

left /left/ *s.* sol * *a.* sol taraf * *be.* sola, sol tarafa *left-hand* soldaki, sol *left-handed* solak *leftist* solcu

leftovers /'leftouvız/ *a.* artık yemek

leg /leg/ *a.* bacak; but *pull sb's leg* şaka yapmak, takılmak

legacy /'legısi/ *a.* miras, kalıt

legal /'li:gıl/ *s.* yasal, yasaya uygun *legality* yasallık

legalize /'li:gılayz/ *e.* yasallaştırmak

legation /li'geyşın/ *a.* ortaelçilik

legend /'lecınd/ *a.* efsane, söylence *legendary* efsanevi; ünlü

legible /'lecıbıl/ *s.* okunaklı

legion /'li:cın/ *a.* lejyon

legislate /'lecisleyt/ *e. (for/against)* yasa yapmak, yasamak *legislation* yasama

legislative /'lecislıtiv/ *s.* yasamaya ilişkin

legislature /'lecisleyçı/ *a.* yasama meclisi

legitimate /li'citimit/ *s.* yasal; meşru doğmuş; mantıklı, akla yatkın

legman /'legmen/ *a.* gazete muhabiri

legshow /'legşou/ *a.* yataktan kalkma

leisure /'lejı/ *a.* boş vakit *at leisure* boş, serbest; acelesiz *leisurely* acelesiz yapılan, yavaş, sakin

lemon /'lemın/ *a.* limon *lemonade BE.* gazoz; *AE.* limonata

lend /lend/ *e.* ödünç vermek, borç vermek

length /lengt/ *a.* uzunluk, boy; süre *at length* en sonunda *lengthen* uzatmak; uzamak *lengthways* /-weyz/, *lengthwise* /-wayz/ uzunluğuna *lengthy* upuzun

lenient /'li:nıınt/ *s.* müşfik, yumuşak

lens /lenz/ *a.* mercek; objektif

lent /lent/ *bkz. lend*

lentil /'lentıl/ *a.* mercimek

Leo /'li:ou/ *a.* Aslan burcu

leopard /'lepıd/ *a. hayb.* leopar *leopardess* dişi leopar

leper /'lepı/ *a.* cüzamlı

leprosy /'leprısi/ *a.* cüzam

lesbian /'lezbiın/ *s.* lezbiyen, sevici *lesbianism* sevicilik

lesion /'li:jın/ *a.* yara, bere

less /les/ *be. s.* daha az

lessen /'lesın/ *e.* azaltmak; azalmak

lesser /'lesı/ *s.* daha az/küçük

lesson /'lesın/ *a.* ders; ibret

lest /lest/ *bağ.* -mesin diye; korkusu ile

let /let/ *e.* izin vermek, bırakmak; kiraya vermek *let alone* rahat bırakmak *let down* yüzüstü bırakmak; düş kırıklığına uğratmak *let go* koyvermek, salıvermek *let in* içeri almak *let off* cezasını affetmek; patlatmak, ateşlemek *let on* söylemek, bildirmek *let out* salıvermek; (sır) ağzından kaçırmak

lethal /'li:tıl/ s. öldürücü

lethargy /'letıci/ a. uyuşukluk, ilgisizlik

letter /'letı/ a. mektup; harf **letter-box** mektup kutusu

lettuce /'letis/ a. salata, marul

leukemia /lu:'ki:mıı/ a. hek. lösemi, kan kanseri

level /'levıl/ a. yüzey, yatay; eşit * s. düz; yatay; eşit * e. düzlemek; yıkmak **level-headed** makul; dengeli

lever /'li:vı/ e. manivela; kaldıraç

levy /'levi/ a. zorla toplama

lewd /lu:d/ s. şehvet düşkünü; açık saçık

lexicon /'leksikın/ a. sözlük

liability /layı'biliti/ a. sorumluluk; ödenecek borç; engel

liable /'layıbıl/ s. sorumlu; maruz; eğilimli

liaison /li'eyzın/ a. bağlantı

liar /'layı/ a. yalancı

lib /lib/ a. kon. özgürlük **woman's lib** kadın özgürlüğü

libel /'laybıl/ a. huk. onur kırıcı yayın, iftira

liberal /'libırıl/ s. liberal; cömert, eli açık; geniş görüşlü, hoşgörülü; özgür, serbest **liberalism** liberalizm

liberate /'libıreyt/ e. serbest bırakmak

liberty /'libıti/ a. özgürlük

Libra /'li:brı/ a. terazi burcu

library /'laybrırı/ a. kütüphane **librarian** kütüphaneci

licence /'laysıns/ a. ruhsat, izin, ehliyet

license /'laysıns/ e. ruhsat vermek, resmi izin vermek, yetki vermek

lick /lik/ e. yalamak; kon. dayak atmak, pataklamak * a. yalama, yalayış

lid /lid/ a. kapak; gözkapağı

lido /'li:dou/ a. halka açık havuz

lie /lay/ e. **lay** /ley/, **lain** /leyn/ yatmak, uzanmak; olmak, bulunmak **lie down** yatmak, uzanmak

lie /lay/ e. yalan söylemek * a. yalan

lieutenant /lef'tenınt/ a. teğmen

life /layf/ e. hayat, yaşam; canlılık, hayat **change of life** menopoz **come to life** canlanmak, hareketlenmek **not on your life** dünyada olmaz, kesinlikle hayır **lifeboat** cankurtaran sandalı **lifeguard** cankurtaran yüzücü **life jacket** can yeleği **lifeless** ölü, cansız; ruhsuz, donuk, ölgün, cansız **lifelong** ömür boyu **lifetime** ömür

lift /lift/ e. kaldırmak, yükseltmek * a. kaldırma, yükseltme; BE. asansör **give sb a lift** arabasına almak, parasız götürmek **lift-off** (uçak) kalkış, havalanma

ligament /'ligımınt/ a. anat. kiriş, bağ

light /layt/ a. ışık, aydınlık; lamba; elektrik; (kibrit, çakmak, vb.) ateş * e. **lit** /lit/ yakmak; yanmak; aydınlatmak; tutuşturmak **lighthouse** fener kulesi **light year** ışık yılı

light /layt/ s. hafif; (iş) kolay; aydınlık; (renk) açık **light-headed** neşeli, kaygısız **light-hearted** neşeli, kaygısız **lightweight** hafifsıklet

lighten /'laytın/ e. aydınlatmak; aydınlanmak; hafifletmek

lighter /'laytı/ a. yakıcı aygıt; çakmak

lightning /'laytnıng/ a. şimşek; ani/çabuk/kısa süren şey

likable, likeable /'laykıbıl/ s. hoşa giden, cana yakın, sevimli

like /layk/ e. beğenmek, sevmek, hoşlanmak * a. ç. sevilen şeyler **likes and dislikes** hoşlanılan ve hoşlanılmayan şeyler *How do you like Ankara?* Ankara'yı nasıl buluyorsunuz? *How do you like your coffee?* Kahvenizi nasıl istersiniz?

like /layk/ *s. ilg.* benzer, gibi *feel like* (canı) istemek *like that* öyle, o şekilde *look like* benzemek *something like* gibi bir şey, yaklaşık, civarında *What's he like?* Nasıl biri? Neye benziyor?

likelihood /'layklihud/ *a.* olasılık

likely /'laykli/ *s.* olası, muhtemel; uygun, mantıklı * *be.* galiba, muhtemelen *as likely as not* muhtemelen *not likely kon.* kesinlikle hayır

likeness /'layknis/ *a.* benzeyiş, benzerlik

likewise /'laykwayz/ *be.* aynı şekilde; -de, -da, ayrıca, bir de

liking /'layking/ *a.* (*for*) sevme, düşkünlük

lilac /'laylık/ *a. bitk.* leylak; leylak rengi

lily /'lili/ *a. bitk.* zambak

limb /lim/ *a.* uzuv, organ; dal

lime /laym/ *a.* kireç; kalsiyum; *bitk.* ıhlamur *limestone* kireçtaşı

limit /'limit/ *a.* limit, uç, sınır * *e.* (*to*) kısıtlamak, sınırlandırmak *limitation* sınırlama *limited* sınırlı; (şirket) limitet *limitless* sınırsız

limousine /'limızi:n/ *a.* limuzin (araba)

limp /limp/ *s.* gevşek, yumuşak * *e.* topallamak * *a.* topallama

linctus /'linktıs/ *a. BE.* öksürük şurubu

linden /'lindın/ *a. bitk.* ıhlamur ağacı

line /layn/ *a.* çizgi, hat, yol; dizi, sıra; ip, sicim; telefon hattı; satır, dize; mısra * *e.* (*with*) içini kaplamak, astarlamak; dizmek, sıralamak *Hold the line, please!*

(telefonda) Ayrılmayın, lütfen! *in line with* ile bağıntılı, bağdaşık *line up* sıraya girmek; sıraya dizmek

lineage /'liniic/ *a.* nesil, soy

linear /'liniı/ *s.* doğrusal, çizgisel

linen /'linin/ *a.* keten kumaş

liner /'laynı/ *a.* büyük yolcu gemisi: astar, kaplama maddesi

linesman /'laynzmın/ *a. sp.* yan hakemi

linger /'lingı/ *e.* ayrılamamak, oyalanmak; (ağrı, vb.) kolayca geçmemek

lingerie /'lenjıri:/ *a.* kadın iç çamaşırı

linguist /'lingwist/ *a.* dilbilimci, dilci; çok dil bilen kişi *linguistic* /-'gwistik/ dilbilimsel, dilsel *linguistics* dilbilim

lining /'layning/ *a.* astar

link /link/ *a.* bağlantı, bağ; zincir halkası * *e.* (*together/up*) bağlamak, birleştirmek

linkage /'linkic/ *a.* zincir; bağlantı

linseed /'linsi:d/ *a. bitk.* keten tohumu

lint /lint/ *a. hek.* sargı bezi, keten tiftiği

lion /'layın/ *a.* aslan; Aslan burcu *the lion's share* aslan payı

lioness /'layınes/ dişi aslan

lip /lip/ *a.* dudak *lipstick* dudak boyası, ruj

liquefy /'likwifay/ *e.* sıvılaşmak; sıvılaştırmak

liqueur /li'kyuı/ *a.* likör

liquid /'likwid/ *a. s.* sıvı, likit

liquidate /'likwideyt/ *e.* kurtulmak, başından savmak; (iş) tasfiye etmek *liquidation* tasfiye

liquor /'likı/ *a.* alkollü içki; *AE.* (viski, vb.) alkollü sert içki

liquorice /'likıris/ *a. bitk.* meyankökü

list /list/ *a.* liste, dizelge * *e.* listesini yapmak

listen /'lisın/ e. dinlemek * a. kon.
dinleme, kulak verme

listener /'lisın/ a. dinleyici

listless /'listlis/ s. yorgun, bitkin,
cansız, uyuşuk

lit /lit/ bkz. light

literacy /'litırısi/ a. okuryazarlık

literal /'litırıl/ s. tam; kelimesi
kelimesine, harfi harfine; yalın,
sade

literary /'litırıri/ s. edebi, yazınsal

literate /'litırit/ s. okur yazar

literature /'litırıçı/ a. edebiyat,
yazın

lithe /layt/ s. esnek, kıvrak

litmus /'litmıs/ a. turnusol

litre /'li:tı/ a. litre

litter /'litı/ a. çöp litter basket/bin
çöp kutusu

little /'litıl/ s. küçük, ufak; az, kısa;
önemsiz, değersiz * be. az mik-
tarda, birazcık * a. az miktar a
little biraz little by little azar
azar, yavaş yavaş make little of
küçümsemek

live /liv/ e. yaşamak; oturmak live
off -den geçimini sağlamak live
on ile geçinmek; ile beslenmek

live /layv/ s. diri, canlı; (bomba,
vb.) patlamamış; yayın (canlı);
(tel) cereyanlı; güncel

livelihood /'layvlihud/ a. geçim,
geçinme

lively /'layvli/ s. canlı, hayat dolu,
neşeli; gerçeğe uygun

liven /'layvın/ e. (up) canlandırmak;
canlanmak

liver /'livı/ a. anat. karaciğer

livestock /'layvstok/ a. çiftlik hay-
vanları, mal

livid /'livid/ s. mor; kon. öfkeden
kudurmuş, gözü dönmüş

living /'living/ s. canlı, yaşayan, sağ
* a. geçim, yaşayış living room
oturma odası

lizard /'lizıd/ a. hayb. kertenkele

llama /'la:mı/ a. hayb. lama

load /loud/ a. yük; taşınan miktar;
elek. şarj * e. yüklemek;
doldurmak, şarj etmek

loaf /louf/ a. ekmen somunu

loafer /'loufı/ a. aylaklık eden
kimse, aylak

loan /loun/ a. ödünç verilen şey;
ödünç verme * e. ödünç vermek

loathe /lout/ e. nefret etmek,
iğrenmek, tiksinmek loathing tik-
sinme, iğrenme loathsome
iğrenç

lobby /'lobi/ a. lobi, hol; kulis faali-
yeti

lobe /loub/ a. kulak memesi

lobster /'lobstı/ a. hayb. ıstakoz

local /'loukıl/ s. yerel, yöresel,
mahalli; hek. lokal * a. semt bi-
rahanesi local government yerel
yönetim

locality /lou'keliti/ a. yer, yöre

locate /lou'keyt/ e. yerini öğren-
mek; yerleştirmek, kurmak be lo-
cated bulunmak location yer

loch /lok/ a. göl

lock /lok/ a. kilit; bukle, perçem *
e. kilitlemek; kilitlenmek

locker /'lokı/ a. kilitli çekmece ya
da dolap

locket /'lokit/ a. madalyon

lockout /'lokaut/ a. lokavt

locomotion /loukı'mouşın/ a. hare-
ket

locomotive /loukı'moutiv/ s. hare-
kete ilişkin * a. lokomotif

locust /'loukıst/ a. çekirge

lodge /loc/ e. (kısa süreli) kirada
oturmak; takılıp kalmak * a.
kulübe; kapıcı evi; bodrum kat
lodger pansiyoner, kiracı

lodgings /'locingz/ a. pansiyon

loft /loft/ a. tavan arası

lofty /'lofti/ s. yüce, yüksek

log /log/ a. kütük; (gemi, uçak, vb.)
seyir defteri

logarithm /'logırıtım/ a. logaritma

logic /'locik/ a. mantık logical

mantıksal; mantıklı

logistics /lı'cistiks/ *a. ask.* lojistik

loincloth /'loynklot/ *a.* peştemal

loins /loynz/ *a.* bel

loiter /'loytı/ *e.* (*about*) duraklayarak, oyalanarak yürümek

loll /lol/ *e.* (*about/around*) tembelce oturmak, uzanmak

lollipop /'lolipop/ *a.* saplı şeker, lolipop

lone /loun/ *s.* kimsesiz, yalnız, tek

loneliness /'lounlınıs/ *a.* yalnızlık

lonely /'lounli/ *s.* yalnız ve mutsuz, kimsesiz; ıssız

lonesome /'lounşım/ *s. AE. kon. bkz. lonely*

long /long/ *s.* uzun * *be.* uzun zamandır; süresince, boyunca *as/so long as* eğer, şartıyla *long ago* uzun süre önce *so long kon.* hoşça kal *long-distance* uzun mesafe; (telefon) şehirlerarası *long-range* uzun menzilli *longsighted* hipermetrop *longstanding* uzun süredir var olan, çok eski *long-term* uzun vadeli *longways* uzunlamasına

long /long/ *e.* (*for/to*) çok istemek, can atmak *long for* -e can atmak, -i özlemek *longing* özlem

longitude /'loncityu:d/ *a. coğ.* boylam

longwinded /long'windid/ *s.* uzun ve sıkıcı, sözü bitmez

look /luk/ *e.* bakmak; görünmek * *a.* bakış; yüz ifadesi; *kon.* görüntü, görünüş *look after* bakmak, gözetmek *look down on* hor görmek, küçümsemek *look for* aramak *look forward to* dört gözle beklemek, iple çekmek *look into* araştırmak, incelemek *look like* benzemek *look out* dikkat etmek *look over* göz gezdirmek, kısaca incelemek *look through* gözden geçirmek, incelemek *look up* iyiye gitmek; (kitaptan) bul-

mak, aramak; ziyaret etmek *look up to* -e saygı göstermek

loom /lu:m/ *a.* dokuma tezgâhı * *e.* (*up*) daha büyük ve korkunç gözükmek

loop /lu:p/ *a.* ilmik, ilik * *e.* ilmik yapmak; bağlamak

loose /lu:s/ *s.* bağsız, serbest, başıboş; gevşek, sıkı olmayan; dağınık; (giysi) bol; şüpheli; hafifmeşrep *let loose* serbest bırakmak *loosen* gevşetmek; çözmek

loot /lu:t/ *a.* ganimet, yağma * *e.* yağma etmek *looter* çapulcu, yağmacı

lop /lop/ *e.* kesmek; (ağaç) budamak

lord /lo:d/ *a.* efendi, sahip; lort *The Lord* Allah, Tanrı *The House of Lords* Lortlar Kamarası *lordship* lortluk; lort

lorry /'lori/ *a.* kamyon

lose /lu:z/ *e.* *lost* /lost/ kaybetmek, yitirmek; yenilmek, kazanamamak; (elden) kaçırmak *lose oneself* kendini kaybetmek *lose one's head* kontrolünü kaybetmek *lose one's temper* tepesi atmak *loser* mağlup, yenilen

loss /los/ *a.* kaybetme; kayıp; zarar, ziyan *at a loss* şaşkın, afallamış; zararına

lost /lost/ *bkz. lose;* *s.* kayıp; yitirilmiş; boşa gitmiş *get lost* kaybolmak

lot /lot/ *a. kon.* çok miktar; hepsi, tümü; grup; kur'a; adçekme; talih, kısmet, yazgı *a lot of, lots of* birçok, bir sürü *a lot* pek çok, epey *draw lots* kura çekmek, adçekmek

lotion /'loușın/ *a.* losyon

lottery /'lotırı/ *a.* piyango

lotus /'loutıs/ *a. bitk.* nilüfer

loud /laud/ *s.* yüksek sesli, gürültülü; cırtlak, çiğ, cafcaflı * *be.* yüksek sesle *loudspeaker* hoparlör

lounge /launc/ *a.* salon; hol; lobi * *e.* (*about/around*) tembelce uzanmak, yayılıp oturmak *lounge suit* (erkek) günlük kıyafet

louse /laus/ *a.* (*kon. lice* /lays/) bit

lousy /'lauzi/ *s. kon.* berbat, rezil; bitli

lout /laut/ *a.* hödük, ayı

love /lav/ *a.* aşk, sevgi, sevi; sevgili; *BE.* canım; (tenis) sıfır * *e.* sevmek *be in love with* -e âşık olmak *fall in love with* -e âşık olmak *make love* sevişmek *love affair* aşk macerası *lover* âşık, sevgili *lovemaking* sevişme *loving* seven

lovely /'lavli/ *s.* güzel, hoş; *kon.* nefis, harika

low /lou/ *s.* alçak; düşük; zayıf; (ses) az; rezil, aşağılık; adi *lownecked* alçak yakalı, dekolte *low-pitched* (ses) pes

low /lou/ *e.* (inek) böğürmek * *a.* böğürtü

lower /'louı/ *s.* alt * *e.* azaltmak, kısmak; azalmak; indirmek; (kendini) küçük düşürmek *lower class* aşağı tabaka

lowland /'loulınd/ *a.* ova

loyal /'loyıl/ *s.* vefalı, sadık *loyalty* bağlılık, sadakat

lozenge /'lozinc/ *a.* pastil

lubricant /'lu:brikınt/ *a.* yağlayıcı madde

lubricate /'lu:brikeyt/ *e.* yağlamak

lucid /'lu:sid/ *s.* kolay anlaşılır, açık

luck /lak/ *a.* şans, talih; uğur *bad luck* aksilik, şanssızlık *Good luck!* Bol şanslar! *luckily* çok şükür, bereket versin ki *lucky* şanslı, talihli; uğurlu

lucrative /'lu:krıtiv/ *s.* kârlı, kazançlı

ludicrous /'lu:dikrıs/ *s.* gülünç

lug /lag/ *e. kon.* zorlukla çekmek

luggage /'lagic/ *a.* bagaj

lukewarm /lu:k'wo:m/ *s.* (sıvı) ılık

lull /lal/ *e.* yatıştırmak; yatışmak

lullaby /'lalıbay/ *a.* ninni

lumbago /lam'beygou/ *a. hek.* bel ağrısı

lumber /'lambı/ *e.* hantal hantal yürümek *lumberjack* oduncu

luminous /'lu:minıs/ *s.* parlak, aydınlık

lump /lamp/ *a.* toprak; yumru, şiş; (şeker) küp *lumpy* yumru yumru, pütürlü

lunar /'lu:nı/ *s.* ayla ilgili, aya ait *lunar month* kameri ay, 28 günlük ay

lunatic /'lu:nıtik/ *a. s.* deli, kaçık *lunatic asylum* tımarhane

lunch /lanç/ *a.* öğle yemeği

luncheon /'lançın/ *a.* öğle yemeği

lung /lang/ *a.* akciğer

lunge /lanc/ *a.* hamle, saldırış

lurch /lö:ç/ *a.* yalpa * *e.* yalpalamak

lure /luı/ *e.* ayartmak, çekmek * *a.* yem, tuzak

lurid /'luırid/ *s.* parlak, pırıl pırıl; korkunç, dehşetli

lurk /lö:k/ *e.* gizlenmek, pusuya yatmak *lurk around/about* gizli gizli dolaşmak

luscious /'laşıs/ *s.* çok tatlı, bal gibi; (kız) çekici, güzel, enfes; (meyve) olgun

lush /laş/ *s.* (bitki) verimli, bol, gür; taze ve sulu, özlü

lust /last/ *a.* şehvet *lustful* şehvetli

lustre /'lastı/ *a.* parlaklık, parıltı

lute /lu:t/ *a. müz.* ut, kopuz

luxuriant /lag'zyuırınt/ *s.* bereketli, bol

luxurious /lag'zyuırıs/ *s.* konforlu, lüks

luxury /'lakşıri/ *a.* konfor, lüks

lynch /linç/ *e.* linç etmek

lynx /links/ *a. hayb.* vaşak

lyre /layı/ *a.* lir

lyric /'lirik/ *a.* lirik şiir * *s.* lirik

lyrical lirik, heyecanlı, coşkun
lyricist şarkı sözü yazarı *lyrics*
güfte, şarkı sözleri

M

ma /ma:/ *a. kon.* anne, ana
ma'am /mem, ma:m/ *a.* madam,
bayan
macabre /mı'ka:brı/ *s.* korkunç
macadam /mı'kedım/ *a.* şose
macaroni /mekı'rouni/ *a.* makarna
mace /meys/ *a.* gürz, topuz; tören
asası
Mach /mek/ *a.* mak, uçağın ses
hızına oranla hızı
machine /mı'şi:n/ *a.* makine *ma-
chinegun* makineli tüfek *ma-
chinist* makinist
machinery /mı'şi:nıri/ *a.* makineler;
mekanizma
mackerel /'mekınl/ *a.* *hayb.*
uskumru
mackintosh /'mekintoş/ *a.*
yağmurluk
mad /med/ *s.* deli, çılgın; *kon.*
kızgın, kudurmuş *drive sb mad*
kızdırmak, deli etmek *go mad*
delirmek *like mad kon.* deli gibi
madman deli *madly* deli gibi,
çılgınca; *kon.* çok *madness* deli-
lik, çılgınlık
madam /'medım/ *a.* bayan,
hanımefendi
madden /'medın/ *e.* çıldırtmak, deli
etmek, kudurtmak
made /meyd/ *bkz.* *make;* *s.* -den
yapılmış, -den
Madonna /mı'donı/ *a.* Meryem Ana
madrigal /'medrıgıl/ *a.* çalgısız
söylenen çok sesli şarkı, madri-
gal
maestro /'maystrou/ *a.* orkestra şefi,
maestro
magazine /megı'zi:n/ *a.* dergi,

magazin; depo, cephane; şarjör
maggot /'megıt/ *a.* kurtçuk, kurt
magic /'mecık/ *a.* büyü; büyücülük
* *s.* büyülü *magical* büyülü *ma-
gician* /mı'cişın/ büyücü, sihirbaz
magistrate /'mecistreyt/ *a.* sulh
yargıcı
magnanimous /meg'nenimıs/ *s.*
yüce gönüllü, bağışlayıcı
magnate /'megneyt/ *a.* patron,
kodaman
magnet /'megnit/ *a.* mıknatıs *mag-
netic* /meg'netik/ mıknatıslı
magnetism manyetizma *mag-
netize* mıknatıslamak; çekmek,
büyülemek
magnificent /meg'nifisint/ *s.*
görkemli, olağanüstü, muhteşem
magnify /'megnifay/ *e.* büyütmek
magnifying glass büyüteç
magnitude /'megnityu:d/ *a.* büyük-
lük; önem
magnolia /meg'nouliı/ *a.* *bitk.* ma-
nolya
magpie /'megpay/ *a.* *hayb.* sak-
sağan
maharaja /ma:hı'ra:cı/ *a.* mihrace
mahogany /mı'hogıni/ *a.* mahun,
maun
maid /meyd/ *a.* bayan hizmetçi
maiden /'meydın/ *a.* *yaz.* evlen-
memiş kız *maiden name* kızlık
soyadı
mail /meyl/ *a.* posta; zırh * *e.*
postayla göndermek *mailbox AE.*
posta kutusu *mailman AE.*
postacı
maim /maym/ *e.* sakatlamak
main /meyn/ *s.* asıl, ana, temel
mainland ana toprak, kara
mainly başlıca; çoğunlukla
maintain /meyn'teyn/ *e.* sürdürmek;
geçindirmek; bakmak; korumak,
bakmak; savunmak
maintenance /'meyntınıns/ *a.*
bakım; geçim; savunma
maize /meyz/ *a.* *BE.* mısır

majestic /mı'cestik/ *s.* görkemli, muhteşem, şahane

majesty /'mecisti/ *a.* görkem, haşmet, heybet *His Majesty* Kral Hazretleri

major /'meycı/ *s.* daha büyük, daha önemli * *a.* ask. binbaşı; *huk.* büyük, reşit, ergin; (üniversitede) ana dal; *müz.* majör

majority /mı'coriti/ *a.* çoğunluk; sayı farkı, fark; *huk.* rüşt

make /meyk/ *e. made* /meyd/ yapmak; hazırlamak, düzeltmek; (para, başarı, vb.) kazanmak; yaratmak; elde etmek, sağlamak; -dırmak, -tirmek * *a.* yapı, biçim; marka, çeşit *make for* -e doğru yol almak; -e neden olmak *make off* kaçmak, tüymek *make off with* çalmak *make out* (güçlükle) anlamak, çözmek; yazmak *make over* devretmek, bırakmak *make up* uydurmak; hazırlamak; tamamlamak, makyaj yapmak *make up for* affettirmek, telafi etmek *make up to* gözüne girmeye çalışmak *make-believe* yapmacık, sahtelik *maker* yapımcı *make-up* makyaj; bileşim, mizaç, huy

maladjusted /'melı'castid/ *s.* (çevreye) uyamayan, uyumsuz

malady /'melıdi/ *a.* hastalık, illet

malaria /mı'leırı/ *a. hek.* sıtma

male /meyl/ *a. s.* erkek

malice /'melis/ *a.* kötülük, kin; düşmanlık *malicious* /'mı'lişıs/ kötücül, kinci

malignant /mı'lignınt/ *s.* kötü niyetli

mallard /'melıd/ *a. hayb.* yabanördeği

malleable /'melıbıl/ *s.* (maden) dövülgen; (insan) yumuşak, uysal

mallet /'melit/ *a.* tokmak

malnutrition /melnyu'trişin/ *a.* kötü beslenme

malt /mo:lt/ *a.* biralık arpa, malt

maltreat /mel'tri:t/ *e.* kötü davranmak, zulmetmek

mammal /'memıl/ *a. hayb.* memeli

mammoth /'memıt/ *a. hayb.* mamut

man /men/ *a.* (*ç. men* /men/) adam, erkek; insan, kişi; insanlık *manhood* erkeklik *the man in the street* sokaktaki adam *man-eater* yamyam *man of the world* görmüş geçirmiş kimse *man-made* insan yapımı; sentetik *man-of-war* savaş gemisi

manacle /'menıkıl/ *a.* kelepçe

manage /menic/ *e.* yönetmek, idare etmek; başarmak, becermek; menajerliğini yapmak *manageable* yönetilebilir; kullanışlı

management /'menicmınt/ *a.* yönetim, idare; yönetim kurulu

manager /'menicı/ *a.* müdür; yönetici *manageress* müdire, kadın yönetici *managerial* idari, yönetimle ilgili

mandate /'mendeyt/ *a.* buyruk, emir; vekillik

mandatory /'mendıtırı/ *s.* zorunlu

mandolin /mendı'lin/ *a. müz.* mandolin

mane /meyn/ *a.* yele

manganese /'mengını:z/ *a. kim.* manganez

mange /meync/ *a.* uyuz hastalığı

manger /'meyncı/ *a.* yemlik

mangle /'mengıl/ *e.* parçalamak, ezmek, yırtmak

mango /'ımengou/ *a. bitk.* mango, hintkirazı

mania /'meynıı/ *a.* manyaklık, delilik; düşkünlük *maniac* manyak, deli

manicure /'menikyuı/ *a.* manikür

manifest /'menifest/ *s.* açık, belli * *e.* göstermek, ortaya koymak

manifesto /meni'festou/ *a.* bildirge, bildiri

manifold /'menifould/ *s.* türlü türlü, çok

manipulate /mı'nipyuleyt/ *e.* beceriyle kullanmak, ustalıkla yönetmek

mankind /men'kaynd/ *a.* insanlık, insanoğlu

manly /'menli/ *s.* mert, yiğit, erkek

manner /'menı/ *a.* tarz, biçim, yol; davranış *manners* görgü *all manner of* her tür

mannerism /'menırizım/ *a.* kişisel özellik

manoeuvre /mı'nu:vı/ *a.* manevra; hile, dolap

manor /'menı/ *a.* malikâne

manpower /'menpauı/ *a.* el emeği, insan gücü

mansion /'menşın/ *a.* konak

manslaughter /'menslo:tı/ *a. huk.* kasıtsız adam öldürme

mantelpiece /'mentlpi:s/ *a.* şömine rafı

mantle /'mentıl/ *a.* kolsuz manto, harmani; örtü

manual /'menyuıl/ *s.* elle yapılan, ele ait, el * *a.* el kitabı, kılavuz

manufacture /menyu'fekçı/ *a.* imal, yapım * *e.* imal etmek, yapmak, üretmek *manufacturer* imalatçı, yapımcı

manure /mı'nyuı/ *a.* gübre

manuscript /'menyuskript/ *a.* yazma, el yazması

many /meni/ *s. adl. a.* çok, birçok *how many* kaç tane? *many's the time* birçok kereler *too many* çok fazla

map /mep/ *a.* harita

maple /'meypıl/ *a. bitk.* akçaağaç

mar /ma:/ *e.* bozmak, lekelemek

marathon /'mentın/ *a.* maraton

marauding /mı'ro:ding/ *s.* yağmacı, çapulcu

marble /'ma:bıl/ *a.* mermer; bilye, misket

March /ma:ç/ *a.* mart

march /ma:ç/ *a.* askeri yürüyüş; yürünen mesafe; ilerleme; *müz.* marş * *e.* düzenli adımlarla yürümek; ilerlemek

marchioness /ına:şı'nes/ *a.* markiz

mare /mei/ *a. hayb.* kısrak

margarine /ma:cı'ri:n/ *a.* margarin

margin /'ma:cin/ *a.* sınır, kenar; sayfa kenarındaki boşluk *marginal* kenarda olan

marina /mı'ri:nı/ *a.* marina, küçük liman

marine /mı'ri:n/ *s.* deniz/denizcilik ile ilgili * *a.* bahriye, denizcilik; bahriyeli

marital /'meritıl/ *s.* evlilikle ilgili *marital status* medeni hal

maritime /'meritaym/ *s.* denizle ilgili; denizcilikle ilgili, denizcilik ...

mark /ma:k/ *a.* işaret, çizgi; (okul) not, numara; damga; marka * *e.* işaretlemek; damgalamak; not vermek *marked* göze çarpan *marker* işaretleyen şey

mark /ma:k/ *a.* Alman parası, mark

market /'ma:kit/ *a.* çarşı, pazar; piyasa; borsa *be on the market* satışa çıkarılmak *black market* karaborsa *market economy* piyasa ekonomisi *market price* piyasa fiyatı *market quotation* piyasa rayici *market research* piyasa araştırması *marketplace* pazaryeri *marketing* pazarlama

marksman /'ma:ksmın/ *a.* nişancı

marmalade /'ma:mıleyd/ *a.* marmelat

maroon /mı'ru:n/ *a. s.* kestane rengi

marquee /ma:'ki/ *a.* büyük çadır, otağ

marquis /'ma:kwis/ *a.* marki

marriage /'meric/ *a.* evlenme; evlilik

married /'merid/ *s.* evli *get married (to)* ile evlenmek

marrow /'merou/ *a. bitk.* sakızmarry   162

kabağı; ilik, öz

marry /'meri/ *e.* evlendirmek; evlenmek

Mars /ma:z/ *a.* Mars

marsh /ma:ş/ *a.* bataklık **marshy** bataklık

marshal /'ma:şıl/ *a. ask.* mareşal; teşrifatçı; *AE.* (polis, itfaiye, vb.) şef * *e.* dizmek, sıralamak; yol göstermek

martial /'ma:şıl/ *s.* savaşla ilgili; savaşçı *martial law* sıkıyönetim

martin /'ma:tin/ *a. hayb.* kırlangıç

martyr /'ma:tı/ *a.* şehit * *e.* şehit etmek *martyrdom* şehitlik

marvel /'ma:vıl/ *a.* şaşılacak şey, mucize *marvellous* harika, müthiş, fevkalade

Marxist /'ma:ksist/ *a. s.* Marksist, Marksçı *Marxism* Marksizm

mascara /ma'ska:rı/ *a.* rimel, maskara

mascot /'meskıt/ *a.* uğur, maskot

masculine /'meskyulin/ *s.* erkeksi; *dilb.* eril

mash /meş/ *a.* lapa, ezme; *kon.* patates püresi * *e.* ezmek

mask /ma:sk/ *a.* maske; örtü; yüz kalıbı * *e.* maske takmak; gizlemek

masochist /'mesıkist/ *a.* mazoşist, özezer *masochism* mazoşizm, özezerlik

mason /'meysın/ *a.* duvarcı; mason *masonry* duvarcılık; masonluk; taş

masquerade /meskı'reyd/ *a.* maskeli balo; gerçeği gizleme

mass /mes/ *a.* yığın, küme; çokluk; kütle *mass media* kitle iletişim *mass production* seri üretim *the masses* çalışan sınıf, emekçiler

massacre /'mesıkı/ *a.* katliam, kırım * *e.* katliam yapmak

massage /'mesa:j/ *a.* masaj * *a.* masaj yapmak

masseur /me'sö:/ *a.* masör

massive /'mesiv/ *s.* iri, kocaman; güçlü; som, yekpare

mast /ma:st/ *a.* gemi direği; gönder

master /'ma:stı/ *a.* sahip; patron; müdür; (erkek) öğretmen; usta * *e.* hâkim olmak, iyi bilmek *masterful* dediğini yaptıran, egemen *master key* maymuncuk *masterly* ustaca, mükemmel *mastermind* çok zeki kimse *masterpiece* şaheser, başyapıt

masturbate /'mestıbeyt/ *e.* mastürbasyon yapmak *masturbation* mastürbasyon

mat /met/ *a.* hasır; paspas; altlık * *s.* donuk, mat

matador /'metıdo:/ *a.* boğa güreşçisi, matador

match /meç/ *a.* kibrit; fitil; eş, denk; benzer; maç, karşılaşma * *e.* birbirine uymak *matchbox* kibrit kutusu *matching* uyumlu *matchless* eşsiz, benzersiz *matchmaker* çöpçatan

mate /meyt/ *a.* arkadaş, dost; *BE. kon.* ahbap, arkadaş; (hayvan) eş; satranç (mat) * *e.* çiftleşmek; çiftleştirmek

material /mı'tiırıl/ *a.* madde; malzeme, gereç; kumaş * *s.* maddi *materialism* materyalizm, özdekçilik *materialist* materyalist

maternal /mı'tö:nıl/ *s.* anaya özgü, ana ...; (akrabalık) ana tarafından

maternity /mı'tö:niti/ *a.* analık; gebelik *maternity hospital* doğumevi

mathematics /meti'metiks/ *a.* matematik *mathematical* matematiksel; *mec.* tam, kesin *mathematician* matematikçi

maths /mets/ *a. BE. kon.* matematik

matiné /'metiney/ *a.* matine

matrimony /'metrimıni/ *a.* evlilik

matt /met/ *s.* donuk, mat

matter /'metı/ *a.* madde, cisim; iş,

163

meeting

sorun, konu, mesele; konu, içerik; aksilik, dert; cerahat, irin; mesele, sorun * *e.* önemi olmak *a matter of* ... meselesi *a matter of course* olağan bir şey, sıradan olay *a matter of death* ölüm kalım meselesi *as a matter of fact* aslında, işin doğrusu *It doesn't matter.* Önemi yok. *printed matter* basılı yazı, matbua *What's the matter?* Ne var? Ne oluyor?

matting /'meting/ *a.* hasır

mattock /'metık/ *a.* kazma

mattress /'metris/ *a.* döşek, şilte

mature /mı'çuı/ *s.* olgun * *é.* olgunlaşmak *maturity* olgunluk

maul /mo:l/ *e.* hırpalamak; yaralamak

mausoleum /mo:sı'lüm/ *a.* anıtkabir

mauve /mouv/ *a. s.* leylak rengi

maxim /'meksim/ *a.* özdeyiş

maximum /'meksimım/ *a.* en yüksek derece * *s.* en yüksek, maksimum

may /mey/ *e.* (olasılık, izin ve dilek belirtir) -ebilmek, -abilmek

May /mey/ *a.* mayıs

maybe /'meybi/ *be.* belki

mayonnaise /meyı'neyz/ *a.* mayonez

mayor /mei/ *a.* belediye başkanı

maze /meyz/ *a.* labirent

me /mi, mi:/ *adl.* beni; bana; ben

meal /mi:l/ *a.* yemek, öğün

mean /mi:n/ *e.* anlamına gelmek, demek olmak; demek istemek, kastetmek; niyet etmek * *s.* pinti, cimri; adi; alçak; ortalama * *a.* orta; ortalama; *kon.* servet, para; *kon.* vasıta; araç *by any means* her ne şekilde olursa olsun *by no means* kesinlikle, hiç *by means of* vasıtasıyla, yardımıyla

meander /mi'endı/ *a.* dolambaç

meaning /'mi:ning/ *a.* anlam *meaningful* anlamlı *meaningless* anlamsız

meant /ment/ *bkz. mean*

meantime /'mi:ntaym/ *be* bu arada *in the meantime* bu arada

meanwhile /'mi:nwayl/ *be.* bu arada

measles /'mi:zılz/ *a. hek.* kızamık

measure /'meji/ *a.* ölçü; tedbir, önlem * *e.* ölçmek *measurement* ölçüm; ölçü

meat /mi:t/ *a.* et *meatball* köfte

mechanic /mi'kenik/ *a.* makinist; tamirci *mechanical* makineyle ilgili, mekanik *mechanics* mekanik

mechanism /'mekınizım/ *a.* mekanizma

mechanize /'mekınayz/ *e.* makineleştirmek

medal /medıl/ *a.* madalya

medallion /mi'deliın/ *a.* madalyon

meddle /'medıl/ *e.* karışmak, burnunu sokmak

media /'mi:dıı/ *a.* kitle iletişim araçları

mediate /'mi:dieyt/ *e.* arabuluculuk etmek *mediator* arabulucu

medical /'medikıl/ *s.* tıbbi

medicate /'medikeyt/ *e.* içine ilaç katmak

medicinal /mi'disınıl/ *s.* iyileştirici

medicine /'medsın/ *a.* ilaç; tıp, hekimlik

medieval /medi'i:vıl/ *s.* ortaçağ ..., ortaçağa ait

mediocre /mi:di'oukı/ *s.* orta, şöyle böyle

meditate /'mediteyt/ *e.* enine boyuna düşünmek; tasarlamak

medium /'mi:dıım/ *a.* (*ç. media* /'mi:dıı/) çevre, ortam; vasıta, araç *medium sized* orta boylu

medley /'medli/ *a.* karışım; *müz.* potpuri, medley

meek /mi:k/ *s.* uysal, alçakgönüllü

meet /mi:t/ *e. met* /met/ rastlamak, karşılaşmak; karşılamak; tanışmak; buluşmak; toplanmak

meeting /'mi:ting/ *a.* buluşma; toplantı

megaphone /'megıfoun/ a. megafon

melancholy /melınkıli/ a. melankoli, hüzün * s. hüzünlü

mellow /'melou/ s. olgun, tatlı, sulu; yumuşak, tatlı

melodious /mi'loudııs/ s. kulağa hoş gelen, uyumlu, melodik

melodrama /'melıdra:mı/ a. melodram

melon /'melın/ a. bitk. kavun

melt /melt/ e. erimek; eritmek; kaybolmak melt away eriyip kaybolmak

member /'membı/ a. üye; organ; uzuv membership üyelik; üyeler

membrane /'membreyn/ a. ince zar

memo /'memou/ a. kısa not

memoirs /'memwa:z/ a. yaşam öyküsü

memorable /'memınbıl/ s. anılmaya değer

memorandum /memı'rendım/ a. not; nota, muhtıra; tezkere, memorandum

memorial /mı'mo:rııl/ a. anıt

memorize /'memırayz/ e. ezberlemek

memory /'memıri/ a. hafıza; anı, hatıra in memory of -ın anısına

menace /'menis/ a. tehdit, tehlike * e. tehdit etmek

mend /mend/ e. onarmak, tamir etmek; yamamak; düzeltmek on the mend iyileşen, düzelen

menstruation /menstru'eyşın/ a. âdet, aybaşı

mental /'mentıl/ s. zihinsel, akli mental hospital akıl hastanesi mental illness akıl hastalığı

mentality /men'teliti/ a. düşünüş, zihniyet; akıl, zekâ, zihin

menthol /'mentol/ a. mentol

mention /'menşın/ e. -den söz etmek, bahsetmek, anmak Don't mention it! Bir şey değil! Estağfurullah!

menu /'menyu:/ a. yemek listesi, mönü

mercenary /'mö:sınıri/ a. paralı asker

merchandise /'mö:çındayz/ a. ticaret eşyası, mal

merchant /'mö:çınt/ a. tüccar, tacir

merciful /'mö:sifıl/ s. sevecen, bağışlayıcı, merhametli

merciless /'mö:silis/ s. merhametsiz, acımasız, amansız

mercury /'mö:kyuri/ a. cıva

Mercury /'mö:kyuri/ a. Merkür

mercy /'mö:si/ a. merhamet, acıma

mere /mıı/ s. sırf, sadece, yalnız the merest en ufak, en önemsiz merely sadece, yalnızca

merge /mö:c/ e. birleştirmek; birleşmek merger birleşme

meridian /mı'ridıın/ a. meridyen

merit /'merit/ a. değer, liyakat; erdem

mermaid /'mö:meyd/ a. denizkızı

merriment /'merimınt/ a. şenlik, neşe, keyif

merry /'meri/ s. neşeli, şen, güleç merry-go-round atlıkarınca

mesh /meş/ a. ağ gözü; tuzak * e. (çark dişleri) birbirine geçmek

mess /mes/ a. karışıklık, dağınıklık; kirlilik, pislik; ask. yemekhane; ask. karavana in a mess pislik içinde make a mess of yüzüne gözüne bulaştırmak, berbat etmek

message /'mesic/ a. haber, mesaj

messenger /'mesıncı/ a. haberci, ulak

messiah /mı'sayı/ a. kurtarıcı; İsa Peygamber

met /met/ bkz. meet

metabolism /mi'tebılizım/ a. metabolizma

metal /'metıl/ a. metal, maden metallic /mi'telik/ madeni

metallurgy /'metılö:ci, mi'telıci/ a. metalürji, metalbilim

metaphor /'metıfı/ a. eğretileme,

istiare
meteor /'mi:tıı/ *a.* göktaşı, meteor *meteorite* /-rayt/ göktaşı
meteorology /mi:tiı'rolıci/ *a.* meteoroloji, havabilgisi
meter /'mi:tı/ *a.* ölçme aygıtı, sayaç, saat; *AE.* metre
method /'metıd/ *a.* yöntem *methodical* /mi'todikıl/ sistemli, yöntemli
meticulous /mi'tikyulıs/ *s.* titiz
metre /'mi:tı/ *a.* metre; ölçü, vezin *metric* /'metrik/ metrik
metropolis /mi'tropılis/ *a.* büyük şehir, anakent, metropol; başkent *metropolitan* başkentle/büyük şehirle ilgili
mettle /'metıl/ *a.* yiğitlik, cesaret
mew /nyu:/ *e.* miyavlamak
miaow /mi'au/ *a.* miyav, miyavlama * *e.* miyavlamak
mica /'maykı/ *a.* mika
microbe /'maykroub/ *a.* mikrop
microchip /'maykrıçip/ *a.* miniyonga, mikroçip
microfilm /'maykrıfilm/ *a.* mikrofilm
microorganism /maykrou'o:gınizım/ *a.* mikroorganizma
microphone /'maykrıfoun/ *a.* mikrofon
microprocessor /maykrou'prousesı/ *a.* (bilgisayar) mikroişlem birimi, mikroişlemci
microscope /'maykrıskoup/ *a.* mikroskop
microwave /'maykrıweyv/ *a.* mikrodalga
mid /mid/ *s.* ortasında
midday /mid'dey/ *a.* öğle vakti * *s.* öğle
middle /'midıl/ *a.* orta; vasat; merkezi *Middle Ages* ortaçağ *middle class* orta sınıf *Middle East* Ortadoğu *in the middle of sth/doing sth* ile meşgul, -mekte, -makta *middleman* komisyoncu, aracı *middleweight* (boks) or-

tasıklet
midge /mic/ *a. hayb.* tatarcık
midget /'micit/ *s.* cüce; çok küçük
midland /'midlınd/ *a.* bir ülkenin iç kısmı *the Midlands* orta İngiltere
midnight /'midnayt/ *a.* gece yarısı
midriff /'midrif/ *a. anat.* diyafram
midway /mid'wey/ *s. be.* yarı yolda, ortasında
midwife /'midwayf/ *a.* ebe
might /mayt/ *bkz. may; a.* kudret, güç *mighty* güçlü, kudretli
migraine /'mi:greyn, 'maygreyn/ *a. hek.* migren
migrant /'maygrınt/ *a.* göçmen
migrate /may'greyt/ *e.* göç etmek, göçmek *migration* göç
mike /mayk/ *a. kon.* mikrofon
mild /mayld/ *s.* yumuşak başlı, uysal; ılımlı
mildew /'mildyu:/ *a.* küf
mile /mayl/ *a.* mil (1609 m.) *milestone* kilometre taşı; dönüm noktası
mileage /'maylic/ *a.* mil hesabıyla uzaklık
militant /'militınt/ *s.* saldırgan, savaşçı * *a.* militan
military /'milıtıri/ *s.* askeri
militia /mi'lişı/ *a.* milis
milk /milk/ *a.* süt * *e.* sağmak *milkman* sütçü *milky* sütlü *the Milky Way* Samanyolu
mill /mil/ *a.* değirmen; imalathane * *e.* öğütmek; çekmek
millennium /mi'lenium/ *a.* bin yıl
miller /'mılı/ *a.* değirmenci
millet /'milit/ *a.* darı
milliner /'milinı/ *a.* kadın şapkacısı
million /'milyın/ *a.* milyon
millionaire /milyı'neı/ *a.* milyoner
mime /maym/ *a.* pandomim; pandomim oyuncusu * *e.* pandomim yapmak
mimic /'mimik/ *a.* taklitçi * *e.* taklidini yapmak
minaret /minı'ret/ *a.* minare

mince /mins/ *e.* kıymak, doğramak * *a.* kıyma

mind /maynd/ *a.·* akıl; düşünce; kanı; hatır, bellek; dikkat *change one's mind* fikrini değiştirmek *in one's right mind* aklı başında *make up one's mind* kararını vermek *out of one's mind* deli

mind /maynd/ *e.* bakmak, ilgilenmek; aldırış etmek, önemsemek, sakıncalı bulmak *do/would you mind* sizce bir sakıncası var mı *mind you* şunu da göz önünde bulundurun ki *Mind your own business* Sen kendi işine bak. *Never mind* Boş ver; Önemi yok; Aldırma; Sağlık olsun *mindful* -e dikkat eden, önem veren *mindless* akılsız, aptal; aldırış etmeyen

mine /mayn/ *adl.* benimki * *a.* maden ocağı; *ask.* mayın * *e.* (maden, vb.) çıkarmak; mayın döşemek *minefield* mayın tarlası *miner* madenci

mineral /'minırıl/ *a. s.* mineral *mineral water* madensuyu

mingle /'mingıl/ *e.* karıştırmak; karışmak

mini /'mini/ *s.* küçük, mini

miniature /'miniıçı/ *a.* minyatür

minibus /'minibas/ *a.* minibüs

minimal /'minimıl/ *s.* en az, en küçük

minimize /'minimayz/ *e.* en aza indirgemek, azaltmak

minimum /'minimım/ *s.* en küçük, en az * *a.* en küçük miktar *minimum wage* asgari ücret

mining /'mayning/ *a.* madencilik

minister /'ministı/ *a.* bakan; orta elçi; papaz

ministry /'ministri/ *a.* bakanlık; papazlık

mink /mink/ *a. hayb.* vizon; vizon kürk

minor /'maynı/ *s.* daha az; önemsiz,

küçük; *müz.* minör * *a. huk.* ergin olmayan çocuk

minority /may'noriti/ *a.* azınlık

minster /'minstı/ *a.* büyük kilise

minstrel /'minstrıl/ *a.* ortaçağ halk ozanı

mint /mint/ *a. bitk.* nane; darphane

minus /'maynıs/ *a. s. ilg.* eksi

minute /'minit/ *a.* dakika; kısa süre, an

minutes /'minits/ *a.* tutanak

miracle /'mirıkıl/ *a.* mucize, harika *miraculous* /mi'rekyulıs/ mucizevi, şaşılacak

mirage /'mira:j/ *a.* serap, ılgın

mirror /'mirı/ *a.* ayna

misadventure /misıd'vençı/ *a.* kaza, talihsizlik

misapprehend /misepri'hend/ *e.* yanlış anlamak

misbehave /misbi'heyv/ *e.* terbiyesizlik etmek, kötü davranmak

miscalculate /mis'kelkyuleyt/ *e.* yanlış hesaplamak

miscarriage /mis'keric/ *a.* çocuk düşürme, düşük; başarısızlık

miscarry /mis'keri/ *e.* (çocuk) düşürmek; başarısız olmak, boşa gitmek

miscellaneous /misı'lenyııs/ *s.* çeşitli

mischance /mis'ça:ns/ *a.* şanssızlık, talihsizlik

mischief /'misçif/ *a.* kötülük; yaramazlık *mischievous* zararlı; yaramaz

misconduct /mis'kondakt/ *a.* kötü davranış; kötü yönetim; zina

misdemeanour /misdi'mi:nı/ *a.* hafif suç

miser /'mayzı/ *a.* cimri, para canlısı

miserable /'mizırıbıl/ *s.* sefil, perişan; mutsuz; kötü, berbat

misery /'mizıri/ *a.* sefalet, perişanlık, dert; yoksulluk

misfire /mis'fayı/ *e.* (silah) tutukluk yapmak; bekleneni vermemek

misfortune /mis'fo:çın/ *a.* şanssızlık,

talihsizlik; felaket, kaza

misgiving /mis'giving/ *a.* kuşku, kaygı

mishap /'mishep/ *a.* talihsizlik, kaza

misinterpret /misin'tö:prit/ *e.* yanlış anlamak, yanlış yorumlamak

mislay /mis'ley/ *e.* **misled** /misled/ *e.* nereye koyduğunu unutmak

mislead /mis'li:d/ *e.* **misled** /misled/ *e.* yanıltmak; baştan çıkarmak

mismanage /mis'menic/ *e.* kötü yönetmek

misogynist /mi'socinist/ *a.* kadın düşmanı

misplace /mis'pleys/ *e.* yanlış yere koymak

misprint /mis'print/ *a.* baskı hatası

mispronounce /mispri'nauns/ *e.* yanlış telaffuz etmek

miss /mis/ *e.* vuramamak, ıskalamak; kaçırmak; özlemek * *a.* vuramama, ıskalama **miss out** atlamak, kaçırmak **missing** namevcut, eksik

miss /mis/ *a.* hanımefendi, bayan

missile /'misayl/ *a.* füze; mermi

mission /'mışın/ *a.* özel görev; kurul **missionary** misyoner

misspell /mis'spel/ *e.* **misspelt** /mis'spelt/ harflerini yanlış söylemek

mist /mist/ *a.* sis, duman; buğu **misty** sisli, dumanlı

mistake /mis'teyk/ *e.* **mistook** /mi'stuk/, **mistaken** /mi'steykın/ yanlış anlamak; başkasına benzetmek * *a.* hata, yanlış, yanlışlık; kusur **make a mistake** hata yapmak **mistaken** yanlış, hatalı, yersiz

Mister /'mistı/ *a.* Bay

mistletoe /'misıltou/ *a. bitk.* ökseotu.

mistook /mi'stuk/ *bkz.* **mistake**

mistress /'mistris/ *a.* evin hanımı; kadın öğretmen; metres

mistrust /mis'trast/ *e.* güvenmemek * *a.* güvensizlik

misunderstand /misandı'stend/ *e.* **misunderstood** /misandı'stud/ yanlış anlamak **misunderstanding** yanlış anlaşılma

misuse /mis'yu:z/ *e.* yanlış yerde kullanmak; kötü kullanmak * *a.* yanlış kullanma; kötüye kullanma

mitigate /'mitigeyt/ *e.* hafifletmek, azaltmak

mitten /'mitın/ *a.* parmaksız eldiven

mix /miks/ *e.* karıştırmak; karışmak; kaynaşmak, uyum sağlamak **mixed** karışık, karma **mixer** karıştırıcı, mikser

mixture /'miksçı/ *a.* karışım; karışma, karıştırma

moan /moun/ *a.* inilti * *e.* inlemek

mob /mob/ *a.* ayaktakımı; kalabalık

mobile /'moubayl/ *s.* hareket eden, oynak; seyyar, gezici **mobile phone** cep telefonu

mobilize /'moubilayz/ *e.* silah altına almak, seferber etmek **mobilization** seferberlik

moccasin /'mokisin/ *a.* makosen

mock /mok/ *e.* alay etmek * *s.* yapmacık, sahte **mockery** alay; gülünç taklit

modal /moudıl/ *s. dilb.* kiplerle ilgili, kip; *müz.* makamla ilgili

mode /moud/ *a.* tarz, yol, biçim

model /'modıl/ *a.* örnek, model; model, manken; kalıp * *e.* modelini yapmak, örneğini çıkarmak; mankenlik yapmak **model on/upon** -e örnek almak

modem /'moudem/ *a.* modem

moderate /'modırıt/ *s.* orta; görüşleri aşırıya kaçmayan, ılımlı

moderate /'modıreyt/ *e.* hafifletmek, azaltmak; hafiflemek, azalmak

moderation /modı'reyşın/ *a.* ılımlılık

modern /'modın/ *s.* çağdaş, modern **modernize** yenileştirmek, modernize etmek modest /'modist/ s. alçakgönüllü; sade, gösterişsiz **modesty** alçakgönüllülük

modify /'modifay/ e. değişiklik yapmak, değiştirmek **modification** /-fi'keyşın/ değiştirme; değişiklik

module /'modyu:l/ a. ölçü birimi; modül

mohair /'mouheı/ a. tiftik

Mohammedan /mou'hemidın/ a. s. Müslüman

moist /moyst/ s. rutubetli, nemli

moisten /'moysçın/ e. ıslatmak; ıslanmak, yaşarmak

moisture /'moysçı/ a. rutubet, nem

molar /'moulı/ a. azıdişi

mole /moul/ a. ben; dalgakıran; *hayb.* köstebek

molecule /'molikyu:l/ a. molekül, özdecik

molest /mı'lest/ e. rahatsız etmek; sarkıntılık etmek

mollusc /'molısk/ a. *hayb.* yumuşakça

molten /'moultın/ s. erimiş, dökme

mom /mom/ a. *AE. kon.* anne

moment /'moumınt/ a. kısa süre, an; önem **at the moment** şu anda, şimdi **at that moment** o anda **momentary** bir anlık, geçici

momentous /mou'mentıs/ s. önemli

momentum /mou'mentım/ a. *fiz.* moment, devinirlik; hız

monarch /'monık/ a. tekerk, mutlak hükümdar **monarchic** /'mına:kik/ monarşik **monarchy** monarşi

monastery /'monıstrı/ a. manastır

Monday /'mandi, 'mandey/ a. pazartesi

monetary /'manitırı/ s. parasal

money /'mani/ a. para **money box** kumbara **money order** posta havalesi, banka havalesi

mongrel /'mangrıl/ a. melez, kırma

monitor /'monıtı/ a. sınıf başkanı; monitör, denetlik

monk /mank/ a. keşiş, rahip

monkey /'manki/ a. maymun **monkey business** kon. dolap, hile, üçkâğıt

monochrome /'monıkroum/ s. tek renkli; (TV) siyah-beyaz

monogamy /mı'nogımi/ a. tekeşlilik, monogami

monologue /'monılog/ a. monolog

monopolize /mı'nopılayz/ e. tekeline almak

monopoly /mı'nopıli/ a. tekel

monotonous /mı'notınıs/ s. tekdüze, monoton **monotony** tekdüzelik, monotonluk

monster /'monstı/ a. canavar; dev

monstrous /'monstrıs/ s. kocaman; korkunç, iğrenç

montage /'monta:j/ a. kurgu, montaj

month /mant/ a. ay **monthly** ayda bir, aylık

monument /'monyumınt/ a. anıt **monumental** /-'mentıl/ anıtsal

moo /mu:/ a. böğürme * e. böğürmek

mood /mu:d/ a. ruh hali; aksilik, huysuzluk; *dilb.* kip **moody** değişken; huysuz

moon /mu:n/ a. ay **full moon** dolunay **new moon** hilal **once in a blue moon** kırk yılda bir **moonlight** ay ışığı

moor /muı/ a. çalılık arazi, kır * e. *den.* palamarla bağlamak **moorings** gemi bağlama yeri

moose /mu:s/ a. *hayb.* Amerika geyiği, mus

mop /mop/ a. saplı tahta bezi; *kon.* dağınık saç * e. saplı bezle silmek

mope /moup/ e. neşesiz olmak, kederli olmak

moped /'mouped/ a. motorlu bisiklet

moral /'morıl/ a. ahlaki, törel; dürüst; manevi * a. ahlak dersi

morals ahlak
morale /mı'ra:l/ *a.* moral
morality /mı'reliti/ *a.* ahlaklılık, erdem
morass /mı'res/ *a.* bataklık
more /mo:/ *s.* daha çok ∗ *be.* daha (çok) *and what's more* üstelik *any more* artık *more and more* gittikçe, gitgide *more or less* aşağı yukarı, yaklaşık *no more* bir daha hiç, artık hiç *the more ... the more ...* ne kadar ... o kadar ...
morello /mı'relou/ *a. bitk.* vişne
moreover /mo'rouvı/ *be.* bundan başka, üstelik, zaten
morgue /mo:g/ *a.* morg
morning /'mo:ning/ *a.* sabah *Good morning!* Günaydın!
moron /'mo:ron/ *a.* geri zekâlı; *hek.* moron
morose /mı'rous/ *s.* somurtkan, suratsız
morpheme /'mo:fi:m/ *a. dilb.* morfem, biçimbirim
morphine /'mo:fi:n/ *a.* morfin
Morse code /mo:s'koud/ *a.* Mors alfabesi
morsel /'mo:sıl/ *a.* lokma, parça
mortal /'mo:tıl/ *s.* fani, ölümlü; ölümcül; *kon.* çok büyük, aşırı ∗ *a.* fani, ölümlü, insan *mortality* /-'teliti/ ölümlülük; ölüm oranı
mortar /'mo:tı/ *a.* harç; *ask.* havan topu ∗ *e.* harç ile sıvamak
mortgage /'mo:gic/ *a.* rehin, ipotek ∗ *e.* rehine koymak, ipotek etmek
mortify /'mo:tifay/ *e.* küçük düşürmek, utandırmak
mortuary /'mo:çuırı/ *a.* morg
mosaic /mou'zeyik/ *a.* mozaik
Moslem /'mozlim/ *a. s.* Müslüman
mosque /mosk/ *a.* cami
mosquito /mı'ski:tou/ *a.* sivrisinek
moss /mos/ *a.* yosun *mossy* yosunlu
most /moust/ *s.* en çok; hemen hepsi, çoğu ∗ *be.* en çok, en, son

derece, pek ∗ *a.* en çok miktar, çoğunluk *at (the) most* en çok, olsa olsa *mostly* çoğunlukla, çoğu kez
motel /mou'tel/ *a.* motel
moth /mot/ *a.* güve; pervane
mother /'matı/ *a.* ana, anne *motherhood* annelik *mother-in-law* kaynana *motherland* anavatan *mother tongue* ana dili *motherly* ana gibi, anaya özgü
motif /mou'ti:f/ *a.* motif, örge
motion /'mouşın/ *a.* hareket, devinim; işaret; önerge; *tek.* işleme, çalışma *motion picture* sinema filmi *slow motion* ağır çekim *motionless* hareketsiz
motivate /'moutiveyt/ *e.* harekete geçirmek *motivation* güdüleme, güdü, motivasyon
motive /'moutiv/ *a.* neden, güdü, dürtü ∗ *s.* hareket ettirici
motocross /'moutoukros/ *a.* motosiklet yarışı, motokros
motor /'moutı/ *a.* motor ∗ *s.* hareket ettirici; motorlu *motor accident* araba kazası *motorbike* motosiklet *motorboat* deniz motoru *motorcar* otomobil, araba *motorcycle* motosiklet *motoring* araba kullanma, sürücülük; otomobil sporu *motorist* otomobil sürücüsü *motorize* /-rayz/ motorla donatmak, motorize etmek *motorway* karayolu, otoyol
motto /'motou/ *a.* parola, slogan
mould /mould/ *a.* kalıp; küf ∗ *e.* kalıba dökmek; küflenmek
moulder /'mouldı/ *e.* çürümek, dökülmek
moult /moult/ *e.* tüylerini dökmek
mount /maunt/ *a.* dağ, tepe; binek hayvanı ∗ *e.* binmek; çıkmak; artmak
mountain /'mauntin/ *a.* dağ *mountaineer* /-'nıı/ dağcı *mountaineering* dağcılık *mountainous*

dağlık

mourn /mo:n/ *e.* (**for/over**) yasını tutmak *mourner* yaslı kimse *mournful* yaslı

mourning /'mo:ning/ *a.* yas; yas giysisi

mouse /maus/ *a.* (ç. *mice* /mays/) fare *mousetrap* fare kapanı

moustache /mı'sta:ş/ *a.* bıyık

mouth /maut/ *a.* ağız *mouthful* ağız dolusu lokma *mouthorgan* ağız mızıkası *mouthpiece* ağızlık; zıvana; (at) gem *mouth-watering* ağız sulandırıcı

movable /'mu:vıbıl/ *s.* menkul, taşınır

move /mu:v/ *e.* hareket ettirmek, kımıldatmak, oynatmak; taşımak; işletmek; duygulandırmak, etkilemek * *a.* hareket, kımıldama; göç, taşınma; (satranç) oynama sırası, hamle, el; hareket; önlem *move in* eve taşınmak *move off* uzaklaşmak, gitmek *move out* evden taşınmak

movement /'mu:vmınt/ *a.* hareket; kımıldanma; *müz.* tempo, ritm; mekanizma

movie /'mu:vi/ *a. AE. kon.* film; sinema *go to the movies* sinemaya gitmek

mow /mou/ *e.* biçmek

mower /'mouı/ *a.* çim biçme makinesi

Mr /'mıstı/ *a.* Bay, By

Mrs /'misız/ *a.* (evli) Bayan, Bn

Ms /miz, mız/ *a.* (evli ya da bekâr) Bayan, Bn

much /maç/ *s. be.* çok * *a.* çok şey *as much as* ... kadar *how much* ne kadar; kaç para? *much the same* hemen hemen aynı *so much* o kadar çok *make much of* çok önem vermek; anlamak

muck /mak/ *a.* pislik; kir; gübre *muck up* kirletmek, pisletmek

mucus /'myu:kıs/ *a.* sümük

mud /mad/ *a.* çamur *mudguard* çamurluk *muddy* çamurlu

muddle /madıl/ *a.* dağınıklık; şaşkınlık * *e.* karıştırmak, bozmak; hayrete düşürmek *muddle-head* sersem; kalın kafalı

muffle /'mafıl/ *e.* (sesi) boğmak, hafifletmek *muffler* atkı, fular; *AE.* susturucu

mug /mag/ *a.* kulplu bardak, maşrapa; *arg.* yüz, surat; *BE. kon.* enayi, avanak * *e.* saldırıp soymak

muggy /'magi/ *s.* (hava) kapalı, boğucu, bunaltıcı

Muhammadan /mu'hemıdın/ *a. s.* Müslüman

mulberry /'malbıri/ *a. bitk.* dut

mule /myu:l/ *a. hayb.* katır

mullah /'malı/ *a.* molla

mullet /'malit/ *a. hayb.* tekir balığı

multilateral /malti'letırıl/ *s.* çok yanlı

multiple /'maltipıl/ *s.* çok, birçok, çeşitli * *a. mat.* kat

multiplication /maltipli'keyşın/ *a. mat.* çarpım; artış, çoğalma *multiplication table* çarpım tablosu

multiply /'maltiplay/ *e. mat.* (*by*) çarpmak; çoğalmak; çoğaltmak; üremek

multistorey /malti'sto:ri/ *s.* (bina) çok katlı

multitude /'maltityu:d/ *a.* çok sayı, çokluk, kalabalık

mum /mam/ *a. BE. kon.* anne

mumble /'mambıl/ *e.* mırıldanmak, ağzında gevelemek

mummify /'mamifay/ *e.* mumyalamak

mummy /'mami/ *a.* mumya

mummy /'mami/ *a. BE. kon.* anne

mumps /mamps/ *a. hek.* kabakulak

munch /manç/ *e.* hatır hutur yemek

mundane /man'deyn/ *s.* günlük, olağan

municipal /myu:'nisipıl/ *s.* belediye/kent ile ilgili *municipality* /myu:nisi'peliti/ belediye

munitions /myu:'nişınz/ *a. ask.* mühimmat, cephane

mural /'myuınl/ *a.* duvara yapılmış resim, duvar resmi, fresk

murder /'mö:dı/ *a.* adam öldürme, cinayet * *e.* katletmek, öldürmek; *kon.* berbat etmek, içine etmek *murderer* katil *murderous* öldürücü

murky /'mö:ki/ *s.* karanlık

murmur /'mö:mı/ *a.* mırıldanma, mırıltı; söylenme * *e.* mırıldanmak; homurdanmak, söylenmek

muscle /'masıl/ *a.* kas, adale

muscular /'maskyulı/ *s.* kaslarla ilgili; kaslı, adaleli, güçlü

muse /myu:z/ *e.* (*over/up/upon*) derin derin düşünmek, derin düşüncelere dalmak

museum /myu:'zıım/ *a.* müze

mushroom /'maşru:m/ *a. bitk.* mantar

music /'ınyu:zik/ *a.* müzik; nota, makam *music centre/set* müzik seti *music hall* müzikhol *musical* müzikal; müziklı; müziksever; hoş, uyumlu

musician /myu:'zişın/ *a.* müzisyen

musk /mask/ *a. bitk.* misk

Muslim /'mazlim/ *a. s.* Müslüman

muslin /'mazlin/ *a.* muslin

mussel /'masıl/ *a.* midye

must /mıst, mast/ *e.* (zorunluluk, gereklilik belirtir) -meli, -malı; (tahmin belirtir) -meli, -malı * *a.* gerekli şey, yapılması gereken şey

mustard /'mastıd/ *a.* hardal

muster /'mastı/ *e.* toplanmak; toplamak

musty /'masti/ *s.* küf kokulu, küflü

mutation /myu:'teyşın/ *a.* değişme, dönüşme; *biy.* değişinim

mute /myu:t/ *s.* sessiz; *dilb.* (harf)

okunmayan * *a.* dilsiz

mutilate /'myu:tileyt/ *e.* kötürüm etmek, sakatlamak; bozmak

mutiny /'myu:tini/ *a.* (denizci, asker) isyan, ayaklanma *mutineer* isyancı, asi

mutter /'matı/ *e.* mırıldanmak; söylenmek, homurdanmak * *a.* mırıltı

mutton /matın/ *a.* koyun eti

mutual /'myu:çuıl/ *s.* ortak; karşılıklı

muzzle /'mazıl/ *a.* hayvan burnu; top/tüfek ağzı

my /may/ *s.* benim

myopia /may'opıı/ *a.* miyopluk *myopic* /may'opik/ miyop

myriad /'miriıd/ *s.* çok, sayısız

myrtle /'mö:tıl/ *a. bitk.* mersin ağacı

myself /may'self/ *adl.* ben, kendim, kendimi, kendime *by myself* yalnız başıma, kendi kendime

mysterious /mi'stiırııs/ *s.* esrarengiz, gizemli

mystery /'mistırı/ *a.* sır, giz; anlaşılmaz şey, gizem, esrar

mystic /'mistik/ *s.* gizemli, mistik; gizemcilikle ilgili * *a.* gizemci *mysticism* /-sizım/ tasavvuf, gizemcilik

mystify /'mistifay/ *e.* şaşırtmak

myth /mit/ *a.* söylence, efsane, mit *mythical* efsanevi, söylencesel

mythology /mi'tolıci/ *a.* mitoloji, söylenbilim *mythological* mitolojik

N

nab /neb/ *e. kon.* yakalamak, kapmak

nag /neg/ *a.* ufak at, midilli * *e.* söylenip durmak, dırdır etmek

nail /neyl/ *a.* tırnak; çivi * *e.* çivilemek *hit the nail on the head* taşı gediğine koymak, tam üstüne basmak

naive /nay'i:v/ s. saf, bön, toy

naked /'neykid/ s. çıplak

name /neym/ a. ad, isim; ün; ünlü kişi * e. ad koymak; seçmek, atamak *family name* soyadı *by name* ismen, adıyla *in the name of* adına, namına *call sb names* - e sövüp saymak *know sb by name* -i ismen tanımak *make a name for oneself* ün kazanmak *nameless* adsız, isimsiz; tarifi olanaksız, anlatılamaz *namely* yani, şöyle ki *nameplate* tabela *namesake* adaş

nanny /'neni/ a. dadı

nap /nep/ e. kestirmek, şekerleme yapmak * a. kısa uyku, kestirme

nape /neyp/ a. ense

napkin /'nepkin/ a. peçete

nappy /'nepi/ a. bebek bezi

narcissism /'na:sisizm/ a. narsisizm, özseverlik

narcissus /na:'sısıs/ a. *bitk.* nergis

narcotic /na:'kotik/ a. s. uyuşturucu

narrate /nı'reyt/ e. anlatmak, aktarmak *narration* anlatım; öyküleme *narrative* öykü, anlatı *narrator* anlatıcı

narrow /'nerou/ s. dar; ensiz; sınırlı; kıt kanaat * e. daralmak; daraltmak *narrow-minded* dar görüşlü, bağnaz

nasal /'neyzıl/ s. burunla ilgili; *dilb.* genzel, genizsel

nasty /'na:sti/ s. kötü, tatsız; açık saçık, ayıp; pis, iğrenç

natal /neytıl/ s. doğumla ilgili

nation /'neyşın/ a. millet, ulus

national /'neşınıl/ s. ulusal *national anthem* milli marş *national park* milli park *nationalism* milliyetçilik, ulusçuluk *nationalist* milliyetçi, ulusçu *nationality* milliyet, ulusallık; ulus

nationalize /'neşınılayz/ e. devletleştirmek, kamulaştırmak

nationwide /neyşın'wayd/ s. yurt çapında, tüm yurtta gerçekleşen

native /'neytiv/ s. yerli, doğuştan * a. yerli

natural /'neçırıl/ s. doğal; olağan; doğuştan *natural history* tabiat bilgisi, doğa bilgisi *natural resources* doğal kaynaklar *natural sciences* doğal bilimler *naturally* doğal olarak

naturalist /'neçırılist/ a. doğa bilimleri uzmanı, natüralist, doğalcı

naturalize /neçırılayz/ e. yurttaşlığa kabul etmek

nature /'neyçı/ a. tabiat, doğa; yaradılış, mizaç; tür, çeşit

naught /no:t/ a. hiç, hiçbir şey, sıfır

naughty /'no:ti/ s. yaramaz, haylaz

nausea /'no:zıı/ a. mide bulantısı

nautical /'no:tikıl/ s. gemicilik/deniz/denizcilikle ilgili *nautical mile* deniz mili

naval /'neyvıl/ s. bahriyeye/donanmaya ait

navel /'neyvıl/ a. göbek

navigable /'nevigıbıl/ s. gemilerin yüzebileceği kadar derin

navigate /'nevigeyt/ e. (gemi, uçak, vb.) kullanmak; gemiyle gezmek; kaptanlık etmek *navigation* denizcilik, gemicilik, dümencilik *navigator* (gemi, uçak, vb.) rotacı, dümenci

navy /'neyvi/ a. deniz kuvvetleri; deniz filosu, donanma *navy blue* lacivert

near /nıı/ s. yakın * be. ilg. yakın, yakında, yanında, yakınında *nearby* yakın, yakında *nearly* hemen hemen, neredeyse *nearness* yakınlık *nearsighted* miyop

neat /ni:t/ s. temiz, derli toplu; tertipli, düzensever; (içki) sek; *AE. kon.* çok iyi

nebula /'nebyulı/ a. bulutsu, nebula

necessary /'nesisıri/ s. gerekli,

zorunlu; kaçınılmaz **necessarily** mutlaka

necessitate /ni'sesiteyt/ e. gerektirmek, zorunlu kılmak

necessity /ni'sesiti/ a. zorunluluk; ihtiyaç, gereksinim; yoksulluk

neck /nek/ a. boyun; elbise yakası; *coğ.* dil, kıstak * e. *kon.* (cinsel birleşme yapmadan) sevişmek *up to one's neck kon.* boğazına kadar **necktie** *AE.* kravat

neckerchief /'nekıçif/ a. boyun atkısı

necklace /'neklis/ a. kolye, gerdanlık

nectar /'nektı/ a. nektar

née /ney/ *be.* kızlık soyadıyla

need /ni:d/ a. lüzum, gerek; ihtiyaç, gereksinim * e. -e ihtiyacı olmak, gereksinim duymak; gerektirmek; gerekmek **needful** gerekli **needless** gereksiz

needle /'ni:dıl/ a. iğne; şiş, tığ; ibre **needlework** iğne işi, işleme

negative /'negıtiv/ s. negatif, olumsuz; *mat.* eksi * a. olumsuz yanıt; (film) negatif

neglect /ni'glekt/ e. ihmal etmek, savsaklamak; yapmamak, unutmak * a. ihmal **neglectful** ihmalci **negligence** /'neglicıns/ ihmal, dikkatsizlik, kayıtsızlık **negligent** /'neglicınt/ ihmalci, dikkatsiz **negligible** /'neglicıbıl/ önemsiz, kayda değmez

negotiable /ni'gouşıbıl/ s. ciro edilebilir, devredilebilir, satılabilir; *kon.* (yol, vb.) geçilebilir

negotiate /ni'gouşieyt/ e. görüşmek; akdetmek; ciro etmek, satmak **negotiation** görüşme; ciro etme, devretme **negotiator** delege, görüşmeci

Negro /'ni:grou/ a. zenci

neigh /ney/ e. kişnemek * a. kişneme

neighbour /'neybı/ a. komşu

neighbourhood /'neybıhud/ a. komşular, konu komşu; çevre, yöre, semt

neither /'naytı/ s. (ikisinden) hiçbiri, hiçbir * adl. hiçbiri **neither ... nor** ne ... ne de

neon /'ni:on/ a. neon **neon sign** ışıklı reklam

nephew /'nevyu:, 'nefyu:/ a. erkek yeğen

nepotism /'nepıtizım/ a. yakınlarını kayırma, dayıcılık

nerve /nö:v/ a. sinir; *kon.* arsızlık, yüzsüzlük **get on sb's nerves** -in sinirine dokunmak

nervous /'nö:vıs/ s. sinirleri gergin, heyecanlı, ürkek; sinirsel **nervous breakdown** sinir krizi **nervous system** sinir sistemi

nest /nest/ a. yuva

nestle /'nesıl/ a. rahatça yerleşmek, kurulmak; barındırmak, sığındırmak

net /net/ a. ağ; file; tuzak * s. net, katıksız, kesintisiz * e. (ağ ile) yakalamak **network** şebeke

nettle /'netıl/ a. *bitk.* ısırgan

neurology /nyu'rolıci/ a. sinirbilim, nevroloji

neurosis /nyu'rousis/ a. nevroz, sinirce

neurotic /nyu'rotik/ a. nevrozlu, sinirceli

neuter /'nyu:tı/ s. *dilb.* eril/dişil olmayan; yansız; nötr, cinsiyetsiz

neutral /'nyu:trıl/ s. yansız, tarafsız; *kim.* yansız, nötr; (vites) boşta **neutralize** etkisiz bırakmak; yansızlaştırmak

neutron /'nyu:trın/ a. nötron

never /'nevı/ *be.* asla, hiçbir zaman; hiç **Never mind!** Zararı yok!, Boş ver!

nevertheless /nevıdı'les/ *be.* bununla birlikte, yine de

new /nyu:/ s. yeni; taze; acemi

newborn yeni doğmuş *newcomer* yeni gelen *newly* geçenlerde, yeni; yeni bir biçimde *newlywed* yeni evli

news /nyu:z/ *a.* haber *news agency* haber ajansı *news conference* basın toplantısı *newsagent* gazete/dergi, vb. satıcısı *newscast* haber yayını *newspaper* gazete *newsprint* gazete kâğıdı *newsreel* aktüalite/haber filmi *newsstand* gazete bayii

newt /nyu:t/ *a. hayb.* semender

next /nekst/ *s.* en yakın; bir sonraki, gelecek, önümüzdeki *next-door* bitişik ev(deki), yandaki *next to* -e bitişik, -in yanında

nib /nib/ *a.* uç, kalem ucu

nibble /'nibıl/ *e.* dişlemek, ısırmak

nice /nays/ *s.* hoş, sevimli, güzel; nefis, iyi; nazik, ince *nice looking* çekici, güzel *nicely* hoş bir biçimde

niche /niç, ni:ş/ *a.* duvarda oyuk; uygun yer/iş/mevki

nick /nik/ *a.* çentik, sıyrık * *e.* çentmek, sıyırmak; *BE. kon.* aşırmak, yürütmek

nickel /'nikıl/ *a. kim.* nikel; beş sent

nickname /'nikneym/ *a.* takma ad

nicotine /'nikıti:n/ *a.* nikotin

niece /ni:s/ *a.* kız yeğen

night /nayt/ *a.* gece; akşam *all night (long)* bütün gece boyunca *Good night!* İyi geceler! *night after night* her gece *night school* akşam okulu *night shift* gece vardiyası *night watchman* gece bekçisi *nightclub* gece kulübü *nightdress* gecelik *nightgown* gecelik *nightie kon.* gecelik *nightly* her gece, her gece olan

nightingale /'naytingeyl/ *a.* bülbül

nightmare /'naytmeı/ *a.* kâbus

nil /nil/ *a.* hiç, sıfır

nimble /'nimbıl/ *s.* çevik, atik

nine /nayn/ *a. s.* dokuz *ninth* dokuzuncu

nineteen /nayn'ti:n/ *a. s.* on dokuz *nineteenth* on dokuzuncu

ninety /'naynti/ *a. s.* doksan *ninetieth* doksanıncı

nip /nip/ *a.* çimdik; soğuk, ayaz * *e.* çimdiklemek; ısırmak; kesmek, budamak *nip in the bud* engellemek, baltalamak

nipple /'nipıl/ *a.* meme ucu; biberon emziği

nippy /'nipi/ *s.* soğuk; atik, acele, hızlı

nit /nit/ *a.* bit, vb. yumurtası, sirke

nitrate /'naytreyt/ *a.* nitrat

nitrogen /'naytrıcın/ *a. kim.* nitrojen

no /nou/ *be.* hayır, olmaz, yok * *s.* hiç * *a.* yok yanıtı

nobility /nou'biliti/ *a.* soyluluk

noble /'noubıl/ *s.* soylu; yüce, asil *nobleman* soylu, asilzade

nobody /'noubıdi/ *adl.* hiç kimse

nod /nod/ *e.* (onay, selam için) başını sallamak; *kon.* uyuklamak * *a.* baş sallama

noise /noyz/ *a.* gürültü, ses *noisy* gürültülü, patırtılı, gürültücü

nomad /'noumed/ *a.* göçebe, göçer *nomadic* göçebe

nominal /'nominıl/ *s.* (fiyat) itibari; *dilb.* adlarla ilgili; önemsiz, düşük

nominate /'nomineyt/ *e.* aday olarak göstermek; atamak, tayin etmek

nominative /'nominıtiv/ *a. dilb.* yalın hal

nonaligned /nonı'laynd/ *s.* (ülke) bağlantısız

noncommissioned officer /nonkımişınd 'ofisı/ *a.* astsubay

none /nan/ *adl.* hiçbiri; hiç * *be.* hiç *none but* sadece, yalnız

nonentity /no'nentiti/ *a.* önemsiz/değersiz kişi

nonflammable /non'flemıbıl/ *s.* yanmaz

nonplus /non'plas/ e. şaşırtmak
nonsense /'nonsıns/ a. anlamsız söz, saçmalık; aptalca davranış **nonsensical** abuk subuk, aptalca
nonsmoker /non'smoukı/ a. sigara içmeyen kimse; BE. sigara içilmeyen kompartıman
nonstick /non'stik/ s. (tava) yapışmaz
nonstop /non'stop/ s. be. (yolculuk) direkt, aktarmasız; aralıksız
noodle /'nu:dıl/ a. şehriye
nook /nuk/ a. köşe, kuytu yer
noon /nu:n/ a. öğle vakti, öğle
no one /'nou wan/ adl. hiç kimse
noose /nu:s/ a. (darağacı, vb.) ilmik
nor /no:/ bağ. ne de
norm /no:m/ a. örnek, norm; ölçü
normal /'no:mıl/ s. normal, olağan; ortalama **normally** normal olarak, genelde
north /no:t/ a. kuzey * s. kuzey ..., kuzeydeki * be. kuzeye doğru **northeast** kuzeydoğu **northerly** /'no:tıli/ kuzeyden gelen/esen **northern** /'no:dın/ kuzey ... North Pole Kuzey Kutbu **northwards** /'no:twıdz/ kuzeye doğru **northwest** /no:t'west/ kuzeybatı
nose /nouz/ a. burun **follow one's nose** dosdoğru gitmek; doğru görüneni yapmak **have a nose for** sezgisi güçlü olmak **turn up one's nose** at burun kıvırmak, beğenmemek **under sb's (very) nose** burnunun dibinde
nostalgia /no'stelcı/ a. nostalji, geçmişe özlem
nostril /'nostril/ a. burun deliği
not /not/ be. değil, yok **Not at all** bir şey değil, rica ederim
notable /'noutıbıl/ s. dikkate değer; tanınmış * a. ileri gelen/saygın/tanınmış kişi **notably** özellikle; epeyce
notary /'noutırı/ a. noter
notation /nou'teyşın/ a. rakamlar ve işaretler sistemi

notch /noç/ a. çentik, kertik * e. çentmek, kertik açmak
note /nout/ a. not; nota, muhtıra; (ses) ifade; müz. nota; senet; banknot; önem * e. not etmek, kaydetmek; dikkat etmek, önem vermek; farkına varmak **of note** tanınmış, ünlü **compare notes** fikir alışverişinde bulunmak **notebook** defter **noted** ünlü, tanınmış **noteworthy** dikkate değer, önemli
nothing /'nating/ a. hiçbir şey; önemsiz kimse/şey; sıfır **for nothing** bedava, parasız; boşuna **nothing but** sadece **nothing for it** başka çare yok **nothing to do with** ile ilgisi yok
notice /'noutis/ a. duyuru; bildiri; uyarı; dikkat * e. -e dikkat etmek, farkına varmak **give notice** önceden haber vermek **take notice of** dikkate almak **noticeable** göze çarpan, önemli **notice board** ilan tahtası
notification /noutifi'keyşın/ a. tebliğ, bildiri, bildirge
notify /'noutifay/ e. bildirmek, haberdar etmek, haber vermek
notion /'nouşın/ a. fikir, görüş, kanı
notorious /nou'to:rııs/ s. kötü tanınmış, adı çıkmış, kötü şöhretli
notwithstanding /notwit'stending/ ilg. -e rağmen, -e karşın * be. buna rağmen, yine de
nougat /'nu:ga:/ a. koz helva, nuga
nought /no:t/ a. BE. sıfır; hiç
noun /naun/ a. dilb. isim, ad
nourish /'narış/ e. beslemek; desteklemek **nourishment** besin, gıda, yiyecek
novel /'novıl/ a. roman **novelist** romancı
novelty /'novılti/ a. yenilik
November /nou'vembı/ a. kasım

novice /'novis/ *a.* acemi, çırak, toy
now /nau/ *be.* şimdi * *bağ.*
mademki, -dığı için *by now* şimdiye dek *from now on* bundan böyle, bundan sonra *just now* az önce, demin *now and then/again* ara sıra, bazen, arada bir
nowadays /'nauıdeyz/ *be.* bu günlerde, şimdilerde, bu aralar
nowhere /'nouweı/ *be.* hiçbir yerde/yere
noxious /'nokşıs/ *s.* zararlı, tehlikeli
nozzle /'nozıl/ *a.* ağızlık, meme
nuclear /'nyu:klı/ *s.* nükleer, çekirdeksel *nuclear disarmament* nükleer silahsızlanma *nuclear energy* nükleer enerji
nucleus /'nyu:klıs/ *a.* çekirdek; öz
nude /nyu:d/ *s.* çıplak
nudge /nac/ *e.* dirsekle dürtmek
nudity /'nyu:diti/ *a.* çıplaklık
nugget /'nagit/ *a.* (altın, vb.) külçe
nuisance /'nyu:sıns/ *a.* sıkıntı veren şey/kimse, baş belası
null /nal/ *s.* geçersiz; boş, sıfır *null and void* geçersiz, hükümsüz
numb /nam/ *s.* uyuşmuş, uyuşuk
number /'nambı/ *a.* sayı; rakam; numara; miktar * *e.* saymak; numaralamak *a number of* birkaç *numberplate* (oto) plaka
numeral /'nyu:mınl/ *s.* sayısal * *a.* sayı
numerical /nyu:'merikıl/ *s.* sayısal
numerous /'nyu:mırıs/ *s.* birçok, sayısız
nun /nan/ *a.* rahibe *nunnery* rahibe manastırı
nuptial /'napşıl/ *s.* evlenme/düğün ile ilgili
nurse /nö:s/ *a.* hemşire, hastabakıcı * *e.* (çocuğa, hastaya) bakmak; ilgilenmek; emzirmek
nursery /'nö:sırı/ *a.* çocuk odası; çocuk yuvası, kreş; fidanlık *nursery school* anaokulu
nursing /'nö:sing/ *a.* hemşirelik;

bakım *nursing bottle* biberon *nursing home* özel sağlık yurdu
nurture /'nö:çı/ *a.* (çocuk) büyütme, bakım, eğitim * *e.* büyütmek, yetiştirmek; eğitmek
nut /nat/ *a.* fındık; ceviz; vida somunu; kafadan çatlak kimse, kaçık *be nuts* kafadan çatlak olmak *nutcrackers* fındıkkıran, fındık kıracağı *nutshell* fındık kabuğu; *kon.* özet, kısa açıklama
nutmeg /'natmeg/ *a.* küçük hindistancevizi
nutrient /'nyu:trımt/ *s. a.* besleyici (gıda)
nutriment /'nyu:trimınt/ *a.* gıda, besin, yemek
nutrition /nyu:'trişın/ *a.* beslenme; yiyecek, gıda *nutritious* besleyici
nuts /nats/ *s. kon.* deli, çılgın
nylon /'naylon/ *a.* naylon
nymph /nimf/ *a.* peri

O

oak /ouk/ *a.* meşe ağacı
oar /o:/ *a.* kürek, sandal küreği
oat /out/ *a.* yulaf tanesi; *kon.* yulaf *oatmeal* yulaf unu
oath /out/ *a.* ant, yemin; küfür
obdurate /'obcurit/ *s.* inatçı
obedient /ı'bi:dımt/ *s.* söz dinler, uysal *obedience* itaat, söz dinleme
obelisk /'obılisk/ *a.* dikilitaş
obese /ou'bi:s/ *s.* çok şişman
obey /ou'bey/ *e.* denileni yapmak, söz dinlemek; riayet etmek, uymak
obituary /ı'biçuıri/ *a.* ölüm ilanı
object /'obcıkt/ *a.* nesne, şey, madde; amaç; mevzu, konu; *dilb.* nesne
object /'ıbcekt/ *e.* (*to*) karşı çıkmak, itiraz etmek *objection* itiraz;

sakınca, engel

objective /ıb'cektiv/ *s.* tarafsız, yansız; nesnel ∗ *a.* amaç, hedef; mercek, objektif ***objectively*** nesnel olarak

obligation /obli'geyşın/ *a.* zorunluluk, mecburiyet; yükümlülük; ödev; senet

obligatory /ı'blıgıtıri/ *s.* zorunlu

oblige /ı'blayc/ *e.* zorunda bırakmak; lütufta bulunmak; minnettar bırakmak *I'm much obliged to you.* Size minnettarım. ***obliging*** yardıma hazır

oblique /ı'bli:k/ *s.* eğri, eğik

oblivion /ı'bliviın/ *a.* unutulma

oblong /'oblong/ *s. a.* dikdörtgen

obnoxious /ıb'nokşıs/ *s.* pis, iğrenç

oboe /'oubou/ *a. müz.* obua

obscene /ıb'si:n/ *s.* açık saçık, müstehcen ***obscenity*** /ıb'seniti/ müstehcenlik; müstehcen şey

obscure /ıb'skyuı/ *s.* anlaşılması güç; karanlık; pek tanınmamış ***obscurity*** karanlık; anlaşılmazlık; tanınmamışlık

observance /ıb'zö:vıns/ *a.* yerine getirme, yapma; görenek

observant /ıb'zö:vınt/ *s.* dikkatli

observation /obzı'veyşın/ *a.* inceleme; gözlem; gözetleme

observatory /ıb'zö:vıtıri/ *a.* rasathane, gözlemevi

observe /ıb'zö:v/ *e.* dikkat etmek, gözlemek; incelemek, gözlemlemek; gözetlemek ***observer*** gözlemci

obsess /ıb'ses/ *e.* hiç aklından çıkmamak, kafasına takılmak ***obsession*** saplantı, sabit fikir, tutku

obsolete /'obsılı:t/ *s.* eskimiş, eski, modası geçmiş

obstacle /'obstıkıl/ *a.* engel

obstetrician /obsti'trişın/ *a.* doğum uzmanı

obstinate /'obstinıt/ *s.* inatçı

obstruct /ıb'strakt/ *e.* tıkamak;

engellemek ***obstruction*** engelleme

obtain /ıb'teyn/ *e.* elde etmek, edinmek, sağlamak; almak

obtrusive /ıb'tru:siv/ *s.* sıkıntı veren, sırnaşık, yılışık; göze batan

obtuse /ıb'tyu:s/ *s.* aptal, kalın kafalı; (açı) geniş

obvious /'obviıs/ *s.* apaçık, belli

occasion /ı'keyjın/ *a.* fırsat; münasebet, vesile; neden; hal, durum; önemli gün, olay *on the occasion of* münasebetiyle, dolayısıyla

occasional /ı'keyjınıl/ *s.* arada sırada olan ***occasionally*** ara sıra, bazen

occult /'okalt/ *s.* gizli; gizemli

occupant /'okyupınt/ *a.* bir yerde oturan kimse, sakin

occupation /okyu'peyşın/ *a.* meslek, iş; işgal ***occupational*** meslekle ilgili

occupy /'okyupay/ *e.* işgal etmek, zapt etmek; -de oturmak; meşgul etmek

occur /ı'kö:/ *e.* vuku bulmak, olmak; bulunmak, yer almak ***occurrence*** /ı'karıns/ olay

ocean /'ouşın/ *a.* okyanus

oceanography /ouşın'ogrıfi/ *a.* oşinografi, okyanusbilim

o'clock /ı'klok/ *be.* (tam saatlerde kullanılır) saat ...

octagon /'oktıgın/ *a. mat.* sekizgen

octave /'oktiv, 'okteyv/ *a. müz.* oktav

october /ok'toubı/ *a.* ekim (ayı)

octopus /'oktıpıs/ *a. hayb.* ahtapot

odd /od/ *s.* acayip, tuhaf, garip; (sayı) tek; küsur; (ayakkabı, eldiven, vb.) tek ***oddity*** tuhaflık, acayiplik; garip kişi/şey, antika ***oddly*** garip biçimde ***oddly enough*** ne gariptir ki

odds /'odz/ *a.* olasılık, şans, ihtimaller; (bahiste) ikramiye oranı *at odds (with)* ile anlaşmazlık içinde *odds and ends* ufak tefek şeyler, ıvır zıvır

odious /'oudiıs/ *s.* iğrenç, nefret uyandırıcı, tiksindirici

odour /'oudı/ *a.* (ter, vb.) koku

odyssey /'odisi/ *a.* uzun ve serüvenli yolculuk

oesophagus /i'sofıgıs/ *a. anat.* yemek borusu

of /ov, ıv/ *ilg.* -in, -ın, -nin, -nın

off /of/ *ilg.* -den; ayrılan, sapan; -den uzak, uzağa; açıkta, açıklarında; isteksiz, soğumuş * *be.* uzak, uzakta, uzağa; tümüyle * *s.* kesilmiş, kesik; çalışmayan, izinli; sağdaki; kokmuş, bozuk; cansız, ölü *off and on* ara sıra *off chance* zayıf bir olasılık *off season* ölü sezon

offence /ı'fens/ *a.* suç; hakaret, gücendirme; saldırı

offend /ı'fend/ *e.* suç işlemek; gücendirmek, kırmak; rahatsız etmek

offensive /ı'fensiv/ *s.* pis, kötü, çirkin; saldırıyla ilgili

offer /'ofı/ *e.* teklif etmek; arz etmek, sunmak * *a.* teklif; sunma, takdim, arz *offering* bağış, adak, kurban; teklif

offhand /of'hend/ *s.* düşünmeden yapılmış, hazırlıksız * *be.* hazırlıksız, düşünmeden

office /'ofis/ *a.* yazıhane, büro, ofis; devlet dairesi; bakanlık *office block* iş hanı

officer /'ofısı/ *a.* görevli, memur; polis memuru; subay

official /ı'fişıl/ *s.* resmi * *a.* memur *officially* resmi olarak

off-license /'oflaysıns/ *a. BE.* içki satılan dükkân

offset /'ofset/ *a.* ofset, ofset baskı * *e.* dengelemek, denkleştirmek

offshoot /'ofşu:t/ *a. bitk.* sürgün, dal

offshore /of'şo:/ *be. s.* kıyıdan uzak

offside /of'sayd/ *a. sp.* ofsayt

offspring /'ofspring/ *a.* çoluk çocuk, döl

often /'ofın, 'oftın/ *be.* sık sık, çoğu kez

ogre /'ougı/ *a.* dev; korkunç kimse

oil /oyl/ *a.* yağ, sıvı yağ; yağlıboya; petrol; zeytinyağı * *e.* yağ sürmek, yağlamak *oil painting* yağlıboya resim (sanatı) *oil well* petrol kuyusu *oilcloth* muşamba *oily* yağlı

ointment /'oyntmınt/ *a.* merhem

OK, okay /ou'key/ *be. kon.* peki, tamam, oldu * *e. kon.* onaylamak * *s.* iyi, uygun, idare eder * *a.* onay, olur

old /ould/ *s.* yaşlı; ... yaşında; eski; deneyimli, pişkin *How old are you?* Kaç yaşındasınız? *grow old* yaşlanmak *old age pension* yaşlılık maaşı *old-fashioned* modası geçmiş, demode *old hand* deneyimli kimse, eski kurt

olive /'oliv/ *a. bitk.* zeytin; zeytin ağacı

Olympic /ı'limpik/ *s.* olimpik *Olympic Games* Olimpiyat oyunları, Olimpiyatlar

omelette /'omlit/ *a.* omlet

omen /'oumın/ *a.* kehanet; alamet

omission /ou'mişın/ *a.* dahil etmeme, atlama

omit /ou'mit/ *e.* ihmal etmek, atlamak; geçmek

on /on/ *ilg.* üstünde, üstüne; -de, -da; hakkında, üzerine; yönünde, doğru; uyarınca, göre * *be.* ileriye; aralıksız, durmadan *on and on* durmadan, boyuna

once /wans/ *be.* bir kez, bir kere; bir zamanlar, eskiden *all at once* aniden, birdenbire *at once* derhal, hemen *once and for all* ilk ve son kez *once in a while* arada

179 option

sırda, bazen *once more* bir kez daha, yine *once or twice* bir iki kez *once upon a time* bir zamanlar; bir varmış bir yokmuş

oncoming /'onkaming/ *s.* ilerleyen, yaklaşan

one /wan/ *a. s.* bir; tek * *a.* bir sayısı; bir tane * *adl.* biri, birisi; insan *one by one* birer birer *one another* birbirini

oneself /wan'self/ *adl.* kendisi, kendi kendine *by oneself* yalnız başına

one-way /wan'wey/ *s.* tek yönlü; (bilet) gidiş

onion /'anyın/ *a. bitk.* soğan

only /'ounli/ *s.* biricik, tek * *be.* ancak, yalnız * *bağ.* ama, ne var ki, ancak *if only* ah bir, ah keşke *only too* çok, tamamen

onset /'onset/ *a.* saldırı; başlangıç

onshore /on'şo:/ *s. be.* denizden karaya

onslaught /'onslo:t/ *a.* şiddetli saldırı

onto /'ontu/ *ilg.* üstüne, üzerine

onus /'ounıs/ *a.* yük, sorumluluk

onward /'onwıd/ *s.* ilerleyen * *be.* ileri

onyx /'oniks/ *a.* damarlı akik, oniks

ooze /u:z/ *a.* sızıntı * *e.* sızmak; sızdırmak

opaque /ou'peyk/ *s.* ışık geçirmez

open /oupın/ *s.* açık; çözümlenmemiş, askıda; ödenmemiş * *e.* açmak; açılmak *open-air* açık hava *open-air theatre* açık hava tiyatrosu *open out* açmak, sermek; gelişmek *opener* açacak *open-handed* eli açık, cömert *openhearted* açık kalpli, içten *open-minded* açık fikirli

opening /'oupıning/ *a.* açılış; ağız; kapı; açık alan

opera /'opın/ *a.* opera

operate /'opıreyt/ *e.* işletmek, çalıştırmak; işlemek, çalışmak;

ameliyat etmek *operating theatre* ameliyat odası

operation /opı'reyşın/ *a.* işletme; işleme, çalışma; ameliyat; *ask.* harekât *operational* kullanıma hazır

operative /'opıntiv/ *s.* işleyen, çalışan; etkin, etkili; geçerli

operator /'opıreytı/ *a.* operatör, işletmen

operetta /opı'retı/ *a.* operet

opinion /ı'pinyın/ *a.* fikir, düşünce, kanı *in my opinion* bence, kanımca *public opinion* kamuoyu

opium /'oupıım/ *a.* afyon

opponent /ı'pounınt/ *a.* aleyhtar, muhalif, rakip

opportune /'opıçu:n/ *s.* elverişli, uygun

opportunity /opı'tyu:niti/ *a.* fırsat, elverişli zaman

oppose /ı'pouz/ *e.* karşı koymak, karşı çıkmak *as opposed to* -in aksine

opposite /'opızit/ *a.* karşıt, zıt, karşı * *s.* karşıt, zıt, ters, aksi; karşısında *opposite sex* karşı cins

opposition /opı'zişın/ *a.* muhalefet; karşı koyma, direnme; rekabet; zıtlık, karşıtlık

oppress /ı'pres/ *e.* bunaltmak, sıkıntı vermek; baskı uygulamak, eziyet etmek *oppression* baskı, zulüm; sıkıntı *oppressive* ezici, ağır; bunaltıcı *oppressor* zalim, zorba

optic /'optik/ *s.* gözle ilgili *optics* /'optiks/ ışıkbilgisi, optik *optical* /'optikıl/ görme duyusuyla ilgili *optician* /op'tişın/ gözlükçü

optimism /'optimizım/ *a.* iyimserlik *optimist* iyimser kimse *optimistic* iyimser

optimum /'optimım/ *s.* en iyi/yüksek/uygun

option /'opşın/ *a.* seçme, tercih; *tic.* vade *optional* isteğe bağlı, seçmeli

or /o:/ *bağ.* veya, ya da, veyahut, yoksa *or else* yoksa *or so* ... civarında

oral /'o:rıl/ *s.* sözel, sözlü, ağızdan; ağızdan, oral

orange /'orinc/ *a. bitk.* portakal * *a. s.* portakalrengi, turuncu

orangutang /o:rengu'teng/ *a. hayb.* orangutan

oration /ı'reyşın/ *a.* söylev, nutuk

orator /'orıtı/ *a.* hatip, konuşmacı *oratory* hitabet, güzel konuşma sanatı

oratorio /on'to:riou/ *a. müz.* oratoryo

orbit /'o:bit/ *a.* yörünge * *e.* yörüngede dönmek

orchard /o:çıd/ *a.* meyve bahçesi

orchestra /'o:kıstrı/ *a.* orkestra

orchid /'o:kid/ *a. bitk.* orkide

ordeal /o:'di:l/ *a.* çetin sınav, ateşten gömlek

order /'o:dı/ *a.* düzen, tertip; sıra, dizi; usul, yol, kural; sipariş, ısmarlama; havale; emir, buyruk * *e.* buyurmak, emretmek; ısmarlamak; sipariş vermek; düzenlemek, tertiplemek *in order that* -mesi için *in order to* -mek için *out of order* bozuk; çalışmaz; düzensiz *make to order* sipariş üzerine yapmak *put in order* düzene koymak *order sb around* -e gereksiz emirler yağdırmak

orderly /'o:dıli/ *s.* düzenli, derli toplu, tertipli; sistemli; uslu, uysal * *a.* emir eri; hastane hademesi

ordinal /'o:dinıl/ *a. mat.* sıra sayısı

ordinance /'o:dinıns/ *a.* buyruk, emir; yasa, yönetmelik

ordinary /'o:dınri/ *s.* alışılmış, olağan

ore /o:/ *a.* maden cevheri

organ /'o:gın/ *a.* uzuv, organ; alet, araç; yayın organı; *müz.* org

organic /o:'genik/ *s.* organik; organlarla ilgili

organism /'o:gınizim/ *a.* organizma

organization /o:gınay'zeyşın/ *a.* örgüt; örgütlenme; organizasyon

organize /'o:gınayz/ *e.* kurmak, örgütlemek; düzenlemek

orgasm /'o:gezım/ *a.* orgazm, doyunum, cinsel doyum

orgy /'o:ci/ *a.* seks partisi; âlem, cümbüş

orient /'o:rıınt/ *a.* doğu; doğu ülkeleri, Asya; Uzakdoğu *oriental* doğuya özgü, doğu ...

orientate /'o:rıınteyt/ *e.* yönlendirmek *orientation* yönlendirme

orifice /'orifıs/ *a.* ağız, delik

origin /'oricin/ *a.* başlangıç, kaynak; kök, köken

original /ı'ricinıl/ *s.* orijinal, özgün; yaratıcı * *a.* asıl, orijinal *originality* orijinallik, özgünlük; yaratıcılık *originally* aslında; özgün bir biçimde

originate /ı'ricineyt/ *e.* kaynaklanmak, çıkmak, başlamak; başlatmak

ornament /'o:nımınt/ *a.* süs, süs eşyası * *e.* süslemek

ornate /o:'neyt/ *s.* çok süslü

ornithology /o:ni'tolıci/ *a.* kuş bilimi

orphan /'o:fın/ *a.* öksüz, yetim, kimsesiz *orphanage* yetimlik, öksüzlük; yetimler yurdu

orthodox /'o:tıdoks/ *s.* herkesin inandığına inanan, ortodoks

orthography /o:'tognfi/ *a.* imla, yazım

orthopaedic /o:tı'pi:dik/ *s.* ortopedik *orthopaedics* ortopedi

oscillate /'osileyt/ *e.* sallanmak, salınmak *oscillation* salınım

ostentation /ostın'teyşın/ *a.* gösteriş, çalım

ostrich /'ostriç/ *a. hayb.* devekuşu

other /'atı/ *s.* diğer, öteki; başka *

adl. diğeri, öbürü; başkası * *be.* başka türlü *every other day* gün aşırı *the other day* geçen gün *each other* birbirini, birbirine *other than* hariç, dışında

otherwise /'atıwayz/ *be.* başka türlü; yoksa; başka bakımlardan

otter /'otı/ *a. hayb.* susamuru; samur kürk

ought /o:t/ *e.* (ödev/tavsiye belirtir) -meli, -malı, gerek, iyi olur

ounce /auns/ *a.* ons (28.35 gr.)

our /a:, au/ *s.* bizim

ours /'auız/ *adl.* bizimki

ourselves /au'selvz/ *adl.* biz, kendimiz *by ourselves* tek başımıza, yalnız

oust /aust/ *a.* dışarı atmak

out /aut/ *be.* dışarı, dışarıya; dışarıda; yüksek sesle * *s.* dışarıdaki, dış, uzakta bulunan; iktidarda olmayan; olanaksız *out of* -den dışarı; -in dışında; -den dolayı; -den yapılmış *out-of-date* modası geçmiş, eski *out-of-doors* dışarıda *out-of-the way* ücra, uzak, sapa

outboard motor /autbo:d 'moutı/ *a.* dıştan takılan motor

outbreak /'autbreyk/ *a.* patlak verme, çıkma; salgın

outbuilding /'autbilding/ *a.* ek bina

outburst /'autbö:st/ *a.* patlama, patlak verme

outcast /'autka:st/ *a. s.* toplumdan atılmış, serseri

outcome /'autkam/ *a.* sonuç

outcry /'autkray/ *a.* halk protestosu; haykırma

outdated /aut'deytid/ *s.* modası geçmiş

outdo /aut'du:/ *e. outdid* /aut'did/, *outdone* /aut'dan/ -den üstün olmak, yenmek, geçmek

outdoor /aut'do:/ *s.* açık havada, açık hava ... *outdoors* açık havada, dışarıda

outer /'autı/ *s.* harici, dış, dıştaki *outer space* uzay

outermost /'autımoust/ *s.* en dıştaki, en uzaktaki

outfit /'autfit/ *a.* teçhizat, takım, donatı; *kon.* grup, ekip

outgoing /aut'gouing/ *s.* giden, ayrılan; cana yakın

outgrow /aut'grou/ *e. outgrew* /aut'gru:/, *outgrown* /aut'groun/ -den daha çabuk büyümek; (büyüdüğü için giysilerine) sığmamak

outing /'auting/ *a.* gezinti, gezi

outlandish /aut'lendiş/ *s.* garip, acayip

outlaw /'autlo:/ *a.* kanun kaçağı, haydut

outlet /'autlet/ *a.* çıkış yeri, delik, ağız

outline /'autlayn/ *a.* ana hatlar; özet * *e.* şeklini/taslağını çıkarmak

outlook /'autluk/ *a.* görünüm; bakış açısı

outlying /'autlaying/ *s.* uzak

outnumber /aut'nambı/ *e.* sayıca üstün olmak

outpatient /'autpeyşınt/ *a.* ayakta tedavi edilen hasta

outpost /'autpoust/ *a.* ileri karakol

output /'autput/ *a.* verim; ürün; bilgisayardan alınan bilgi, çıktı

outrage /'autreyc/ *e.* hakaret; rezalet; tecavüz *outrageous* terbiyesiz, çirkin

outright /aut'rayt/ *be.* tam, bütün; açık belli

outset /'autset/ *a.* başlangıç

outside /aut'sayd/ *ilg.* dışında; dışına * *be.* dışarıda; dışarıya * *s.* dış * *a.* dış (taraf); dış görünüş

outsider /aut'saydı/ *a.* bir grubun dışında olan kimse, yabancı; kazanma olasılığı az olan yarışmacı/hayvan

outsize /'autsayz/ *s.* (giysi) büyük boy

outskirts /'autskö:ts/ *a.* kentin dışı, dış mahalle, varoş

outsmart /aut'sma:t/ *e. kon.* kurnazlıkla yenmek, alt etmek

outspoken /aut'spoukın/ *s.* dobra dobra konuşan, açıksözlü

outstanding /aut'stending/ *s.* göze çarpan, önemli; ödenmemiş

outstrip /aut'strip/ *e.* -den daha iyi yapmak, geçmek, geride bırakmak

outward(s) /'autwıd(z)/ *s.* dış * *be.* dışarıya *outwardly* görünüşte

outweigh /aut'wey/ *e.* -den daha ağır basmak, -den daha önemli olmak

outwit /aut'wit/ *e.* kurnazlıkla alt etmek, yenmek

oval /'ouvıl/ *s.* yumurta biçiminde, oval

ovary /'ouvıri/ *a.* yumurtalık; *bitk.* tohumluk

ovation /ou'veyşın/ *a.* coşkunca alkış

oven /'avıń/ *a.* fırın

over /'ouvı/ *ilg.* üzerinde, üstünde; üzerine, üstüne; öbür tarafına, ötesine, üzerinden; öbür tarafında, ötesinde; -den çok; baştan başa, her yerine; -in sonuna dek, süresince; hakkında, konusunda * *be.* yukarıya; yukarıda; bitmiş; adamakıllı, iyice; altını üstüne, tersine; karşı tarafa, öbür tarafa *all over* her tarafında; her tarafına *all over again* yeni baştan *over and above* -den başka *over and over* defalarca

over- /ouvı/ *önek* aşırı, fazla

overall /ouvır'o:l/ *be. s.* tüm, toplam; ayrıntılı, kapsamlı

overalls /'ouvıroö:lz/ *a.* işçi tulumu, tulum

overbearing /ouvı'beıring/ *s.* mütehakkim, buyurucu

overboard /'ouvıbo:d/ *be. den.* gemiden denize

overcast /ouvı'ka:st/ *s.* bulutlu, kapalı

overcharge /ouvı'ça:c/ *e.* fazla fiyat istemek, kazıklamak

overcoat /'ouvıkout/ *a.* palto

overcome /ouvı'kam/ *e. overcame* /ouvıkeym/, *overcome* üstesinden gelmek, alt etmek; galip gelmek

overdo /ouvı'du:/ *e. overdid* /ouvıdid/, *overdone* /ouvıdan/ abartmak, şişirmek; fazla pişirmek

overdose /'ouvıdous/ *a.* aşırı doz

overdraft /'ouvıdra:ft/ *a.* hesabından fazla para çekme izni, açık kredi

overdraw /ouvı'dro:/ *e. overdrew* /ouvıdru:/, *overdrawn* /auvıdro:n/ (bankadaki hesabından) fazla para çekmek

overdue /ouvı'dyu:/ *s.* vadesi geçmiş; rötarlı, gecikmiş

overflow /ouvı'flou/ *e.* taşmak * *a.* taşma; taşkın; oluk

overgrown /ouvı'groun/ *s.* yabanıl bitkilerle kaplı; fazla/hızlı büyümüş

overhang /ouvı'heng/ *e. overhung* /ouvıhang/ sarkmak

overhaul /ouvı'ho:l/ *e.* elden geçirmek, onarmak; yetişip geçmek

overhead /ouvı'hed/ *s. be.* yukarıda, tepede

overheads /'ouvıhedz/ *a.* işletme giderleri

overhear /ouvı'hıı/ *e. overheard* /-'hö:d/ kulak misafiri olmak, gizlice dinlemek

overjoyed /ouvı'coyd/ *s.* çok sevinçli

overland /ouvı'lend/ *s.* karayolu ile yapılan * *be.* karadan

overlap /ouvı'lep/ *e.* üst üste binmek; kısmen kaplamak

overload /ouvı'loud/ *e.* aşırı yüklemek; fazla elektrik kullanmak

overlook /ouvı'luk/ e. -e nazır olmak, bakmak; gözden kaçırmak, görememek; göz yummak

overnight /ouvı'nayt/ be. geceleyin

overpower /ouvı'pauı/ e. yenmek

overrate /ouvı'reyt/ e. fazla değer vermek

overseas /ouvı'si:z/ be. s. denizaşırı

overshadow /ouvı'şedou/ e. gölge düşürmek, gölgelemek

oversight /'ouvısayt/ a. dikkatsizlik, gözden kaçırma, dalgınlık

oversleep /ouvı'sli:p/ e. uyuya kalmak

overt /'ouvö:t/ s. açıkça yapılan

overtake /ouvı'teyk/ e. **overtook** /ouvı'tuk/, **overtaken** /ouvı'teykın/ yetişip geçmek, sollamak; ansızın yakalamak, bastırmak

overthrow /ouvı'trou/ e. **overthrew** /ouvı'tru:/, **overthrown** /ouvı'troun/ (hükümet, vb.) devirmek, yıkmak

overtime /'ouvıtaym/ a. BE. fazla mesai

overture /'ouvıçuı/ a. müz. uvertür; kon. görüşme önerisi, öneri

overturn /'ouvıtö:n/ e. devirmek

overweight /ouvı'weyt/ a. (belli bir kilodan) ağır

overwhelm /ouvı'welm/ e. yenmek, ezmek, bastırmak; gark etmek, boğmak **overwhelming** çok büyük, ezici

overwork /ouvı'wö:k/ e. fazla çalışmak; fazla çalıştırmak * a. fazla çalışma

ovum /'ouvım/ a. (ç. **ova** /'ouvı/ biy. yumurta

owe /ou/ e. borcu olmak, borçlu olmak

owing /'ouing/ s. ödenmemiş **owing to** -den dolayı, yüzünden

owl /aul/ a. hayb. baykuş, puhu

own /oun/ s. adl. kendi, kendisinin

* e. sahip olmak **have/get one's own back** öcünü almak **on one's own** tek başına, yalnız

owner /'ounı/ a. sahip, mal sahibi **ownership** mülkiyet, sahiplik

ox /oks/ a. (ç. **oxen** /'oksın/) hayb. öküz

oxcart /'okska:t/ a. öküz arabası, kağnı

oxide /'oksayd/ a. kim. oksit

oxygen /'oksıcın/ a. kim. oksijen **oxygen mask** oksijen maskesi **oxygen tent** oksijen çadırı

oyez /ou'yes/ ünl. huk. dikkat!, dinleyin!

oyster /oystı/ a. hayb. istiridye **oyster bank** istiridye yatağı **oyster catcher** istiridye avcısı, denizsaksağanı

ozone /'ouzoun/ a. kim. ozon **ozone layer** ozon tabakası

P

pace /peys/ a. adım; yürüyüş * e. adımlamak **keep pace with** kon. ayak uydurmak

pacific /pı'sifik/ s. barışsever, barışçı

pacifism /'pesifızım/ a. barışseverlik **pacifist** barışsever

pacify /'pesifay/ e. yatıştırmak

pack /pek/ a. bohça, çıkın; paket; sürü; (iskambil) deste * e. paketlemek; sarmak; tıka basa doldurmak

package /'pekic/ a. paket, bohça, ambalaj **package tour** (acentanın ayarladığı) grup turu

packet /'pekit/ a. paket

packing /'peking/ a. paketleme, ambalaj

pact /pekt/ a. antlaşma, pakt

pad /ped/ a. yastık; kâğıt destesi, bloknot; ıstampa * e. içini doldurmak *padding* vatka; kıtık

paddle /'pedıl/ a. kısa kürek, (masa tenisi) raket *paddle steamer* yandan çarklı gemi

paddock /'pedık/ a. küçük çayır alan

paddy /'pedi/ a. çeltik tarlası

padlock /'pedlok/ a. asma kilit

pagan /'peygın/ a. s. putperest

page /peyc/ a. sayfa

pageant /'pecınt/ a. kutlama töreni; gösteri *pageantry* parlak gösteri

paid /peyd/ *bkz. pay*

pain /peyn/ a. ağrı, sızı; acı *pain in the neck/ass kon.* baş belası, dert *painful* acı veren; üzücü *painkiller* ağrı kesici *painless* acısız, ağrısız *painstaking* dikkatli, özenli

paint /peynt/ e. boyamak; resmini yapmak; badana yapmak; makyaj yapmak * a. boya *paintbrush* boya fırçası *painter* ressam; badanacı, boyacı *painting* ressamlık; yağlıboya resim, tablo

pair /peı/ a. çift; karı koca *in pairs* ikişer ikişer

pajamas /pı'ca:mız/ a. *AE.* pijama

pal /pel/ a. *kon.* arkadaş, ahbap

palace /'pelıs/ a. saray

palate /'pelit/ a. damak; ağız tadı

palatial /pı'leyşıl/ s. saray gibi, görkemli

pale /peyl/ a. soluk; solgun, cansız

palette /'pelit/ a. ressam paleti

pall /po:l/ a. tabut örtüsü * e. usandırmak, bıktırmak, sıkmak

pallid /'pelid/ s. solgun, benzi atmış

palm /pa:m/ a. *bitk.* palmiye; hurma ağacı; avuç içi, aya

palmist /'pa:mist/ a. el falcısı *palmistry* el falı

palpitate /'pelpiteyt/ e. (yürek) hızlı ve düzensizce atmak

palsy /'po:lzi/ a. inme, felç

pamper /'pempı/ e. üzerine çok

düşmek, şımartmak

pamphlet /'pemflit/ a. kitapçık, broşür

pan /pen/ a. tava; lavabo taşı * e. elemek, süzmek; (kamerayı) sağa sola çevirmek

pancake /'penkeyk/ a. tava keki, gözleme

pancreas /'penkrıs/ a. *anat.* pankreas

panda /'pendı/ a. *hayb.* panda

pandemonium /pendi'mouniım/ a. şamata, curcuna, tantana

pane /peyn/ a. pencere camı

panel /'penıl/ a. kapı aynası; pano; jüri heyeti *panel discussion* açıkoturum

pang /peng/ a. ani ağrı, sancı, acı

panic /'penik/ a. panik, ürkü * e. paniğe uğratmak; paniğe kapılmak

pannier /'penıı/ a. küfe, sepet

panorama /penı'ra:mı/ a. panorama; toplu görünüm

pansy /'penzi/ a. *bitk.* hercaimenekşe

pant /pent/ e. sık sık nefes almak, nefes nefese kalmak; nefes nefese söylemek

panther /'pentı/ a. *hayb.* panter; *AE.* puma

panties /'pentiz/ a. *kon.* kadın külotu

pantomime /'pentımaym/ a. pandomim

pantry /'pentri/ a. kiler

pants /pents/ a. *BE.* kadın külotu; *AE.* pantalon

paper /'peypı/ a. kâğıt; *kon.* gazete; yazı, bildiri; *kon.* evrak; sınav soruları * e. duvar kâğıdıyla kaplamak *on paper* kâğıt üzerinde *paper clip* ataş *paperback* kâğıt kapaklı kitap *paperbag* kesekâğıdı *paperwork* kırtasiyecilik

paprika /'peprıkı/ a. kırmızıbiber

papyrus /pı'payırıs/ a. papirüs

par /pa:/ a. nominal değer, itibari kıymet, eşit düzey

parable /'penbıl/ a. mesel, ibret alınacak öykü

parachute /'penʃu:t/ a. paraşüt * e. paraşütle atlamak **parachutist** paraşütçü

parade /pı'reyd/ a. geçit töreni; gösteriş * e. ask. sıraya dizilmek; gösteriş yapmak

paradise /'pendays/ a. cennet

paradox /'pendoks/ a. paradoks, yanıltmaç

paraffin /'penfin/ a. parafin

paragraph /'pengra:f/ a. paragraf

parallel /'penlel/ s. paralel, koşut * a. paralel çizgi; benzerlik; coğ. enlem

parallel /'penlel/ e. benzemek, eşit olmak

paralyse /'penlayz/ e. felç etmek, felce uğratmak

paralysis /pı'relisis/ a. inme, felç

paralytic /pen'litik/ a. felçli kimse

paramount /'penmaunt/ s. üstün, yüce, en büyük, en önemli

paranoia /pen'noyı/ a. ruhb. paranoya **paranoid** /'pennoyd/ paranoyak

parapet /'penpit/ a. korkuluk, siper

paraphernalia /penfı'neylıı/ a. takım taklavat, donatı

paraphrase /'penfreyz/ e. başka sözcüklerle açıklamak, açımlamak * a. açımlama

parasite /'pensayt/ a. asalak

parasol /'pensol/ a. güneş şemsiyesi

paratroops /'pentru:ps/ a. ask. paraşütçü kıtası **paratrooper** /'pentru:pı/ paraşütçü

parcel /'pa:sıl/ a. paket, koli **parcel out** taksim etmek, bölümlere/hisselere ayırmak **parcel post** paket postası

parch /pa:ç/ e. (güneş) kavurmak; (susuzluktan) kavrulmak

parchment /'pa:çmınt/ a. tirşe, parşömen

pardon /'pa:dın/ a. af, bağışlama * e. bağışlamak, affetmek **I beg your pardon** Affedersiniz, Efendim?

pare /peı/ e. kabuğunu soymak

parent /'peırınt/ a. ana ya da baba, veli; kon. ana baba, ebeveyn **parenthood** analık ya da babalık

parenthesis /pı'rentisis/ a. ayraç, parantez; ara söz

parity /'periti/ a. eşitlik, denklik

park /pa:k/ a. park, yeşil alan * e. park etmek; kon. koymak, bırakmak

parking /pa:king/ a. park yapma **No Parking** Park yapılmaz **parking lot** AE. otopark **parking meter** otopark sayacı, parkmetre **parking space** park yeri

parley /'pa:li/ a. zirve toplantısı, barış görüşmesi

parliament /'pa:lımınt/ a. parlamento, millet meclisi **Member of Parliament** Parlamento üyesi **parliamentarian** /-mın'teırıın/ parlamenter **parliamentary** /-mentıri/ parlamentoya ait

parlour /'pa:lı/ a. salon **beauty parlor** AE. güzellik salonu

parody /'pendi/ a. parodi, gülünçleme; adi kopya

parole /pı'roul/ a. şartlı tahliye

parquet /'pa:key/ a. parke

parrot /'pent/ a. hayb. papağan

parry /'peri/ e. savuşturmak; geçiştirmek

parsley /'pa:sli/ a. maydanoz

parsnip /'pa:snip/ a. yabani havuç

parson /'pa:sın/ a. papaz

part /pa:t/ a. bölüm, kısım, parça; pay; yan, taraf; görev; rol; müz. fasıl **for my part** kendi hesabıma, bence **for the most part** çoğunlukla **in part** kısmen **part of speech** sözcük türü **play a part**

rol oynamak *part with* -den
ayrılmak

partial /'pa:şıl/ *s.* bölümsel, kısmi;
tarafgir, yan tutan; düşkün *parti-
ality* /-'eliti/ *a.* yan tutma, taraf-
girlik; düşkünlük *partially*
kısmen; yan tutarak

participate /pa:'tisipeyt/ *e.* katılmak,
iştirak etmek *participant* /-pınt/
katılımcı, iştirakçi *participation*
katılma, katılım

participle /'pa:tisipıl/ *a. dilb.* ortaç

particle /'pa:tikıl/ *a.* parça, zerre,
tane; *dilb.* işlevsel sözcük, ilgeç,
tanımlık, bağlaç

particular /pı'tıkyulı/ *s.* belirli; özel;
mahsus, özgü; titiz; tam, ayrıntılı
in particular özellikle *particularly*
özellikle *particulars* ayrıntılar,
detaylar

partisan /pa:ti'zen/ *a.* yandaş, ta-
raftar, partizan; *ask.* çeteci

partition /pa:'tişın/ *a.* bölünme,
ayrılma; bölme, ince duvar

partly /'pa:tli/ *be.* kısmen

partner /'pa:tnı/ *a.* ortak; eş; kava-
lye, dam *partnership* ortaklık

partridge /'pa:tric/ *a. hayb.* keklik

party /'pa:ti/ *a.* eğlenti, parti;
(siyasi) parti; taraf, yan

pasha /'peşı/ *a.* paşa

pass /pa:s/ *a.* geçit, boğaz; paso,
şebeke; giriş-çıkış izni; pas;
geçiş; sınavda geçme * *e.*
geçmek, ilerlemek; (sınav)
başarmak, geçmek; hüküm ver-
mek, karar vermek; (futbol) pas
vermek; sayılmak, sanılmak *pass
away/on* geçmek; ölmek *pass by*
yanından/önünden geçmek;
önemsememek, boş vermek *pass
for* olarak sayılmak, ... sanılmak
pass off geçmek, dinmek, bit-
mek; meydana gelmek, olmak
pass on -e vermek; ölmek *pass
out* kendinden geçmek, bayılmak

passable /'pa:sıbıl/ *s.* iyi, geçer;

(yol, ırmak, vb.) geçit verir,
geçilebilir

passage /'pesic/ *a.* geçiş; pasaj,
koridor; paragraf, parça; deniz
yolculuğu

passenger /'pesıncı/ *a.* yolcu

passion /'peşın/ *a.* ihtiras, tutku,
hırs *passionate* ihtiraslı, tutkulu;
ateşli, şiddetli

passive /'pesiv/ *s.* pasif; *dilb.* edil-
gen *passive voice dilb.* edilgen
çatı

passport /'pa:spo:t/ *a.* pasaport

password /'pa:swö:d/ *a.* parola

past /pa:st/ *s.* geçmiş; geçen * *ilg.* -
den sonra, -ın ötesinde * *a.*
geçmiş zaman, geçmiş; bir kim-
senin geçmişi; *dilb.* geçmiş
zaman

paste /peyst/ *a.* hamur; macun;
kola; çiriş *pasteboard* mukavva

pastel /'pestıl/ *a.* pastel boya ka-
lemi; soluk renk, pastel renk

pasteurize /'pesçırayz/ *e.* pastörize
etmek

pastille /pe'sti:l/ *a. hek.* pastil

pastime /'pa:staym/ *a.* eğlence,
oyun

pastor /'pa:stı/ *a.* papaz

pastrami /pestra:mi/ *a.* pastırma

pastry /'peystri/ *a.* hamur işi; pasta

pasture /'pa:sçı/ *a.* ot; otlak, çayır

pasty /'pesti/ *a.* etli börek * *s.* (yüz)
solgun

pat /pet/ *a.* hafifçe vurma, okşama
* *e.* elle hafifçe vurmak

patch /peç/ *a.* yama; *hek.* yakı;
benek, ben * *e.* yamamak *patch-
work* yama işi *patchy* yarım ya-
malak, şöyle böyle

patent /'peytnt/ *a.* patent

paternal /pı'tö:nıl/ *s.* babayla ilgili;
(akrabalık) baba tarafından

paternity /pı'tö:niti/ *a.* babalık
paternity test babalık testi

path /pa:t/ *a.* keçiyolu, patika; yol

pathetic /pı'tetik/ *s.* acıklı, doku-

naklı **pathological** patolojik
pathway /'pa:twey/ a. patika
patience /'peyşıns/ a. sabır
patient /'peyşınt/ s. sabırlı * a.
hasta
patriarch /'peytria:k/ a. patrik, pisk-
opos; aile reisi, kabile reisi
patriarchy /'peytria:ki/ a. ataerkil
toplum   düzeni   **patriarchal**
ataerkil
patriot /'petrıt/ a. yurtsever **patri-
otic** /-'otik/ yurtsever **patriotism**
yurtseverlik
patrol /pı'troul/ a. ask. devriye
patrolman AE. devriye polisi
patron /'peytrın/ a. hami, koruyucu;
sürekli müşteri
patronage /'petrınic/ a. himaye,
koruma; sürekli müşteriler
patter /'petı/ a. pıtırtı, ses
pattern /'petın/ a. numune, örnek;
elbise patronu; şablon; kalıp
paunch /po:nç/ a. şiş göbek
pauper /'po:pı/ a. yoksul, fakir
pause /po:z/ a. mola, ara; durak,
durgu * e. duraklamak, ara ver-
mek
pave /peyv/ e. kaldırım döşemek
pavement   /'peyvmınt/   a.   BE.
kaldırım
pavilion /pı'vilyın/ a. büyük çadır;
pavyon; köşk
paw /po:/ a. pençe
pawn /po:n/ a. (satranç) piyon,
piyade; kukla, piyon, alet; rehin *
e. rehine vermek, rehine koymak
pawnbroker rehinci, tefeci **pawn-
shop** rehinci dükkânı
pay /pey/ e. **paid** /peyd/ ödemek;
yarar sağlamak; karşılığını ver-
mek * a. ödeme; ücret, maaş **pay
attention (to)** dikkat etmek **pay a
visit** ziyaret etmek **pay back** geri
vermek, ödemek **pay sb back** -
den bir şeyin acısını çıkarmak
pay off (borç) tümüyle kapatmak;
ücretini verip kovmak **pay up**

borcunu   kapatmak   **payable**
ödenecek,   ödenmesi   gerek;
ödenebilir **payday** maaş günü
payee alacaklı **payment** ödeme;
ücret, maaş **payroll** ücret bor-
drosu
pea /pi:/ a. **bitk.** bezelye
peace /pi:s/ a. barış; rahat, huzur;
asayiş, güvenlik **at peace** barış
halinde **break the peace** asayişi
bozmak **hold one's peace** sesini
çıkarmamak, susmak **keep the
peace** asayişi korumak **peaceable**
barışçıl **peaceful** barışsever;
sakin, huzurlu
peach /pi:ç/ a. şeftali
peacock /'pi:kok/ a. tavuskuşu
peahen /'pi:hen/ a. dişi tavuskuşu
peak /pi:k/ a. uç, doruk, zirve
peal /pi:l/ a. çan sesi; gürültü
peanut /'pi:nat/ a. amerikanfıstığı,
yerfıstığı **peanut butter** krem
fıstık
pear /peı/ a. **bitk.** armut
pearl /pö:l/ a. inci **mother-of-pearl**
sedef
peasant /'pezınt/ a. köylü **peasantry**
köylü sınıfı
pebble /'pebıl/ a. çakıl taşı
peck /'pek/ e. gagalamak
peculate /'pekyuleyt/ e. zimmetine
para geçirmek
peculiar /pi'kyu:lıı/ s. acayip, tuhaf
peculiar to -e özgü, mahsus **pe-
culiarity** /-li'eriti/ özellik; acay-
iplik
pedagogy /'pedıgoci/ a. pedagoji,
eğitbilim **pedagogue** eğitimci
pedal /pedıl/ a. ayaklık, pedal
pedant /'pednt/ a. kılı kırk yaran
peddle /'pedıl/ e. seyyar satıcılık
yapmak **peddler** seyyar satıcı
pedestal /'pedistıl/ a. (heykel,
sütun, vb.) taban, kaide
pedestrian /pi'destrıın/ a. yaya
pedestrian crossing yaya geçidi
pediatrician /pi:dıı'trişın/ a. hek.

çocuk doktoru

pedicure /'pedikyuı/ *a.* ayak bakımı, pedikür

pedigree /'pedigri:/ *a.* soyağacı; soy

peel /pi:l/ *e.* kabuğunu soymak; (kabuğu) soyulmak * *a.* (meyve, sebze) kabuk

peep /pi:p/ *e. kon.* gizlice bakmak, dikizlemek * *a.* gizlice bakış, dikiz

peer /piı/ *a.* eş, emsal; asilzade * *e.* dikkatle bakmak

peg /peg/ *a.* ağaç çivi; mandal; kanca, askı

pejorative /pi'corıtiv/ *s.* küçük düşürücü, kötüleyici, yermeli

pelican /'pelikın/ *a. hayb.* pelikan

pelt /pelt/ *a.* post, deri, kürk

pelvis /'pelvis/ *a. anat.* pelvis, leğen

pen /pen/ *a.* kalem, tükenmezkalem, dolmakalem; ağıl; kümes **penfriend** mektup arkadaşı **penknife** çakı **pen name** takma ad

penal /'pi:nıl/ *s.* cezai

penalty /'penılti/ *a.* ceza; *sp.* penaltı **pay the penalty** cezasını çekmek

penance /'penıns/ *a.* ceza; kefaret

pence /pens/ *a. bkz. penny*

pencil /'pensıl/ *a.* kurşunkalem

pendant /'pendınt/ *a.* pandantif

pending /'pending/ *s.* kararlaştırılmamış, askıda

pendulum /'pendyulım/ *a.* sarkaç

penetrate /'penitreyt/ *e.* içine girmek, işlemek; sızmak **penetrating** içe işleyen, keskin; kavrayışlı, akıllı

penguin /'pengwin/ *a.* penguen

penicilin /peni'silin/ *a.* penisilin

peninsula /pi'ninsyulı/ *a.* yarımada

penis /'pi:nis/ *a.* penis, kamış

penitence /'penitıns/ *a.* pişmanlık, tövbe **penitent** pişman, tövbeli

pennant /'penınt/ *a.* flama, flandra

penniless /'penilıs/ *s.* züğürt, meteliksiz

penny /'peni/ *a.* (*ç.* **pennies**

/'peniz/) Pound'un yüzde biri, peni; *AE.* sent

pension /'penşın/ *a.* emekli maaşı **pensioner** emekli (aylığı alan kimse)

pensive /'pensiv/ *s.* düşünceli, dalgın

pentagon /'pentıgın/ *a.* beşgen

pentathlon /pen'tetlın/ *a. sp.* pentatlon

penthouse /'penthaus/ *a.* çatı katı

people /'pi:pıl/ *a.* insanlar, kalabalık; halk; kişi, kimse; millet, ulus

pepper /'pepı/ *a.* biber **black pepper** kara biber **hot pepper** çok acı biber **red pepper** kırmızı biber **peppercorn** tane biber **peppermint** nane; nane şekeri **peppery** biberli; çabuk kızan

per /pı, pö:/ *ilg.* -de, -da, başına; vasıtasıyla, eliyle **per annum** yılda **per capita** kişi başına (düşen) **per cent** yüzde

perambulator /pı'rembyuleytı/ *a.* çocuk arabası

perceive /pı'si:v/ *e.* algılamak, kavramak, anlamak, görmek

percentage /pı'sentic/ *a.* yüzdelik, yüzde oranı; komisyon, yüzdelik

perceptible /pı'septıbıl/ *s.* algılanabilir, duyulabilir, görülebilir

perception /pı'sepşın/ *a.* algı, kavrayış, seziş

perceptive /pı'septıv/ *s.* kavrayışlı, zeki

perch /pö:ç/ *a.* tünek; yüksek yer; *hayb.* tatlı su levreği * *e.* konmak, tünemek

percolate /'pö:kıleyt/ *e.* (*through*) süzülmek, sızmak; süzmek **percolator** süzgeçli kahve ibriği

percussion /pı'kaşın/ *a.* vurma, çarpma

perennial /pı'reniıl/ *s.* bir yıl süren; (bitki) uzun ömürlü

perfect /'pö:fikt/ *s.* mükemmel,

kusursuz, eksiksiz; tam **perfectly**
mükemmel bir şekilde; tamamen
perfect /pı'fekt/ e.
mükemmelleştirmek **perfection**
mükemmellik; tamamlama; eşsiz
örnek
perfidious /pı'fidıis/ s. hain, kaHeş,
vefasız
perfidy /'pö:fidi/ a. vefasızlık, hain-
lik, kalleşlik
perforate /'pö:fıreyt/ e. delmek
perform /pı'fo:m/ e. yapmak, yer-
ine getirmek; oynamak, temsil
etmek; rol almak; *müz.* çalmak
performance ifa, icra; gösteri,
oyun; performans **performer**
sanatçı, oyuncu, müzisyen
perfume /'pö:fyu:m/ a. koku; par-
füm
perhaps /pı'heps/ *be.* belki
peril /'perıl/ a. tehlike
perimeter /pı'rimitı/ a. *mat.* çevre
period /'pıirıid/ a. dönem, devre;
devir, çağ; süre; âdet, aybaşı;
ders; *AE.* nokta **periodic**
/pıiri'odik/ periyodik **periodical**
/pıiri'odikıl/ sürekli yayın
periphery /pı'rifıri/ a. muhit, çevre
periscope /'periskoup/ a. periskop
perish /'periş/ e. ölmek, yok olmak;
BE. **perishable**
(yiyecek) çabuk bozulan
perjure /'pö:cı/ e. **perjure oneself**
yalan yere yemin etmek
perk /pö:k/ a. *kon.* avanta
perm /pö:m/ a. *kon.* perma * a.
kon. perma yapmak
permanence /'pö:mınıns/ a. sürek-
lilik
permanent /'pö:mınınt/ s. sürekli
permanent wave perma(nant)
permissible /pı'misıbıl/ s. izin ver-
ilebilir
permission /pı'mişın/ a. müsaade,
izin
permit /pı'mit/ e. izin vermek
permute /pı'myu:t/ e. sırasını

düzenlemek
perpendicular /pö:pın'dikyulı/ s.
dik, dikey * a. dikey çizgi
perpetual /pı'peçuıl/ s. kalıcı;
sürekli
perpetuate /pı'peçueyt/ e. sürdür-
mek; ölümsüzleştirmek, korumak
perplex /pı'pleks/ e. şaşırtmak
perplexity /pı'pleksiti/ a. şaşkınlık
persecute /'pö:sikyu:t/ e. zulmet-
mek; rahat vermemek **persecu-
tion** zulüm, eziyet
persevere /pö:si'vıı/ e. sebat etmek,
azimle devam etmek **persever-
ance** sebat, azim
persist /pı'sist/ e. ısrar etmek,
üstelemek; devam etmek, kalmak
persistence ısrar, inat; sebat **per-
sistent** inatçı, ısrarlı; sürekli
person /'pö:sın/ a. kişi, şahıs; insan,
kimse **personable** yakışıklı, güzel
personal /'pö:sınıl/ s. kişisel; özel;
bedensel **personal pronoun** dilb.
şahıs zamiri **personality** kişilik,
şahsiyet; önemli kişi
personify /pı'sonifay/ e. kişilik ver-
mek; simgesi olmak **personifica-
tion** kişileştirme; canlı örnek,
simge
personnel /pö:sı'nel/ a. personel,
görevliler
perspective /pı'spektiv/ a. perspek-
tif
perspiration /pö:spi'reyşın/ a. ter
perspire /pı'spayı/ e. terlemek
persuade /pı'sweyd/ e. ikna etmek;
inandırmak
persuasion /pı'sweyjın/ a. ikna;
inanç
persuasive /pı'sweysiv/ s. ikna edici,
inandırıcı
pert /pö:t/ s. sulu, cıvık, şımarık
pertain /pı'teyn/ e. (**to**) -e ait olmak
pervade /pı'veyd/ e. yayılmak,
kaplamak
perverse /pı'vö:s/ s. huysuz, ters;
sapık **perversion** sapıklık

pervert 190

pervert /pı'vö:t/ e. baştan çıkarmak, ayartmak
pessimism /'pesimizım/ a. kötümserlik pessimist kötümser
pest /pest/ a. kon. baş belası, musibet
pester /'pestı/ e. rahatsız etmek, sıkmak
pesticide /'pestisayd/ a. böcek zehiri
pet /pet/ a. evde beslenen hayvan; sevgili, gözde * e. okşamak, sevmek; kon. sevişmek, oynaşmak
petal /'petıl/ a. bitk. taçyaprağı
petition /pi'tişın/ a. dilekçe; toplu dilekçe; talep * e. dilekçe vermek
petrify /'petrifay/ e. taşlaşmak; taşlaştırmak
petrol /'petrıl/ a. benzin petrol station benzin istasyonu, benzinci
petroleum /pi'trouliım/ a. petrol
petticoat /'petikout/ a. içeteklik
petty /'peti/ s. önemsiz, küçük petty officer deniz astsubayı
petulant /'peçulınt/ s. huysuz, hırçın
pew /pyu:/ a. uzun bank/sıra
phantom /'fentım/ a. hayalet
pharaoh /'feırou/ a. firavun
pharmacy /'fa:mısi/ a. eczacılık; eczane pharmacist /'fa:mısist/ eczacı
phase /feyz/ a. evre, safha
pheasant /'fezınt/ a. hayb. sülün
phenomenal /fi'nominıl/ s. olağanüstü, şaşılacak, süper
phenomenon /fi'nominın/ a. fenomen, görüngü; harika şey/kimse
philanthropic /filın'tropik/ s. insansever, hayırsever
philately /fi'letıli/ a. pulculuk, pul toplama
philology /fi'lolıci/ a. filoloji
philosophy /fi'losıfi/ a. felsefe
philosopher /fi'losıfı/ a. filozof

philosophical /filı'sofikıl/ s. felsefi; (kişi) mantıklı
phlegm /flem/ a. balgam, sümük
phlegmatic /fleg'metik/ s. sakin, soğukkanlı
phobia /'foubiı/ a. fobi, ürkü
phoenix /'fi:niks/ a. Anka kuşu
phone /foun/ a. kon. telefon * e. kon. telefon etmek
phoneme /'founi:m/ a. dilb. sesbirim
phonetic /fi'netik/ s. sesçil, fonetik phonetics sesbilim, sesbilgisi
phonology /fi'nolıci/ a. sesbilim
phosphate /'fosfeyt/ a. kim. fosfat
phosphorus /'fosfırıs/ a. kim. fosfor
photo /'foutou/ a. kon. fotoğraf
photocopy /'foutoukopi/ a. fotokopi * e. fotokopi çekmek photocopier fotokopi makinesi
photogenic /foutou'cenik/ s. fotojenik
photograph /'foutıgra:f/ a. fotoğraf, resim * e. fotoğrafını çekmek photographer fotoğrafçı photography fotoğrafçılık
phrase /freyz/ a. dilb. birkaç sözcükten oluşan anlamlı birim, sözcük öbeği, dizilim phrasebook seyahat rehberi; konuşma kılavuzu
physical /'fizikıl/ s. fiziksel; bedensel physical education beden eğitimi
physician /fi'zişın/ a. doktor, hekim
physicist /'fizisist/ a. fizikçi
physics /'fiziks/ a. fizik
physiology /fizi'olıci/ a. fizyoloji
physiological /fiziı'locikıl/ s. fizyolojik
physiotherapy /fiziou'terıpi/ a. fizyoterapi
physique /fi'zi:k/ a. vücut yapısı, fizik
piano /pi'enou/ a. piyano pianist /'piınist, 'pya:nist/ piyanist
pick /pik/ e. seçmek, seçip ayır-

mak; toplamak, koparmak; ayıklamak;　　kazmak,　　delmek;
karıştırmak * *a.* kazma; kürdan;
seçme *Take your pick.* Seçimini
yap. *pick sb's pocket* birinin cebinden bir şey yürütmek

pickaxe /'pikeks/ *a.* kazma

picket /'pikit/ *a.* grev gözcüsü;
kazık; *ask.* ileri karakol * *e.*
gözcülük etmek

pickle /'pikıl/ *a.* turşu * *e.*
turşusunu kurmak *in a pickle
kon.* zor durumda

pickpocket /'pikpokit/ *a.* yankesici

pick-up /'pikap/ *a.* kamyonet; pikap
kolu

picnic /'piknik/ *a.* piknik * *e.* piknik
yapmak

pictorial /pik'to:rııl/ *s.* resimli, resmedilmiş

picture /'pikçı/ *a.* resim, tablo; film;
görüntü * *e.* resmini yapmak,
çizmek; düşlemek, hayal etmek
pictures sinema

picturesque /pikçı'resk/ *s.* pitoresk;
(dil) net, açık, canlı

piddling /'pidling/ *s.* küçük, önemsiz

pidgin /'picin/ *a.* karma dil, tarzanca

pie /pay/ *a.* börek, çörek, tart, turta

piebald /'paybo:ld/ *a. s.* (*at*) alaca,
benekli

piece /pi:s/ *a.* parça; oyun;
(satranç, dama) taş; numune,
örnek; madeni para *a piece of
cake kon.* çocuk oyuncağı *fall to
pieces* parçalanmak, dağılmak *go
(all) to pieces* eli ayağına dolaşmak *in one piece kon.* hasar
görmemiş, sağlam *pull to pieces*
anlamsızlığını belirtmek

piecemeal /'pi:smi:l/ *s. be.* parça
parça, azar azar, bölüm bölüm

pier /pıı/ *a.* iskele; destek, payanda

pierce /'pııs/ *e.* delmek, delip
geçmek *piercing* (ses) keskin, tiz;

(soğuk) içe işleyen

piety /'payıti/ *a.* dindarlık

pig /pig/ *a. hayb.* domuz; pisboğaz
pig-headed inatçı *pigtail* saç örgüsü *piggy* ufak domuz

pigeon /'picin/ *a. hayb.* güvercin

pigment /'pigmınt/ *a.* boya maddesi, pigment

pigmy /'pigmi/ *a.* cüce, bodur

pike /payk/ *a.* mızrak, kargı; turnabalığı

pile /payl/ *a.* yığın, küme; kazık,
direk; tüy, hav; pil * *e.* yığmak

pilgrim /'pilgrim/ *a.* hacı *pilgrimage* /-mic/ *a.* hac, hacılık *go
on/make a pilgrimage* hacca gitmek

pill /pil/ *a.* hap; doğum kontrol
hapı

pillar /'pilı/ *a.* sütun; direk *pillarbox* posta kutusu

pillow /'pilou/ *a.* yastık *pillow
case/slip* yastık kılıfı

pilot /'paylıt/ *a.* pilot; *den.* kılavuz *
e. pilotluk yapmak; kılavuzluk
yapmak

pimp /pimp/ *a.* pezevenk

pimple /'pımpıl/ *a.* sivilce

pin /pin/ *a.* topluiğne; broş, iğne *
e. iğnelemek, iliştirmek;
kıpırdayamaz hale sokmak,
sıkıştırmak *pins and needles kon.*
karıncalanma

pinafore /'pinıfo:/ *a.* göğüslük,
önlük

pincers /'pinsız/ *a.* kerpeten; kıskaç

pinch /pinç/ *e.* kıstırmak,
sıkıştırmak; çimdiklemek; *kon.*
araklamak yürütmek * *a.* çimdik;
tutam *at/in a pinch* gerekirse *feel
the pinch* darda olmak

pine /payn/ *a. bitk.* çam * *e.* (*away*)
güçten kuvvetten düşmek

pineapple /'paynepıl/ *a. bitk.*
ananas

ping-pong /'pingpon/ *a. kon.* pingpong, masatenisi

pink /pink/ *s.* pembe *pinkish* pembemsi

pinnacle /'pınıkıl/ *a.* doruk, zirve; sivri tepeli kule

pint /paynt/ *a.* galonun sekizde biri (*BE*. 0,568 lt; *AE*. 0,473 lt)

pioneer /payı'nıı/ *a.* öncü * *e.* öncülük etmek

pious /'payıs/ *s.* dindar

pip /pip/ *a.* meyve çekirdeği

pipe /payp/ *a.* boru; pipo; kaval * *e.* borularla taşımak; kaval/gayda çalmak *pipeline* boru hattı

piper /'paypı/ *a.* kavalcı; gaydacı

piquant /'pi:kınt/ *s.* acı/keskin

piracy /'payırısi/ *a.* korsanlık

piranha /pi'ra:nyı, pi'ra:nı/ *a. hayb.* piranha

pirate /'payırıt/ *a.* korsan * *e.* korsan satış yapmak

pirouette /pıru'et/ *a.* (balede) tek ayak üzerinde dönüş, piruet

Pisces /'paysi:z/ *a.* Balık burcu

piss /pis/ *e.* işemek * *a.* çiş, sidik; işeme

pistachio /pi'sta:şıou/ *a.* fıstık

pistol /'pistıl/ *a.* tabanca

piston /'pistın/ *a.* piston

pit /pit/ *a.* çukur; maden ocağı; (tiyatro) parter

pitch /piç/ *a. sp.* saha, alan; fırlatma, atış; *müz.* perde; derece; zift * *e.* konmak, konaklamak; (çadır) kurmak; (top, vb.) atmak; *müz.* sesin perdesini ayarlamak *pitch-black* zifiri karanlık

pitcher /'piçı/ *a.* testi, sürahi, ibrik

pith /pit/ *a. bitk.* öz; öz *pithy* özlü; anlamlı

pitiable /'pitiıbıl/ *s.* acınacak

pitiful /'pitifıl/ *s.* acıklı, acınacak; merhametli

pittance /'pitıns/ *a.* çok düşük ücret

pity /'pitı/ *a.* merhamet, acıma * *e.* merhamet etmek, acımak *for pity's sake* Allah aşkına, ne olur

have/take pity on (sb) -e acımak *What a pity!* Ne yazık!

pivot /'pivıt/ *a.* eksen, mil * *e.* bir eksen çevresinde dönmek

pizza /'pi:tsı/ *a.* pizza

placard /'pleka:d/ *a.* duvar ilanı, afiş, pankart, poster

place /pleys/ *a.* yer; alan, oturacak yer, koltuk; semt, bölge, kent, kasaba; memuriyet, görev; *mat.* hane, basamak * *e.* koymak, yerleştirmek; (para) yatırmak; kim olduğunu çıkarmak, anımsamak *in place* yerinde *in the first place* her şeyden önce *out of place* yersiz, münasebetsiz *take place* meydana gelmek, olmak

placid /'plesid/ *s.* sakin, durgun

plague /pleyg/ *a.* veba; baş belası

plaice /pleys/ *a. hayb.* pisibalığı

plain /pleyn/ *a.* ova * *s.* düz; yalın, sade, süssüz; açık, kolay anlaşılır; alımsız, çirkin *in plain words* açıkçası *plainspoken* açıksözlü *plainly* açıkça; süssüz biçimde

plaint /pleynt/ *a. huk.* dava *plaintiff* davacı

plait /pleyt/ *a.* örgü, saç örgüsü * *e.* (saç, vb.) örmek

plan /plen/ *a.* plan, kroki, taslak; proje, tasarı; niyet * *e.* planlamak, tasarlamak; planını çizmek; düzenlemek

plane /pleyn/ *a. kon.* uçak; planya, rende; *mat.* düzlem; seviye, düzey; *bitk.* çınar * *e.* rendelemek * *s.* düz, dümdüz *plane geometry* düzlem geometri

planet /'plenit/ *a.* gezegen

plank /plenk/ *a.* uzun tahta, kalas

plant /pla:nt/ *a.* bitki; fabrika; atelye; tesis * *e.* dikmek, ekmek; tesis etmek, kurmak

plantation /plen'teyşın/ *a.* fidanlık; büyük çiftlik

plaque /plek/ *a.* plaket, levha

plasma /'plezmı/ *a. biy.* plazma,

kansu

plaster /'plɑːstı/ a. sıva; plaster; *hek.* yakı * *e.* sıvamak; yapıştırmak *plaster cast* alçı *plaster of Paris* alçı

plastic /'plestik/ a. s. plastik *plastic surgery* estetik ameliyat/cerrahlık *the plastic arts* plastik sanatlar

plate /pleyt/ a. tabak; levha, klişe; *sp.* kupa; fotoğraf klişesi * *e.* (metal) kaplamak

plateau /'pletou/ a. *coğ.* yayla

platform /'pletfoːm/ a. peron; kürsü; (seçimden önce) parti programı

plating /'pleyting/ a. kaplama

platinum /'pletinım/ a. platin

platonic /plı'tonik/ s. (iki kişi arasındaki sevgi/arkadaşlık) fiziksel olmayan, duygusal

platoon /plı'tuːn/ a. *ask.* müfreze, takım

plausible /'ploːzibıl/ s. makul, akla yatkın; inandırıcı

play /pley/ a. oyun, eğlence; piyes; şaka, oyun; kumar * *e.* oynamak; eğlenmek; (müzik aleti) çalmak; sahnelemek, temsil etmek *play dead* ölü numarası yapmak *play for time* kasten zaman geçirmek *play it by ear* oluruna bırakmak *play it cool* soğukkanlılığını yitirmemek *play (it) safe* işi sağlama almak *play on words* cinas, sözcük oyunu *play the fool* aptalca davranmak *play the game* adil ve dürüst olmak *play with fire* ateşle oynamak *play back* (şarkı, vb.) yeniden çalmak, tekrarlamak *playboy* eğlence peşinde koşan zengin delikanlı *player* oyuncu *playful* şen, şakacı *playground* oyun alanı; çocuk bahçesi *playhouse* tiyatro *playing card* iskambil kâğıdı *playing field* oyun alanı *playmate* oyun arkadaşı *play-off* beraberliği bozmak için oynanan oyun *plaything* oyuncak *playwright* oyun yazarı

plea /pliː/ a. yalvarma, rica; özür; savunma, itiraz

plead /pliːd/ e. yalvarmak; özür dilemek; dava açmak; savunmak; suçlamak *plead guilty/not guilty* suçlu olduğunu kabul etmek (etmemek)

pleasant /'plezınt/ s. hoş, tatlı; sevimli, cana yakın

pleasantry /'plezıntri/ a. şaka, espri

please /pliːz/ e. memnun etmek, sevindirmek; hoşuna gitmek * *be.* lütfen *if you please* isterseniz; lütfen *pleased* memnun, hoşnut *pleasing* hoş, tatlı

pleasure /'plejı/ a. zevk, haz; keyif, eğlence *pleasurable* zevk veren, hoş

pleat /pliːt/ a. kıvrım, pli, plise

plebiscite /'plebisit/ a. halkoylaması

plectrum /'plektrım/ a. *müz.* mızrap, pena

pledge /plec/ a. rehin; söz, güvence; kanıt, işaret * *e.* rehine koymak; söz vermek; güvence vermek, taahhüt etmek

plentiful /'plentifıl/ s. bereketli, bol

plenty /'plenti/ a. bolluk, çokluk; bol miktar *plenty of* pek çok

pliable /'playıbıl/ s. bükülgen, yumuşak; itaatkâr, uysal

pliers /'playız/ a. kerpeten, pens

plight /playt/ a. kötü durum, çıkmaz

plod /plod/ e. ağır ağır yürümek

plot /plot/ a. arsa, parsel; entrika, suikast; (roman, vb.'de) olay örgüsü * *e.* komplo kurmak; haritada göstermek; işaretlemek

plough /plau/ a. saban, pulluk * *e.* sabanla sürmek, çift sürmek; yol açmak *the Plough* Büyükayı

pluck /plak/ e. koparmak; yolmak; (telli çalgı) çalmak * *a.* cesaret, yiğitlik

plug /plag/ a. tapa, tıkaç; (elektrik) fiş; buji * e. tıkamak

plum /plam/ a. bitk. erik

plumb /plam/ a. çekül, şakul

plumber /'plamı/ a. su tesisatçısı, muslukçu

plumbing /'plaming/ a. su tesisatı; boru tesisatçılığı, muslukçuluk

plume /plu:m/ a. kuştüyü

plunder /'plandı/ e. yağma etmek, yağmalamak * a. yağma, yağmacılık

plunge /planc/ a. dalma, dalış * e. daldırmak, batırmak, sokmak

plural /'pluırıl/ a. s. dilb. çoğul

plus /plas/ a. artı işareti * s. artı; artı, pozitif; -in üstünde

plush /plaş/ a. pelüş

Pluto /'plu:tou/ a. Plüton

ply /play/ e. düzenli sefer yapmak; çalışmak, iş yapmak * a. kat, katmer

plywood /'playwud/ a. kontrplak

pneumatic /nyu:'metic/ s. pnömatik, havalı

pneumonia /nyu:'monıı/ a. hek. zatürree, akciğer yangısı

pocket /'pokit/ a. cep; torba, kese * e. cebe koymak *pocket money* cep harçlığı *pocketbook* cep defteri; cep kitabı

pockmark /'pokma:k/ a. çopur, iz

pod /pod/ a. bezelye, fasulye, vb. kabuğu * e. kabuğunu soymak

podgy /'poci/ s. bodur, tıknaz

poem /'pouım/ a. şiir

poet /'pouit/ a. şair *poetic* şiirsel

poetry /'pouitri/ a. şiir; şiir sanatı; şiirler

poignant /'poynyınt/ s. üzücü, dokunaklı, acı; acı, keskin

point /poynt/ a. nokta; uç; durum; sayı, puan; mat. virgül; derece; husus; anlam; konu; özellik; namlu; coğ. burun * e. işaret etmek; doğrultmak; ucunu göster-

mek; noktalamak; yöneltmek; virgülle hanelere ayırmak *point of view* görüş, bakım *to the point* konu ile ilgili *be on the point of* - mek üzere olmak *come to the point* asıl konuya gelmek *make a point of* -in üzerinde durmak, -e önem vermek *point out* göstermek, belirtmek *pointed* sivri uçlu; anlamlı *pointer* işaret değneği; gösterge; öğüt *pointless* anlamsız; yararsız

poise /poyz/ a. özgüven; denge * e. dengesiz biçimde yerleştirmek

poison /'poyzın/ a. zehir * e. zehirlemek *poisonous* zehirli

poke /pouk/ e. sokmak; dürtmek; (up) (ateş) karıştırmak *poke one's nose into sth* burnunu sokmak

poker /'poukı/ a. ocak demiri; poker

polar /'poulı/ s. kutupsal, kutuplarla ilgili *polar bear* kutup ayısı

polarize /'poulırayz/ e. (iki ayrı noktada) toplamak; fiz. polarmak

pole /poul/ a. direk, sırık; kutup *pole star* kutupyıldızı *pole vault* sp. sırıkla atlama

police /pı'li:s/ a. polis (örgütü), emniyet *police station* karakol *policeman* polis memuru *policewoman* kadın polis

policy /'polisi/ a. siyaset, politika; poliçe

polio /'pouliou/ a. hek. çocuk felci

polish /'poliş/ e. parlatmak, cilalamak * a. cila, perdah; ayakkabı boyası; kibarlık, incelik

polite /pı'layt/ s. nazik, kibar *politely* nazikçe *politeness* nezaket, kibarlık

politic /'politik/ s. akıllı, kurnaz; ihtiyatlı, tedbirli

political /pı'litikıl/ s. siyasal, politik; politikayla ilgilenen

politician /poli'tişın/ s. politikacı

politics /'politiks/ a. siyaset, politika; politik görüşler

polka /'polkı/ a. müz. polka

poll /poul/ a. seçim; oylama, oy verme; oy sayısı; kamuoyu yoklaması * e. oy almak; oy vermek

pollen /'polın/ a. bitk. polen, çiçektozu

pollute /pı'lu:t/ e. kirletmek *pollution* kirlenme, kirlilik

polo /'poulou/ a. sp. polo *polo neck* boğazlı yaka

polyandry /'poli'endrı/ a. çokkocalılık, poliandri

polyester /'poliestı/ a. polyester

polygamy /pı'ligımi/ a. çokkarılılık, poligami

polygon /'poligon/ a. poligon, çokgen

polytechnic /poli'teknik/ a. sanat/fen kolu

pomade /pı'ma:d, pı'meyd/ a. pomat, saç merhemi, briyantin

pomegranate /'pomigrenit/ a. bitk. nar

pomp /pomp/ a. gösteri; görkem

pompous /'pompıs/ s. kendini beğenmiş; ağdalı, cafcaflı

pond /pond/ a. gölcük; havuz

ponder /'pondı/ e. düşünüp taşınmak

ponderous /'pondırıs/ s. ağır

pony /'pouni/ a. hayb. midilli *ponytail* (saç) at kuyruğu

poodle /'pu:dıl/ a. fino köpeği

pool /pu:l/ a. havuz; gölcük; su birikintisi; Amerikan bilardosu *the (football) pools* spor toto

poor /puı/ s. yoksul, fakir; zavallı; yetersiz; kıt *poorly* hasta, rahatsız

pop /pop/ e. pat diye ses çıkarmak, patlamak * a. patlama sesi, pat; kon. gazoz; müz. pop *popcorn* patlamış mısır *pop-eyed* patlak gözlü *pop in* ansızın girmek, uğramak *pop out* ansızın çıkmak

pope /poup/ a. papa

poplar /'poplı/ a. bitk. kavak

poppy /'popi/ a. bitk. gelincik; afyon, haşhaş

populace /'popyulıs/ a. halk, ayaktakımı, avam

popular /'popyulı/ s. sevilen, tutulan, popüler; halka özgü; genel, yaygın

popularity /popyu'leriti/ a. sevilme, tutulma, popülerlik

populate /'popyuleyt/ e. bir yerde yerleşmek; insan yerleştirmek

population /popyu'leyşın/ a. nüfus; ahali, halk

populism /'popyulizım/ a. halkçılık

porcelain /'po:slin/ a. porselen, çini

porch /po:ç/ a. kapı önü sundurması

porcupine /'po:kyupayn/ a. hayb. kirpi

pore /po:/ a. gözenek

pork /po:k/ a. domuz eti

porn /po:n/ a. kon. pornografi

pornography /po:'nogrıfi/ a. pornografi

porous /'po:rıs/ s. gözenekli, geçirgen

porridge /'poric/ a. yulaf lapası

port /po:t/ a. liman; liman kenti; den. lombar; porto şarabı *port of call* uğranılacak liman *port of departure* çıkış limanı *port of destination* gidilecek liman

portable /'po:tıbıl/ s. taşınabilir, portatif

porter /'po:tı/ a. hamal; kapıcı

portfolio /po:t'fouliou/ a. evrak çantası; bakanlık

portion /'po:şın/ a. parça, bölüm; porsiyon; pay, hisse

portrait /'po:trit/ a. insan resmi, portre

portray /'po:trey/ e. resmini yapmak; tasvir etmek; (rol) oynamak

pose /pouz/ e. poz vermek * a. duruş, poz; yapmacık tavır

position /pı'zişın/ a. durum; mevki, yer; iş, görev * e. yerleştirmek; yerini belirlemek *be in a position to* -cek durumda olmak

positive /'pozitiv/ s. olumlu; mutlak, kesin; tam, gerçek; *mat.* artı, pozitif; (fotoğraf) pozitif

possess /pı'zes/ e. sahip olmak, -si olmak *possessor* mal sahibi

possession /pı'zeşın/ a. iyelik, sahiplik; *kon.* mal mülk, servet

possessive /pı'zesiv/ s. sahip olmak isteyen; iyelik gösteren; *dilb.* iyelik durumu

possibility /posi'biliti/ a. ihtimal; olasılık; olabilirlik

possible /'posibıl/ s. mümkün, olanaklı; muhtemel, olabilir, olası *possibly* belki; imkân dahilinde

post /poust/ a. posta, postane * e. postaya atmak, postalamak *by post* posta ile *post-box* posta kutusu *postcard* kartpostal *postcode* posta kodu *postman* postacı *postmaster* postane müdürü *post-office* postane

post /poust/ a. direk, kazık; iş, görev; nöbet; *ask.* garnizon, kışla; karakol * e. ilan etmek, yerleştirmek, dikmek; tayin etmek

postage /'poustic/ a. posta ücreti

postal /'poustıl/ s. posta ile ilgili *postal money order* posta havalesi

poster /'poustı/ a. poster, afiş

posterior /po'stiırıı/ s. gerideki; sonraki

posterity /po'steriti/ a. gelecek kuşaklar; nesil, döl

postgraduate /poust'grecuit/ a. s. lisansüstü (yapan öğrenci)

postmortem /poust'mo:tım/ a. otopsi

postnatal /poust'neytıl/ s. doğumdan sonrasıyla ilgili

postpone /pıs'poun/ e. ertelemek

postscript /'poustskript/ a. (mektupta) not, dipnot

posture /'posçı/ a. duruş

posy /'pouzi/ a. çiçek demeti

pot /pot/ a. çömlek, kap; saksı; *kon.* (para) bol miktar; *kon.* ıska; *kon.* kupa * e. saksıya koymak; vurup öldürmek, avlamak

potato /pı'teytou/ a. patates *potato chips AE.* cips

potency /'poutınsi/ a. güç, iktidar

potent /'poutınt/.s. güçlü, kuvvetli

potential /pı'tenşıl/ s. potansiyel, gizil * a. güç, potansiyel; *fiz.* gizligüç, potansiyel; *elek.* gerilim

potter /'potı/ a. çömlekçi *pottery* çanak çömlek; çömlekçilik

pouch /pauç/ a. kese, torba

poultice /'poultis/ a. yara lapası

poultry /'poultri/ a. kümes hayvanları

pounce /pauns/ e. (at/on/upon) aniden saldırmak, atılmak

pound /paund/ a. İngiliz lirası, Sterlin, Paund; libre (453,6 gr.) * e. dövmek, ezmek; çarpmak; (kalp) küt küt atmak

pour /po:/ e. dökmek, akıtmak; dökülmek, akmak; (çay, vb.) koymak; bardaktan boşanırcasına yağmak

pout /paut/ e. somurtmak, surat asmak * a. somurtma

poverty /'povıti/ a. yoksulluk, fakirlik *poverty-stricken* çok yoksul, gariban

powder /'paudı/ a. toz; pudra; barut *powder room* (sinema, otel) bayanlar tuvaleti

power /'pauı/ a. kuvvet, güç; etki, nüfuz; yetenek; devlet; sözü geçerlik; *mat.* kuvvet, üst *power plant AE.* elektrik santralı *power station BE.* elektrik santralı *powerful* güçlü, kuvvetli; etkili *powerless* güçsüz, kuvvetsiz

practicable /'prektikıbıl/ s. uygulanabilir, yapılabilir

practical /'prektıkıl/ s. pratik, uygulamalı; kullanışlı; becerikli *practical joke* muziplik, eşek şakası *practically* hemen hemen; uygun olarak, pratik olarak

practice /'prektıs/ a. alıştırma; uygulama; antrenman; alışkanlık *out of practice* körelmiş, pratiğini yitirmiş

practise /'prektıs/ e. pratik yapmak, antrenman yapmak; uygulamak, yapmak, denemek; çalışmak

practitioner /prek'tişını/ a. doktor; avukat

pragmatic /preg'metik/ s. pragmatik, pratik *pragmatism* yararcılık, pragmatizm

prairie /'preıri/ a. bozkır

praise /preyz/ a. övme, övgü; şükran * e. övmek; şükretmek *praiseworthy* övülmeye değer

pram /prem/ a. BE. çocuk arabası

prance /pra:ns/ e. kasıla kasıla yürümek

prank /prenk/ a. muziplik, şaka, oyun

prattle /'pretıl/ e. çocukça/saçma sapan konuşmak

prawn /pro:n/ a. büyük karides

pray /prey/ e. dua etmek, yakarmak

prayer /'preı/ a. dua, yakarı, yakarış

preach /pri:ç/ e. vaaz etmek, vaaz vermek; öğütlemek, öğüt vermek *preacher* vaiz

preamble /'pri:embıl/ a. giriş, önsöz

precaution /pri'ko:şın/ a. tedbir, önlem

precede /pri'si:d/ e. -den önce gelmek; -den üstün olmak *preceding* önceki

precedent /'presidınt/ a. teamül, geçmiş örnek, emsal

precious /'preşıs/ s. kıymetli, değerli

precipice /'presipis/ a. uçurum, yar

precipitate /pri'sipiteyt/ e. hızlandırmak; *kim.* çökelmek; *kim.* çökeltmek * a. *kim.* çökelti * s. acele, apar topar, telaşlı *precipitation* telaş, acele; yağış; *kim.* çökelme

précis /'preysi:/ a. özet

precise /pri'says/ s. tam, doğru, kesin; titiz, kusursuz *precisely* tam olarak, tam; evet, öyle, aynen öyle

precision /pri'sijın/ a. kesinlik, doğruluk

precocious /pri'kouşıs/ s. erken gelişmiş, erken büyümüş

predator /'predıtı/ a. *hayb.* yırtıcı hayvan

predecessor /'pri:disesı/ a. öncel, selef; ata

predetermine /pri:di'tö:min/ e. önceden belirlemek

predicament /pri'dikımınt/ a. zor durum, çıkmaz

predicate /'predikit/ a. *dilb.* yüklem

predicative /pri'dikıtiv/ s. *dilb.* yüklemin parçası olarak kullanılan, yüklemcil

predict /pri'dikt/ e. önceden bildirmek, kehanette bulunmak *predictable* tahmin edilebilir *prediction* kehanet

predispose /pri:dis'pouz/ e. etkilemek

predominant /pri'dominınt/ s. üstün, baskın, hâkim, ağır basan

preeminent /pri:'eminınt/ s. üstün

prefabricate /pri:'febrikeyt/ e. parçalarını önceden hazırlamak *prefabricated* (ev, gemi, vb.) prefabrik

preface /'prefis/ a. önsöz

prefer /pri'fö:/ e. tercih etmek, yeğlemek

preferable /'prefırbıl/ s. tercih edilir, daha uygun *preferably* tercihan

preference /'prefırıns/ a. tercih,

yeğleme; öncelik hakkı, üstünlük

preferential /prefi'renşıl/ s. tercihli, ayrıcalıklı

prefix /'pri:fiks/ a. dilb. önek

pregnant /'pregnınt/ s. gebe, hamile; anlamlı **pregnancy** gebelik, hamilelik

prehistory /pri:'histıri/ a. tarihöncesi bilimi, prehistorya

prejudice /'precıdis/ a. önyargı **prejudiced** önyargılı

preliminary /pri'liminıri/ s. başlangıç niteliğinde, ilk, ön

prelude /'prelyu:d/ a. müz. prelüd, peşrev; başlangıç

premature /'premıçı/ s. erken, vakitsiz, mevsimsiz; erken doğmuş

premeditate /pri:'mediteyt/ e. önceden tasarlamak

premier /'premiı/ s. ilk, birinci, baştaki, baş * a. başbakan

premiere /'premieı/ a. gala

premise /'premis/ a. dayanak noktası **premises** bina ve müştemilatı

premium /'pri:mium/ a. sigorta primi; ödül, prim **at a premium** nadir, zor bulunur

prenatal /pri:'neytıl/ s. doğum öncesine ait

prep /prep/ a. BE. kon. ev ödevi; ders çalışma, derse hazırlanma **prep class** kon. hazırlık (sınıfı)

preparation /prepı'reyşın/ a. hazırlama, hazırlanma, hazırlık

preparatory /pri'pentıri/ a. hazırlayıcı **preparatory school** hazırlık okulu

prepare /pri'peı/ e. hazırlamak; hazırlanmak

preposition /prepı'zişın/ a. dilb. edat, ilgeç

preposterous /pri'postırıs/ s. mantıksız, saçma, akla sığmaz

prerogative /pri'rogıtiv/ a. imtiyaz, ayrıcalık

prescribe /pri'skrayb/ a. buyurmak, emretmek; (doktor) reçete yazmak

prescription /pri'skripşın/ a. hek. reçete; buyruk, emir

presence /'prezıns/ a. hazır bulunma; huzur, varlık; görünüş

present /'prezınt/ a. armağan, hediye * s. mevcut, bulunan; şimdiki, şu anki **at present** şu anda, şimdi **for the present** şu anda, şimdilik

present /pri'zent/ e. sunmak, takdim etmek; tanıtmak, takdim etmek

presentable /pri'zentıbıl/ s. uygun, düzgün, yerinde

presentation /prezın'teyşın/ a. sunma, takdim; tanıtma; gösterme

presently /'prezıntli/ be. birazdan

preservation /prezı'veyşın/ a. koruma, korunma

preservative /pri'zö:vıtiv/ s. koruyucu

preserve /pri'zö:v/ e. korumak; saklamak; konservesini yapmak

preside /pri'zayd/ e. başkanlık etmek

presidency /'prezidınsi/ a. başkanlık

president /'prezidınt/ a. başkan; rektör; cumhurbaşkanı

press /pres/ a. sıkıştırma, baskı; basın, gazeteciler; basımevi; tazyik; (el) sıkma; sıkma makinesi, pres; iş çokluğu; (giyside) ütü * e. bastırmak, basmak; sıkıştırmak; sıkıp suyunu çıkarmak; ütülemek; ısrar etmek, üstelemek **press agent** basın sözcüsü **press conference** basın toplantısı

pressure /'preşı/ a. basınç, tazyik; baskı, zorlama **pressure cooker** düdüklü tencere

prestige /pre'sti:j/ a. saygınlık

presumably /pri'zyu:mıbli/ be. herhalde, galiba, tahminen, belki de

presume /pri'zyu:m/ *e.* saymak, varsaymak, farz etmek; cüret etmek

presumption /pri'zampşın/ *a.* varsayım, tahmin; cüret, küstahlık

presuppose /pri:sı'pouz/ *e.* önceden varsaymak; koşul olarak gerektirmek

pretend /pri'tend/ *e.* -miş gibi yapmak; numara yapmak, rol yapmak; kendine ... süsü vermek

pretension /pri'tenşın/ *a.* hak iddia etme, iddia; gösteriş

pretentious /pri'tenşıs/ *s.* kendini beğenmiş, gösterişli

pretext /'pri:tekst/ *a.* bahane, kulp

pretty /'priti/ *s.* hoş, güzel, sevimli * *be.* oldukça, epey *pretty much/well* hemen hemen

pretzel /'pretsıl/ *a.* çubuk kraker

prevail /pri'veyl/ *e.* yenmek, üstün gelmek; egemen olmak

prevalent /'prevılınt/ *s.* yaygın, genel

prevent /pri'vent/ *e.* (*from*) önlemek, engellemek *preventive* önleyici, koruyucu

preview /'pri:vyu:/ *a.* (film, vb.'nin) halka gösterilmeden önce özel olarak gösterilmesi, özel gösterim

previous /'pri:viıs/ *s.* önceki, evvelki *previously* önceden

prey /prey/ *a.* av

price /prays/ *a.* fiyat, eder; değer, kıymet; ödül * *e.* fiyat koymak *price tag* fiyat etiketi *priceless* paha biçilmez

prick /prik/ *a.* delik; delme, batırma; iğne, diken batması * *e.* batmak, delmek; sokmak, iğnelemek

prickle /'prikıl/ *a.* diken, sivri uç * *e.* iğnelenmek, karıncalanmak *prickly* dikenli; huysuz

pride /prayd/ *a.* gurur; onur;

övünme; övünç *pride oneself on* ile övünmek

priest /pri:st/ *a.* papaz, rahip *priesthood* papazlık

prim /prim/ *a.* kurallara fazla bağlı, formaliteci

primarily /'praymırili/ *be.* her şeyden önce, aslında

primary /'praymıri/ *s.* baş, başlıca, ana, temel; birinci *primary school* ilkokul

primate /'praymit/ *a.* başpiskopos

primate /'praymeyt/ *a.* hayb. primat

prime /praym/ *s.* birinci, ilk; en kalite, en iyi * *e.* hazırlamak; (boya) astar vurmak *Prime Minister* Başbakan *prime number* mat. asal sayı

primer /'praymı/ *a.* ilk okuma kitabı; ask. kapsül; astar boya

primitive /'primitiv/ *s.* ilkel

primrose /'primrouz/ *a.* bitk. çuhaçiçeği

prince /prins/ *a.* prens

princess /prin'ses/ *a.* prenses

principal /'prinsipıl/ *s.* başlıca, esas, temel * *a.* okul müdürü; yönetici, başkan, şef; anapara

principality /prinsi'peliti/ *a.* prenslik

principle /'prinsipıl/ *a.* ilke, prensip; köken; kon. ahlak, dürüstlük

print /print/ *e.* basmak, matbaada basmak, yayımlamak * *a.* iz; tabı, bası; damga, kalıp; basılmış yazı, matbua; emprime, basma kumaş *in print* basılı *out of print* baskısı tükenmiş *printer* matbaacı; yazıcı, printer *printing* baskı; matbaacılık *printing press* basım makinesi

prior /'prayı/ *s.* önce, önceki

priority /pray'oriti/ *a.* öncelik, üstünlük

prism /'prizm/ *a.* prizma, biçme *prismatic* /-'metik/ prizmatik

prison /'prizın/ *a.* cezaevi, hapishane *prisoner* tutuklu; tutsak *prisoner of war* savaş esiri

privacy /'privısi, 'prayvısi/ *a.* mahremiyet, gizlilik

private /'prayvit/ *s.* özel; kişisel; gizli * *a. ask.* er, asker *in private* gizlilikle *private detective/investigator* özel dedektif *private enterprise* özel teşebbüs *private school* özel okul *privately* gizli olarak

privatize /'prayvıtayz/ *e.* özelleştirmek

privilege /'privilic/ *a.* ayrıcalık, imtiyaz *privileged* ayrıcalıklı

prize /prayz/ *a.* ödül; ikramiye * *e.* çok değer vermek

pro /prou/ *a. kon.* profesyonel

probability /probı'biliti/ *a.* ihtimal, olasılık

probable /'probıbıl/ *s.* muhtemel, clası *probably* büyük olasılıkla, muhtemelen

probation /prı'beyşın/ *a.* deneme; *huk.* gözaltında tutma koşuluyla salıverme

probe /proub/ *a. hek.* sonda; araştırma; insansız uzay roketi

problem /'problım/ *a.* problem, sorun; *mat.* problem

procedure /prı'si:cı/ *a.* prosedür, yordam

proceed /prı'si:d/ *e.* ilerlemek; devam etmek, sürdürmek; girişmek, başlamak

proceeding /prı'si:ding/ *a.* ilerleme; hareket tarzı; işlem, yöntem

process /'prouses/ *a.* oluşum, süreç; yöntem, işlem, yol; gidiş, seyir; *huk.* dava * *e.* belli bir işleme tabi tutmak; bilgisayarda denetlemek

procession /prı'seşın/ *a.* geçit töreni; tören alayı

proclaim /prı'kleym/ *e.* duyurmak, ilan etmek *proclamation* /proklı'meyşın/ beyanname, bildirge; ilan, duyuru

procure /prı'kyuı/ *e.* sağlamak, elde etmek, edinmek

prod /prod/ *e.* dürtmek; kışkırtmak, özendirmek, gaz vermek

prodigal /'prodigıl/ *s.* savurgan

prodigious /prı'dıcıs/ *s.* şaşılacak, olağanüstü, harika

prodigy /'prodici/ *a.* olağanüstü şey .

produce /prı'dyu:s/ *e.* üretmek, yapmak; yetiştirmek; neden olmak; (film) sahneye koymak *producer* üretici; yapımcı

product /'prodakt/ *a.* ürün; sonuç; *mat.* çarpım

production /prı'dakşın/ *a.* üretim, yapım; ürün; eser

productive /prı'daktiv/ *s.* verimli; yaratıcı

productivity /prodak'tiviti/ *a.* verimlilik

profane /prı'feyn/ *s.* kutsal şeylere karşı saygısız *profanity* /prı'feniti/ kutsal şeylere karşı saygısızlık

profess /prı'fes/ *e.* açıkça söylemek, açıklamak, itiraf etmek

profession /prı'feşın/ *a.* iş, meslek, uğraş; itiraf, beyan

professional /prı'feşınıl/ *s.* profesyonel; mesleki * *a.* profesyonel

professor /prı'fesı/ *a.* profesör; *AE.* (üniversitede) öğretmen

proficiency /prı'fişınsi/ *a.* ustalık, yeterlik *proficient (at/in)* usta, becerikli

profile /'proufayl/ *a.* yandan görünüş, profil; kısa özgeçmiş *keep a low profile* dikkat çekmekten sakınmak .

profit /'profit/ *a.* kazanç, kâr; yarar *profit and loss account* kâr zarar hesabı *profit sharing* kâr bölüşümü *profitable* kazançlı, kârlı, yararlı

profound /prı'faund/ *s.* derin; bilgili, etkileyici *profoundly* derinden; çok, son derece

profuse /prɪ'fyu:s/ *s.* çok, bol **profusion** bolluk

programme /'prougrem/ *a.* program, izlence **programmer** bilgisayar programcısı

progress /'prougres/ *a.* ilerleme; gelişme *in progress* yapılmakta; sürmekte

progress /prɪ'gres/ *e.* ilerlemek; gelişmek, kalkınmak

progression /prɪ'greşın/ *a.* ilerleme

progressive /prɪ'gresiv/ *s.* ilerleyen; kalkınan, gelişen; ilerici

prohibit /prɪ'hibit/ *e.* yasaklamak

prohibition /prouhi'bişın/ *a.* yasak

prohibitive /prɪ'hibitiv/ *s.* yasaklayıcı

project /'procekt/ *a.* proje; tasarı

project /prɪ'cekt/ *e.* atmak, fırlatmak; yansıtmak; *mat.* izdüşürmek

projectile /prɪ'cektayl/ *a.* mermi, roket

projection /prɪ'cekşın/ *a.* atma, fırlatma; *mat.* izdüşüm; çıkıntı

projector /prɪ'cektı/ *a.* projektör, gösterici; projektör, ışıldak

proletariat /prouli'teırıt/ *a.* işçi sınıfı, emekçi sınıfı **proletarian** emekçi, işçi

prolific /prɪ'lifik/ *s.* verimli; doğurgan

prologue /'proulog/ *a.* öndeyiş, giriş

prolong /'proulong/ *e.* uzatmak

prominent /'promınınt/ *s.* göze çarpan, belirgin; ünlü, seçkin; önemli; çıkıntı; fırlak **prominence** ün; önem; çıkıntı

promise /'promis/ *e.* söz vermek, vaat etmek; göstermek, belirtisi olmak * *a.* söz, vaat; taahhüt; umut, beklenti *break a promise* sözünü tutmamak *give/make a promise* söz vermek *keep a promise* sözünü tutmak *promising* umut verici, geleceği parlak

promontory /'promıntırı/ *a. coğ.* burun

promote /prɪ'mout/ *e.* yükseltmek, terfi ettirmek; ilerletmek; reklamını yapmak **promoter** teşvikçi, destekleyici; teşebbüs sahibi, kurucu

promotion /prɪ'mouşın/ *a.* yükselme, terfi; destek, teşvik

prompt /prompt/ *e.* -e sevk etmek, teşvik etmek; suflörlük yapmak * *s.* seri, çabuk, tez, dakik

prone /proun/ *s.* yüzükoyun

prong /prong/ *a.* çatal dişi

pronoun /'prounaun/ *a. dilb.* zamir, adıl

pronounce /prɪ'nauns/ *e.* telaffuz etmek, söylemek; resmen bildirmek **pronounced** göze çarpan, belirgin **pronouncement** bildiri, beyan, ilan

pronunciation /prınansi'eyşın/ *a.* telaffuz, sesletim

proof /pru:f/ *a.* kanıt, delil; deneme, sınama; içkinin alkol derecesinin ölçüsü; prova * *s.* -e dayanıklı, geçirmez, işlemez

prop /prop/ *a.* destek

propaganda /propı'gendı/ *a.* yaymaca, propaganda

propagate /'propıgeyt/ *e.* üremek, çoğalmak; çoğaltmak, üretmek

propel /prɪ'pel/ *e.* ileriye doğru sürmek **propeller** pervane

proper /'propı/ *s.* doğru dürüst, uygun, nazik, terbiyeli *proper noun dilb.* özel ad

property /'propıti/ *a.* mal; mülk, arazi, emlak; özellik *lost property* kayıp eşya *property tax* emlak vergisi

prophecy /'profisi/ *a.* kehanet

prophesy /'profisay/ *e.* kehanette bulunmak

prophet /'profit/ *a.* peygamber; kâhin

proportion /prɪ'po:şın/ *a.* oran;

orantı; pay; *kon.* boyutlar *in pro-portion to* -e oranla *proportional* orantılı

proposal /prı'pouzıl/ *a.* öneri, teklif; evlenme teklifi

propose /prı'pouz/ *e.* önermek; evlenme teklif etmek

proposition /propı'zişın/ *a.* öneri; mesele; sorun; *mat.* önerme

proprietary /prı'prayıtıri/ *s.* tescilli, patentli

proprietor /prı'prayıtı/ *a.* mal sahibi

propriety /prı'prayiti/ *a.* uygunluk, doğruluk

propulsion /prı'palşın/ *a.* itici güç

prose /prouz/ *a.* düzyazı, nesir

prosecute /'prosikyu:t/ *e.* *huk.* hakkında kovuşturma açmak, kovuşturmak **prosecution** kovuşturma; davacı **prosecutor** davacı **public prosecutor** cumhuriyet savcısı

prospect /'prospekt/ *a.* beklenti, umut; görünüş

prospect /prı'spekt/ *e.* (altın, vb.) aramak

prospective /prı'spektiv/ *s.* umulan, beklenen

prospectus /prı'spektıs/ *a.* prospektüs

prosper /'prospı/ *e.* başarılı olmak **prosperity** /pro'speriti/ refah, gönenç **prosperous** başarılı, müreffeh, gönençli

prostitute /'prostityu:t/ *a.* fahişe

prostrate /'prostreyt/ *s.* yüzükoyun yatmış; bitkin, tükenmiş

protect /prı'tekt/ *e.* korumak **protection** koruma; koruyucu **protective** koruyucu **protector** koruyucu

protein /'prouti:n/ *a.* protein

protest /'proutest/ *a.* itiraz, karşı çıkma; *tic.* protesto

protest /prı'test/ *e.* karşı çıkmak, itiraz etmek; iddia etmek

Protestant /'protistınt/ *a.* Protestan

protocol /'proutıkol/ *a.* protokol; tutanak

proton /'prouton/ *a.* *fiz.* proton

prototype /'proutıtayp/ *a.* ilk örnek, prototip

protract /prı'trekt/ *e.* (süresini) uzatmak **protractor** *mat.* iletki

protrude /prı'tru:d/ *e.* çıkıntı yapmak; dışarı çıkarmak

proud /praud/ *s.* (*of*) gururlu, kıvanç duyan; gururlu, mağrur; kendini beğenmiş; görkemli

prove /pru:v/ *e.* kanıtlamak; çıkmak, bulunmak; *mat.* sağlamasını yapmak

proverb /'provö:b/ *a.* atasözü

provide /prı'vayd/ *e.* sağlamak; hazırlıklı bulunmak, önlem almak *provided, providing that* yeter ki, -mek koşuluyla *provide for* geçimini sağlamak

province /'provins/ *a.* il; *kon.* taşra; ilgi alanı, uzmanlık

provincial /prı'vinşıl/ *s.* taşralı; kaba, görgüsüz

provision /prı'vijın/ *a.* tedarik, hazırlık; *kon.* erzak; hüküm, madde *provisional* geçici

provocation /provı'keyşın/ *a.* kışkırtma

provoke /prı'vouk/ *e.* kışkırtmak; -e neden olmak *provoking* sinir bozucu, can sıkıcı

prow /prau/ *a.* *den.* pruva

prowl /praul/ *e.* sinsi sinsi dolaşmak

proximity /prok'simiti/ *a.* yakınlık

proxy /'proksi/ *a.* vekil; vekâlet

prudent /'pru:dınt/ *s.* ihtiyatlı, öngörülü

prune /pru:n/ *a.* kuru erik * *e.* budamak

psalm /sa:m/ *a.* ilahi

pseudonym /'syu:dınim/ *a.* takma ad

psychiatry /say'kayıtri/ *a.* psikiyatri, ruh hekimliği *psychiatrist* psiki-

yatrist, ruh hekimi **psychic(al)**
/'saykik(l)/ s. ruhsal
psychoanalysis /saykou'nelisis/ a.
psikanaliz **psychoanalyst** /-nılist/
psikanalist
psychology /say'kolıci/ a. psikoloji,
ruhbilim
psychological /saykı'locikıl/ psik-
olojik, ruhbilimsel **psychologist**
/say'kolıcist/ ruhbilimci
psychotic /say'kotik/ a. s. psikozlu
pub /pab/ a. birahane, pub
puberty /'pyu:bıti/ a. ergenlik, erin-
lik
public /'pablik/ s. halka ait; genel;
devlete ait, ulusal * a. kamu,
halk **in public** alenen, herkesin
önünde **public opinion** kamuoyu
public relations halkla ilişkiler
public school BE. özel okul; AE.
parasız okul **publicly** açıkça
publication /pabli'keyşın/ a. yayım,
yayımlama; yayın
publicity /pa'blisiti/ a. tanıtma,
reklam; halkın dikkati
publicize /'pablisayz/ e. reklamını
yapmak, halka tanıtmak
publish /'pabliş/ e. yayımlamak,
basmak; açığa vurmak **publisher**
yayımcı, yayınevi
pucker /'pakı/ e. büzmek, bu-
ruşturmak
pudding /'puding/ a. puding, mu-
hallebi
puddle /'padıl/ a. su birikintisi,
gölcük
puff /paf/ a. (sigara) fırt; üfürük;
esinti; soluk * e. üflemek, püfle-
mek; (sigara) içmek; (buhar, du-
man, vb.) çıkarmak
pull /pul/ e. çekmek; koparmak * a.
çekme, çekiş; yudum; fırt; kon.
iltimas, torpil **pull down** yıkmak,
indirmek **pull in** (tren) istasyona
girmek; (taşıt) kenara çekmek
pull off çıkarmak, soymak;
başarmak **pull up** sökmek, yol-

mak; durmak
pulley /'puli/ a. makara, kasnak
pullover /'pulouvı/ a. kazak
pulp /palp/ a. meyve eti
pulpit /'pulpit/ a. kürsü, mimber
pulsate /'palseyt/ e. (yürek, nabız,
vb.) atmak, çarpmak
pulse /pals/ a. nabız, nabız atışı;
bakliyat
pulverize /'palvırayz/ e. ezmek, toz
haline getirmek
puma /'pyu:mı/ a. hayb. puma
pump /pamp/ a. pompa; tulumba *
e. pompalamak
pumpkin /'pampkin/ a. bitk. balk-
abağı
pun /pan/ a. cinas, sözcük oyunu
punch /panç/ e. yumruklamak;
zımbalamak * a. yumruk; zımba;
matkap, delgi; punç; güç, etki
puncher zımba; kovboy
punctual /'pankçuıl/ s. dakik
punctuate /'pankçueyt/ e. dilb.
noktalama işaretlerini koymak;
(sözü, vb.) ikide bir kesmek
punctuation noktalama **punctua-
tion mark** dilb. noktalama işareti
puncture /'pankçı/ a. küçük delik;
(lastikte, vb.) patlak
pungent /'pancınt/ s. sert, acı, ke-
skin
punish /'paniş/ e. cezalandırmak,
ceza vermek **punishment** ceza
pup /pap/ a. yavru fok; yavru köpek
pupil /'pyu:pıl/ a. öğrenci; anat.
gözbebeği
puppet /'papit/ a. kukla
puppy /'papi/ a. köpek yavrusu
purchase /'pö:çis/ e. satın almak *
a. satın alma, alım; satın alınan
şey **purchaser** müşteri, alıcı
pure /pyuı/ s. katıksız, arı, saf;
temiz; safkan; masum, namuslu;
kuramsal **purely** tamamen, sırf,
yalnız
puree /'pyuırey/ e. püre, ezme
purgatory /'pö:gıtırı/ a. Araf

purge /pö:c/ *a.* temizleme, tasfiye; *hek.* müshil ilacı * *e.* temizlemek, arıtmak

purify /'pyuırifay/ *e.* temizlemek, arındırmak, arıtmak

puritan /'pyuıritın/ *a. s.* yobaz, bağnaz, sofu

purity /'pyuıriti/ *a.* saflık, temizlik, arılık

purl /pö:l/ *a.* ters ilmik

purple /'pö:pıl/ *a. s.* mor

purpose /'pö:pıs/ *a.* amaç, gaye; niyet, kasıt *on purpose* kasten, bile bile

purr /pö:/ *e.* (kedi) mırlamak * *a.* kedi mırlaması, mırıltı

purse /pö:s/ *a.* küçük para çantası, para kesesi; *AE.* kadın el çantası

pursue /pı'syu:/ *e.* kovalamak, peşine düşmek, izlemek; devam etmek, sürdürmek

pursuit /pı'syu:t/ *a.* kovalama, takip, peşine düşme; meşgale, uğraş, iş

pus /pas/ *a.* cerahat, irin

push /puş/ *e.* itmek; basmak, bastırmak; sıkıştırmak, zorlamak * *a.* itme, itiş, kakma, dürtme; çaba, gayret; girginlik *pushchair* çocuk arabası *pusher* fırsatçı; uyuşturucu satıcısı

pussy /'pusi/ *a. kon.* kedi, pisi pisi

put /put/ *e.* *put* /put/ koymak, yerleştirmek; sokmak; oya sunmak, önermek; sormak; açıklamak, belirtmek *put aside* biriktirmek *put away* yerine koymak, kaldırmak *put back* geciktirmek; ertelemek *put down* yere koymak, indirmek; susturmak; yazmak; azaltmak *put forward* ileri sürmek *put in for* adaylığını koymak, başvurmak *put off* ertelemek; şaşırtmak; atlatmak, oyalamak *put on* giymek, takmak; tavır takınmak; eklemek; sahneye koymak *put out*

söndürmek; üzmek; kızdırmak; çıkarmak; şaşırtmak *put through* başarmak, gerçekleştirmek; (telefon) bağlamak *put up* inşa etmek, kurmak; misafir etmek; ağırlamak; (fiyat, vb.) arttırmak; (ilan, vb.) asmak *put up with* tahammül etmek, katlanmak

putrid /'pyu:trid/ *s.* çürük, bozuk

puzzle /'pazıl/ *e.* şaşırtmak; şaşırmak * *a.* bilmece, bulmaca; muamma

pygmy /'pıgmi/ *a.* pigme; cüce

pyjamas /pı'ca:mız/ *a.* pijama

pylon /'paylın/ *a.* çelik elektrik direği

pyramid /'pirımid/ *a.* piramit

pyrex /'payreks/ *a.* ateşe dayanıklı cam eşya

pyrotechnics /payırou'tekniks/ *a.* fişekçilik; havai fişek gösterisi

python /'paytın/ *a. hayb.* piton yılanı

Q

quack /kwek/ *a.* ördek sesi, vak; yalancı doktor, şarlatan

quadrangle /'kwodrengıl/ *a.* bahçe; *mat.* dörtgen

quadraphonic /kwodrı'fonik/ *s.* (ses) dört kanallı, kuadrofonik

quadrilateral /kwodrı'letırl/ *s. a.* dörtgen

quadrillion /kwo'drilıın/ *a.* katrilyon

quadruped /'kwodruped/ *a. hayb.* dört ayaklı hayvan

quadruple /'kwodrupıl/ *e.* dörtle çarpmak; dört katı olmak

quagmire /'kwegmayı/ *a.* bataklık

quail /kweyl/ *a. hayb.* bıldırcın

quake /kweyk/ *e.* titremek

qualification /kwolifi'keyşın/ *a.* nitelik, yeterlik; niteleme

qualify /'kwolifay/ *e.* hak kazandır-

mak, yeterli kılmak; nitelemek;
sınırlandırmak, değiştirmek,
hafifletmek **qualified** nitelikli,
kalifiye
qualitative /'kwolitıtiv/ s. nitel
quality /'kwoliti/ a. nitelik, kalite,
vasıf; özellik
qualm /kwa:m/ a. mide bulantısı;
kuşku, huzursuzluk, endişe, ku-
runtu
quantitative /'kwontitıtiv/ s. nicel
quantity /'kwontiti/ a. nicelik; mik-
tar
quarantine /'kworınti:n/ a. karan-
tina
quarrel /'kwonl/ a. kavga, çekişme,
bozuşma * e. kavga etmek,
atışmak, bozuşmak **quarrelsome**
kavgacı
quarry /'kwori/ a. av; taş ocağı
quart /kwo:t/ a. galon'un dörtte
biri, kuart (1,137 lt.)
quarter /'kwo:tı/ a. çeyrek; çeyrek
saat; üç aylık süre; AE. 25 sent;
mahalle, semt; bölge; ask. kışla,
konak **quarter-master** ask. le-
vazım subayı; den. serdümen
quarterfinal çeyrek final **quar-
terly** üç ayda bir olan, üç aylık
quartet /kwo:'tet/ a. müz. dörtlü,
kuartet
quartz /kwo:ts/ a. kuvars
quash /kwoş/ e. bozmak, kaldırmak
quaver /'kweyvı/ a. müz. (ses) ti-
tremek
quay /ki:/ a. rıhtım, iskele
queasy /'kwi:zi/ s. midesi bulanmış,
kusacak halde
queen /'kwi:n/ a. kraliçe; (iskambil)
kız, dam; (satranç) vezir
queer /kwiı/ s. acayip, tuhaf, garip;
kon. kaçık, üşütük
quell /kwel/ e. bastırmak, ezmek,
önünü almak
quench /kwenç/ e. (susuzluk, vb.)
gidermek; (ateş) söndürmek
query /'kwiıri/ a. soru; kuşku * e.

sormak; -den kuşkulanmak
question /'kwesçın/ a. soru; sorgu;
konu, sorun * e. sorguya çek-
mek; kuşkulanmak **come into
question** gündeme gelmek **in
question** söz konusu olan **out of
the question** söz konusu olamaz
question mark soru işareti **ques-
tionable** kuşku uyandıran
questionnaire /kwesçı'neı/ a. anket
queue /kyu:/ a. BE. kuyruk, sıra * e.
BE. kuyruk olmak **join the queue**
kuyruğa girmek **jump the queue**
kuyruktakilerin önüne geçmek
quibble /'kwibıl/ e. önemsiz konu-
lar üzerinde tartışmak
quick /kwik/ s. çabuk, hızlı; an-
layışlı, zeki **quickly** çabucak,
süratle
quicken /'kwikın/ e. çabuklaşmak,
hızlanmak; çabuklaştırmak
quicksand /'kwiksend/ a. bataklık
quicksilver /'kwiksilvı/ a. kim. cıva
quiet /'kwayıt/ s. sessiz, sakin;
sessiz; durgun
quill /kwil/ a. iri kuş tüyü
quilt /kwilt/ a. yorgan
quince /kwins/ a. ayva
quinine /'kwini:n/ a. hek. kinin
quip /kwip/ a. alaylı şaka, iğneli
söz
quit /kwit/ e. **quit, quitted** -den
ayrılmak, terk etmek; bırakmak
quite /kwait/ be. tümüyle, büs-
bütün; az çok, oldukça
quiver /'kwivı/ a. ok kılıfı, sadak,
okluk * e. titremek
quiz /kwiz/ a. kısa sınav, yoklama;
bilgi yarışması * e. sorular sor-
mak, sorguya çekmek
quizzical /'kwizikıl/ s. şakacı, alaycı
quota /'kwoutı/ a. pay; kota, kon-
tenjan
quotation /kwou'teyşın/ a. alıntı,
iktibas; piyasa rayici, fiyat **quo-
tation mark** dilb. tırnak işareti
quote /kwout/ e. alıntı yapmak,

iktibas etmek; zikretmek; *tic.* fi-
yat vermek * *a. kon.* iktibas,
alıntı; sunulan fiyat
quotient /'kwouşınt/ *a. mat.* Bölüm

R

rabbi /'rebay/ *a.* haham
rabbit /'rebıt/ *a.* tavşan
rabble /'rebıl/ *a.* düzensiz kalabalık
rabies /'reybi:z/ *a.* kuduz hastalığı
race /reys/ *a.* yarış; su akıntısı; ırk,
soy; *kon.* at yarışı * *e.* yarışmak
the human race insan nesli *race-
course* (hipodromda) koşu alanı
racetrack yarış pisti, koşuyolu
racial /'reyşıl/ *s.* ırkla ilgili, ırksal
racialism ırkçılık *racialist* ırkçı
racism /'reysizım/ ırkçılık *racist*
ırkçı
rack /rek/ *a.* parmaklıklı raf, askı
racket /'rekit/ *a. kon.* gürültü,
patırtı
racket, racquet /'rekit/ *a.* raket
radar /'reyda:/ *a.* radar
radial /'reydıl/ *s.* ışınsal; yarıçapla
ilgili
radiance /'reydıns/ *a.* parlaklık,
aydınlık; neşe, sevinç
radiant /'reydınt/ *s.* ışık saçan
parlak; ısı yayan; neşe saçan,
sevinçli
radiate /'reydieyt/ *e.* ışık saçmak; ısı
yaymak; (neşe, vb.) saçmak
radiation /reydi'eyşın/ *a.* ısı/ışın
saçma; radyasyon, ışınım
radiator /'reydieytı/ *a.* radyatör
radical /'redikıl/ *s.* köklü; radikal,
köktenci; *mat.* kökle ilgili
radio /'reydiou/ *a.* radyo
radioactive /reydiou'ektiv/ *s.* ışınet-
kin, radyoaktif *radioactivity*
ışınetkinlik, radyoaktivite
radiograph /'reydiougra:f/ *a.* rönt-
gen filmi, radyograf
radiography /reydi'ogrıfı/ *a.*

ışınçekim, radyografi
radiology /reydi'olıcı/ *a.* röntgen-
bilim, radyoloji
radish /'rediş/ *a. bitk.* turp
radium /'reydıım/ *a. kim.* radyum
radius /'reydıs/ *a. mat.* yarıçap;
anat. önkol kemiği
raffle /'refıl/ *a.* piyango, çekiliş
raft /ra:ft/ *a.* sal
rag /reg/ *a.* bez parçası, paçavra;
eşek şakası * *e.* eşek şakası yap-
mak; dalga geçmek
rage /reyc/ *a.* öfke, hiddet;
düşkünlük, tutku
ragged /'regid/ *s.* yırtık pırtık, eski
püskü
raid /reyd/ *a.* akın, baskın *raider*
akıncı
rail /reyl/ *a.* parmaklık; ray;
demiryolu *railing* parmaklık *rail-
road* demiryolu *railway BE.*
demiryolu
rain /reyn/ *a.* yağmur * *e.* (yağmur)
yağmak *rain forest* tropikal or-
man *rainbow* gökkuşağı, alkım
raincoat yağmurluk *raindrop*
yağmur damlası *rainfall* yağış
miktarı, yağış *rainproof* yağmur
geçirmez *rains* muson yağmur-
ları; muson *rainy* yağmurlu
raise /reyz/ *e.* kaldırmak, yüksel-
mek; bina etmek, dikmek;
büyütmek, yetiştirmek, topla-
mak; neden olmak, uyandırmak *
a. AE. ücret artışı, zam
raisin /'reyzın/ *a.* kuru üzüm
rake /reyk/ *a.* tırmık * *e.* tırmıkla-
mak, taramak *rake in money* çok
para kazanmak
rally /'reli/ *e.* bir araya toplanmak;
iyileşmek, düzelmek, toparlan-
mak * *a.* toplantı; otomobil
yarışı, ralli; (tenis) uzun sayı
mücadelesi
ram /rem/ *a. hayb.* koç; Koç burcu
Ramadan /'remıden, 'remıda:n/ *a.*
ramazan

ramification /remifi'keyşın/ a. dallanıp budaklanma

ramp /remp/ a. yokuş, rampa

rampage /rem'peyc, 'rempeyc/ e. sağa sola saldırmak, kudurmak

rampart /'rempa:t/ a. siper, sur

ramshackle /'remşekıl/ s. köhne, harap, viran

ran /ren/ bkz. *run*

ranch /ra:nç/ a. büyük çiftlik

rancour /'renkı/ a. kin, hınç

random /'rendım/ s. rasgele, gelişigüzel *at random* öylesine, amaçsızca

range /reync/ a. sıra, dizi; menzil; atış alanı * e. dizmek; dizilmek; uzanmak *ranger* orman bekçisi

rank /renk/ a. sıra, dizi; rütbe; sınıf, tabaka * e. sıralamak, dizmek; yer almak, sayılmak

rankle /'renkıl/ e. (acısı) içinden çıkmamak, sürmek, yüreğine dert olmak

ransack /'rensek/ e. altını üstüne getirmek; yağmalamak

ransom /'rensım/ a. fidye *a king's ransom* büyük para

rap /rep/ a. hafifçe vuruş; *kon.* suç, ceza

rape /reyp/ a. ırza geçme, ırza tecavüz; bozma, mahvetme * e. ırzına geçmek

rapid /'repid/ s. hızlı; (yokuş) dik

rapidly /'repidli/ be. hızla, süratle

rapt /rept/ s. kendini vermiş şekilde, can kulağıyla

rapture /'repçı/ a. büyük sevinç, esrime *go to raptures* (sevincinden) havalara uçmak

rare /reı/ s. nadir, seyrek; (et) az pişmiş *rarely* nadiren, seyrek olarak

rarity /'reıriti/ a. nadirlik, seyreklik; ender bulunur şey

rascal /'ra:skıl/ a. namussuz, alçak; yaramaz, kerata

rash /reş/ s. düşüncesiz, aceleci

rasp /ra:sp/ a. raspa, kaba törpü

raspberry /'ra:zbıri/ a. ahududu, ağaççileği

rat /ret/ a. iri fare, sıçan; hain, dönek

rate /reyt/ a. oran, nispet; çeşit * e. kıymet biçmek; vergi koymak *at any rate* her nasılsa *rate of exchange* döviz kuru *rate of interest* faiz oranı

rather /'ra:tı/ be. oldukça, epeyce; tercihan, daha çok; daha doğrusu; aksine, tersine

ratify /'retifay/ e. onaylamak

rating /'reyting/ a. beğenilme, tutulma, reyting; *BE.* deniz eri, tayfa

ratio /'reyşiou/ a. oran, nispet

ration /'reşın/ a. istihkak, pay

rational /'reşınıl/ s. aklı başında, mantıklı; *mat.* rasyonel, oranlı

rationalism /'reşınılizım/ a. *fel.* usçuluk, rasyonalism *rationalist* akılcı

rationalize /'reşınılayz/ e. kılıf uydurmak; *BE.* (yöntem) geliştirmek, verimlileştirmek

rattle /'retıl/ a. bebek çıngırağı, kaynanazırıltısı, cırcır * e. şıngırdamak, tıngırdamak *rattlesnake* çıngıraklıyılan

raucous /'ro:kıs/ s. (ses) kısık, boğuk

ravage /'revic/ e. mahvetmek, kırıp geçirmek; yağmalamak, soymak

rave /reyv/ e. deli gibi abuk sabuk konuşmak, saçmalamak, sayıklamak

raven /'reyvın/ a. *hayb.* kuzgun

ravenous /'revinıs/ s. kurt gibi aç

ravine /rı'vi:n/ a. *coğ.* dar ve derin koyak

ravioli /revi'ouli/ a. bir tür mantı

ravish /'reviş/ e. *yaz.* ırzına geçmek; zevk vermek, esritmek

raw /ro:/ s. çiğ; işlenmemiş, ham; deneyimsiz, acemi; (hava) soğuk

ve yağışlı
ray /rey/ a. ışın
rayon /'reyon/ a. yapay ipek, rayon
raze /reyz/ e. yıkıp yerle bir etmek
razor /'reyzı/ a. ustura; tıraş makinesi
re /ri:/ ilg. (iş mektuplarında) -e dair, hakkında, ile ilgili olarak
re /rey/ a. müz. re notası
reach /ri:ç/ e. ulaşmak, erişmek; yetişmek, değmek * a. uzanma; menzil; anlayış, kavrayış *out of reach* erişilmez, yetişilmez
react /ri'ekt/ e. tepki göstermek; *kim.* tepkimek; karşılık vermek
reaction /ri'ekşın/ a. tepki, reaksiyon; *kim.* tepkime; gericilik
read /ri:d/ e. *red* /red/ okumak; (termometre, vb.) göstermek *read between the lines kapalı anlamını bulmak readable* okumaya değer; (yazı) okunaklı
reader /'ri:dı/ a. okuyucu, okur; *BE.* doçent; düzeltmen; okuma kitabı
readily /'redili/ be. isteyerek, seve seve, gönülden *readiness* isteklilik; hazır olma
reading /'ri:ding/ a. okuma; yorum; okuma parçası
ready /'redi/ s. hazır; istekli; kolay, çabuk, seri; eli çabuk *ready-made* (giysi) hazır
real /rııl/ s. gerçek, hakiki *real estate* taşınmaz mal, gayrimenkul
realism /'rıılizım/ a. gerçekçilik
realist /'rıılist/ a. gerçekçi *realistic* realist, gerçekçi
reality /ri'eliti/ a. gerçek, hakikat; gerçekçilik *in reality* gerçekte, aslında
realize /'rıılayz/ e. farkına varmak, anlamak, kavramak, gerçekleştirmek *realization* farkına varma; gerçekleştirme
realtor /'rııltı/ a. *AE.* emlakçı
really /'rııli/ be. gerçekten, sahiden

realm /relm/ a. krallık; alan, ülke
reap /ri:p/ e. (ekin) biçmek
rear /rıı/ a. geri, arka, art * e. yetiştirmek, büyütmek; kaldırmak
reason /'ri:zın/ e. neden, sebep; akıl, sağduyu; gerekçe * e. muhakeme etmek; -den sonuç çıkarmak *beyond/past all reason* mantıksız, aşırı *bring sb to reason* mantıklı olmaya ikna etmek *by reason of* yüzünden, dolayı *within reason* makul ölçüler içinde *listen to/hear reason* laf dinlemek *lose one's reason* aklını bozmak *with reason* haklı olarak
reasonable /'ri:zınıbıl/ s. akla uygun, makul; akıllı
reasoning /'ri:zıning/ a. mantıklı düşünme; muhakeme
reassurance /ri:ı'şuırıns/ a. rahatlatma, güven verme
reassure /ri:ı'şuı/ e. güven vermek; korku, kaygı, vb.'den kurtarmak
rebate /'ri:beyt/ a. indirim, ıskonto; vergi iadesi
rebel /'rebıl/ e. baş kaldırmak, isyan etmek, ayaklanmak *rebellion* ayaklanma, isyan *rebellious* asi, isyancı
rebirth /ri:'bö:t/ e. yeniden doğma
rebound /ri'baund/ e. geri sıçramak, çarpıp geri gelmek, sekmek * a. (basketbol) ribaund
rebuff /ri'baf/ a. tersleme, ret
rebuild /ri:'bild/ e. yeniden inşa etmek
rebuke /ri'byu:k/ e. azarlamak
recall /ri'ko:l/ e. geri çağırmak; anımsamak * a. geri çağırma; anımsama
recapitulate /ri:kı'piçuleyt/ e. özetlemek
recede /ri'si:d/ e. geri çekilmek
receipt /ri'si:t/ a. makbuz, fiş, fatura; reçete; *kon.* gelir, hasılat
receive /ri'si:v/ e. almak; -e

uğramak; yemek; evine almak; konuk etmek; karşılamak **receiver** alıcı; ahize, almaç; tahsildar

recent /'ri:sınt/ *s.* yeni, yakında olan, son günlerdeki, son **recently** son günlerde, son zamanlarda

receptacle /ri'septıkıl/ *a.* kap, koyacak; depo, hazne

reception /ri'sepşın/ *a.* alma; karşılama, kabul; kabul töreni; resepsiyon **receptionist** resepsiyon görevlisi

receptive /ri'septiv/ *s.* çabuk kavrayan, anlayışlı

recess /ri'ses/ *a.* paydos, tatil, ara; iç taraf

recession /ri'seşın/ *a.* geri çekilme, gerileme

recipe /'resipi/ *a.* yemek tarifi; reçete

recipient /ri'sipiınt/ *a.* alıcı

reciprocal /ri'siprıkıl/ *s.* karşılıklı, iki taraflı

recital /ri'saytıl/ *a.* anlatma; *müz.* resital

recite /ri'sayt/ *e.* ezberden okumak; anlatmak

reckless /'reklıs/ *s.* korkusuz, pervasız, kayıtsız, umursamaz

reckon /'rekın/ *e.* hesaplamak; *kon.* sanmak, tahmin etmek **reckoning** hesap; *den.* mevki tahmini **day of reckoning** hesap günü, kıyamet günü

reclaim /ri'kleym/ *e.* düzeltmek, iyileştirmek; geri istemek

recline /ri'klayn/ *e.* yaslanmak; uzanmak

recognize /'rekıgnayz/ *e.* tanımak **recognizable** tanınabilir **recognition** /-'nişın/ tanıma, tanınma, kabul

recoil /'rikoyl/ *e.* geri çekilmek; (silah) geri tepmek

recollect /rekı'lekt/ *e.* anımsamak,

hatırlamak **recollection** anımsama, hatırlama; hatırlanan şey, anı

recommend /rekı'mend/ *e.* önermek, tavsiye etmek; öğütlemek **recommendation** tavsiye; öğüt

recompense /'rekımpens/ *e.* karşılığını vermek, ödemek, telafi etmek * *a.* karşılık, tazminat

reconcile /'rekınsayl/ *e.* barıştırmak, uzlaştırmak; (düşünce, görüş, vb.) bağdaştırmak; kabul ettirmek, razı etmek

reconnaissance /ri'konisıns/ *a. ask.* keşif

reconnoitre /rekı'noytı/ *a. ask.* keşfe çıkmak

reconstitute /ri:'konstityu:t/ *e.* tekrar kurmak, yenilemek

reconstruct /ri:kın'strakt/ *e.* yeniden kurmak, yeniden inşa etmek

record /ri'ko:d/ *e.* yazmak, kaydetmek, deftere kaydetmek; (aygıt) kaydetmek; (görüntü, ses) almak, kayıt yapmak

record /'reko:d/ *a.* kayıt; tutanak; sicil; rekor; plak

recorder /ri'ko:dı/ *a.* kayıt aygıtı, teyp; kayıt memuru

recording /ri'ko:ding/ *a.* kayıt

recover /ri'kavı/ *e.* iyileşmek, toparlanmak; yeniden elde etmek * *a.* geri alma; iyileşme, düzelme

recreation /rekri'eyşın/ *a.* eğlence, dinlenme

recruit /ri'kru:t/ *a.* acemi er; yeni üye * *e.* işe almak, çalıştırmak; askere almak; üye yapmak

rectangle /'rektengıl/ *a.* dikdörtgen **rectangular** /rek'tengyulı/ dikdörtgen biçiminde

rectify /'rektifay/ *e.* düzeltmek; *kim.* arıtmak, damıtmak **rectifier** doğrultucu, düzeltici; redresör

rector /'rektı/ *a.* rektör; papaz

rectum /'rektım/ *a. anat.* düzbağırsak, göden, rektum

recuperate /rɪ'kyu:pıreyt/ *e.* iyileşmek, sağlığına kavuşmak

recur /rɪ'kö:/ *e.* tekrar meydana gelmek, yinelenmek

recurrence /rɪ'karıns/ *a.* yinelenme, tekrar olma

red /red/ *s.* kırmızı; (saç) kızıl; (cilt) pembe *Red Crescent* Kızılay *Red Cross* Kızılhaç *Red Indian* Kızılderili *red tape* bürokrasi, kırtasiyecilik *see red* tepesi atmak, gözü dönmek *red-blooded* yürekli, gözü pek

redcurrant /red'karınt/ *a. bitk.* frenküzümü

redden /'redın/ *e.* kızarmak; kızartmak, kırmızılaştırmak

reddish /'rediş/ *s.* kırmızımsı

redhead /'redhed/ *a. kon.* kızıl saçlı kadın, kızıl

redress /rɪ'dres/ *e.* düzeltmek

reduce /rɪ'dyu:s/ *e.* azaltmak, indirmek; *kon.* kilo vermek *reduction* /rɪ'dakşın/ azaltma, indirme; indirim, tenzilat

redundant /rɪ'dandınt/ *s.* gereksiz, lüzumsuz, fazla, aşırı, bol; işten çıkarılan

reed /ri:d/ *a. bitk.* kamış, saz

reef /ri:f/ *a. den.* camadan; *coğ.* resif

reek /ri:k/ *a.* kötü koku * *e.* kötü kokmak

reel /ri:l/ *a.* makara, bobin; çıkrık; (teyp) makara * *e.* sallanmak, sendelemek

refectory /rɪ'fektırı/ *a.* yemekhane

refer /rɪ'fö:/ *e.* (*to*) -den söz etmek; ilgili olmak; kapsamak; göndermek

referee /refı'ri:/ *a. sp.* hakem; *huk.* bilirkişi

reference /'refırıns/ *a.* bahsetme, söz etme; başvurma; referans, bonservis *in/with reference to* -e dair, -e ilişkin *reference book* başvuru kitabı

referendum /refı'rendım/ *a.* halk oylaması, referandum

refill /ri:'fil/ *e.* yeniden doldurmak * *a.* yedek (kâğıt, pil, kalem içi, kurşun, vb.)

refine /rɪ'fayn/ *e.* arıtmak, tasfiye etmek, rafine etmek *refined* arıtılmış, rafine; kibar, zarif *refinery* arıtımevi, rafineri

reflect /rɪ'flekt/ *e.* yansıtmak *reflection* yansıma; yankı *reflective* düşünceli *reflector* yansıtaç, reflektör

reflex /'ri:fleks/ *a.* refleks, tepki

reflexive /rɪ'fleksiv/ *s. dilb.* dönüşlü

reform /rɪ'fo:m/ *e.* düzeltmek; düzelmek; -de reform yapmak * *a.* reform, düzeltme *reformer* ıslahatçı, reformcu

refract /rɪ'frekt/ *e.* (ışık) kırmak *refraction* kırılma

refrain /rɪ'freyn/ *e.* kendini tutmak * *a.* nakarat

refresh /rɪ'freş/ *e.* canlandırmak; serinletmek *refreshing* canlandırıcı, dinçleştirici; serinletici *refreshment* canlanma, güçlenme; *kon.* yiyecek ve içecek

refrigerate /rɪ'fricıreyt/ *e.* soğutmak; serinletmek *refrigerator* buzdolabı

refuge /'refyu:c/ *a.* sığınak, barınak *take refuge (in)* sığınmak

refugee /refyu'ci:/ *a.* mülteci

refund /rɪ'fand/ *e.* (parayı) geri vermek * *a.* geri verilen para, geri ödeme

refusal /rɪ'fyu:zıl/ *a.* ret, geri çevirme

refuse /rɪ'fyu:z/ *e.* reddetmek, kabul etmemek, geri çevirmek

regain /rɪ'geyn/ *e.* yeniden elde etmek

regal /'ri:gıl/ *s.* kral ya da kraliçe gibi; krallara layık, şahane

regard /rɪ'ga:d/ *e.* bakmak; gibi görmek, olarak ele almak; göz

önünde tutmak * *a.* saygı, itibar;
önemseme, aldırış; saygı, dikkat;
bakış; *kon.* selam, iyi dilekler
in/with regard to hakkında, -e
gelince *regarding* hakkında,
ilişkin *regardless* ne olursa olsun,
mutlaka *regardless of* -e bak-
maksızın, -e aldırmadan
regent /'ri:cınt/ *a.* kral naibi
regime /rey'ci:m/ *a.* yönetim; rejim,
perhiz
regiment /'recimınt/ *a. ask.* alay
region /'ri:cın/ *a.* bölge, yöre *in the
region of* yaklaşık, civarında *re-
gional* bölgesel, yöresel
register /'recistı/ *a.* sicil, kütük;
kayıt defteri; dosya; liste * *e.*
kaydetmek; (aygıt) göstermek
cash register yazar kasa *regis-
tered* (mektup) taahhütlü; tescilli
registrar /reci'stra:/ *a.* sicil me-
muru, nüfus memuru
registration /reci'streyşın/ *a.* kayıt,
tescil *registration number* plaka
numarası
registry /'recistri/ *a.* kayıt, tescil;
sicil dairesi *registry office* ev-
lendirme dairesi
regret /rı'gret/ *e.* pişman olmak;
üzülmek * *a.* üzüntü; pişmanlık
regretful üzüntülü *regrettable*
üzücü, acınacak
regular /'regyulı/ *s.* düzgün, mun-
tazam; nizami; muvazzaf *regu-
larity* düzenlilik, intizam *regu-
larly* düzenli olarak
regulate /'regyuleyt/ *e.* düzenlemek;
ayarlamak *regulation* düzenleme;
ayarlama; *kon.* yönetmelik, tüzük
regulator ayarlayıcı, regülatör
rehabilitate /ri:hı'biliteyt/ *e.*
yenileştirmek; onarmak;
sağlığına kavuşturmak *rehabili-
tation* yenileme; onarım; reha-
bilitasyon
rehearse /rı'hö:s/ *e.* (tiyatro) prova
etmek *rehearsal* prova; anlatma,

sayıp dökme
reign /reyn/ *a.* hükümdarlık, sal-
tanat * *e.* saltanat sürmek;
oluşmak, olmak
reimburse /ri:im'bö:s/ *e.* (parasını)
geri vermek, ödemek
rein /reyn/ *a.* dizgin
reincarnate /ri:in'ka:neyt/ *e.* öldük-
ten sonra yeni bir bedende
diriltmek; (ruha) yeni bir beden
vermek *reincarnation* başka bir
bedende dirilme
reindeer /'reyndıı/ *a. hayb.* ren
geyiği
reinforce /ri:in'fo:s/ *e.* güçlendir-
mek, takviye etmek *reinforce-
ment* güçlendirme, takviye, de-
stek *ç. ask.* takviye birliği
reiterate /ri:'itıreyt/ *e.* (birkaç kez)
yinelemek, tekrarlamak
reject /rı'cekt/ *e.* reddetmek, geri
çevirmek *rejection* ret, geri
çevirme
rejoice /rı'coys/ *e.* çok sevinçli
olmak *rejoicing* büyük sevinç,
şenlik
rejuvenate /rı'cu:vıneyt/ *e.*
gençleştirmek
relapse /rı'leps/ *e.* kötüye gitmek,
kötüleşmek * *a.* kötüleşme; (kötü
yola) sapma
relate /rı'leyt/ *e.* anlatmak, naklet-
mek; bağdaştırmak, aralarında
ilişki kurmak
relation /rı'leyşın/ *a.* akraba; ilgi,
ilişki, bağlantı *in relation to* hak-
kında, -e ilişkin *relationship* ak-
rabalık; ilgi, ilişki, bağlantı
relative /'relıtiv/ *a.* akraba * *s.*
nispi, göreli; ilişkin *relative
clause* sıfat yantümcesi *relative
pronoun dilb.* ilgi adılı *relatively*
oranla, nispeten; oldukça
relativity /relı'tiviti/ *a.* izafiyet,
görelik
relax /rı'leks/ *e.* gevşemek, rahat-
lamak; gevşetmek, dinlendirmek;

yumuşatmak **relaxation** gevşeme, yumuşama; gevşetme; gevşeklik

relay /'ri:ley/ *a.* nöbetleşe çalışan ekip, vardiya, posta; yedek malzeme * *e.* naklen yayınlamak

release /ri'li:s/ *e.* serbest bırakmak * *a.* serbest bırakma, salma, tahliye **on general release** (film) gösterimde

relegate /'religeyt/ *e.* daha aşağı bir duruma/mevkiye indirmek

relent /ri'lent/ *e.* yumuşamak, acıyıp merhamete gelmek

relevant /'relivınt/ *s.* konu ile ilgili **relevance** ilgi, uygunluk

reliable /ri'layıbıl/ *s.* güvenilir; güvenli **reliability** güvenilirlik

relic /'relik/ *a.* kalıntı; hatıra, andaç

relief /ri'li:f/ *a.* ferahlama, rahatlama; kurtarma; teselli; iç ferahlığı; yardım; çare, derman; *ask.* nöbet değiştirme; kabartma, rölyef

relieve /ri'li:v/ *e.* ferahlatmak, hafifletmek, yatıştırmak; *ask.* nöbet değiştirmek

religion /ri'licın/ *a.* din; mezhep; inanç, iman

religious /ri'licıs/ *s.* dinsel, dini; dindar

relinquish /ri'linkwiş/ *e.* vazgeçmek, bırakmak, feragat etmek

relish /'reliş/ *a.* istek, zevk, iştah; çeşni, lezzet * *e.* hoşlanmak, zevk almak, hoşnut olmak

reluctant /ri'laktınt/ *s.* isteksiz, gönülsüz **reluctance** isteksizlik, gönülsüzlük

rely /ri'lay/ *e.* (**on**) güvenmek

remain /ri'meyn/ *e.* kalmak **remainder** artan; kalan **remains** kalıntılar; ceset

remark /ri'ma:k/ *e.* söylemek, belirtmek * *a.* söz, düşünce, görüş **remarkable** dikkate değer, göze çarpan, olağanüstü

remedial /ri'mi:dıl/ *s.* iyileştiren

remedy /'remidi/ *a.* çare; ilaç, deva

remember /ri'membı/ *e.* hatırlamak, anımsamak; **Remember me to him** Ona benden selam söyleyin **remembrance** anma, hatırlama, yâd etme; anı, hatıra; andaç, yadigâr

remind /ri'maynd/ *e.* hatırlatmak, aklına getirmek

reminisce /remi'nis/ *e.* eski günlerden konuşmak **reminiscence** geçmişi hatırlama

reminiscent /remi'nisınt/ *s.* -i hatırlatan, benzeri

remission /ri'mişın/ *a.* bağışlama, af

remit /ri'mit/ *e.* (borç, ceza, vb.'den) kurtarmak; postayla (para, çek, vb.) göndermek **remittance** para havalesi, gönderilen para

remnant /'remnınt/ *a.* artık, kalıntı

remonstrate /'remınstreyt/ *e.* şikâyet etmek, itiraz etmek

remorse /ri'mo:s/ *a.* vicdan azabı, kahır **without remorse** acımasızca **remorseful** pişman **remorseless** acımasız

remote /ri'mout/ *s.* uzak **remote control** uzaktan kumanda

remove /ri'mu:v/ *e.* çıkarmak, gidermek; temizlemek, silmek **removable** taşınabilir **removal** kaldırma; çıkarma; taşınma

remunerate /ri'myu:nıreyt/ *e.* emeğinin karşılığını ödemek **remuneration** ücret, karşılık **remunerative** kazançlı

Renaissance /ri'neysıns/ *a.* Rönesans

render /'rendı/ *e.* (yardım, vb.) vermek, sunmak; hale getirmek; tercüme etmek

rendezvous /'rondivu:, 'rondeyvu:/ *a.* buluşma, randevu; buluşma yeri

rendition /ren'dişın/ *a.* icra, sunma, temsil

renegade /'renigeyd/ a. hain, dönek
renew /ri'nyu:/ e. yenilemek **renewable** yenilenebilir **renewal** yenileme
renounce /ri'nauns/ e. vazgeçmek, terk etmek; bırakmak, feragat etmek
renovate /'renıveyt/ e. yenilemek, onarmak
renown /ri'naun/ a. ün, ad, şan, şöhret
rent /rent/ a. kira * e. kiralamak
rental /'rentıl/ a. kira bedeli, kira
renunciation /rinansi'eyşın/ a. vazgeçme, feragat
reorganize /ri:'o:gınayz/ e. yeniden düzenlemek
repair /ri'pei/ e. onarmak, tamir etmek * a. onarım, tamirat **in good repair** iyi durumda **repair shop** tamirci dükkânı **under repair** onarımda
reparation /repı'reyşın/ a. tazminat
repatriate /ri:'petrieyt/ e. yurduna geri göndermek
repay /ri'pey/ e. (para) geri vermek; altında kalmamak **repayable** geri ödenebilir **repayment** geri ödeme
repeal /ri'pi:l/ e. yürürlükten kaldırmak, feshetmek * a. fesih, iptal
repeat /ri'pi:t/ e. tekrarlamak, yinelemek **repeat a course/year** bir yıl daha aynı sınıfta okumak **repeatedly** defalarca, tekrar tekrar
repel /ri'pel/ e. geri püskürtmek; iğrendirmek **repellent** sinek, vb. kovucu madde
repent /ri'pent/ e. pişman olmak **repentance** pişmanlık
repercussion /ri:pı'kaşın/ a. geri tepme
repertoire /'repıtwa:/ a. repertuvar; dağarcık
repetition /repi'tişın/ a. tekrar, yineleme
replace /ri'pleys/ e. eski yerine

koymak; değiştirmek; -in yerini almak **replacement** yerine koyma; vekil, yedek
replay /ri:'pley/ e. (maç) tekrarlamak; (müzik) tekrar çalmak * a. tekrar oynanan maç; (görüntü, ses, kayıt, vb.) tekrar
replica /'replikı/ a. kopya
reply /ri'play/ e. karşılık vermek, yanıtlamak * a. yanıt; karşılık **in reply** yanıt olarak
report /ri'po:t/ a. rapor; gazete haberi, haber; bildiri; söylenti; not karnesi; diploma * e. rapor vermek/yazmak; bildirmek; anlatmak, söylemek **reported speech** dilb. dolaylı anlatım **reporter** gazete muhabiri, muhabir; raportör
represent /repri'zent/ e. temsil etmek, göstermek; simgelemek; huk. -in vekili olmak **representation** tasvir; oyun, temsil; mümessillik; simge; gösterme
representative /repri'zentıtiv/ s. temsil eden; örnek, tipik * a. temsilci, vekil, milletvekili **House of Representatives** Temsilciler Meclisi
repress /ri'pres/ e. bastırmak, önlemek **repression** bastırma, tutma
reprimand /'reprima:nd/ a. (resmi) tekdir, kınama * e. (resmi olarak) kınamak
reprint /ri:'print/ e. (kitap) yeniden basmak * a. yeni baskı
reproach /ri'prouç/ a. azar, kınama * e. azarlamak, kınamak
reproduce /ri:prı'dyu:s/ e. üremek, çoğalmak; kopye etmek; (oyun) yeniden oynamak **reproduction** üreme; çoğaltma; röprodüksiyon, özdeşbaskı
reptile /'reptayl/ a. hayb. sürüngen
republic /ri'pablik/ a. cumhuriyet **republican** cumhuriyete ait;

cumhuriyetçi

repugnant /ri'pagnınt/ s. çirkin, iğrenç

repulse /ri'pals/ e. püskürtmek, kovmak; iğrendirmek **repulsion** iğrenme, tiksinti **repulsive** iğrenç

reputable /'repyutıbıl/ s. ünlü, tanınmış

reputation /repyu'teyşın/ a. ün, şöhret

request /ri'kwest/ a. rica, dilek, istek * e. rica etmek, dilemek

require /ri'kwayı/ e. gerektirmek; istemek; emretmek; buyurmak **requirement** ihtiyaç, gereksinim; icap, gerek

requisite /'rekwizit/ s. gerekli, zorunlu

rescue /'reskyu:/ e. kurtarmak * a. kurtarma, kurtuluş

research /ri'sö:ç/ a. araştırma * e. araştırma yapmak **researcher** araştırmacı

resemblance /ri'zemblıns/ a. benzerlik

resemble /ri'zembıl/ e. benzemek

resent /ri'zent/ e. kızmak, içerlemek

reservation /rezı'veyşın/ a. yer ayırtma, rezervasyon; şart, koşul; kuşku

reserve /ri'zö:v/ e. ayırmak, saklamak; ayırtmak * a. yedek, rezerv; çekingenlik; fon, karşılık **reserved** çekingen; sessiz; tutulmuş, ayırtılmış

reservoir /'rezıvwa:/ a. su deposu

reside /ri'zayd/ e. -de ikamet etmek, oturmak

residence /'rezidıns/ a. konut; oturma, ikamet **residence permit** oturma izni

resident /'rezidınt/ s. a. sakin, oturan **residential** /-'denşıl/ oturmaya elverişli

residual /ri'zicuıl/ s. artan, kalan

residue /'rezidyu:/ a. kalan, artık;

kim. tortu

resign /ri'zayn/ e. istifa etmek, çekilmek **resign oneself to** -e razı olmak, katlanmak **resigned** boyun eğmiş, uysal

resignation /rezig'neyşın/ a. istifa, çekilme; boyun eğme; kabullenme

resilience /ri'zilins/ a. esneklik **resilient** esnek

resin /'rezin/ a. çam sakızı, reçine

resist /ri'zist/ e. karşı koymak, direnmek; dayanmak **resistance** direnme; dayanma; *fiz.* direnç **resistant** direnen, dayanıklı **resistor** rezistans, direnç

resolute /'rezılu:t/ s. azimli

resolution /rezı'lu:şın/ a. kararlılık, azim; önerge; çözüm

resolve /ri'zolv/ e. karar vermek; çözmek; ortadan kaldırmak

resonant /'rezınınt/ s. çınlayan, yankılanan **resonance** tınlama; *fiz.* seselim, rezonans

resort /ri'zo:t/ a. dinlence yeri, mesire * e. sık sık uğramak, gitmek

resound /ri'zaund/ e. çınlamak, yankılanmak **resounding** çınlayan, yankılanan; çok büyük

resource /ri'zo:s, ri'so:s/ a. kaynak, zenginlik; çare; beceriklilik **resourceful** becerikli, açıkgöz

respect /ri'spekt/ a. saygı; münasebet; bakım; *kon.* selamlar, saygılar * e. saygı göstermek **in respect of** -e gelince **with respect to** ile ilgili olarak; göre; -e gelince

respectable /ri'spektıbıl/ s. saygıdeğer; epey, oldukça

respectful /ri'spektfil/ s. saygılı

respective /ri'spektiv/ s. her biri, kendi **respectively** anılan sıraya göre, biri ... öteki ...

respiration /respi'reyşın/ a. solunum

respite /'respit, 'respayt/ a. mola,

soluklanma

resplendent /ri'splendınt/ s. parlak, pırıl pırıl, görkemli, göz kamaştırıcı

respond /ri'spond/ e. yanıt vermek, karşılık vermek **respond to** sonucu olarak iyiye gitmek

response /ri'spons/ a. yanıt; karşılık

responsibility /risponsı'biliti/ a. sorumluluk

responsible /ri'sponsıbıl/ s. (for/to) - den sorumlu; sorumluluk gerektiren; güvenilir

responsive /ri'sponsiv/ s. karşılık veren

rest /rest/ a. dinlenme; rahat, huzur; müz. durak * e. dinlenmek; dayanmak, yaslanmak; dayamak, yaslamak **restful** dinlendirici **restless** yerinde duramayan, kıpır kıpır

rest /rest/ a. arta kalan, artık; diğerleri, ötekiler

restaurant /'restront/ a. lokanta

restitution /resti'tyu:şın/ a. iade, sahibine geri verme

restive /'restiv/ s. dik kafalı, inatçı

restoration /restı'reyşın/ a. onarım, yenileme, restorasyon

restorative /ri'sto:ntiv/ s. güçlendiren, sağlık veren

restore /ri'sto:/ e. geri vermek; onarmak, yenilemek; yeniden canlandırmak

restrain /ri'streyn/ e. tutmak, alıkoymak; sınırlamak, bastırmak, dizginlemek **restrained** kontrollü **restraint** kendini tutma

restrict /ri'strikt/ e. sınırlamak **restriction** sınırlama **restrictive** sınırlayıcı

result /ri'zalt/ a. sonuç * e. meydana gelmek, çıkmak, doğmak; sonuçlanmak **as a result (of)** yüzünden, nedeniyle **resultant** sonucu olan

résumé /'rezyumey, 'reyzyumey/ a.

özet; özgeçmiş

resurrection /rezı'rekşın/ a. yenileme, canlanma

retail /'ri:teyl/ a. perakende satış **by retail** perakende

retail /ri:'teyl/ e. perakende satmak; perakende satılmak **retailer** perakendeci

retain /ri'teyn/ e. alıkoymak, tutmak

retaliate /ri'telieyt/ e. misillemede bulunmak

retard /ri'ta:d/ e. geciktirmek, yavaşlatmak

retarded /ri'ta:did/ s. (çocuk) yavaş gelişen, geri zekâlı

retention /ri'tenşın/ a. (akılda, vb.) tutma

reticent /'retisınt/ s. suskun, ağzı sıkı

retina /'retinı/ a. retina, ağkatman

retinue /'retinyu:/ a. maiyet, heyet

retire /ri'tayı/ e. geri çekilmek; emekliye ayrılmak; emekliye ayırmak; geri çekmek **retired** emekli **retirement** emeklilik **retiring** çekingen, içine kapanık

retort /ri'to:t/ e. sert yanıt vermek * a. sert yanıt, karşılık; kim. imbik

retouch /ri:'taç/ e. rötuş yapmak

retrace /ri'treys, ri:'treys/ e. tekrarlamak, geriye/kaynağına gitmek

retreat /ri'tri:t/ a. geri çekilme; ask. ricat * e. geri çekilmek

retribution /retri'byu:sın/ a. ceza

retrograde /'retrıgreyd/ s. gerileyen

retrospect /'retrıspekt/ a. geçmişe bakış **in retrospect** geçmişe bakıldığında **retrospective** geçmişle ilgili; huk. önceki olayları kapsayan

return /ri'tö:n/ e. dönmek, geri gelmek; geri vermek, iade etmek; geri çevirmek; karşılık vermek * a. dönüş; geri gönderme; seçim; karşılık **by return** ilk postayla **in**

return (for) -e karşılık, karşılığında *return ticket* gidiş-dönüş bileti

reunion /ri:'yu:niın/ *a.* yeniden bir araya gelme

revalue /ri:'velyu:/ *e.* (bir ülke parasının) değerini yükseltmek

revel /'revıl/ *e.* eğlenmek, âlem yapmak; haz duymak * *a.* eğlence, cümbüş

revelation /revı'leyşın/ *a.* açığa vurma, ifşa

revenge /ri'venc/ *a.* öç, intikam * *e.* -in öcünü almak

revenue /'revinyu:/ *a.* gelir, hükümetin vergi geliri

reverberate /ri'vö:bıreyt/ *e.* yankılanmak

revere /ri'viı/ *e.* derin saygı göstermek

reverence /'revıırns/ *a.* derin saygı

reverend /'revıınd/ *s.* (papaz) say-gıdeğer, muhterem, sayın, aziz

reverent /'revıırnt/ *s.* saygılı

reversal /ri'vö:sıl/ *a.* ters dönme

reverse /ri'vö:s/ *s.* ters, arka, aksi; karşıt, zıt * *e.* ters çevirmek; baş aşağı çevirmek; geri gitmek; geri hareket ettirmek * *a.* ters taraf, ters yüz; zıt, zıttı, tersi; terslik; başarısızlık; geri vites

revert /ri'vö:t/ *e.* (*to*) yeniden dön-mek

review /ri'vyu:/ *a.* gözden geçirme, inceleme; eleştiri, dergi * *e.* gözden geçirmek, yeniden incelemek; eleştirmek; *ask.* teftiş etmek

revise /ri'vayz/ *e.* gözden geçirip düzeltmek; (görüş, vb.) değiştir-mek; *BE.* (ders) tekrarlamak, bir daha gözden geçirmek *revision* gözden geçirip düzeltme; tekrar

revive /ri'vayv/ *e.* canlandırmak; canlanmak *revival* yeniden can-lanma

revoke /ri'vouk/ *e.* geri almak,

geçersiz kılmak

revolt /ri'voult/ *e.* (*against*) başkaldırmak, isyan etmek * *a.* başkaldırma, ayaklanma, isyan

revolution /revı'lu:şın/ *a.* ihtilal, devrim *revolutionary* devrimci *revolutionize* -de devrim yarat-mak

revolve /ri'volv/ *e.* dönmek; döndürmek

revolver /ri'volvı/ *a.* tabanca

revue /ri'vyu:/ *a.* revü

revulsion /ri'valşın/ *a.* (düşüncelerde) ani değişiklik, sapma

reward /ri'wo:d/ *e.* ödül vermek * *a.* ödül

rewrite /ri:'rayt/ *e.* yeniden yazmak

rhapsody /'repsıdi/ *a. müz.* rapsodi

rheumatism /'ru:mıtizım/ *a. hek.* romatizma

rhinoceros /ray'nosırs/ *a. hayb.* gergedan

rhyme /raym/ *a.* uyak, kafiye * *e.* ile uyak oluşturmak

rhythm /'ritım/ *a.* ritim; vezin *rhythmic* ritmik

rib /rib/ *a. anat.* kaburga kemiği

ribbon /'ribın/ *a.* kurdele; şerit

rice /rays/ *a. bitk.* pirinç; pilav

rich /riç/ *s.* zengin; verimli, bere-ketli; (yemek) yağlı, ağır *the rich* zenginler *riches* varlık, zenginlik, servet *richness* zenginlik

rickets /'rikits/ *a.* kemik hastalığı, raşitizm

rickety /'rikiti/ *s.* zayıfça tutturul-muş, çürük

rid /rid/ *e.* *rid* /rid/ (*of*) -den kur-tarmak, temizlemek *get rid of* -den kurtulmak, -den yakasını sıyırmak, başından atmak

riddle /'ridıl/ *a.* bilmece; kalbur * *e.* kalburdan geçirmek, elemek; de-lik deşik etmek

ride /rayd/ *e.* *rode* /roud/, *ridden* /ridın/ (at, bisiklet, motosiklet, vb.) sürmek, binmek; ata binmek; yolculuk etmek * *a.* gezinti, tur *rider* binici, atlı, sürücü

ridge /ric/ *a.* sırt, bayır; dağ sırası

ridicule /'ridikyu:l/ *a.* eğlenme, alay * *e.* ile alay etmek, gülmek

ridiculous /ri'dikyulıs/ *s.* gülünç, saçma

rifle /'rayfıl/ *e.* soymak, yağma etmek * *a.* tüfek

rift /rift/ *a.* yarık, çatlak

rig /rig/ *e.* (gemi) donatmak; -e hile karıştırmak * *a.* (gemi) arma, donanım; *kon.* kılık kıyafet; alet

right /rayt/ *s.* doğru; haklı; gereken, aranan; dik; sağ * *be.* doğru (olarak); doğruca, tümüyle * *a.* hak; yetki; doğru, gerçek; sağ * *e.* doğrultmak, düzeltmek *all right* tamam, olur, hay hay; uygun *right away* hemen, birazdan *right here* tam burada/buraya *by rights* hakka bakılırsa *right-hand* sağdaki *right-handed* sağ elle kullanılan *right-minded* doğru düşünceli *rightist* sağcı *rightly* doğru olarak; haklı olarak

righteous /'rayçıs/ *s.* dürüst, doğru

rightful /'raytfıl/ *s.* yasal, meşru

rightly /'raytli/ *be.* doğru olarak; gereği gibi, hakkıyla; *kon.* kesinlikle

rigid /'ricid/ *s.* sert, katı

rigorous /'rigırıs/ *s.* sert, şiddetli

rigour /'rigı/ *a.* sertlik, katılık

rim /rim/ *a.* kenar; çerçeve

rind /raynd/ *a.* kabuk

ring /ring/ *e.* *rang* /reng/, *rung* /rang/ (zil, vb.) çalmak, çınlatmak; çınlamak * *a.* halka; yüzük; çember; zil sesi; hale *give sb a ring* -e telefon etmek *ring off* telefonu kapatmak *ring sb up* -e telefon etmek

ringleader /'ringli:dı/ *a.* çete başı, elebaşı

ringlet /'ringlit/ *a.* saç lülesi

rink /rink/ *a.* paten alanı, buz alanı

rinse /rins/ *e.* çalkalamak; durulamak

riot /'rayıt/ *a.* ayaklanma, isyan; kargaşa * *e.* ayaklanmak, isyan etmek *riotous* isyan çıkaran, huzuru bozan; gürültülü

rip /rip/ *e.* yırtmak; yırtılmak; yarmak * *a.* yarık, yırtık, sökük * *a.* anafor, girdap

ripe /rayp/ *s.* olmuş, olgun

ripen /'raypın/ *e.* olgunlaşmak

ripple /'rıpıl/ *a.* küçük dalga; şapırtı, şarıltı

rise /rayz/ *e.* *rose* /rouz/, *risen* /'rizın/ doğmak; yükselmek, çıkmak; artmak * *a.* doğuş, yükseliş; artış, çoğalma; çıkış *give rise to* -e neden olmak *rise against* -e başkaldırmak

risen /'rizın/ *bkz.* *rise*

risk /risk/ *a.* tehlike, risk; riziko * *e.* tehlikeye atmak; göze almak *at one's own risk* tehlikeyi göze almış *risky* riskli, rizikolu

rite /rayt/ *a.* (dini) töre, âdet *ritual* dini törenle ilgili

rival /'rayvıl/ *a. s.* rakip * *e.* -e rakip olmak, ile rekabet etmek *rivalry* rekabet, rakiplik

river /'rivı/ *a.* nehir, ırmak

rivet /'rivit/ *a.* perçin çivisi

road /roud/ *a.* yol, cadde

roam /roum/ *e.* gezinmek, dolanmak

roar /ro:/ *e.* gürlemek; kükremek * *a.* kükreme; gürleme

roast /roust/ *e.* kızartmak; kavurmak * *a.* kızartma; kızartma et

rob /rob/ *e.* soymak; çalmak *robber* soyguncu *robbery* soygun

robe /roub/ *a.* cüppe; kaftan; bornoz

robin /'robin/ *a.* *hayb.* kızılgerdan

robot /'roubot/ *a.* robot

rock /rok/ *e.* sallamak; sallanmak; şaşırtmak, sarsmak * *a.* kaya;

kayalık *rocking chair* sallanan sandalye

rocket /'rokit/ *a.* roket, füze

rod /rod/ *a.* değnek, çubuk; rod

rode /roud/ *bkz. ride*

roe /rou/ *a.* karaca; balık yumurtası

rogue /roug/ *a.* namussuz, hilekâr

role /roul/ *a.* rol

roll /roul/ *a.* tomar, top, rulo; sandviç ekmeği; silindir, merdane; liste, defter, sicil, kayıt; yuvarlama * *e.* yuvarlamak; yuvarlanmak; sarmak, dürmek; silindirle düzlemek *roll call* yoklama *roll in* yığınla gelmek, yağmak *roll up* gelmek, varmak

roller /'roulı/ *a.* silindir, merdane

rolling /'rouling/ *s.* (arazi) inişli çıkışlı *rolling pin* oklava

Roman /'roumın/ *s.* eski Roma'ya ilişkin *Roman numerals* Romen rakamları

romance /rou'mens, rı'mens/ *a.* aşk macerası

romantic /rou'mentik, rı'mentik/ *s.* romantik *romanticism* romantizm

romp /romp/ *a.* sıçrayıp oynama, hoplayıp zıplama

roof /ru:f/ *a.* çatı, dam

rook /ruk/ *a.* (satranç) kale; *hayb.* ekinkargası; hileci, üçkâğıtçı

room /ru:m, rum/ *a.* oda; yer; *kon.* daire, apartman *roommate* oda arkadaşı *roomy* geniş, ferah

roost /ru:st/ *a.* tünek

rooster /'ru:stı/ *a. AE.* horoz

root /ru:t/ *a.* kök; köken * *e.* kök salmak, kökleşmek

rope /roup/ *a.* ip, halat * *e.* iple/halatla bağlamak

rosary /'rouzıri/ *a.* tespih

rose /rouz/ *bkz. rise; a.* gül

rosé /'rouzey/ *a.* pembe şarap, roze şarabı

rosette /rou'zet/ *a.* rozet

rosemary /'rouzmıri/ *a. bitk.* biberiye

rose-water /'rouzwo:tı/ *a.* gülsuyu

rosy /'rouzi/ *s.* gül renkli, pembe, pembemsi; umut verici, parlak

rot /rot/ *e.* çürümek * *a.* çürük

rotate /rou'teyt/ *e.* (bir eksen üzerinde) dönmek; döndürmek *rotation* dönme

rotor /'routı/ *a.* döneç, rotor

rotten /'rotın/ *s.* çürük, bozuk

rouge /ru:j/ *a.* allık

rough /raf/ *s.* kaba; engebeli; taşlık * *be.* kabaca * *a.* taslağını yapmak *roughly* kaba bir biçimde; aşağı yukarı

roulette /ru:'let/ *a.* rulet

round /raund/ *s.* yuvarlak * *be.* etrafa, etrafta * *ilg.* çevresinde, çevresine; her tarafına * *a.* yuvarlak şey, daire; *ask.* devriye; (boks) raund * *e.* yuvarlaklaştırmak; dönmek *go/make the rounds* sırasıyla ziyaret etmek *round off* bitirmek, tamamlamak *round up* bir araya toplamak

roundabout /'raundıbaut/ *a. BE.* atlıkarınca * *s.* dolambaçlı, dolaylı

round-trip /raund'trip/ *s. AE.* (bilet) gidiş-dönüş

rouse /rauz/ *e.* uyandırmak

rout /raut/ *a.* bozgun

route /ru:t/ *a.* rota, yol

routine /ru:'ti:n/ *a.* alışkanlık haline gelmiş şey, âdet; usül

row /rou/ *a.* sıra, dizi; kavga, patırtı, hır; sandal gezintisi * *e.* kürek çekerek götürmek; kavga etmek, atışmak *rowing* kürek çekme

rowdy /'raudi/ *s.* zorba, kaba

royal /'royıl/ *s.* krala/krallığa ait royalist kralcı

royalty /'royılti/ *a.* krallık; telif hakkı ücreti

rub /rab/ *e.* ovmak, ovalamak; sürtmek, sürtünmek * *a.* ovma,

sürtme **rub along** iyi geçinmek
rub down aşındırmak; kurulamak
rub in ovarak yedirmek **rub out**
silmek
rubber /'rabı/ *a.* lastik, kauçuk; silgi
rubbish /'rabiş/ *a.* süprüntü, çöp;
kon. saçmalık, saçma, zırva
rubble /'rabıl/ *a.* moloz
ruby /'ru:bi/ *a.* yakut
rucksack /'raksek/ *a.* sırt çantası
rudder /'radı/ *a.* dümen; kılavuz,
rehber
ruddy /'radi/ *s.* (yüz) sağlıklı,
pembe
rude /ru:d/ *s.* terbiyesiz, kaba
ruff /raf/ *a.* kırmalı yaka
ruffian /'rafın/ *a.* kötü/kaba adam
ruffle /'rafıl/ *e.* buruşturmak,
kırıştırmak; bozmak; sinir-
lendirmek
rug /rag/ *a.* küçük halı, kilim; bat-
taniye, örtü
rugged /'ragid/ *s.* engebeli; pürüzlü
ruin /'ru:in/ *a.* yıkılma, yıkım,
yıkıntı *kon.* kalıntılar, ören * *e.*
mahvetmek, harap etmek
rule /ru:l/ *a.* kural, ilke; usul, yol,
yöntem, âdet; yönetim * *e.*
yönetmek; hüküm sürmek; cet-
velle çizmek **as a rule** genelde,
çoğunlukla **rule out** çıkarmak,
silmek **ruler** hükümdar; cetvel
ruling yargı, hüküm
rum /ram/ *a. BE.* rom; *AE.* alkollü
içki
rumble /'rambıl/ *a.* gürleme * *e.*
gürlemek
ruminate /'ru:mineyt/ *e. hayb.* geviş
getirmek
rummage /'ramic/ *e.* altüst edip
aramak
rumour /'ru:mı/ *a.* söylenti
rump /ramp/ *a.* sağrı; but, sığır
butu
rumple /'rampıl/ *e.* buruşturmak,
kırıştırmak; karmakarışık etmek
run /ran/ *e.* **ran** /ren/, **run** /ran/

koşmak; işlemek, çalışmak;
çalıştırmak, işletmek; yarışmak;
kaçmak * *a.* koşma; koşu; oy-
nama/gösterim süresi; çorap
kaçığı **run across** -e rastlamak
run after peşinden koşmak **run
away with** alıp götürmek, çal-
mak, aşırmak; birlikte kaçmak
run into -e rastlamak; çarpmak
çarpışmak; girmek, düşmek **run
off** kaçmak; akıtmak; yayınlamak,
basmak **run on** devam etmek,
sürmek; (zaman) geçmek **run out
of** -i tüketmek, bitirmek; bitmek,
tükenmek, -siz kalmak **run over**
çiğnemek, ezmek; göz gezdirmek
runaway kaçak
rung /rang/ *bkz.* **ring**
runlet /'ranlit/ *a.* dere, çay
runner /'ranı/ *a.* koşucu; haberci;
ulak; kaçakçı **runner bean** çalıf
runway /'ranwey/ *a.* uçak pisti
rupture /'rapçı/ *a.* kırılma, kopma,
yırtılma; *hek.* fıtık * *e.* koparmak,
kırmak; kopmak, kırılmak
rural /'ruırıl/ *s.* kırsal, köyle ilgili;
tarımsal
ruse /ru:z/ *a.* hile, oyun, tuzak
rush /raş/ *e.* acele etmek; koşmak,
seğirtmek; acele ettirmek * *a.*
acele; hamle, saldırış; rağbet,
istek; saz, hasırotu **the rush
hours** trafiğin yoğun olduğu
saatler
rusk /rask/ *a.* peksimet
rust /rast/ *a.* pas; pas rengi * *e.*
paslanmak; paslandırmak **rusty**
paslı
rustic /'rastik/ *s.* köyle ilgili, kırsal;
kaba, yontulmamış * *a.* kaba
adam, ayı, balta
rustle /'rasıl/ *a.* hışırtı * *e.*
hışırdamak
rut /rat/ *a.* tekerlek izi; alışkı; *hayb.*
kösnüme, cinsel azgınlık
ruthless /'ru:tlis/ *s.* acımasız, in-
safsız

rye /ray/ *a. bitk.* çavdar *rye bread* çavdar ekmeği

S

sable /'seybıl/ *a. hayb.* samur

sabotage /'sebıta:j/ *a.* baltalama, sabotaj *saboteur* sabotajcı

sabre /'seybı/ *a. BE.* süvari kılıcı

sack /sek/ *a.* çuval, torba; *kon.* işten kovulma; yağma, çapul * *e. kon.* işten kovmak, sepetlemek

sacrament /'sekrımınt/ *a.* (Hıristiyanlıkta) dinsel tören

sacred /'seykrid/ *s.* dinsel; kutsal

sacrifice /'sekrifays/ *a.* kurban; özveri, fedakârlık * *e.* kurban etmek; feda etmek; gözden çıkarmak

sacrilege /'sekrilic/ *a.* kutsal kişi ya da şeylere saygısızlık, küfür

sad /sed/ *s.* üzgün, üzüntülü, kederli; acıklı *sadly* üzüntüyle; ne yazık ki

sadden /'sedın/ *e.* üzmek; üzülmek

saddle /'sedıl/ *a.* eyer, semer; (bisiklet, vb.) sele; sırt * *e.* eyerlemek *saddlebag* heybe

sadism /'seydızım/ *a. ruhb.* sadizm *sadist* sadist

safari /sı'fa:ri/ *a.* safari

safe /seyf/ *s.* emin; emniyetli, güvenilir; tehlikesiz; sağlam * *a.* (demir) kasa *safeguard* koruyucu şey *safety* güvenlik, emniyet *safety belt* emniyet kemeri *safety glass* dağılmaz cam *safety pin* çengelliiğne

sag /seg/ *e.* bel vermek, eğilmek, bükülmek, çökmek, sarkmak

saga /'sa:gı/ *a.* destan

sagacious /sı'geyşıs/ *s.* akıllı, sağ görülü

sage /seyc/ *a. bitk.* adaçayı; bilge

Sagittarius /seci'teırıs/ *a.* Yay (burcu)

said /sed/ *bkz. say; s.* adı geçen, sözü edilen

sail /seyl/ *a.* yelken; deniz yolculuğu; yelkenli * *e.* yelkenli, gemi, vb. ile gitmek; su üzerinde seyretmek *sailboard* rüzgâr sörfü *sailing* gemicilik; deniz yolculuğu *sailor* denizci, gemici

saint /seynt/ *a.* aziz, ermiş

sake /seyk/ *a.* hatır *for God's sake kon.* Allah aşkına *for the sake of-* in hatırı için, -in uğruna; amacıyla

salad /'selıd/ *a.* salata

salami /sı'la:mi/ *a.* salam

salary /'selıri/ *a.* aylık, maaş

sale /seyl/ *a.* satış; indirimli satış, ucuzluk *for sale* satılık *on sale* satılık *sales talk* esnaf ağzı *salesclerk AE.* tezgâhtar *salesman* satıcı, satış memuru *saleswoman* satıcı, satış memuresi

saline /'seylayn/ *s.* tuzlu, tuzla ilgili

saliva /sı'layvı/ *a.* tükürük, salya *salivary glands* tükürük bezleri

salivate /'seliveyt/ *e.* tükürük salgılamak, ağzı salyalanmak

sallow /'selou/ *s.* (ten) soluk, sağlıksız

salmon /'semın/ *a. hayb.* som balığı

saloon /sı'lu:n/ *a. AE.* büyük araba; *AE.* bar, meyhane; *BE.* salon bar

salt /so:lt/ *a.* tuz * *e.* tuzlamak *saltcellar* tuzluk *saltshaker AE.* tuzluk *saltwater* tuzlu suya ait, deniz suyuna ait *salty* tuzlu, tuzlanmış *salt lake* tuz gölü

salutation /selyu'teyşın/ *a.* selamlama, selam

salute /sı'lu:t/ *e.* selamlamak, selam vermek * *a.* selam; karşılama

salvage /'selvic/ *a.* kurtarma; kurtarılan mal * *e.* (yangından, kazadan) kurtarmak

salvation /sel'veyşın/ *a.* kurtarma, kurtarılma; kurtuluş, selamet salve /sa:v, selv/ a. merhem

salver /'selvı/ a. gümüş tepsi

same /seym/ s. aynı; benzer; tıpkısı *all the same* yine de *at the same time* aynı zamanda; bununla birlikte *It's all the same to me.* Benim için fark etmez. *just the same* yine de *same to you* kon. sana da, size de, aynen

samovar /'semıva:/ a. semaver

sample /'sa:mpıl/ a. örnek, model

samurai /'semuray/ a. Japon savaşçısı, samuray

sanatorium /senı'to:rıım/ a. sanatoryum, sağlıkevi

sanctimonious /senkti'mounııs/ s. yalancı sofu, dindarlık taslayan

sanction /'senkşın/ a. onay, onaylama, tasdik; yaptırım, ceza

sanctity /'senktiti/ a. kutsallık

sanctuary /'senkçuıri/ a. kutsal yer, tapınak; sığınak

sand /send/ a. kum; kon. kumsal, plaj *sandy* kumlu; (saç) kum rengi *sandbag* kum torbası *sandpaper* zımpara kâğıdı *sandstorm* kum fırtınası

sandal /'sendıl/ a. sandal, sandalet, burnu açık terlik

sandwich /'senwiç/ a. sandviç *sandwich board* sırta ve göğüse asılan reklam yaftası, sandviç pano

sane /seyn/ s. aklı başında, akıllı

sanitary /'senitıri/ s. sağlıklı, sıhhi *sanitary napkin/towel* âdet bezi

sanitation /seni'teyşın/ a. sağlık koruma

sanity /'seniti/ a. akıl sağlığı

sap /sep/ a. bitk. besisuyu, özsu

sapphire /'sefayı/ a. gökyakut, safir

sarcasm /'sa:kezım/ a. acı alay *sarcastic* iğneleyici, alaylı

sardine /sa:'di:n/ a. hayb. sardalye

sash /seş/ a. kuşak; pencere çerçevesi

satan /'seytın/ a. şeytan

satchel /'seçıl/ a. sırtta taşınan okul çantası

satellite /'setilayt/ a. uydu

satiate /'seyşieyt/ e. doyurmak

satin /'setin/ a. saten, atlas

satire /'setayı/ a. yaz. taşlama, yergi, yerme, hiciv *satirical* yergili, hicivli

satisfaction /setis'fekşın/ a. memnuniyet, hoşnutluk; tatmin, doyum; tazmin, ödeme

satisfactory /setis'fektıri/ s. doyurucu, tatmin edici, yeterli, tatminkâr

satisfy /'setisfay/ e. tatmin etmek, doyurmak; memnun etmek, sevindirmek; yetmek; karşılamak

saturate /'seçıreyt/ e. kim. doyurmak

Saturday /'setıdi, 'setıdey/ a. cumartesi

Saturn /'setın/ a. Satürn

sauce /so:s/ a. salça, sos; kon. yüzsüzlük, arsızlık

saucepan /'so:spın/ a. kulplu tencere

saucer /'so:sı/ a. çay tabağı, fincan tabağı

sauna /'so:nı/ a. sauna

sausage /'sosic/ a. sucuk, sosis

savage /'sevic/ s. yabani, vahşi, yırtıcı *savagery* vahşilik, yabanıllık, yırtıcılık

savanna /sı'venı/ a. bozkır, savan

save /seyv/ e. kurtarmak; (para) biriktirmek; kaybını önlemek, kazandırmak

saving /'seyving/ s. tutumlu; koruyan * a. kurtarma; kon. biriktirilen para, tasarruf * ilg. -den başka *savings account* tasarruf hesabı

saviour /'seyvıı/ a. kurtarıcı

savour /'seyvı/ a. tat, lezzet; koku *savoury* lezzetli; hoş

saw /so:/ bkz. see

saw /so:/ a. testere, bıçkı * e.

testere ile kesmek, biçmek **saw-dust** talaş **sawmill** bıçkı fabrikası **sawyern** bıçkıcı

saxophone /'seksıfoun/ *a.* saksofon

say /sey/ *e.* **said** /sed/ demek, söylemek **that is to say** yani, bu demek oluyor ki **they say** diyorlar ki **you don't say (so)** kon. Yok ya!, Hadi ya! **have one's say** fikrini bildirmek

saying /'seying/ *a.* söz, özdeyiş, atasözü

scab /skeb/ *a.* yara kabuğu

scabbard /'skebıd/ *a.* (kılıç, vb.) kın

scabies /'skeybiz/ *a. hek.* uyuz

scaffold /'skefıld, 'skefould/ *a.* yapı iskelesi; darağacı

scald /sko:ld/ *e.* kaynar suyla haşlamak * *a.* haşlanma sonucu oluşan yanık

scale /skeyl/ *a.* ölçek; ölçü, çap; derece; cetvel; *müz.* ıskala, gam; balık, vb. pulu; terazi gözü, kefe * *e.* tırmanmak, çıkmak **scale up (down)** belli bir oranda büyütmek (küçültmek)

scales /skeylz/ *a.* terazi

scallop /'skolıp/ *a. hayb.* tarak

scalpel /'skelpıl/ *a. hek.* küçük bıçak, skalpel, bistüri

scamp /skemp/ *e.* hızla koşmak, kaçmak, seğirtmek

scan /sken/ *e.* incelemek; gözden geçirmek; *yaz.* dizeleri duraklara ayırmak

scandal /'skendıl/ *a.* skandal, rezalet; kara çalma, iftira, dedikodu **scandal ous** rezil, utanılacak

scant /skent/ *s.* az, kıt **scanty** az, kıt

scapegoat /'skeypgout/ *a.* başkasının suçunu yüklenen kimse, şamar oğlanı, abalı

scar /ska:/ *a.* yara izi * *e.* yara izi bırakmak

scarce /skeıs/ *s.* seyrek, az bulunur, kıt **scarcely** hemen hiç, pek az, güçlükle **scarcity** azlık, kıtlık

scare /skeı/ *a.* ani korku * *e.* korkutmak **scare (off/away)** korkutup kaçırmak **scarecrow** bostan korkuluğu

scarf /ska:f/ *a.* eşarp, atkı, kaşkol

scarlet /'ska:lit/ *a. s.* al, kırmızı **scarlet fever** *hek.* kızıl

scary /'skeıri/ *s. kon.* korkutucu, ürkütücü, korkunç

scathing /'skeyting/ *s.* sert, kırıcı

scatter /'sketı/ *e.* saçmak, serpmek, dağıtmak

scavenger /'skevıncı/ *a.* leş yiyen hayvan; çöp karıştıran kimse

scenario /si'na:riou/ *a.* senaryo

scene /si:n/ *a.* sahne; olay yeri; sahne, tablo; dekor; manzara **behind the scenes** perde arkasından, gizlice **make a scene** olay/rezalet çıkarmak **scenery** görünüm, manzara; sahne dekoru

scent /sent/ *a.* güzel koku; *BE.* parfüm * *e.* kokusunu almak; sezmek

sceptic /'skeptik/ *a.* kuşkucu **sceptical** şüpheci, kuşkulu

sceptre /'septı/ *a.* hükümdar asası

schedule /'şedyu:l/ *a.* program; liste; *AE.* (tren, vb.) tarife **on schedule** planlanan saatte, beklenen saatte **scheduled flight** tarifeli uçuş

schema /'ski:mı/ *a.* şema **schematic** şematik, sistemli

scheme /ski:m/ *a.* entrika, dolap, dalavere; plan, proje, tasarı

schizophrenia /skitsou'fri:nıı/ *a. ruhb.* şizofreni **schizophrenic** şizofren

scholar /'skolı/ *a.* bilgin; burslu öğrenci; *kon.* tahsilli kimse **scholarship** bilginlik; burs

school /sku:l/ *a.* okul; ekol; fakülte; *AE.* üniversite **school age** okul çağı **school report** karne **schoolboy** erkek öğrenci **schoolgirl** kız öğrenci **schooling** eğitim, öğretim **schoolmaster** *BE.* erkek öğretmen **schoolmate** okul arkadaşı **schoolmistress** *BE.* bayan öğretmen **schoolwork** dersler, okul çalışmaları

science /'sayıns/ *a.* bilim, ilim; bilgi **science fiction** bilimkurgu **scientific** bilimsel **scientist** bilgin, bilim adamı

scissors /'sizız/ *a.* makas

scoff /skof/ *e.* alay etmek, gülmek; *kon.* hapur hupur yemek

scold /skould/ *e.* azarlamak, paylamak **scolding** azar, paylama

scone /skon, skoun/ *a.* bir tür yağlı çörek

scoop /sku:p/ *a.* kepçe; kürek; (gazetecilikte) haber atlatma * *e.* kepçeyle çıkarmak; (gazetecilikte) haber atlatmak

scooter /'sku:tı/ *a.* küçük motosiklet, skuter; trotinet

scope /skoup/ *a.* anlama yeteneği; hareket serbestliği; fırsat; faaliyet alanı

scorch /sko:ç/ *e.* (güneş, vb.) yakmak, kavurmak; alazlamak

score /sko:/ *a.* çizgi, kertik, çentik; sıyrık; sayı, puan, skor; sebep; *müz.* partisyon * *e.* (sayı, puan) kazanmak, almak; (gol) atmak; çentmek **scoreboard** puan tahtası, skorbord **scorer** *sp.* golcü, skorer; puanları kaydeden kimse

scorn /sko:n/ *a.* küçümseme * *e.* hor görmek, tepeden bakmak **scornful** hor gören, küçümseyen

Scorpio /'sko:piou/ *a.* Akrep burcu

scorpion /'sko:piın/ *a.* *hayb.* akrep

scoundrel /'skaundrıl/ *a.* alçak, kötü adam, hergele

scour /skauı/ *e.* (**down/out/off**) ovarak temizlemek; süratle köşe bucak aramak

scourge /skö:c/ *a.* kırbaç, kamçı; bela, musibet, felaket

scout /skaut/ *a.* izci; keşif eri, öncü, gözcü

scowl /skaul/ *e.* kaşlarını çatmak * *a.* kaş çatma

scrabble /'skrebıl/ *e.* *kon.* (**about**) eşeleyip aramak; kargacık burgacık yazmak

scramble /'skrembıl/ *e.* tırmanmak; çekişmek, kapışmak; (yumurta) çırpıp yağ ve sütle pişirmek * *a.* tırmanma; kapışma, dalaşma

scrap /skrep/ *a.* kırıntı; döküntü, ıskarta * *e.* ıskartaya çıkarmak, atmak; *kon.* kapışmak, dalaşmak **scrapbook** koleksiyon defteri, albüm

scrape /skreyp/ *e.* kazımak; sıyırmak; sürtünmek * *a.* kazıma; sürtme; sıyrık, çizik; *kon.* müşkül durum **scraper** raspa; greyder

scratch /skreç/ *e.* tırmalamak; çizmek; kaşımak; (listeden) çıkarmak * *a.* tırmık, çizik, sıyrık; cızırtı; kaşıma; karalama **from scratch** *kon.* sıfırdan başlayarak **up to scratch** *kon.* kaliteli, iyi **scratchy** (plak, kayıt, vb.) cızırtılı

scrawl /skro:l/ *e.* karalamak, çızıktırmak * *a.* kargacık burgacık yazı

scream /skri:m/ *e.* çığlık atmak, feryat etmek * *a.* feryat, çığlık

screech /skri:ç/ *a.* çığlık * *e.* bağırmak

screen /skri:n/ *a.* perde; ekran; paravana; bölme; pano; ocak siperi; kalbur, elek * *e.* gizlemek, korumak; elemek, seçmek **screenplay** senaryo

screw /skru:/ *a.* vida; pervane, uskur * *e.* vidalamak, çevirmek, çevirerek sıkıştırmak **screwdriver** tornavida

scribble /'skribıl/ *e.* karalamak, çiziktirmek * *a.* karalama, çiziktirme scribe 224

scribe /skrayb/ a. yazıcı
script /skript/ a. el yazısı; alfabe,
abece; senaryo *script writer*
(radyo, TV) oyun yazarı
scripture /'skripçı/ a. Kutsal Kitap
scroll /skroul/ a. (kâğıt) tomar
scrub /skrab/ a. *bitk.* bodur çalılık,
fundalık * e. ovarak yıkamak,
fırçalayarak temizlemek
scruple /'skru:pıl/ a. vicdan; bilinç *
e. vicdanı el vermemek;
kaçınmak
scrupulous /'skru:pyulıs/ s. vicdanlı,
adil; dikkatli, titiz
scrutinize /'skru:tinayz/ e. iyice
incelemek, irdelemek
scrutiny /'skru:tini/ a. dikkatli
inceleme, araştırma
scuba /'skyu:bı/ a. oksijen tüplü
dalma aygıtı
scuff /skaf/ e. sürtmek, çizmek
scuffle /'skafıl/ e. itişip kakışmak
sculptor /'skalptı/ a. yontucu,
heykeltıraş
sculpture /'skalpçı/ a. yontuculuk,
heykeltıraşlık, heykel sanatı;
yontu, heykel * e. yontusunu
yapmak, oymak
scum /skam/ a. kir tabakası
scurry /'skari/ e. acele etmek,
seğirtmek
scurvy /'skö:vi/ a. *hek.* iskorbüt
scythe /sayt/ a. tırpan
sea /si:/ a. deniz *at sea* denizde,
gemide *by sea* deniz yoluyla *sea
lion* deniz aslanı *sea urchin*
denizkestanesi *seabed* deniz dibi
seafood yenilebilen deniz ürünü
seagull martı *seahorse* denizatı
seaman denizci; gemici *seaport*
liman *seashell* deniz hayvanı ka-
buğu *seashore* deniz kıyısı *sea-
sick* deniz tutmuş *seaside* deniz
kıyısı *seaurchin* deniz kestanesi
seaward denize doğru *seaweed*
yosun, deniz sazı
seal /si:l/ a. mühür, damga; conta;

hayb. fok, ayıbalığı * e. mühür-
lemek; damgalamak; onaylamak
seam /si:m/ a. dikiş yeri; ek yeri
sear /sıı/ e. yakmak, kavurmak,
dağlamak
search /sö:ç/ e. araştırmak; -nın
üstünü aramak; sondalamak * a.
arama, araştırma *in search of*-in
arayışı içinde *searching* inceden
inceye araştıran, sıkı *searchlight*
ışıldak
season /'si:zın/ a. mevsim; sezon;
dönem; zaman * e. (*with*)
yemeğe baharat koymak; (odunu)
kurutmak *in season* (meyve, se-
bze) tam mevsimi, olgun *out of
season* (meyve, sebze) satın
alınamaz *season ticket* abonman
bileti *seasonal* mevsimlik *sea-
soning* (tuz, biber gibi) yemeğe
tat veren şey
seat /si:t/ a. oturacak yer, iskemle,
koltuk; (tiyatro) koltuk * e.
oturtmak; yerleştirmek *seat belt*
emniyet kemeri
secateurs /'sekıtö:z/ a. *BE.* bahçıvan
makası
secede /si'si:d/ e. üyelikten çekil-
mek, ayrılmak *secession*
/si'seşın/ üyelikten çekilme,
ayrılma
seclude /si'klu:d/ e. başkalarından
uzak tutmak *secluded* münzevi;
gözden uzak *seclusion* /-'jın/
inziva
second /'sekınd/ s. ikinci * a. ikinci
kimse/şey; saniye; yardımcı,
muavin; tapon mal *second-best*
ikinci kalite *second-class* ikinci
sınıf; ikinci mevki *second-hand*
elden düşme; dolaylı *second-rate*
ikinci derecede *secondly* ikinci
olarak
secondary /'sekındıri/ s. ikinci dere-
cede, ikincil *secondary school*
ortaokul
secrecy /'si:krisi/ a. sır saklama;

gizlilik

secret /'si:krit/ s. gizli; saklı * a. gizli şey, giz, sır *in secret* gizlice *keep a secret* sır saklamak *secret agent* gizli ajan

secretary /'sekrıtıri/ a. sekreter, yazıcı, yazman; bakan *secretarial* /sekrı'teırııl/ sekreterlikle ilgili *secretariat* /sekrı'teırııt/ sekreterlik, sekreterya

secrete /si'kri:t/ e. *biy.* salgılamak, salmak; gizlemek

secretition /'si:krişın/ a. salgılama; salgı; gizleme

sect /sekt/ a. tarikat, mezhep

section /'sekşın/ a. parça, bölüm; bölge; kesim; *mat.* kesit *sectional* bölgesel

sector /'sektı/ a. sektör; kesim; daire dilimi, kesme; *ask.* bölge

secular /'sekyulı/ s. laik; dünyevi

secure /si'kyuı/ s. emin, güvenli, sağlam, kopmaz

security /si'kyuıriti/ a. emniyet, güvenlik; teminat, güvence *securities* menkul kıymetler, senetler

sedate /si'deyt/ s. sakin, ağırbaşlı

sedative /'sedıtiv/ s. *hek.* sakinleştirici

sedentary /'sedıntıri/ s. oturularak yapılan; bir yere yerleşmiş, yerleşik

sediment /'sedimınt/ a. tortu, çöküntü

seduce /si'dyu:s/ e. baştan çıkarmak, ayartmak; iğfal etmek *seduction* baştan çıkarma; iğfal *seductive* baştan çıkarıcı

see /si:/ e. *saw* /so:/, *seen* /si:n/ görmek; anlamak, kavramak; ziyaret etmek; görüşmek *I see* anlıyorum *let me see* bir düşüneyim, bir bakayım *see about* ile ilgilenmek, uğraşmak *see off* yolcu etmek, uğurlamak, geçirmek *see out* bitirmek, sonunu getirmek *see over*

gözden geçirmek *see to* ilgilenmek, bakmak *seeing that* -dığı için, -e göre

seed /si:d/ a. *bitk.* tohum * e. tohum ekmek *seedbed* fidelik *seedling* fide

seek /si:k/ e. *sought* /so:t/ aramak, araştırmak; sormak; istemek

seem /si:m/ e. görünmek, gözükmek; gibi gelmek *it seems as if though* -miş gibi, sanki

seemly /'si:mli/ s. uygun, münasip

seep /si:p/ e. (sıvı) sızmak

seesaw /'si:so:/ a. tahterevalli

segment /'segmınt/ a. parça, dilim

segregate /'segrigeyt/ e. ayırmak *segregation* ayrım; toplumsal kopma

seismic /'sayzmik/ s. depreme ilişkin

seismograph /'sayzmıgra:f/ a. depremyazar, sismograf

seize /si:z/ e. tutmak, kapmak; el koymak; gasp etmek; tutuklamak

seizure /'si:jı/ a. el koyma; yakalama; zapt; *hek.* ani nöbet, kriz

seldom /'seldım/ be. nadiren, seyrek

select /si'lekt/ e. seçmek, seçip ayırmak * a. seçme, seçkin *selection* seçme; seçme parçalar *selective* ayıran, seçici *selector* seçici

self- /self/ önek kendi, öz * a. kişi, öz *self-confident* kendinden emin *self-contained* ağzı sıkı; (daire) müstakil, bağımsız *self-control* kendine hâkim olma, özdenetim *self-defence* kendini savunma, meşru müdafaa *self-determination* bir ulusun kendi yönetim biçimine kendisinin karar vermesi *self-employed* kendi işinde çalışan, serbest meslek sahibi *self-evident* apaçık, ortada *self-important* kendini beğenmiş **self-interest** kişisel çıkar, bencillik **self-possessed** temkinli, serinkanlı **self-reliance** özgüven **self-respect** izzetinefis, özsaygı **self-righteous** kendini beğenmiş **self-service** selfservis **self-starter** marş, starter **self-supporting** kendi kendini geçindiren **self-willed** inatçı, dik kafalı

selfish /'selfiş/ s. bencil **selfishness** bencillik

sell /sel/ e. **sold** /sould/ satmak; satılmak **sell off** elden çıkarmak, satıp savmak **sell out** (bilet, vb.) hepsini satmak **seller** satıcı, bayi **best-seller** en çok satan kitap, vb.

sellotape /'seluteyp/ a. seloteyp

semantic /si'mentik/ s. anlamsal, anlambilimsel **semantics** anlambilim

semen /'si:mın/ a. meni, bel

semester /si'mestı/ a. dönem, devre, sömestr, yarıyıl

semi /'semi/ önek yarı, yarım **semicir-cle** yarım daire **semicolon** noktalı virgül **semiconductor** yarı iletken **semidetached** bir duvarı yandaki eve bitişik **semifinal** yarıfinal

seminar /'semina:/ a. seminer

Semitic /si'mitik/ s. Samilerle ilgili, Sami

senate /'senit/ a. senato **senator** senatör

send /send/ e. **sent** /sent/ göndermek, yollamak **send away** (başka bir yere) göndermek **send for** çağırmak, getirtmek **send off** uğurlamak; yolcu etmek **send out** dağıtmak, göndermek **sender** gönderen

senile /'si:nayl/ s. bunak

senior /'si:nıı/ s. yaşça daha büyük; kıdemli * a. daha yaşlı olan kişi; son sınıf öğrencisi

sensation /sen'seyşın/ a. his, duyu;

heyecan yaratan olay, sansasyon **sensational** heyecanlı; *kon.* harika, müthiş

sense /sens/ a. duyu, duyum; duygu; anlam * e. hissetmek, sezmek **make sense** bir anlamı olmak, anlaşılır olmak **senseless** baygın; anlamsız

sensibility /sensı'biliti/ a. duyarlık

sensible /'sensıbıl/ s. makul; akıllı, aklı başında; fark edilir

sensitive /'sensitiv/ s. duyarlı, hassas **sensitivity** duyarlık

sensual /'senşual/ s. nefsi; bedensel; şehvetli **sensuality** şehvet

sensuous /'senşuıs/ s. duyumsal

sent /sent/ *bkz.* **send**

sentence /'sentıns/ a. *dilb.* tümce, cümle; *huk.* yargı, karar, hüküm * e. (**to**) *huk.* mahkûm etmek

sentiment /'sentimınt/ a. duygu, his; fikir, düşünce, kanı

sentimental /senti'mentıl/ s. duygusal

sentinel /'sentinıl/ a. nöbetçi, gözcü

sentry /'sentri/ a. nöbetçi er

separate /'sepırıt/ s. ayrı **separately** ayrı ayrı

separate /'sepıreyt/ e. ayırmak; ayrılmak **separation** ayrılış; ayrılık

September /sep'tembı/ a. eylül

septic /'septik/ s. mikroplu

sepulchre /'sepılkı/ a. mezar, gömüt

sequel /'si:kwıl/ a. bir şeyin devamı, arkası; sonuç, son

sequence /'si:kwıns/ a. sıra, art arda gelme; seri, silsile, dizi **sequence of tenses** zamanların uyumu

serenade /seri'neyd/ a. serenat

serene /si'ri:n/ s. durgun, sessiz, sakin

sergeant /'sa:cınt/ a. *ask.* çavuş; komiser muavini **sergeant major** *ask.* başçavuş

serial /'sıırıl/ s. seri, tefrika,

(radyo, TV) dizi
series /'siːriz/ *a.* sıra, dizi, seri
serious /'siːriıs/ *s.* ciddi, ağırbaşlı; ağır, tehlikeli *seriously* ciddi olarak
sermon /'söːmın/ *a.* dinsel konuşma, vaaz
serpent /'söːpınt/ *a. yaz.* yılan
serum /'siːrım/ *a.* serum
servant /'söːvınt/ *a.* hizmetçi, uşak; kul *civil servant* devlet memuru
serve /söːv/ *e.* hizmet etmek; servis yapmak, bakmak; vazifesini görmek, yerine geçmek; amaca uymak
service /'söːvis/ *a.* hizmet; servis; görev; hizmetçilik; ayin, tören *at your service* emrinize amade, emrinizde *of service* yardımcı, yararlı *service-able* işe yarar, elverişli; dayanıklı
serviette /söːvi'et/ *a. BE.* peçete, sofra peçetesi
servile /'söːvayl/ *s.* köle gibi
servitude /'söːvityuːd/ *a.* kölelik
session /'seşın/ *a.* oturum, celse; toplantı; *AE.* (üniversitede) dönem
set /set/ *e.* koymak; yerleştirmek; oturtmak; saptamak; belirlemek; ayarlamak; dikmek; sertleştirmek; düzeltmek; (güneş) batmak; pıhtılaşmak, koyulaşmak * *a.* takım; sıra, dizi; alıcı, aygıt; (sinema) set; (güneş) batma * *s.* sabit, değişmez *set about* başlamak *set aside* ayırmak, saklamak *set back* ilerlemesini engellemek *set down* yazmak, kaydetmek; *BE.* durup yolcu indirmek *set fire to* ateşe vermek *set free* serbest bırakmak *set in* başlamak *set off* yola çıkmak; (bomba, vb.) patlatmak; atmak *set up* (iş, vb.) kurmak; dikmek *setback* engel *setup* organizasyon, yapı
settee /se'tiː/ *a.* kanepe

setting /'seting/ *a.* çevre; sahne, dekor; ayar; çerçeve, yuva
settle /'setıl/ *e.* yerleşmek; konmak; yerleştirmek; yatıştırmak; halletmek; karara bağlamak; (hesap) ödemek *settle down* yerleşmek; uslanmak *settle for* razı olmak *settle in* (yeni bir ortama) alışmak *settle up* (borcunu) ödemek, (hesabını) kapatmak *settled* sabit, değişmez, belirli *settlement* yerleşme, yerleşim; ödeme; çözümleme; yeni koloni; anlaşma *settler* yeni yerleşen kimse, göçmen
seven /'sevın/ *a. s.* yedi *seventh* yedinci
seventeen /sevın'tiːn/ *a. s.* on yedi *seventeenth* on yedinci
seventy /'sevınti/ *a. s.* yetmiş *seventieth* yetmişinci
sever /'sevı/ *e.* kesmek; koparmak; ayırmak
several /'sevırıl/ *s.* birkaç; birçok; ayrı ayrı, farklı
severe /si'vıı/ *s.* sert; keskin; ciddi, ağır *severity* /sı'venti/ sertlik; ciddiyet, tehlike
sew /sou/ *e. sewed, sewn* /soun/ dikiş dikmek; dikmek
sewage /'syuːic, 'suːic/ *a.* lağım pisliği
sewer /'syuːı, 'suːı/ *a.* lağım
sex /seks/ *a.* cinsiyet; cinsellik; cinsel ilişki, seks *sex appeal* cinsel çekicilik, seksapel *sexy* seksi
sextant /'sekstınt/ *a.* sekstant
sexton /'sekstın/ *a.* kilise hademesi, zangoç
sexual /'sekşuıl, 'seksyuıl/ *s.* cinsel; *bitk.* eşeyli *sexual intercourse* cinsel birleşme *sexuality* cinsel özellikler
shabby /'şebi/ *s.* eski püskü, pejmürde; kılıksız; aşağılık, adi
shack /şek/ *a.* kulübe
shackle /'şekıl/ *a.* köstek; pranga,

zincir; engel

shade /şeyd/ *a.* gölge; abajur, karpuz; nüans, ayırtı * *e.* gölge vermek; korumak

shadow /'şedou/ *a.* gölge; karanlık; iz, eser * *e.* gölgelendirmek; karartmak; gözetlemek ***shadow cabinet*** gölge kabine ***shadowy*** gölgeli; belli belirsiz

shady /'şeydi/ *s.* gölgeli, karanlık; *kon.* namussuz, üçkâğıtçı, güvenilmez

shaft /şa:ft/ *a.* mil, şaft; ok; sütun gövdesi; ışın; hava bacası

shaggy /'şegi/ *s.* (saç) kabarık, taranmamış

shake /şeyk/ *e.* sallamak; silkelemek; çalkalamak; sarsmak; sallanmak * *a.* sarsıntı, sallama ***shake hands*** el sıkışmak ***shake off*** -den kurtulmak ***shake out*** silkelemek ***shake up*** çalkalamak; sarsmak; gözünü açmak, uyandırmak ***shake-up*** köklü değişiklik ***shaker*** *AE.* tuzluk/biberlik ***shaky*** titrek, sarsak; şüpheli; sallantıda

shaken /'şeykın/ *bkz.* **shake**

shall /şıl, şel/ *e.* (olumsuz biçimi ***shan't*** /şa:nt/) -ecek, -acak ***shall I?*** yapayım mı?, edeyim mi? ***shall we?*** yapalım mı?, edelim mi?

shallow /'şelou/ *s.* sığ; yüzeysel; dar

sham /şem/ *a.* taklit, yapmacık, yalan * *e.* numara yapmak, rol yapmak

shame /şeym/ *a.* utanç; utanma; sıkılma; ayıp; yazık, şanssızlık ***put sb/sth to shame*** -den utandıracak derecede üstün olmak ***Shame on you!*** Ayıp!, Utan! ***What a shame!*** Ne yazık! ***shamefaced*** utanmış ***shameless*** utanmaz, yüzsüz

shampoo /şem'pu:/ *a.* şampuan * *e.* şampuanlamak

shamrock /'şemrok/ *a. bitk.* yonca

shank /şenk/ *a.* bacak; incik; sap

shanty /'şenti/ *a.* kulübe; gemici şarkısı

shape /şeyp/ *a.* biçim, şekil; kalıp; *kon.* form, kondisyon; maske; kisve * *e.* biçimlendirmek; oluşturmak; uydurmak ***take shape*** biçimlenmek, gerçekleşmek ***shapeless*** biçimsiz; çirkin ***shapely*** biçimli, yakışıklı

share /şeı/ *a.* pay, hisse; hisse senedi * *e.* paylaşmak; paylaştırmak, bölüştürmek ***shareholder*** hissedar

shark /şa:k/ *a.* köpekbalığı; dolandırıcı

sharp /şa:p/ *s.* keskin; sivri; dokunaklı; sert; zeki, uyanık; buruk, ekşi; tiz, keskin * *be.* tam; *müz.* diyez nota; diyez işareti ***sharpen*** bilemek, sivriltmek, keskinleştirmek ***sharpener*** bileyici; kalemtıraş

shatter /'şetı/ *e.* kırmak; kırılmak

shave /şeyv/ *e.* tıraş olmak; tıraş etmek; rendelemek, kesmek; soymak, yüzmek * *a.* tıraş *a close/narrow shave* kıl payı kaçış, kurtuluş ***shaver*** tıraş makinesi ***shaving*** tıraş; *kon.* talaş, yonga

shawl /şo:l/ *a.* şal, atkı

she /şi, şı:/ *adl.* (dişil)

shear /şıı/ *e.* **sheared, shorn** /şo:n/ kırkmak, kesmek

shears /'şıız/ *a.* yün kırkma makası, büyük makas

sheath /şi:t/ *a.* kın, kılıf; prezervatif

shed /şed/ *e.* dökmek, saçmak; akıtmak; yaymak * *a.* baraka, kulübe; hangar ***shed crocodile tears*** sahte gözyaşı dökmek

sheen /şı:n/ *a.* parlaklık

sheep /şı:p/ *a.* (*ç.* **sheep**) koyun ***sheepish*** utangaç, çekingen ***sheepskin*** koyun postu, pösteki sheer /şıı/ s. katıksız, sırf, halis; dimdik; incecik

sheet /şi:t/ a. çarşaf, yatak çarşafı; tabaka; yaprak

sheikh /şeyk/ a. şeyh

shelf /şelf/ a. raf; coğ. şelf, sığlık

shell /şel/ a. deniz kabuğu; kabuk; topçu mermisi **shellfish** kabuklu deniz hayvanı

shelter /'şeltı/ a. sığınak, barınak * e. barındırmak; sığınmak

shelve /şelv/ e. rafa koymak

shepherd /'şepıd/ a. çoban

sheriff /'şerif/ a. (Amerika'da) şerif, polis şefi

sherry /'şeri/ a. beyaz İspanyol şarabı, şeri

shield /şi:ld/ a. kalkan; siper

shift /şift/ a. değişme, değiştirme; vardiya, nöbet * e. değiştirmek; (suç, vb.) yüklemek

shilling /şiling/ a. şilin

shimmer /'şımı/ a. titrek ışık, parıltı * e. parıldamak, titrek ışıkla parıldamak

shin /şin/ a. anat. incik

shine /şayn/ e. **shone** /şon/ parlamak; parlatmak * a. parlaklık; cila **shiny** parlak, gıcır gıcır

ship /şip/ a. gemi, vapur * e. gemiyle taşımak/göndermek; gemiye yüklemek **shipment** (mal) gönderme; gönderilen mal **shipper** nakliyeci **shipping** gemiler; gemicilik; nakliye **shipwreck** karaya oturma; deniz kazası **shipyard** tersane

shirk /şö:k/ e. kaçmak, kaytarmak

shirt /şö:t/ a. gömlek

shiver /'şıvı/ a. titreme, ürperti * e. titremek, ürpermek

shoal /şoul/ a. sığlık; balık sürüsü

shock /şok/ a. darbe, vuruş; sarsıntı; şok * e. çok şaşırtmak, sarsmak; şok etmek **shocking** şaşırtıcı; korkunç; iğrenç, berbat

shoddy /'şodı/ s. adi, kalitesiz

shoe /şu:/ a. ayakkabı; at nalı **shoehorn** ayakkabı çekeceği **shoelace** ayakkabı bağı **shoemaker** ayakkabıcı **shoestring** AE. ayakkabı bağı

shone /şon/ bkz. **shine**

shoo /şu:/ ünl. hoşt, pist, kış * e. kovmak, kışkışlamak

shoot /şu:t/ e. **shot** /şot/ ateş etmek; (silahla) vurmak; filme almak, çekmek; sp. şut çekmek; filizlenmek, sürmek * a. bitk. filiz, sürgün; atış; av alanı **shooting star** göktaşı

shop /şop/ a. dükkân, mağaza; atölye * e. alışverişe çıkmak, alışveriş yapmak **shopkeeper** dükkâncı **shoplift** dükkânlardan eşya çalmak **shop assistant** satıcı, tezgâhtar **shopping** alışveriş **go shopping** alışverişe çıkmak **shopping-centre** alışveriş merkezi

shore /şo:/ a. kıyı, sahil; kara

short /şo:t/ s. kısa; kısa boylu; bodur; az, eksik, yetersiz; (çörek, vb.) gevrek * be. birdenbire **in short** kısacası **short of** -in dışında, hariç **fall/run short of** yetmemek, tükenmek **short wave** (radyo) kısa dalga **short-range** kısa dönemli **short-term** kısa dönemli **shortage** yokluk, kıtlık **shortbread** kurabiye **shortcoming** kusur, eksiklik **shortcut** kestirme, kısa yol **shorten** kısaltmak **shorthand** steno **shortly** kısaca; yakında **shortsighted** miyop; ileriyi göremeyen

shorts /şo:ts/ a. kısa pantalon, şort

shot /şot/ a. atış, atım; gülle, top; menzil, erim; girişim, fotoğraf resim, film; sp. şut **big shot** önemli kimse **shotgun** av tüfeği, çifte

should /şıd, şud/ e. -meli, -malı; gerekir; (koşul cümlelerinde) -

ecek (olursa)
shoulder /'şouldı/ a. omuz * e.
omuzlamak **shoulder blade** anat.
kürekkemiği
shout /şaut/ e. bağırmak; seslen-
mek * a. bağırma, bağırış
shove /şav/ e. ittirmek
shovel /'şavıl/ a. kürek
show /şou/ e. **showed, shown**
/şoun/ göstermek; (film) oy-
namak; sergilemek; kanıtlamak *
a. gösteri, oyun; gösteriş;
görünüş; sergi **show business**
eğlence sanayii **show off** gösteriş
yapmak, hava atmak **show up**
ortaya koymak; ortaya çıkarmak,
çıkagelmek; görünmek **showcase**
vitrin **showing-off** gösteriş, caka,
fiyaka, hava **showroom** sergi sa-
lonu **showman** tiyatro, sirk, vb.
müdürü; şovmen **showy** göz alıcı,
gösterişli
shower /'şauı/ a. sağanak; duş
shown /şoun/ bkz. **show**
showing-off /'şouingof/ a. gösteriş,
caka, fiyaka, hava
showy /'şoui/ s. (fazla) dikkat
çeken, cart, cırtlak, cafcaflı, ha-
valı
shrank /şrenk/ bkz. **shrink**
shrapnel /'şrepnıl/ a. şarapnel
shred /şred/ a. parça, dilim
shrewd /şru:d/ s. zeki, kurnaz
shriek /şri:k/ e. çığlık atmak * a.
çığlık
shrill /şril/ s. tiz sesli, keskin
shrimp /şrimp/ a. hayb. karides,
teke
shrine /şrayn/ a. türbe
shrink /şrink/ e. **shrank** /şrenk/,
shrunk /şrank/ büzülmek; büz-
mek; daraltmak **shrink from** -den
çekinmek **shrinkage** çekme, da-
ralma
shrivel /'şrivıl/ e. kuruyup büzül-
mek, buruşmak, kıvrılmak, pör-
sümek

shroud /şraud/ a. kefen; örtü
shrub /şrab/ a. funda, çalı **shrub-
bery** çalılık
shrug /şrag/ e. omuz silkmek
shudder /'şadı/ e. ürpermek, titre-
mek
shuffle /'şafıl/ e. (oyun kâğıdı)
karıştırmak, karmak
shun /şan/ e. çekinmek, kaçmak,
uzak durmak, sakınmak
shut /şat/ e. **shut** /şat/ kapamak,
kapatmak; kapanmak **shut down**
(fabrikayı, işi, vb.) kapatmak **shut
up** susmak, kapamak
shutter /'şatı/ a. kepenk, panjur
shuttle /'şatıl/ a. mekik; uzay mekiği
* e. gidip gelmek, mekik doku-
mak
shy /şay/ s. utangaç, çekingen;
ürkek
sick /sik/ s. hasta; midesi bulanmış
make sb sick kon. gıcık etmek, kıl
etmek **sick of** -den bıkmış, bez-
miş **sick pay** hastalık parası **sick-
ness** hastalık; bulantı, kusma
sicken /'sikın/ e. midesini bu-
landırmak; hastalanmak **sicken-
ing** iğrenç
sickle /'sikıl/ a. orak
sickly /'sikli/ s. hastalıklı; iğrenç
side /sayd/ a. yan; kenar; yüz, taraf;
bölüm, kısım; yön; sp. taraf,
takım; (dağ, vb.) yamaç, etek;
böğür * s. yan **side by side** yan
yana **side effect** yan etki **side
street** yan sokak **sideboard** büfe
sideboards, AE. sideburns (saç)
favoriler **sidelong** yanlamasına,
yan **sidewalk** AE. yaya kaldırımı
sidewards yana doğru, yanla-
masına, yan yan
siege /si:c/ a. kuşatma
sieve /siv/ a. kalbur, kevgir, elek
sift /sift/ e. elemek, kalburdan
geçirmek
sigh /say/ a. iç çekme * e. iç çek-
mek

sight /sayt/ *a.* görme, görüş; manzara, görünüş; nişangâh; *kon.* görülmeye değer yerler *at first sight* ilk görüşte *in sight* görünürde *out of sight* gözden uzak *catch sight of* gözüne ilişmek *lose sight of* gözden kaybetmek *sightseeing* görülmeye değer yerleri gezip dolaşma

sign /sayn/ *a.* işaret, gösterge; belirti, iz; levha; tabela * *e.* imzalamak; işaret etmek *signpost* yol gösteren levha, işaret direği

signal /'signıl/ *a.* işaret, sinyal * *e.* işaret etmek, işaretle bildirmek

signatory /'signıtıri/ *a.* imza sahibi

signature /'signıcı/ *a.* imza

signet /'signit/ *a.* mühür

significance /sig'nifikıns/ *a.* önem; anlam *significant* önemli; anlamlı

signify /'signifay/ *e.* bildirmek, belirtmek; anlamına gelmek

silence /'saylıns/ *a.* sessizlik; durgunluk *silencer* susturucu

silent /'saylınt/ *s.* sessiz; gürültüsüz; suskun

silhouette /silu:'et/ *a.* gölge, karaltı, siluet

silk /silk/ *a.* ipek *silken* ipekli *silkworm* ipekböceği *silky* ipekli, ipek gibi, ipeksi

sill /sil/ *a.* eşik

silly /'sili/ *s.* aptal, ahmak, akılsız, budala; ahmakça

silo /'saylou/ *a.* silo

silt /silt/ *a.* alüvyon, balçık

silver /'silvı/ *a. s.* gümüş * *e.* gümüş kaplamak *silver paper* yaldızlı kâğıt *silversmith* gümüşçü *silvery* gümüş gibi; (ses) tatlı ve berrak *silverware* gümüş eşya

similar /'simılı/ *s.* benzer

similarity /simi'leriti/ *a.* benzerlik

simile /'simili/ *a. yaz.* teşbih, benzetme

simmer /'simı/ *e.* yavaş yavaş kaynamak

simple /'simpıl/ *s.* basit; kolay; yalın, süssüz *simply* sade bir şekilde; tümüyle; yalnız

simplicity /sim'plisiti/ *a.* basitlik, yalınlık; kolaylık; saflık; bönlük

simplify /'simplifay/ *e.* kolaylaştırmak, basitleştirmek; *mat.* sadeleştirmek

simulate /'simyuleyt/ *e.* taklit etmek, numara yapmak, gibi görünmek

simultaneous /simıl'teynıs/ *s.* aynı zamanda yapılan, eşzamanlı

sin /sin/ *a.* günah; suç *commit a sin* günah işlemek *sinful* günahkâr

since /sins/ *bağ.* -den beri, mademki; -dığı için * *be.* o zamandan beri, önce * *ilg.* -den beri *ever since* o zamandan beri

sincere /sin'sıı/ *s.* samimi, candan *sincerely* içtenlikle *Yours sincerely* (mektup sonunda) Saygılarımla *sincerity* içtenlik, candanlık, samimiyet

sinew /'sinyu:/ *a. anat.* kiriş, sinir

sing /sing/ *e.* *sang* /seng/, *sung* /sang/ (şarkı) söylemek; ötmek, şakımak; uğuldamak *singer* şarkıcı

single /'singıl/ *s.* tek, bir; tek kişilik; bekâr * *a. BE.* gidiş bileti; 45'lik plak; *kon.* tek kişilik oda *single ticket* gidiş bileti *single handed* tek başına, yalnız *single minded* azimli *singles* (tenis, vb.) tekler maçı *singly* teker teker, tek başına

singular /'singyulı/ *s. a.* tekil *singular noun* tekil isim

sinister /'sinistı/ *s.* uğursuz

sink /sink/ *e.* *sank* /senk/, *sunk* /sank/ batmak; batırmak; çekmek; alçalmak * *a.* lavabo, musluk taşı; lağım sinus 232

sinus /'saynıs/ a. anat. boşluk
sip /sip/ e. yudumlamak * a.
yudum
siphon /'sayfın/ a. sifon
sir /sö:/ a. efendim, efendi
siren /'sayırın/ a. canavar düdüğü,
siren
sirloin /'sö:loyn/ a. sığır filetosu
sister /'sistı/ a. kız kardeş; hemşire,
hastabakıcı; rahibe **sisterhood** kız
kardeşlik **sister-in-law** görümce,
baldız, yenge, elti
sit /sit/ e. **sat** /set/ oturmak; to-
planmak **sit about** kon. hiçbir şey
yapmamak **sit back** boş boş
oturmak **sit for** sınava girmek **sit
in** vekâlet etmek **sit out** sonuna
kadar kalmak; yer almamak **sit
up** geç saatlere kadar oturmak;
dik oturmak
site /sayt/ a. yer, mevki; arsa
sitting /'siting/ a. oturuş; poz
verme; oturum, celse **sitting
room** oturma odası
situated /'siçueytid/ s. bulunan,
yerleşmiş
situation /siçu'eyşın/ a. yer, konum;
durum, hal; iş, memuriyet
six /siks/ a. s. altı **sixth** altıncı **sixth
sense** altıncı his
sixteen /sik'sti:n/ a. s. on altı **six-
teenth** on altıncı
sixty /'siksti/ a. s. altmış **sixtieth**
altmışıncı
size /sayz/ a. büyüklük; (elbise)
beden, boy; ölçü, ebat; (ayakkabı)
numara **sizeable** oldukça büyük
sizzle /'sizıl/ e. cızırdamak * a.
cızırtı
skate /skeyt/ a. paten * e. patenle
kaymak **skateboard** kaykay
skeleton /'skelitın/ a. iskelet; çatı
sketch /skeç/ a. taslak; kroki; skeç
skewer /'skyu:ı/ a. kebap şişi
ski /ski:/ a. kayak * e. kayak yap-
mak
skid /skid/ a. kayma, yana kayma;

kızak; takoz * e. (otomobil, vb.)
yana doğru savrulmak
skill /skil/ s. beceri, ustalık **skilled**
kalifiye, usta
skim /skım/ e.
köpüğünü/kaymağını almak; üz-
erinden kaymak, sıyırıp geçmek
skim milk kaymağı alınmış süt
skin /skin/ a. deri, cilt; post,
pösteki; kabuk * e. derisini yüz-
mek; kabuğunu soymak **skinhead**
dazlak **skinny** bir deri bir kemik,
sıska
skip /skip/ e. hoplamak, sıçramak,
zıplamak, sekmek * a. hoplayıp
sıçrama, sekme
skipper /'skipı/ a. kon. kaptan
skirmish /'skö:miş/ a. çatışma,
çarpışma; çekişme
skirt /skö:t/ a. etek, eteklik; kenar
skulk /skalk/ e. sinsi sinsi dolaşmak
skull /skal/ a. kafatası
skunk /skank/ a. hayb. kokarca
sky /skay/ a. gökyüzü **skyjack** uçak
kaçırmak **skylark** tarlakuşu **sky-
line** ufuk çizgisi **skyscraper** gök-
delen
slab /sleb/ a. kalın dilim, kat
slack /slek/ s. gevşek, sarkık; ağır;
dikkatsiz; (iş) durgun, kesat
slag /sleg/ a. cüruf, dışık
slake /sleyk/ e. (susuzluk) gidermek
slalom /'sla:lım/ a. sp. slalom
slam /slem/ a. kapıyı çarparak
kapama; (briçte) şlem * e. çar-
parak kapamak; hızla vurmak
kon. şiddetle eleştirmek
slander /'slendı/ a. karalama, iftira
* e. karalamak, iftira etmek
slang /sleng/ a. argo
slant /sla:nt/ e. eğilmek; eğmek;
eğimli olmak * a. eğim; görüş;
yan bakış
slap /slep/ e. tokatlamak; yere
çarpmak, yere çalmak * a. tokat
slash /sleş/ e. kesmek, yarmak;
kon. iyice indirmek * a. uzun ke-

sik, yarık; yırtmaç

slaughter /'slo:tı/ *a.* hayvan kesme, kesim; katliam * *e.* (hayvan) kesmek; kan dökmek, katliam yapmak ***slaughterhouse*** mezbaha, kesimevi

slave /sleyv/ *a.* köle ***slavery*** kölelik

slay /sley/ *e.* vahşice öldürmek, katletmek

sledge /slec/ *a.* kızak

sledgehammer /'slechemı/ *a.* balyoz

sleek /sli:k/ *s.* düz, parlak, bakımlı

sleep /sli:p/ *e.* **slept** /slept/ uyumak * *a.* uyku ***go to sleep*** uyumak ***put to sleep*** uyutmak, yatırmak ***sleeping car*** yataklı vagon ***sleepless*** uykusuz ***sleepy*** uykulu ***sleeping pill*** uyku hapı ***sleepwalker*** uyurgezer

sleet /sli:t/ *a.* sulusepken * *e.* sulusepken yağmak

sleeve /sli:v/ *a.* giysi kolu, yen; manşon, kol

sleigh /sley/ *a.* atlı kızak

sleight /sleyt/ *a.* el çabukluğu, marifet ***sleight of hand*** el çabukluğu

slender /'slendı/ *s.* incecik, narin, ince; az, yetersiz

slept /slept/ *bkz.* **sleep**

slice /slays/ *a.* dilim; hisse, pay * *e.* dilimlemek, dilmek

slick /slik/ *s.* düz; kaygan; yüze gülücü; üçkâğıtçı * *a.* ince petrol tabakası

slid /slid/ *bkz.* **slide**

slide /slayd/ *e.* **slid** /slid/ kaymak; kaydırmak * *a.* kayma; kaydırak; sürgü; heyelan; diyapozitif, slayt; saç tokası ***slide ruler*** sürgülü hesap cetveli

slight /slayt/ *s.* ince, narin, zayıf; ufak, önemsiz * *e.* önemsememek, hor görmek, küçümsemek ***slightly*** biraz, azıcık

slim /slim/ *s.* narin, ince; zayıf, az

slime /slaym/ *a.* balçık; çamur

sling /sling/ *e.* **slung** /slang/ atmak * *a.* sapan; *den.* izbiro; kol askısı

slink /slink/ *e.* **slung** /slank/ sıvışmak

slip /slip/ *a.* kayma; yanlışlık, hata; kombinezon; yastık yüzü * *e.* kaymak; (gizlice) sıvışmak, kaçmak ***slip of the tongue*** dil sürçmesi ***slip on*** (giysi) giyivermek, geçirivermek ***slip one's notice*** gözünden kaçmak ***slip up*** yanılmak, sürçmek

slipper /'slipı/ *a.* terlik

slippery /'slipıri/ *s.* kaygan; kaypak

slit /slit/ *e.* yarmak, uzunluğuna kesmek * *a.* kesik, yarık; dar aralık

slither /'slitı/ *e.* kaymak

sliver /'slivı/ *a.* kıymık; ince dilim

slogan /'slougın/ *a.* slogan

slop /slop/ *s.* lapa, sulu yemek * *e.* dökmek; dökülmek

slope /sloup/ *e.* eğimli olmak * *a.* yokuş, bayır; eğim, meyil

sloppy /'slopi/ *s.* çamurlu; baştan savma, uyduruk; aptalca, saçma

slosh /sloş/ *e.* sudan/çamurdan geçmek; (sıvı) taşmak

slot /slot/ *a.* yarık, delik; *kon.* (radyo, vb.) program ***slot machine*** (içine para atılarak içki, sigara, vb. alınan) otomatik makine; kollu kumar makinesi

sloth /slout/ *a.* tembellik, miskinlik

slough /slau/ *a.* bataklık; kötü durum * *e.* (**off**) (yılan, vb.) deri değiştirmek

sloven /'slavın/ *a.* pasaklı, kılıksız

slow /slou/ *s.* yavaş, ağır; (saat) geri; güç anlayan * *be.* yavaş yavaş ***slow down/up*** yavaşlamak; yavaşlatmak ***slow motion*** ağır çekim ***slowly*** yavaş yavaş

sludge /slac/ *a.* sulu çamur

slug /slag/ *a.* kabuksuz sümüklüböcek

sluggish /'slagiş/ *s.* uyuşuk, tembel

slum /slam/ *a. kon.* gecekondu mahallesi, kenar mahalle

slump /slamp/ *e.* birdenbire düşmek * *a.* (ticaret, fiyat, vb.'de) durgunluk, kriz

slung /slang/ *bkz.* **sling**

slunk /slank/ *bkz.* **slink**

slur /slö:/ *a.* tahkir, leke

slush /slaş/ *a.* sulu çamur; yarı erimiş kar

slut /slat/ *a.* pasaklı kadın

sly /slay/ *s.* sinsi, kurnaz; muzip

smack /smek/ *e.* şaplak atmak, tokatlamak; şapırtıyla öpmek * *a.* şamar, tokat, şaplak; hafif çeşni, tat; şapırtılı öpücük **smack of** kokmak, tadı vermek

small /smo:l/ *s.* küçük, ufak; önemsiz **small change** bozuk para **small intestine** incebağırsak **small talk** sohbet, laklak, muhabbet

smart /sma:t/ *s.* zarif, şık; yakışıklı; gösterişli; kurnaz, usta; çevik, canlı * *e.* ağrımak, sızlamak, acıtmak

smarten /sma:tın/ *e.* (**up**) güzelleştirmek

smash /smeş/ *e.* paramparça etmek; parçalanmak, paramparça olmak; (rekor) kırmak * *a.* kırılma, parçalanma; şangırtı; çarpışma, kaza

smattering /'smetıring/ *a.* çat pat bilgi, yüzeysel bilgi

smear /smıı/ *a.* leke; karalama, iftira * *e.* sürmek, bulaştırmak; lekelemek

smell /smel/ *e.* **smelt** /smelt/ koklamak; kokmak * *a.* koku; koklama

smelt /smelt/ *bkz.* **smell**

smile /smayl/ *e.* gülümsemek * *a.* gülümseme

smirk /smö:k/ *e.* sırıtmak * *a.* sırıtış

smith /smit/ *a.* demirci

smock /smok/ *a.* iş gömleği, önlük

smog /smog/ *a.* dumanlı sis, sanayi sisi

smoke /smouk/ *a.* duman; (sigara) içme * *e.* (sigara, pipo, vb.) içmek; tütmek; (balık, et, vb.) tütsülemek **smoker** sigara içen; sigara içenlere ayrılmış bölüm **smoky** dumanlı; dumanrengi

smooth /smu:t/ *s.* düz, düzgün; sarsıntısız; (tat) hoş; akıcı * *e.* düzlemek **smoothly** pürüzsüzce

smother /'smatı/ *e.* boğulmak; boğmak

smoulder /'smouldı/ *e.* için için yanmak; için için köpürmek

smudge /smac/ *e.* kirlenmek; kirletmek * *a.* is lekesi

smug /smag/ *s.* kendini beğenmiş

smuggle /'smagıl/ *e.* kaçakçılık yapmak, kaçırmak **smuggler** kaçakçı **smuggling** kaçakçılık

smut /smat/ *a.* is, kurum; küf

snack /snek/ *a.* hafif yemek **snack bar** hafif yemek yeren yer

snag /sneg/ *a.* beklenmedik engel ya da güçlük

snail /sneyl/ *a.* salyangoz

snake /sneyk/ *a.* yılan

snap /snep/ *e.* çatırtıyla kopmak, kırılmak; gürültüyle kapamak; birdenbire ısırmak, dişlemek; *kon.* fotoğrafını çekmek * *a.* kopma; kırılma; çatırtı; ısırma; kopça, çıtçıt; enstantane, şipşak resim **snapshot** atılgan, canlı, çevik **snapshot** enstantane fotoğraf, şipşak

snare /snıı/ *a.* tuzak, kapan

snarl /sna:l/ *e.* hırlamak * *a.* hırlama

snatch /sneç/ *e.* kapmak, kavramak * *a.* kapış, kapma; gayret; kısa süre, an

sneak /sni:k/ *e.* sinsice/gizlice ilerlemek; süzülmek; *kon.* (öğretmene, vb.) gammazlamak * *a.* muhbir, gammaz **sneaky** sinsi

sneakers /'sni:kız/ a. AE. bez spor ayakkabı, kes

sneer /snıı/ e. dudak bükmek, küçümsemek * a. dudak bükme, küçümseme, alay

sneeze /sni:z/ e. aksırmak * a. aksırık

sniff /snif/ e. burnunu çekmek; koklamak * a. burnunu çekme; havayı koklama

snigger /'snıgı/ e. kıs kıs gülmek * a. kıs kıs gülüş

snip /snip/ a. kırpma, kırkma * e. makasla kesmek, kırpmak

snipe /snayp/ e. siperden ateş etmek

snob /snob/ a. züppe **snobbery** züppelik

snooker /'snu:kı/ a. bir tür bilardo oyunu

snoop /snu:p/ e. burnunu sokmak

snooze /snu:z/ a. kon. kısa uyku, şekerleme * e. kon. kestirmek, şekerleme yapmak

snore /sno:/ a. horlama, horultu * e. horlamak

snorkel /'sno:kıl/ a. şnorkel

snort /sno:t/ e. burnundan solumak, horuldamak

snout /snaut/ a. hayb. (domuz, vb.) burun

snow /snou/ a. kar * e. kar yağmak **snowball** kartopu **snowdrop** bitk. kardelen **snowfall** kar yağışı **snowflake** kar tanesi **snowman** kardan adam **snowplough** kar temizleme makinesi/aracı **snowstorm** kar fırtınası **snowy** karlı; bembeyaz

snub /snab/ e. küçümsemek, aşağılamak * a. aşağılama, küçümseme

snuff /snaf/ a. enfiye

snug /snag/ s. rahat ve sıcaklık; (giysi) tam oturan

snuggle /'snagıl/ e. sokulmak

so /sou/ be. böyle, öyle; bu kadar, bu derece; bu nedenle, onun için; de, da; demek (ki); pek, çok * bağ. -mesi için; -sin diye **so as to** -mek için, -cek biçimde, -mek amacıyla **So long** kon. Güle güle, Hoşça kal. **So what** kon. Bana ne; Ne yani; Ne olmuş **so-and-so** falan kişi/şey, filanca **so-called** sözde, sözümona **so-so** şöyle böyle **Just/Quite so** BE. Evet, Aynen öyle

soak /souk/ e. sırılsıklam etmek; ıslatmak; ıslanmak * a. ıslatma, ıslanma

soap /soup/ a. sabun

soar /so:/ e. süzülmek, süzülerek yükselmek

sob /sob/ a. hıçkıra hıçkıra ağlamak * a. hıçkırık

sober /'soubı/ s. ayık; ölçülü; ciddi, ağırbaşlı; yalın **sober up** ayılmak; ayıltmak

soccer /'sokı/ a. BE. futbol

sociable /'souşıbıl/ s. sokulgan, girgin, arkadaş canlısı; hoşsohbet

social /'souşıl/ s. toplumsal, sosyal **social democracy** sosyal demokrasi **social science** sosyal bilimler **social security** sosyal güvenlik; sosyal sigorta **social services** sosyal hizmetler **social worker** sosyal hizmet görevlisi

socialism /'souşılizım/ a. toplumculuk, sosyalizm **socialist** toplumcu, sosyalist

society /sı'sayiti/ a. toplum; topluluk; dernek; kurum; şirket; arkadaşlık; sosyete

sociology /sousi'olıci/ a. toplumbilim, sosyoloji **sociologist** toplumbilimci, sosyolog

sock /sok/ a. kısa çorap

socket /'sokit/ a. priz, duy; oyuk, yuva

sod /sod/ a. çim

soda /soudı/ a. soda **soda water**

gazoz, maden sodası

sodden /'sodın/ s. sırılsıklam

sodium /'soudıım/ a. kim. sodyum

sofa /soufı/ a. kanepe, sedir

soft /soft/ s. yumuşak; ılık, tatlı; müşfik, sevecen; yumuşak başlı, uysal; kon. aptal; yavaş *soft-boiled* (yumurta) rafadan *soft drink* alkolsüz içki *soft/easy touch* yolunacak kaz *soften* yumuşatmak; yumuşamak *soft-hearted* yufka yürekli

software /'softweı/ a. (bilgisayar) yazılım

soggy /'sogi/ s. çok ıslak, sırılsıklam

soil /soyl/ a. toprak

solace /'solis/ a. avuntu, teselli

solar /'soulı/ s. güneşle ilgili *solar system* güneş sistemi *solar year* güneş yılı

solarium /sou'leırıım/ a. solaryum, güneşlik

solder /'soldı/ a. lehim * e. lehimlemek

soldier /'soulcı/ a. er, asker

sole /soul/ a. taban, pençe * s. yalnız, tek * a. dilbalığı

solemn /'solım/ s. törenle yapılan; resmi; kutsal; ağırbaşlı, ciddi

solemnity /sı'lemniti/ a. ciddiyet, resmiyet; tantanalı tören

solicit /sı'lisit/ e. rica etmek, istemek

solicitor /sı'lisitı/ a. avukat; istekli, talip

solid /'solid/ s. katı; sağlam; yekpare; som; devamlı, aralıksız * a. katı madde

solidarity /soli'deriti/ a. dayanışma

solidify /sı'lidifay/ e. katılaştırmak; katılaşmak; sağlamlaştırmak

solitary /'solitıri/ s. yalnız; ıssız

solitude /'solityu:d/ a. yalnızlık

solo /'soulou/ a. müz. solo *soloist* solist

solstice /'solstis/ a. gündönümü

soluble /'solyubıl/ s. çözünür

solution /sı'lu:şın/ a. çözüm; kim. çözünme; kim. çözelti, eriyik

solve /solv/ e. çözmek, halletmek

solvent /'solvınt/ s. borcunu ödeyebilen, muteber * a. kim. çözücü, eriten

some /sım, sam/ s. biraz; birkaç; bazı, kimi; (herhangi) bir * adl. bazısı, bazıları, kimi; bir miktar, biraz *somebody* biri, birisi *someday* bir gün, ilerde, gelecekte *somehow* her nasılsa; nasıl olduysa; her nedense, nedense *something* bir şey *something like* gibi; BE. kon. yaklaşık olarak, civarında *sometime* bir ara *sometimes* bazen, ara sıra *somewhat* biraz, oldukça *somewhere* bir yere; bir yerde

somersault /'samıso:lt/ a. takla * e. takla atmak

son /san/ a. oğul *son-in-law* damat

sonata /sı'na:tı/ a. müz. sonat

song /song/ a. şarkı, türkü

sonic /'sonik/ s. sesle ilgili

sonnet /'sonit/ a. yaz. sone

soon /su:n/ be. yakında, birazdan; neredeyse; erken *as soon as* (yap)-ar (yap)-maz *soon after*-den hemen sonra *sooner or later* er geç *sooner than*-mektense

soot /sut/ a. is, kurum *sooty* isli

soothe /su:t/ e. yatıştırmak, dindirmek

sophisticated /sı'fistikeytid/ s. görmüş geçirmiş; pişkin; karmaşık, gelişmiş

sophomore /'sofimo:/ a. lise ya da üniversitede ikinci sınıf öğrencisi

soppy /'sopi/ s. BE. kon. içli, aşırı duyarlı

soprano /sı'pra:nou/ a. müz. soprano

sorbet /'so:bit/ a. şerbet

sorcerer /'so:sırı/ a. büyücü, sihirbaz *sorcery* büyü; büyücülük

sordid /'sɔ:dıd/ s. kirli, pis; alçak,
aşağılık; çıkarcı, paragöz
sore /sɔ:/ s. acıyan, ağrıyan; kırgın,
küskün * a. yara *sorely* şiddetle,
çok
sorrow /'sorou/ a. üzüntü, keder,
acı
sorry /'sori/ s. üzgün; pişman *
ünl. üzgünüm; maalesef; affed-
ersiniz; *BE.* efendim? *be sorry
(for)* üzgün olmak, üzülmek *feel
sorry (for)* (-e) acımak, için
üzülmek
sort /sɔ:t/ a. tür, çeşit * e.
sınıflandırmak *sort of kon.* bir
yerde, bir bakıma *sort out BE.*
düzeltmek, çözmek, halletmek;
seçmek; ayıklamak
soufflé /'su:fley/ a. sufle
sought /sɔ:t/ *bkz. seek*
soul /soul/ a. ruh, can; öz, esas;
kimse *soulful* içli, duygulu
soulless ruhsuz, duygusuz
sound /saund/ a. ses; gürültü; etki,
izlenim * e. (gibi) gel-
mek/görünmek; çalmak, öttür-
mek; ses çıkarmak * s. sağlam;
emin; güvenilir; (uyku) derin *
be. (uyku) derin, deliksiz, mışıl
mışıl *soundproof* sesgeçirmez
soundtrack film müziği :
soup /su:p/ a. çorba
sour /sauı/ s. ekşi; (süt) ekşimiş,
kesilmiş; ters, hırçın, huysuz
source /sɔ:s/ a. kaynak; memba
south /saut/ a. güney *southbound*
güneye giden *southeast* güney-
doğu *southern* güneye ait, güney
southward güneye giden *south-
west* güneybatı
souvenir /su:vı'nıı/ a. andaç, hatıra
sovereign /'sovrın/ a. hükümdar *
s. yüce, en yüksek; egemen,
hâkim
sovereignty /'sovrınti/ a. egemen-
lik, hâkimiyet, bağımsızlık
sow /sou/ e. *sowed, sown* /soun/

(tohum) ekmek
soya bean /'soyı bi:n/ a. soya fasu-
lyesi
spa /spa:/ a. kaplıca
space /speys/ a. uzay; alan, saha;
yer; aralık, açıklık *spacecraft*
uzay aracı *spaceship* uzaygemisi
space shuttle uzay mekiği
spacious /'speyşıs/ s. geniş, ferah,
havadar
spade /speyd/ a. bahçıvan beli;
(iskambil) maça
spaghetti /spı'geti/ a. çubuk
makarna, spagetti
span /spen/ a. karış; aralık; an
spangle /'spengıl/ a. pul, payet
spank /spenk/ e. kıçına şaplak
atmak
spanner /'spenı/ a. somun anahtarı
spar /spa:/ a. *den.* seren, direk
spare /speı/ s. yedek, fazla; az, kıt,
yetersiz, serbest, boş * e.
esirgemek; -siz olabilmek, -siz
yapabilmek, -den kurtarmak
spare part yedek parça *spare
time* boş zaman
spark /spa:k/ a. kıvılcım; zerre;
işaret, iz * e. kıvılcım saçmak
sparking plug buji
sparkle /'spa:kıl/ a. parlayış, parıltı
* e. pırıldamak *sparkling* parlak
sparrow /'sperou/ a. serçe
sparse /spa:s/ s. seyrek
spasm /'spezım/ a. *hek.* spazm,
kasılma
spat /spet/ *bkz. spit*
spate /speyt/ a. sel, sağanak
spatter /'spetı/ a. (çamur, vb.)
sıçratmak * a. serpinti, sağanak
spatula /'spetyulı/ a. spatül, mala
spawn /spo:n/ a. balık yumurtası *
e. (balık, kurbağa, vb.) yumurt-
lamak
speak /spi:k/ e. *spoke* /spouk/,
spoken /spoukın/ konuşmak;
konuşma yapmak *speak for* -ın
adına konuşmak *speak of* -den

söz etmek **speak out** sesini yükselterek konuşmak **speak up** daha yüksek sesle konuşmak; fikrini belirtmek **speaker** konuşmacı; sözcü; hoparlör, kolon

spear /spiı/ *a.* kargı, mızrak; zıpkın

spearmint /'spiımint/ *a. bitk.* nane

special /'speşıl/ *s.* özel **specially** özellikle

specialist /'speşilist/ *a.* uzman

speciality /speşi'eliti/ *a.* özellik

specialize /'speşılayz/ *e.* uzmanlaşmak

species /'spi:şi:z/ *a. bitk. hayb.* tür, cins

specific /spi'sifik/ *s.* özgül; özel, belirli; bir türe özgü

specification /spesifi'keyşın/ *a.* belirtme; *kon.* ayrıntılar

specify /spesifay/ *e.* kesinlikle belirtmek

speck /spek/ *a.* nokta, benek; zerre

speckle /'spekıl/ *a.* ufak benek, leke, nokta, çil **speckled** çilli

spectacle /'spektıkıl/ *a.* gösteri, oyun; manzara, görünüm **spectacles** gözlük

spectacular /spek'tekyulı/ *s.* olağanüstü, mükemmel

spectator /spek'teytı/ *a.* izleyici, seyirci

spectrum /'spektrım/ *a. fiz.* tayf

speculate /'spekyuleyt/ *e.* tahmin etmek; *tic.* spekülasyon yapmak, vurgunculuk yapmak **speculation** kuram; tahmin; spekülasyon, vurgun **speculative** kuramsal **speculator** spekülatör, vurguncu

sped /sped/ *bkz.* **speed**

speech /spi:ç/ *a.* konuşma; söz, söylev **speechless** dili tutulmuş

speed /spi:d/ *a.* hız; vites * *e. sped* /sped/ hızla gitmek **speed up** hızlanmak; hızlandırmak **speedboat** sürat motoru **speedometer** hızölçer, hız göstergesi **speed-**

way motosiklet ya da otomobil yarışı pisti; *AE.* sürat yolu, ekspres yol **speedy** hızlı, çabuk, seri

spell /spel/ *e. spelt* /spelt/ harf harf söylemek * *a.* sihir, büyü; nöbet; süre, dönem **spellbound** büyülenmiş **spelling** imla, yazım

spend /spend/ *e. spent* /spent/ (para) harcamak; (vakit) geçirmek

spendthrift /'spendtrift/ *a.* müsrif, savurgan

spent /spent/ *bkz.* **spend**; *s.* kullanılmış

sperm /spö:m/ *a.* atmık, sperm, meni

sphere /sfiı/ *a.* yuvar, küre; alan, saha **spherical** küresel

sphinx /sfinks/ *a.* sfenks

spice /spays/ *a.* bahar, baharat **spicy** baharatlı; açık saçık, muzır

spider /'spaydı/ *a.* örümcek

spike /spayk/ *a.* sivri (demir, vb.) uç; sivri uçlu şey; başak

spill /spil/ *e. spilt* /spilt/ dökmek; dökülmek; üstünden atmak * *a.* dökme; (at vb.'den) düşürme

spin /spin/ *e. spun* /span/ (iplik) eğirmek; bükmek; döndürmek, çevirmek * *a.* fırıl fırıl dönme; *kon.* gezinti

spinach /'spinic, 'spiniç/ *a.* ıspanak

spinal /'spaynıl/ *s. anat.* belkemiğiyle ilgili **spinal cord** *anat.* omurilik

spindle /'spindıl/ *a.* iğ; mil, dingil

spine /spayn/ *a. anat.* omurga, belkemiği; *hayb. bitk.* diken **spineless** omurgasız; korkak, yüreksiz

spiral /'spayrıl/ *a.* helezon, helis; *hek.* spiral * *s.* sarmal, helezoni

spirit /'spirit/ *a.* ruh, can; peri, cin; huy, karakter; ispirto; şevk, canlılık **spirited** ateşli, canlı; huylu **spirits** sert içki, alkol **in low/poor spirits** neşesiz, keyifsiz

spiritual /'spiriçuıl/ *s.* ruhsal, manevi; dini, kutsal; ruhani

spit /spit/ *e.* **spat** /spet/ tükürmek; çiselemek * *a.* şiş, kebap şişi; *coğ.* dil; tükürük, salya

spite /spayt/ *a.* kin, garez **in spite of** -e rağmen, -i umursamadan **spiteful** kinci

spittle /'spitıl/ *a.* tükürük, salya

splash /'spleş/ *e.* (su, çamur, vb.) sıçramak; sıçratmak * *a.* sıçrayan çamur; leke; şapırtı

spleen /spli:n/ *a.* dalak

splendid /'splendid/ *s.* görkemli, gösterişli; muhteşem *kon.* mükemmel, çok iyi

splendour /'splendı/ *a.* görkem, ihtişam

splice /'splays/ *e.* (örerek, yapıştırarak) tutturmak

splinter /'splintı/ *a.* kıymık

split /split/ *e.* **split** /split/ yarmak; yarılmak; bölmek; bölünmek * *a.* yarık, çatlak; bölünme, ihtilaf **split hairs** kılı kırk yarmak

spoil /spoyl/ *e.* **spoilt** /spoylt/ berbat etmek, mahvetmek; yüz vermek, şımartmak

spoilt /spoylt/ *bkz.* **spoil**

spoke /spouk/ *bkz.* **speak**

spoken /spoukın/ *bkz.* **speak**

spokesman /'spouksmın/ *a.* sözcü

sponge /spanc/ *a.* sünger; *kon.* otlakçı, beleşçi * *e.* sırtından geçinmek

sponsor /'sponsı/ *a.* spor kulübü, radyo, TV programları vb.'nin masraflarını karşılayıp reklamını yapan firma * *e.* kefil olmak; himaye etmek

spontaneous /spon'teynııs/ *s.* kendiliğinden olan; doğal, içten gelen **spontaneously** kendiliğinden

spook /spu:k/ *a. kon.* hayalet, hortlak

spool /spu:l/ *a.* makara, bobin

spoon /spu:n/ *a.* kaşık * *e.* kaşıklamak **spoonful** kaşık dolusu

sporadic /spı'redik/ *s.* tek tük, seyrek

sport /spo:t/ *a.* spor; eğlence, oyun **sports** spor karşılaşması **sports car** spor araba **sportsman** sporcu; sportmen **sportsmanship** sportmenlik **sports wear** spor giysi

spot /spot/ *a.* nokta, benek, leke, yer * *e.* beneklemek, lekelemek; ayırt etmek, tanımak; bulmak **spotless** lekesiz, tertemiz **spotted** benekli **spotty** benekli

spouse /spaus, spauz/ *a. huk.* eş, karı ya da koca

spout /spaut/ *e.* fışkırtmak; fışkırmak; *kon.* heyecanla okumak/konuşmak * *a.* bir kabın ağzı; ağız, fışkıran su

sprain /spreyn/ *e.* burkmak * *a.* burkulma

sprang /spreng/ *bkz.* **spring**

sprawl /spro:l/ *e.* yayılarak oturmak

spray /sprey/ *a.* serpinti; püskürtme aracı, sprey * *e.* (toz halinde) serpmek, püskürtmek

spread /spred/ *e.* **spread** /spred/ yaymak; sermek; sürmek * *a.* yayılma; dağılma; örtü; genişlik

spree /spri:/ *a.* cümbüş, âlem

sprig /sprig/ *a.* sürgün, fışkın

sprightly /'spraytli/ *s.* neşeli, şen

spring /spring/ *e.* **sprang** /spreng/, **sprung** /sprang/ sıçramak, fırlamak; ortaya çıkıvermek; yaylanmak; çıkmak, doğmak * *a.* sıçrayış; fırlama; yay, zemberek; ilkbahar; pınar, kaynak; köken **spring up** baş göstermek, çıkıvermek, türemek **springboard** sıçrama tahtası, tramplen **springtime** ilkbahar

sprinkle /'sprinkıl/ *e.* serpmek; saçmak; çiselemek **sprinkler** pülverizatör; püskürteç sprint /sprint/ e. tabana kuvvet koşmak * a. sürat koşusu

sprite /sprayt/ a. peri, cin

sprout /spraut/ e. filizlenmek; çıkarmak * a. bitk. filiz, tomurcuk, sürgün; brüksellahanası

spruce /spru:s/ a. bitk. ladin ağacı

sprung /sprang/ bkz. spring

spry /spray/ s. dinç, canlı, çevik

spun /span/ bkz. spin

spume /spyu:m/ a. köpük

spur /spö:/ a. mahmuz; dürtü, güdü * e. mahmuzlamak; kışkırtmak

spurn /spö:n/ e. tekme ile kovmak; reddetmek, burun kıvırmak

spurt /spö:t/ e. fışkırmak; fışkırtmak * a. fışkırma; ani hamle

spy /spay/ a. casus * e. casusluk etmek, gözetlemek

squabble /'skwobıl/ a. ağız kavgası, atışma * e. dalaşmak; çekişmek

squad /skwod/ a. ekip, takım; ask. manga

squadron /'skwodrın/ a. ask. filo; süvari bölüğü

squalid /'skwolid/ s. pis, bakımsız

squall /skwo:l/ e. yaygara koparmak, feryat etmek * a. yaygara, feryat

square /skweı/ a. kare; alan, meydan; gönye; kon. örümcek kafalı * s. kare biçiminde; dik açılı; dürüst, doğru * e. dört köşe yapmak; mat. karesini almak square root kare kök square up kon. hesabı ödemek squarely dürüstçe; tam karşıda

squash /skwoş/ e. ezmek, sıkmak; son vermek, bastırmak * a. ezme; meyve suyu; kalabalık; balkabağı; sp. bir tür kapalı tenis oyunu

squat /skwot/ e. çömelmek; bir yere izinsiz yerleşmek * s. bodur, bücür

squaw /skwo:/ a. Kızılderili kadın

squawk /skwo:k/ e. cırlamak; gıcırdamak * a. cırlama; gıcırtı

squeal /skwi:l/ e. ciyaklamak; haykırmak; arg. ihbar etmek, ele vermek * a. ciyaklama; haykırış

squeamish /'skwi:miş/ s. midesi bulanan; güç beğenir

squeeze /skwi:z/ e. sıkmak, sıkıştırmak; tıkışmak * a. sıkma, sıkıştırma

squelch /skwelç/ e. susturmak, bastırmak

squib /skwib/ a. fişek, maytap; yergi, hiciv

squid /skwid/ a. hayb. mürekkepbalığı

squint /skwint/ e. gözlerini kısmak; şaşı bakmak

squire /skwayı/ a. köy ağası, bey

squirm /skwö:m/ e. kıvranmak

squirrel /'skwirıl/ a. hayb. sincap

squirt /skwö:t/ e. fışkırmak; fışkırtmak

stab /steb/ a. bıçaklama; bıçak yarası * e. bıçaklamak; (bıçak, ağrı, vb.) saplamak

stability /stı'biliti/ a. sağlamlık; denge; değişmezlik

stabilize /'steybılayz/ e. dengede tutmak; sağlamlaştırmak

stable /'steybıl/ s. değişmez, sabit; sağlam * a. ahır

stack /stek/ a. yığın, istif; baca

stadium /'steydıım/ a. stadyum

staff /sta:f/ a. personel, çalışanlar, kadro; kurmay; değnek, sopa

stag /steg/ a. erkek geyik

stage /steyc/ a. sahne; tiyatro; aşama, evre * e. sahneye koymak

stagger /'stegı/ e. sendelemek; şaşırtmak, afallatmak * a. sendeleme, sallanma

stagnant /'stegnınt/ s. durgun

stagnate /steg'neyt/ e. durgunlaşmak

staid /steyd/ s. ciddi, sıkıcı

stain /steyn/ *e.* lekelemek; lekelenmek; boyamak * *a.* leke; boya, vernik *stainless* lekesiz, temiz; paslanmaz *stainless steel* paslanmaz çelik

stair /stɪɪ/ *a.* merdiven basamağı *stairs* merdiven *staircase, stairway* merdiven

stake /steyk/ *a.* kazık; direk; kumarda ortaya konulan para, miza * *e.* kazığa bağlamak; kumarda para koymak

stalactite /stelɪktayt/ *a.* sarkıt

stalagmite /'stelɪgmayt/ *a.* dikit

stale /steyl/ *s.* bayat; adi; yıpranmış

stalemate /'steylmeyt/ *a.* (satranç) pat

stalk /sto:k/ *e.* gizlice yaklaşmak; azametle yürümek * *a. bitk.* sap

stall /sto:l/ *a.* ahır (bölmesi); satış yeri, sergi; (tiyatro) koltuk * *e.* durmak, stop etmek; stop ettirmek; ahıra kapatmak; *kon.* oyalanmak, geciktirmek

stallion /'stelɪn/ *a.* aygır, damızlık at

stamina /'stemɪnɪ/ *a.* dayanıklılık

stammer /'stemɪ/ *e.* kekelemek * *a.* kekeleme; kekemelik

stamp /stemp/ *e.* damgalamak; pul yapıştırmak; (para) basmak; tepinmek * *a.* pul, posta pulu; damga; ıstampa; iz, işaret

stampede /'stempi:d/ *a.* bozgun, panik

stand /stend/ *e. stood* /stud/ ayakta durmak, dikelmek; durmak, bulunmak; dayanmak; katlanmak * *a.* duruş; sehpa, askı, ayaklık, tezgâh, satış sergisi; durak; tribün; (mahkemede) tanık yeri *stand by* yanında durmak; hazır beklemek *stand for* anlamına gelmek; desteklemek *stand on one's own (two) feet* kendi yağı ile kavrulmak *stand out* göze çarpmak; kendini göstermek

stand up ayağa kalkmak *stand up for* -ı desteklemek *stand up to* cesaretle karşılamak, göğüs germek *standby* hazır bekleyen şey/kimse *stand-in* dublör *stand-still* sekte vurma

standard /'stendıd/ *a.* standart; bayrak, sancak * *s.* standart, tekbiçim *standard of living* yaşam standartı *standardize* standardize etmek

standing /'stending/ *s.* ayakta duran; durgun; daimi * *a.* süreklilik, devam; geçerlilik; saygınlık

stanza /'stenzı/ *a. yaz.* şiir kıtası, kesim

staple /'steypıl/ *a.* zımba teli; başlıca ürün; hammadde *stapler* tel zımba

star /sta:/ *a.* yıldız * *e.* başrolü oynamak *starboard den.* sancak *starfish* denizyıldızı *stars and stripes* ABD bayrağı *starlight* yıldız ışığı *starring* başrolde

starch /sta:ç/ *a.* nişasta; kola *starchy* nişastalı; kolalı; sert, katı

stare /stɪɪ/ *e.* dik dik bakmak * *a.* sabit bakış

stark /sta:k/ *s.* sert, katı; sade, yalın; ıssız *stark naked kon.* anadan doğma

starling /'sta:ling/ *a. hayb.* sığırcık

start /sta:t/ *e.* başlamak; başlatmak; yola çıkmak; ürkmek, irkilmek * *a.* başlangıç, başlama; kalkış, hareket; *sp.* çıkış, start; sıçrama, irkilme; avans; ürkme *to start with* önce; başlangıçta *start off* hareket etmek, yola koyulmak *start out kon.* -mek niyetinde olmak *starter* (oto) marş; yarışa katılan kişi/at; *sp.* starter, çıkışçı; meze türünden ilk yemek

startle /'sta:tıl/ *e.* korkutmak, ürkütmek, ürkmek

starve /sta:v/ *e.* açlıktan ölmek; açlıktan öldürmek; *kon.* kurt gibi state 242

acıkmak *starvation* açlıktan ölme
state /steyt/ *a.* durum, hal; devlet,
hükümet; eyalet * *e.* belirtmek,
bildirmek *statement* söz, ifade;
demeç; hesap
statesman /'steytsmın/ *a.* devlet
adamı
static /'stetik/ *s.* durağan, statik
statics dinginlikbilim, statik
station /'steyşın/ *a.* istasyon; durak;
yer; karakol, merkez
stationary /'steyşınıri/ *s.* yerinde
duran, durağan, sabit
stationer /'steyşını/ *a.* kırtasiyeci
stationery kırtasiye
statistics /stı'tistiks/ *a.* istatistik
statistician /stetis'tişın/ *a.* istatis-
tikçi
statue /'steçu:/ *a.* yontu, heykel
statuette /steçu'et/ *a.* heykelcik,
küçük yontu
status /'steytıs/ *a.* durum, hal;
toplumsal ya da mesleki durum,
konum, mevki
statute /'steçu:t/ *a.* yasa, kural
stave /steyv/ *a.* fıçı tahtası; değnek;
şiir kıtası *stave in* kurmak, del-
mek *stave off* uzaklaştırmak,
savmak
stay /stey/ *e.* kalmak; durmak;
durdurmak, ertelemek; dayan-
mak; bastırmak, geçiştirmek * *a.*
kalış, kalma; *huk.* erteleme *stay
in* dışarı çıkmamak, evde kalmak
stay on kalmaya devam etmek
stay out (evden) dışarda kalmak;
grevi sürdürmek *stay put* yerin-
den kımıldamamak
steadfast /'stedfa:st/ *s.* sadık, dön-
mez
steady /'stedi/ *s.* sallanmaz,
sağlam, sabit; şaşmaz; düzgün,
muntazam *steadily* durmadan,
gittikçe; muntazaman
steak /steyk/ *a.* biftek
steal /sti:l/ *e.* **stole** /stoul/, **stolen**
/'stoulın/ çalmak, aşırmak;

hırsızlık yapmak; gizlice hareket
etmek
stealth /'stelt/ *a.* gizli iş
steam /sti:m/ *a.* buhar; buğu; güç,
enerji; öfke * *e.* buhar salıver-
mek; buğuda/buharda pişirmek
steam engine buhar makinesi
steamer vapur *steamy* buharlı;
buğulu
steel /sti:l/ *a.* çelik *steelworks* çelik
fabrikası
steep /sti:p/ *s.* dik, yalçın; *kon.*
aşırı, yüksek * *e.* suya batırmak;
ıslatmak
steeple /'sti:pıl/ *a.* çan kulesi
steeplechase /'sti:pılçeys/ *a.* engelli
koşu/at yarışı
steer /'stiı/ *e.* dümen kullanmak;
yönetmek * *a.* boğa, öküz *steer-
ing wheel* direksiyon
stem /stem/ *a.* ağaç gövdesi; sap;
dilb. gövde; *den.* pruva * *e.*
(akışını) durdurmak
stench /stenç/ *a.* pis koku
stencil /'stensıl/ *a.* şablon; kalıp;
marka; mumlu kâğıt
stenographer /stı'nogrıfı/ *a.* ste-
nograf
stenography /stı'nogrıfı/ *a.* steno
step /step/ *a.* adım; basamak; ayak
sesi; ayak izi * *e.* adım atmak,
girmek; basmak *step by step*
adım adım, yavaş yavaş *step in*
müdahale etmek *step up kon.*
artırmak *step on sb's toes/corns*
birinin damarına basmak *step-
brother* üvey erkek kardeş *step-
child* üvey çocuk *stepladder*
seyyar merdiven, portatif merdi-
ven *stepparent* üvey anne ya da
baba *stepping stone* atlama
tahtası/taşı *stepsister* üvey kız
kardeş
steppe /step/ *a.* bozkır, step
stereo /'steriou, 'stiıriou/ *a.* stereo
pikap/teyp/cihaz, müzik seti
stereoscope /'steriıskoup/ *a.*

stereoskop

stereotype /'steriitayp/ a. klişeleşmiş örnek, beylik olay

sterile /'sterayl/ s. kısır, dölsüz; verimsiz; mikropsuz, steril

sterilize /'sterilayz/ e. kısırlaştırmak; sterilize etmek

sterling /'stö:ling/ a. sterlin

stern /stö:n/ s. sert, haşin; acımasız * a. den. kıç

stethoscope /'stetıskoup/ a. hek. stetoskop

stew /styu:/ a. türlü, güveç, yahni * e. hafif ateşte kaynatmak

steward /'styu:ıd/ a. kâhya; erkek hostes; kamarot

stewardess /'styu:ı'des/ a. hostes; kadın kamarot

stick /stik/ e. **stuck** /stak/ saplamak; saplanmak; koymak; sokmak; takmak; yapışmak; yapıştırmak; çıkmaza sokmak * e. a. sopa, değnek; baston **stick around** kon. beklemek, kalmak **stick at** -den çekinmek **stick out** dışarı çıkarmak, uzatmak **stick to** bağlı kalmak, tutmak, yerine getirmek **stick together** birbirine sadık kalmak **stick up** dik durmak **sticker** yapışkan adam; çıkartma **sticking plaster** plaster, yapışkan yakı **sticky** yapışkan; kon. güç, zor

stiff /stif/ s. eğilmez, bükülmez; pekişmiş; sıkı; koyu; güç, zor; şiddetli

stiffen /'stifın/ e. sertleştirmek; kasmak; kasılmak

stifle /'stayfıl/ e. boğmak, boğulmak; bastırmak, tutmak

stigma /'stigmı/ a. damga; ayıp; bitk. tepecik

stile /stayl/ a. turnike

still /stil/ s. hareketsiz; sessiz, durgun * be. hâlâ; yine de, buna rağmen; (daha) da

still /stil/ a. imbik

stimulant /'stimyulınt/ a. uyarıcı

stimulate /'stimyuleyt/ e. uyarmak, kışkırtmak; teşvik etmek, özendirmek **stimulation** dürtme, teşvik; uyarma

stimulus /'stimyulıs/ a. uyarıcı

sting /sting/ e. **stung** /stang/ (arı, vb.) sokmak; acıtmak, sızlatmak * a. sokma, ısırma; (arı, akrep, vb.) iğne; ısırgan tüyü

stingy /'stinci/ s. kon. cimri, pinti

stink /stink/ e. **stank (stunk)** /stenk (stank)/ pis kokmak * a. pis koku

stint /stint/ e. esirgemek; cimrilik etmek

stipulate /'stipyuleyt/ e. şart koşmak, öngörmek **stipulation** şart koşma, şart

stir /stö:/ e. karıştırmak; kıpırdamak, kımıldamak; kıpırdatmak, kımıldatmak; harekete geçirmek * a. karıştırma; hareket, canlılık, telaş **stirring** heyecanlandırıcı

stirrup /'stirıp/ a. üzengi

stitch /stiç/ a. dikiş; ilmik * e. dikmek; dikiş dikmek

stoat /stout/ a. hayb. kakım, as

stock /stok/ a. stok, mevcut mal; hisse senedi; ağaç gövdesi; çiftlik hayvanları; sap, kabza; bitk. şebboy çiçeği * s. beylik, basmakalıp **in stock** elde mevcut **out of stock** mevcudu kalmamış **stockbroker** borsa tellalı **stock exchange** borsa

stocking /'stoking/ a. uzun çorap

stocky /'stoki/ s. bodur, tıknaz

stoke /stouk/ e. ateşe kömür, vb. atmak, canlandırmak

stole /stoul/ a. etol, şal

stole, stolen /stoul, stoulın/ bkz. **steal**

stomach /'stamık/ a. mide; karın **stomachache** karın ağrısı

stomp /stomp/ e. kon. paldır küldür yürümek/dans etmek

stone 244

stone /stoun/ *a.* taş; mücevher; meyve çekirdeği; 6350 gr.'lık ağırlık ölçüsü * *e.* taşlamak, taşa tutmak; çekirdeğini çıkarmak *Stone Age* taş devri *stone-deaf* duvar gibi sağır

stony /'stouni/ *s.* taşlık, taşlı; taş gibi, acımasız

stool /stu:l/ *a.* tabure; dışkı

stoop /stu:p/ *e.* öne doğru eğilmek; kambur durmak; alçalmak, tenezzül etmek * *a.* eğilme; alçalma

stop /stop/ *e.* durmak; durdurmak; önlemek, engellemek; kesilmek; tıkamak * *a.* durma; durdurma, durak; nokta; engel *stop by* uğramak, ziyaret etmek *stop light* stop lambası; (trafik ışığı) kırmızı ışık *stopcock* vana *stopover* (yolculukta) mola *stoppage* durdurma, durma; tıkama *stopwatch* kronometre

storage /'sto:ric/ *a.* depolama, depo etme; ambar, depo; ardiye ücreti

store /sto:/ *a.* stok; *AE.* dükkân, mağaza; ambar, depo; *kon.* erzak * *e.* depolamak, ambara koymak; saklamak *storehouse* ambar, depo *storeroom* ambar, depo, kiler

storey /'sto:ri/ *a.* (binada) kat

stork /sto:k/ *a.* leylek

storm /sto:m/ *a.* fırtına; öfke; ani duygusal taşkınlık; yüksek ses * *e.* fırtına patlamak; kıyameti koparmak; *ask.* hücum etmek *stormy* fırtınalı

story /'sto:ri/ *a.* öykü, hikâye

stout /staut/ *s.* iri yarı; kalın; sağlam * *a.* sert bira

stove /stouv/ *a.* soba; fırın, ocak

stow /stou/ *e.* istif etmek, yerleştirmek *stowaway* kaçak yolcu

straddle /'stredıl/ *e.* bacaklarını iyice açıp oturmak/dikilmek

straight /streyt/ *s.* düz, doğru; dik,

dimdik; düzenli; dürüst; saf, sek * *be.* düz, doğru; direkt; hemen * *a.* (yarış, vb.'de) düzlük

straighten /'streytın/ *e.* düzeltmek, doğrultmak; düzelmek

straightforward /streyt'fo:wıd/ *s.* doğru sözlü, açık sözlü

strain /streyn/ *a.* gerginlik; burkulma, burkulup incinme; soy, ırk, nesil; soydan gelen özellik, iz; biçim, tarz; melodi, ezgi * *e.* (at) germek, asılmak; zorlanmak; zorlamak; zarar vermek; (against) vücuduyla bastırmak

strainer /'streynı/ *a.* süzgeç

strait /streyt/ *a.* coğ. boğaz; *kon.* sıkıntı, darlık, güç durum

straitlaced /streyt'leyst/ *s.* hkr. bağnaz

strand /strend/ *a.* kıyı, sahil, yalı; tel, iplik * *e.* karaya oturmak; karaya oturtmak

strange /streync/ *s.* tuhaf, garip, acayip; yabancı *stranger* yabancı, el; bir işin yabancısı kişi *strangeness* acayiplik

strangle /'strengıl/ *e.* boğazlamak

strap /strep/ *a.* kayış; şerit, bant * *e.* kayışla bağlamak

strapping /'streping/ *s.* iri yarı

strategic /strı'ti:cık/ *s.* stratejik

strategy /'stretici/ *a.* strateji

stratosphere /'stretısfıı/ *a.* katyuvarı, stratosfer

stratum /'streytım/ *a.* katman, tabaka; kat; toplumsal sınıf, tabaka

straw /stro:/ *a.* saman; kamış, çubuk; önemsiz şey *the last straw* bardağı taşıran son damla

strawberry /stro:bıri/ *a. bitk.* çilek

stray /strey/ *e.* yolunu yitirmek; doğru yoldan ayrılmak * *s.* gruptan ayrılmış, kaybolmuş

streak /stri:k/ *a.* yol, çizgi, çubuk * *e.* çizgilemek, yol yol yapmak;

hızla geçmek

stream /stri:m/ *a.* akarsu, çay, dere; akıntı; akım; sel; gidiş * *e.* akmak; dalgalanmak *streamer* flama, fors

streamline /'stri:mlayn/ *e.* (işyeri, vb.) verimlilik düzeyini artırmak; aerodinamik şekil vermek

street /stri:t/ *a.* sokak, cadde

strength /strengt/ *a.* güç, kuvvet; dayanıklılık; sertlik; şiddet *strengthen* güçlendirmek, sağlamlaştırmak

strenuous /'strenyuıs/ *s.* güç, yorucu; faal, etkili

stress /stres/ *a.* gerilim, gerginlik, sıkıntı, stres; baskı, etki; önem; *dilb.* vurgu * *e.* vurgulamak

suretch /streç/ *e.* germek, uzatmak; gerilmek, uzamak; yayılmak; gerinmek * *a.* germe; gerilme; alan; süre

stretcher /'streçı/ *a.* sedye

stricken /'strikın/ *s.* (dert, hastalık, vb.'den) çeken, yakalanmış

strict /strikt/ *s.* sıkı; dikkatli; tam; katı, değişmez; titiz

stridden /'stridın/ *bkz. stride*

stride /strayd/ *e. strode* /stroud/, *stridden* /'stridın/ uzun adımlarla yürümek * *a.* uzun adım

strife /strayf/ *a.* sorun, kavga, çekişme

strike /strayk/ *e. struck* /strak/ vurmak; aklına gelivermek; bulmak; (para, vb.) basmak; (kibrit) çakmak; (saat) çalmak; grev yapmak * *a.* grev; (petrol, vb.) bulmak; *ask.* hava saldırısı *be on strike* grevde olmak *go on strike* grev yapmak *strike off* listeden çıkartmak, silmek *strike (up)on* buluvermek, bulmak *strike up* çalmaya başlamak; (dostluk) kurmak *striker* grevci; vurucu *striking* çarpıcı, göz alıcı

string /'string/ *a.* sicim, ip; tel; bağ,

şerit; dizi * *e. strung* /strang/ ipliğe dizmek, geçirmek *stringed* telli; ipe dizilmiş *stringed instrument müz.* telli çalgı

stringent /'strincınt/ *s.* (kural) uyulması zorunlu, katı; para sıkıntısı çeken, darda

strip /strip/ *e.* (giysi, kabuk, vb.) soymak; yolmak; soyunmak * *a.* şerit; *sp.* forma *stripper* striptizci *striptease* striptiz

stripe /strayp/ *a.* kumaş yolu, çizgi, çubuk; biçim, tip *striped* çizgili, yollu

strive /strayv/ *e. strove* /strouv/, *striven* /strivın/ çabalamak, uğraşmak

striven /'strivın/ *bkz. strive*

strode /stroud/ *bkz. stride*

stroke /strouk/ *a.* vuruş, çarpma; inme, felç; yüzme tarzı, kulaç; okşama * *e.* okşamak; (topa) vurmak

stroll /stroul/ *e.* gezinmek, dolaşmak * *a.* gezinti

strong /strong/ *s.* güçlü, kuvvetli; metin; sağlam; (tadı, kokusu) sert, koyu *stronghold* kale

strove /strouv/ *bkz. strive*

struck /strak/ *bkz. strike*

structural /'strakçırıl/ *s.* yapısal

structure /'strakçı/ *a.* yapı, kuruluş; bina, yapı; bünye

struggle /'stragıl/ *a.* çaba, uğraş, gayret, mücadele * *e.* çabalamak, uğraşmak

strum /stram/ *e. kon.* acemice çalmak, zımbırdatmak, tıngırdatmak

strung /strang/ *bkz. string*

strut /strat/ *e.* kasıla kasıla yürümek

stub /stab/ *a.* sigara izmariti; dip koçanı; kütük *stub out* (sigara) söndürmek

stubble /'stabıl/ *a.* ekin anızı

stubborn /'stabın/ *s.* inatçı, direngen

stubby /'stabi/ s. kısa ve kalın; güdük

stuck /stak/ bkz. *stick;* s. şaşırıp kalmış; saplanmış; takılmış

stud /stad/ a. damızlık at, aygır; hara; iri başlı çivi; yaka düğmesi * e. çivilemek

student /'styu:dınt/ a. öğrenci

studio /'styu:diou/ a. stüdyo

studious /'styu:dııs/ s. çalışkan; dikkatli

study /'stadi/ a. çalışma, okuma; inceleme; taslak; çalışma odası * e. okumak, çalışmak; öğrenimi görmek; incelemek

stuff /staf/ a. madde; kumaş; şey * e. doldurmak, tıkmak; tıkamak; *kon.* tıka basa yemek; (tavuk, vb. yiyecek) içini doldurmak *stuffy* havasız

stumble /'stambıl/ e. tökezlemek; *kon.* dili sürçmek, kekelemek

stump /stamp/ a. kütük * e. *kon.* şaşkına çevirmek, sersemletmek

stun /stan/ e. afallatmak; bayıltmak *stunning* çok çekici, hoş

stung /stang/ bkz. *sting*

stunk /stangk/ bkz. *stink*

stunt /stant/ e. engellemek, gelişmesini engellemek, bodur bırakmak * a. numara, hüner, gösteri *stunt man* (tehlikeli sahnelerde oynayan) dublör

stupefy /'styu:pifay/ e. sersemletmek, bunaltmak; şaşırtmak

stupendous /styu:'pendıs/ s. muazzam, harikulade, müthiş, büyük

stupid /'styu:pid/ s. aptal, salak, ahmak; saçma, aptalca

stupor /'styu:pı/ a. uyuşukluk, sersemlik

sturdy /'stö:di/ s. gürbüz; azimli

stutter /'statı/ e. kekelemek

sty /stay/ a. domuz ahırı; (göz) arpacık

style /stayl/ a. tarz, üslup, stil,

biçem; moda; tip; tavır * e. biçimlendirmek *stylish* şık, zarif, modaya uygun *stylist* modacı, desinatör

suave /swa:v/ s. nazik, tatlı

sub /sab/ a. *kon.* üye aidatı; denizaltı

subconscious /sab'konşıs/ a. s. bilinçaltı

subdivide /sabdi'vayd/ e. tekrar bölmek *subdivision* /-di'vijın/ altbölüm

subdue /sıb'dyu/ e. boyunduruk altına almak; yumuşatmak, azaltmak

subject /'sabcıkt/ a. kul, bende; konu, mevzu; ders; denek; *dilb.* özne * s. tabi; bağlı * e. (*to*) tabi tutmak

subjective /sıb'cektiv/ s. öznel

subjunctive /sıb'canktiv/ a. *dilb.* dilek kipi * s. dilek kipiyle ilgili

sublime /sı'blaym/ s. yüce, ulu

submarine /sabmı'ri:n/ a. denizaltı

submerge /sıb'mö:c/ e. batırmak, daldırmak; batmak, dalmak

submission /sıb'mişın/ a. boyun eğme, uyma, itaat; teklif, sunuş

submissive /sıb'misiv/ s. uysal, boyun eğen, itaatkâr

submit /sıb'mit/ e. boyun eğmek, itaat etmek; ileri sürmek, önermek, sunmak

subordinate /sı'bo:dinit/ s. bağlı, tabi; ikinci derecede * a. ast

subscribe /sıb'skrayb/ e. (*to*) abone olmak; bağışta bulunmak; onaylamak *subscriber* abone *subscription* /sıb'skripşın/ abone ücreti; üye aidatı

subsequent /'sabsıkwınt/ s. sonra gelen, sonraki *subsequently* sonradan

subside /sıb'sayd/ e. alçalmak, inmek; yatışmak, azalmak

subsidiary /sıb'sidiıri/ a. bayi, şube * s. tali, yardımcı subsidize /'sabsidayz/ *e.* (hükümet, vb.) para vermek, desteklemek

subsistence /sıb'sistıns/ *a.* geçim; varlık

substance /'sabstıns/ *a.* madde, materyal, cisim, özdek

substandard /sab'stendıd/ *s.* belli düzeyin altında, standartın altında

substantial /sıb'stenşıl/ *s.* dayanıklı, sağlam; özlü; gerçek; büyük, önemli

substantiate /sıb'stenşieyt/ *e.* kanıtlamak, doğrulamak

substitute /'sabstityu:t/ *a.* vekil, temsilci * *e.* vekâlet etmek; yerine koymak/kullanmak *substitution* yerine koyma, ornatma

subterfuge /'sabtıfyu:c/ *a.* kaçamak, bahane; hile, dalavere

subterranean /sabtı'reynıın/ *s.* yeraltı

subtitles /'sabtaytlz/ *a.* (film) altyazı

subtle /'satıl/ *s.* güç algılanan, güç fark edilen, ince; kurnaz, zeki

subtract /sıb'trekt/ *e.* (*from*) çıkarmak *subtraction* mat. çıkarma; eksiltme

suburb /'sabö:b/ *a.* varoş, banliyö, yörekent *suburban* /sı'bö:bın/ banliyöde oturan; banliyö

subvert /sıb'vö:t/ *e.* (iktidardakileri) devirmeye çalışmak *subversive* /-vö:siv/ yıkıcı

subway /'sabwey/ *a.* yeraltı geçidi; *AE.* metro, altulaşım

succeed /sık'si:d/ *e.* (*in*) başarmak, başarıya ulaşmak; -den sonra gelmek, izlemek; varis olmak

success /sık'ses/ *a.* başarı; başarılı kimse/şey *successful* başarılı

succession /sık'seşın/ *a.* birbirini izleme; yerine geçme *in succession* ardı ardına, sıra ile *successive* ardı ardına, sıra ile *successor* halef, ardıl

succinct /sık'sinkt/ *s.* az ve öz

succulent /'sakyulınt/ *s.* (meyve, vb.) sulu

succumb /sı'kam/ *e.* (*to*) yenilmek, dayanamamak, boyun eğmek

such /saç/ *s.* öyle, böyle, bu gibi; öylesine; o kadar; bu gibi, bu tür *such as* gibi *such that* öyle ... *such-and such* falan filan

suck /sak/ *e.* emmek * *a.* emme

sucker /'sakı/ *a.* emen, emici; *bitk.* sürgün; *AE.* enayi, budala

suckle /'sakıl/ *e.* emzirmek

suction /'sakşın/ *a.* emme; *fiz.* emiş gücü *suction pump* emme basma tulumba

sudden /'sadın/ *s.* ani, beklenmedik *all of a sudden* ansızın, birdenbire *suddenly* aniden, birdenbire

suds /sadz/ *a.* sabun köpüğü

sue /su:, syu:/ *e.* *huk.* dava etmek, dava açmak

suede /sweyd/ *a.* süet

suffer /'safı/ *e.* acı çekmek; zarara uğramak; -e uğramak *sufferer* acı çeken kimse, hasta *suffering* acı, güçlük

suffice /sı'fays/ *e.* yetmek, yeterli olmak

sufficiency /sı'fişınsı/ *a.* yeterlilik

sufficient /sı'fişınt/ *s.* yeterli

suffix /'safiks/ *a.* *dilb.* sonek

suffocate /'safıkeyt/ *e.* (havasızlıktan) boğulmak; boğmak

sugar /'şugı/ *a.* şeker; *kon.* şekerim, tatlım *sugar beet* şekerpancarı *sugar cube/lump* kesmeşeker *sugarcane* şekerkamışı

suggest /sı'cest/ *e.* önermek; fikrini vermek, akla getirmek *suggestion* öneri; eser, iz

suicide /'su:isayd, 'syu:isayd/ *a.* intihar

suit /su:t, syu:t/ *a.* takım elbise, takım; *huk.* dava * *e.* uymak, uygun olmak; yakışmak, açmak; uygun düşürmek, uydurmak

suitable uygun, elverişli **suitcase** bavul, valiz

suite /swi:t/ *a.* (otel, vb.) daire; *müz.* süit

sulk /salk/ *e.* somurtmak, surat asmak *sulky* somurtkan, küskün

sullen /'salın/ *s.* (yüz) asık; somurtkan

sulphur /'salfı/ *a. kim.* kükürt

sultan /'saltın/ *a.* sultan

sultana /sul'ta:nı/ *a.* sultan karısı/kızı; çekirdeksiz kuru üzüm

sultry /'saltri/ *s.* (hava) bunaltıcı

sum /sam/ *a.* toplam, tutar; *mat.* problem *sum up* toplamak; özetlemek

summary /'samırı/ *e.* özet *summarize* /-'rayz/ özetlemek

summer /'samı/ *a.* yaz *summerhouse* çardak *summertime* yaz mevsimi

summit /'samit/ *a.* zirve, doruk

summon /'samın/ *e.* (to) getirtmek, celp etmek *summons* celp, çağrı

sun /san/ *a.* güneş * *e.* güneşlenmek *sunbathe* güneş banyosu yapmak *sunburn* güneş yanığı *sundown* gün batımı *sunflower* ayçiçeği *sunglasses* güneş gözlüğü *sunlight* güneş ışığı *sunny* güneşli *sunrise* gündoğumu *sunset* günbatımı *sunshade* güneş şemsiyesi, güneşlik *sunshine* güneş ışığı *sunstroke* güneş çarpması *suntan* güneş yanığı, bronzlaşma

sundae /'sandey/ *a.* meyveli dondurma

Sunday /'sandi, 'sandey/ *a.* pazar (günü)

sundry /'sandri/ *s.* çeşitli, türlü türlü

sung /sang/ *bkz. sing*

sunk /sangk/ *bkz. sink*

sunken /'sankın/ *s.* batmış, batık; çukur

super /'su:pı, 'syu:pı/ *s. kon.* süper, müthiş

superb /su:'pö:b/ *s.* mükemmel, harika, süper

superficial /su:pı'fişıl/ *s.* yüzeysel

superfluous /su:'pö:fluıs/ *s.* lüzumsuz, fazla, gereksiz

superhuman /su:pı'hyu:mın/ *s.* insanüstü

superimpose /su:pır'impouz/ *e.* (on) üstüne koymak, eklemek

superintend /su:pırın'tend/ *e.* yönetmek; denetlemek *superintendent* yönetici; müfettiş; *BE.* polis memuru

superior /su:'pıırı/ *s.* (sınıf, mevki, vb.) üst, yüksek; üstün nitelikli; üstünlük taslayan * *a.* amir, üst *superiority* /-'oriti/ üstünlük

superlative /syu:'pö:lıtiv/ *s. a.* en üstün; en yüksek *superlative degree dilb.* en üstünlük derecesi

supermarket /'su:pıma:kit/ *a.* süpermarket

supernatural /su:pıneçırıl/ *s.* doğaüstü

supersede /su:pı'si:d/ *e.* yerine geçmek

supersonic /su:pı'sonik/ *s.* sesten hızlı

superstition /su:pı'stişın/ *a.* batıl inanç *superstitious* batıl inançlı

supervise /'su:pıvayz/ *e.* nezaret etmek, denetlemek

supervision /su:pı'vijın/ *a.* nezaret, denetim

supervisor /'su:pıvayzı/ *a.* müfettiş; (üniversitede) danışman

supper /'sapı/ *a.* akşam yemeği

supplant /sı'pla:nt/ *e.* yerine geçmek, ayağını kaydırıp yerini kapmak

supple /'sapıl/ *s.* bükülgen, esnek

supplement /'saplimınt/ *a.* ilave, ek * *e.* (by/with) -e eklemeler yapmak *supplementary* ilave olan, ek

supply /sı'play/ *e.* vermek, tedarik

etmek, sağlamak * *a.* tedarik, temin; mevcut, stok *supply and demand* arz ve talep *supplier* tedarik eden kimse/firma *supplies* levazım, erzak, gereçler

support /sı'po:t/ *e.* (ağırlığını) çekmek; desteklemek; geçindirmek, bakmak * *a.* destek *supporter* taraftar

suppose /sı'pouz/ *e.* zannetmek, sanmak *be supposed to* -meli, -malı, -mesi gerek *supposedly* söylendiğine göre *supposing* eğer

supposition /sapı'ziişın/ *a.* varsayım; farz, sanı

suppress /sı'pres/ *e.* bastırmak, önlemek

supreme /su:'pri:m/ *s.* en yüksek; yüce *Supreme Court* Yüce Divan, Anayasa Mahkemesi *supremacy* üstünlük

sure /şuı/ *s.* emin, şüphesiz, kesin; muhakkak, kuşkusuz *for sure* kesinlikle öyle, mutlaka *make sure* emin olmak *surely* elbette, kuşkusuz

surety /'şuıriti/ *a.* kefalet, teminat, güvence, garanti; kefil

surf /sö:f/ *a.* çatlayan dalgalar *surfing* sörf

surface /'sö:fis/ *a.* yüzey; dış görünüş *on the surface* görünüşte, dıştan

surfeit /'sö:fit/ *a.* aşırı miktar

surge /sö:c/ *a.* dalgalanma * *e.* dalgalanmak; yükselmek

surgeon /'sö:cın/ *a. hek.* cerrah

surgery /'sö:cırı/ *a. hek.* cerrahlık, ameliyat; *BE.* muayenehane

surgical /'sö:cikıl/ *s. hek.* cerrahi

surly /'sö:li/ *s.* ters, sert, huysuz

surmount /sı'maunt/ *e.* üstesinden gelmek, alt etmek, yenmek

surname /'sö:neym/ *a.* soyad

surpass /sı'pa:s/ *e.* geçmek, aşmak

surplus /'sö:plıs/ *a. s.* artık

surprise /sı'prayz/ *a.* sürpriz; şaşkınlık * *e.* şaşırtmak *surprising* şaşırtıcı

surrender /sı'rendı/ *e.* teslim olmak; teslim etmek

surround /sı'raund/ *e.* kuşatmak; etrafını sarmak *surrounding* kenar, çevredeki, civardaki *surroundings* çevre

surveillance /sö:'veylıns/ *a.* gözetim, gözaltı *under surveillance* gözaltında

survey /sı'vey/ *e.* bakmak, incelemek, dikkatle göz gezdirmek

survey /'sövey/ *a.* inceleme; gözden geçirme; yüzölçümü, ölçüm

survival /sı'vayvıl/ *a.* hayatta kalma, yaşamı sürdürme

survive /sı'vayv/ *e.* hayatta kalmak; sağ salim çıkmak, -den sağ kurtulmak *survivor* ölümden dönen kimse, hayatta kalan

susceptible /sı'septıbıl/ *s.* (*to*) kolay etkilenen, etki altında kalan

suspect /sı'spekt/ *e.* şüphelenmek, kuşkulanmak, zannetmek

suspect /'saspekt/ *a.* sanık * *s.* şüpheli, su götürür

suspend /sı'spend/ *e.* asmak; ertelemek, askıya almak; (okul, vb.'den) uzaklaştırmak

suspenders /sı'spendız/ *a.* çorap askısı; *AE.* pantolon askısı

suspense /sı'spens/ *a.* askıda kalma, kararsızlık, şüpheli beklenti

suspension /sı'spenşın/ *a.* asma; erteleme; ara verme; süspansiyon *suspension bridge* asma köprü

suspicion /sı'spişın/ *a.* şüphe, kuşku *suspicious* şüpheli, kuşkulu

sustain /sı'steyn/ *e.* güçlü tutmak, güç vermek; uzun süre korumak; (acı, vb.) çekmek

sustenance /'sastınıns/ *a.* besleme, güç verme; gıda, besin swab 250

swab /swob/ *a.* temizleme bezi
swagger /'swegı/ *e.* kasıla kasıla yürümek
swallow /'swolou/ *e.* yutmak * *a.* yutma, yudum; kırlangıç
swamp /swomp/ *a.* bataklık, batak
swan /swon/ *a.* kuğu
swank /swenk/ *e. kon.* caka satmak, gösteriş yapmak
swap /swop/ *e. kon.* değiş tokuş etmek, değiştirmek * *a.* değiş tokuş, takas
swarm /swo:m/ *a.* (arı, vb.) küme, oğul; sürü, kalabalık
swarthy /'swo:ti/ *s.* esmer, yağız
swat /swot/ *e.* (böcek, sinek, vb.) ezmek
sway /swey/ *e.* sallamak; sallanmak; etkilemek
swear /sweı/ *e. swore* /swo:/, *sworn* /swo:n/ yemin etmek, ant içmek; küfretmek *swearword* küfür, sövgü
sweat /swet/ *a.* ter; zor iş, angarya * *e.* terlemek; alın teri dökmek, çok çalışmak *sweaty* terli; terletici
sweater /'swetı/ *a.* kazak
sweatshirt /'swetşö:t/ *a.* uzun kollu pamuklu kazak
swede /swi:d/ *a. bitk.* şalgam
sweep /swi:p/ *e. swept* /swept/ süpürmek, süpürerek temizlemek; sürüklemek; sürtmek, sürtünmek * *a.* süpürme; saha, alan; baca temizleyicisi *sweeper* süpürücü *sweeping* geniş içerikli; genel
sweet /swi:t/ *s.* tatlı; taze * *a. BE.* tatlı; şekerleme *sweet corn BE.* mısır *sweetheart* sevgilim *sweeten* tatlandırmak *sweetness* tatlılık
swell /swel/ *e. swelled* /sweld/ *swollen* /swolın/ şişmek, kabarmak; şişirmek, kabartmak * *a.* şişkinlik; denizin dalgalanması;

sesin yükselmesi *swelling* kabarık, şiş, şişlik
swerve /swö:v/ *e.* aniden yana sapmak; (amaçtan) sapmak; saptırmak, döndürmek
swift /swift/ *s.* çabuk, atik, tez, hızlı
swill /swil/ *e. (out/down)* bol suyla çalkalamak/yıkamak
swim /swim/ *e. swam* /swem/, *swum* /swam/ yüzmek * *a.* yüzme *swimming* yüzme, yüzme sporu, yüzücülük *swimming bath BE.* (halka açık) yüzme havuzu *swimming costume* kadın mayosu *swimming trunks* erkek mayosu, mayo *swimsuit* kadın mayosu
swindle /'swindıl/ *e. (out of)* dolandırmak * *a.* dolandırıcılık
swing /swing/ *e. swung* /swang/ sallanmak; sallamak; dönmek * *a.* sallanış, sallanma; salıncak
swipe /swayp/ *a.* kuvvetli darbe * *e.* çalmak, aşırmak
swirl /swö:l/ *e.* girdap yaparak dönmek * *a.* girdap
swish /swiş/ *e.* ıslık sesi çıkarmak; hışırdamak * *a.* hışırtı
switch /swiç/ *a.* şalter, devre anahtarı, elektrik düğmesi; (beklenmedik) değişiklik; *AE.* demiryolu makası * *e.* düğmeye basıp açmak/kapamak; değiştirmek *switch over* (TV, radyo) kanal değiştirmek *switchboard* telefon santralı
swivel /'swayvıl/ *e. (round)* kendi etrafında dönmek; döndürmek
swollen /'swoulın/ *bkz. swell; s.* şişmiş, şiş, kabarık
swoop /swu:p/ *e.* üstüne çullanmak * *a.* üstüne çullanma
sword /so:d/ *a.* kılıç *swordfish* kılıçbalığı
swore /swo:/ *bkz. swear*
sworn /swo:n/ *bkz. swear*
swum /swam/ *bkz. swim*

swung /swang/ *bkz.* **swing**

sycamore /'sıkımo:/ *a. bitk.* fira-
vuninciri; *AE.* çınar

syllable /'silıbıl/ *a. dilb.* hece,
seslem

syllabus /'silıbıs/ *a.* müfredat pro-
gramı

symbol /'simbıl/ *a.* sembol, simge
symbolic /sim'bolik/ sembolik,
simgesel **symbolize** /'simbılayz/
sembolize etmek, simgelemek

symmetry /'simitri/ *a.* simetri,
bakışım **symmetrical** /si'metrikıl/
simetrik

sympathetic /simpı'tetik/ *s.* (*to*)
karşısındakinin   duygularına
katılan, duygudaş

sympathize /'simpıtayz/ *e.* (*with*)
duygularını paylaşmak

sympathy /'simpıti/ *a.* acıma, şe-
fkat, halden anlama; başkalarının
duygularını paylaşma/anlama

symphony /'simfıni/ *a. müz.* sem-
foni **symphonic** /sim'fonik/ sen-
fonik

symptom /'simptım/ *a. hek.* araz,
bulgu

synagogue /'sinıgog/ *a.* sinagog,
havra

synchronize /'sinkrınayz/ *e.* (saat)
aynı zamana ayarlamak; eş
zamanlı/eş hızlı olmak

syndicate /'sindikit/ *a.* sendika,
kartel

syndrome /'sindroum/ *a. hek.*
hastalık belirtileri, tüm semp-
tomlar, sendrom

synonym /'sinınim/ *a.* eşanlamlı
sözcük, eşanlamlı **synonymous**
/si'nonimıs/ eşanlamlı

synopsis /si'nopsis/ *a.* özet

syntax /'sinteks/ *a. dilb.* sentaks,
sözdizim

synthesis /'sintisis/ *a.* (*ç.*
-theses /-si:z/) sentez, bireşim

synthetic /sin'tetik/ *a.* sentetik,
yapay

syphilis /'sifilis/ *a. hek.* frengi

syringe /si'rinc/ *a.* şırınga

syrup /'sırıp/ *a.* şurup

system /'sistım/ *a.* sistem *systems
analyst* sistem analisti

systematic /sistı'metik/ *s.* sistemli,
sistematik

T

tab /teb/ *a.* etiket; giysinin asma
yeri

table /'teybıl/ *a.* masa; yemek,
sofra; tablo, çizelge *table tennis
sp.* masatenisi *tablecloth* sofra
örtüsü *table d'hote* tabldot *table-
spoon* servis kaşığı *tableware*
sofra takımı

tablet /'teblit/ *a. hek.* tablet; yazıt

taboo /tı'bu:, te'bu:/ *a.* tabu, yasak

tabulate /'tebyuleyt/ *e.* cetvel haline
koymak, çizelgelemek

tacit /'tesit/ *s.* söylenmeden an-
laşılan

tack /tek/ *a.* ufak çivi, raptiye * *e.*
teyellemek; *den.* orsa etmek

tackle /'tekıl/ *a.* halat takımı; takım,
donatı; *sp.* markaj * *e.* uğraşmak,
üstesinden gelmek; *sp.* topu
kapmak

tact /tekt/ *a.* davranış inceliği,
sezinç *tactful* nazik, sezinçli
tactless patavatsız, düşüncesiz,
densiz

tactic /'tektik/ *a.* taktik, yönlem
tactical taktik *tactics* taktik

tadpole /'tedpoul/ *a. hayb.* iribaş

tag /teg/ *a.* etiket, fiş * *e.* etiketle-
mek

tail /teyl/ *a.* kuyruk; bozuk paranın
resimsiz tarafı * *e. kon.* peşine
düşmek, gizlice işlemek *heads or
tails* yazı mı, tura mı

tailor /'teylı/ *a.* terzi *tailor-made*
ısmarlama dikilmiş; uygun

taint /teynt/ *e.* leke, nokta, iz

take /teyk/ *e.* **took** /tuk/, **taken**
/teykın/ almak; götürmek; tut-
mak; kazanmak; almak; (sınav)
girmek; (fotoğraf) çekmek; ka-
bullenmek; (içine) almak,
taşımak; tahammül etmek; bin-
mek, ile gitmek **take after** -e
benzemek **take apart** sökmek,
ayırmak **take back** geri almak;
eskiyi hatırlatmak **take down**
sökmek, parçalarına ayırmak;
yazmak **take in** içeriye almak;
içine almak; (giysi) daraltmak;
anlamak; kandırmak, dolandır-
mak **take off** çıkarmak; (uçak)
havalanmak **take on** işe almak;
işe başlatmak; ile dövüşmek;
üstlenmek **take out** içinden
çıkarmak; bir yere götürmek;
edinmek **take over** devralmak
take to kanı kaynayıvermek; -e
başlamak **take up** girişmek,
başlamak; (yer, zaman, vb.)
kaplamak; sürdürmek **takeaway**
hazır yemek satan dükkân **takeoff**
havalanma, kalkış **takeover**
devralma, devir

taking /'teyking/ *s. kon.* çekici

takings /'teykingz/ *a.* kazanç, hasılat

talcum powder /'telkım paudı/ *a.*
talk pudrası

tale /teyl/ *a.* hikâye, masal; dedik-
odu

talent /'telınt/ *a.* doğal yetenek,
istidat **talented** yetenekli

talk /to:k/ *e.* konuşmak, söylemek;
görüşmek * *a.* konuşma,
görüşme; sohbet; konuşma
biçimi **talkative** konuşkan, çenesi
düşük **talk down to** biriyle
küçümseyici bir biçimde
konuşmak **talk into** -meye ikna
etmek **talk out of** -den vazgeçir-
mek **talk over** görüşmek,
tartışmak

tall /to:l/ *s.* uzun boylu; ...

boyunda; yüksek **tall order** ol-
mayacak iş **tall story** inanılması
güç hikâye

tallow /'telou/ *a.* donyağı

talon /'telın/ *a. hayb.* pençe

tambourine /tembı'ri:n/ *a. müz.* tef

tame /teym/ *s.* evcil; yumuşak
başlı, uysal * *e.* evcilleştirmek
tamer vahşi hayvan eğiticisi

tamper /'tempı/ *e.* **(with)** karıştır-
mak, kurcalamak, oynamak

tan /ten/ *e.* (hayvan derisi)
tabaklamak; güneşte yanmak,
bronzlaşmak * *a.* güneş yanığı;
sarımsı kahverengi

tang /teng/ *a.* keskin koku/tat

tangent /'tencınt/ *a. mat.* tanjant,
teğet

tangerine /tencı'ri:n/ *a.* mandalina

tangible /'tencıbıl/ *s.* dokunulabilir,
elle tutulur, somut; gerçek

tangle /'tengıl/ *e.* karmakarışık
etmek, arapsaçına çevirmek * *a.*
karmakarışık şey, düğüm

tango /'tengou/ *a. müz.* tango

tank /tenk/ *a. ask.* tank; (gaz, sıvı,
vb.) depo, tank, sarnıç

tankard /'tenkıd/ *a.* maşrapa

tanker /'tenkı/ *a.* tanker

tantalize /'tentılayz/ *e.* boşuna ümit
vermek

tantrum /'tentrım/ *a.* öfke nöbeti

tap /tep/ *a.* musluk; tapa, tıkaç;
hafif vuruş * *e.* hafifçe vurmak;
tapa ya da musluğu açmak

tape /teyp/ *a.* şerit; bant; kurdele
tape recorder teyp

taper /'teypı/ *e.* sivrilmek; incelt-
mek * *a.* ince ve uzun mum

tapestry /'tepıstri/ *a.* duvar halısı

tar /ta:/ *a.* asfalt; katran

tardy /'ta:di/ *s.* geç, gecikmiş

target /'ta:git/ *a.* hedef; amaç, erek

tariff /'terif/ *a.* tarife

tarmac /'ta:mek/ *a.* asfalt pist/alan

tarnish /'ta:niş/ *e.* karartmak, do-
nuklaştırmak; donuklaşmak

253 telex

tart /ta:t/ a. turta * s. keskin, acı
tartar /'ta:tı/ a. tartarat; tartar,
    kefeki *tartar sauce* sos tartar,
    balık sosu
task /ta:sk/ a. vazife, görev, iş
taste /teyst/ e. tatmak, tadına bak-
    mak; tat almak * a. tat; tadımlık;
    beğeni, zevk *tasteless* tatsız;
    zevksiz *tasty* lezzetli, tatlı
tatters /'tetız/ a. paçavra, parça
tattoo /te'tu:, tı'tu:/ e. dövme yap-
    mak * a. dövme
taught /to:t/ bkz. *teach*
taunt /to:nt/ e. alay etmek, sa-
    taşmak * a. alay, sataşma,
    iğneleme
Taurus /'to:rıs/ a. Boğa burcu
tavern /'tevın/ a. taverna
tawny /'to:ni/ s. esmer, sarımsı
    kahverengi
tax /teks/ e. vergi koymak; külfet
    olmak, yük olmak * a. vergi;
    külfet, yük *taxable* vergiye tabi
    taxation vergilendirme *tax-free*
    vergiden muaf
taxi /'teksi/ a. taksi *taxi rank, taxi
    stand* taksi durağı *taximeter* tak-
    simetre
tea /ti:/ a. çay *teabag* poşet çay
    teacup çay fincanı *tealeaf* çay
    yaprağı *teapot* çaydanlık *tea
    spoon* çay kaşığı
teach /ti:ç/ e. *taught* /to:t/ öğret-
    mek; ders vermek *teacher*
    öğretmen, hoca *teaching*
    öğretim; ders, öğreti; öğretmen-
    lik
team /ti:m/ a. takım; grup, ekip
    team up with birlikte çalışmak
    teamwork ekip çalışması
tear /tiı/ a. gözyaşı
tear /teı/ e. *tore* /to:/, *torn* /to:n/
    yırtmak; koparmak; yırtılmak,
    kopmak; *kon.* çılgın gibi koşmak
    * a. yırtık *tear up* parça parça
    etmek
tease /ti:z/ e. sataşmak, takılmak *

a. muzip, şakacı kimse *teaser*
    muzip; şakacı kimse; *kon.* zor bir
    soru/sorun
teat /ti:t/ a. biberon emziği
technical /'teknikıl/ s. teknik
technician /tek'nişın/ a. teknisyen
technique /tek'ni:k/ a. teknik, yor-
    dam
technology /tek'nolıci/ a. teknoloji
    technological teknolojik
teddy bear /'tedi beı/ a. oyuncak ayı
tedious /'ti:dııs/ s. can sıkıcı,
    usandırıcı
teem /ti:m/ e. (*with*) dolu olmak,
    kaynaşmak * e. *kon.* bardaktan
    boşanırcasına yağmak
teenage /'ti:neyc/ s. 13-19 yaş arası
    gençlerle ilgili *teenager* 13-19
    yaş arası genç
teens /'ti:nz/ a. 13-19 arasındaki
    yaş
tee shirt /'ti:şö:t/ a. tişört
teeth /ti:t/ a. dişler
teethe /ti:t/ (bebek) diş çıkarmak
teetotal /ti:'toutıl/ s. yeşilaycı, içki
    içmeyen
telecast /'telika:st/ a. televizyon
    yayını
telecommunications
    /telikımyu:ni'keyşınz/ a.
    telekomünikasyon, iletişim
telegram /'teligrem/ a. telgraf,
    telyazı
telegraph /'teligra:f/ a. telgraf
telepathy /ti'lepıti/ a. telepati
telephone /'telıfoun/ a. telefon * e.
    telefon etmek *telephone booth*
    telefon kulübesi *telephone di-
    rectory* telefon rehberi *telephone
    exchange* telefon santrali
telephonist /tı'lefinist/ a. santral
    memuru
telescope /'teliskoup/ a. teleskop
televise /'telivayz/ e. televizyonda
    göstermek, yayınlamak
television /'telivijın/ a. televizyon
telex /'teleks/ a. teleks; teleks

tell 254

haberi

tell /tel/ *e.* **told** /tould/ söylemek; anlatmak; bildirmek; ayırt etmek, tanımak; etki etmek, etkili olmak **tell off** azarlamak, paylamak **teller** veznedar; (oy) sayıcı **telling** etkili

telltale /'telteyl/ *a. kon.* muhbir, ispiyoncu * *s.* belli eden, açığa vuran

telly /'teli/ *a. BE. kon.* televizyon

temper /'tempı/ *a.* hal, keyif; huy, mizaç; kızgınlık * *e.* (metal) sertleştirmek, tavlamak; hafifletmek, yumuşatmak **fly/get into a temper** aniden tepesi atmak **keep one's temper** sakinliğini korumak **lose one's temper** tepesi atmak, kızmak

temperament /'tempırımınt/ *a.* mizaç, yaradılış **temperamental** /-'mentıl/ saati saatine uymayan

temperate /'tempırit/ *s.* ılımlı, ölçülü; ılıman, ılık, mutedil

temperature /'tempırıçı/ *a.* sıcaklık derecesi **have/run a temperature** hek. ateşlenmek, ateşi olmak **take sb's temperature** ateşini ölçmek

tempest /'tempist/ *a.* fırtına

temple /'tempıl/ *a.* tapınak; *anat.* şakak

tempo /'tempou/ *a.* tempo

temporal /'tempırıl/ *s.* zamanla ilgili; maddi; geçici

temporary /'tempırıri/ *s.* geçici **temporarily** geçici olarak

tempt /tempt/ *e.* ayartmak, baştan çıkarmak, teşvik etmek; cezbetmek **tempting** çekici

temptation /temp'teyşın/ *a.* baştan çıkarma, ayartma; çekici şey

ten /ten/ *a. s.* on **tenth** onuncu

tenacious /ti'neyşıs/ *s.* inatçı, direngen; (hafıza) güçlü

tenancy /'tenınsi/ *a.* kira süresi; kiracılık

tenant /'tenınt/ *a.* kiracı

tend /tend/ *e.* (**to**) meyletmek, eğilimi olmak; yönelmek; bakmak, ilgilenmek

tendency /'tendınsi/ *a.* eğilim

tender /'tendı/ *s.* yumuşak, gevrek, körpe; duyarlı, hassas; sevecen, müşfik, şefkatli; dokununca acıyan * *a.* teklif * *e.* teklif etmek, sunmak

tendon /'tendın/ *a. anat.* kiriş

tenement /'tenimınt/ *a.* çok kiracılı ucuz apartman

tennis /'tenis/ *a.* tenis **tennis court** tenis sahası

tenor /'tenı/ *a. müz.* tenor

tense /tens/ *s.* gergin * *a. dilb.* zaman

tension /'tenşın/ *a.* gerginlik; gerilim

tent /tent/ *a.* çadır

tentacle /'tentikıl/ *a. hayb.* dokunaç

tentative /'tentitiv/ *s.* deneme niteliğinde, öneri niteliğinde, geçici

tenuous /'tenyuıs/ *s.* çok zayıf, az, hafif

tenure /'tenyı, 'tenyuı/ *a.* tasarruf hakkı; kullanım süresi

tepid /'tepid/ *s.* ılık

tequila /ti'ki:lı/ *a.* tekila

term /tö:m/ *a.* (okul) dönem; süre; terim; *kon.* şartlar, koşullar; *kon.* ilişkiler, ara **in terms of** -e göre; bir dille **be on good (bad) terms with** ile arası iyi (kötü) olmak **come to terms with** ile anlaşmak

terminal /'tö:minıl/ *a.* uçta bulunan, uç, son; ölümcül * *a.* terminal; son durak; *elek.* kutup

terminate /'tö:mineyt/ *e.* bitirmek, son vermek; bitmek **termination** son, bitme

terminology /tö:mi'nolıci/ *a.* terminoloji

terminus /'tö:minıs/ *a.* son durak

termite /'tö:mayt/ *a. hayb.* beyaz karınca, termit

terrace /'teris/ *a.* sıra evler; teras, taraça; set; *sp.* tribün basamağı

terrain /te'reyn, ti'reyn/ *a.* arazi

terrestrial /ti'restrııl/ *s.* karaya ait, karasal; dünyevi, dünya ile ilgili

terrible /'terıbıl/ *s.* korkunç; *kon.* rezil, berbat *terribly* çok

terrier /'terıı/ *a.* teriyer, av köpeği

terrific /tı'rifik/ *s. kon.* çok iyi, mükemmel, harika, süper; korkunç, müthiş, süper

terrify /'terifay/ *e.* çok korkutmak

territorial /teri'to:rııl/ *s.* karaya ait, karasal *territorial waters* kara-suları

terror /'terı/ *a.* tedhiş, terör; de-hşet, korku; *kon.* baş belası *ter-rorism* terörizm, tedhişçilik *ter-rorist* terörist *terrorize* korkut-mak, yıldırmak

terse /tö:s/ *s.* (söz) kısa ve özlü

test /test/ *a.* sınav, test; deneme, sınama; ölçü, ayar; muayene; deney; *kim.* çözümleme * *e.* muayene etmek; denemek, sınamak; araştırmak *test tube* deney tüpü *test-tube baby* tüp bebek

testament /'testımınt/ *a.* vasiyet-name *New Testament* Yeni Ahit *Old Testament* Eski Ahit

testicle /'testikıl/ *a.* testis, erbezi, taşak

testify /'testifay/ *e.* tanıklık etmek; kanıtlamak, doğrulamak

testimonial /testi'mounııl/ *a.* bon-servis; takdirname, başarı bel-gesi

testimony /'testimıni/ *a. huk.* tanıklık; ifade

tetanus /'tetınıs/ *a. hek.* tetanos, kazıklıhumma

tether /'tetı/ *a.* hayvan zinciri/ipi *at the end of one's tether* dayanacak sabrı/gücü kalmamış

text /tekst/ *a.* metin, parça; konu *textbook* ders kitabı

textile /'tekstayl/ *a.* tekstil, dokuma; dokuma kumaş * *s.* tekstille ilgili

texture /'teksçı/ *a.* dokuma, örgü; bünye, yapı, doku

than /tın, ten/ *bağ.* -den, -dan

thank /tenk/ *e.* teşekkür etmek * *a.* teşekkür, şükran *thank God/goodness/heaven* Allah'a şükür, çok şükür *thank you* teşekkür ederim, sağ olun *thanks to* -in sayesinde *thankful* müteşekkir, minnettar *thankless* nankör, iyilikbilmez *thanks* teşekkürler *thanksgiving* şükür, şükran, minnet *thanksgiving day* şükran yortusu

that /tet/ *s. adl.* şu, o * *be. kon.* o kadar, öylesine *that's that* (işte) o kadar

that /ıt, det/ *bağ.* ki, -dığı(nı), -diği(ni) * *adl.* ki o, -en, -an; ki onu, ki ona, -dığı, -diği

thaw /to:/ *e.* erimek; eritmek; yakınlaşmak, samimileşmek, açılmak

the /tı, ti, ti:/ belgili tanımlık (tekil ya da çoğul adlardan önce gelerek onlara belirlilik kavramı verir)

theatre /'tiıtı/ *a. BE.* tiyatro *theatri-cal* tiyatroya ait; yapmacık, abartmalı

theft /teft/ *a.* hırsızlık

their /tı, teı/ *s.* onların

theirs /teız/ *adl.* onların, onlarınki

them /tım, tem/ *adl.* onları, onlara, onlar

theme /ti:m/ *a.* konu, anakonu, tema; *müz.* tema *theme song/tune* film müziği

themselves /tım'selvz/ *adl.* kendi-leri, kendilerini, kendilerine *by themselves* kendi kendilerine

then /ten/ *be.* o zaman, o zaman-lar, o süre içinde; sonra, ondan sonra, daha sonra; bu durumda, öyleyse, madem öyle *now and then* ara sıra

thenceforth /tens'fo:t/ *be.* o zamandan beri

theology /ti'olıcı/ *a.* ilahiyat, teoloji
theologian ilahiyatçı *theological* teolojik

theorem /'tiırım/ *a.* teorem, sav

theoretical /tiı'retikıl/ *s.* teorik, kuramsal

theory /'tiırı/ *a.* teori, kuram *in theory* teoride, teorik olarak

therapeutic /teıı'pyu:tik/ *s.* tedaviye ait; iyileştirici, sağaltıcı

theraphy /'terıpi/ *a.* tedavi, sağaltım *therapist* terapist, sağaltman

there /teı/ *be.* orada, oraya, orayı * *ünl.* işte *there is/are* var *There you are* demedim mi, gördün mü; buyur, al, işte *thereabouts* oralarda; o sıralarda; ona yakın *thereafter* ondan sonra *thereby* o suretle, suretiyle *therefore* bu yüzden, bu nedenle, onun için *therein* bu bakımdan *thereof* onun *thereto* ona *thereupon* bunun üzerine, o an

thermal /'tö:mıl/ *s.* termik, ısıl

thermometer /tı'momitı/ *a.* termometre, sıcakölçer

thermos /'tö:mıs/ *a.* termos

thermostat /'tö:mıstet/ *a.* termostat, ısıdenetir

thesaurus /ti'so:rıs/ *a.* kavramlar dizini (kitabı)

thesis /'ti:sis/ *a.* (ç, *-ses* /-si:z/ iddia, sav; inceleme

they /tey/ *adl.* onlar

thick /tik/ *s.* kalın; (sıvı) koyu; sık; yoğun; (ses) boğuk *thickheaded* kalın kafalı *thickness* kalınlık; koyuluk; sıklık; yoğunluk

thicken /'tıkın/ *e.* kalınlaştırmak; kalınlaşmak; koyulaştırmak; koyulaşmak

thief /ti:f/ *a.* hırsız

thigh /tay/ *a. anat.* uyluk, but

thimble /'timbıl/ *a.* yüksük

thin /tin/ *s.* ince; zayıf, cılız; sulu, cıvık; (bahane) sudan *thinskinned* duyarlı, alıngan

thing /ting/ *a.* şey, nesne; olay; yaratık, canlı; *kon.* eşya, giyecekler

think /tink/ *e.* *thought* /to:t/ düşünmek; sanmak *think about* düşünmek *think of* düşünmek, tasarlamak; hatırlamak *think out/through* düşünüp taşınmak *think over* üzerinde düşünüp taşınmak *thinker* düşünür *thinking* düşünceli; düşünce

third /tö:d/ *a. s.* üçüncü * *a.* üçte bir *thirdly* üçüncü olarak *third rate* kalitesiz, adi

thirst /tö:st/ *a.* susuzluk *thirsty* susamış; susatıcı

thirteen /tö:'ti:n/ *a. s.* on üç *thirteenth* on üçüncü

thirty /'tö:ti/ *s. a.* otuz *thirtieth* otuzuncu

this /tis/ *s. adl.* (ç. *these* /di:z/) bu *like this* böyle, bu şekilde, bunun gibi

thistle /'tisıl/ *a. bitk.* devedikeni

thong /tong/ *a.* sırım; kayış

thorax /'to:reks/ *a. hayb.* göğüs

thorn /to:n/ *a.* diken; dikenli bitki *thorny* dikenli

thorough /'tarı/ *s.* tam, eksiksiz; titiz *thoroughbred* safkan, soylu; kültürlü *thoroughfare* işlek cadde; cadde, yol *thoroughly* tümüyle, adamakıllı

those /touz/ *adl.* şunlar, onlar * *s.* şu, o

though /tou/ *bağ.* -e rağmen, -e karşın, -se bile * *be.* yine de, her şeye rağmen *as though* -mış gibi

thought /to:t/ *a.* düşünce; görüş, kanı; endişe *on second thoughts* sonradan düşününce *thoughtful* düşünceli *thoughtless* düşüncesiz

thousand /'tauzınd/ *a. s.* bin *thou-*

sandth bininci

thrash /treş/ *e.* (sopa/kırbaç ile) dövmek; yenmek *thrash out* tartışarak çözümlemek *thrashing* dayak atma, dayak

thread /tred/ *a.* iplik; lif, tel; yiv * *e.* (iğneye) iplik geçirmek *threadbare* eski püskü, yıpranmış

threat /tret/ *a.* tehdit; tehlike

threaten /'tretın/ *e.* tehdit etmek; belirtisi olmak *threatening* tehdit edici

three /tri:/ *a. s.* üç *three-dimensional* üç boyutlu

thresh /treş/ *e.* harman dövmek

threshold /'treşhould, 'treşould/ *a.* eşik; başlangıç *on the threshold of* -in eşiğinde

threw /tru:/ *bkz. throw*

thrift /trift/ *a.* tutum, idare *thrifty* tutumlu, idareli

thrill /tril/ *a.* heyecan; korku * *e.* heyecanlanmak *thriller* heyecanlı kitap/oyun/film

thrive /trayv/ *e.* iyiye gitmek; başarılı olmak; büyümek

throat /trout/ *a.* boğaz; gırtlak

throb /trob/ *e.* küt küt atmak, zonklamak

throes /trouz/ *a.* şiddetli ağrı, sancılar

throne /troun/ *a.* taht

throng /trong/ *a.* kalabalık

throttle /'trotıl/ *e.* boğazlamak, boğmak, gırtlaklamak * *a.* kısma valfı, kelebek

through /tru:/ *ilg.* -den geçerek, içinden, arasından; yoluyla, sayesinde; vasıtasıyla, eliyle; -den; yüzünden, nedeniyle; her yanında, her yanına; başından sonuna dek; süresince * *be.* başından sonuna kadar; baştan başa; tümüyle * *s.* direkt, aktarmasız *through and through* tamamen, tümüyle *be through* bitirmek

throughout /tru:'aut/ *be.* baştan-başa; başından sonuna kadar, hep

throw /trou/ *e.* *threw* /tru:/, *thrown* /troun/ atmak, fırlatmak * *a.* atma, atış, fırlatma *throw about* saçmak, dağıtmak *throw away* boşa harcamak, çarçur etmek *throw off* üstünden atmak, çıkarmak; -den kurtulmak *throw on* üzerine giyivermek *throw out* ileri sürmek, söylemek; reddetmek; kovmak *throw over* ile ilişkisini kesmek *throw together* acele yapıvermek *throw up* kusmak; bırakmak, vazgeçmek

thrown /troun/ *bkz. throw*

thru /tru:/ *bkz. through*

thrush /traş/ *a. hayb.* ardıçkuşu; *hek.* pamukçuk

thrust /trast/ *e. thrust* /trast/ sokmak, saplamak; itmek, dürtmek

thud /tad/ *a.* gümbürtü, pat, küt * *e.* pat diye vurmak

thug /tag/ *a.* cani, katil, haydut

thumb /tam/ *a.* başparmak *thumbtack* raptiye

thump /tamp/ *e.* yumruklamak, güm güm vurmak; (kalp) küt küt atmak

thunder /'tandı/ *a.* gök gürültüsü * *e.* (gök) gürlemek; bağırmak, gürlemek *thunderbolt* yıldırım *thunderstorm* yıldırımlı fırtına *thunderstruck* yıldırım çarpmışa dönmüş, şaşkın

Thursday /'tö:zdi, 'tö:zdey/ *a.* perşembe

thus /tas/ *be.* böylece; bu sonuçla *thus far* şu ana kadar

thyme /taym/ *a. bitk.* kekik

thyroid /'tayroyd/ *a.* tiroit, kalkanbezi

tick /tik/ *a.* tıkırtı, tiktak; "doğru" işareti; *BE. kon.* an, saniye; *hayb.* kene * *e.* tıkırdamak, tıklamak; doğru işareti koymak *tick off* işaret koymak; *kon.* paylamak, azarlamak

ticket /'tikit/ *a.* bilet; etiket; (trafik) para cezası *ticket collector* biletçi *ticket office* bilet gişesi

tickle /'tikıl/ *e.* gıdıklamak; eğlendirmek *ticklish* hemen gıdıklanır; zor, özel dikkat isteyen, nazik

tide /tayd/ *a.* gelgit; akış, eğilim

tidy /'taydi/ *s.* derli toplu, temiz; *kon.* oldukça büyük * *e.* (*up*) derleyip toplamak, çekidüzen vermek

tie /tay/ *a.* kravat; bağ; beraberlik, sonuç eşitliği; düğüm * *e.* bağlamak; bağlanmak; *sp.* berabere kalmak

tier /'tayı/ *a.* kat, sıra, dizi

tiff /tif/ *a.* atışma, tartışma

tiger /'taygı/ *a.* kaplan

tight /tayt/ *s.* sıkı, sımsıkı; gergin; zor, güç; geçirmez, sızdırmaz; *kon.* cimri, eli sıkı; *kon.* sarhoş * *be.* sımsıkı *sit tight* olduğu yerde kalmak *tighten* sıkmak, germek; sıkıştırmak, gerginleştirmek

tights /tayts/ *a.* külotlu çorap

tile /tayl/ *a.* kiremit; çini

till /til/ *ilg. bağ.* -e kadar, -e dek * *a.* para çekmecesi, kasa

tilt /tilt/ *e.* eğmek; eğilmek * *a.* eğiklik

timber /'timbı/ *a.* kereste

time /taym/ *a.* zaman, vakit; müddet, süre; *müz.* tempo; devir, çağ; defa, kere; *mat.* kere, çarpı * *e.* saat tutmak, süresini ölçmek; zamanlamak, ayarlamak *all the time* durmadan, sürekli, boyuna *at the same time* aynı zamanda *at times* bazen *behind the times* eski kafalı *by the time* -dığı zaman *for a time* kısa bir süre *for the time being* şimdilik *from time to time* ara sıra, bazen *in time* vaktinde, erkence;

zamanla *keep up with the times* zamana ayak uydurmak *many a time* sık sık *on time* vaktinde, tam vaktinde *once upon a time* bir zamanlar; bir varmış bir yokmuş *pass the time of day* laklak etmek *play for time* zaman geçirmek, oyalanmak *take one's time* acele etmemek, özenle yapmak *time after time* sık sık, tekrar tekrar *time and (time) again* sık sık, tekrar tekrar *time bomb* saatli bomba *time exposure* poz *What's the time?* Saat kaç? *What time is it?* Saat kaç? *timekeeper* saat hakemi *timeless* değişmeyen, ebedi, sonsuz *timely* tam vaktinde, yerinde, uygun *timer* saat hakemi; kronometre *timetable* tren vb. tarifesi; ders programı *timing* zamanlama

timid /'timid/ *s.* çekingen, sıkılgan

tin /tin/ *a.* kalay; teneke; teneke kutu; konserve kutusu * *e.* (yiyecek, vb.) konservelemek, kutulamak *tin opener* BE. konserve açacağı

tincture /'tinkçı/ *a.* boya; tentür

tinge /tinc/ *a.* az miktar, nebze

tingle /'tingıl/ *e.* ürpermek, diken diken olmak

tinker /'tinkı/ *a.* tenekeci

tinkle /'tinkıl/ *a.* çıngırtı * *e.* çınlamak

tint /tint/ *a.* hafif renk; renk tonu

tiny /'tayni/ *s.* küçücük, minicik

tip /tip/ *a.* (burun, parmak, vb.) uç; çöplük; bahşiş; tavsiye * *e.* eğmek, yana yatırmak; eğilmek; devirmek; devrilmek *on the tip of one's tongue* dilinin ucunda olmak

tipple /'tipıl/ *a. kon.* içki

tipsy /'tipsi/ *a.* çakırkeyf

tiptoe /'tiptou/ *a: on tiptoe* ayaklarının ucuna basarak * *e.* ayaklarının ucuna basarak yürümek

tire /tayı/ *e.* yormak; yorulmak **tired** yorgun **be tired of** -den bıkmak **get tired** yorulmak **tireless** yorulmak bilmez, bitmez tükenmez **tiresome** yorucu **tiring** yorucu

tissue /'tişu:, 'tisyu:/ *a. anat.* doku; ince kumaş; kâğıt mendil

tit /tit/ *a. hayb.* baştankara

titivate /'titiveyt/ *e. kon.* çeki düzen vermek, toparlamak

title /'taytıl/ *a.* başlık, ad; unvan; *huk.* hak, istihkak; *sp.* şampiyonluk

titter /'titı/ *e.* kıkır kıkır gülmek

to /tı, tu, tu:/ *ilg.* -e doğru, -e; -e kadar, -e; -e karşı, -e; (saat) kala, var; her birinde; -mek, -mak

toad /toud/ *a. hayb.* karakurbağası

toast /toust/ *a.* kızarmış ekmek; sağlığına içme, kutlama * *a.* kızartmak; sağlığına içmek **toaster** ekmek kızartma makinesi

tobacco /tı'bekou/ *a.* tütün **tobacconist** tütüncü

toboggan /tı'bogın/ *a.* kar kızağı

today /tı'dey/ *a. be.* bugün

toddle /'todıl/ *e.* tıpış tıpış yürümek

toe /tou/ *a.* ayak parmağı **on one's toes** harekete hazır, tetikte **toenail** ayak tırnağı

toffee /'tofi/ *a.* bonbon, şekerleme

together /tı'getı/ *be.* bir araya, bir arada; birlikte, beraber **togetherness** birliktelik, beraberlik

toil /toyl/ *e.* çok çalışmak, yorulmak * *a.* zor iş

toilet /'toylit/ *a.* hela, tuvalet

toiletries /'toylitriz/ *a.* tuvalet takımı, tuvalet eşyaları

token /'toukın/ *a.* belirti, iz, gösterge; jeton; kart, marka, fiş

told /tould/ *bkz. tell*

tolerable /'tolırıbıl/ *s.* dayanılabilir, çekilir; şöyle böyle, orta

tolerance /'tolırıns/ *a.* tahammül,

dayanıklılık; hoşgörü **tolerant** hoşgörülü; tahammüllü

tolerate /'tolıreyt/ *e.* müsamaha etmek, hoş görmek; tahammül etmek, katlanmak **toleration** müsamaha, hoşgörü

toll /toul/ *a.* (yol, köprü, vb.) geçiş ücreti; bedel; çan sesi * *e.* (çan) çalmak **tollgate** geçiş ücreti ödenen yer

tomato /tı'ma:tou/ *a. bitk.* domates

tomb /tu:m/ *a.* mezar, kabir; türbe **tombstone** mezar taşı

tomorrow /tı'morou/ *a. be.* yarın

ton /tan/ *a.* ton (*BE.* 1016.047 kg.; *AE.* 907.2 kg); ton (1000 kg.); *den.* tonilato; *kon.* yığın, sürü, büyük miktar, ton

tone /toun/ *a.* ses; ses tonu, ton; *müz.* perde, ton; renk tonu, ton; tarz, tavır **tone down** tonunu hafifletmek, yumuşatmak **tone in with** ile uyum sağlamak, uymak

tongs /tongz/ *a.* maşa

tongue /tang/ *a.* dil **tongue twister** tekerleme **tongue-tied** dili tutulmuş; ağzı var dili yok

tonic /'tonik/ *a.* tonik; kuvvet ilacı

tonight /tı'nayt/ *a. be.* bu gece

tonnage /'tanic/ *a.* tonaj, tonilato

tonsil /tonsil/ *a. hek.* bademcik

too /tu:/ *be.* (gereğinden) çok, fazla, aşırı; de, da, dahi

tool /tu:l/ *a.* alet

tooth /tu:t/ *a.* (*ç. teeth* /ti:t/) diş; çark dişi **toothache** diş ağrısı **toothpaste** diş macunu **toothpick** kürdan

top /top/ *a.* tepe, doruk, üst; baş; örtü, kapak; topaç * *s.* en yüksek, en üst * *e.* üstünü örtmek, kapamak; -den üstün gelmek, geçmek **from top to bottom** baştan aşağı, tümüyle **on top of** üstüne, üstünde; ayrıca, üstelik **top secret** çok gizli **topcoat** palto **topless** (kadın) göğüsleri açık, topaz

üstsüz *topmost* en üstteki, en
yüksek
topaz /'toupez/ *a.* sarı yakut, topaz
topic /'topık/ *a.* konu
topography /tı'pogrıfı/ *a.* to-
pografya, yerbetim
topple /'topıl/ *e.* sendelemek,
düşmek; devirmek, düşürmek
topsy-turvy /topsi'töːvi/ *s. be.* kar-
man çorman
torch /toːç/ *a.* el feneri; meşale
torment /'toːment/ *a.* büyük acı,
sancı, eziyet * *e.* acı çektirmek,
eziyet etmek
torn /toːn/ *bkz.* *tear;* *s.* ayrı,
bölünmüş
tornado /toː'neydou/ *a.* kasırga
torpedo /toː'piːdou/ *a. ask.* torpil
torrent /'torınt/ *a.* sel
torrid /'torid/ *s.* çok sıcak, yakıcı
torsion /'toːşın/ *a.* bükme, bükülme
tortoise /'toːtıs/ *a.* kaplumbağa
tortuous /'toːçuıs/ *s.* dolambaçlı,
dönen; kaçamaklı, dolaylı
torture /'toːçı/ *a.* işkence * *e.*
işkence etmek
toss /tos/ *e.* atmak; yazı-tura at-
mak; sallamak; sallanmak * *a.*
sallama, sallanma; atma,
fırlatma; yazı-tura
tot /tot/ *e.* **(up)** toplamak, ilave
etmek * *a.* ufak çocuk; bir yudum
içki
total /'toutıl/ *s.* toplam, bütün
* *a.* toplam; tutar * *e.* toplamını
bulmak; toplamak; tutmak, et-
mek *totally* bütün bütün,
tümüyle
totalitarian /touteli'teırıın/ *a.* to-
taliter, erktekelci
totem /'toutım/ *a.* totem, ongun
totter /'totı/ *e.* sendelemek, yal-
palamak
touch /taç/ *e.* değmek; dokunmak,
ellemek; etkilemek, duygu-
landırmak * *a.* dokunma; temas,
değme; az miktar; *sp.* taç; duy-

gululuk, hassasiyet, incelik *touch
wood* nazar değmesin diye
tahtaya vurmak *in touch with –
den haberdar get in touch with*
ile temasa geçmek *keep in touch
with* ile teması sürdürmek, ile
ilişkiyi kesmemek *touch down*
(uçak) yere inmek *touch on/upon*
(konuya) değinmek *touch up*
rötuş yapmak
touching /'taçing/ *s.* dokunaklı,
acıklı, duygulandırıcı
touchy /taçi/ *s.* alıngan
tough /taf/ *s.* sert, kart; dayanıklı,
dirençli güçlü; çetin, zor, güç *
a. kon. kabadayı, bıçkın *toughen*
sertleşmek; sertleştirmek
toupee /'tuːpey/ *a.* küçük peruka
tour /tuı/ *a.* tur, gezi; turne * *e.*
gezmek, dolaşmak
tourism /'tuırizım/ *a.* turizm *tourist*
turist
tournament /'tuınımınt, 'toːnımınt/
a. turnuva, yarışma
tourniquet /'tuınikey, 'toːnikey/ *a.*
kanamayı durdurucu sargı, sargı
bezi
tousle /'tauzıl/ *e.* (saç, vb.)
karıştırmak
tow /tou/ *e.* (taşıt) yedekte çekmek
* *a.* yedekte çekme *in tow kon.*
yakın takipte
toward(s) /tı'woːd(z)/ *ilg.* -e doğru,
yönünde; -e karşı; -e doğru, su-
larında
towel /'tauıl/ *a.* havlu
tower /'tauı/ *a.* kule; burç *tower
block* apartman, yüksek bina
town /taun/ *a.* şehir, kent; kasaba
town council belediye meclisi
town planning şehir planlaması
toxic /'toksik/ *s.* zehirli
toxin /'toksin/ *a.* toksin
toy /toy/ *a.* oyuncak *toyshop* oyun-
cakçı dükkânı
trace /treys/ *e.* izini sürmek, izle-
mek; ortaya çıkarmak; kopyasını

transit

çıkarmak * *a.* iz; kalıntı; zerre *tracing* kopya

track /trek/ *a.* iz; patika; ray; pist, yarış pisti; parça, şarkı; palet, tırtıl * *e.* izini takip etmek, izini sürmek *keep track (of)* -den haberdar olmak *tracking events* atletizm karşılaşmaları *tracksuit* eşofman

tract /trekt/ *a.* arazi, alan, toprak; *anat.* sistem, aygıt

traction /'trekşın/ *a.* çekme, çekilme

tractor /'trektı/ *a.* traktör

trade /treyd/ *a.* ticaret, alışveriş; meslek, sanat, iş * *e.* *(in/with)* ticaret yapmak, iş yapmak *trade bill* ticari senet *trade name* ad, marka *trade union* sendika *trade wind* alize rüzgârı *trademark* alameti farika, marka *trader* tüccar, tacir *tradesman* esnaf

tradition /trı'dişın/ *a.* gelenek, anane *traditional* geleneksel

traffic /'trefik/ *a.* trafik; ticaret *traffic jam* trafik sıkışıklığı *traffic lights* trafik ışıkları *traffic signs* trafik işaretleri

tragedy /'trecidi/ *a.* trajedi, ağlatı; facia, felaket

tragic /'trecik/ *s.* trajik; üzücü; *kon.* müthiş, korkunç

trail /treyl/ *a.* iz, koku; patika, keçiyolu * *e.* izini sürmek; peşinden sürüklemek; sürüklenmek

trailer /'treylı/ *a.* römork, treyler; fragman, tanıtma filmi; *AE.* karavan

train /treyn/ *a.* tren; kafile, kervan * *e.* yetiştirmek, eğitmek; *sp.* antrenman yapmak *trainee* stajyer *trainer* antrenör, çalıştırıcı *training* terbiye, eğitim; *sp.* antrenman, çalışma

trait /treyt/ *a.* özellik, karakter

traitor /'treytı/ *a.* hain

trajectory /trı'cektıri/ *a.* yörünge

tram /trem/ *a.* tramvay

tramp /tremp/ *a.* serseri; uzun yürüyüş * *e.* ağır adımlarla yürümek; yürüyüp geçmek, çiğnemek

trample /'trempıl/ *e.* basmak, ezmek; çiğnemek

trampoline /'trempıli:n/ *a.* tramplen

trance /tra:ns/ *a.* kendinden geçme, esrime, trans

tranquil /'trenkwil/ *s.* sakin, sessiz; durgun

tranquillizer /'trenkwilayzı/ *a.* sakinleştirici, yatıştırıcı ilaç

transact /tren'zekt/ *e.* (iş) görmek, bitirmek, yapmak

transaction /tren'zekşın/ *a.* iş görme, yapma; iş, muamele, işlem

transatlantic /trenzıt'lentik/ *s.* transatlantik, Atlantik Okyanusu'na ait, Atlantikaşırı

transcend /tren'send/ *e.* geçmek, aşmak *transcendent* üstün, ulu, yüce

transcribe /tren'skrayb/ *e.* kopya etmek, suretini çıkarmak; *müz.* uyarlamak *transcript* kopya, suret

transfer /trens'fö:/ *e.* nakletmek, taşımak; taşınmak; *sp.* transfer etmek, transfer olmak; aktarma yapmak; *huk.* devretmek * *a.* *sp.* transfer; *huk.* devir; aktarma bileti; nakil

transform /trens'fo:m/ *e.* biçimini değiştirmek, dönüştürmek *transformation* dönüşüm *transformer* transformatör, trafo

transfuse /trens'fyu:z/ *e.* (kan) nakletmek

transgress /trenz'gres/ *e.* (sınırı) aşmak; bozmak, çiğnemek

transient /'trenzıınt/ *s.* geçici, süreksiz

transistor /tren'zistı/ *a.* transistor

transit /'trensit, 'trenzit/ *a.* taşıma, aktarma; geçiş

transition

transition /tren'zişın/ a. geçiş
transitive /'trensitiv/ s. a. dilb.
geçişli (eylem)
translate /trenz'leyt, trens'leyt/ e.
tercüme etmek, çevirmek trans-
lation tercüme, çeviri translator
tercüman, çevirmen
translucent /trenz'lu:sınt/ s.
yarısaydam
transmission /trenz'mişın/ a.
gönderme, iletme; geçirme,
taşıma; (radyo, TV) yayın; trans-
misyon, vites
transmit /trenz'mit/ e. göndermek;
yayınlamak; geçirmek, iletmek;
(hastalık, vb.) geçirmek, bu-
laştırmak transmitter verici,
iletici
transparent /tren'spennt/ s. say-
dam; açık, net transparency say-
damlık; slayt
transpire /tren'spayı/ e. ortaya
çıkmak, bilinmek; kon. olmak,
vuku bulmak
transplant /'trenspla:nt/ e. (bitki)
başka bir yere dikmek/aktarmak;
(organ, saç, vb.) nakletmek
transplantation nakil, aktarma
transport /'trenspo:t/ a. nakil,
taşıma; taşımacılık; araç * e.
taşımak, götürmek, nakletmek;
sürgüne göndermek transporta-
tion taşıma, taşımacılık; araç,
taşıt; sürgün
transpose /tren'spouz/ e. yerler-
ini/sırasını değiştirmek; müz.
perdesini değiştirmek
trap /trep/ a. tuzak; kapan; kon.
ağız * e. tuzağa düşürmek
trapeze /tn'pi:z/ a. trapez
trash /treş/ a. değersiz şey, adi şey; AE. süprüntü; AE. ayaktakımı
trashy değersiz
trauma /'tro:mı, 'traumı/ a. hek.
travma
travel /'trevıl/ e. seyahat etmek,
yolculuk yapmak; yol almak,

gitmek; arg. gazlamak * a. seya-
hat, yolculuk travel
agency/bureau seyahat acentası
traveller seyyah, yolcu traveller's
cheque seyahat çeki
traverse /'trevö:s/ e. için-
den/üzerinden geçmek
travesty /'trevisti/ a. kötü/gülünç
taklit
trawl /tro:l/ a. tarak ağı, trol * e.
tarak ağıyla balık tutmak trawler
tarak ağlı balıkçı gemisi
tray /trey/ a. tepsi; tabla
treacherous /'treçırıs/ s. hain,
dönek; tehlikeli treachery hainlik,
ihanet
treacle /'tri:kıl/ a. şeker pekmezi
tread /tred/ e. trod /trod/, trodden
/trodın/ üzerinde yürümek;
basmak, çiğnemek, ezmek * a.
ayak basışı/sesi; lastik tırtılı;
merdiven basamağı
treadle /'tredıl/ a. pedal, ayaklık
treason /'tri:zın/ a. vatan hainliği
treasure /'trejı/ a. hazine, define *
e. çok değer vermek
treasurer /'trejın/ a. haznedar,
veznedar
treasury /'trejıri/ a. hazine; maliye
dairesi
treat /tri:t/ e. muamele etmek,
davranmak; ele almak; düşün-
mek, saymak, görmek; ikram
etmek, ısmarlamak; kimyasal
işleme tabi tutmak; tedavi etmek
treatise /'tri:tis, 'tri:tiz/ a. bilimsel
inceleme, tez
treatment /'tri:tmınt/ a. muamele,
davranış; tedavi
treaty /'tri:ti/ a. antlaşma
treble /'trebıl/ a. müz. soprano; tiz
* s. be. üç misli, üç kat
tree /tri:/ a. ağaç
tremble /'trembıl/ e. titremek;
ürpermek * a. titreme; ürperme,
ürperti
tremendous /tri'mendıs/ s. çok

büyük, kocaman; harika, olağanüstü **tremendously** son derece, çok

tremor /'tremı/ a. titreme

trench /trenç/ a. hendek, çukur; ask. siper

trend /trend/ a. eğilim; akım

trepidation /trepı'deyşın/ a. telaş, kaygı

trespass /'trespıs, 'trespes/ e. (başkasının arazisine) izinsiz girmek

trestle /'tresıl/ a. masa ayaklığı, sehpa

trial /'trayıl/ a. huk. duruşma, yargılama; deneme, sınama; baş belası, dert **on trial** yargılanmakta; deneme için **trial and error** deneme-yanılma yöntemi

triangle /'trayengıl/ a. üçgen **triangular** üçgen, üç köşeli

tribe /trayb/ a. kabile, boy, aşiret, oymak **tribesman** oymak üyesi

tribunal /tray'byu:nıl/ a. huk. mahkeme

tributary /'tribyutıri/ a. coğ. kol, akarsu, geleğen

tribute /'tribyu:t/ a. takdir, övgü; baç, haraç, vergi

trick /trik/ a. hüner, numara, el çabukluğu; marifet, ustalık, beceri; muziplik, şeytanlık; hile, düzen, dolap, oyun, dalavere * e. (**into**) aldatmak, kandırmak **play trick on sb** oyun oynamak **tricky** kurnaz; hileli, aldatıcı; ustalık isteyen, zor

trifle /'trayfıl/ a. değersiz şey; meyveli tatlı, bir tür jöle **trifle with** hafife almak **trifling** önemsiz, değersiz

trigger /'trigı/ a. tetik

trigonometry /trigı'nomitri/ a. trigonometri

trill /tril/ a. ses titremesi

trillion /'trilyın/ a. trilyon; AE. bilyon

trim /trim/ e. kesip düzeltmek, budamak; süslemek; kısmak; yenmek * s. düzenli, derli toplu * a. kesme, kırkma; intizam, düzen; form, kondisyon **trimming** süs; garnitür; kesilmiş parça

trinket /'trinkit/ a. incik boncuk, değersiz ziynet

trio /'tri:ou/ a. üçlü

trip /trip/ e. düşürmek; tökezlemek, sendelemek; hata yapmak * a. gezi, gezinti, kısa yolculuk; takılma, tökezleme; düşme, hata, yanılma

tripe /trayp/ a. işkembe; kon. zırva

triple /'tripıl/ s. üç misli, üç kat; üçlü

triplet /'triplit/ a. üçüz

tripod /'traypod/ a. üç ayaklı sehpa

trite /trayt/ s. basmakalıp, beylik

triumph /'trayımf/ a. zafer, yengi

trivial /'trivııl/ s. önemsiz, değersiz

trod, trodden /trod/ bkz. tread

trolleybus /'trolibas/ a. troleybüs

trombone /trom'boun/ a. müz. trombon

troop /tru:p/ a. küme, takım, sürü, grup; kon. askerler; ask. bölük, tabur, alay **trooper** süvari eri; AE. eyalet polisi

trophy /'troufi/ a. ödül; ganimet, av

tropic /'tropik/ a. dönence; kon. tropikal bölge **tropical** tropikal; çok sıcak

trot /trot/ a. tırıs * a. tırıs gitmek; tırısa kaldırmak; kon. gitmek, kaçmak

trouble /'trabıl/ e. üzmek, telaşlandırmak, sıkmak; rahatsız etmek, zahmet vermek; zahmet etmek **fish in troubled waters** bulanık suda balık avlamak * a. ıstırap, üzüntü, sıkıntı; dert, bela; müşkül durum, rahatsızlık, hastalık, zahmet **ask/look for trouble** bela aramak **be in trou-**

ble başı dertte olmak *get oneself into trouble* başını derde sokmak *troublemaker* baş belası, fitneci *troublesome* zahmetli, güç; sıkıcı, sıkıntılı

trough /trof/ *a.* yalak, tekne

troupe /tru:p/ *a.* şarkıcı/dansçı/oyuncu grubu

trousers /'trauzız/ *a.* pantolon

trout /traut/ *a.* alabalık

trowel /'trouıl/ *a.* mala

truant /'truınt/ *a.* okul kaçağı; işten kaytaran *play truant* okuldan kaçmak, dersleri kırmak

truce /tru:s/ *a.* ateşkes

truck /track/ *a. AE.* kamyon; *BE.* yük vagonu

trudge /trac/ *e.* yorgun argın yürümek

true /tru:/ *s.* doğru, gerçek; halis, hakiki, katışıksız; içten, samimi; sadık *come true* gerçekleşmek *true to* -e uygun, ile bağdaşan

truffle /'trafıl/ *a.* yermantarı, domalan

truly /'tru:li/ *be.* gerçekten; içtenlikle *yours truly* (mektup sonlarında) saygılarımla

trump /tramp/ *a.* (iskambil) koz * *e.* (iskambil) koz çakmak, kozla almak

trumpet /'trampit/ *a. müz.* trompet, boru

truncheon /'trançın/ *a.* cop

trunk /trank/ *a.* ağaç gövdesi; beden; gövde; fil hortumu; *AE.* araba bagajı; *kon.* erkek mayosu *trunk road* anayol

truss /tras/ *e.* (up) sımsıkı bağlamak * *a.* kiriş, makas, destek; *hek.* kasık bağı

trust /trast/ *a.* güven; sorumluluk; *huk.* mutemetlik * *e.* güvenmek, inanmak; ümit etmek, ummak *trustee* mütevelli; emanetçi *trustworthy* güvenilir

truth /tru:t/ *a.* gerçek, hakikat;

doğruluk, gerçeklik; içtenlik; dürüstlük *truthful* doğru; doğru sözlü, dürüst

try /tray/ *e.* denemek; sınamak; uğraşmak, çalışmak; *huk.* yargılamak * *a.* deneme, kalkışma, girişim *try on* (giysi) prova etmek, giyip denemek *try out* denemek *trying* yorucu, bıktırıcı

tsar /za:, tsa:/ *a.* çar

t-shirt /'ti: şö:t/ *a.* tişört

tub /tab/ *a.* tekne, leğen; *kon.* küvet

tuba /'tyu:bı/ *a. müz.* tuba

tube /tyu:b/ *a.* tüp; boru; *BE.* metro, yeraltı treni

tuber /'tyu:bı/ *a. bitk.* yumrukök

tuberculosis /tyu:bö:kyu'lousis/ *a. hek.* tüberküloz, verem

tubular /'tyu:byulı/ *s.* tüp/boru şeklinde, borulu

tuck /tak/ *e.* (içine) sokmak; tıkmak; katlamak * *a.* pli, kırma

Tuesday /'tyu:zdi:/ *a.* salı

tuft /taft/ *a.* küme, öbek, top; püskül

tug /tag/ *e.* şiddetle çekmek, asılmak; sürüklemek * *a.* kuvvetli çekiş; römorkör *tugboat* römorkör

tuition /tyu:'işın/ *a.* öğretim; okul harcı/taksiti

tulip /'tyu:lip/ *a.* lale

tumble /'tambıl/ *e.* düşmek, yuvarlanmak; *kon.* jetonu düşmek * *a.* düşme; karışıklık, kargaşa

tummy /'tami/ *a. kon.* karın, mide

tumor /'tyu:mı/ *a. AE. bkz.* tumour

tumour /'tyu:mı/ *a. hek.* tümör, ur

tumult /'tyu:malt/ *a.* kargaşa, gürültü, patırtı, heyecan

tuna /'tyu:nı/ *a.* tonbalığı, orkinos

tune /tyu:n/ *a.* nağme, hava, ezgi; akort; uyum * *e.* akort etmek; (makineyi) ayarlamak, düzen vermek *in tune* akortlu; uyumlu *out of tune* akortsuz *tuneful* ahenkli *tuner* tuner, alıcı cihaz, radyo; akortçu

tunic /'tyu:nik/ *a.* tunik; asker/polis ceketi

tunnel /'tanıl/ *a.* tünel

turban /'tö:bın/ *a.* sarık; türban

turbot /'tö:bot/ *a. hayb.* kalkan

turbulence /'tö:byulıns/ *a.* hava akımı; sertlik

tureen /tyu'ri:n/ *a.* büyük çorba kâsesi

turf /tö:f/ *a.* çimenlik, çimen, çim

Turk /tö:k/ *a.* Türk

turkey /'tö:ki/ *a.* hindi

Turkish /'tö:kiş/ *s.* Türk; Türkçe * *a.* Türkçe *Turkish bath* Türk hamamı *Turkish delight* lokum

turmoil /'tö:moyl/ *a.* kargaşa, karışıklık, telaş

turn /tö:n/ *e.* çevirmek, döndürmek; çevrilmek, dönmek; sapmak; saptırmak; yöneltmek; üstüne tutmak; kıvırmak, katlamak; dönüştürmek; ekşitmek; varmak, ulaşmak * *a.* devir, dönüş; dönemeç; değişim, değişiklik; sıra; nöbet; yetenek; *kon.* korkutma, sarsma *at every turn* her defasında *in turn* sıra ile *out of turn* sıra dışında, sırasız *take turns* sıra ile (nöbetleşe) yapmak *turn against* karşı çıkmak *turn away* geri çevirmek *turn back* geri dönmek; (sayfa, vb.) kıvırmak *turn down* sesini kısmak; gücünü azaltmak; geri çevirmek *turn in* teslim etmek, vermek; *kon.* yatmak *turn off* söndürmek, kapamak, kesmek; *kon.* keyfini kaçırmak, sıkmak; *turn on* açmak; saldırmak; *kon.* (cinsel açıdan) etkilemek, ilgisini uyandırmak *turn out* söndürmek, kapatmak; üretmek; boşaltmak; olmak, çıkmak; giydirmek; çıkıp gelmek, toplanmak *turn over* çevirmek; devretmek; bırakmak;

(motor) sessiz çalışmak; üzerinde düşünmek *turn to* -e başvurmak *turn up* gelmek; ortaya çıkmak; biraz daha açmak *turnout* toplantı mevcudu, katılanlar; kılık kıyafet, giyim *turnover* sermaye devri, ciro; meyveli turta

turner /'tö:nı/ *a.* tornacı

turning /'tö:ning/ *a.* dönüş; dönemeç *turning point* dönüm noktası

turnip /'tö:nip/ *a.* şalgam

turnstile /'tö:nstayl/ *a.* turnike

turquoise /'tö:kwoyz/ *s. a.* turkuaz

turret /'tarit/ *a.* küçük kule; *ask.* taret

turtle /'tö:tıl/ *a.* su kaplumbağası

tussle /'tasıl/ *e.* (*with*) *kon.* kapışmak, dövüşmek * *a. kon.* kapışma, dövüşme, kavga

tutor /'tyu:tı/ *a.* özel öğretmen; *BE.* (üniversitede) öğretmen

tuxedo /tak'si:dou/ *a. AE.* smokin

twang /tweng/ *a.* genizden konuşma; tıngırtı

tweak /twi:k/ *e.* (kulak, burun, vb.) burkuvermek, bükmek

tweed /twi:d/ *a.* tüvit, iskoç kumaşı

tweezers /'twi:zız/ *a.* cımbız

twelve /twelv/ *a. s.* on iki *twelfth* on ikinci

twenty /'twenti/ *a. s.* yirmi *twentieth* yirminci

twice /tways/ *be.* iki kere; iki katı

twiddle /'twidıl/ *e.* döndürmek

twig /twig/ *a.* ince dal

twilight /'twaylayt/ *a.* alacakaranlık

twin /twin/ *a.* ikiz; ikili, çifte

twine /twayn/ *a.* kınnap, kalın sicim

twinge /twinc/ *a.* sancı

twinkle /'twinkıl/ *e.* pırıldamak, parlamak; göz kırpıştırmak * *a.* parıltı; göz kırpıştırma

twirl /twö:l/ *e.* hızla dönmek, fırıl fırıl dönmek; hızla döndürmek * *a.* hızla dönüş; kıvrım

twist /twist/ *e.* bükmek; burkmak; döndürmek; dolamak; ters anlam twit 266

vermek, çarpıtmak; bükülmek *
a. bükme, bükülme; burkma,
burkulma; dönemeç; sicim,
ibrişim

twit /twit/ *e.* takılmak, sataşmak

twitch /twiç/ *e.* aniden çekmek;
seğirtmek * *a.* seğirme, kıpırtı;
ani çekiş

twitter /'twitı/ *e.* cıvıldamak * *a.*
cıvıltı

two /tu:/ *a. s.* iki *in two* iki parça,
iki parçaya *one or two* bir iki,
birkaç *twofaced* ikiyüzlü *two-fold*
iki misli, iki kat *two-piece* iki
parçalı *two-way* çift yönlü, gidiş-
geliş

tycoon /tay'ku:n/ *a.* kodaman,
büyük işadamı

type /tayp/ *a.* tip, çeşit, tür; matbaa
harfi; örnek * *e.* daktilo ile yaz-
mak; daktilo kullanmak *type-
writer* daktilo, yazı makinesi
typist daktilograf

typhoid /'tayfoyd/ *a. hek.* tifo

typhoon /tay'fu:n/ *a.* tayfun

typhus /'tayfıs/ *a. hek.* tifüs

typical /'tipikıl/ *s.* tipik

typify /'tipifay/ *e.* tipik bir örneği
olmak

tyrannic /ti'renik/ *a.* zalim, gaddar

tyranny /'tirıni/ *a.* zorbalık, zulüm;
zorba hükümet

tyrant /'tayrınt/ *a.* zorba; zorba
hükümdar, tiran

tyre /tayı/ *a.* (oto) dış lastik

tzar /za:, tsa:/ *a.* çar

U

udder /'adı/ *a.* hayvan memesi

ugly /'agli/ *s.* çirkin; iğrenç; ters,
aksi

ulcer /'alsı/ *a. hek.* ülser

ultimate /'altimit/ *s.* son, en son;
kon. mükemmel, en büyük *ulti-*

mately en sonunda

ultimatum /alti'meytım/ *a.* ültima-
tom

ultraviolet /altrı'vayılit/ *s.* ultraviy-
ole, morötesi

umbrella /am'brelı/ *a.* şemsiye

umpire /'ampayı/ *a.* (tenis) hakem

unable /an'eybıl/ *s.* yapamaz, gücü
yetmez

unabridged /anı'bricd/ *s.* (yazı)
kısaltılmamış

unaccountable /anı'kauntıbıl/ *s.*
şaşırtıcı, açıklanamaz, anlaşılmaz

unaccustomed /anı'kastımd/ *s.*
garip; alışmamış, yadırgayan

unanimous /yu:'nenimıs/ *s.* hem-
fikir, aynı fikirde, ortak

unarmed /an'a:md/ *s.* silahsız

unassuming /anı'syu:ming/ *s.* alçak-
gönüllü, gösterişsiz, sessiz

unattended /anı'tendid/ *s.* yalnız,
kimsesiz, başıboş

unaware /anı'weı/ *s.* habersiz,
farkında olmayan *unawares*
ansızın

unbalanced /an'belınst/ *s.* dengesiz

unbearable /an'beırbıl/ *s.* dayanıl-
maz, çekilmez

unbelievable /anbi'li:vıbıl/ *s.*
inanılmaz, şaşırtıcı

unbutton /an'batın/ *e.* düğmelerini
çözmek

uncertain /an'sö:tın/ *s.* kuşkulu,
şüpheli; kararsız; kesin olmayan

uncharitable /an'çerıtıbıl/ *s.*
hoşgörüsüz, acımasız, sert

unchecked /an'çekt/ *s.* serbest
bırakılmış, kontrolünden çıkmış,
başıboş

uncle /'ankıl/ *a.* amca; enişte; dayı

uncomfortable /an'kamftıbıl/ *s.*
rahatsız, konforsuz

uncommon /an'komın/ *s.* nadir,
seyrek; acayip, olağandışı

uncompromising
/an'komprımayzing/ *s.* uzlaşmaz,
kararından dönmez

267 understood

unconcerned /ankın'sö:nd/ s. ilgisiz; kaygısız
unconditional /ankın'dişınıl/ s. kayıtsız şartsız, mutlak
unconscious /an'konşıs/ s. baygın, kendinde değil; bilmeden, kasıtsız
uncork /an'ko:k/ e. (şişenin) tıpasını açmak
uncountable /'ankauntıbıl/ s. sayılamayan
uncover /an'kavı/ e. (örtüsünü, kapağını) açmak; ortaya çıkarmak
uncut /an'kat/ s. kesilmemiş; (film, kitap, vb) kısaltılmamış, makaslanmamış
undaunted /an'do:ntid/ s. yiğit, gözü pek, korkusuz, yılmaz
undecided /andi'saydid/ s. kararlaştırılmamış; askıda, kararsız
undeniable /andi'nayıbıl/ s. inkâr edilemez, yadsınamaz, kesin
under /'andı/ be. altında, altına * ilg. altında, altına, altından; -den az, -den aşağı, -in altında; -in yönetiminde under age reşit olmamış under cover (of) -e sığınmış/gizlenmiş
undercarriage /'andıkeric/ a. (uçak) iniş takımı, tekerlekler
undercharge /andı'ça:c/ e. değerinden az para istemek
underclothes /'andıkloudz/ a. iç çamaşırı
undercoat /'andıkout/ a. astar boya
undercut /andı'kat/ e. başkalarından daha ucuza satmak
underdeveloped /andıdi'velıpt/ s. az gelişmiş
underdog /'andıdog/ a. ezilen kişi, mazlum
underdone /andı'dan/ s. az pişmiş
underestimate /andır'estimeyt/ e. az/düşük olarak tahmin etmek
underfoot /andı'fut/ be. ayak altında

undergo /andı'gou/ e. underwent /andı'went/, undergone /andı'gon/ -e uğramak, çekmek, geçirmek
underwent /andı'went/ bkz. undergo
undergraduate /andı'grecyuit/ a. üniversite öğrencisi
underground /'andıgraund/ s. yeraltı; gizli * a. BE. yeraltı treni, metro
undergrowth /'andıgrout/ a. bitk. ormanaltı bitkileri
underline /andı'layn/ e. altını çizmek; vurgulamak, belirtmek
undermanned /andı'mend/ s. personeli yetersiz, az çalışanı olan
undermine /andı'mayn/ e. baltalamak, yıkmak, temelini çürütmek
underneath /andı'ni:t/ ilg. be. altına, altından, altında * a. bir şeyin alt bölümü, alt
undernourish /andı'narış/ e. kötü beslemek, yeterli beslememek
underpants /'andıpents/ a. külot, don
underpass /'andıpa:s/ a. yeraltı geçidi
underprivileged /andı'privilicd/ s. temel sosyal haklardan yoksun
underrate /andı'reyt/ e. hafife almak, küçümsemek, gereğinden az değer vermek
undershirt /andı'şö:t/ a. AE. atlet, fanila
underside /'andısayd/ a. alt kısım, alt bölüm, alt, taban
undersigned /andı'saynd/ s. aşağıda imzası bulunan
understand /andı'stend/ e. understood /andı'stud/ anlamak understandable anlaşılabilir understanding anlayış; anlama; anlayışlı
understatement /andı'steytmınt/ a. (anlatımaya) yetersiz kalan ifade
understood /andı'stud/ bkz. under-

stand

undertake /andı'teyk/ *e. undertook* /andı'tuk/, **undertaken** /andı'teykın/ üzerine almak, üstlenmek, sorumluluğunu almak; (işe) girişmek, başlamak

undertaker /'andıteykı/ *a.* cenaze kaldırıcısı

underwater /andı'wo:tı/ *s. be.* sualtı; sualtında

underwear /'andıweı/ *a.* iç çamaşırı

underweight /andı'weyt/ *s.* normalden hafif

underworld /'andıwö:ld/ *a.* ölüler diyarı; yeraltı dünyası, suçlular dünyası

undesirable /andi'zayırıbıl/ *s.* istenmeyen, hoşa gitmeyen, nahoş

undeveloped /andi'velıpt/ *s.* (yer) gelişmemiş

undistinguished /andi'stingwişt/ *s.* sıradan, vasat; üstün özellikleri olmayan

undivided /andi'vaydid/ *s.* tam, bölünmemiş

undo /an'du:/ *e. undid* /andid/, *undone* /andan/ çözmek, açmak; mahvetmek, yok etmek *undoing* felaket nedeni, mahvolma sebebi

undone /an'dan/ *bkz. undo; s.* yapılmamış, tamamlanmamış; çözülmüş, açılmış, bağlanmamış

undoubted /an'dautid/ *s.* kesin, su götürmez, kuşku götürmez, şüphesiz

undress /an'dres/ *e.* soyunmak; soymak, giysilerini çıkarmak

undue /an'dyu:/ *s.* aşırı, çok fazla; yersiz

unearth /an'ö:t/ *e.* kazıp çıkarmak

unearthly /an'ö:tli/ *s.* doğaüstü, esrarengiz, korkunç; *kon.* yersiz, vakitsiz, uygunsuz

uneasy /an'i:zi/ *s.* sıkıntılı, tedirgin, rahatsız, endişeli

uneducated /an'ecukeytid/ *s.* tahsilsiz, eğitimsiz

unemployed /anim'ployd/ *s.* işsiz *the unemployed* işsizler *unemployment* işsizlik

unenviable /an'enviıbıl/ *s.* hoşa gitmeyen, nahoş

unequal /an'i:kwıl/ *s.* eşit olmayan; yetersiz, yeterli seviyede olmayan

uneven /an'i:vın/ *s.* düz olmayan, yamuk, eğri; değişken, kararsız

unfaithful /an'feytfıl/ *s.* vefasız; eşine sadık olmayan, eşini aldatan

unfavourable /an'feyvırıbıl/ *s.* uygun olmayan, elverişsiz, aksi, ters, kötü

unfold /an'fould/ *e.* (katlanmış bir şeyi) açmak; göz önüne sermek; göz önüne serilmek, çözülmek, ortaya çıkmak

unforgettable /anfı'getıbıl/ *s.* unutulmaz

unfortunate /an'fo:çunit/ *s.* talihsiz; yersiz, uygunsuz *unfortunately* maalesef, ne yazık ki

unfounded /an'faundid/ *s.* asılsız, temelsiz

unfurl /an'fö:l/ *e.* (yelken, bayrak, vb.) açmak, fora etmek

ungrateful /an'greytfıl/ *s.* nankör

unguarded /an'ga:did/ *s.* sakınmasız, ihtiyatsız

unhappy /an'hepi/ *s.* mutsuz; uygunsuz, yersiz

unhealthy /an'helti/ *s.* sağlıksız; sağlığa zararlı; *kon.* tehlikeli

unheard /an'hö:d/ *s.* duyulmamış, dinlenmemiş

unidentified /anay'dentifayd/ *s.* kimliği belirlenememiş

uniform /'yu:nifo:m/ *a.* üniforma * *s.* tek biçimli, aynı

unify /'yu:nifay/ *e.* bir örnek yapmak; bütünleştirmek

uninterested /an'intristid/ *s.* (*in*) ilgisiz

uninterrupted /anintı'raptid/ *s.*

devamlı, kesintisiz

union /'yu:nıın/ *a.* birleşme, birleştirme; birlik; sendika; dernek; federasyon *the Union Jack* İngiliz bayrağı

unique /yu:'nik/ *s.* tek, biricik; *kon.* nadir, az bulunur, eşsiz

unison /'yu:nisın/ *a.* uyum, ahenk, birlik

unit /'yu:nit/ *a.* birim; ünite; *ask.* birlik

unite /yu:'nayt/ *e.* birleşmek; birleştirmek; birlikte olmak

united /yu:'naytid/ *s.* birleşmiş, birleşik; ortak amaçlı *United Nations* Birleşmiş Milletler

unity /'yu:niti/ *a.* birlik; birleşme

universal /yu:ni'vö:sıl/ *s.* evrensel, genel

universe /'yu:nivö:s/ *a.* evren

university /yu:ni'vö:siti/ *a.* üniversite

unkind /an'kaynd/ *s.* düşüncesiz, kaba, kırıcı; zalim, sert

unknown /an'noun/ *a. s.* bilinmeyen, meçhul, tanınmayan

unlawful /an'lo:fıl/ *s.* yasadışı, yolsuz

unless /an'les, ın'les/ *bağ.* -medikçe, -madıkça, -mezse

unlike /an'layk/ *ilg.* -den farklı; -e benzemeyen

unlikely /an'laykli/ *s.* muhtemel olmayan, olasısız

unload /an'loud/ *e.* (yük, silah, film, vb.) boşaltmak

unlock /an'lok/ *e.* kilidini açmak

unloose /an'lu:s/ *e. yaz.* gevşetmek; çözmek

unlucky /an'laki/ *s.* şanssız, talihsiz

unmarried /an'merid/ *s.* evlenmemiş, bekâr

unnatural /an'neçırıl/ *s.* doğal olmayan; anormal; sapık, anormal

unnecessary /an'nesısıri/ *s.* gereksiz

unpack /an'pek/ *e.* (bavul, paket, vb.) açmak, boşaltmak; eşyalarını çıkarmak

unpleasant /an'plezınt/ *s.* nahoş, tatsız, çirkin; kaba

unprecedented /an'presidentid/ *s.* eşi görülmemiş, emsalsiz

unprofessional /anprı'feşınıl/ *s.* (davranış) meslek kurallarına aykırı

unprovoked /anprı'voukt/ *s.* kışkırtılmadan yapılmış

unqualified /an'kwolifayd/ *s.* vasıfsız, ehliyetsiz, yetersiz

unquestionable /an'kwesçınıbıl/ *s.* su götürmez, kesin, tartışmasız

unravel /an'revıl/ *e.* (iplik, giysi, vb.) çözmek, sökmek; çözülmek, sökülmek

unreal /an'rııl/ *s.* gerçek olmayan, düşsel

unreasonable /an'ri:zınıbıl/ *s.* mantıksız, saçma; (fiyat, vb.) aşırı

unreliable /anrı'layıbıl/ *s.* güvenilmez

unrest /an'rest/ *a.* huzursuzluk, kargaşa

unroll /an'roul/ *e.* (örtü, vb.) açmak, yaymak

unsaid /an'sed/ *s.* söylenmemiş, dile getirilmemiş

unsavoury /an'seyvıri/ *s.* rezil, aşağılık, çirkin, ahlaksız

unscathed /an'skeytd/ *s.* hasar görmemiş

unscrupulous /an'skru:pyulıs/ *s.* ahlaksız, vicdansız

unseat /an'si:t/ *e.* görevden almak; (at) binicisini düşürmek

unseemly /an'si:mli/ *s.* uygunsuz, yakışık almaz

unsettle /an'setıl/ *e.* huzurunu kaçırmak

unshakeable /an'şeykıbıl/ *s.* (inanç) sarsılmaz, sağlam

unsightly /an'saytli/ *s.* göz zevkini bozan, çirkin

unskilled /an'skild/ *s.* vasıfsız, beceriksiz

unsophisticated /ansı'fistikeytid/ *s.* deneyimsiz, toy; mütevazı, basit, sıradan

unsound /an'saund/ *s.* (düşünce) sağlam temele oturmayan; çürük

unspeakable /an'spi:kıbıl/ *s.* korkunç, müthiş, sözle anlatılmaz

unstuck /an'stak/ *s.* bağlı/yapışık olmayan, kopuk

untidy /an'taydi/ *s.* düzensiz, dağınık

untie /an'tay/ *e.* çözmek

until /an'til, ın'til/ *bağ. ilg.* -e kadar, -e dek, -inceye kadar

untimely /an'taymli/ *s.* vakitsiz, zamanından önce, mevsimsiz; uygunsuz, yersiz

untold /an'tould/ *s.* muazzam, sayısız, büyük; anlatılmamış

untruth /an'tru:t/ *a.* yalan **untruthful** yalancı; yalan, uydurma

unused /an'yu:zd/ *s.* kullanılmamış

unused /an'yu:st/ *s.* (to) alışmamış, alışık olmayan

unusual /an'yu:juıl, an'yu:jıl/ *s.* olağan olmayan, alışılmamış, ender, görülmedik **unusually** ender olarak; çok, aşırı derecede

unveil /an'veyl/ *e.* örtüsünü açmak; ortaya çıkarmak

unwell /an'wel/ *s.* hasta, rahatsız, kötü

unwieldy /an'wi:ldi/ *s.* hantal, ağır

unwind /an'waynd/ *e.* (yumak) çözmek, açmak; çözülmek, açılmak; *kon.* gevşemek, rahatlamak

unzip /an'zip/ *e.* fermuarını açmak

up /ap/ *be.* yukarıya; yukarıda, yüksekte * *ilg.* yukarısında, yukarısına * *s.* yukarı giden **up against** yüz yüze **up and about** ayakta, yataktan çıkmış **up to** -e kadar; -e uygun, yeterli; -e bağlı, -e kalmış **up to date** çağdaş, modern **What's up** *kon.* Ne

oluyor? Ne var? Ne oldu? Sorun ne?

upbringing /'apbringing/ *a.* çocuk bakım ve eğitimi, yetişme, yetişim

update /ap'deyt/ *e.* modernleştirmek, çağdaşlaştırmak

uphill /ap'hil/ *s. be.* yokuş yukarı

uphold /ap'hould/ *e.* **upheld** /apheld/ onaylamak; desteklemek

upholster /ap'houlstı/ *e.* (koltuk) döşemek, kaplamak **upholstery** döşemecilik; döşemelik eşya

upkeep /'apki:p/ *a.* bakım

upland /'aplınd/ *a.* yayla, yüksek arazi

upon /ı'pon/ *ilg.* üzerinde, üzerine

upper /'apı/ *s.* üst, üstteki

uppermost /'apımoust/ *be. s.* en başta gelen, başlıca

upright /'aprayt/ *s. e.* dik, dimdik; dikey; doğru, dürüst, namuslu

uprising /'aprayzing/ *a.* başkaldırı, ayaklanma, isyan

uproar /'apro:/ *a.* gürültü, şamata

uproot /ap'ru:t/ *e.* kökünden sökmek

upset /ap'set/ *e.* **upset** /apset/ devirmek, altüst etmek, bozmak; keyfini kaçırmak, üzmek * *s.* üzgün, üzüntülü; rahatsız, hasta; (mide) bulanmış * *a.* devirme, devrilme; altüst olma; (mide) bozukluk, rahatsızlık

upshot /'apşot/ *a.* netice, sonuç

upside down /apsayd 'daun/ *be.* alt üst, karmakarışık; tepetaklak, baş aşağı, ters

upstairs /ap'steız/ *be. s.* yukarıya, üst kata, yukarıda, üst katta * *a.* üst kat

upstream /ap'stri:m/ *be. s.* akıntıya karşı

uptight /'aptayt/ *s. kon.* eli ayağına dolaşmış, telaşlı, heyecanlı

upward /'apwıd/ *s.* artan, yükselen

upwards /'apwıdz/ *be.* yukarıya doğru

uranium /yu'reynıım/ *a. kim.* uranyum

Uranus /yu'reynıs/ *a.* Uranüs

urban /'ö:bın/ *s.* kent ile ilgili, şehirsel, kentsel

urbane /ö:'beyn/ *s.* nazik, yumuşak

urchin /'ö:çin/ *a.* afacan, yumurcak

urge /ö:c/ *e.* (**on**) teşvik etmek; ileri sürmek; ısrar etmek * *a.* dürtü, şiddetli istek, gereksinim

urgent /'ö:cınt/ *s.* acil, ivedi **urgently** acele ile

urinate /'yuırineyt/ *e.* işemek

urine /'yuırin/ *a.* idrar, sidik

urn /ö:n/ *a.* semaver

us /ıs, as/ *adl.* bizi, bize, biz

usage /'yu:zic, 'yu:sic/ *a.* kullanım, kullanış

use /yu:s/ *a.* kullanma, kullanım; fayda; âdet, alışıklık **in use** kullanılan **out of use** kullanılmayan **come into use** kullanılmaya başlanmak **useful** yararlı **useless** yararsız

use /yu:z/ *e.* kullanmak **used** kullanılmış **user** kullanan kimse/şey

used /yu:st/ **be used to** -e alışık olmak **get used to** -e alışmak **used to** (eskiden) -erdi, -ardı

usher /'aşı/ *a.* teşrifatçı; (sinema, tiyatro, vb.) yer gösterici * *e.* (in/out) eşlik etmek, götürmek; içeri getirmek

usual /'yu:juıl, 'yu:jıl/ *s.* her zamanki, alışılmış, olağan **as usual** her zaman olduğu gibi **usually** çoğunlukla, genellikle

usurp /yu:'zö:p/ *e.* gasp etmek, zorla almak

utensil /yu:'tensıl/ *a.* alet; kap

uterus /'yu:tırıs/ *a. anat.* dölyatağı

utility /yu:'tiliti/ *a.* yarar, fayda **public utilities** kamu kuruluşları

utilize /'yu:tılayz/ *e.* kullanmak, yararlanmak, değerlendirmek

utmost /'atmoust/ *a. s. yaz.* elden gelen en büyük (gayret)

utter /'atı/ *s.* halis, tam, su katılmadık * *e.* söylemek, demek; (çığlık, vb.) atmak **utterance** ifade, sözce

U-turn /'yu:tö:n/ *a.* U dönüşü

V

vacancy /'veykınsi/ *a.* boş (oda, yer); açık kadro

vacant /'veykınt/ *s.* boş; açık; münhal

vacate /vı'keyt/ *e.* boşaltmak, tahliye etmek

vacation /vı'keyşın/ *a.* tatil

vaccinate /'veksıneyt/ *e.* aşılamak **vaccination** aşılama, aşı

vaccine /'veksi:n/ *a.* aşı

vacillate /'vesileyt/ *e.* bocalamak, tereddüt etmek

vacuum /'vekyuım/ *a.* boşluk; vakum * *e. kon.* elektrik süpürgesiyle temizlemek **vacuum cleaner** elektrik süpürgesi

vagabond /'vegıbond/ *a.* serseri

vagina /vı'caynı/ *a.* dölyolu, vajina

vagrant /'veygrınt/ *a. s.* serseri

vague /veyg/ *s.* belirsiz, anlaşılmaz

vain /veyn/ *s.* boş, yararsız; kibirli, kendini beğenmiş **in vain** boşuna, boş yere

Valentine's Day /'velıntaynz dey/ *a.* 14 şubat sevgililer günü

valet /'velit/ *a.* uşak; (otel) oda hizmetçisi

valid /'velid/ *s.* geçerli; yasal, meşru

validate /'velideyt/ *e.* geçerli kılmak, onaylamak

validity /vı'lidıti/ *a.* geçerlik

valley /'veli/ *a. coğ.* vadi, koyak

valuable /'velyubıl/ *s.* değerli, kıymetli **valuables** değerli şeyler, valuation 272

valuation /velyu'eyşın/ a. (of) değer biçme, kıymet takdiri; biçilen değer

value /'velyu:/ a. değer; önem, itibar; anlam * e. değer biçmek; önem vermek, değer vermek Value Added Tax, VAT katma değer vergisi

valve /velv/ a. valf, supap; radyo lambası

vampire /'vempayı/ a. vampir

van /ven/ a. kamyonet; BE. eşya ya da yük vagonu

vandal /'vendıl/ a. yararlı ya da güzel şeyleri tahrip eden kimse, vandal vandalism vandalizm, yıkıcılık

vane /veyn/ a. rüzgâr gülü

vanguard /'venga:d/ a. ask. öncü kolu; elebaşı

vanilla /vı'nilı/ a. vanilya

vanish /'veniş/ e. gözden kaybolmak; yok olmak

vanity /'veniti/ a. kendini beğenmişlik, kibir; boşunalık, beyhudelik

vaporize /'veypırayz/ e. buharlaştırmak; buharlaşmak

vapour /'veypı/ a. buğu; buhar

variable /'veırıbıl/ s. değişken

variant /'veırıınt/ s. değişik * a. değişik biçim, varyant

variation /veırı'eyşın/ a. değişme miktarı, değişme derecesi; değişim, değişme, varyasyon

varied /'veırid/ s. değişik; çeşitli

variety /vı'rayıti/ a. değişiklik, çeşitlilik; (of) tür, nevi; varyete, şov

various /'veırııs/ s. çeşitli, değişik, türlü türlü; çok sayıda, birçok

varnish /'va:niş/ a. vernik; cila; parlaklık * e. cila sürmek; verniklemek

vary /'veırı/ e. değiştirmek, değişmek

vase /va:z/ a. vazo

vast /va:st/ s. çok geniş, engin; çok vastly çok

vat /vet/ a. fıçı, tekne

vault /vo:lt/ a. yeraltı mezarı; kubbe * e. üzerinden atlamak

veal /vi:l/ a. dana eti

veer /vıı/ e. yön değiştirmek, dönmek

vegetable /'vectıbıl/ a. sebze

vegetarian /veci'teırıın/ a. vejetaryen, etyemez

vegetate /'veciteyt/ e. ot gibi yaşamak

vegetation /veci'teyşın/ a. bitki örtüsü, bitey

vehement /'vıımınt/ s. öfkeli, şiddetli, sert

vehicle /'vi:ikıl/ a. taşıt, vasıta; araç

veil /veyl/ a. peçe, yaşmak; perde; duvak; paravana

vein /veyn/ a. anat. damar

velocity /vi'losıti/ a. sürat, hız

velvet /'velvit/ a. kadife

vendetta /ven'detı/ a. kan davası

veneer /vi'nıı/ a. kaplama maddesi; yapma tavır, sahte görünüş

venerable /'venırıbıl/ s. saygıdeğer

venerate /'venıreyt/ e. saygı göstermek

venereal /vı'nıırıl/ s. hek. zührevi venereal disease zührevi hastalık

vengeance /'vencıns/ a. öç, intikam take vengeance intikam almak with a vengeance şiddetle, alabildiğine

venison /'venisın/ a. geyik/karaca eti

venom /'venım/ a. (yılan, vb.) zehiri

vent /vent/ a. delik, ağız

ventilate /'ventileyt/ e. havalandırmak ventilation havalandırma ventilator vantilatör, havalandırma sistemi

venture /'vençı/ e. tehlikeye atmak; cüret etmek, göze almak * a. tehlikeli girişim, macera

Venus /'vi:nıs/ *a.* Venüs gezegeni, Zühre

veranda /vı'rendı/ *a.* balkon, veranda

verb /vö:b/ *a. dilb.* fiil, eylem

verbal /'vö:bıl/ *s.* sözlü, sözel

verdict /'vö:dikt/ *a. huk.* jüri kararı

verge /vö:c/ *a.* kenar, sınır *verge on/upon* -in eşiğinde olmak

verify /'verifay/ *e.* doğruluğunu kanıtlamak

veritable /'veritıbıl/ *s.* gerçek, tam

vermilion /vı'milıın/ *a. s.* alev kırmızısı

vermin /'vö:min/ *a.* zararlı böcek ya da hayvanlar

vermouth /'vö:mıt/ *a.* vermut

vernacular /vı'nekyulı/ *a.* anadil; lehçe

verruca /vı'ru:kı/ *a.* nasır

versatile /'vö:sıtayl/ *s.* çok yönlü; çok işe yarayan, çok kullanımlı

verse /vö:s/ *a.* şiir, koşuk; mısra; ayet

version /'vö:şın/ *a.* yorum; çeviri; uyarlama

versus /'vö:sıs/ *ilg.* -e karşı

vertebra /'vö:tıbrı/ *a. anat.* (*ç. -brae* /-bri:/) omurga *vertebrate* /'vö:tibrit/ omurgalı

vertical /'vö:tikıl/ *s.* dikey, düşey

vertigo /'vö:tigou/ *a.* baş dönmesi

very /'veri/ *be.* çok, pek; gerçekten; tümüyle * *s.* aynı, tıpkısı; tam; hatta, bile

vessel /'vesıl/ *a.* kap; gemi, tekne; damar

vest /vest/ *a. BE.* atlet, fanila; *AE.* yelek

vestibule /'vestibyu:l/ *a.* antre, hol

vestige /'vestic/ *a.* iz, eser

vet /vet/ *a. kon.* veteriner, baytar

veteran /'vetırın/ *a. s.* (*of*) kıdemli, eski; emektar; gazi

veterinary /'vetırinıri/ *s.* hayvan hastalıklarıyla ilgili *veterinary surgeon BE.* veteriner

veto /'vi:tou/ *a.* veto * *e.* veto etmek

vex /veks/ *e.* kızdırmak, canını sıkmak

via /'vayı/ *ilg.* yolu ile, -den geçerek; *kon.* aracılığıyla

viable /'vayıbıl/ *s.* uygulanabilir; varlığını sürdürebilir

viaduct /'vayıdakt/ *a.* viyadük, köprü

vibrate /vay'breyt/ *e.* titremek; titretmek *vibration* titreşim; titreme

vicar /'vikı/ *a.* papaz

vice /vays/ *a.* ahlaksızlık; kötülük; *kon.* kötü alışkanlık; mengene

vice versa /vaysı 'vö:sı/ *be.* tersine; karşılıklı olarak

vicinity /vi'siniti/ *a.* semt, çevre, yöre

vicious /'vişıs/ *s.* kötü amaçlı *vicious circle* kısır döngü

victim /'viktım/ *a.* kurban

victor /'viktı/ *a.* kazanan, galip; fatih

Victorian /vik'to:riın/ *s. a.* Kraliçe Viktorya dönemine ait

victorious /vik'to:rııs/ *s.* muzaffer, galip

victory /'viktıri/ *a.* zafer, utku, galibiyet

video /'vidiou/ *a. s.* video *videotape* videoteyp, video bandı

view /vyu:/ *a.* görüş, görünüş; manzara; bakış; düşünce; kanı * *e.* incelemek; bakmak; muayene etmek *in view of* -i göz önünde bulundurarak *on view* sergilenmekte *point of view* görüş *with a view to* amacıyla, -mek için *viewer* televizyon izleyen kimse, seyirci

viewy /'vyu:i/ *s.* gösterişli

vigil /'vıcil/ *a.* (nöbet, vb. için) geceleyin uyumama, nöbet tutma

vigilant /'vicilınt/ *s.* uyanık, tetikte

vigour /'vigı/ *a.* güç, kuvvet, dinçlik

vigorous güçlü, dinç, enerjik
vile /vayl/ s. aşağılık, adi; iğrenç
villa /'vilı/ a. villa
village /'vilic/ a. köy **villager** köylü
villain /'vilın/ a. kötü adam
vindicate /'vindikeyt/ e. haklı çıkarmak, doğruluğunu kanıtlamak
vindictive /vin'diktiv/ s. kinci
vine /vayn/ a. bitk. asma; sarmaşık **vineyard** üzüm bağı
vinegar /'vinigı/ a. sirke
vintage /'vintıc/ a. bağbozumu
viola /vi'oulı/ a. müz. viyola
violate /'vayıleyt/ e. bozmak, çiğnemek; tecavüz etmek **violation** ihlal, bozma; tecavüz
violent /'vayılınt/ s. sert, şiddetli; zorlu
violet /'vayılıt/ a. menekşe
violin /vayı'lin/ a. müz. keman, viyolon
viper /'vaypı/ a. hayb. engerek
virgin /'vö:cin/ a. bakire, kız * s. bakire; el değmemiş, saf; doğal; bakir **Virgin Mary** Meryem Ana **virginity** bekâret, erdenlik
Virgo /'vö:gou/ a. Başak burcu
virile /'virayl/ s. güçlü; erkekçe; (cinsel yönden) iktidarlı
virtual /'vö:çuıl/ s. ismen olmasa da fiilen var olan, gerçek, asıl; sanal **virtually** hemen hemen, neredeyse
virtue /'vö:çu:/ a. fazilet, erdem; üstünlük **by virtue of**-den dolayı, -in sayesinde **virtuous** /-çuıs/ erdemli; dürüst
virus /'vayırıs/ a. virüs
visa /'vi:zı/ a. vize
vis-à-vis /vi:z a:'vi:, vi:zı'vi:/ ilg. -e bakınca; yüz yüze
viscous /'viskıs/ s. (sıvı) yapışkan
visible /'vizıbıl/ s. görülebilir, görünür
vision /'vijın/ a. görme; görüş; ileriyi görme; hayal, düş

visionary /'vijınıri/ s. ileriyi gören; düşsel, hayali * a. hayalperest
visit /'vizit/ e. ziyaret etmek, görmeye gitmek * a. ziyaret; teftiş; muayene, vizite
visitor /'vizitı/ a. ziyaretçi
visor /'vayzı/ a. (kasket) siperlik, siper
visual /'vijuıl/ s. görsel **visual aid** görsel eğitim aracı
vital /'vaytıl/ s. (yaşam için) gerekli; çok önemli; yaşam dolu, canlı
vitality /vay'teliti/ a. hayatiyet, canlılık, dirilik
vitally /'vaytıli/ be. en yüksek derecede
vitamin /'vitımin, 'vaytımin/ a. vitamin
vivacious /vi'veyşıs/ s. şen şakrak
vivid /'vivid/ s. parlak, canlı; güçlü; canlı, akılda kalıcı
vixen /'viksın/ a. hayb. dişi tilki; cadaloz kadın
vocabulary /vı'kebyulıri, vou'kebyulıri/ a. kelime hazinesi; kısa sözlük
vocal /'voukıl/ s. sesle ilgili **vocal cords** ses telleri **vocalist** şarkıcı
vocation /vou'keyşın/ a. meslek, iş **vocational** mesleki
vodka /'vodkı/ a. votka
vogue /voug/ a. moda
voice /voys/ a. ses **give voice to** ifade etmek, dile getirmek **with one voice** hep bir ağızdan
void /voyd/ s. boş; geçersiz * a. boşluk * e. geçersiz kılmak; boşaltmak
volatile /'volıtayl/ s. değişken, dönek; (sıvı) uçucu
volcano /vol'keynou/ a. volkan, yanardağ
volley /'voli/ a. yaylım ateş; sp. topa yere değmeden yapılan vuruş, vole **volleyball** voleybol
volt /voult/ a. volt **voltage** voltaj
voluble /'volyubıl/ s. konuşkan, dilli

volume /'volyu:m/ *a.* hacim; cilt; miktar; (ses) güç, şiddet

voluntary /'volıntırı/ *s.* gönüllü; iradi, istençli, kasıtlı

volunteer /volın'tir/ *a.* gönüllü * *e.* bir hizmete gönüllü olarak girmek

voluptuous /vı'lapçuıs/ *s.* şehvetli; seksi

vomit /'vomit/ *e.* kusmak * *a.* kusmuk

voodoo /'vu:du:/ *a.* büyü, büyü dini

vortex /'vo:teks/ *a.* girdap

vote /vout/ *a.* oy * *e.* oy vermek; seçmek; önermek; *kon.* bildirmek, ilan etmek **voter** seçmen

vouch /vauç/ *e.* (*for*) kefil olmak; tasdik etmek **voucher** senet, makbuz, belge

vow /vau/ *a.* yemin, ant * *e.* yemin etmek, ant içmek

vowel /'vauıl/ *a.* ünlü, sesli harf

voyage /'voyic/ *a.* seyahat, yolculuk, gezi

vulgar /'valgı/ *s.* kaba, terbiyesiz, bayağı; zevksiz, adi

vulnerable /'valnırbıl/ *s.* hassas; korunmasız, savunmasız, zayıf

vulture /'valçı/ *a. hayb.* Akbaba

W

wad /wod/ *a.* tapa, tıkaç

waddle /'wodıl/ *e.* badi badi yürümek

wade /weyd/ *e.* (su, çamur, vb. içinde) güçlükle ilerlemek

wafer /'weyfı/ *a.* ince bisküvi

waffle /'wofıl/ *a.* bir tür gözleme; *BE. kon.* zırvalama

wag /weg/ *a.* sallama * *e.* sallamak

wage /weyc/ *a.* ücret

wager /'weycı/ *a.* bahis * *e.* bahse girmek

waggon /'wegın/ *a.* yük arabası; kağnı; *BE.* yük vagonu

wail /weyl/ *e.* ağlamak, feryat etmek * *a.* ağlama, feryat

waist /weyst/ *a.* bel **waistband** kemer, kuşak **waistcoat** yelek

wait /weyt/ *e.* (*for*) beklemek * *a.* bekleme **keep sb waiting** -i bekletmek **lie in wait** pusuya yatmak **wait on** hizmet etmek, bakmak **waiting room** bekleme salonu

waiter /'weytı/ *a.* garson **waitress** bayan garson

wake /weyk/ *e.* **woke** /wouk/, **woken** /'woukın/ (up) uyanmak; uyandırmak * *a.* dümen suyu **wakeful** uyanık, uyuyamayan; uykusuz

waken /'weykın/ *e.* uyandırmak; uyanmak

walk /wo:k/ *e.* yürümek; gezinmek; dolaşmak; yürüyüşe çıkarmak, gezdirmek; yürüyerek eşlik etmek * *a.* yürüyüş, gezinti; yürüme; kaldırım, yol **walk of life** sosyal durum, meslek **go for a walk** yürüyüşe çıkmak **walk/off with** *kon.* (ödül, vb.) kolayca kazanmak; *kon.* çalmak, yürütmek **walkout** grev; (toplantı, vb.'ni) terk etme **walk out on** yüzüstü bırakmak, terk etmek **walking** yürüme, yürüyüş **walking stick** baston

walkie-talkie /wo:ki'to:ki/ *a.* portatif alıcı-verici aygıt

wall /wo:l/ *a.* duvar; sur **wallchart** öğretim aracı olarak kullanılan duvar resmi **wallpaper** duvar kâğıdı

wallet /'wolit/ *a.* cüzdan

walnut /'wo:lnat/ *a.* ceviz; ceviz ağacı

walrus /'wo:lrıs/ *a. hayb.* mors

waltz /wo:ls/ *a. müz.* vals

wander /'wondı/ *e.* dolaşmak, gezmek; ayrılmak, sapmak **wander off** konudan ayrılmak **wanderer** amaçsızca dolaşan kimse, avare

wane /weyn/ *e.* azalmak, eksilmek;

sönmek; (ay) gittikçe küçülmek

want /wont/ *e.* istemek; -e gerek-sinimi olmak; gerektirmek * *a.* istek; gereksinim, ihtiyaç, lüzum; yokluk *want for* -e ihtiyaç duy-mak, aramak *be wanting* eksik olmak *wanted* aranan *wanting* eksik, noksan

wanton /'wontın/ *s.* değişken, kaprisli; kontrolsüz; mantıksız, nedensiz

war /wo:/ *a.* savaş
warfare savaş; mücadele *war-head* patlayıcı savaş başlığı *war-like* savaşçı; savaşla ilgili *warship* savaş gemisi *wartime* savaş zamanı

warble /'wo:bıl/ *e.* ötmek, şakımak *warbler* çalıbülbülü, ötleğen

ward /wo:d/ *a.* koğuş; semt, bölge; vesayet; vesayet altındaki kimse

warden /'wo:dın/ *a.* bekçi; muhafız

warder /'wo:dı/ *a.* gardiyan, bekçi

wardrobe /'wo:droub/ *a.* gardırop

warehouse /'weıhaus/ *a.* depo, ambar

wares /weız/ *a.* mal, eşya

warm /wo:m/ *s.* sıcak; sıcak tutan; içten, candan; hoş; neşeli, dostça * *e.* ısıtmak; ısınmak *warm to/towards* kon. sevmeye başla-mak, hoşlanmak, ısınmak; il-gilenmek, ilgilenmeye başlamak *warm up* ısınmak; ısıtmak *warm-blooded* sıcakkanlı *warm-hearted* iyi kalpli, cana yakın

warmth /wo:mt/ *a.* sıcaklık; içtenlik

warn /wo:n/ *e.* uyarmak, ikaz et-mek *warning* uyarı, ikaz, tembih

warp /wo:p/ *a.* eğrilik, çarpıklık; çözgü; *den.* palamar * *e.* eğril-mek, yamulmak; eğriltmek

warrant /'worınt/ *a.* yetki; ruhsat; teminat, garanti * *e.* mazur göstermek; garanti etmek *search warrant* arama emri *warranty* garanti belgesi

warrior /'worıı/ *a.* savaşçı; asker

wart /wo:t/ *a.* siğil

wary /'weırı/ *s.* ihtiyatlı; uyanık

was /wız; woz/ *e.* (*be* eyleminin *I, he, she, it* özneleriyle kullanılan geçmiş zaman biçimi) -dı, -di

wash /woş/ *e.* yıkamak; yıkanmak * *a.* yıkama; yıkanma; çamaşır *washable* yıkanır, yıkanabilir *washbasin* lavabo *washbowl AE.* lavabo *washer* yıkayıcı; çamaşır makinesi *washing* çamaşır *washing machine* çamaşır maki-nesi *washing soda* çamaşır so-dası *washing-up BE.* bulaşık yıkama, bulaşıklar *wash out* (kir, vb.) yıkayarak çıkarmak, temizlemek *wash up BE.* bulaşık yıkamak; *AE.* elini yüzünü yıka-mak

wasp /'wosp/ *a.* eşekarısı *wasp waist* ince bel *waspish* huysuz

wastage /weyst/ *a.* israf, sarfiyat

waste /weyst/ *a.* israf, savurganlık; artık madde; boş arazi, çöl * *s.* artık; boş, çorak * *e.* israf etmek, çarçur etmek *go/run to waste* is-raf olmak, ziyan olmak *lay waste* harap etmek, yıkıp yakmak *waste one's breath* çenesini boşa yor-mak *wastebasket* çöp sepeti *wasteful* savurgan, müsrif *wastepaper basket* kâğıt sepeti *waste pipe* künk

watch /woç/ *e.* seyretmek, izlemek; göz kulak olmak; beklemek; dik-kat etmek; gözetlemek * *a.* kol saati; cep saati; gözetleme; nöbet; nöbetçi, bekçi; nöbetçilik *watchband* saat kayışı *watchdog* bekçi köpeği *watch for* beklemek, kollamak *watchful* tetikte, uy-anık, dikkatli *watchmaker* saatçi *watchman* bekçi gözcü *watch out* kon. dikkat etmek *watchword* pa-rola; slogan

water /'wo:tı/ *a.* su * *e.* sulamak;

sulandırmak; sulanmak *by water* deniz yoluyla *fresh water* tatlı su *hard water* acı su *spring water* memba suyu *water down* sulandırmak *watercolour* suluboya *watercourse* su yolu, dere *waterfall* çağlayan, şelale *waterfront* rıhtım *waterline* (gemilerde) su düzeyi *watermelon* karpuz *watermill* su değirmeni *waterproof* sugeçirmez *water-skiing* su kayağı *waterway* gemi seyrine uygun su yolu *waterwheel* su çarkı *waterworks* su dağıtım tesisatı *watery* sulu, cıvık, çok sulu; (renk) soluk

watt /wot/ *a.* vat

wave /weyv/ *e.* sallamak; sallanmak; el sallamak * *a.* dalga; (el) sallama *wavelength* dalga boyu *wavy* (saç) dalgalı

wax /weks/ *a.* balmumu; kulak kiri

way /wey/ *a.* yol; yön, taraf; mesafe; şekil; yöntem, yol; imkân, olasılık *by the way* sırası gelmişken, bu arada *by way of* yolu ile; amacıyla, niyetiyle *get under way* başlamak *give way* boyun eğmek *in a way* bir bakıma *in some ways* bazı bakımlardan *make way for* -e yol açmak *no way* hayatta olmaz *out of the way* olağandışı, anormal *put sb out of the way* ortadan kaldırmak; başından atmak *right of way* (trafikte) geçiş hakkı *way in* giriş *way out* çıkış

waylay /'weyley/ *e.* yolunu kesmek, durdurmak

wayside /'weysayd/ *a.* yol kenarı

wayward /'weywıd/ *s.* kararsız, değişken

we /wı, wi:/ *adl.* biz

weak /wi:k/ *s.* güçsüz, zayıf; yetersiz; (çorba, çay) sulu, açık *weakness* zayıflık, güçsüzlük; zaaf; kusur, hata

weaken /'wi:kın/ *e.* zayıflamak; zayıflatmak

wealth /welt/ *a.* varlık, servet, para; bolluk, çokluk *wealthy* zengin, varlıklı

wean /wi:n/ *e.* sütten kesmek

weapon /'wepın/ *a.* silah

wear /weı/ *e. wore* /wo:/, *worn* /wo:n/ giymek; takmak; takınmak; aşınmak, yıpranmak; aşındırmak * *a.* giyme, giyinme; giysi, giyim; aşınma, eskime *wear away* zamanla aşınmak; aşındırmak *wear down* aşınmak; aşındırmak, yıpratmak; yenmek *wear off* azalmak, hafiflemek, geçmek *wear on* uzamak, bitmek bilmemek *wear out* giyip eskitmek; iyice eskitmek; çok yormak

weary /'wiıri/ *s.* yorgun; yorucu

weather /'wetı/ *a.* hava * *e.* (fırtına, güçlük, vb.'yi) atlatmak, savuşturmak; soldurmak, aşındırmak; solmak, aşınmak

weave /wi:v/ *e. wove* /wouv/, *woven* /'wouvın/ dokumak; örmek * *a.* dokuma; örme *weaver* dokumacı, örmeci *weaving* dokuma

web /web/ *a.* ağ; dokuma

wed /wed/ *e. yaz.* evlenmek

wedding /'weding/ *a.* nikâh, düğün

wedge /wec/ *a.* kama, kıskı, takoz

wedlock /'wedlok/ *a.* evlilik

Wednesday /'wenzdi/ *a.* çarşamba

weed /wi:d/ *a.* yabani ot, zararlı ot; *kon.* zayıf kimse

week /wi:k/ *a.* hafta *weekday* hafta içi, iş günü *weekend* hafta sonu *weekly* haftalık, haftada bir

weep /wi:p/ *e. wept* /wept/ ağlamak

weft /weft/ *a.* atkı, argaç

weigh /wey/ *e.* (ağırlığını) tartmak; ağırlığında olmak *weigh down* ağırlığıyla aşağıya itmek, basmak *weigh on* üzmek, düşündürmek

weighing machine kantar, baskül
weight /weyt/ *a.* ağırlık; tartı; *sp.*
halter; önem, değer; sıkıntı, yük
lose weight kilo vermek *over
weight* fazla kilolu *put on weight*
kilo almak *under weight* zayıf,
normal kilonun altında *weighty*
önemli, ciddi
weir /wıı/ *a.* su bendi
weird /wııd/ *s.* garip, tuhaf
welcome /'welkım/ *ünl.* Hoş geldi-
niz. * *e.* içtenlikle karşılamak;
kabul etmek * *a.* karşılama * *s.*
istenilen, sevindirici *make (sb)
welcome* (bir misafiri) ağırlamak
You're welcome Rica ederim, Bir
şey değil
weld /weld/ *e.* kaynak yaparak
birleştirmek * *a.* kaynak *welder*
kaynakçı
welfare /'welfeı/ *a.* refah, gönenç;
AE. yoksullara yapılan hükümet
yardımları
well /wel/ *be.* iyi; güzel; adamakıllı,
iyice * *s.* sağlığı yerinde, iyi; uy-
gun, yerinde; elverişli * *ünl.* şey!;
ha!; pekâlâ! * *a.* kuyu; memba,
pınar *as well* dahi, de, da *as well
as* hem ... hem de, olduğu kadar,
ile birlikte *do well* başarılı olmak
well off zengin, varlıklı
well /wel/ *önk.* iyi, doğru, dürüst,
adamakıllı *well-advised* akıllı,
sağgörülü *well-behaved* terbiyeli
well-being mutluluk, gönenç, iy-
ilik *well-bred* kibar, terbiyeli
well-done iyi pişmiş *well-
informed* bilgili, kültürlü *well-
intentioned* iyi niyetli *well-
known* tanınmış, ünlü *well-read*
çok okumuş, kültürlü *well-
spoken* konuşması düzgün *well-
timed* vaktinde, uygun *well-to-do*
kon. zengin *well-worn* eskimiş;
bayatlamış
wellington /'welingtın/ *a.* çizme
went /went/ *bkz.* go

wept /wept/ *bkz.* weep
were /wı, wö:/ *e.* (be eyleminin *we,
you, they* özneleriyle kullanılan
geçmiş zaman biçimi) -idik,
idin(iz), -idiler
west /west/ *a.* batı * *be.* batıya
doğru *westbound* batıya giden
westerly batıdaki; batıdan gelen
western /'westın/ *s.* batı * *a.*
kovboy filmi/romanı
wet /wet/ *s.* ıslak, yaş; (boya) ku-
rumamış; yağmurlu * *a.* yağmur,
yağmurlu hava; ıslaklık * *e.*
ıslatmak; ıslatmak
whack /wek/ *a.* küt diye vurma;
vuruş sesi, küt, pat; *kon.* pay,
hisse
whale /weyl/ *a.* *hayb.* balina *whaler*
balina avcısı; balina avlama
gemisi
wharf /wo:f/ *a.* iskele, rıhtım
what /wot/ *s.* *adl.* ne; hangi *What
for* Ne için *What if* ya ... ise *What
... like?* Nasıl? Nasıl bir şey?
What next Başka? Daha neler?
What's more Üstelik, Dahası
What of it/So what? *kon.* ne ol-
muş yani, ne çıkar
whatever /wo'tevı/ *adl.* her ne, her
hangi * *s.* ne, hangi; hiçbir, hiç
whatsoever /wotsou'evı/ *s.* *adl.* *bkz.*
whatever
wheat /wi:t/ *a.* buğday
wheedle /'wi:dıl/ *e.* tatlı dille ikna
etmek
wheel /wi:l/ *a.* tekerlek; direksiyon
wheelbarrow el arabası *wheel-
chair* tekerlekli sandalye
wheeze /wi:z/ *e.* hırıltıyla solumak
* *a.* hırıltı
when /wen/ *be.* ne zaman * *bağ.* -
dığı zaman; -ınca, -ince; -dığı
halde; takdirde, eğer
whenever /we'nevı/ *be.* *bağ.* her ne
zaman
where /weı/ *be.* nereye; nerede;
nereden * *bağ.* ki o yere; ki o

yerde; -dığı; -diği **whereabouts** nereye, nerelerde * a. (bulunduğu) yer

whereas /weı'rez/ bağ. oysa; mademki

wherever /weı'revı/ be. bağ. her nereye, her nerede, nereye, nerede

wherewithal /'weıwito:l/ a. gerekli para, vb.

whet /wet/ e. bilemek, keskinleştirmek **whet sb's appetite** iştahını iyice kabartmak

whether /'wetı/ bağ. -meyip, -mediğini

which /wiç/ s. hangi * adl. hangisi(ni); ki o, -en, -an; ki onu/ona, -dığı, -diği

whichever /wi'çevı/ s. adl. herhangi, hangi; herhangi bir(i)

whiff /wif/ a. esinti; koku

while /wayl/ bağ. -ken; -e rağmen, karşın * a. süre, zaman **after a while** biraz sonra **for a while** bir süre **worth (one's) while** (harcanacak zamana) değer

whilst /waylst/ bağ. be. bkz. **while**

whim /wim/ a. kapris **whimsical** /'wimzikıl/ kaprisli

whimper /'wimpı/ e. sızlamak, sızlanmak * a. ağlama, sızlama

whine /wayn/ e. sızlanmak, zırıldamak; zırlamak

whinny /'wini/ e. kişnemek * a. kişneme

whip /wip/ a. kırbaç, kamçı; parlamentoda parti denetçisi * e. kırbaçlamak; (yumurta, krema, vb.) çırpmak; kon. yenmek **whip up** tahrik/teşvik etmek; yapıvermek

whirl /wö:l/ e. fırıl fırıl döndürmek; fırıl fırıl dönmek * a. hızla dönme **whirlpool** girdap **whirlwind** hortum, kasırga

whirr /wö:/ a. kanat, pervane, vb. sesi, pır pır * e. pır pır etmek

whisk /wisk/ a. toz fırçası; (yumurta, vb.) çırpma aleti * e. silkmek, sallamak; apar topar götürmek; çırpmak

whisker /'wiskı/ a. kedi, fare, vb. bıyığı; kon. favori

whisky /'wiski/ a. viski

whisper /'wispı/ a. fısıltı * e. fısıldaşmak; fısıldamak

whistle /'wisıl/ a. ıslık; düdük * e. ıslık çalmak; düdük çalmak

white /wayt/ s. beyaz; soluk benizli; (kahve) sütlü * a. beyaz renk; yumurta akı **the White House** Beyaz Saray **white-collar** büroda çalışan **whiten** beyazlaşmak; beyazlaştırmak

whitewash /'waytwoş/ a. badana * e. badanalamak

whither /'witı/ be. nereye; ki oraya, -diği

whittle /'witıl/ e. yontmak **whittle down** azaltmak

whiz /wiz/ a. vızıltı * e. kon. vın diye gitmek; vızıldamak

who /hu:/ adl. kim; kime; kimi; ki o, -en, -an; ki onu/ona, -dığı, -diği

whoever /hu:'evı/ adl. her kim; her kim ise, kim olursa olsun

whole /houl/ s. bütün; tüm; mat. tam, kesirsiz * a. bütün **on the whole** neticede, genelde **wholehearted** candan, içten **wholly** tümüyle, bütün bütün

wholesale /'houlseyl/ a. toptan satış * s. be. toptan; toplu **wholesaler** toptancı

wholesome /'houlsım/ s. sağlığa yararlı

whom /hu:m/ adl. kim, kimi; kime; ki o/onu/ona, -dığı, -diği

whoop /hu:p, wu:p/ a. (neşeyle) bağırma, bağırış * e. bağırmak, bağrışmak

whore /ho:/ a. fahişe, orospu

whose /hu:z/ adl. kimin; ki onun, -

en, -an; (nesneler için) ki onun, -en, -an

why /way/ *be*. niçin, neden, niye *the reason why* -in nedeni *Why not* (öneri belirtir) neden olmasın

wick /wik/ *a*. fitil

wicked /'wikid/ *s*. kötü; *kon*. yaramaz, muzip

wicket /'wikit/ *a*. (kriket) kale

wide /wayd/ *s*. geniş; engin, açık * *be*. iyice; tamamen; (hedeften) uzağa *widely* geniş çapta, adamakıllı, iyice *widen* genişlemek; genişletmek *widespread* yaygın

widow /'widou/ *a*. dul kadın *widower* dul erkek

width /widt/ *a*. genişlik; en

wield /wi:ld/ *e*. kullanmak

wife /wayf/ *a*. karı, hanım, eş

wig /wig/ *a*. peruka

wiggle /'wigıl/ *e*. kıpır kıpır oynatmak, kıpırdatmak

wigwam /'wigwem/ *a*. Kızılderili çadırı

wild /wayld/ *s*. vahşi, yabani; hiddetli, kızgın; şiddetli, sert; fırtınalı; çılgın; deli *wildcat* yaban kedisi *wilderness* ekilmemiş boş arazi *wildlife* vahşi doğa *wildly* çılgınca

will /wil/ *e*. *would* /wud/ -ecek, -acak *Will you ...?* -er misiniz? -ar mısınız?

will /wil/ *a*. irade, istem, istenç; vasiyetname * *e*. niyet etmek, istemek; vasiyetle bırakmak *at will* istediği zaman

willing /'wiling/ *s*. gönüllü; razı, istekli *willingly* seve seve

willow /'wilou/ *a*. *bitk*. söğüt

wilt /wilt/ *e*. (çiçek, vb.) solmak; soldurmak

wily /'wayli/ *s*. kurnaz, cingöz

win /win/ *e*. *won* /wan/ kazanmak * *a*. galibiyet, yengi *winner* kazanan *winnings* kazanılan para, kazanç

wince /wins/ *e*. irkilmek

winch /winç/ *a*. vinç

wind /wind/ *a*. rüzgâr, yel; nefes, soluk; (midede) gaz; boş laf; *müz*. üflemeli çalgılar * *e*. soluğunu kesmek *windfall* rüzgârla düşen meyve; beklenmedik para/şans *windmill* yel değirmeni *windscreen* (oto) ön cam *windy* rüzgârlı; geveze

wind /waynd/ *e*. *wound* /waund/ sarmak, dolamak; sarılmak, dolanmak *wind up* saat kurmak

window /'windou/ *a*. pencere, cam; vitrin *window dressing* vitrin dekorasyonu *window-shopping* vitrin gezmesi *windowpane* pencere camı *windowsill* pencere eşiği

wine /wayn/ *a*. şarap

wing /wing/ *a*. kanat; kol; *sp*. kanat oyuncusu * *e*. uçurmak; hafifçe yaralamak

wink /wink/ *e*. göz kırpmak; parıldamak * *a*. göz kırpma

winsome /'winsım/ *s*. güzel, çekici

winter /'wintı/ *a*. kış

wipe /wayp/ *e*. silmek * *a*. silme, temizleme *wipe off* silip çıkarmak; -den kurtarmak *wipe out* ortadan kaldırmak, öldürmek, temizlemek *wipe up* bulaşıkları kurulamak

wiper /'waypı/ *a*. (oto) silecek

wire /'wayı/ *a*. tel; *kon*. telgraf * *e*. elektrik teli, vb. bağlamak; telgraf göndermek

wireless /'wayılis/ *a*. *BE*. radyo * *s*. telsiz, kablosuz

wiring /'wayıring/ *a*. elektrik tertibatı

wisdom /'wizdım/ *a*. akıl; bilgelik *wisdom tooth* akıldişi

wise /wayz/ *s*. akıllı; bilgili; deneyimli; kurnaz

wish /wiş/ *e*. (şu anda olanaksız bir

şey) istemek, dilemek * a. dilek, istek **wishful** arzulu, istekli **wishful thinking** hüsnükuruntu **wishbone** lades kemiği

wisp /wisp/ a. tutam; demet

wit /wit/ a. akıl, zekâ; nükte; nükteci **witty** nükteli, nükteci

witch /'wiç/ a. büyücü kadın **witchcraft** büyücülük

with /wit, wit/ ilg. ile, -le, -la; -li, -lı

withdraw /wit'dro:, wit'dro:/ e. **withdrew** /-'dru:/, **withdrawn** /-dro:n/ geri çekmek; geri almak; çekilmek; (para) çekmek **withdrawal** geri çekme/alma; geri çekilme

withdrawn /wit'dro:n, wit'dro:n/ bkz. **withdraw**, s. içine kapanık

withdrew /wit'dru:/ bkz. **withdraw**

wither /'witı/ e. solmak, kurumak; soldurmak, kurutmak; sönmek, yok olmak

withheld /wit'held/ bkz. **withhold**

withhold /wit'hould, wit'hould/ e. **withheld** /'wit'held/ saklamak, vermemek

within /wi'tin/ ilg. içinde

without /wi'taut/ ilg. -sız, -siz; -meden, -meksizin

withstand /wit'stend, wit'stend/ e. **withstood** /-'stud/ karşı koymak, direnmek

witness /'witnis/ a. tanık, şahit; tanıklık; kanıt, delil * e. tanık olmak; tanıklık etmek; göstermek, kanıtlamak

wizard /'wizıd/ a. sihirbaz, büyücü

wizened /'wiznd/ s. buruşuk, buruşmuş

wobble /'wobıl/ e. sallanmak; sallamak

woe /wou/ a. üzüntü, dert, keder

woke(n) /wouk(ın)/ bkz. **wake**

wolf /wulf/ a. hayb. kurt

woman /'wumın/ a. (ç. **women** /'wimin/) kadın **womanhood** kadınlık

womb /wu:m/ a. anat. rahim, dölyatağı

wonder /'wandı/ a. şaşkınlık, merak, hayret; harika * s. harika * e. hayret etmek, şaşmak **wonderful** harika, olağanüstü

wood /wud/ a. odun, tahta, kereste; orman, koru **woodcock** çulluk **woodcutter** oduncu **wooded** ağaçlık, ormanlık **wooden** tahta, ahşap; odun gibi **woodland** ormanlık ülke/bölge/arazi **woodpecker** ağaçkakan **woodwind** (tahtadan yapılmış) üflemeli çalgılar **woodwork** doğramacılık, dülgerlik; ahşap kısımlar, doğrama işleri **woodworm** ağaçkurdu, tahtakurdu **woody** ağaçlık, ormanlık

wool /wul/ a. yün; yapağı **woollen** yünlü **woollens** yünlü giysiler, yünlüler **woolly** yünlü; yün gibi

word /wö:d/ a. kelime, sözcük; söz; mesaj, haber, bilgi **break one's words** sözünü tutmamak **eat one's words** tükürdüğünü yalamak **have a word with** ile görüşmek **in a word** kısacası **in other words** başka bir deyişle **keep one's word** sözünü tutmak, sözünde durmak **say the word** kon. izin vermek, onaylamak **take sb's word for it** söylediğine inanmak/kabul etmek **word for word** kelimesi kelimesine **word processor** kelime işlem aygıtı **wording** anlatım biçimi **wordy** sözü fazla uzatan

wore /wo:/ bkz. **wear**

work /wö:k/ a. iş, çalışma; eser, yapıt; kon. fabrika; kon. mekanizma * e. çalışmak; çalıştırmak; işe yaramak; işlemek; işletmek; başarılı olmak, yürümek **at work** işte, iş başında **all in the day's work** normal, beklendiği gibi **out of work** işsiz, boşta **set to work**

workable 282

başlamak, koyulmak **work force** toplam işçi sayısı **work out** hesaplamak; istenildiği gibi olmak; sonuçlanmak; idman yapmak **work up** geliştirmek, ilerletmek; gelişmek; heyecanlandırmak, kamçılamak **workbook** alıştırma kitabı **workday** işgünü **workout** idman, antrenman **workshop** atölye

workable /'wö:kıbıl/ s. çalışır; işe yarar, uygulanabilir

worker /'wö:kı/ a. işçi

working /'wö:king/ a. çalışma; kon. çalışma/işleme sistemi, işleyiş * s. çalışan, işleyen **working capital** işletme sermayesi **working conditions** çalışma şartları **working hours** çalışma saatleri

workman /'wö:kmın/ a. işçi **workmanship** işçilik, ustalık

world /wö:ld/ a. dünya; evren **worldly** dünyevi, maddi **worldwide** dünya çapında

worm /wö:m/ a. kurt, solucan

worn /wo:n/ bkz. **wear**

worried /'warid/ s. endişeli, kaygılı, üzgün * e. kaygılanmak, merak etmek; kaygılandırmak, rahatsız etmek * a. kaygı, üzüntü, sıkıntı

worse /wö:s/ s. be. daha kötü, beter; daha hasta

worsen /'wö:sın/ e. daha da kötüleşmek; daha da kötüleştirmek

worship /'wö:şip/ e. tapmak; ibadet etmek * a. ibadet, tapınma; hayranlık

worst /wö:st/ s. be. en kötü * a. en kötü şey

worth /wö:t/ s. değerinde, eder * a. değer **worthless** değersiz; adi, karaktersiz **worthwhile** harcanan emeğe değer, yapmaya değer

worthy /'wö:ti/ s. layık, değer

would /wud/ e. (**will**'in geçmiş biçimi olarak) -cekti, -caktı; -

erdi, -ardı

wound /wu:nd/ a. yara * e. yaralamak

wound /wu:nd/ bkz. **wind**

wove /wouv/ bkz. **weave**

woven /'wouvın/ bkz. **weave**

wow /wau/ ünl. kon. vay, vay canına

wrangle /'rengıl/ a. gürültülü tartışma, ağız dalaşı * e. atışmak, ağız dalaşı yapmak

wrap /rep/ e. sarmak; sarmalamak; katlamak, koymak, yaymak * a. örtü, atkı **wrapped up in** kendini -e vermiş **wrapper** sargı; sabahlık **wrapping** ambalaj, sargı

wreak /ri:k/ e. (öfke, hırs, vb.) salmak

wreath /ri:t/ a. çelenk; taç

wreathe /ri:t/ e. sarmak, kaplamak; (duman, vb.) süzülmek

wreck /rek/ a. gemi enkazı; enkaz, mahvolmuş şey/kimse * e. enkaz haline getirmek; mahvetmek **wreckage** /'rekic/ enkaz, yıkıntı

wren /ren/ a. çalıkuşu

wrench /renç/ e. burkmak * a. burkma, burkulma; İngiliz anahtarı

wrestle /'resıl/ e. güreşmek * a. güreş **wrestler** güreşçi **wrestling** güreş

wretch /reç/ a. zavallı kimse

wretched /'reçid/ s. perişan, zavallı; berbat

wring /ring/ e. **wrung** /rang/ burmak; sıkmak * a. burma, sıkma

wrinkle /'rinkıl/ a. kırışıklık; kon. ipucu * e. kırıştırmak; kırışmak

wrist /rist/ a. bilek **wristwatch** kol saati

writ /rit/ a. ferman, ilam, buyruk

write /rayt/ e. **wrote** /rout/, **written** /'ritın/ yazmak **write down** kaydetmek, yazmak **write in** mektupla başvurmak

writer /'raytı/ a. yazar

writhe /rayt/ *e.* kıvranmak

writing /'rayting/ *a.* yazı

written /ri'tın/ *bkz.* **write**

wrong /rong/ *s.* yanlış; ters; haksız; bozuk **What's wrong with ...?** -in nesi var? **go wrong** kötü sonuçlanmak, ters gitmek **wrongdoer** haksızlık eden kimse; günahkâr **wrongful** haksız; yasadışı, yolsuz

wrote /rout/ *bkz.* **write**

wrung /rang/ *bkz.* **wring**

wry /ray/ *s.* eğri, çarpık

X

xenophobia /zenı'foubıı/ *a. ruhb.* yabancı düşmanlığı

Xmas /'krismıs, 'eksmıs/ *a. kon.* Noel

X-ray /'eksrey/ *e.* röntgenini çekmek * *a.* röntgen ışını; röntgen filmi; röntgen muayenesi

xylophone /'zaylıfoun/ *a. müz.* Ksilofon

Y

yacht /yot/ *a.* yat * *e.* yat ile gezmek **yacht-club** yat kulübü **yachting** yatçılık **yachtsman** yatçı

yak /yek/ *a. hayb.* tibet sığırı * *e. kon.* laklak etmek

yank /yenk/ *e. kon.* birden hızla çekmek

Yankee /'yenkı:/ *a. kon.* (Kuzey) Amerikalı

yap /yep/ *e.* havlamak; zırvalamak * *a.* havlama; gevezelik

yard /ya:d/ *a.* yarda (0.914 m.); *den.* seren; avlu

yarn /ya:n/ *a.* iplik; *kon.* hikâye, masal, maval

yawl /yo:l/ *a.* filika

yawn /yo:n/ *e.* esnemek * *a.* esneme

yeah /yeı/ *be. kon.* evet

year /yiı/ *a.* yıl, sene **all the year round** bütün yıl boyunca **yearly** yılda bir kez olan; yıllık

yearn /yö:n/ *e.* özlemek, göresimek

yeast /yi:st/ *a.* maya

yell /yel/ *e.* (**at/out**) bağırmak, haykırmak * *a.* bağırış, feryat, çığlık

yellow /'yelou/ *a.* sarı; *kon.* ödlek, korkak **yellow fever** *hek.* sarı humma **yellowish** sarımsı, sarımtırak

yen /yen/ *a.* yen, Japon parası

yes /yes/ *be.* evet

yesterday /'yestıdi, 'yestıdey/ *be.* dün

yet /yet/ *be.* henüz, daha; şu ana kadar, hâlâ * *bağ.* ama, yine de; aynı zamanda **as yet** şu/o ana kadar

yew /yu:/ *a. bitk.* porsukağacı

yield /yi:ld/ *e.* teslim olmak; (kâr) getirmek; çökmek, bel vermek, eğilmek; ürün vermek * *a.* ürün; kazanç, gelir

yippee /yi'pi:/ *ünl.* hurra!

yodel /'youdıl/ *a.* pesten tize ani geçişlerle söylenen şarkı

yoga /'yougı/ *a.* yoga

yoghurt /'yogıt/ *a.* yoğurt

yoke /youk/ *a.* boyunduruk; bağ

yolk /youk/ *a.* yumurta sarısı

yore /yo:/ *a.* eski zaman, geçmiş

you /yı, yu, yu:/ *adl.* sen, siz; seni, sizi; sana, size

young /yang/ *s.* genç; yeni, taze, körpe * *a.* (**the**) gençler, gençlik; (hayvan) yavru **youngster** çocuk, delikanlı

your /yı; yo:/ *s.* senin, sizin

yours /yo:z/ *adl.* senin, sizin; seninki, sizinki

yourself /yı'self, yo:'self/ *adl.* (*ç.* **-selves** /-'selvz/) kendin, kendiniz, kendine, kendini **by yourself** tek başına

youth /yu:t/ *a.* gençlik; gençler **youthful** genç; dinç

Z

zeal /ziːl/ *a.* gayret, istek, heves, azim **zealous** /'zelıs/ gayretli, istekli, şevkli

zebra /'ziːbrı/ *a. hayb.* zebra **zebra crossing** yaya geçidi

zenith /'zenit/ *a.* başucu; doruk, zirve

zeppelin /'zepılin/ *a.* zeplin

zero /'ziırou/ *a.* sıfır

zest /zest/ *a.* tat, lezzet, çeşni; zevk, hoşlanma

zigzag /'zigzeg/ *a.* zikzak * *e.* zikzak yapmak

zinc /zink/ *a. kim.* çinko

zip /zip/ *a.* fermuar; gayret; vızıltı * *e.* fermuarla açmak/kapatmak; vınlamak **zip code** *AE.* posta kodu **zipper, zip-fastener** fermuar

zippy /'zipi/ *s.* hareketli, enerjik

zither /'zitı/ *a. müz.* kanun

zits /zoun/ *a.* tende benekler

zodiac /'zoudiek/ *a.* burçlar kuşağı, zodyak **signs of the zodiac** on iki burç

zone /zoun/ *a.* kuşak; bölge

zonked /zonkt/ *a.* çok yorgun, bitkin

zoo /zuː/ *a.* hayvanat bahçesi

zoology /zou'olıci, zu'olıci/ *a.* hayvanbilim, zooloji **zoological** /zoui'locikıl/ zoolojik **zoological garden** hayvanat bahçesi **zoologist** /zou'olıcist/ hayvanbilimci, zoolog

zoom /zuːm/ *e.* vınlamak; (uçak) dikine yükselmek; *kon.* (araba) rüzgâr gibi gitmek; (fiyat) fırlamak; zum yapmak * *a.* (uçak) dikine yükselme **zoom past** önünden ok gibi geçmek

zucchini /zuː'kiːni/ *a.* dolma kabağı

FONO
açıköğretim kurumu

BÖLÜM İKİ

TÜRKÇE _ İNGİLİZCE

PART TWO

TURKISH _ ENGLISH

ÖNSÖZ

Türkçe'nin çağdaş sözvarlığının dikkate alınarak hazırlandığı bu Türkçe-İngilizce bölümünde, gündelik dile ait binlerce sözcük ve deyimin yanı sıra çeşitli bilimlere ait binlerce terime de yer verilmiştir.

Karşılıkları verilen Türkçe sözcüklerin anlamları, kullanımlarındaki önem sırasına göre dizilmiş, İngilizce-Türkçe bölümünde olduğu gibi, eşanlamlı ve/veya yakın anlamlı karşılıklar virgül ile, ayrı anlamı yansıtan karşılık(lar) noktalı virgül ile ayrılmıştır.

Orta ve lise öğrencilerinin olduğu gibi İngilizce ile ilgili hemen herkesin orta boy bir Türkçe-İngilizce sözlüğe duyacakları gereksinimler göz önüne alınarak hazırlanan bu sözlüğün güvenilir ve yararlı bir kılavuz olacağı inancındayız.

FONO

A

aba coarse woollen cloth *abayı yakmak* to fall in love (with sb)

abajur lampshade

abaküs abacus

abanmak to lean forward/against

abanoz ebony

abartı exaggeration

abartmak to exaggerate

abece alphabet

abecesel alphabetic(al)

abes unnecessary, useless; foolish; unreasonable

abi *bkz. ağabey*

abide monument, memorial

abla elder sister

ablak chubby, round

abluka blockade *abluka etmek* to blockade *ablukayı kaldırmak* to raise the blockade

abone subscriber; subscription *abone bedeli/ücreti* subscription fee *abone olmak* to subscribe (to)

abonman subscription; season ticket; *kon.* bus ticket

abstre abstract

abuk sabuk nonsensical, incoherent *abuk subuk konuşmak* to talk nonsense, to babble

abur cubur kickshaw

acaba I wonder (if/whether)

acar bold, plucky, hardy; cunning, clever

acayip strange, weird, peculiar, odd *acayibine gitmek* to seem strange (to sb)

acayiplik peculiarity, strangeness

acele hurry, haste; urgent; hasty, hurried *acele etmek* to make haste, to be in a hurry *Acele işe şeytan karışır.* Haste makes waste.

aceleci hasty, impatient

acemi untrained, inexperienced, callow; beginner, tyro

acemice clumsily

acemilik inexperience, callowness *acemilik çekmek* to suffer from inexperience

acente agent, representative; agency

acı bitter; biting, harsh; pain, ache; sorrow, grief *acı çekmek* to suffer, to feel pain *acısını çekmek* to pay the consequence (for) *acısını çıkarmak* to be/get even (with sb)

acıbadem bitter almond *acıbadem kurabiyesi* almond cooky, macaroon

acıklı touching, pathetic, tragic, sad

acıkmak to feel hungry, to be hungry

acılaşmak to get bitter/sour

acılı spicy; sad, grieved, mourning

acılık bitterness, sourness

acıma pity, mercy

acımak to hurt, to feel pain; to feel sorry for, to have/take pity on

acımasız pitiless, merciless

acımasızlık pitilessness, mercilessness

acımsı, acımtırak somewhat bitter

acındırmak to arouse pity for sb; to arouse sympathy

acınmak to feel sorrow (for); to be regretted/pitied

acıtmak to hurt, to cause pain (to)

acil urgent, immediate, pressing *acil bakım* emergency maintenance *acil servis* casualty department, casualty ward *acil şifalar dilemek* to wish sb a quick recovery

acilen urgently, promptly

aciz inability, helplessness, weakness

âciz incapable, uncapable; weak,

helpless **âciz kalmak** to be incapable (of)

acizane humbly, modestly

acuze hag

aç hungry; insatiable, greedy **aç açına** with an hungry stomach **aç kalmak** to be left hungry; to be poor **aç karnına** on an empty stomach **aç kurt gibi** hungry as a wolf **aç susuz** without food and water **acından ölmek** to starve to death; to starve, to be famished

açacak opener

açalya azalea

açgözlü greedy, insatiable

açgözlülük greed, avarice **açgözlülük etmek** to act greedily

açı angle; point of view **dar açı** acute angle **dik açı** right angle **geniş açı** obtuse angle

açık open; uncovered; clear, distinct; naked, bare; clear, cloudless; light (colour); vacant, unoccupied; open air; open sea; vacant position; deficit; wing; openly, frankly **açık açık** frankly **açık alan** open space, opening **açık artırma** public auction **açık çek** blank cheque **açık deniz** open sea; high seas **açık eksiltme** purchase by Dutch auction **açık elli** generous **açık fikirli** broad minded **açık hava** open air **açık hava tiyatrosu** open-air theatre **açık kalpli** open-hearted **açık konuşmak** to talk frankly **açık liman** free port **açık pazar** open market **açık saçık** indecent, obscene **açık seçik** explicit, obvious **açık yürekle** open hearted

açıkça frankly, openly, clearly

açıkçası to tell the truth, frankly speaking

açıkgöz cunning, shrewd, sharp

açıkgöz(lü)lük cunning, slyness

açıklama explanation **açıklama yapmak** to make an explanation

açıklamak to explain; to clarify

açıklayıcı explanatory, illustrative

açıklık openness; clearness; open space, blank space

açıkoturum panel discussion

açıköğretim the Open University

açıksözlü outspoken, frank, straightforward

açıksözlülük outspokenness, frankness

açıktan from a distance; without effort, extra **açıktan açığa** openly, frankly

açılır kapanır collapsible, folding

açılış opening, inauguration

açılmak to be opened, to open; to become clear (weather); to put out (to sea); to become relaxed, to be at ease; to overspend

açımlamak to elucidate, to expound; to comment (on)

açındırmak to develop

açınmak to develop

açıortay bisector

açıölçer protractor

açlık hunger; famine **açlık çekmek** to go hungry; to be poor **açlık grevi** hunger strike **açlıktan ölmek** to starve

açmak to open; to draw aside, to lift; to unfold; to clear away, to break through; to reveal (a secret); to turn on (switch, light, radio, etc.); to begin, to open (a meeting/conversation); to clear up (weather); to sharpen (pencil); to make lighter (colour); to bloom (flower)

açmaz difficult position; impasse, dilemma

ad name; fame; dilb. noun **ad durumu** dilb. case **ad koymak** to give a name **ad takmak** to nickname **ad vermek** to give a name **adı çıkmak** to be talked about, to get a bad reputation **adı geçen/anılan** above-mentioned

adı karışmak to be involved in
adına in the name of **adını anmak** to mention
ada island
adabımuaşeret manners, etiquette
adaçayı sage tea; garden sage
adak vow, oblation **adak adamak** to vow
adale muscle
adaleli muscular
adalet justice **Adalet Bakanı** Minister of Justice **Adalet Bakanlığı** Ministry of Justice **Adalet Divanı** International Court of Justice
adaletli just, fair
adaletsiz unjust, unfair
adaletsizlik injustice
adalı islander
adam man; human being; person, individual; employee, servant; agent **adam almak** to recruit **adam başına** a/per head, apiece **adam beğenmemek** to be overcritical **adam etmek** to lick sb/sth into shape **adam gibi** properly **adam içine çıkmak** to go out in public **adam olmak** to grow into manhood, to grow to be a man **adam olmaz** hopeless, incorrigible **adam öldürme** manslaughter, homicide **adam sarrafı** a good judge of character **adam sen de** who cares?, never mind! **adam tutmak** sp. to mark a man **adam yerine koymak** not to disregard, to consider important **adamdan saymak** to treat with respect, to consider important **adamına çatmak** to meet one's match
adamak to vow (a pledge); to dedicate oneself to
adamakıllı thoroughly, fully
adamotu bitk. mandrake
adamsendecilik indifference, callousness
adamsızlık lack of employ-

ees/servants
adap customs; good manners **adaba aykırı** contrary to the rules of accepted ways **adap erkân** customary practices
adaptasyon adaptation
adapte adapted **adapte etmek** to adapt **adapte olmak** to be adapted
adaş namesake
adatavşanı hayb. rabbit, cony
aday candidate; nominee, applicant **aday adayı** candidate for nomination **aday göstermek** to put sb in for
adçekme lot, drawing of lots
adçekmek to draw lots
addetmek to count, to esteem
Adem Adam
âdemelması anat. adam's apple
âdemoğlu mankind
âdet habit; custom; hek. periods, menstruation **âdet bezi** sanitary towel/pad **âdet çıkarmak** to start a new custom **âdet edinmek/etmek** to get into the habit (of) **âdet görmek** to have one's periods, to menstruate **âdetten kesilmek** to reach menopause **âdet yerini bulsun diye** as a matter of form, for form's sake
adet number; piece
âdeta nearly, almost; simply, merely
adıl dilb. pronoun
adım step; pace **adım adım** step by step **adım atmak** to walk, to step; to take the first step, to begin **adım atmamak** not to visit **adım başı(nda)** at every step **adımlarını açmak** to walk faster**adımlamak** to pace
adi customary, usual; common, ordinary; base, low, mean; banal, commonplace **adi alacak** unsecured claim **adi iflas** nonfraudulent bankruptcy **adi**

mektup ordinary letter *adi şirket/ortaklık* unincorporated association

adil just, fair

adilane justly

adilik vulgarity, baseness

adlandırmak to denominate, to name

adli juridical; judicial *adli hata* legal error *adli sicil* police record, record of previous convictions *adli takibat*prosecution *adli tebligat* summons *adli tıp* forensic medicine *adli yıl* legal year, court year

adliye (administration of) justice; lawcourt *adliye mahkemeleri* ordinary tribunals *adliye sarayı* courthouse

adrenalin *hek.* adrenalin(e)

adres address *adres defteri* address-book

Adriyatik Adriatic Sea

adsız nameless; anonymous

aerobik aerobics

aerodinamik aerodynamics; aerodynamic

af pardon, forgiveness; amnesty; exemption *af dilemek* to apologize (to sb), to beg pardon *affa uğramak* to be pardoned

afacan unruly, mischievous, naughty (child)

afalla(ş)mak to be bewildered, to be taken aback

aferin Bravo! Well done! Good for you! *aferin almak* to receive a good mention/report

afet disaster, calamity, catastrophe; *kon.* femme fatale, siren

afetzede disaster stricken

affedilmek to be forgiven, to be pardoned

affetmek to pardon, to forgive; to excuse *Affedersiniz!* Excuse me! I'm sorry!

Afgan Afghan

Afganca Pushtu

Afganistan Afghanistan

Afganlı Afghan

afiş poster, placard, bill

afiyet good health, well-being *Afiyet (şeker) olsun!* Have a nice meal, Enjoy your meal!

aforoz excommunication *aforoz etmek* to excommunicate

Afrika Africa

Afrikalı African

afsun spell, charm

afsuncu sorcerer, witch

afsunlamak to bewitch

Afşar Turkoman tribe (in North Iran and South Anatolia)

afyon opium

afyonkeş opium addict

agrandisman (photo) enlargement

agrandisör enlarger

ağ net; network; (trousers) crotch; web *ağ atmak/bırakmak* to cast a net *ağına düşürmek* to trap *ağ tabaka* retina

ağa master, lord; landowner, agha

ağabey elder brother

ağaç tree; wood, timber; wooden *ağaç budamak* to prune trees *ağaç işleri* woodwork *ağaç kabuğu* bark *ağaç kaplama* wooden wainscotting *ağaç kovuğu* hollow of a tree *ağaç olmak arg.* to have been waiting for ages *Ağaç yaşken eğilir* Train the mind while it is young

ağaççık bush, shrub

ağaççileği *bitk.* raspberry

ağaçkakan woodpecker

ağaçkavunu *bitk.* citron

ağaçkurdu woodworm

ağaçlandırmak, ağaçlamak to afforest

ağaçlıklı tree-lined, wooded

ağarmak to turn white; to become light; to bleach, to whiten

ağda semi-solid sweet, syrup; epilating wax *ağda yapmak* to remove hairs (with sticky boiled sugar)

ağdalı viscous; bombastic, heavy, involved (style)

ağı poison, venom *ağı gibi* very bitter; very strong

ağıl sheep-fold, fold

ağılamak to poison

ağılanmak to be poisoned

ağılı poisonous

ağılıböcek *hayb.* ground beetle

ağınmak to roll on the ground (animal)

ağıotu *bitk.* hemlock

ağır heavy; difficult, hard; grave, serious (illness); precious, valuable; offensive, hurtful; slow *ağır ağır* slowly *ağır aksak* very slowly *ağır basmak* to be heavy; to have influence, to carry weight *ağır ceza* severe punishment *ağır ceza mahkemesi* criminal court *ağır çekim* slow motion *ağır endüstri* heavy industry *ağır gelmek* to offend, to hurt; to find sth difficult *ağır hapis (cezası)* solitary confinement, heavy imprisonment *ağır işitmek* to be hard of hearing *ağır kayıp* great losses, heavy casualties *ağır para cezası* heavy fine *ağır sanayi* heavy industry *ağır sıklet* heavyweight *ağır söz* harsh word *ağır yaralı* seriously wounded *ağırdan almak* to take it easy, to play for time *ağırına gitmek* to offend, to hurt (the feelings of)

ağırbaşlı serious, dignified, sedate

ağırbaşlılık dignity, sedateness

ağırlamak to entertain, to show hospitality

ağırlaşmak to become heavier; to become more difficult; to become slower; to become more serious (illness)

ağırlık weight, heaviness; impor-tance; severity; gravity; slowness; oppressiveness; drowsiness, lethargy *ağırlık basmak/çökmek* to come upon sb (sleep); to oppress sb (nightmare) *ağırlık merkezi* centre of gravity *ağırlık olmak* to be a burden to *ağırlık vermek* to attach importance (to) *ağırlığını koymak* to use one's influences

ağıt requiem, lament, elegy, dirge *ağıt yakmak* to wail for, to lament

ağız mouth; edge, blade; rim, brim; snout, muzzle; opening, entrance; crossroads; persuasive words; local language, accent *ağız açtırmamak* not to let sb speak *ağız alışkanlığı* manner of speech *ağız dalaşı* quarrel *ağız kavgası* quarrel, battle of words *ağız şakası* joke *ağız tadı* enjoyment; peace, harmony *ağızdan ağıza dolaşmak* to be rumoured *ağıza alınmaz* unspeakable, vulgar *ağzı (bir karış) açık kalmak* to gape with astonishment *ağzı kokmak* to have bad breath *ağzı kulaklarına varmak* to grin from ear to ear *ağzı pis* foulmouthed *ağzı sulanmak* to water (mouth); to be envious *ağzı süt kokmak* to be young/inexperienced *ağzı var dili yok* (he is) very silent *ağzı yanmak* to burn one's fingers *ağzına almamak* not to mention *ağzına bakmak* to obey sb blind *ağzına geleni söylemek* to say disagreeable things (without thinking); to scold severely *ağzında gevelemek* to beat around the bush *ağzından baklayı çıkarmak* to spill the beans *ağzından bal akmak* to talk pleasantly *ağzından çıkanı kulağı duymamak/işitmemek* not to realize what one is saying

ağzından düşürmemek to talk about sb/sth constantly **ağzından kaçırmak** to let sth slip out **ağzını açıp gözünü yummak** to let oneself go, to say bitter words **ağzını açmak** to give vent to one's feelings **ağzını açmamak** not to open one's lips **ağzını aramak** to sound out **ağzını bozmak** to swear, to curse **ağzını burnunu dağıtmak** to beat sb up **Ağzını hayra aç!** Speak no evil! Heaven forbid! **ağzını sulandırmak** to make one's mouth water **Ağzını topla!** Mind your language! **ağzını yoklamak** to sound out **ağzının payını almak** to be snubbed **ağzının payını vermek** to snub sb **ağzının tadını kaçırmak** to spoil sb's pleasure

ağızbirliği agreement on what to say/do **ağızbirliği etmek** to agree to tell the same story

ağızlık cigarette holder; mouthpiece

ağlamak to cry, to weep

ağlamaklı ready to cry, tearful **ağlamaklı olmak** to fee like crying

ağlaşmak to weep together

ağlatı tragedy

ağlatmak to make sb cry, to reduce sb to tears

ağrı pain, ache **ağrı vermek** to hurt

Ağrıdağı Mount Ararat

ağrıkesici painkiller, analgesic

ağrımak to ache, to hurt

ağtabaka retina

ağustos August

ağustosböceği cicada

ah! Ah! Oh! Alas! **ah çekmek** to sigh, to utter a sigh **ahı gitmiş vahı kalmış** kon. clapped out **ahı tutmak** (one's curse) to take effect

aha here, there

ahali inhabitants; people, popula-

tion

ahbap friend; fellow **ahbap çavuşlar** chums, cronies **ahbap olmak** to make friends with

ahbaplık friendship, acquaintance

ahçı cook

ahçıbaşı chef, head cook

ahçılık cooking, cookery, cuisine

ahdetmek to resolve, to take an oath

ahenk harmony

aheste slow, gentle

ahım şahım kon. beautiful, excellent, favourable **ahım şahım bir şey değil** It's not much of a thing

ahır stable, shed, barn AE.

ahit oath; promise; agreement, pact, treaty

ahize (telephone) receiver

ahkâm judgements **ahkâm kesmek** to make judgements without hesitation

ahlak morals; ethics; manners, conduct **ahlaka aykırı** immoral **ahlakını bozmak** to debauch, to pervert, to deprave **ahlakı bozuk** depraved

ahlakbilim ethics

ahlakçı moralist

ahlakdışı amoral

ahlaki moral, ethical

ahlaklı well-behaved, decent

ahlaksız immoral, dissolute

ahlaksızca immorally

ahlaksızlık immorality, depravity

ahlamak to sigh

ahlat wild pear

ahmak stupid, foolish; fool, idiot

ahmaklık stupidity

ahret afterlife, the hereafter, the next world

ahşap wooden

ahtapot octopus

ahu gazelle

ahududu raspberry

ahval circumstances, conditions

aidat dues, revenues

Aids Aids *Aids victim* Aids kurbanı *Aids virus* Aids virüsü

aile family *aile bireyleri/efradı* members of a family *aile hayatı* domesticity, family life *aile ocağı* home *aile planlaması* family planning *aile reisi* head of the family, householder

ailesel, ailevi domestic, regarding the family

ait concerning; belonging (to) *ait olmak* to concern; to belong (to)

ajan agent; secret agent, spy *ajan provokatör* agent provocateur

ajanda date book, engagement calendar

ajans news-agency; agency *ajans bülteni* news-agency, bulletin

ak white; clean; honest *Ak akçe kara gün içindir* One must put by for a rainy day. *ak düşmek* to begin to turn white *akla karayı seçmek* to meet a lot of difficulties; to be hard put to do sth

akabinde immediately, afterwards

akaç drain pipe

akaçlama drainage

akaçlamak to drain

akademi academy *akademi üyesi* academician

akademik academic

akağaç (white) birch

akanyıldız shooting-star

akarca *hek.* fistula

akaret property rented out

akarsu river, stream *akarsu yatağı* stream bed

akaryakıt liquid fuel *akaryakıt tankeri* fuel tanker

akasya acacia

akbaba vulture

akciğer lungs *akciğer zarı* pleura

akça coin, small silver coin

akça whitish, quite white

akçaağaç maple

akçakavak white poplar

akçe coin, small silver coin

Akdeniz the Mediterranean *Akdeniz iklimi* Mediterranean climate

akdetmek to make, to contract, to draw up

akdiken hawthorn

akıbet end, consequence, outcome

akıcı fluid, liquid; fluent

akıcılık fluency

akıl reason, intelligence, mind; memory; opinion, idea; advice *Akıl akıldan üstündür ats.* It pays to ask advice. Two heads are better than one. *akıl almak* to consult *akıl almaz* unimaginable, unbelievable *akıl danışmak* to consult *akıl erdirememek* not to make head or tail of sth, not to make of *akıl hastalığı* mental illness *akıl hastanesi* mental hospital/home *akıl hastası* mental patient *akıl hocası* mentor, advisor *akıl vermek* to give sb advice *Akıl yaşta değil, baştadır* Intelligence doesn't go by age *akılda tutmak* to keep in mind *akıllara durgunluk vermek* to astound *akla gelmedik* unthinkable *aklı başına gelmek* to come to one's senses *aklı gitmek* to be taken (with); to be astonished, to be confused *aklı yatmak* to be convinced *aklına esmek* to feel like doing, to come into one's head *aklına koymak* to take it into one's head (to), to have a mind *aklına takılmak* to run in one's head *aklında kalmak* not to forget, to remember *aklından çıkmak* to slip one's mind *aklından geçirmek* to happen to think (of sth) *aklından geçmek* to occur to sb *aklından zoru olmak* to have sth wrong with one's mind *aklını başına toplamak* to gather/collect one's wits together *aklını başından almak* to make sb unable to think, to turn one's head *aklını bozmak* to be obsessed by sth *aklını çelmek* to dissuade (from a good intention) *aklını kaçırmak* to be/go out of one's mind *aklını oynatmak* to be out of one's senses *aklını peynir ekmekle yemek* to lose one's senses

akılcı rationalist

akılcılık rationalism

akıldışı irrational

akıldişi wisdom tooth

akıllanmak to become wiser (by experience)

akıllı clever, intelligent

akıllıca cleverly, intelligently

akıllılık cleverness, intelligence

akılsız stupid, foolish

akılsızlık stupidity

akım current; movement, trend

akın raid; run; rush *akın akın* in crowds *akın etmek* to rush (into); to raid, to attack

akıntı current, stream; flow *akıntıya kapılmak* to go adrift *akıntıya kürek çekmek* to beat the air

akış flow, course

akışkan fluid

akışkanlık fluidity

akıtmak to make/let sth flow; to shed

akide candy sugar

akide faith, creed

akik agate

akis reflection; echo; reaction

akkan lymph

akkor incandescent

aklama acquittal

aklamak to acquit

aklanmak to be acquitted

aklıselim common sense

akmadde white matter

akmak to flow; to leak; to run down

akordeon accordion

akort tune; accord *akort etmek* to tune *akordu bozuk* out of tune *akordu bozulmak* to go out of tune

akraba relative, kin, kindred

akrabalık relationship, kinship, affinity

akran equal, peer

akreditif letter of credit

akrep scorpion; hour-hand (watch) *Akrep burcu* Scorpio

akrobasi acrobatics

akrobat acrobat

akrobatik acrobatic

aks axle, journal

aksak lame, limping

aksaklık trouble, breakdown, hitch; limp

aksam parts, portions, sections

aksamak to limp, to hitch; to run wrong, not to work right

aksan accent, stress

aksesuar accessory; stage prop; spare part

aksetmek to hinder

aksırık sneeze

aksırmak to sneeze

aksi contrary, opposite; perverse, cross *aksi gibi kon.* unfortunately *aksi halde* otherwise, if not *aksi tesadüf* unfortunate coincidence; unluckily

aksilik misfortune; crossness, obstinacy *aksilik çıkmak* to have a difficulty come up *aksilik etmek* to make difficulties, to be obstinate

aksine on the contrary

aksiyom axiom

akşam evening; in the evening *akşam akşam* this time of the night *akşam gazetesi* evening paper *akşam güneşi* yellowish pink; afternoon sun *akşam karanlığı* dusk *akşam namazı* evening worship *akşam sabah* all the time, constantly *akşam* *yemeği* dinner, supper *akşama* this evening, tonight *akşamları* in the evening *akşamdan akşama* every evening *akşamdan kalma* having a hangover

akşamcı night worker; habitual drinker

akşamlamak to stay until evening; to stay the night

akşamleyin in the evening

akşamlık for an evening, evening; evening clothes

akşamüstü, akşamüzeri at sunset, at dusk; towards evening

Akşamyıldızı evening star, Venus

akşın albino

akşınlık albinism

aktar seller of medicinal herbs, herbalist; haber-dasher's, herbalist's

aktarıcı tiler; passer; transmitter

aktarma transfer; change; quotation *aktarma bileti* transfer ticket *aktarma yapmak* to change (trains, etc.)

aktarmak to transfer; to quote; to transmit; to empty; *hek.* to transplant

aktarmalı connecting (train, etc.)

aktarmasız without change, direct, through

aktif active; assets

aktiflik activity

aktinik actinic

aktör actor

aktöre morals

aktörlük acting

aktris actress

aktüalite the news of the day; newsreel

aktüel actual, present

akuple coupled

akupleman coupling

akupunktur acupuncture

akustik acoustic; acoustics

akümülatör storage battery, car battery

akvaryum aquarium

akyuvar leucocyte

al vermilion, crimson, scarlet; (horse) bay; rouge; trick, intrigue *al basmak* to catch puerperal fever; to blush *al kanlara boyanmak* to be wounded; to die a bloody death *al bayrak/sancak* The Turkish flag *al yanaklar* rosy-cheeks

ala variegated, pied; light brown

âlâ very good, excellent

alabalık trout

alabanda *den.* broadside *alabanda etmek* to put the helm hard over *alabanda iskele* hard to board

alabildiğine to the utmost; at full speed; extremely

alabora capsizing, overturn *alabora etmek* to overturn *alabora olmak* to capsize, to turn over

alaca speckled, multicoloured, variegated *alaca bulaca* incongruously coloured

alacak money owed to sb, credit; *huk.* claim *alacak davası* action of debt *alacak senedi* note receivable, bill receivable *alacağı olsun!* I will make him pay for it, I'll show him!

alacaklı payee, creditor *alacaklı taraf* credit side

alacalanmak to become speckled

alafranga European, in the European style *alafranga müzik* European music *alafranga tuvalet* Western style toilet

alageyik fallow-deer

alaka interest, concern; connection, relationship; affection *alaka duymak* to be interested (in) *alaka göstermek* to take interest (in) *alakasını kesmek* to break off relations (with) *alaka uyandırmak* to arouse interest

alakadar concerned, interested *alakadar etmek* to concern, to interest *alakadar olmak* to be interested (in)

alakalanmak to be interested (in)

alakalı interested, concerned

alakarga jay

alakasız uninterested, indifferent; unconnected

alamet sign, mark *alameti farika* trademark

alan open space; area; field; clearing; (public) square *alan araştırması* fieldwork

alarm alarm

alaşağı etmek to overthrow, to depose

alaşım alloy

alaturka in the Ottoman/Turkish style *alaturka müzik* Turkish music *alaturka tuvalet* squat toilet

alavere passing (from hand to hand); gangway (for loading/unloading goods) *alavere dalavere çevirmek* to play a trick

alay procession, parade; *ask.* regiment; crowd, troop; mockery, ridicule *alay alay* in large crowds *alay etmek* to make fun (of) *alay konusu* object of derision *alay konusu olmak* to become an object of derision *alaya almak* to make fun (of), to laugh (at) *alayında olmak* not to take sth seriously

alaycı mocking; mocker, joker

alaylı joking, mocking

alaz flame, blaze

albastı puerperal fever

albay colonel; (navy) captain

albeni charm, appeal, attraction

albino albino

albüm album

albümin albumin

alçak low; mean, vile *alçak basınç* low pressure

alçakça rather low; shamefully, viciously

alçakgönüllü humble, modest

alçakgönüllülük humility, modesty

alçaklık lowness; meanness, baseness; cowardice

alçalmak to decline, to descend; to lose value; to abase oneself

alçı plaster of Paris, plaster *alçıya almak/koymak* to encase in plaster

alçıtaşı gypsum, parget

aldanmak to be deceived; to be mistaken; to bloom early

aldatıcı deceptive, misleading

aldatmaca trick, deception

aldatmak to deceive, to cheat; to be unfaithful (to)

aldehit aldehyde

aldırış attention, care *aldırış etmemek* not to care, not to pay attention

aldırmak to mind, to pay attention (to) *Aldırma!* Never mind! Don't worry!

aldırmazlık indifference *aldırmazlıktan gelmek* to pretend to be indifferent, not to care

alegori allegory

alelacele in a big hurry, hastily

alelade ordinary, common

âlem world, universe; state, condition; all the world, people; merrymaking, party, orgy; kingdom *âlem yapmak* to have a rave-up, to go on a spree

alemdar standard bearer; leader

alenen openly, publicly

alengirli *arg.* showy, flashy

aleni open, public

alerji allergy

alerjik allergic

alet tool, instrument; apparatus, appliance; tool, means, agent *alet edevat* tools *alet etmek* to make a tool of sb *alet olmak* to be a tool

alev flame *alev almak* to catch fire

Alevi partisan of the caliph Ali,

shiite

Alevilik Shiism

alevlendirmek to set on fire, to cause to blaze; to incite, to inflame

alevlenmek to take fire, to blaze; to become excited

aleyh against *aleyhinde bulunmak/söylemek* to run down, to backbite *aleyhinde olmak* to be against sb *aleyhine olmak* to be disadvantageous to sb

aleyhtar opponent; opposed to

aleyhtarlık opposition

aleykümselam Peace be to you! (in reply to the Muslim greeting selamünaleyküm)

alfa alpha *alfa ışınları* alpha-rays

alfabe alphabet

alfabetik alphabetic(al)

algı perception

algılamak to perceive, to sense

algılanmak to be perceived

algler *bitk.* seaweeds

alıcı buyer, customer, purchaser; receiver, addressee; movie camera *alıcı gözüyle bakmak* to look carefully *alıcı kuş* bird of prey *alıcı yönetmeni* cameraman

alık clumsy, silly

alıkoymak to keep; to hinder, to stop; to arrest, to detain; to put aside, to reserve

alım taking; buying; attraction, charm *alım satım* business, trade

alımlı attractive, charming

alımlılık attraction, charm

alın forehead, brow; front *alın teri* great effort *alın teri dökmek* to graft (away), to work like a black *alın teriyle kazanmak* to earn by hard work *alnı açık* blameless, innocent *alnına yazılmış olmak* to be one's destiny *Alnını karışlarım!* I'll show you! I dare you!

alındı receipt

alıngan touchy

alınganlık touchiness

alınmak to take offence, to be hurt

alınyazısı fate, destiny

alışık accustomed (to), used (to)

alışkanlık habit, custom

alışkı custom, practice, habit

alışkın accustomed (to)

alışmak to be accustomed (to); to become familiar (with); to become addicted (to); to catch fire

alıştırma exercise; training

alıştırmak to accustom, to habituate, to familiarize

alışveriş trade, business, commerce; shopping; relation *alışveriş etmek* to shop, to do shopping; to trade; to do dealings (with) *alışverişi olmamak* not to have anything to do (with)

âli high, sublime

âlim learned, wise; scholar, scientist

alimallah by God!

alize trade wind

alkali alkali

alkış applause, clapping *alkış tutmak* to clap (for); to cheer

alkışlamak to clap (for), to applaud

alkol alcohol

alkolik alcoholic

alkolizm alcoholism

alkollü alcoholic, spirituous *alkollü içki* alcoholic drink, alcohol, liquor

alkolsüz non-alcoholic, soft

Allah Allah, God *Allah Allah!* Goodness gracious! How strange! *Allah aşkına* for heaven's sake *Allah bağışlasın.* May God bless sb *Allah belanı versin!* God damn you! *Allah belasını versin!* Damn him! Curse him! *Allah bilir.* Only God knows. *Allah bir yastıkta ko-*

catsın. May you/they have a happy life together (to married couple) *Allah büyüktür* God is great; God will put things right *Allah cezanı versin!* God damn you! *Allah esirgesin/saklasın* unless something goes wrong *Allah kazadan beladan korusun/saklasın* May god protect you from all evil. *Allah korusun!* God forbid! *Allah ömürler versin!* May god give you/him, etc. a long life! *Allah rahatlık versin!* Good night! *Allah rahmet eylesin!* God rest his soul! *Allah senden razı olsun!* May God be pleased with you!, Thank you *Allaha bin şükür* Thank God *Allahın cezası* damn, damned *Allahını seversen* for God's sake *Allahın kulu* person, anybody *Allahtan* luckily *Allahtan bulsun* Let God punish him *Allahtan kork!* Don't do it! You should be shamed! *Allahtan korkmaz* pitiless, cruel *Allahtan umut kesilmez* While there is life, there is hope.

allahaısmarladık good-bye

allahlık simpleton, nitwit

allahsız godless, atheistic; merciless, cruel, cold-hearted

allak bullak confused, tangled, messed-up; upside down *allak bullak etmek* to make a mess (of), to upset; to confuse *allak bullak olmak* to turn into a mess; to be confused

allamak pullamak to decorate, to smarten up

allegretto *müz.* allegretto

allegro *müz.* allegro

allık redness; rouge

almaç receiver

almak to take; to get, to obtain; to buy; to receive; to accept; to contain, to hold; to conquer; to

clean, to dust, tosweep; to last, to take; to cover (a istance); to employ, to hire; to mark

Alman German *Alman usulü* a Dutch treat *Alman usulü yapmak* to go Dutch (with sb)

almanak almanac

Almanca German

almangümüşü nickel silver

Almanya Germany

almaş permutation; alternative

almaşık alternative

alo hallo! (on telephone)

alt bottom; underside; underneath; base; lower, inferior, under *alt alta üst üste* rough-and-tumble *alt etmek* to beat, to defeat *alt kat* downstairs; ground floor *altını çizmek* to underline; to emphasize *altına kaçırmak* to wet one's clothes/bed *altında kalmak* to have no answer to *altında kalmamak* not to be outdone *altından girip üstünden çıkmak* to squander, to blow *altından kalkamamak* not to be successful enough to cope with *altını ıslatmak* to wet one's clothes/bed *altını üstüne getirmek* to turn upside down *alttan almak* to answer gently enough; not to make sb angrier

altbölüm sub-section, sub-division

altcins sub-genus

altçene lower jaw, mandible

altderi derma, corium

alternatif alternative *alternatif akım* alternative current

altgeçit underpass; subway

altı six

altıgen hexagon

altın gold; gold coin; golden *altın bilezik* skill that will earn one's living *altın çağı* golden age *altın kaplama* gold-plating; gold-plated *altın sarısı* golden blond *altın sikke* gold coin *altın topu* *gibi* chubby (baby)

altınbaş muskmelon, cantaloupe

altıncı sixth

altınsuyu aqua regia

altıntop grapefruit

altıpatlar six-shooter, revolver

altışar six each, six apiece

altlık support, base; pad

altmış sixty

altmışıncı sixtieth

alto alto

altsınıf sub-class

alttakım sub-order

altür sub-species

altüst upside down, topsy-turvy *altüst etmek* to mess up, to upset *altüst olmak* to be in a mess, to be upset

altyapı substructure; infrastructure

altyazı subtitles

alüminyum aluminium

alüvyon alluvium, alluvion

alyans wedding ring

alyuvar red blood cell, erythrocyte

âmâ blind

ama but, yet, still *aması maması yok* There are no buts about it! But me no buts!

amaç aim, goal *amacına erişememek* to miss one's aim *amacına ulaşmak* to achieve one's aim

amaçlamak to aim (at); to intend

amaçlı purposeful

amaçsız aimless, purposeless

amaçsızca aimlessly

amade ready, prepared

aman pardon, mercy; help! mercy! alas! *aman Allahım* oh dear!, my god!, good God! *aman dilemek* to ask for mercy *aman vermek* to give quarter

amanın oh my!, what now!

amansız merciless, pitiless; deadly, incurable

amatör amateur

ambalaj packing, wrapping; package *ambalaj kâğıdı* wrapping pa-

per *ambalaj yapmak* to wrap up, to pack

ambalajlamak to wrap up, to pack

ambar barn, granary; warehouse, storehouse; *den.* hold

ambargo embargo *ambargo koymak* to embargo, to put an embargo *ambargoyu kaldırmak* to lift the embargo (from)

amber ambergris; scent, perfume

ambülans ambulance

amca uncle *amca kızı* daughter of one's paternal uncle; cousin *amca oğlu* son of one's uncle; nephew

amel action, deed, work; diarrhea *amel olmak* to have diarrhea

amele worker, workman, labourer

ameli practical, applied

ameliyat *hek.* operation *ameliyat olmak* to be operated, to have an operation

ameliyathane theatre, operating room

ameliye process, procedure, operation

Amerika America *Amerika Birleşik Devletleri, ABD* the United States of America, USA

Amerikalı American

Amerikan American *Amerikan İngilizcesi* American English

amerikanbezi nettle cloth, grey cotton cloth

ametal non-metalic

amfi amphitheatre; lecture room

amfibi amphibian *amfibi tank* amphibian tank

amfiteatr lecture hall, lecture theatre; amphitheatre

amigo cheerleader

amin amen

amip amoeba

amir superior, chief; boss

amiral admiral

amiyane vulgar, common *amiyane tabiriyle* in the colloquial

amme the public *amme hizmeti* public service
amonyak ammonia
amorti redemption of a bond issue; the smallest prize (in lottery)
amortisman amortization; redemption (of a bond)
amortisör shock-absorber; damper
amper ampere
amperölçer ampermetre
ampul bulb, lamp; *hek.* ampoule
amut perpendicular *amuda kalkmak* to do a hand-stand
amyant asbestos
an moment, instant; intelligence, mind
ana mother; main, principal, basic *ana avrat düz gitmek* to swear *ana baba* parents *ana baba günü* doomsday, tumult *ana kuzusu* baby-in-arms *ana sütü* breast milk *ana tarafından* on the mother's side *ana yüreği* mother's love *anadan doğma* stark naked; from birth, congenital *Anan güzel mi?* I'm no fool *anasından doğduğuna pişman etmek* to make sb sorry he has been born *anasından emdiği süt burnundan gelmek* to suffer extreme hardship *anasının gözü* very cunning
anadil primitive language
anadili native language, mother tongue
anaerki matriarchy
anaerkil matriarchal
anafor eddy; counter-flow; *arg.* illicit profit, unearned money
anaforcu parasite, sponger
anahtar key; spanner, wrench
anakara continent
analık motherhood; adoptive mother; motherly woman
analiz analysis *analiz etmek* to analyse
anamal capital

anamalcı capitalist
anamalcılık capitalism
ananas pineapple
anane tradition
ananevi traditional
anaokulu nursery school, kindergarten
anarşi anarchy
anarşist anarchist
anarşizm anarchism
anason *bitk.* anise; aniseed
anatomi anatomy
anatomik anatomical
anayasa constitution
anayasal constitutional
anayol main road
anayön cardinal point
anayurt mother country, homeland
ancak only, merely; hardly, barely; but, however; at the earliest
ançüez anchovy
andaç gift, souvenir
andırış resemblance, similarity
andırmak to resemble, to be reminiscent
anestezi anaesthesia
angarya drudgery, donkeywork
Anglikan Anglican
Anglikanlık Anglicanism
Anglosakson Anglo-Saxon
angut ruddy shelduck; *kon.* fool
anı memory
anımsamak to remember, to recall
anında instantly; immediately
anırmak to bray, to hee-haw
anıt monument
Anıtkabir Atatürk's tomb
anıtkabir mausoleum
anıtsal monumental
ani sudden, unexpected; suddenly, all at once, short
aniden suddenly
animasyon animation
anjin angina
Anka phoenix
anket public survey, inquiry, questionnaire *anket yapmak* to take a

poll, to make a survey

anlak intelligence

anlam meaning, sense **anlam çıkarmak** to make sth of sb/sth **anlamı olmak** to make sense **anlamına gelmek** to mean, to signify, to amount (to)

anlama understanding comprehension, apprehension

anlamak to understand, to comprehend, to conceive; to find out; to appreciate

anlamazlık lack of understanding **anlamazlıktan gelmek** to feign ignorance

anlambilim semantics

anlamdaş synonymous

anlamlandırmak to give meaning (to), to explain

anlamlı meaningful

anlamsız meaningless

anlaşılır clear, lucid, comprehensible

anlaşılmak to be understood; to be evident

anlaşılmaz incomprehensible, unintelligible

anlaşma agreement, contract **anlaşma yapmak** to contract, to make an agreement **anlaşmayı bozmak** to break an agreement

anlaşmak to understand one another; to reach an agreement

anlaşmazlık disagreement; misunderstanding

anlatı narration, narrative; short story

anlatmak to tell; to explain, to expound; to describe

anlayış understanding, comprehension; perceptiveness, intelligence; mind, intellect

anlayışlı understanding; intelligent

anlayışsız inconsiderate, intolerant

anlık intellect, understanding

anma remembrance; commemoration **anma töreni** commemorative ceremony

anmak to call to mind, to remember; to mention; to commemorate

anne mother, ma, mummy **anneciğim** mummy, ma, mum **anneler günü** Mother's Day

anneanne grandmother

annelik motherhood

anofel anopheles

anonim anonymous **anonim şirket/ortaklık** incorporated company, joint stock company

anons announcement **anons etmek** to announce

anormal abnormal

anormalleşmek to become abnormal

anormallik abnormality

anot anode

ansızın suddenly, all of a sudden

ansiklopedi encyclopaedia

ansiklopedik encyclopaedic

ant oath, pledge **ant içmek** to take an oath **andını bozmak** to violate an oath

antarktik antarctic

Antarktika Antarctica

anten antenna, aerial; *hayb.* antenna, feeler

antepfıstığı pistachio

antibiyotik antibiotic

antidemokratik antidemocratic

antika antique; *kon.* odd, weird, funny **antika eşya** antique

antikacı antique dealer

antikalık antiqueness; eccentricity

antikor antibody

antilop antelope

antimuan antimony

antipati antipathy

antipatik disagreeable, unpleasant, cold

antitez antithesis

antitoksin antitoxin

antlaşma pact, treaty

antoloji anthology

antrakt (theatre, concert) interval, interlude; (cinema) interval, intermission

antrasit anthracite

antre entrance, entry

antrenman training, exercise *antrenman yapmak* to train, to work out, to exercise

antrenör trainer, coach

antrenörlük being a trainer/coach

antrepo bonded warehouse

antropolog anthropologist

antropoloji anthropology

anüs anus

Anzak Anzac

aort aorta

apaçık very clear, evident

apak pure white, all white

apandis appendix

apandisit appendicitis

apansız(ın) unexpectedly, all of a sudden

apar topar pell-mell, helter-skelter, at a moments notice

apartman *BE*. block of flats, *AE*. apartment house *apartman katı* flat, apartment

apayrı quite separate, quite different

aperitif aperitif, (pre-dinner etc.) drink

apış fork (of the body), crotch

apışmak to collapse from tiredness; to be astonished *apışıp kalmak* to be nonplussed

apolet epaulet

apse abscess

aptal stupid, silly

aptallaşmak to become stupid; to be taken aback

aptallık stupidity, foolishness

aptes ritual ablution *aptes almak* to perform an ablution *aptes bozmak* to relieve nature, to go to the toilet *aptest kaçmak* to have to perform an ablution again because one has relieved himself/herself

apteshane toilet, water closet

ar are (100 m2)

ar shame *ar damarı çatlamak* to feel no sense of shame

ara distance; interval; break; pause; *sp*. half-time, time out; relation *ara bozmak* to destroy the friendship (between) *ara bulmak* to reconcile, to mediate *ara seçimi* by-election *ara sıra* now and then *ara vermek* to take a break, to pause *arada bir* from time to time, rarely *arası açık/bozuk olmak* to be on bad terms (with, ile) *arası iyi olmak* to be on good terms (with) *arasına, arasında* between; among *araya girmek* to meddle, to interfere

araba car, automobile; cart; wagon *araba gezisi* drive *araba kazası* smash, smash-up *araba kullanmak* to drive a car *araba vapuru* car ferry, ferryboat *araba yarışı* car racing

arabacı driver; coachman; cartwright

arabesk arabesque

arabozan mischief-maker

arabozanlık mischief-making

arabulucu mediator, peacemaker; go-between

arabuluculuk mediation, peace-making

aracı mediator; middle-man, intermediary, agent

aracılık mediation, intervention

araç means; tool, implement, apparatus, device; vehicle

arada in between; sometimes *arada bir* (every) now and then, occasionally *arada sırada* occasionally, now and then, now and again

arakesit intersection

araklamak to pilfer, to swipe, to

walk of (with)

aralamak to half-open, to leave ajar

aralık space, gap, opening; time, moment; corridor; *fiz.* range; (month) December; half-open, ajar *aralık bırakmak* to leave a space; to leave half-open *aralık vermek* to put off sth for a time

aralıklı spaced out; intermittent, periodic

aralıksız continuous, uninterrupted; continuously, uninterruptedly

arama search, searching *arama emri* search-warrant *arama tarama* (police) searching *arama yapmak* to carry out a search

aramak to look for, to seek; to search; to long for, to miss *arayıp taramak* to search carefully

aranağme instrumental passage

aranjman *müz.* arrangement

aranmak to be searched; to be in demand; to be missed; to search oneself, to search one's pockets, etc.; to look for trouble

Arap Arab; Arabian; very dark, black

Arapça Arabic

arapsabunu soft soap

arapsaçı tangled affair, mess *arapsaçına çevirmek* to tangle *arapsaçına dönmek* to be too difficult to sort out

araştırma research, investigation, study

araştırmacı researcher

araştırmak to research, to investigate; to search

aratmamak to be a complete substitute (for)

arayış searching, seeking

arazi land *arazi olmak arg.* to sneak off *arazi sahibi* landowner *arazi vergisi* land tax

arazöz street sprinkler

ardıç *bitk.* juniper

ardıçkuşu *hayb.* fieldfare

ardıl consecutive; successor

ardınca behind, following

ardışık consecutive, successive

ardiye warehouse; storehouse *ardiye ücreti* storage

arena arena, bullring

argo slang, cant

argon argon

arı bee *arı gibi* hard working *arı kovanı* beehive *arı yuvası* hornet's nest *arıbeyi* queen-bee

arı clean; pure; innocent

arıcılık beekeeping, apiculture

arılaşmak to become pure

arılık cleanliness; purity; innocence

arınmak to become clean; to be purified

arıtımevi refinery

arıtmak to cleanse, to purify; to refine

arıza breakdown, fault, defect *arıza bulucu* fault-finder; troubleshooter *arıza yapmak* to break down

arızalanmak to break down

arızalı broken-down, defective, out of order; uneven, rough, rugged

arızi fortuitous

arif wise, knowing

arife eve

aristokrasi aristocracy

aristokrat aristocrat; aristocratic

aristokratlık aristocracy

aritmetik arithmetic; arithmetic(al) *aritmetik dizi* arithmetical progression *aritmetik işlem* arithmetical operation

Arjantin Argentina

Arjantinli Argentinean

ark dike, ditch; canal

arka back; back part, rear; posterior; support, protection; supporter, backer; continuation, sequel *arka plan* background *arka arkaya* one after the other *arka-*

dan from behind; afterwards *arkadan vurmak* to stab sb in the back *arkası kesilmek* to come to an end, to run out *arkası yere gelmemek* not to be defeated, to have powerful supporters *arkasına, arkasında* behind *arkasına düşmek/takılmak* to follow up (a matter); to follow, to pursuit, to dog *arkasından konuşmak* to backbite *arkasını bırakmamak* to follow up, to tag after *arkasını getirememek* to be unable to complete *arkasını vermek* to lean one's back (against); to rely (on)

arkadaş friend; companion *arkadaş canlısı* friendly, sociable, social *arkadaş olmak* to become friends

arkadaşlık friendship *arkadaşlık etmek* to be a friend (of), to rub shoulders (with)

arkalamak to hoist sth onto one's back, to shoulder; to support, to back

arkalık back (of a chair, etc.); porter's saddle

arkeolog archaeologist

arkeoloji archaeology

arkeolojik archaeological

Arktik Arctic

arlanmak to be ashamed

arlanmaz shameless

arma coat of arms; *den.* rigging

armağan present, gift *armağan etmek* to present (to)

armatör shipowner

armatür armature

armoni *müz.* harmony

armonika harmonica; accordion

armut pear

Arnavut Albanian

Arnavutça Albanian

arpa barley

arpacık sty, stye; *ask.* front sight (of a gun)

arsa building plot

arsenik arsenic

arsız shameless, cheeky

arsızlaşmak to become shameless, to act shamelessly

arsızlık shamelessness, impudence

arslan *bkz. aslan*

arş the highest heaven

arşın Turkish yard (approximately 68 cm.)

arşidük archduke

arşiv archives *arşiv filmi* library film

art back, near, behind *art arda* one after another *art niyet* hidden intent *ardı arkası gelmeyen* never-ending, endless *ardına düşmek* to follow up, to pursue

artçı *ask.* rear guard

artezyen artesian well

artı *mat.* plus; positive

artık at last, finally; no more; any more *Artık bu kadarı fazla.* That's more than enough. *Artık canıma yetti.* I've had enough of it.

artık left, remaining; remainder, remnant; waste, rubbish

artıkdeğer surplus value

artıkgün leap-year day, leap day (29 February)

artıkyıl leap-year

artırım economy, saving

artırma increase, economizing; auction

artırmak to increase, to expand; to save, to economize; to raise a bid (at auction)

artış increase, increment

artist actor, actress *artist gibi* beautiful; handsome

artistik artistic *artistik patinaj* artistic skating

artmak to increase, to rise; to remain over

aruz prosody

arya aria

arz the earth

arz *tic.* supply; presentation, representation, submission **arz etmek** to present (à gift, a petition, one's respects); to submit (a proposal); to offer (an opinion) **arz ve talep** supply and demand

arzu wish, desire **arzu etmek** to wish, to desire **arzusunda olmak** to have a wish (to) **arzu üzerine** on request

arzuhal petition

arzuhalci street letter-writer, petition writer

arzulamak to desire, to wish (for)

as ace, star performer

as second-, vice-, sub-

asa scepter, stick

asabi nervous, irritable; neurotic

asabileşmek to get nervous, to become irritated

asabilik nervousness, irritability

asabiye nervous diseases; neurology

asabiyeci neurologist

asal basic, fundamental **asal sayı** prime number

asalak parasite; *kon.* sponger

asalaklık parasitism; sponging

asalet nobility

asaleten *huk.* acting as principal

asansör *BE.* lift, *AE.* elevator

asap nerves **asap bozukluğu** nervous disorder **asabı bozulmak** to get nervous

asayiş order, public order, public security **asayişi bozmak** to break the peace **asayişi korumak** to keep the peace

asbest asbestos

asetilen acetylene

aseton acetone

asfalt asphalt; motorway **asfalt kaplamak** to asphalt

asgari minimum; least **asgari ücret** minimum wage

asıl origin, source; reality; truth; real, true; main, principal; origi-

nal **asıl sayılar** cardinal numbers **aslı astarı olmamak** not to be true **aslı çıkmak** to be confirmed

asılı hanging, suspended; hanged, executed

asılmak to hang; to be hanged/hung; to try to pick sb up; to pester, to insist

asılsız baseless, groundless

asır century; age, time, period

asi rebel, insurgent; rebellious

asil noble, aristocratic; definitively appointed, permanent

asileşmek to rebel

asilik rebellion **asilik etmek** to rebel

asillik nobility

asistan assistant; assistant to a professor; *hek.* assistant doctor, intern

asistanlık assistantship; internship

asit acid

asker soldier; military service; troops **asker kaçağı** absent-without-leave, deserter **asker ocağı** place for military service **asker olmak** to join the army **asker tayını** soldier's rations **askere almak** to enlist, to conscript **askere gitmek** to join the army, to go into the army

askeri military **askeri bando** military band **askeri bölge/mıntıka** military zone **askeri hastane** military hospital **askeri inzibat** military police, military policeman **askeri lise** cadets school **askeri mahkeme** military court, court-martial **askeri öğrenci** cadet

askerileştirmek to militarize

askerlik military service **askerlik şubesi** local draft office **askerlik yoklaması** rollcall

askı hook; hanger; *BE.* braces, *AE.* suspenders; the posting **askıda** in suspense **askıya çıkarmak** to

publish the banns
asla never, in no way
Aslan (burcu) Leo
aslan lion *aslan ağzında olmak* to be very hard to get *aslan gibi* well-built, healthy *aslan kesilmek* to become as brave as a lion *aslan payı* the lion's share *aslan sütü kon.* rakı *aslan yürekli* lion-hearted
aslanağzı *bitk.* snapdragon
aslen originally, essentially
aslında actually, in fact
asli fundamental, essential
asma *bitk.* vine; grape-vine
asmak to hang; *arg.* to play truant, to cut
aspiratör aspirator
aspirin aspirin
asri modern
assubay noncommissioned officer
ast under, below; junior; subordinate
astar lining; undercoat, priming
astarlamak to line; to apply priming
asteğmen second lieutenant
astım *hek.* asthma
astigmat *hek.* astigmatic
astigmatizm astigmatism
astragan astrakhan
astroid astroid
astronom astronomer
astronomi astronomy
astronomik astronomical
astronot astronaut
Asya Asia
Asyalı Asiatic
aş cooked food
aşağı lower part, bottom; lower, inferior; common, mean; less; down; below *aşağı görmek* to look down on, to despise *aşağı kalmamak* not to fall short (of), to be second to none *aşağı yukarı* more or less, approximately
aşağıda below; downstairs

aşağıdan from below *aşağıdan almak* to sing another song, to sing small
aşağılamak to lower, to reduce, to debase
aşağılık vulgarity; lowness; base; common, inferior; coarse, vulgar *aşağılık duygusu/kompleksi* inferiority complex
aşağıya down, downwards; downstairs
aşama phase, stage; rank; grade
aşamalı gradual *aşamalı olarak* in echelon; by stages, gradually
aşçı cook
aşçıbaşı head-cook, chef
aşçılık cooking, cookery, cuisine
aşevi restaurant; soup kitchen
aşı inoculation; graft; vaccine *aşı olmak* to be inoculated *aşı yapmak* to inoculate, to vaccinate; to graft, to bud
aşıboyası red ocher; brick-red
aşık knuckle-bone
âşık lover, admirer; wandering minstrel, bard; in love (with)
aşılamak *hek.* to vaccinate, to inoculate; to graft, to bud; to infect; to instil (ideas)
aşındırmak to wear out, to abrade; to eat away, to corrode
aşınma abrasion; corrosion; erosion
aşınmak to be abraded, to be eroded
aşırı excessive, extreme; excessively, extremely; beyond, over
aşırıdoyma *fiz.* supersaturation
aşırıergime *fiz.* superfusion; supercooling
aşırılık excessiveness, excess
aşırmacılık stealing; plagiarism, piracy
aşırmak to pass over; to steal, to swipe; to plagiarize
aşikâr obvious, clear, apparent, evident
aşina acquaintance; acquainted,

knowing

aşinalık acquaintance, intimacy

aşiret tribe

aşk love; passion **aşka gelmek** to get excited, to be enraptured

aşkın excessive; exceeding, over; transcendent(al)

aşmak to pass over, to go beyond, to exceed

aşure Noah's pudding, a dessert with wheat grains, nuts, dried fruit, etc.

at horse **at arabası** coach, cart, carriage **at oynatmak** to ride skilfully; to compete (with), to vie (with); to go on one's way **at yarışı** horse race **ata binmek** to ride a horse **attan düşmek** to fall off a horse

ata father; ancestor **atadan kalma** ancestral, traditional

ataerki patriarchy

ataerkil patriarchal

atak reckless, rash, bold; *sp.* attack

atama appointment

atamak to appoint

atanmak to be appointed (to)

atardamar *anat.* artery

atasözü proverb

ataşe attaché

Atatürkçü Kemalist

Atatürkçülük Kemalism

ateist atheist

ateizm atheism

atelye workshop; studio

ateş fire; temperature, fever; ardour, vehemence **ateş açmak** to open fire (on) **ateş almak** to catch fire **ateş almamak** to hang fire, to misfire **ateş altında** under fire **ateş basmak** to feel hot **ateş etmek** to fire (on), to shoot (at) **ateş gibi** very hot, fiery; quick, agile **ateş pahası(na)** very expensive **ateş püskürmek** to be furious **ateş yakmak** to light a fire **(kendini) ateşe atmak** to go

through fire and water (for, için) **ateşe vermek** to set fire to **ateşi başına vurmak** to become very excited, to blow one's cap **ateşi çıkmak** (one's temperature) to rise **ateşi düşmek** (one's temperature) to drop **ateşi yükselmek** (one's temperature) to rise **ateşle oynamak** to play with fire **ateşten gömlek** ordeal

ateşböceği *hayb.* firefly

ateşçi fireman, stoker

ateşkes cease-fire, armistice

ateşlemek to set fire (to), to ignite; to provoke

ateşlenmek to be lit, to be ignited; to have a temperature; to get excited

ateşli burning, fiery; passionate, fervent; *hek.* Feverish **ateşli silah** firearm

ateşperest fire-worshipper

atıcı marksman, good shot; braggart, boaster

atıf attribution, ascribing

atık waste; effluent **atık madde** effluent **atık su** waste water

atılgan dashing, reckless, bold

atılım leap, rush; development, progress

atılmak to be thrown; to be fired; to be dismissed; to attack; to burst into (a conversation), to cut in

atım range (of a gun)

atımlık charge

atış throwing; firing, shooting; (heart) beating **atış alanı/yeri** rifle range, artillery range

atışmak to quarrel, to bicker

atıştırmak to gobble, to bolt, to gulp; to spit; to drizzle

atik alert, agile

atkestanesi *bitk.* horse chestnut

atkı scarf, shawl; weft; hay-fork; shoe-buckle

atkuyruğu pony-tail; *bitk.* marestail

atlama jumping, jump; skipping, omission *atlama beygiri* vaulting horse

atlamak to jump; to leap; to skip, to omit; to miss (an item of news)

Atlas Okyanusu The Atlantic Ocean

atlas satin; *coğ.* atlas; *anat.* atlas

atlasçiçeği *bitk.* cactus

atlatmak to cause to jump; to overcome; to weather; to put off, to get rid of

atlet athlete; undershirt

atletik athletic

atletizm athletics

atlı horseman, rider

atlıkarınca *BE.* roundabout, *AE.* carousel, merry-go-round

atmaca *hayb.* sparrow-hawk

atmak to throw; to throw away; to drop; to put into; to put out, to extend; to fire (a gun); to shoot (an arrow, etc.); to write (one's signature, the date); to expel, to dismiss; to cast, to impute; to carry to take (sth, to a place); to send, to post; to lie, to fib; to drink; to crack, to split; to pulsate, to beat; to land (a blow); (colour) to fade *atıp tutmak* to run down; to talk big; to boast

atmasyon *arg.* lie, story; false, made up

atmosfer atmosphere *atmosfer tabakası* atmospheric layer

atol coral island, atoll

atom atom *atom ağırlığı* atomic weight *atom bombası* atom bomb *atom çağı* atomic age *atom çekirdeği* atomic nucleus *atom enerjisi* atomic energy *atom reaktörü* nuclear reactor *atom sayısı* atomic number

atomal atomic

atölye workshop; studio, atelier

atsineği horsefly

aut *sp.* out (of play)

av hunting, shooting, fishing; game, prey *av hayvanı* game animal *av köpeği* hunting dog, hound *ava çıkmak* to go out hunting *Ava giden avlanır ats.* The biter is sometimes bit.

avadanlık set of tools

avam the public, the common people *Avam Kamarası* the House of Commons, the Commons

avanak gull, boob, mug; gullible

avans advance (of money) *avans almak* to get an advance *avans vermek* to advance money

avanta *arg.* illicit profit, pickings, rake-off

avantaj advantage

avantajlı advantageous

avare vagabond, good-for-nothing

avcı hunter, huntsman *avcı mangası* skirmishers *avcı uçağı* fighter plane, fighter

avcılık huntsmanship, shooting, hunting

avize chandelier

avlak hunting ground

avlamak to hunt, to shoot; to entice, to deceive

avlanmak to be hunted; to go out hunting

avlu courtyard

avokado *bitk.* avocado

Avrasya Eurasia

avrat woman; wife

Avrupa Europe

Avrupai European (manner/style)

Avrupalı European

Avrupalılaşmak to become Europeanized

Avrupalılaştırmak to Europeanize

avuç the hallow of the hand; handful *avuç açmak* to beg *avuç dolusu* handful; plenty of *avucunun içi gibi bilmek* to know (a place) like the palm of one's hand *avucunu yalamak* to go away empty-handed

avukat lawyer, barrister, solicitor

avukatlık profession/work of a barrister; loquacity

avunmak to be consoled; to be distracted

avuntu consolation; distraction

avurt pouch, cheek pocket

Avustralya Australia

Avustralyalı Australian

Avusturya Austria

Avusturyalı Austrian

avutmak to console, to comfort; to delude; to attract and amuse

ay Ah! Oh! Ouch!

ay moon; month *ay başı* first days of a month *ay ışığı* moonlight *ay takvimi* lunar calendar *ay tutulması* lunar eclipse *ay yıldız* star and crescent (on the Turkish flag) *ayda yılda bir* rarely, once in a blue moon *aydan aya* once a month, monthly *Ayın kaçı?* What is the date?

aya palm (of the hand); sole (of the foot)

ayak foot; leg; pedal (of a machine); treadle (of a sewing machine); rung (of a ladder); rhyme *ayağa kalkmak* to stand up; to get better, to recover *ayağı alışmak* to frequent (a place) *ayağına bağ olmak* to hinder *ayağına dolanmak/dolaşmak* to be in the way *ayağına getirmek* to have sth/sb brought to one *ayağına gitmek* to visit sb personally *ayağını çabuk tutmak* to hurry *ayağını giymek* to put on one's shoes *ayağını çıkarmak* to take off one's shoes *ayağını denk almak* to watch one's step *ayağını kaydırmak* to supplant, to oust *ayağının altına almak* to thrash, to beat; to violate, to ignore

ayak bağı hindrance, impediment *ayak basmak* to set foot in, to arrive at *ayak bileği* ankle *ayak diremek* to put one's foot down, to insist *ayak yapmak* to assume a deceptive air *ayaklar altına almak* to disregard *ayakta* on foot, standing; excited, worried *ayakta kalmak* to be left without a seat; to remain standing *ayakta uyumak* to be excessively tired; not to know what is going on

ayakaltı much-frequented place *ayakaltında dolaşmak* to get under foot, to be in the way

ayakkabı footwear, shoe

ayakkabıcı shoe-maker; shoe-seller; cobbler

ayakkabıcılık shoemaking; shoe trade

ayaklandırmak to make revolt, to cause to revolt; to arouse, to provoke

ayaklanma rebel, rebellion, uprising, revolt, mutiny

ayaklanmak (child) to begin to walk; (patient) to be able to walk; to rebel, to revolt

ayaklı footed, legged

ayaktakımı rabble, mob

ayakucu foot, tiptoe *ayakucuna basarak yürümek* to walk on tiptoe

ayaküstü, ayaküzeri without sitting down, in haste

ayakyolu water-closet, lavatory

ayar adjustment, setting; standard (of fineness); carat; quality, character *ayar etmek* to regulate, to adjust *ayarı bozuk* out of order

ayarlamak to adjust, to regulate, to fix, to test, to gauge, to assay; to arrange

ayarlı adjusted, tuned, regulated; adjustable

ayarsız not regulated
ayartmak to tempt, to seduce, to pervert
ayaz dry cold (daytime); frost (at night)
aybaşı menstruation, periods
ayça new moon, crescent
ayçiçeği sunflower
aydın educated, enlightened; bright; intellectual
aydınger tracing paper
aydınlanmak to become bright, to brighten up; to become informed, to be enlightened
aydınlatıcı illuminating; informative, enlightening
aydınlatmak to light up, to illuminate; to enlighten, to elucidate
aydınlık light; bright, lighted
ayet verse of the Koran
aygın baygın languid; languishing; languidly
aygır *hayb.* stallion *aygır gibi* huge, burly
aygıt apparatus, instrument, tool; *biy.* system
ayı bear *ayı gibi* bearish; huge
ayıbalığı *hayb.* seal
ayık sober; wide-awake
ayıklamak to clean, to pick, to sort (rice, vegetables); to shell (peas, beans, nuts) *Ayıkla şimdi pirincin taşını!* Here's a nice/pretty kettle of fish!
ayılmak to sober up, to recover; to come to, to come round (after fainting); to come to one's senses, to see the light
ayıltmak to sober up, to bring round
ayıp shame; defect, fault; shameful; shame on you! *ayıp etmek* to behave shamefully *ayıptır söylemesi* without wishing to boast
ayıplamak to find fault with, to censure, to blame

ayıraç *kim.* reagent
ayırmak to separate; to disconnect, to detach; to select, to choose, to pick; to divide; to save, to reserve; to distinguish
ayırt etmek to distinguish, to discriminate
ayırtman examiner
ayıüzümü *bitk.* bearberry
ayin rite; ceremony
aykırı contrary, divergent, diverging *aykırı düşmek* to contradict, to be incongruous (with)
aykırılaşmak to become contrary
ayla halo
aylak unemployed, idle *aylak aylak* idly
aylık monthly salary; monthly; ... months old; lasting ... months
aylıkçı salaried employee
aylıklı salaried
aymak to come to; to come to one's senses
ayna mirror, looking-glass
aynen without change, exactly
aynı the same, identical *aynı kapıya çıkmak* to reach the same conclusion *aynı şekilde* in the same way *aynı şey* it makes no difference *aynı zamanda* at the same time, meanwhile
ayol Say! Well! Hey! You! (mostly by women)
ayraç bracket, parenthesis
ayran drink made with yoghurt and water
ayrı separate, apart; different, distinct; exceptional *ayrı tutmak* to make a distinction
ayrıbasım offprint, reprint
ayrıca separately, specially; in addition, moreover, also
ayrıcalık privilege, concession
ayrıcalıklı privileged; preferential
ayrık separated, disjointed; exceptional
ayrıkotu *bitk.* couch grass

ayrıksı eccentric, different

ayrılık separation; difference; deviation

ayrılmak to separate from one another, to part; to leave, to depart from; to be distinguished; to be divorced

ayrım distinction; difference; disparity; part, chapter

ayrımlaşma differentiation

ayrımlaşmak to differentiate

ayrımlı different

ayrıntı detail

ayrıntılı detailed, comprehensive *ayrıntılı olarak* in detail

ayrışık decomposed; different, various

ayrışmak to be decomposed

ayrıştırmak to decompose

ayrıt *mat.* edge

aysberg iceberg

ayva quince *ayvayı yemek* to get into difficulties, to be in hot water

ayvaz footman *Ayvaz kasap hep bir hesap.* It makes no difference.

ayyaş drunkard, alcoholic

ayyaşlık alcoholism, drunkenness

az little, few; little; seldom *az bir şey* only a little *az buçuk* a little, somewhat; slight *az bulmak* to consider insufficient *Az buz şey değil* It's no small matter. *az çok* more or less *az daha* almost, nearly *az gelmek* to be insufficient *az kaldı/kalsın* almost, nearly

aza member; limps, organs

azalmak to become less, to be reduced, to diminish

azaltmak to lessen, to decrease, to diminish, to lower

azamet greatness, grandeur; conceit, arrogance

azametli magnificent, grand; conceited, ostentatious

azami maximum, greatest, utmost

azap pain, torture, torment

azar azar little by little, inch by inch, bit by bit

azar scolding, reproach *azar işitmek* to be scolded, to get a rocket

azarlamak to give sb a rocket, to tell off, to scold

azat liberation, emancipation; free *azat etmek* to set free; to emancipate

azdırmak to irritate, to make worse; to excite, to incite; to spoil (a child); to lead astray

Azerbaycan Azerbaijan

Azerbaycanlı Azerbaijani

Azeri Azerbaijani

Azerice Azerbaijani, Azeri

azgelişmiş underdeveloped *azgelişmiş ülke* underdeveloped country

azgelişmişlik underdevelopment

azgın furious, mad, wild, fierce; tender, sensitive (skin); mischievous, naughty (child); oversexed, lustful; wild, strong (wind); very rough (sea)

azı molar tooth

azıcık very little, very few; little; for a moment

azıdişi molar tooth

azık food; provisions

azılı ferocious, savage

azımsamak to consider sth too little

azınlık minority *azınlıkta kalmak* to be in the minority

azıtmak to get out of control, to get wild

azim resolution, determination

azimli resolute, determined

aziz dear, beloved; saint

azizlik preciousness; sainthood; trick, practical-joke

azletmek to dismiss

azmak to become depraved; to be sexually excited; to get wild, to become furious; to get rough (sea); to get inflamed (wound); to be a hybrid; (river) to be in flood

azman monstrous, enormous

azmetmek to resolve (upon), to be determined (to)

azoik azoic

azot nitrogen

Azrail Azrael *Azrailin elinden kurtulmak* to be saved from death

B

baba father; *den.* bollard; newel post *baba tarafı* the father's side *babadan kalma* inherited from one's father

babaanne (paternal) grandmother

babacan good-natured, fatherly

babalık fatherhood; stepfather; *kon.* father-in-law

babayiğit brave, virile

babayiğitlik bravery, virility

baca chimney; *den.* funnel

bacak leg; jack, knave *bacak kadar* tiny, shorty

bacaksız without legs; short-legged, squat; *kon.* naughty, urchin

bacanak the husband of one's wife's sister

bacı (elder) sister

badana whitewash, limewash *badana etmek/vurmak* to whitewash

badanacı whitewasher

badanalamak to whitewash

badanalı whitewashed

badem almond

bademcik *anat.* tonsil

bademezmesi almond paste

bademşekeri sugared almond

badi duck *badi badi yürümek* to waddle

badire (unexpected) calamity, difficult situation

bagaj luggage, baggage; boot, trunk

bağ tie, string, cord; bandage; bunch, bundle; relation, link; *anat.* ligament; vineyard; garden, orchard

bağbozumu vintage

bağcı grape grower

bağcık cord, strap; shoe lace

bağcılık viniculture

bağdaş sitting cross-legged *bağdaş kurmak* to sit cross-legged

bağdaşık harmonious

bağdaşmak to accord, to agree, to suit

bağdoku connective tissue

bağıl relative

bağım dependence

bağımlı dependent

bağımlılık dependence

bağımsız independent

bağımsızlık independence

bağıntı relation

bağıntılı relative

bağır breast, bosom; viscera *bağrı yanık* heartsick, distressed *bağrına basmak* to embrace; to protect, to shelter *bağrına taş basmak* to suffer patiently

bağırmak to shout, to yell *bağırıp çağırmak* to make a big fuss, to make a lot of noise

bağırsak intestine(s), bowel(s), gut(s)

bağırtı shout, outcry

bağış donation, grant

bağışık immune

bağışıklık immunity

bağışlamak to donate; to forgive, to pardon

bağlaç *dilb.* conjunction

bağlam context; bunch, bundle

bağlama a plucked string instrument; crossbar

bağlamak to tie, to fasten, to connect; to bandage; to form; to hinder, to obstruct, to appropriate, to assign

bağlantı tie, connection

bağlayıcı connecting; obliging; binding; conjunctive

bağlı bound, tied, connected, fastened, connected; dependent; faithful

bağnaz fanatical

bağnazlık fanaticism

bağrışmak to cry out together

bahadır brave, valiant

bahane excuse, pretext **bahane aramak** to seek a pretext **bahane etmek** to plead; to allege

bahar spring

baharat, bahar spices

baharatçı spice-seller

bahçe garden

bahçıvan gardener

bahçıvanlık gardening

bahis subject, topic; wager, bet **bahse girişmek/girmek** to bet, to wager **bahsi kaybetmek** to lose the wager **bahsi kazanmak** to gain the wager

bahriye navy

bahriyeli sailor; naval officer

bahsetmek to mention, to speak of, to talk about

bahşiş tip **bahşiş vermek** to tip

baht fortune, luck **bahtı açık** lucky, fortunate **bahtı kara** unlucky, unfortunate

bahtiyar lucky, fortunate

bakakalmak to stand in astonishment, to gape

bakan minister

bakanlık ministry

bakarkör unobservant person

bakıcı attendant, guard; nurse

bakım care; attention, upkeep; point of view

bakımevi dispensary

bakımlı well-cared for, well-kept

bakımsız neglected, unkempt

bakınmak to look around

bakır copper

bakırcı coppersmith

bakış glance, look

bakışım symmetry

bakışımlı symmetric

bakışımsız asymmetric

bakışımsızlık asymmetry

bakışmak to look at one another

baki everlasting

bakir virgin, untouched

bakire virgin, maiden

bakiye remainder

bakkal grocer; grocery **bakkal dükkânı** grocery

bakkaliye groceries; grocery shop

bakla broad-bean(s), horsebean; chain link **baklayı ağzından çıkarmak** to spill the beans

baklagiller leguminous plants

baklava finely layered pastry filled with nuts and steeped in syrup

bakmak to look; to look for; to face; to look after; to see to; to treat; to be in charge (of); to depend (on); (waiter) to serve **bakarız** we'll see **bakar mısınız** excuse me

bakraç copper bucket

bakteri bacterium

bakteriyolog bacteriologist

bakteriyoloji bacteriology

bal honey **bal gibi** like honey; certainly

balarısı honeybee

balast ballast

balata brake lining

balayı honeymoon

balçık clay, mud

baldır *anat.* calf **baldır kemiği** tibia, shin-bone

baldıran *bitk.* poison; hemlock

baldız sister-in-law, wife's sister

bale ballet

balerin ballerina

balgam mucus, phlegm **balgam**

çıkarmak/sökmek to expectorate
balık fish; Pisces *balık ağı* fishing net *balık avlamak/tutmak* to fish *balık etinde* attractively fleshy/plump *balığa çıkmak* to go (out) fishing *balık oltası* fishing line *balık pazarı* fish market *balık yumurtası* hard roe, spawn
balıkadam skin diver
balıkçı fisherman; fishmonger *balıkçı yaka* turtleneck, poloneck; turtlenecked
balıkçıl *hayb.* heron, egret, bittern
balıkçılık fishery, fishing
balıkgözü eyelet
balıklama headfirst, headlong; unthinkingly
balıksırtı camber, ridge; ridge, hog-backed
balıkyağı fish oil; cod-liver oil
balina whale
balistik ballistics; ballistic
balkabağı squash
Balkanlar the Balkans
balkon balcony
ballandırmak to praise extravagantly, to exaggerate *ballandıra ballandıra* praising extravagantly
ballı containing honey, honeyed; *kon.* unusually lucky
ballıbaba *bitk.* dead-nettle
balmumu wax
balo ball, dance
balon balloon
balözü nectar
balta axe, hatchet *balta girmemiş orman* virgin forest
baltalama sabotage, blow
baltalamak to sabotage, to block, to paralyze; to hack (with an axe)
Baltık Denizi the Baltic Sea
Baltık the Baltic
balya bale
balyoz sledgehammer
bambaşka utterly different

bambu bamboo
bamya okra, gumbo
bana (to) me *Bana bak!* Look here! *Bana bakma* Don't count on me *Bana göre hava hoş* It doesn't make any difference (to me) *Bana kalırsa* as far as I'm concerned *bana mısın dememek* to show no reaction to; to have no effect
bandaj bandage
bandıra flag, colours
bandırmak to dip (into)
bando *müz.* band
bandrol monopoly tax label
bangır bangır too loudly *bangır bangır bağırmak* to shout loudly
bank bench
banka bank *banka cüzdanı* bank book, passbook *banka hesabı* bank account *banka kartı* bank card *banka soygunu* bank robbery *banka şubesi* branch bank *bankaya yatırmak* to deposit (in a bank), to bank
bankacı banker; bank employee
bankacılık banking
banker banker; stockbroker
banket shoulder (of a road)
banknot banknote, bill
banko bench; counter
banliyö suburb *banliyö treni* suburban train
banmak to dip (into), to dunk
bant band; tape; hairband *banda almak* to record on tape
banyo bath; bathroom; (film) development *banyo yapmak* to have a bath; (film) to develop
bar bar loudly and angrily *bar bar bağırmak* to shout at the top of one's voice
bar bar; tarnish, dirt; a folk dance of Eastern Anatolia
baraj dam; (football) wall *barajı aşmak* to pass (the examination)
baraka hut, shed

barbar barbarian; barbarous
barbarlık barbarism
barbunya *hayb.* red mullet; *bitk.* kidney bean *barbunya fasulyesi* small reddish bean
bardak glass *bardağı taşıran son damla* the last straw *bardaktan boşanırcasına yağmur yağmak* to rain cats and dogs
bardakeriği greengage, egg-plum
barem a scale of official salaries
barfiks *sp.* horizontal bar
barınak shelter
barındırmak to give shelter, to shelter, to harbour
barınmak to take shelter (in)
barış peace
barışçı, barışçıl peace-loving, pacific
barışçılık pacifism
barışık at peace, reconciled
barışmak to make peace (with), to be reconciled, to bury the hatchet
barıştırmak to reconcile, to conciliate
bari at least, for once; if so, then; may/might as well
barikat barricade
bariton baritone
bariz clear, obvious
barmen barman, bartender
baro bar, the body of lawyers
barok baroque
barometre barometer
baron baron
baroskop baroscope
barut gunpowder *barut gibi* too sour, too hot; hot-tempered, irritable *barut kesilmek* to fly into a rage
baryum barium
bas *müz.* bass
basamak step, stair; *mat.* order, degree *basamak basamak* step by step
basamaklı having steps

basbayağı quite common, ordinary
basık low, squat; compressed
basıklık lowness
basılı printed; pressed
basım printing, impression
basımcı printer
basımevi printing house, press
basın press, newspapers *basın ataşesi* press attache *basın toplantısı* press conference
basınç pressure
basınçölçer barometer
basil bacillus
basiret prudence, insight, foresight *basireti bağlanmak* to become blind (to a danger)
basiretli prudent, cautious
basiretsiz imprudent
basit simple, plain, easy; common, ordinary
basitlik simplicity
basket *kon.* basketball *basket atmak* to make/shoot a basket
basketbol basketball
baskı press; constraint, oppression; edition; (newspaper) circulation *baskı altında tutmak* to oppress, to suppress *baskı yapmak* to bring pressure on, to put pressure on
baskın sudden attack, raid; *kon.* unexpected visit; overpowering, superior *baskın çıkmak* to get the upper hand, to surpass *baskın yapmak* to swoop down on *baskına uğramak* to be raided; to be caught redhanded; to be flooded
baskıncı raider
baskül weigh-bridge, scales
basma printed cotton
basmak to press, to weigh down; (age) to enter; to print; to step (on)
bastıbacak shortlegged, squat
bastırmak to push down, to press; to suppress, to quench; to sur-

316

pass; to satisfy, to appease (hunger); to set in, to close in
baston walking-stick, cane
basur hemorrhoids, piles
baş head; leader, chief; beginning; main, chief *baş ağrısı* headache; trouble *baş aşağı* upside down *baş başa* face to face *baş başa kalmak* to stay alone (with) *baş başa vermek* to collaborate, to put their heads together *baş belası* trouble, nuisance *baş döndürücü* astounding; stupefying *baş dönmesi* dizziness, vertigo *baş edememek* to be unable to cope with *baş göstermek* to break out, to arise *baş göz etmek* to give in marriage, to marry *baş göz olmak* to marry *baş koymak* to risk one's life *Baş üstüne!* With pleasure! *baş kaldırmak* to rebel *baş tacı* crown; a greatly respected and loved person *başa çıkmak* to cope with, to handle *Başa gelen çekilir* One has to take what comes *başı bağlı* fastened by the head; married *başı dönmek* to feel dizzy *başı sıkıya gelmek* to be in trouble *başı üstünde yeri olmak* to be highly respected/loved, to be welcome *başına bir hal gelmek* to get into hot water, to have a misfortune *başına buyruk* independent *başına dert açmak* to cause trouble to *başına devlet kuşu konmak* to have a stroke of luck *başına ekşimek* to be a burden (to) *başına geçmek* to become the chief of *başına gelmek* to happen (to) *başına iş açmak* to cause trouble (to) *başına iş çıkarmak* to cause sb to see to a burden *başına kakmak* to hurt by reminding him of a favour done to him *başına patlamak* (undesirable thing) to fall

to one's lot, to befall *başına yıkmak* to throw a burden on sb *başında beklemek/durmak* to watch over, to watch by *başından aşağı kaynar sular dökülmek* to have a nasty shock, to be shocked *başından aşkın* (work) too much for sb *başından atmak* to get rid *başından büyük işlere girişmek* to bite off more than one can chew *başından geçmek* to happen (to), to experience *başından savmak* to get rid (of) *başını ağrıtmak* to bother, to annoy *başını belaya sokmak* to bring trouble (to) *başını boş bırakmak* to leave alone; to leave without control *başını derde sokmak* to get oneself into trouble; to get sb into trouble *başını dinlemek* to rest *başını kaldır(a)mamak* to be engrossed in *başını ütülemek* to nag, to badger *başını yakmak* to get sb into trouble *başının altından çıkmak* to be hatched out in sb's head *başının çaresine bakmak* to see to one's own affairs oneself *başının derdine düşmek* to be too involved in his own affairs not to be interested in anything else *başının etini yemek* to nag *başta gelmek* to be first *baştan aşağı* throughout, from head to foot *baştan başa* from end to end *baştan çıkarmak* to lead astray, to seduce *baştan çıkmak* to be led astray, to be corrupted *baştan savma* carelessly, improperly
Başak (burcu) Virgo
başak ear, spike
başaltı (wrestling) second class; *den.* steerage, forward crewquarters
başarı success *başarı göstermek* to show success

başarılı successful
başarısız unsuccessful **başarısız olmak** to fail
başarısızlık failure
başarmak to succeed, to achieve
başbakan prime minister, premier
başbakanlık prime ministry, premiership
başbuğ (formerly) commander, chief, leader
başçavuş sergeant major
başhekim head doctor
başhemşire head nurse
başıboş untied, free; untamed; neglected, unattended **başıboş bırakmak** to leave uncontrolled, to leave to oneself **başıboş kalmak** to run wild
başıbozuk irregular, undisciplined
başından from the beginning, again
başka other, another, different **(-den) başka** apart from, except **başka başka** separately, one by one; different
başkaca besides, furthermore, otherwise
başkaları others
başkaldırı rebellion, revolt
başkaldırmak to rebel, to revolt
başkalık difference; alteration, change
başkan president, chief, chairman
başkanlık presidency, chairmanship .
başkası another, someone else
başkâtip head clerk
başkent capital
başkomutan commander-in-chief
başkomutanlık supreme military command
başkonsolos consul general
başkonsolosluk consulate general
başlamak to begin, to start, to commence
başlangıç beginning, start; foreword **başlangıç noktası** starting

point
başlatmak to make (let) begin, to start; to cause sb to swear
başlı başına independently, by oneself, on one's own
başlıca main, principal
başlık cowl, cap, headgear; title, headline; caption; money paid by the bridegroom to the bride's family
başmakale leading article, editorial
başmüfettiş chief inspector
başoyuncu leading player, featured actor/actress
başöğretmen (school) principal
başörtüsü head-scarf
başparmak thumb; big toe
başpehlivan wrestling champion
başpiskopos archbishop
başrol leading part, lead
başsağlığı condolence **başsağlığı dilemek** to give one's condolences
başsavcı attorney-general
başsız headless
başşehir capital
baştanbaşa entirely
başucu head end; zenith
başvurmak to apply (to); to resort to
başvuru application **başvuru formu** application form **başvuruda bulunmak** to make an application
başvurucu applicant
başyapıt masterpiece
başyazar editorial writer, editor
başyazı leading article, editorial
batak marsh, swamp; marshy, swampy
batakhane den, den of thieves
bataklık marsh, swamp
batarya battery
bateri *müz.* drums
batı west; the West; western
batık sunken, hallow
batıl superstitious, false **batıl itikat** superstition

batılı western; Westerner
batılılaşma westernization
batılılaşmak to become western-
ized
batırmak to sink, to submerge; to
dip, to plunge; to stick; to dirty,
to ruin; to run down, to dispar-
age
batmak to sink; to set (sun, etc); to
hurt, to prick; to go bankrupt; to
be lost, to perish; to irk, to hurt
battal useless, void; oversize
battaniye blanket
bavul suitcase, case
bay gentleman; Mr
bayağı ordinary, common; mean,
vulgar, coarse; quite
bayağıkesir common fraction
bayağılaşmak to become vulgar
bayan lady, madam; Mrs, Miss, Ms
bayat stale; trite, insipid
bayatlamak to get stale
baygın faint; unconscious, fainted
baygın düşmek to be exhausted
baygınlık faintness *baygınlık
geçirmek* to feel faint, to have a
blackout
bayılmak to faint, to swoon; to be
fond of; *arg.* to shell out, to pay
bayındır prosperous, developed
bayındırlık prosperity; public
works
bayır slope, ascent
bayi vendor, seller, dealer
baykuş owl
bayrak flag *bayrak çekmek* to hoist
the flag *bayrak dikmek* to plant
the flag *bayrak direği* flag-pole
bayram religious festival, Bairam
bayram etmek/yapmak to be
overjoyed *bayramdan bayrama*
very seldom, once in a blue
moon, rarely
bayramlaşmak to exchange Bairam
greetings
bayramlık fit for a festival; Bairam
present; one's best dress, Sun-

day best
baytar veterinary surgeon
baz *kim.* base
bazal basic
bazen sometimes
bazı some, certain
bazilika basilica
be Hi! Hey! I say!
bebe baby
bebek baby; doll *bebek beklemek*
to be pregnant *bebek gibi*
(woman) beautiful; babyish,
babylike
bebeklik babyhood
beceri skill
becerikli skillful, capable
beceriklilik skill, dexterity
beceriksiz unskillful, incapable
beceriksizlik clumsiness, incapa-
bility
becermek to pull off, to manage; to
ruin, to spoil
bedava free, for nothing
bedavacı freeloader, sponger
bedbin pessimistic
beddua curse, malediction *beddua
etmek* to curse *bedduasını almak*
to be cursed (by sb)
bedel equivalent; worth, value;
price; substitute
beden body *beden eğitimi* physical
education, gym
bedenen physically
bedensel bodily, physical
begonya begonia
beğeni taste, liking, gusto
beğenilmek to win approval
beğenmek to like, to admire; to
choose, to prefer
beğenmemek to disapprove (of)
beğenmezlik disapproval
behemehal in any case, for sure
beher to each, for each, per
behey Hey!
bej beige
bek (football) back; gas burner
bekâr unmarried, single, bachelor

bencil

bekâret virginity
bekârlık bachelorhood, celibacy
bekçi (night) watchman; guard, sentry
bekleme waiting *bekleme salonu/odası* waiting room
beklemek to wait (for); to expect; to watch, to attend
beklenmedik unexpected
beklenmek to be expected
beklenti expectation
bekletmek to make sb wait, to keep sb waiting; to delay, to postpone
bekri drunkard
Bektaşi dervish of the Bektashi order
Bektaşilik the Bektashi order
bel waist, loins; mountain pass, notch; *den.* midship body; sperm, come; spade *bel ağrısı* lumbago *bel bağlamak* to rely on *belini doğrultmak* to recover
bela trouble, misfortune, calamity *bela aramak* to ask for trouble *bela çıkarmak* to stir up trouble *bela okumak* to curse *belasını bulmak* to get one's desert *belaya girmek/çatmak* to run into trouble *belaya sokmak* to get sb into trouble
belalı tiresome, troublesome; quarrelsome
belde city
belediye municipality *belediye başkanı* mayor *belediye binası* town hall *belediye meclisi* town council
belediyeci municipal employee
beleş free, buckshee *beleşe konmak* to get on the gravy train
beleşçi free-loader, sponger
beleşten for nothing, buckshee
belge document, certificate *belge almak* to be expelled from school
belgelemek to document, to confirm **belgeli** dismissed from school

belgesel documentary *belgesel film* documentary film
belgin clear
belgisiz *dilb.* indefinite *belgisiz adıl* indefinite pronoun *belgisiz sıfat* nonrestrictive adjective *belgisiz tanımlık* indefinite article
belirgin clear, manifest
belirginleşmek to become clear
belirginlik clarity
belirlemek to determine, to fix
belirli determined, definite *belirli belirsiz* dim, indistinct
belirmek to appear, to come into sight
belirsiz undetermined, indefinite, uncertain; imperceptible
belirsizlik uncertainty, indefiniteness
belirteç *dilb.* adverb
belirti sign, mark, indication; symptom
belirtili defined, qualified
belirtisiz undefined, unqualified
belirtmek to state, to specify; to determine
belkemiği backbone, spine
belki perhaps, maybe
bellek memory *belleğini yitirmek* to lose one's memory
bellemek to memorize, to learn by heart; to suppose, to think; to spade
belleten bulletin, notice
belli clear, evident; certain, definite *belli başlı* main, chief; definite, proper *belli belirsiz* hardly visible *belli etmek* to show, to reveal *Belli olmaz* One never knows; It all depends
belsoğukluğu gonorrhea
bembeyaz snow-white, pure white
bemol *müz.* flat
ben I, me; ego; mole; beauty-spot
bence in my opinion, as for me, I think ...
bencil selfish

bencileyin like me

bencilleşmek to be selfish

bencillik egotism; solipsism

benek spot, freckle

benekli speckled, spotted

benimsemek to adopt, to appropriate to oneself, to identify oneself with

beniz colour of the face, complexion *benzi atmak* to grow pale *benzi soluk* pale

benlik personality, ego; egotism; conceit

bent dam, dyke, weir; paragraph; stanza (in a poem)

benzemek to look like, to resemble

benzer similar, like

benzerlik similarity, resemblance

benzersiz unique

benzeşmek to resemble each other

benzetme imitation; *yaz.* simile

benzetmek to liken (sth to sth), to compare (sth with sth); to mistake for; to ruin, to smash; to beat

benzeyiş resemblance, similarity

benzin petrol, gasoline *benzin istasyonu* petrol station, filling station

benzol benzol

beraat acquittal *beraat etmek* to be acquitted *beraat ettirmek* to acquit

beraber together *berabere bitmek sp.* to finish in a dead heat *berabere kalmak sp.* to draw, to tie *bununla beraber* nevertheless, however *olmakla beraber* although, though

beraberlik draw, tie; cooperation, unity

berat patent, warrant

berbat very bad, terrible, awful; ruined, spoilt; filthy, dirty *berbat etmek* to ruin

berber barber; hairdresser; hairdresser's *berber dükkânı* barbershop

berduş vagabond, tramp

bere bruise; beret

bereket abundance, fruitfulness; rain; blessing; fortunately, luckily *Bereket versin!* God bless you! Thank you!; fortunately, thank God

bereketli abundant, fruitful

bereketsiz unfruitful, scanty

bergamot *bitk.* bergamot

beri the near side, this side, here; since

beriki the nearest, the nearer one; this one

berilyum beryllium

berk hard, strong

berkelyum berkelium

berrak clear

berraklaşmak to become clear

berraklık clearness

besbelli very clear, evident

besbeter altogether bad

besi nutrition, nourishing; fattening

besici breeder, stockbreeder

besili (animal) well-fed, fleshy, fat

besin nourishment, food

besleme feeding, nourishing; girl servant brought up in the household

beslemek to feed, to nourish; to rear (animal); to support, to keep

beslenmek to be nourished

besleyici nutritious, nutritive, nourishing

besmele the formula (Bismillahirrahim) *besmele çekmek* to pronounce the formula (Bismillahirrahmanirrahim)

beste *müz.* composition, tune

besteci, bestekâr composer

bestelemek to compose

beş five *beş para etmez* worthless *beş parasız* penniless

beşer mankind, man, human

beşeriyet mankind, humanity
beşgen pentagon
beşik cradle
beşinci fiith
beter worse *beterin beteri* the worst
betimleme description
betimlemek to describe
beton concrete
betonarme reinforced concrete
betonyer cement mixer
bevliye urology
bevliyeci urologist
bey gentleman, sir; Mr; ruler, head; *kon.* husband, hubby; ace
beyan declaration, announcement
beyanat statement, declaration
beyanname written statement, declaration
beyaz white *Beyaz Saray* the White House
beyazımsı, beyazımtırak whitish
beyazlanmak, beyazlaşmak to get white
beyazlatmak to whiten
beyazlık whiteness
beyazperde movie screen; the cinema, the movies
beyazpeynir white cheese, Turkish cottage cheese
beyefendi sir; Mr
beygir horse, packhorse, carthorse
beygirgücü horsepower
beyin brain *beyin göçü* brain drain *beyin kanaması* cerebral hemorrhage *beyin yıkama* brain washing *beyin yıkamak* to brainwash *beyninden vurulmuşa dönmek* to be greatly shocked
beyincik cerebellum
beyinsiz brainless, stupid
beyit *yaz.* couplet, distich
beylik rank of a ruler; principality; commonplace, trite; stateowned
beysbol baseball
beyzi oval, elliptical
bez cloth, dustcloth; *anat.* gland

bezdirmek to sicken, to disgust, to annoy
beze *anat.* gland; lump of dough
bezek ornament
bezelye pea(s)
bezemek to adorn, to deck
bezgin disgusted, wearied, depressed
bezginlik weariness, lethargy
bezik bezique
bezir linseed oil; flaxseed
beziryağı linseed oil
bezmek to get tired of, to be fed up with
bıçak knife *bıçak altına yatmak* to have an operation *bıçak kemiğe dayanmak* to become unbearable
bıçaklamak to stab, to knife
bıçkı two-handed saw, bucksaw
bıçkın rascal, rowdy, bully
bıkkın bored, tired
bıkkınlık boredom, disgust
bıkmak to get tired (with), to get tired (of)
bıktırıcı tiresome, boring
bıktırmak to bore, to annoy
bıldırcın quail
bıngıldak *anat.* fontanelle
bırakmak to leave; to give up, to quit; to release, to allow, to let; to put off, to postpone; to set free, to let go
bıyık moustache; *hayb.* whiskers *bıyık altından gülmek* to laugh up one's sleeve *bıyık bırakmak* to grow a moustache *bıyık burmak* to twist the moustache; to show off, to swagger
bıyıklı moustached
bıyıksız without a moustache
bızdık child, nipper, kiddie
bızır clitoris
biber pepper *biber gibi* very sharp/hot
biberiye rosemary
biberli peppered, peppery
biberlik *BE.* pepper pot, *AE.* pep-

perbox
biberon feeding bottle
bibliyografi bibliography
biblo knickknack, trinket
biçare poor, helpless
biçerbağlar reaper
biçerdöver combine (-harvester)
biçim form, shape; manner, way; cut *biçim vermek, biçime sokmak* to give a shape (to)
biçimli well-shaped, shapely
biçimsiz ill-shaped, ugly; improper, awkward
biçki cutting out (clothes) *biçki dikiş yurdu* tailoring school
biçme cutting; mowing; *mat.* prism
biçmek to cut; to mow, to reap
bidon can, drum, barrel
biftek beefsteak, steak
bigudi hair curler
bihaber unaware (of)
bikini bikini
bilakis on the contrary
bilanço balance (sheet)
bilardo billiards
bildik known; acquaintance
bildirge written statement, declaration
bildiri announcement, notice
bildirim announcement, declaration, notice
bildirme announcing, informing *bildirme kipi dilb.* indicative mood
bildirmek to tell, to notify, to inform
bile even; already
bileği sharpening instrument
bileğitaşı whetstone
bilek wrist *bileğine güvenmek* to trust to one's fists *bileğinin hakkı ile* purely by one's own hard working
bileklik wrist supporter
bilemek to sharpen, to whet
bileşen component
bileşik compound *bileşik faiz* com-

pound interest *bileşik kesir* compound fraction *bileşik sözcük* compound word
bileşim composition
bileşke resultant
bileşmek to combine
bileştirmek to compound, to combine
bilet ticket *bilet gişesi* box office, ticket window
biletçi ticket seller; ticket collector, conductor
bileyici knife-grinder
bilezik bracelet; metal ring
bilfiil effectively, actually
bilge learned, wise
bilgelik sagacity, wisdom
bilgi knowledge; information *bilgi almak* to get information *bilgi edinmek* to obtain information *bilgi kuramı* epistemology
bilgiç pedant; pedantic
bilgiçlik pedantry *bilgiçlik taslamak* to pretend to know a lot
bilgiişlem data processing
bilgili learned, well-informed
bilgin scholar; scientist
bilgisayar computer
bilgisiz ignorant
bilgisizlik ignorance
bilhassa especially
bilim science *bilim adamı* scientist
bilimkurgu science fiction
bilimsel scientific
bilinç the conscious *bilincinde olmak* to be conscious of
bilinçaltı the subconscious
bilinçdışı the unconscious
bilinçlenmek to become conscious
bilinçli conscious
bilinçsizce unconsciously
bilinen known
bilinmedik unknown
bilinmek to be known
bilinmeyen unknown
bilinmez unknown; unidentified
bilirkişi expert *bilirkişi raporu*

expertise

bilişim data processing

billur crystal *billur gibi* very clear

billurlaşmak to crystallize

bilmece riddle, puzzle

bilmek to know; to understand; to think, to guess; to learn, to hear; to experience *bildiğini okumak/yapmak* to go/ take one's own way *bile bile, bilerek* on purpose, intentionally, purposely *bilemedin* at most *bilmeden* unintentionally

bilmezlik ignorance *bilmezlikten gelmek* to pretend not to know, to ignore

bilmukabele in exchange; And the same to you

bilumum in general, all

bilya, bilye marble; ball

bilyalı having a ball

bilyon a thousand million

bin thousand *bin bir* great many, all kinds of *bin dereden su getirmek* to beat about the bush *bin pişman olmak* to regret greatly *bin tarakta bezi olmak* to have too many irons in the fire *binde bir* scarcely, very rarely

bina building; construction *bina etmek* to build, to construct *bina vergisi* building tax

binaenaleyh therefore

binbaşı major; commander; squadron leader

bindallı purple velvet with silver thread

bindirmek to cause to mount; to run into, to collide; to overlap

binek mount *binek atı* saddle horse

binici rider, horseman

binicilik horse-riding

bininci thousandth

binlerce thousands of

binmek to get on, to get into, to board, to mount; to ride; to overlap

bir one; a, an; the same, equal; unique *bir ağızdan* with one voice *bir an önce* as soon as possible *bir ara* for a moment *bir araya gelmek* to come together *bir avuç* a handful *bir bakıma* in a sense, in a way *bir baltaya sap olmak* to find a job, to be employed *bir başına* all alone *bir bir* one by one *bir çırpıda* at once *Bir çiçekle yaz olmaz* ats. One swallow does not make a summer *bir çift sözü olmak* to have a word or two to say *bir daha* once more; never again *bir de* in addition, also *bir dediği bir dediğini tutmamak* to contradict oneself *bir defa* once *Bir elin nesi var, iki elin sesi var* ats. United we stand, divided we fall. *bir hoş olmak* to have a strange feeling, to feel sad *bir içim su* very beautiful (woman) *bir kapıya çıkmak* to come to the same thing *bir kere* once; for once *bir kerecik* just once *bir kulağından girip (öbür) kulağından çıkmak* to go in at one ear and out at the other *bir miktar* a little, some *bir nebze* a little bit *bir olmak* to collaborate, to unite *bir parça* a little, one piece *bir sürü* lots of *bir şey* something *bir şey değil* You are welcome Don't mention it Not at all *bir şeyler olmak* to behave strangely, to give oneself airs *bir taşla iki kuş vurmak* to kill two birds with one stone *bir türlü* somehow, in a way or another *bir varmış bir yokmuş* once upon a time *bir yastığa baş koymak* to be husband and wife *bir yana* apart from *bir zamanlar* at one time *bire bin katmak* to exaggerate

bira beer

birader brother; fellow, buddy

birahane pub, beer-house

biraz a little, some *biraz sonra* a little later, soon

birazcık a little bit

birazdan a little later

birbiri, biribiri each other, one another *birbiri ardınca* one after the other *birbirine düşmek* to start quarrelling *birbirine düşürmek* to set at loggerheads *birbirine girmek* to start quarrelling *birbiri yemek* to be constantly quarrelling

birçenekliler monocotyledoneae

birçoğu most (of them)

birçok a lot of, lots of, many

birden suddenly; at a time, in one lot

birdenbire all of a sudden, suddenly

birdirbir leapfrog *birdirbir oynamak* to play leapfrog

birebir the most effective (remedy)

birer one each, one apiece *birer birer* one by one

bireşim synthesis

birey individual

bireyci individualist

bireycilik individualism

bireysel individual

birgözeli unicellular, one-celled

biri, birisi someone, somebody; one of them

biricik unique, sole, only

birikim accumulation, buildup

birikinti accumulation, heap

birikmek to come together, to accumulate, to collect

biriktirmek to gather, to assemble; to save up; to collect

birileri some people

birim unit

birinci first; first-class *birinci elden* at first hand *birinci gelmek* to be first *birinci mevki* first class (in a train, bus), cabin class (on a ship) *birinci olmak* to be first *birinçi sınıf* first class; first rate, excellent; first grade (at school)

birincil primary

birincilik first rank, championship

birkaç some, a few, several

birleşik united, joint; compound, composite

birleşim session, sitting; union

birleşmek to unite; to meet; to agree

birleşmiş united *Birleşmiş Milletler* United Nations

birleştirici uniting, unifying

birleştirmek to unite, to connect, to joint

birli ace

birlik unity; union, association, corporation; sameness; *ask.* unit

birlikte together

birtakım some, a certain number of

birterimli *mat.* monomial

bisiklet bicycle, cycle, bike

bisküvi biscuit

bisturi lancet

bit louse *bit kadar* tiny, very small

bitap exhausted *bitap düşmek* to become exhausted

bitaraf impartial

biteviye continuously, monotonously

bitik exhausted, worn out

bitim ending, end

bitirim *arg.* smart, appealing

bitirmek to finish, to complete; to exhaust, to destroy

bitiş ending, end; finish

bitişik contiguous, adjacent, joining, neighbouring; next door

bitişmek to be contiguous, to adhere, to join

bitiştirmek to join, to attach

bitki plant *bitki örtüsü* plant cover

bitkibilim botany

bitkibilimci botanist

bitkin exhausted, worn out *bitkin düşmek* to collapse from ex-

haustion
bitkinlik exhaustion
bitkisel vegetal, vegetable *bitkisel hayat* cabbage/vegetable existence
bitlenmek to become lousy; to clear oneself of lice
bitmek to finish, to end; to be exhausted; to be fond of, to fall for; to grow, to sprout *bitmez tükenmez* never ending
bitpazarı flea market
bityeniği something fishy, catch
biyofizik biophysics
biyografi biography
biyokimya biochemistry
biyolog biologist
biyoloji biology
biyolojik biological
biyonik bionic
biyopsi biopsy
biyosfer biosphere
biz we; awl *biz bize* by ourselves, without outsiders *bizce* in our opinion, according to us *bizden* from us
bizim our; ours
bizimki ours; my wife, my husband
bizon bison
blok block; writing pad
blokaj blockage; covering
bloke blocked *bloke etmek* to close, to stop
bloknot writing pad
blöf bluff *blöf yapmak* to bluff
blucin (blue) jeans
bluz blouse
boa *hayb.* boa
bobin reel, spool; coil
boca *den.* lee (side) *boca etmek den.* to bear away to leeward; to turn over, to dump out
bocalamak to falter, to reel; *den.* to veer
bocurgat *den.* capstan, crab
bodrum cellar, dungeon *bodrum katı* basement

bodur dumpy, squat
Boğa (burcu) Taurus
boğa bull *boğa güreşi* bullfight *boğa güreşçisi* bullfighter, toreador, matador
boğaz throat; (bottle) neck; defile, pass; strait *boğaz ağrısı* sore throat *boğaz boğaza gelmek* to be at daggers drawn, to quarrel fiercely *boğaz tokluğuna çalışmak* to work for one's food only *boğazı ağrımak* to have a sore throat *boğazına düşkün* gourmet, glutton *boğazına kadar borç içinde olmak* to be in debt up to one's neck *boğazına sarılmak* to seize sb by the throat, to choke *boğazında kalmak* to stick in one's throat
Boğaziçi the Bosphorus
boğazlamak to strangle, to slaughter
boğazlı gluttonous
boğmaca whooping-cough
boğmak to choke, to strangle, to suffocate; to drown; to overwhelm, to heap
boğucu suffocating, sultry
boğuk hoarse, raucous
boğulmak to be suffocated, to be strangled; to be drowned; (engine) to be flooded
boğum joint, knot, node; internode
boğuntu cheating, swindling; suffocation *boğuntuya getirmek arg.* to prevaricate; to gull (sb)
boğuşmak to fight, to scuffle; to struggle, to tussle
bohça bundle, package
bohem bohemian
bok *arg.* excrement, shit, dung, feces *bok atmak* to defame, to throw mud on *boku bokuna* for nothing, in vain *bok etmek* to spoil *boktan* worthless
boks box *boks yapmak* to box
boksör boxer

bol loose, wide; abundant, plentiful *bol bol* abundantly, generously *bol keseden atmak* to be free with, to scatter promises around

bolca amply, abundantly; quite loose, quite wide

bollanmak, bollaşmak to loosen, to widen; to become abundant

bolluk looseness, wideness; plenty, abundance

bomba bomb

bombalamak to bomb

bombardıman bombardment *bombardıman etmek* to bombard *bombardıman uçağı* bomber

bombok *arg.* very bad, utterly spoilt, foul *bombok etmek* to make a mess of

bomboş quite empty

bonbon candy

boncuk bead

bone bonnet; bathing cap

bonfile sirloin (steak), sirloin steak

bono bond, bill *açık bono* blank cheque *bono vermek* to give a promissory note

bonservis certificate of good service, testimonial

bora squall, tempest

boraks borax

borazan trumpet

borç debt, loan; duty *borç almak* to borrow (money) *borca girmek* to go into debt *borcunu kapatmak* to pay one's debt *borç etmek/yapmak* to get into debt *borç harç* on loan *borç para* loan *borç vermek* to lend (money) *borçtan kurtulmak* to get out of debt

borçlanmak to get into debt

borçlu debtor; obliged, grateful

borda *den.* broadside

bordo claret red

bordro payroll; docket, list

bornoz, bornuz bathrobe

borsa stock-exchange, exchange, market *borsa tellalı* stockbroker, broker

boru tube, pipe; trumpet, horn *borusu ötmek* *kon.* to be in authority, to be domineering

bostan vegetable garden, kitchen garden *bostan korkuluğu* scarecrow; figure-head, puppet

boş empty; vacant; unemployed; free; vain, futile *boş bulunmak* to be taken unawares *boş durmak* to do nothing, not to be working *boş gezenin boş kalfası* loafer, idler *boşa gitmek* to come to nothing, to be in vain *boş söz* empty words, vain promises *boş oturmak* to be unemployed, to do nothing *boş vakit* spare time, leisure *boş vermek* not to worry, not to give a damn *boş yere* in vain, uselessly *boşta* unemployed *boşta gezmek* to be unemployed *boşu boşuna* in vain, uselessly

boşalmak to be emptied; to become vacant

boşaltım excretion

boşaltmak to empty, to pour out; to unload, to unship, to discharge

boşamak to divorce

boşanma divorce *boşanma davası* divorce case

boşanmak to be divorced; to get loose

boşluk empty space; blank; emptiness; cavity; vacuum

Boşnak Bosnian

boşuna in vain

bot boat, dinghy; boot

botanik botany

bovling bowling

boy length; size; height; tribe *boy atmak* to grow tall *boy aynası* full-length mirror *boy bos* stature, figure *boy boy* of different sizes *boy göstermek* to show oneself *boy ölçüşmek* to compete with *boy vermek* to show how deep the water is *boya çekmek* (child) to shoot up *boydan boya* from end to end *boyu bosu yerinde* tall, well-proportioned *boyu kısa* short *boyunun ölçüsünü almak* to get one's deserts, to learn one's lesson

boya paint, dye *boya vurmak/çekmek* to paint

boyacı dyer; housepainter; shoeblack, bootblack

boyamak to paint, to dye, to colour; (shoes) to polish, to black

boykot boycott *boykot etmek* to boycott

boylam longitude

boylamak to end up in, to land in

boylu tall *boylu boyunca* at full length; from end to end

boynuz horn; antler

boynuzlamak to gore; *arg.* to cuckold

boynuzlanmak to grow horns; to be gored; *arg.* to be cuckolded

boynuzlu horned; *arg.* cuckold

boysuz short, not tall

boyun neck *boynu bükük* unhappy, sad, disappointed *boynu tutulmak* to have a stiff neck *boynuna sarılmak* to embrace *boynunu bükmek* to become very sad/disappointed *boyun atkısı* scarf *boyun borcu* incumbent duty *boyun eğmek* to submit, to yield

boyuna lengthwise; continually

boyunbağı necktie

boyunca along; throughout; during; lengthwise

boyunduruk yoke; bondage; *sp.* headlock *boyunduruk altına almak* to put under the yoke, to enslave

boyut dimension

boz grey, gray

boza thick fermented grain drink

bozarmak to turn pale; to become grey

bozayı brown bear

bozdurmak to have changed; to cash, to change

bozgun rout, defeat *bozguna uğramak* to be routed *bozguna uğratmak* to rout

bozguncu defeatist

bozkır steppe

bozmak to spoil, to ruin, to destroy; to change, to cash; to upset, to foil, to baffle; to break, to cancel; to be crazy about; to violate, to deflower; (weather) to become worse *ağzını bozmak* to swear, to abuse *kafasını bozmak* to rub sb the wrong way

bozuk spoilt, destroyed, ruined; broken; out of order, on the bum; corrupt, depraved; (weather) bad *bozuk para* small money

bozukluk defect, trouble; corruption, disorder; small change

bozulmak to be spoilt; to degenerate; to break down; to be humiliated, to resent

bozum embarrassment, humiliation *bozum etmek* to embarrass, to discomfort *bozum olmak* to be embarrassed, to be discomfited

bozuntu embarrassment, discomfiture *bozuntuya vermemek* to hide one's displeasure

bozuşmak to fall out with, to break with

böbrek kidney

böbürlenmek to boast, to crow

böcek insect; bug, beetle; louse

böğür side, flank

böğürmek to bellow, to low

böğürtlen blackberry, bramble

bölen *mat.* divisor *ortak bölen*

common divisor *en büyük ortak bölen* greatest common divisor

bölge region, district, zone, section

bölgecilik regionalism

bölgesel regional

bölme division; compartment; *den.* bulkhead

bölmek to divide (into); to separate

bölü *mat.* divided by

bölücü separationist, intriguer

bölücülük divisive behaviour

bölük *ask.* company; squadron; *mat.* order; division, part *bölük bölük* in groups *bölük pörçük* in bits

bölüm part, chapter; portion, division; *mat.* quotient; department

bölümlemek to classify

bölünen *mat.* dividend

bölüşmek to share out

bölüştürmek to distribute, to share out

bön naive, silly, simple *bön bön bakmak* to gawp (at), to gape (at)

börek pastry, pie

börülce kidney-bean

böyle so, such, thus, like this, in this way *bundan böyle* from this time on, henceforth *böyle olunca* in that case, then *Böyle gelmiş böyle gider* That's life; It's inevitable

böylece then, so

böylelikle in this way, thus

böylesi such a, this kind of

böylesine as ... as this, such

branda sailor's hammock *branda bezi* canvas

branş branch, department

bravo! Bravo! Well done!

Brezilya Brazil

Brezilyalı Brazilian

briç bridge

brifing briefing

briket briquette, briquet

Britanya Britain, Great Britain

Britanyalı Briton, Englishman

briyantin brilliantine

brokar brocade

brom bromine

bromür bromide

bronş bronchus

bronşit bronchitis

bronz bronze

bronzlaşmak to bronze, to get brown

broş brooch

broşür brochure, booklet

bröve certificate, diploma

brüksellahanası Brussels sprout

brülör burner

brüt gross

bu this *bu arada* meanwhile *bu bakımdan* from this point of view *bu defa* this time *bu gece* tonight *bu gibi* of this kind, such *bu yana* since

bucak subdistrict; corner, nook *uçsuz bucaksız* immense, vast *bucak bucak aramak* to search in every nook and cranny

buçuk half

budak knot

budaklı knotty

budala silly, foolish, imbecile; crazy about

budalalık stupidity, foolishness *budalalık etmek* to behave foolishly, to be silly

budamak to prune, to lop, to trim

Budist Buddhist

Budizm Buddhism

budun tribe, people, nation

budunbetim ethnography

budunbilim ethnology

bugün today *bugün yarın* soon *bugünden tezi yok* right now *bugüne bugün* unquestionably, sure enough *bugünlerde* in these days, nowadays, recently

bugünkü of today, today's, present

bugünlük for today

buğday wheat
buğu vapour, steam, fog
buğulanmak to be steamed up, to mist over
buğulu steamy, misty, fogged
buhar steam, vapour
buharlaşmak to vapourize, to evaporate
buhran crisis
buhur incense
buhurdan censer, thurible
buji spark plug
bukağı fetter, hobble
bukalemun chameleon
buket bunch of flowers, bouquet
bukle haircurl, lock
bukleli curly
bulandırmak to muddy, to soil; (stomach) to turn, to nauseate
bulanık turbid, muddy; cloudy, overcast *bulanık suda balık avlamak* to fish in troubled waters
bulanmak to become turbid, to get muddy; to be smeared; to be dimmed; (stomach) to be upset
bulantı nausea
bulaşıcı infectious, contagious
bulaşık dirty dishes; smeared, bedaubed; infected, contagious *bulaşık bezi* dishcloth *bulaşık makinesi* dishwasher *bulaşık suyu* dishwater *bulaşık yıkamak* to wash the dishes
bulaşıkçı dishwasher (person)
bulaşkan sticky; troublesome
bulaşmak to be smeared, to become dirty; (disease) to be infected, to spread; to pester, to annoy, to molest; to be involved
bulaştırmak to smear, to daub; (disease) to infect; to involve in
buldok bulldog
buldozer bulldozer
Bulgar Bulgarian
Bulgarca Bulgarian
Bulgaristan Bulgaria
bulgu discovery; invention, finding

bulgur boiled and pounded wheat *bulgur pilavı* cracked wheat cooked with tomatoes
bulmaca crossword puzzle
bulmak to find; to discover; to invent; to amount to
buluğ puberty *buluğa ermek* to reach puberty
bulundurmak to have present, to provide, to have in stock
bulunmak to be found; to be discovered; to be present; to be located; to participate, to attend *(bir) ricada bulunmak* to make a request
buluş invention; discovery; original thought, idea
buluşma meeting
buluşmak to meet, to come together
bulut cloud *bulut gibi (sarhoş)* dead drunk *buluttan nem kapmak* to be very touchy/suspicious
bulutlanmak to get cloudy
bulutlu cloudy
bulutsuz cloudless
bulvar boulevard, avenue
bumburuşuk very creased, wrinkled all over
bunak senile, dotard
bunaklık senility, dotage
bunalım crisis; depression
bunalmak to feel suffocated; to get bored, to be depressed
bunaltmak to suffocate; to bore, to weary
bunamak to become senile, to dote
bunca this much, so much *bunca zaman* for such a long time
buncağız this poor little thing
bundan from this, about this *bundan başka* besides, furthermore, in addition *bundan böyle* from now on, henceforth; after this *bundan dolayı* for this reason, therefore

bunun of this **bunun üzerine** thereupon **bununla birlikte** however, nevertheless

bura this place, this spot

burada here

buradan from here, hence

buraları these places

buralı native of this place

burası here

buraya here **buraya kadar** thus far

burç tower; zodiacal constellation, sign of the zodiac

burçak vetch

burgaç vortex, whirlwind

burgu corkscrew; auger, gimlet

burjuva bourgeois

burjuvazi bourgeoisie

burkmak to twist, to sprain, to wrench

burkulmak to be twisted, to be sprained

burmak to twist, to wring; to castrate

burs scholarship, bursary

buruk acrid, astringent, puckery

burulmak to be twisted

burun nose; beak, bill; *coğ.* cape, headland **burun buruna** very close **burun buruna gelmek** almost to collide with; to come face to face **burun kanaması** nosebleed **burun deliği** nostril **burnu büyük** conceited, arrogant **burnu büyümek** to become conceited, to have a swollen head **burnu havada** conceited **burnu kanamak** to bleed at the nose **burnunda tütmek** to long for **burnundan gelmek** to suffer so much after having sth good **burnunu kıvırmak** to turn one's nose up **burnunu sokmak** to poke one's nose into, to nose into **burnunun dibinde** under sb's very nose **burnunun doğrusuna gitmek** to follow one's nose **burnunun ucunu**

görememek to be dead drunk

buruş buruş very wrinkled, very crumpled **buruş buruş olmak** to be badly wrinkled

buruşmak to be wrinkled, to be crumpled

buruşturmak to wrinkle, to crumple, to pucker

buruşuk wrinkled, crumpled, puckered

but thigh; rump

butik boutique

buyruk order, command **kendi başına buyruk olmak** to be one's own master

buyurmak to order, to decree; to command

Buyurun! Come in! Help yourself!

buz ice **buz gibi** very cold, icy **buz kesilmek** to freeze; to be stunned **buz kesmek** to freeze, to feel very cold **buz tutmak** to ice up/over, to freeze (over)

buzağı calf

buzağılamak to calve

buzdağı iceberg

buzdolabı refrigerator, fridge

buzhane icehouse; cold storage plant

buzlanmak to get icy; to ice up/over

buzlu icy, iced; (glass) translucent, frosted

buzlucam frosted glass

buzluk icebox

buzul glacier **buzul çağı** ice age

bücür squat, shorty, dwarf

büfe sideboard; refreshment stall, buffet; kiosk

büklüm twist, curl; fold **büklüm büklüm** in curls, curly

bükmek to twist, to wrench; to bend, to flex; to spin

bükülgen flexible

bülbül nightingale **bülbül gibi** fluently

bülten bulletin

bünye structure, constitution

büro office, bureau

bürokrasi bureaucracy, red tape

bürokrat bureaucrat

bürümek to wrap, to enfold; (smoke) to cover up, to fill

bürünmek to wrap oneself up (in)

büsbütün completely, entirely, wholly

büst bust

bütan butane

bütçe budget

bütün bütün entirely

bütün whole, entire, complete; the whole, all

bütünleme completion

bütünlemek to complete, to integrate

bütünleşmek to become integrated

bütünlük wholeness, completeness, integrity

bütünüyle completely, entirely, fully

büyü magic, spell *büyü yapmak* to cast a spell on

büyücü witch; magician, sorcerer

büyücülük sorcery, witchcraft

büyük big, large; great, grand; older, elder; important, serious *büyük aptes yapmak* to defecate *büyük defter* ledger *büyük harf* capital letter *büyük ikramiye* first prize *Büyük Millet Meclisi* the Grand National Assembly (of Turkey) *büyük ölçüde* on a large scale *büyük (söz) söylemek* to talk big

büyükanne grandmother

Büyükayı Big Dipper, the Great Bear

büyükbaba grandfather

büyükbaş cattle

büyükçe somewhat large

büyükelçi ambassador

büyükelçilik embassy

büyüklük largeness, bigness; greatness; size

büyülemek to bewitch; to fascinate, to charm

büyüleyici fascinating, charming

büyültmek to make bigger, to enlarge; to exaggerate

büyülü bewitched, charmed, magic

büyümek to grow (up); to become large *büyümüş de küçülmüş* (child) precocious

büyüteç magnifying glass

büyütmek to make bigger; to enlarge; to bring up, to rear; to exaggerate; (business) to extend

büz cement pipe

büzgü smocking, shirr

büzmek to constrict, to pucker, to contract

büzük constricted, puckered

büzülmek to shrink, to contract; to crouch, to cower

C

caba gratis, free

cabadan for nothing, free

cacık a dish made of chopped cucumber and garlic flavoured yoghurt

cadaloz shrew, hag, vixen

cadde street, main road

cadı witch, hag, shrew

cafcaf showiness, pomp

cafcaflı showy, pompous

cahil ignorant, uneducated, illiterate; inexperienced, greenhorn

cahillik ignorance, inexperience *cahillik etmek* to act foolishly

caiz admissible, allowable, permitted

caka show-off, swagger, ostentation *caka satmak* to show off, to swagger

cakalı showy, swaggering

cam glass, pane

cambaz rope dancer, acrobat,

swindler, juggler

cambazlık acrobatism; cunning, trick

camcı glazier

camgöbeği glass-green

camgöz *hayb.* tope

camız water buffalo

cami mosque

camia community

can soul, spirit; life; person, soul; darling, love; energy, zeal, vigour *can alıcı (nokta)* crucial (point) *can atmak* to starve for, to crave, to desire *can çekişmek* to be at one's last gasp *can damarı* vital point *can damarına basmak* to touch sb on the raw *can düşmanı* mortal enemy *can evi* the vital spot *can havliyle* desperately *can korkusu* fear of death *can kulağı ile dinlemek* to be all ears *can sıkıcı* annoying, dull, boring *can sıkıntısı* annoyance, boredom *can sıkıntısından patlamak* to get bored to death *can vermek* to die, to pass away *cana can katmak* to delight greatly, to refresh *cana yakın* friendly *canı acımak* to feel pain *Canı cehenneme!* To hell with him! *canı çekmek* to long for *canı çıkmak* to die; to get very tired *canı istemek* to feel like (doing sth) *canı sıkılmak* to be bored *canı tez* impatient *canı yanmak* to feel pain *canım* dear, my darling *canımın içi* my darling *canın isterse* As you like, I don't care *Canın sağ olsun!* Never mind! It doesn't matter *canına değmek* to hit/touch the spot *canına kıymak* to kill oneself; to kill *canına okumak* to destroy; to harass *canına susamak* to want to die *canına tak demek* to get to be intolerable *canından bezmek (bıkmak/usanmak)* to be

tired of living *canını almak* to take one's life *canını acıtmak* to hurt *canını bağışlamak* to spare sb's life *canını çıkarmak* to wear out, to tire out *canını kurtarmak* to save one's/sb's life *canını sıkmak* to annoy, to bother *canını vermek* to sacrifice oneself *canını yakmak* to cause pain (to) *canla başla* with heart and soul

canan sweetheart, beloved

canavar monster, brute *canavar düdüğü* siren

canciğer intimate

candan sincere, hearty

caneriği green plum

canhıraş heart-rending, bitter; horrible

cani criminal, murderer

cankurtaran ambulance; life-saver *cankurtaran simidi* life buoy *cankurtaran yeleği* life jacket

canlandırmak to animate, to revive; to impersonate, to perform

canlanmak to come to life, to revive; (business) to boom

canlı alive, living; active, lively *canlı yayın* live broadcast

canlılar the living

cansız lifeless, dead; weak, feeble; slack, still; dull

cari current; valid, effective *cari hesap* current account

cascavlak bald-headed; stark naked

casus spy, agent

casusluk espionage

cavlak naked, bare; hairless, featherless

caydırmak to dissuade, to disincline, to deter

cayırtı creak, rattle, crash

caymak to back out of, to give up, to go back on, to renounce

caz jazz

cazcı jazz musician

cazgır (wrestling) announcer

cazırdamak to crackle
cazibe attraction, charm
cazibeli attractive, charming
cazip attractive, charming
cebir algebra
Cebrail the Archangel Gabriel
cebren by force
cefa suffering, pain; ill-treatment, cruelty *cefa çekmek* to suffer
cefakâr who has suffered much
cehalet ignorance
cehennem hell, inferno *cehennem azabı* hellish torture *cehennem gibi* like hell, hellish *Cehennem ol!* Go to hell! *cehennem zebanisi* devil, demon *cehenneme kadar yolu olmak* to go to hell *cehennemin dibine gitmek* to get the hell out, to go away
cehennemi infernal
cehennemlik deserving of hell
ceket jacket, coat
celep cattle-dealer, drover
cellat executioner
celp attraction; *huk.* summons; *ask.* call
celse session; hearing, sitting
cemaat congregation, community
cemiyet society; assembly, union
cemre increase of warmth in February
cenabet impure, unclean
Cenabı Hak God, Lord
cenah wing
cenap majesty, excellency
cenaze corpse; funeral *cenaze alayı* funeral procession
cendere press, mangle
cengâver warlike
cenin foetus, embryo
cenk combat, battle, war, fight
cennet paradise, heaven
cennetkuşu bird of paradise
cennetlik deserving of heaven
centilmen gentleman
centilmence in a gentlemanlike way

centilmenlik gentlemanliness
cep pocket *cebi delik* penniless, broke *cebinden çıkarmak* to outdo (sb), to excel *cebine indirmek* to pocket *cebini doldurmak* to fill one's pockets *cep feneri* torch *cep harçlığı* pocket money *cep saati* pocket watch *cep telefonu* mobile phone *cep sözlüğü* pocket dictionary *cepten vermek* to pay (money) out of one's own pocket
cephane ammunition, munitions
cephanelik ammunition store, arsenal
cephe front *cephe almak* to take sides (against)
cepken short embroidered jacket
cerahat matter, pus *cerahat bağlamak/toplamak* to suppurate
cerahatli suppurating
cereme penalty, fine *ceremesini çekmek* to pay the penalty of
cereyan current; draught *cereyan etmek* to take place, to happen, to occur
cerrah surgeon
cerrahi surgical
cerrahlık surgery
cesaret courage, bravery *cesaret almak/bulmak* to take courage (from) *cesaret etmek* to dare, to venture *cesaret göstermek* to show courage *cesaretini kırmak* to discourage *cesaret vermek* to encourage
cesaretlendirmek to encourage
cesaretlenmek to gather one's courage
cesaretli courageous, brave
cesaretsiz cowardly, timid
ceset corpse, dead body
cesur courageous, brave
cesurluk courage, bravery
cet ancestor, forefather; grandfather
cetvel ruler; list, schedule, table

cevaben in reply (to)

cevahir jewellery

cevap answer, reply *cevap almak* to receive an answer *cevap vermek* to answer, to reply

cevaplandırmak to answer, to reply

cevapsız unanswered

cevher jewel, gem; ore; ability, capacity; substance, essence

ceviz walnut

ceylan gazelle, antelope *ceylan bakışlı* having alluring eyes *ceylan gibi* shapely and agile

ceza punishment, penalty; fine *ceza almak* to be punished *ceza çekmek* to serve a sentence *ceza hukuku* criminal law *ceza kesmek/yazmak* to fine *ceza mahkemesi* criminal court *ceza sahası sp.* penalty area *ceza vermek* to punish; to fine *ceza vuruşu sp.* penalty kick *ceza yemek* to be punished; to be fined *cezasını bulmak* to get one's deserts *cezasını çekmek* to serve a sentence; to suffer for *cezaya çarptırılmak* to be fined; to be punished *cezaya çarptırmak* to punish; to fine

cezaevi prison

cezalandırmak to punish; to fine

cezalı punished; fined

cezbetmek to attract, to draw

cezir ebb tide

cezve coffee-pot

cıgara cigarette

cılız puny, thin, undersized

cılk (egg) rotten; (wound) inflamed, festered *cılk çıkmak* to be spoilt

cımbız tweezers

cırcır babbler; *hayb.* cricket

cırcırböceği cricket

cırıldamak to chirr

cırlak strident, shrill; cricket

cırnak claw

cıva mercury, quicksilver *cıva gibi* mercurial, restless

cıvata bolt

cıvık sticky, greasy, wet, viscid; impertinent, saucy

cıvıl cıvıl twittering

cıvıldamak to twitter, to chirp

cıvıldaşmak to chirp together

cıvımak to become soft and sticky; to become impertinent

cıvıtmak to make soft and sticky; to become impertinent

cıyak cıyak with a shrill voice

cız sizzling sound; fire

cızbız grilled meat *cızbız köfte* grilled meatball(s)

cızırdamak to sizzle; to creak

cızırtı sizzling or creaking sound

cibilliyet character, nature

cibinlik mosquito net

cici good, pretty, nice *cici bici* trinket, gimcrack

cicianne granma

cicili bicili gaudy, glaring, fussy

cidden seriously, really

ciddi serious, earnest; real, true; important *ciddiye almak* to take seriously

ciddiyet seriousness; importance

ciğer liver, lungs; heart *ciğeri beş para etmez* despicable *ciğerine işlemek* to hurt deeply *ciğeri sızlamak* to feel greet compassion

ciğerci seller of liver and lungs

cihan world; universe

cihat holy war

cihaz apparatus, equipment; *anat.* system

cihet direction, side; point of view

cila polish, varnish *cila vurmak* to polish, to varnish

cilalamak to polish, to varnish

cilalı polished, varnished

cilasız unpolished, unvarnished

cilt skin, complexion; binding, volume

ciltçi bookbinder

ciltçilik bookbindery

ciltlemek (book) to bind
ciltli bound
ciltsiz unbound
cilve coquetry, grace; manifestation
cilveli coquettish, flirtatious, coy
cimnastik gymnastics, gym
cimri mean, stingy, miserly; miser, niggard
cimrilik stinginess, meanness
cin (drink) gin
cin genie, demon, sprite *cin çarpmak* to be struck by an evil spirit *cin çarpmışa dönmek* to be bogged down by one's troubles *cin fikirli* shrewd, crafty *cin gibi* very clever, cunning *cinleri başına çıkmak* to get furious
cinai criminal
cinas play on words, pun
cinayet crime, murder *cinayet işlemek* to commit murder
cingöz cunning, clever
cinnet insanity, madness *cinnet getirmek* to go mad
cins kind, sort, type, variety; species, genus; breed, race; *dilb.* gender; *arg.* queer, weird
cinsel sexual *cinsel cazibe/çekicilik* sex appeal *cinsel ilişki* sexual intercourse *cinsel ilişkide bulunmak* to have sex with
cinsellik sexuality
cinsiyet sex; sexuality
cip jeep
cirit javelin *cirit atma* the javelin throw *cirit atmak* to run wild
ciro endorsement *ciro etmek* to endorse
cisim substance, body, matter
cisimcik corpuscle
cisimlenmek to take a material form
cisimsiz insubstantial
civar neighbourhood, environments, vicinity; neighbouring
civarında near; about, approximately
civciv chick
civelek lively, playful, brisk
coğrafi geographical
coğrafya geography
coğrafyacı geographer
cokey jockey
conta gasket
cop truncheon, cosh
coplamak to truncheon
coşku enthusiasm, vigour
coşkun enthusiastic, vigorous, exuberant, ebullient
coşkunluk enthusiasm, ebullience, exuberance
coşmak to become enthusiastic, to get carried away, to effervesce
coşturmak to excite, to stimulate, to incite
cömert generous, liberal
cömertlik generosity, liberality
cuma Friday
cumartesi Saturday ,
cumburlop plop! splash!
cumhurbaşkanı president (of a republic)
cumhuriyet republic
cumhuriyetçi republican
cumhuriyetçilik republicanism
cunta junta
cup! plop!
cura three-stringed lute
curcuna uproar, carousal, hullabaloo *curcunaya çevirmek* to raise an uproar (in a place)
cüce dwarf
cücük bud, shoot; heart of an onion
cülus accession to the throne
cümbür cemaat the whole lot, the whole caboodle
cümbüş carousal, merrymaking, binge *cümbüş etmek/yapmak* to carouse, to revel
cümle sentence; whole, all *cümle alem* all the world, everybody *cümlemiz* all of us, we all

cümlecik *dilb.* clause

cümleten all together **cümleten Allahaısmarladık** goodbye everybody!

cüppe robe

cüret boldness, impudence, audacity **cüret etmek** to dare, to venture

cüretkâr, cüretli courageous, brave; bold, impudent

cüruf slag, scoria

cürüm crime, felony, offence **cürüm işlemek** to commit a crime

cüsse body, bulk

cüsseli big-bodied, huge

cüzam leprosy

cüzamlı leprous

cüzdan wallet, purse; account-book; portfolio

cüzi small, slight, trifling; partial

Ç

çaba effort, exertion **çaba göstermek** to make an effort to, to strive

çabalamak to strive, to struggle, to strain

çabuk quick, fast, swift; quickly, soon **çabuk çabuk** quickly **Çabuk ol!** Be quick! Hurry up! **çabuk olmak** to hurry

çabuklaşmak to gain speed, to quicken

çabuklaştırmak to accelerate, to speed

çabukluk quickness, rapidness

çadır tent **çadır bezi** tent canvas **çadır direği** tent pole **çadır kurmak** to pitch a tent

çağ time; age; period; era, epoch **çağ açmak** to open a period

çağanoz *hayb.* crab

çağcıl modern

çağdaş contemporary; modern, up-to-date

çağdaşlaş(tır)mak to modernize

çağdışı outdated, antiquated, old-fashioned

çağıldamak to burble, to bubble, to purr

çağırmak to call; to invite; to send for, to call in

çağla green almond

çağlamak to burble, to murmur, to babble

çağlayan waterfall, cascade

çağrı call, invitation

çağrılı invited person

çağrışım association

çağrıştırmak to associate

çakal jackal

çakaleriği wild plum, sloe

çakı pocket-knife

çakıl pebble, gravel

çakıllı pebbly, gravelled

çakılmak to be nailed; to be fixed; *arg.* to be noticed

çakıltaşı rounded pebble

çakır greyish-blue

çakırkeyf slightly drunk, tipsy, happy

çakışmak to coincide; to fit into one another; *mat.* to be congruent

çakmak lighter

çakmak to nail; to pound; to light; to strike; to notice, to twig; (exam) to fail, to pip, to muff

çakmaktaşı flint

çakozlamak *arg.* to understand, to latch on, to twig

çaktırmadan on the sly, stealthily

çaktırmak *arg.* to let be noticed; to cause to fail (an exam); to pluck

çalakalem writing hastily and carelessly

çalar saat alarm clock

çalçene chatterbox, chatterer

çaldırmak to make sb play (a musical instrument, song, etc.); to

get sth stolen
çalgı musical instrument
çalgıcı musician
çalı bush, shrub *çalı çırpı* brush-
wood
çalıbülbülü orphean warbler
çalıfasulyesi string bean
çalık crooked, awry, slanting
çalıkuşu goldcrest
çalılık thicket, bushes, brushwood
çalım swagger, swank, dash; *sp.*
dribble *çalımından geçilmemek*
to swagger unbearably *çalım
satmak* to swagger, to show off,
to swank
çalımlamak *sp.* to dribble
çalıntı stolen; stolen goods
çalışkan hard-working, diligent,
studious
çalışkanlık diligence, industrious-
ness
çalışma work, study *Çalışma
Bakanlığı* Ministry of Labour
çalışma koşulları working con-
ditions *çalışma saatleri* working
hours
çalışmak to work; to study; to
strive, to try; to work, to run
çalıştırmak to employ, to run, to
work, to operate
çalka(la)mak to shake, to agitate;
(egg) to beat, to whip
çalka(la)nmak to be shaken; (sea)
to be rough; to be talked every-
where
çalkantı fluctuation; agitation;
nausea
çalmak to steal; to lift; to play; to
ring; to knock; to strike
çam pine *çam devirmek* to drop a
brick/clanger *çam yarması gibi*
(person) gigantic, huge
çamaşır underwear; laundry
çamaşır asmak to hang out the
laundry *çamaşır değiştirmek* to
change one's underwear *çamaşır
ipi* clothes line *çamaşır makinesi*

washing machine *çamaşır man-
dalı* clothes-peg *çamaşır sepeti*
clothes basket, linen basket
çamaşır yıkamak to wash the
clothes, to do the washing
çamaşırcı washerwoman, laundry-
man
çamaşırhane laundry
çamfıstığı pine nut
çamlık pine grove
çamsakızı pine resin *çamsakızı
çoban armağanı* small present
çamur mud; aggressive, obtrusive,
importunate *çamur atmak* to
throw mud at, to slander *çamur
sıçratmak* to splash with mud, to
spatter *çamurdan çekip çıkar-
mak* to raise sb from the dung-
hill
çamurlu muddy, miry
çamurluk wing, mudguard, fender;
muddy place
çan bell; gong
çanak pot; *bitk.* calyx *çanak çömlek*
pots and pats *çanak tutmak* to
ask for (trouble) *çanak yalamak*
to bootlick
Çanakkale Boğazı the Dardanelles
çançiçeği bellflower
çanta bag; handbag; purse; suit-
case, case; rucksack, knapsack
çantada keklik in the bag, in
hand
çap diameter; *ask.* calibre; size,
scale *çaptan düşmek* to go
downhill, to decline
çapa hoe, mattock; *den.* anchor
çapak viscous crust round the
eyes; burr
çapaklanmak (eye) to become
gummy
çapar spotted, mottled; albino
çapari trawl, trotline
çapkın womanizer, casanova; co-
quettish, sensual
çapkınlık debauchery, profligacy
çapkınlık etmek/yapmak to have

one's fling, to go on the loose

çapraşık complicated, entangled

çapraz crosswise, diagonal, transversal; crosswise, diagonally, transversely

çaprazlama crosswise, diagonally, transversely

çapul booty, loot, plunder

çapulcu plunderer, looter

çaput rag; cloth

çar czar, tzar

çarçabuk very quickly

çarçur extravagance *çarçur etmek* to squander, to waste *çarçur olmak* to be squandered

çardak arbour, bower

çare remedy, cure; way, means *çare bulmak* to find a way, to remedy *çaresine bakmak* to see to, to settle

çaresiz incurable; helpless; inevitably *çaresiz kalmak* to be helpless

çaresizlik incurability; helplessness; poverty

çarık rawhide, sandal

çariçe czarina, tsarina

çark wheel *çark etmek* to turn, to wheel

çarkçı engineer, mechanic; knife-grinder

çarkıfelek *bitk.* passion flower; destiny, fate

çarlık czardom, tsardom

çarliston charleston

çarmıh cross, crucifix *çarmıha germek* to crucify

çarpan *mat.* multiplier *çarpanlara ayırmak* to factor

çarpı *mat.* multiplication sign; multiplied by, times

çarpıcı striking, impressive, dramatic

çarpık crooked, distorted, awry *çarpık bacaklı* bandylegged, crooked *çarpık çurpuk* crooked

çarpılan *mat.* multiplicand

çarpım *mat.* product *çarpım*

tablosu multiplication table

çarpıntı palpitation, throbbing

çarpışma collision, smash; fight, clash, conflict

çarpışmak to collide; to fight, to clash

çarpıtmak to make crooked, to contort; to distort

çarpmak to strike; to hit; to run into, to dash, to bump; (heart) to beat; (evil spirit) to distort, to paralyze, to strike; *mat.* to multiply; (drink) to go to one's head

çarşaf sheet *çarşaf gibi* (sea) very calm

çarşamba Wednesday

çarşı market, bazaar, downtown, shopping centre *çarşıya çıkmak* to go shopping

çat pat a little, somewhat

çatal fork; forked, bifurcated *çatal bıçak* knives and forks, silver

çatalağız *coğ.* delta

çatallaşmak to become forked, to bifurcate

çatı roof; framework, skeleton; *dilb.* voice *çatı arası* attic *çatı katı* attic, penthouse

çatık frowning, sulky; (rifles) stacked *çatık kaşlı* beetle-browed, frowning

çatırdamak to creak, to crackle; to chatter

çatırtı crack, crash, snap; (teeth) chattering

çatışık contradictory

çatışma *ask.* skirmish, short fight; conflict, clash

çatışmak to collide, to clash; to contradict; to have a quarrel

çatkı headband

çatlak cracked; off one's head, crazy; mad; crack, fissure

çatlaklık crack; *kon.* stupidity

çatlamak to crack, to split; (hand) to chap; to die (from overeating/exhaustion)

339 çektirmek

çatmak (arms) to stack, to pile; to baste together, to tack; to attack, to tilt at, to pick a quarrel with; to come up, to meet; to wrinkle, to knit

çavdar rye *çavdar ekmeği* rye bread

çavlan waterfall

çavuş sergeant

çavuşkuşu hoopoe

çavuşüzümü sweet-water

çay tea; stream, brook *çay bahçesi* tea-garden *çay demlemek* to steep tea *çay demliği* teapot *çay kaşığı* teaspoon

çaycı keeper of a tea-shop; seller of tea

çaydanlık teapot

çayevi, çayhane tea-shop, tea-room

çayır meadow, pasture

çaylak *hayb.* kite; inexperienced person

çehre face, countenance; aspect, appearance

çek cheque, *AE.* check *çek defteri* chequebook

Çek Czech

çekap check-up

çekecek shoehorn

çekememek to be unable to stand; to be jealous of

çekememezlik jealousy, envy

çeker weighing capacity

çeki a measure of weight (250 kilos)

çekici attractive, charming

çekicilik attractiveness, charm

çekiç hammer

çekidüzen tidiness, orderliness *çekidüzen vermek* to tidy up

çekik slanting

çekiliş draw (for a lottery)

çekilme *ask.* withdrawal; resignation

çekilmek to be pulled; to draw back, to withdraw; to resign; to shrink, to contract

çekilmez unbearable, intolerable

çekim attraction; shooting; filming; *dilb.* conjugation, inflection, declination *çekim eki* ending, termination

çekimser abstainer

çekimserlik abstention

çekince drawback; risk, danger

çekingen timid, shy, hesitant

çekingenlik timidity, shyness

çekinmeden without hesitation

çekinmek to avoid, to abstain; to beware of, to shrink

çekirdek seed, stone; nucleus *çekirdek kahve* coffee beans *çekirdekten yetişme* trained from the cradle

çekirdekli having seeds

çekirdeksiz seedless *çekirdeksiz kuru üzüm* sultana

çekirge grasshopper, locust

çekişme argument, quarrel; competition

çekişmek to argue, to quarrel; to pull in opposite directions; to compete, to contest

çekişmeli contentious

çekiştirmek to pull at both ends; to run down, to backbite

çekmece drawer; till

çekmek to pull, to draw; to withdraw; to attract, to draw; to pull out, to extract; to bear, to suffer; to take, to last; to contract, to shrink; to take after, to resemble; to copy; *dilb.* to inflect, to conjugate, to decline *Çek arabanı!* Off with you!, Clear out! *Çek git!* Shove off!, Buzz off! *çekip çevirmek* to manage, to run *çekip çıkarmak* to pull out *çekip gitmek* to go away

çekmekat penthouse

çekmez unshrinkable

Çekoslovak Czechoslovakian

Çekoslovakya Czechoslovakia

çektirmek to cause to pull; to cause

to suffer
çekül plumb-line
çelebi gentleman, educated person; well-mannered
çelenk wreathe, garland
çelik steel; cutting, slip
çelim stature
çelimsiz puny, frail
çelişik contradictory
çelişki contradiction
çelişkili contradictory
çelişmek to be in contradiction (with)
çello *müz.* violoncello, cello
çelme trip *çelme takmak* to trip up
çelmelemek to trip
çeltik rice in the husk
çember *mat.* circle; ring, belt; hoop *çember sakal* round trimmed beard
çemen cummin
çene chin, jaw; talkativeness, gab *çene çalmak* to chatter *çene yarıştırmak* to talk incessantly *çene yormak* to talk in vain *çenesi düşük* chatterbox, garrulous *çenesi kuvvetli olmak* to have the gift of the gab *çenesini bıçak açmamak* to be silent because of sorrow *çenesini tutmak* to hold one's tongue
çenebaz talkative, garrulous
çeneli talkative chatty
çengel hook
çengelli hooked
çengelliiğne safety pin
çengi dancing girl
çentik notch; notched
çentiklemek to notch, to nick
çentikli notched
çep(e)çevre all around
çeper membrane
çerçeve frame; window frame; limitation
çerçevelemek to frame
çerçeveli framed
çerçi peddler, hawker

çerçöp twigs; sweepings *çerden çöpten* jerry-built, flimsy
çerez hors d'oeuvres, appetizers; snack, nuts
Çerkez Circassian
çeşit kind, sort, variety; sample *çeşit çeşit* assorted, various
çeşitleme *müz.* variation
çeşitli different, various
çeşitlilik variety, variation
çeşme fountain
çeşni flavour, taste
çeşnici taster
çete band, gang; guerilla
çetele tally-stick
çetin hard, difficult *çetin ceviz* a hard nut to crack
çetrefil complicated, confusing
çevik agile, swift
çeviklik agility
çevirgeç commutator
çeviri translation
çevirim shooting, filming
çevirmek to turn; to rotate, to spin; to translate; to convert, to change; to surround, to encircle; to hold up, to stop
çevirmen translator
çevre surroundings; environment; circumference, periphery *çevre kirlenmesi* environmental pollution
çevrebilim ecology
çevrelemek to surround, to encircle
çevrili surrounded
çevrim cycle
çevrimsel cyclic
çevriyazı transcription
çeyiz trousseau, dowry
çeyrek quarter *çeyrek final* quarter final
çıban abscess, boil *çıban başı* head of a boil; delicate matter
çığ avalanche *çığ gibi büyümek* to snowball
çığır path, way; epoch *çığır açmak*

to break new ground, to mark a new epoch **çığırından çıkmak** to go off the rails

çığırtkan tout, crier

çığlık scream, cry, shriek **çığlık atmak** to scream, to shriek **çığlık çığlığa** with shrieks and cries

çıkagelmek to come up, to blow in

çıkar benefit, advantage, profit; self-interest **çıkar sağlamak** to profit by **çıkar yol** way out

çıkarcı self-seeking, selfish

çıkarcılık opportunism, avarice

çıkarım deduction

çıkarma *mat.* subtraction; *ask.* landing

çıkarmak to take out, to get out, to pull out; to remove; (garment) to take off; to produce, to bring out; to publish; to strike out, to omit; to throw out, to oust; to subtract; (food) to vomit; to make out, to figure out; (telephone) to get through

çıkartma decal, transfer, sticker

çıkık prominent, projecting; dislocated; dislocation

çıkıkçı bone-setter

çıkın knotted bundle

çıkıntı projecting part; marginal note; promontory

çıkıntılı projecting, protruding

çıkış exit; *ask.* sortie; *sp.* start

çıkışma scolding, rebuke

çıkışmak to scold, to rebuke; to be enough, to suffice

çıkma going out; projection, promontory; bow-window, bay window; marginal note

çıkmak to go out, to come out; to depart, to leave, to go up, to climb up; to move out (of a house); to graduate; to set off, to start on; to come up, to appear; to break out; to arise, to spring; (sun, moon) to come out, to rise; to turn out to be, to prove; to

lead (to); (rumour) to get about, to be issued; (winter, month) to be over

çıkmaz blind alley, cul-de-sac; impasse, deadlock **çıkmaz ayın son çarşambası** at Greek Kalends **çıkmaz sokak** blind alley **çıkmaza girmek** to come to an impasse

çıkrık spinning wheel

çıktı output

çılbır dish of poached eggs with yoghurt

çıldırmak to go mad, to lose one's mind

çıldırtmak to drive mad, to make wild

çılgın mad, crazy, insane, frenzied

çılgınca madly

çılgınlık madness

çıma *den.* hawser

çın çın ringing sound **çın çın ötmek** to make a ringing sound, to resound with

çınar plane tree

çıngar quarrel, row **çıngar çıkarmak** to kick up a row, to make a scene

çıngırak small bell; rattle

çıngıraklıyılan rattlesnake

çıngırdamak to tinkle

çıngırtı tinkle

çınlamak to tinkle, to ring; to echo

çıplak naked, nude; bare **çıplaklar kampı** nudist camp

çıplaklık nakedness, nudity

çır(ıl)çıplak naked, nude; in the nude

çıra resinous wood

çırak apprentice; pupil, novice

çıraklık apprenticeship

çırçır cotton gin; cricket

çırılçıplak stark naked, in the buff

çırpı dry twigs, chip

çırpınmak to flutter, to struggle, to flop about; to be all in a fluster, to bustle about

çırpıntı flurry; slight agitation

çırpıştırmak 342

çırpıştırmak to scribble, to scrawl
çırpmak to beat, to flutter; (hands) to clap; (laundry) to rinse
çıt cracking sound, crack *çıt çıkarmamak* to keep silent *çıt çıkmamak* to be dead silent *Çıt yok* There is a dead silence
çıta lath, narrow strip of wood
çıtçıt snap fastener, press-button
çıtı pıtı small and lovely, dainty
çıtır çıtır with a crackling sound *çıtır çıtır etmek* to crackle *çıtır çıtır yemek* to crunch
çıtırdamak to crackle
çıtırtı crackle
çıtkırıldım overdelicate, fragile; effeminate, dandy
çıtlatmak to crack; to drop a hint, to break
çıyan centipede
çızıktırmak to scribble, to scrawl
çiçek flower; bloom, blossom; *hek.* small-pox *çiçek açmak* to bloom, to blossom *çiçek gibi* very clean *çiçek çıkarmak* to have smallpox *çiçeği burnunda* quite fresh, brand new
çiçekçi florist
çiçeklenmek to blossom, to flower, to bloom
çiçekli in flower, in bloom; ornamented with flowers
çiçeklik flower garden; vase
çiçektozu pollen
çift pair, couple; double; *mat.* even *çift çift* in pairs, two by two *çift koşmak* to harness to the plough *çift sürmek* to plough
çiftçi farmer
çiftçilik farming, agriculture
çifte paired, double; kick; shotgun *çifte atmak* (horse, etc) to kick
çifter çifter in pairs
çiftleşme copulation
çiftleşmek to mate, to copulate; to couple, to pair
çiftleştirmek to mate, to breed; to

make a pair
çiftlik farm, ranch
çiftsayı even number
çiğ raw; crude; immature, rough; dew *çiğ köfte* a dish made of minced meat, pounded wheat and chilli pepper
çiğdem crocus, meadow saffron
çiğnemek to chew; to run over; to tread, to crush; to disobey, to violate
çiklet chewing-gum *çiklet çiğnemek* to chew (a gum)
çikolata chocolate
çil freckle, speckle
çile ordeal, sufferance; hank, skein *çile çekmek* to suffer greatly *çileden çıkarmak* to infuriate, to exasperate *çileden çıkmak* to be in a rage, to lose one's temper
çilek strawberry
çilekeş sufferer; suffering
çileli suffering; enduring
çilingir locksmith
çillenmek to freckle
çilli freckled, speckled
çim grass, lawn
çimdik pinch *çimdik atmak* to pinch
çimdiklemek to pinch
çimen grass, meadow, lawn
çimenlik meadow, lawn; grassy
çimento cement
çimentolamak to cement
çimlendirmek to grass over
çimlenmek to germinate, to sprout; to become grassy
çimmek to duck under water, to swim
Çin China
Çince, Çinli Chinese
çini tile; porcelain, china *çini mürekkebi* India ink
çinicilik the art of tile-making
çinko zinc
çiriş paste, glue
çirkef filthy water; disgusting,

loathsome

çirkin ugly; unbecoming, unseemly, disgusting

çirkinleşmek to become ugly

çirkinleştirmek to make ugly

çirkinlik ugliness

çiroz salted and dried mackerel; *kon.* skinny person

çiselemek to drizzle

çisenti drizzle

çiş urine, piss *çiş etmek kon.* to wee, to piss, to piddle *arg.*

çit fence, hedge

çitilemek to rub (clothes) together while washing

çitlembik terebinth berry, nettle tree berry

çivi nail; peg, pin *çivi çakmak* to drive a nail *çivi gibi* healthy, strong; very cold *çivi kesmek* to feel very cold, to freeze

çivileme feet-first jump; *sp.* smash

çivilemek to nail

çivit indigo, blue dye *çivit mavisi* indigo

çivitlemek to dye with indigo

çiviyazısı cuneiform

çiy dew

çizelge list, table

çizge graph, diagram

çizgi line; stripe, band; dash *çizgi çizmek* to draw a line *çizgi film* (animated) cartoon *çizgi roman* comics

çizgili marked with lines; striped, banded

çizgisel linear

çizik line; scratch

çiziktirmek to scribble, to scrawl

çizim drawing

çizinti scratch

çizme (top) boot *çizmeden yukarı çıkmak* to meddle with things one should not to

çizmek to draw; to cross out, to cancel; to scratch

çoban shepherd, herdsman *çoban*

köpeği sheepdog

Çobanyıldızı Venus

çocuk child, infant; boy, kid *çocuk aldırmak* to have one's child aborted *çocuk arabası* baby carriage, pram *çocuk bahçesi* children's ark, playground *çocuk bakımı* child care *çocuk bezi* diaper, nappy *çocuk büyütmek* to bring up children *çocuk doğurmak* to give birth to a child *çocuk doktoru* pediatrician *çocuk düşürmek* to have an abortion, to abort *çocuk gibi* childlike *çocuk işi* child's play, pushover *çocuk mahkemesi* juvenile court *çocuk maması* baby food *çocuk oyuncağı* toy; child's play, pushover *çocuk yuvası* nursery school *çocuk zammı* child allowance *çocuğu olmak* to have a child

çocukbilim pedagogy

çocukcağız poor little child

çocukça childish; childishly

çocuklaşmak to become childish, to act childishly

çocukluk childhood; childishness

çocuksu childish

çoğalmak to increase, to multiply

çoğaltmak to increase, to augment; to reproduce

çoğu most (of); mostly *çoğu zaman* usually

çoğul plural

çoğun often

çoğunluk majority

çoğunlukla with a majority of votes; usually

çok very; a lot of, many, much; too; too much, too many *çoktan beri* for a long time *çok çok* at (the) most *çok fazla* too much *çok geçmeden* before long *çok görmek* to grudge, to begrudge *çok olmak* to go too far *Çok şükür!* Thank God! *Çok yaşa!* Long live!

God bless you!

çokanlamlı *dilb.* polysemous

çokanlamlılık polysemy

çokayaklılar myriapoda

çokdüzlemli *mat.* polyhedral

çokeşli polygamous

çokeşlilik polygamy

çokgen polygon

çokgözeli multicellular

çokkarılı polygynous

çokkarılılık polygyny

çokkocalı polyandrous

çokkocalılık polyandry

çokluk abundance; majority; often

çoksesli *müz.* polyphonic

çokseslilik polyphony

çoktanrıcılık polytheism

çoktanrılı polytheist

çokterimli *mat.* polynomial

çokuluslu multinational

çokyüzlü *mat.* polyhedron

çolak one-handed, one-armed

Çolpan Venus

çoluk çocuk wife and children, household, family

çomak stick, cudgel, club

çomar watchdog, mastiff

çopur pockmark; pockmarked

çorak barren, arid; brackish, bitter

çoraklaşmak to become arid

çoraklık aridity; brackishness

çorap stocking, sock, hose *çorap kaçığı* ladder, run *çorap kaçmak* to ladder, *AE.* to run *çorap söküğü gibi* in rapid succession, easily and quickly

çorapçı hosier

çorba soup; mess *çorba gibi* in a mess, confused *çorba kaşığı* tablespoon *çorbaya döndürmek* to make a mess of *çorbaya dönmek* to become a mess

çökelek skim-milk cheese, curds; *kim.* precipitate

çökelmek to precipitate

çökelti precipitate

çökertmek to make kneel; to cause

to collapse, to break in, to stave in

çökkün collapsed; depressed

çökkünlük collapse; depression

çökmek to collapse, to fall in; to fall down, to sink; to kneel down; (darkness) to fall; (health) to break down; to precipitate, to subside; (sorrow) to descend upon one

çökük collapsed; sunken; prostrated

çöküntü wreckage, debris; sinking, collapse; depression

çöküş collapse; decline

çöl desert

çömelmek to squat (down)

çömez disciple

çömlek earthenware pot

çömlekçi potter

çöp garbage, rubbish, litter; small stick, chip; (fruit) stalk *çöp arabası* garbage truck *çöp gibi* very thin, skinny *çöp kebabı* pieces of grilled meat on a stick *çöp tenekesi* garbage can, dustbin, trashcan *çöpe dönmek* to get very thin

çöpçatan matchmaker, go-between

çöpçatanlık matchmaking *çöpçatanlık etmek* to arrange a marriage

çöpçü dustman, *AE.* garbage collector

çöplenmek to get pickings; to pick up scraps for a meal

çöplük dump, rubbish heap

çörek bun

çöreklenmek to coil oneself up

çöreotu black cumin

çörkü abacus

çöven soapwort

çözelti (liquid) solution

çözgü warp

çözmek to unfasten, to untie; to solve; to unravel, to crack

çözücü solvent

çözük untied, loose; unravelled

çözülmek to become unfastened; to be solved; to ravel; to break up; (ice) to thaw

çözüm solution

çözümleme analysis

çözümlemek to analyze

çözümlemeli analytic

çözünme *kim.* dissolving

çözünmek to dissolve

çözünürlük solubility

çözüşmek to dissociate

çubuk rod, stick, bar; shoot, twig; pipe, stripe *çubuk aşısı* grafting *çubuk kraker* pretzel

çuha broadcloth

çuhaçiçeği polyanthus

çukur hole, hollow, pit; dimple; sunk, hollow *çukur kazmak* to dig a hole *çukurunu kazmak* to plot against sb

çul haircloth; horsecloth

çulha weaver

çullanmak to swoop on; to fall upon

çulluk woodcock

çulsuz poor, penniless

çuval sack *çuval gibi* loose, untidy *bir çuval inciri berbat etmek* to upset the applecart

çuvaldız packing needle

çuvallamak *arg.* to fail, to flunk

çük penis, dick

çünkü because, for

çürük rotten, decayed, spoilt; unsound, sandy; untenable, worthless; *ask.* disabled; bruise, black-and-blue spot *çürük çarık* rotten, worn out, useless *çürüğe çıkarmak ask.* to invalid out *çürük çıkmak* to turn out rotten; to prove to be untrue *çürük tahtaya basmak* to fall into a trap

çürüklük rottenness; unsoundness

çürümek to rot, to decay; to be bruised; to be refuted

çürütmek to make decay; to bruise, to contuse; to refute, to explode

D

da, de also, too; and; so

-da, -de at, on, in

dadanmak to frequent, to haunt; to acquire a taste for, to want to have

dadı nurse, nanny

dağ brand, mark

dağ mountain *dağ başı* mountain top, summit; wild and remote place *dağ eteği* lower slopes of a mountain *dağ gibi* mountainous *dağ(lar) kadar* enormous *dağ sırtı* mountain ridge *dağ silsilesi* mountain range *dağdan gelip bağdakini kovmak* to be an upstart who does not like the old times

dağarcık knowledge; repertoire

dağcı mountain climber, mountaineer

dağcılık mountaineering, mountain climbing

dağılım dispersion; distribution

dağılmak to scatter, to disperse; to break up, to disintegrate; to fall to pieces

dağınık scattered, dispersed; untidy

dağınıklık untidiness, disorder

dağıtıcı distributor

dağıtım distribution

dağıtmak to scatter, to disperse; to deliver, to distribute; to disorder, to mess up; to dissolve; to break to pieces

dağkeçisi chamois

dağlamak to brand; to cauterize

dağlıç a kind of fat-tailed sheep

dağlık mountainous

daha more, further; yet, still; plusdaha çok more *daha iyi* better *Daha iyisi can sağlığı* Nothing could be better *daha kötü* worse *Daha neler!* What next! How absurd! *daha sonra* later, afterwards *Dahası var* That's not all

dahi also, too, even

dâhi genius

dahil including, included; the interior, inside *dahil etmek* to include, to insert *dahil olmak* to be included (in), to be inserted

dahili internal, interior, inner

dahiliye internal diseases

dahiliyeci internist, doctor of internal medicine

daima always

daimi constant, permanent

dair about, concerning

daire circle; department, office; flat, *AE.* apartment; limit, range

dakik punctual, exact; minute, accurate, precise

dakika minute *dakikası dakikasına* punctually, on time

daktilo typewriter *daktilo etmek* to type *daktilo makinesi* typewriter

daktilograf typist

daktilografi typewriting

dal back, shoulder *dalına basmak* to tread on sb's corns, to annoy

dal branch, bough; subdivision, branch *dal budak salmak* to shoot out branches, to spread *daldan dala konmak* to jump from one thing to the other

dalak spleen

dalamak to bite; to sting, to prick

dalaş dogfight, fight

dalaşmak to bite one another; to wrangle

dalavere trick, intrigue, plot *dalavere çevirmek* to intrigue, to plot

dalavereci trickster, intriguer

daldırma dipping, immersion

daldırmak to plunge, to dip; (shoot) to layer

dalga wave; ripple; undulation; *arg.* trick, intrigue; *arg.* gadget, jigger; *arg.* affair, sweetie *dalga dalga* in waves *dalga geçmek* to make fun of, to kid; not to pay attention, to be woolgathering *dalgaya getirmek* to pull the wool over sb's eyes

dalgacı *arg.* daydreamer, woolgatherer; shirker, slacker

dalgakıran breakwater

dalgalandırmak to wave, to agitate

dalgalanmak to wave, to undulate; to fluctuate

dalgalı (sea) rough, wavy; (silk) watered; (metal) corrugated

dalgıç diver *dalgıç oksijen tüpü* aqualung

dalgıçlık diving

dalgın absent-minded, abstracted

dalgınlık abstractedness, absent-mindedness

dalkavuk flatterer, bootlicker, toady

dalkavukluk flattery, toadyism *dalkavukluk etmek* to flatter, to blandish

dallanmak to branch out, to ramify; to become complicated

dallı branched, ramified *dallı budaklı* ramified; complicated

dalmak to dive, to plunge; to drop off, to doze off; to be lost in thought, to be absorbed in

dalyan fishpond, fishgarth *dalyan gibi* well-built, strapping

dam roof; stable; lady partner; (cards) queen *damdan düşer gibi* out of the blue, bluntly

dama draughts, *AE.* checkers *damalı* chequered, checked

damacana demijohn

damak palate

damaksıl palatal

damar blood vessel, vein; bad temper *damarına basmak* to tread on one's corns, to exasperate

damar sertliği arteriosclerosis
damar tıkanıklığı embolism
damarlı veined
damat bridegroom; son-in-law
damga stamp; mark, brand *damga basmak* to stamp *damga pulu* revenue stamp
damgalamak to stamp; to brand, to stigmatize
damıtık distilled
damıtmak to distil
damızlık animal kept for breeding, stallion; yeast
damla drop, bead; medicine dropper; *hek.* gout *damla damla* drop by drop
damlalık *hek.* dropper; dripstone
damlamak to drop, to drip; to turn up, to pop in
damper dumper (truck)
damping dumping
-dan, -den from; out of; than; because of; through, via
dana calf *dana eti* veal
dangalak *arg.* blockhead, dumb, boor
danışıklı sham, feigned *danışıklı dövüş* sham fight; put-up job
danışma information; inquiry
danışmak to consult, to confer
danışman adviser, counsellor
danışmanlık counseling
Danıştay Council of State
daniska the best, the finest *daniskası* the best of
dank etmek (kafasına) to dawn upon
dans dance *dans etmek* to dance
dansçı dancer
dansör dancer (man)
dansöz dancer (woman)
dantel lace, lacework
dapdaracık very narrow/tight
dar narrow, tight; scanty; scant; difficulty; straits; narrowly, barely *dar açı* acute angle *dar boğaz* bottleneck *dar darına* nar-

rowly, hardly, barely *dar gelirli* of small income *dar görüşlü* narrow-minded *dar kafalı* old-fashioned *dara düşmek* to be in a difficulty *darda kalmak* to be short of money; to feel the pinch
dara tare *darasını almak/düşmek* to deduct the tare of
daracık quite narrow
darağacı gallows, scaffold
daralmak to narrow, to shrink; to become scanty
daraltmak to narrow; to take in
darbe blow, stroke
darbuka earthenware kettle-drum
darbukacı, darbukatör earthenware kettle-drum player
dargın cross, offended, angry
dargınlık irritability, anger, falling-out
darı millet *Darısı başınıza!* May your turn come next!
darılmak to take offence; to get angry, to fall out with *Darılmaca yok!* No offence
darıltmak to give offence, to offend
darlık narrowness; shortage, scarcity; need, poverty
darmadağın(ık) in a mess, in a clutter *darmadağınık etmek* to clutter up, to mess up
darphane mint
darülaceze poorhouse, alms-house
dava lawsuit, suit, case, action; claim, assertion; thesis, problem, cause *dava açmak/etmek* to sue, to bring a suit *davaya bakmak* to hear a case *davanın düşmesi* discontinuance of action *davadan vazgeçmek* to give up a claim
davacı plaintiff, litigant
davalı defendant; contested, in dispute; pretentious
davar sheep, goat(s)
davavekili lawyer, barrister
davet invitation; party, reception

davet etmek to invite
davetiye invitation card
davetkâr inviting
davetli (person) invited, guest
davetsiz uninvited **davetsiz misafir** intruder
davlumbaz chimney hood
davranış behaviour, attitude
davranmak to behave, to act, to treat; to make (for), to reach (for)**Davranma!** Don't stir!
davul drum **davul çalmak** to drum, to beat the drum **davul gibi** bloated
davulcu drummer
dayak beating, hiding, thrashing; support, prop **dayak atmak** to give a thrashing, to beat **dayak yemek** to get a thrashing **dayağı hak etmek** to deserve a whacking
dayalı leaning against; based on **dayalı döşeli** completely furnished
dayamak to lean against, to rest
dayanak support, prop
dayandırmak to base on, to ground on
dayanıklı strong, lasting, enduring; resistant, tough
dayanıklılık endurance, resistance
dayanıksız not lasting, weak, flimsy
dayanılmaz irresistible; unbearable
dayanışma solidarity
dayanmak to lean against; to be based on; to endure; to last; to tolerate, to bear; to rely on, to be backed (by) **dayanacak gücü kalmamak** to be at the end of one's tether
dayatmak to insist on
dayı mother's brother, maternal uncle; protector, backer
dayılık being an uncle; protection, nepotism; *arg.* bullying
dayıoğlu cousin
dazlak bald

dazlaklık baldness
de too, also
debdebe pomp, splendour
debdebeli magnificent, splendid, showy
debelenmek to thrash about, to welter; to struggle desperately
debriyaj clutch **debriyaj pedalı** clutch pedal
dede grandfather
dedektif detective
dedektör detector
dedikodu gossip **dedikodu yapmak** to gossip
dedikoducu gossip, gossiper
defa time, turn **bir defa** once **bir defa daha** once again, once more **bir iki defa** once or twice **birkaç defa** several times **bu defa** this time **çok defa** often **iki defa** twice **üç defa** three times **defalarca** again and again, repeatedly
defetmek to drive away, to repel; to expel, to eject
defile fashion show
defin burial
define treasure
deflasyon deflation
defne laurel, bay-tree **defne yaprağı** bay leaf
defnetmek to bury, to inter
defo flaw
defolmak to go away, to clear out **Defol!** Off with you!, Piss off!
defolu having a flaw, faulty
deforme deformed
defter notebook, copybook; register; (account) book **defterini dürmek** to finish off, to kill **deftere geçirmek** to enter in the book **defteri kapamak** to close a subject, to give up **defteri kebir** ledger **defterden silmek** to finish with sb **defter tutma** bookkeeping **defter tutmak** to keep the books
defterdar head of the financial

department (of a province)

defterdarlık financial office

değdirmek to touch

değer value, worth; price *değer biçmek* to evaluate, to value *değerden düşmek* to lose its value *değeri düşmek* to go down in value *değer vermek* to esteem, to appreciate

değerbilir appreciative

değerbilmez unappreciative

değerlendirmek to put to good use, to turn to account, to utilize; to evaluate, to appraise

değerlenmek to increase in value, to gain value

değerli valuable, precious; worthy, estimable *değerli taş* gem, jewel

değersiz worthless

değgin concerning, about

değil not

değin until, till

değinmek to touch on, to mention

değirmen mill; grinder

değirmenci miller

değirmentaşı millstone

değirmi round

değiş exchange *değiş etmek* to exchange *değiş tokuş* exchange, barter *değiş tokuş etmek* to exchange, to barter

değişik changed, different; various, varied; novel, original *değişik olmak* to vary, to differ

değişiklik change, variation

değişim change

değişke *biy.* variation

değişken changeable, variable

değişme change; exchange

değişmek to change; to vary; to exchange, to barter

değişmez unchangeable

değiştirme change, alternation

değiştirmek to change, to alter, to convert; to exchange

değme contact, touch; every, any

değmek to touch; to reach, to at-

tain; to be worth

değnek stick, rod, cane

deha genius

dehliz entrance-hall, vestibule, corridor

dehşet horror, terror, dread; marvellous *dehşete kapılmak* to be horrified *dehşet saçmak* to spread terror

dehşetli terrible, dreadful

dejenere degenerate *dejenere olmak* to degenerate

dek until, till

dekalitre decalitre

dekametre decametre

dekan dean (of a faculty)

dekanlık dean's office

dekar decare

deklanşör shutter release

dekolte low-cut

dekont statement of account, deduction

dekor scenery; set, setting; decoration

dekorasyon decoration

dekoratif decorative

dekoratör set-designer; internal decorator

dekore decorated *dekore etmek* to decorate

delâlet indication, denotation *delâlet etmek* to indicate, to denote

delegasyon delegation

delege delegate

delgeç punch

delgi drill, gimlet

deli mad, insane, crazy, lunatic, loony; crazy about, fond of; madman, madwoman *deli divane olmak* to be wild about *deli etmek* to drive sb mad *deli gibi* madly; recklessly *deli olmak* to go mad; to be crazy about *Deli olmak işten değil* It drives one crazy *deliye dönmek* to go crazy

delice madly, crazily

delicesine   350

delicesine madly
delidolu thoughtless, reckless, rash
deliduman foolhardy, daredevil
delifişek unbalanced, flippant
delik hole, opening, orifice; *arg.* prison, clink; pierced, bored *deliğe tıkmak arg.* to put into jail *delik açmak* to make a hole, to drill, to bore *delik deşik* full of holes *delik deşik etmek* to riddle *delik deşik olmak* to be riddled
delikanlı young man, youth
delikanlılık adolescence, youth
delikli having a hole, perforated
deliksiz without a hole; (sleep) sound
delil proof, evidence *delil göstermek* to adduce proofs
delilik madness; foolishness *delilik etmek* to act foolishly *deliliğe vurmak* to pretend to be mad
delinmek to be pierced, to burst
delirmek to go mad, to flip
delirtmek to drive mad, to craze
delişmen unbalanced, madcap
delmek to pierce, to drill, to bore
delta *coğ.* delta
dem blood *dem gelmek* to have a menstrual hemorrhage
dem moment, time; (tea) being steeped *dem vurmak* to talk about
demagog demagogue
demagoji demagogy
demeç speech, statement *demeç vermek* to make a statement
demek to say; to call, to name; to mean *Deme!* You don't say so! *demeğe gelmek* to come to mean, to add up to *demek istemek* to mean *demeye getirmek* to imply *demeye kalmadan* no sooner than *deyip geçmek* to underrate
demet bunch, bouquet; bundle
demin(cek) a second ago, just now
demir iron; anchor; bar *demir*

almak to weigh anchor *demir atmak* to cast anchor *demir gibi* strong, tough *demir leblebi* a hard nut to crack *Demir tavında dövülür* Strike while the iron's hot
Demir Perde the Iron Curtain
demirbaş inventory, furnishings
demirci blacksmith, smith
demirlemek to cast anchor, to anchor
demiryolu railway, railroad
demlemek to steep, to brew
demlenmek to be steeped, to brew; to drink, to booze
demli (tea) well-steeped, strong
demlik tea-pot
demode old-fashioned
demokrasi democracy
demokrat democrat; democratic
demokratik democratic
demokratlaş(tır)mak to democratize
denden ditto mark
denek subject
denektaşı touchstone
deneme test, trial; attempt, try; essay
denemeci essayist
denemek to try, to test; to attempt, to essay
denet control, supervision
denetçi supervisor, controller
denetici controlling device
denetim control, supervision, check; censure
denetimli controlled
denetimsiz uncontrolled
denetleme control, inspection *denetleme kurulu* censor board
denetlemek to control, to inspect, to check
denetleyici controlling, supervisory; controller, inspector
deney experiment
deneyim experience
deneyimli experienced

deneyimsiz inexperienced
deneysel experimental
denge balance, equilibrium
dengelemek to balance
dengeli balanced
dengesiz unbalanced
deniz sea, ocean; maritime, marine, naval, nautical *deniz kazası* shipwreck *deniz kuvvetleri* naval forces *deniz mili* nautical mile *deniz nakliyat şirketi* shipping company *deniz tutmak* to get seasick *deniz tutması* seasickness *deniz üssü* naval base *deniz yolları* maritime lines *deniz yoluyla* by sea *deniz yosunu* seaweed *denizden çıkmış balığa dönmek* to feel like a fish out of water *denize açılmak* to put out to sea *Denize düşen yılana sarılır* A drowning man will clutch at a straw *denize girmek* to go swimming, to have a swim *denize indirmek* to launch
denizaltı submarine
denizanası jellyfish, medusa
denizaşırı overseas
denizatı seahorse
denizayısı sea cow, manatee
denizbilim oceanography
denizci seaman, sailor
denizcilik seamanship; navigation, sailing
denizdibi submarine
denizgergedanı narwhal
denizkestanesi sea urchin
denizkızı mermaid
denk bale; equal, balanced; suitable, match *denk gelmek* to be suitable, to be timely, to suit *denk getirmek* to choose the right time, to act in the right time *denk olmak* to be equal
denklem equation *cebirsel denklem* algebraic equation
denkleştirmek to balance
denli so, so that; tactful

densiz tactless
deodoran deodorant
depar *sp.* start
deplasman *sp.* playing away *deplasman maçı* away match, away game
depo depot; warehouse *depo etmek* to store
deprem earthquake
depremyazar seismograph
depresyon depression
depreşmek to recur, to relapse
derbeder untidy, slovenly
dere brook, stream, rivulet *dere tepe düz gitmek* to go up hill and down dale *dereden tepeden konuşmak* to have a small talk *dereyi görmeden paçaları sıvamak* to count one's chickens before they are hatched
derebeyi feudal lord
derebeylik feudalism
derece degree, grade, rank; thermometer *bir dereceye kadar* to a certain degree *derece almak* to place (in a competition) *son derece* utterly, extremely
dereceli graded; graduated
dereotu dill
dergâh dervish convent
dergi magazine, review, periodical
derhal at once, immediately
deri skin; leather; peel *derisini yüzmek* to skin, to flay; to strip, to rob; to torture to dead
derialtı subcutaneous
derici leather dealer
dericilik leather trade
derin deep *derin derin* deeply *derin derin düşünmek* to think deeply *derin dondurucu* deep freeze *derinlere dalmak* to be plunged in thought
derinlemesine in depth, deeply
derinleşmek to become deep
derinlik depth
derişik concentrated

derken while trying to, when intending to; just at that moment

derleme collecting, compiling; collected, selected

derlemek to collect, to compile *derleyip toplamak* to tidy up

derleyici compiler

derli toplu tidy, in order

derman remedy, cure; strength, energy *derman aramak* to seek a remedy *derman olmak* to be a remedy (for)

dermansız incurable; exhausted

derme collection; collected *derme çatma* jerry-built, rambling

dermek to collect, to pick, to gather

dernek association, club, society

ders lesson, lecture, class; warning, example, lesson *ders almak* to take lessons from *ders çalışmak* to study *ders kitabı* textbook *ders vermek* to give a lesson *dersi asmak* to play truant, to cut a class *dersini yapmak* to prepare one's lesson, to do one's homework

dershane classroom; private school offering specialized courses

derslik classroom

dert trouble, worry, sorrow; suffering, pain; nuisance, bother; disease *derde girmek* to get into trouble *derdine düşmek* to be deeply occupied with *derdini dökmek* to pour out one's troubles *dert çekmek* to suffer *Dert değil* It's no trouble *dert dökmek* to unbosom oneself *dert olmak* to become a worry to *dert ortağı* fellow sufferer *dert yanmak* to complain

dertlenmek to be pained, to get worried

dertleşmek to talk about each other's troubles, to have a heart-to-heart talk (with)

dertli pained, sorrowful

dertsiz untroubled, carefree

derviş dervish; humble, tolerant

derya sea, ocean *derya gibi* lots of, abundant

desen design; drawing

desenli figured

desensiz without designs/patterns

desilitre decilitre

desimetre decimetre

desise trick, intrigue

despot despot

destan epic, legend *destan gibi* very long *dillere destan olmak* to become very famous

deste bunch, packet

destek support, prop, shore *destek olmak* to support *destek vurmak* to put a prop to

destekleme support *destekleme alımı* support buying

desteklemek to support

destroyer destroyer

deşik pierced

deşmek (boil) to lance; (subject) to open up, to recall

detay detail

detaylı detailed

deterjan detergent

dev giant; gigantic *dev gibi* huge, enormous

deva cure, remedy

devalüasyon devaluation

devam continuation; attendance *devam etmek* to continue, to go on; to attend *devamı var* to be continued

devamlı continuous, lasting; regular, assiduous

devamsız without continuity; irregular

devamsızlık lack of continuity; irregular attendance, absenteeism

deve camel *deve gibi* huge and awkward *devede kulak* a drop in the bucket *Devenin başı!* Stuff and nonsense!, Incredible!

deveboynu tube with "S" or "U" shape

devedikeni thistle

devekuşu ostrich

deveran circulation

devetabanı *bitk.* philodendron

devetüyü camelhair

devim movement, motion

devimbilim dynamics

devimsel kinetic

devingen dynamic

devinim motion

devinmek to move

devir period, epoch; rotation, turn, tour; transfer

devirli periodic

devirmek to knock down, to turn over; to overthrow, to subvert; to drink down, to toss off; to capsize

devlet state; government *devlet adamı* statesman *devlet bakanı* state minister *devlet başkanı* head of the state, president *devlet hazinesi* state treasury *devlet hizmeti* public service, government service *devlet kuşu* wind-fall, godsend *devlet tahvilleri* state bonds

devletçe on the part of the government

devletlerarası international

devletleştirmek to nationalize

devralmak to take over

devre period, term; circuit; *sp.* half time

devren by cession, by transfer

devretmek to turn over, to transfer; to sublet

devrik folded over; overthrown; *dilb.* inverted

devrim revolution; reform

devrimci revolutionist; revolutionary

devriye patrol *devriye gezmek* to patrol *devriye polisi AE.* patrol-

man

devşirmek to gather, to collect; to roll up, to fold

deyim idiom

deyiş style of speech; folk poem, song

dezavantaj disadvantage

dezenfekte disinfected *dezenfekte etmek* to disinfect

dırdır nagging *dırdır etmek* to nag, to grumble

dırıltı grumbling; squabble *dırıltı çıkarmak* to cause a squabble

dış outside, exterior; outer, external; foreign *dış gebelik* ectopic pregnancy *dış hat* external line; international line *dış pazar* foreign market *dış ticaret* foreign trade

dışadönük extroverted

dışalım importation; import(s)

dışalımcı importer

dışarı out; outside, exterior; outdoor; abroad *dışarı gitmek* to go out; to go abroad *dışarı vurmak* to show, to manifest

dışavurumcu expressionist

dışavurumculuk expressionism

dışbükey convex

dışında outside; except, exclusive of, with the exception of

dışişleri foreign affairs *Dışişleri Bakanı* Minister of Foreign Affairs *Dışişleri Bakanlığı* Ministry of Foreign Affairs

dışkı feces, excrement

dışlamak to exclude

dışmerkezli eccentric

dışsatım exportation; export

dışsatımcı exporter

Dicle the Tigris

didaktik didactic; didactics

didiklemek to pull to shreds

didinmek to toil, to slog, to drudge

didişmek to scuffle, to quarrel

diferansiyel differential gear

difteri diphtheria

diftong diphthong
diğer other; different; another
dik perpendicular, vertical; erect, upright; *mat.* right; steep *dik açı* right angle *dik başlı/kafalı* pigheaded, obstinate *dik dik bakmak* to stare (angrily) *dik durmak* to stand upright *dik üçgen* right triangle
dikdörtgen rectangle
dikelmek to become steep; to stand; to be defiant
diken thorn; spine *diken üstünde oturmak* to be on tenterhooks
dikenli thorny, prickly
dikensiz without thorns
dikey vertical, perpendicular
dikilitaş obelisk
dikilmek to be planted; to be erected; to be sewn; to stand; (eyes) to be fixed on
dikim sewing; planting
dikimevi sewing workshop
dikine vertically
dikiş sewing; planting; stitch *dikiş dikmek* to sew *dikiş iğnesi* sewing needle *dikiş makinesi* sewing machine
dikit stalagmite
dikiz peeping, peeking *dikiz aynası* rear view mirror *dikiz etmek* to peep
dikizci *arg.* peeper
dikizlemek to peep, to peek
dikkat attention, care *Dikkat!* Look out!, Watch out! *dikkate almak* to take into consideration *dikkat çekmek* to attract attention *dikkatini çekmek* to call sb's attention (to) *dikkat etmek* to pay attention (to); to be careful
dikkatle carefully
dikkatli careful
dikkatsiz careless
dikkatsizlik carelessness
diklenmek, dikleşmek to become steep; to stand erect; to get stubborn

dikme sewing; planting; *mat.* perpendicular; seedling
dikmek to sew, to stitch; to plant; to erect; (eyes) to stare; (ears) to prick up; to drink off, to drain
diksiyon diction
diktatör dictator
diktatörlük dictatorship
dikte dictation *dikte etmek* to dictate
dil language; tongue; *coğ.* promontory, spit *dil çıkarmak* to put out the tongue *dil dökmek* to talk sb round/over, to flatter *dil uzatmak* to talk against, to defame *dile gelmek* to start to talk *dile getirmek* to express, to depict *dile kolay* easier said than done, easy to say *dili çözülmek* to start to talk *dili dolaşmak* to splutter, to mumble *Dili kurusun!* Curse his tongue! *dili tutuk* tongue-tied *dili tutulmak* to be tongue-tied *dili varmamak* not to be willing to say *dilinde tüy bitmek* to be tired of repeating *dilinden düşürmemek* to keep on saying, to harp on *dilini tutmak* to hold one's tongue *dilini yutmak* to have lost one's tongue *dilinin altında bir şey olmak* to seem to be hiding sth *dilinin ucunda olmak* to be on the tip of one's tongue *dillerde dolaşmak* to be in the limelight *dillere destan olmak* to be on everybody's tongue *dillere düşmek* to become a subject of gossip
dilbalığı sole
dilbasan *hek.* spatula
dilbaz eloquent, glib, talkative
dilber beautiful, attractive
dilbilgisel grammatical
dilbilgisi grammar
dilbilim linguistics

dilbilimci linguist
dilbilimsel linguistic
dilci linguist
dilcik *bitk.* ligule
dilek wish, desire *dilek dilemek* to make a wish *dilek kipi dilb.* optative mood *dilekte bulunmak* to make a wish
dilekçe petition *dilekçe vermek* to make a petition, to petition
dilemek to wish (for), to desire; to ask (for), to beg
dilenci beggar
dilencilik mendicancy, begging
dilenmek to beg
dilim slice *dilim dilim* in slices
dilimlemek to slice
dillenmek to begin to talk; to find one's tongue
dilli talkative, glib
dilmek to slice
dilsel linguistic
dilsiz dumb
dimağ brain
dimdik bolt upright, erect *dimdik ayakta durmak* not to collapse
din religion *dinden imandan çıkarmak* to be enough to make a saint swear *dini bütün* pious, religious *Dini imanı para* All he/she thinks of is money
dinamik dynamic; dynamics
dinamit dynamite
dinamizm dynamism
dinamo dynamo
dinar dinar
dinç robust, vigorous
dinçleşmek to become robust
dinçlik robustness
dindar religious, pious, faithful
dindarlık devotion, piety
dindirmek to stop; to slake, to satisfy
dingil axle
dingildemek to rattle, to wobble
dingin calm, tranquil
dini religious

dinlemek to listen (to); to obey, to follow; *hek.* to auscultate
dinlence holiday, vacation
dinlendirici relaxing
dinlendirmek (to allow) to rest
dinlenmek to be listened (to); to rest, to relax
dinleti concert
dinleyici listener
dinleyiciler the audience
dinmek to stop, to cease, to calm down
dinozor dinosaur
dinsel religious
dinsiz irreligious, godless; atheist, pagan
dinsizlik irreligion, atheism
dip bottom *dibine darı ekmek* to use up
dipçik butt (of a rifle)
dipfriz deep freeze, freezer
diploma diploma, degree
diplomasi diplomacy
diplomat diplomat
diplomatik diplomatic
dipnot footnote
dirayet ability; intelligence
direk pole, post
direksiyon steering-wheel
direkt direct; directly
direktif directive, instructions
direktör director
direnç resistance
direniş resistance, opposition
direnmek to insist (on); to hold out, to resist
diretmek to put one's foot down, to insist
direy fauna
dirhem drachma
diri alive, living; fresh; energetic, lively
dirilmek to be resuscitated/revived
diriltmek to resuscitate, to bring to life
dirim life
dirimbilim biology

dirlik peace; affluence *dirlik düzenlik* peace and harmony

dirsek elbow *dirsek çevirmek* to turn one's back on, to drop *dirsek çürütmek* to study long and hard

disiplin discipline

disiplinli disciplined

disiplinsiz undisciplined

disk discus *disk atma* throwing the discus

diskalifiye disqualified *diskalifiye olmak* to be disqualified

disket disk, diskette

disko(tek) disco(theque)

dispanser dispensary

distribütör distributor

diş tooth; clove; cog; thread *diş ağrısı* toothache *diş bilemek* to nurse a grudge *diş çekmek* to pull out a tooth *diş çıkarmak* to cut one's tooth *diş fırçası* toothbrush *diş geçirmek* to be able to influence *diş gıcırdatmak* to gnash one's teeth *diş göstermek* to show one's teeth *diş hekimi* dentist *diş hekimliği* dentistry *diş macunu* toothpaste *dişini sıkmak* to set one's teeth, to endure *dişinden tırnağından artırmak* to pinch and save *dişini tırnağına takmak* to work tooth and nail

dişbudak ash tree

dişçi dentist

dişçilik dentistry

dişeti gum

dişi female, she

dişil *dilb.* feminine

dişlek bucktoothed, toothy

dişlemek to bite, to nibble

dişli toothed, serrated, notched, jogged; influential, formidable; cogwheel, gear

dişözü dental pulp

ditmek to card, to tease

divan sofa, couch; council of state

divane crazy, insane

divanıharp court martial, military court

diyabet diabetes

diyafram diaphragm

diyalekt dialect

diyalektik dialectic; dialectics

diyaliz dialysis *diyaliz cihazı* dialyzer

diyalog dialogue

diyanet piety; religion

diyapazon diapason, tuning fork

diyar country, land

diyare *hek.* diarrhea

diye so that; in case; because; thinking that, by mistake; called, named

diyecek something say *diyeceği olmamak* to have no objection; to have nothing to say

diyet diet

diyez *müz.* flat, diesis

diz knee *diz çökmek* to kneel (down) *dizini dövmek* to repent bitterly *dize gelmek* to give up, to surrender *dize getirmek* to bring sb to his knees, to bring to heel *dizlerine kapanmak* to fall at sb's feet *dizlerinin bağı çözülmek* to give way at the knees

dizanteri dysentery

dizayn design

dizbağı garter

dize *yaz.* line

dizel diesel

dizge system

dizgeli systematic

dizgi composition, typesetting

dizgici typesetter, compositor

dizgin rein, bridle *dizginleri ele almak* to take control

dizginlemek to bridle; to restrain, to curb

dizginsiz uncontrolled, unbridled

dizi line, row; series; string; serial; *mat.* progression

dizici typesetter, compositor
dizin index
dizkapağı kneecap
dizlik knee pad
dizmek to arrange in a row, to line up, to array; to string; to set up, to compose
do *müz.* do
dobra blunt, frank *dobra dobra* bluntly, frankly
doçent assistant professor, lecturer
dogma dogma
dogmatik dogmatic
doğa nature *doğa bilgisi* natural history *doğa bilimleri* natural sciences
doğal natural *doğal gaz* natural gas *doğal kaynaklar* natural resources *doğal olarak* naturally
doğan falcon
doğmak to be born; (sun) to rise; to happen, to arise, to spring
doğrama woodwork, joinery
doğramacı carpenter, joiner
doğramak to chop to bits
doğru straight; true, right; honest; truth; *mat.* line *doğru bulmak* to approve *doğru çıkmak* to come true *doğrudan doğruya* directly *doğru durmak* to behave oneself, to sit still *doğru dürüst* proper; properly *doğru söylemek* to speak the truth
doğruca, doğrudan directly
doğrucu truthful
doğrulamak to confirm, to verify
doğrulmak to become straight, to straighten out; to direct oneself to, to head (for)
doğrultmak to straighten; to correct; to point (at), to aim
doğrultu direction
doğruluk straightness; rightness; honesty; truth
doğrusu the truth of the matter; to speak honestly *doğrusunu istersiniz* to tell the truth *daha*

doğrusu to be more exact
doğu east; eastern
doğum birth *doğum günü* birthday *doğum kontrolü* birth control *doğum sancısı* labour pain
doğumevi maternity hospital
doğurgan prolific
doğurmak to give birth to, to bear; to bring about, to produce
doğuştan by birth; inborn
doksan ninety
doksanıncı ninetieth
doksanlık nonagenarian
doktor doctor, physician
doktora doctorate; doctoral examination
doktorluk medical profession
doktrin doctrine
doku tissue; texture
dokuma weaving; woven
dokumacı weaver
dokumacılık textile industry
dokumak to weave
dokunaklı touching, pathetic
dokunmak to be woven; to touch; to upset, to harm; to concern
dokunulmazlık immunity
dokuz nine *dokuz doğurmak* to be on pins and needles
dokuzuncu ninth
doküman document
dolamak to twist, to wind
dolambaç curve, bend; labyrinth
dolambaçlı sinuous, winding; complicated
dolandırıcı swindler, crook, cheat
dolandırmak to swindle, to cheat, to nick
dolanmak to be wrapped (around); to go round, to circulate; to rove, to hang about, to stroll
dolap cupboard, wardrobe; plot, trick *dolap çevirmek* to pull a trick, to plot
dolaşık sinuous, roundabout; tangled, confused
dolaşım circulation

dolaşmak

dolaşmak to walk about, to stroll; to get tangled; (rumour) to go around; to circulate
dolay surroundings, environment
dolayı because of, owing to
dolayısıyla consequently; on account of, because of
dolaylı indirect; indirectly
dolaysız direct; directly
doldurmak to fill; to load; (battery) to charge
dolgu filling *dolgu yaptırmak* to have a tooth filled
dolgun plump, buxom; full, filled; (wages) high
dolma stuffed vegetables; stuffed
dolmak to become full; to be packed; (period) to expire
dolmakalem fountain-pen
dolmuş shared-taxi, shared cab, dolmush
dolu full; loaded; charged
dolu hail *dolu yağmak* to hail
dolunay full moon
domalmak to squat down in a humped position
domates tomato
domino dominoes
domuz pig, swine *domuz gibi* sturdy; obstinate
don frost; underpants
donakalmak to be petrified with, to freeze
donanım *den.* rigging
donanma fleet, navy; illumination
donanmak to be equipped; to dress up
donatım equipment
donatmak to deck out, to ornament; to equip; to illuminate
dondurma ice-cream
dondurmak to freeze
donmak to freeze; (cement) to set, to harden; to curdle
donuk frozen; dull
doping doping *doping yapmak* to dope

doru bay
doruk summit, peak
dosdoğru straight (ahead)
dost friend; lover, mistress, steady *dost edinmek* to make (one's) friends *dost olmak* to become friends
dostça friendly; in a friendly way
dostluk friendship
dosya file, dossier
dosyalamak to file
doygun satiated
doymak to be full up, to be satiated
doyum satisfaction, satiety *doyum olmamak* not to have enough of, not to get tired of
doyurmak to fill up, to satisfy, to satiate; to saturate
doyurucu satisfying
doz dose
dozaj dosage
dökme poured; (metal) cast
dökmek to pour, to empty, to spill; to cast; to shed
dökülmek to be poured, to be spilled; to fall into ruin, to moulder; (hair, teeth) to fall out, to lose; to spill over
döküm casting; enumeration; fall
dökümcü founder
dökümevi foundry
döküntü remains, remnants, remainder; debris; rubbish, trash
döl seed, germ, sperm; young, offspring; race, stock
döllemek to inseminate, to fertilize
dölüt foetus
dölyatağı womb, uterus
dölyolu vagina
döndürmek to turn round, to spin, to rotate
dönek fickle, untrustworthy
dönem period; term
dönemeç bend, curve
dönence tropic
döner turning, revolving *döner kapı* revolving door *döner kebap*

meat roasted on a revolving spit
döner sermaye circulating capital

döngel medlar

dönmek to turn, to revolve, to rotate; to return; to swim, to whirl; to break one's promise; to be converted, to apostatize

dönüm a land measure of about 920 m2; turning *dönüm noktası* turning point

dönüşlü *dilb.* reflexive

dönüşmek to be transformed into, to change

dönüştürmek to transform, to change

dönüşüm transformation

döpiyes two-piece

dördül square

dördüncü fourth

dört four *dört ayak üstüne düşmek* to fall on all fours, to land on one's feet *dört dönmek* to search everywhere *dört elle sarılmak* to stick hard and soul, to work wholeheartedly *dört gözle beklemek* to look forward to *dört köşeli* fourcornered, foursided

dörtgen quadrangle

dörtlü (cards) four; quartet

dörtlük *yaz.* quatrain; *müz.* quarter note

dörtnal gallop *dörtnala gitmek* to go at a gallop

dörtyol crossroads

döş breast, bosom

döşek mattress, bed

döşeli furnished

döşem installation

döşeme floor; upholstery; furniture

döşemeci upholsterer

döşemek to furnish; to lay down, to spread; to pave, to floor

döviz foreign exchange, foreign currency; motto, slogan

dövme beating; tattoo; forging

dövmek to beat, to thrash; to

hammer, to forge; to bombard

dövünmek to beat one's breast, to lament

dövüş fight

dövüşçü fighter

dövüşken combative, bellicose

dövüşmek to fight; to box

drahmi drachma

draje sugar-coated pill; dragée

dram drama; tragedy

dramatik dramatic; tragic

dramatize etmek to dramatize

drenaj drainage

dua prayer *dua etmek* to pray

duba pontoon, barge

dublaj dubbing *dublaj yapmak* to dub

duble double

dubleks duplex

dublör stunt-man

dudak lip *dudak boyası* lipstick *dudak bükmek* to curl one's lip *dudak ısırmak* to bite one's lip

duhuliye entrance fee

duka duke

dul widow; widower; widowed

duman smoke; mist, fog

dumanlanmak to get smoky

dumanlı smoky; misty, foggy

dumansız smokeless

durağan stable, fixed

durak stop; break, pause; station

duraklama pause; hesitation

duraklamak to stop, to pause; to hesitate

duraksamak to hesitate

durdurmak to stop

durgun calm, quiet; stationary, stagnant

durgunlaşmak to get calm

durgunluk calmness; stagnation

durmak to stop, to cease; to remain, to stay; to stand; to wait

duru clear, limpid

durulamak to rinse

durulmak to become clear; to calm down

durum condition, situation, state; position; *dilb.* case

duruş position, pose, posture

duruşma trial, hearing

duş shower *duş yapmak/almak* to have a shower

dut mulberry *dut yemiş bülbüle dönmek* to be tongue-tied

duvak bridal veil

duvar wall *duvar ilanı* poster *duvar kâğıdı* wallpaper *duvar saati* clock

duvarcı bricklayer, mason

duy socket

duyarga antenna

duyarlı sensible, sensitive

duyarlık sensibility, sensitivity

duyarsız insensitive

duygu feeling; sensation, sense

duygulandırmak to affect, to move

duygulanmak to be affected, to be moved

duygulu sensitive, emotional

duygusal emotional, sentimental

duygusuz insensitive, hardhearted, unfeeling

duymak to hear; to feel, to sense *duymazlıktan gelmek* to pretend not to have heard

duyu sense

duyum sensation

duyurmak to announce

duyuru announcement

düdük whistle, pipe

düello duel

düet *müz.* duet

düğme button; switch

düğmelemek to button up

düğüm knot; difficulty, rub *düğüm açmak* to untie a knot *düğüm atmak* to tie a knot *düğüm olmak* to get knotted

düğümlemek to knot

düğümlenmek to become knotted

düğün wedding (feast) *düğün alayı* wedding procession *düğün etmek* to rejoice, to exult *düğün yapmak* to hold a wedding

düğünçiçeği buttercup

dük duke

dükkân shop *dükkân açmak* to set up business, to open a shop

dükkâncı shopkeeper

dülger carpenter; builder

dülgerlik carpentry

dümbelek small drum

dümdüz perfectly smooth; straight ahead

dümen rudder, helm; *arg.* trick *dümen kırmak* to change course, to veer, to swerve *dümen çevirmek* to play tricks, to trick *dümen kullanmak* to steer

dümenci helmsman, steersman

dün yesterday *dün akşam* yesterday evening *dün değil evvelsi gün* the day before yesterday *dün gece* last night *dünden hazır/razı* very eager *dünkü* of yesterday, yesterday's

dünür the father-in-law or mother-in-law of one's child

dünya world, earth; everybody *dünya âlem* all the world, everybody *dünya durdukça* for ever and ever *dünya evine girmek* to get married *dünya gözü ile görmek* to see (sb/sth) before one dies *dünya kadar* a world of, lots of *Dünya varmış!* How wonderful! What a relief! *Dünya yıkılsa umurunda değil!* He doesn't give a damn *dünya zindan olmak* to be in great distress, to lead a dog's life *dünyadan elini eteğini çekmek* to give up all worldly things *dünyadan haberi olmamak* to be unaware of what is going on around one *dünyanın kaç bucak olduğunu göstermek* to teach sb a lesson *dünyanın parası* a lot of money *dünyaya gelmek* to be born *dünyaya getirmek* to bring into the world, to bear *dünyaya gözlerini kapamak* to pass away *dünyayı tozpembe görmek* to see things through rosecoloured glasses *dünyayı zindan etmek* to lead sb a dog's life

dünyevi worldly

düpedüz openly, sheer

dürbün binoculars, field glasses

dürmek to roll up

dürtmek to prod, to goad; to stimulate, to incite

dürtü drive, motive

dürtüklemek to nudge

dürüm roll, fold

dürüst honest, upright, straight

dürüstlük honesty, uprightness

düstur principle, rule

düş dream *düş görmek* to have a dream *düş kırıklığı* disappointment *düş kurmak* to daydream

düşes duchess

düşeş bargain, windfall; double six

düşey vertical

düşkün down-and-out, poor; fond of, addicted to, devoted to; devotee, addict, buff, bug

düşman enemy, foe

düşmanlık hostility, enmity

düşmek to fall; to drop; (child) to be born dead; to subtract, to deduct; to fall on hard times; to end up, to wind up, to land up

düşük fallen; drooping; (price) low; (sentence) misconstructed; *hek.* miscarriage, abortion

düşün thought

düşünce thought, idea; anxiety, worry *düşünceye dalmak* to be lost in thought

düşünceli thoughtful; considerate

düşüncesiz thoughtless, inconsiderate

düşüncesizlik thoughtlessness, inconsiderateness

düşündürmek to make (sb) think, to worry

düşünmek to think, to think of, to think about *düşünüp taşınmak* to think over

düşünür thinker

düşürmek to let fall to drop; to reduce; (government) to overthrow; (child) to miscarry, to abort

düşüş fall, falling

düz smooth, even, flat; straight

düzelmek to improve, to get better; to be put in order; to be straightened

düzeltme proofreading

düzeltmek to correct, to improve; to put in order, to straighten

düzeltmen proofreader

düzen order, regularity; regime; *müz.* tuning; trick, ruse *düzene koymak/sokmak* to put in order

düzenbaz, düzenci trickster, cheat; tricky

düzenleme arrangement

düzenlemek to arrange, to organize; to put in order

düzenli tidy, in order; systematic; regular

düzensiz untidy, out of order; unsystematic, irregular

düzensizlik disorder

düzey level

düzgün smooth, level; correct; tidy, in order

düzine dozen

düzlem *mat.* plane

düzlemek to smooth, to level

düzlük smoothness, levelness; straightness; level place, plain

düzme(ce) made up, false, forged, sham

düzmek to arrange, to compose; to make up, to invent

düztaban flat-footed; ill-omened, Jonah

düztabanlık flat-footedness

düzyazı prose

E

ebat dimensions

ebe midwife; (game) it

ebe(m)kuşağı rainbow

ebedi eternal

ebediyen eternally, forever

ebediyet eternity

ebegümeci mallow

ebelik midwifery

ebeveyn parents

ebleh stupid, idiot

ebonit ebonite

ebru marbling, watering

ecdat ancestors

ece queen

ecel time of death, death *ecel teri dökmek* to be in mortal fear *eceli gelmek* (the term of one's life) to expire *eceline susamak* to run into the jaws of death, to be daredevil *eceliyle ölmek* to die a natural death

ecnebi foreign; foreigner

ecza drugs, chemicals

eczacı chemist, druggist

eczane chemist's (shop), drugstore

eda manner, air, tone

edalı charming, gracious

edat *dilb.* preposition

edebi literary

edebiyat literature

edebiyatçı man of letters

edep breeding, manners, politeness, modesty

edepli well-behaved, polite

edepsiz ill-mannered, rude

edepsizlik bad manners, rudeness *edepsizlik etmek* to misbehave

eder price, cost

edilgen passive *edilgen çatı dilb.* passive voice

edinmek to acquire, to obtain, to get

edip man of letters

editör editor, publisher

efe swashbuckler

efekt (theatrical) effect(s)

efektif ready money, cash

efendi gentleman; master, Mr; gentlemanly, polite

efkâr thoughts; worry, anxiety *efkâr basmak* to have the blues *efkâr dağıtmak* to drown one's sorrows

efkârlanmak to become worried

efkârlı worried, anxious

eflatun lilac-coloured, lilac

efsane myth, legend

efsaneleşmek to become legendary

efsanevi legendary, mythical

efsun spell, charm

Ege Aegean *Ege Denizi* the Aegean Sea

egemen sovereign, dominant

egemenlik sovereignty, domination

egoist egoist

egoizm egoism

egzama eczema

egzersiz exercise

egzotik exotic

egzoz exhaust

eğe file

eğelemek to file

eğer if

eğik oblique; bent, inclined

eğilim tendency; inclination

eğilmek to bend; to incline; to lean

eğim slope, declivity

eğirmek to spin

eğitbilim pedagogy

eğitici pedagogue; instructive

eğitim education, training

eğitimci educator, pedagogue

eğitimli educated

eğitimsiz untrained; uneducated

eğitmek to educate, to train

eğitsel educational

eğlemek to delay, to stop

eğlence amusement, entertainment

eğlenceli amusing, entertaining

eğlencelik tidbits, appetizers

eğlendirmek to amuse, to entertain

eğlenmek to have a good time, to enjoy oneself; to make fun of; to delay, to dawdle

eğlenti party, feast, jollity

eğmek to bend, to bow

eğreltiotu fern, bracken

eğreti borrowed; temporary; artificial, false *eğreti almak* to borrow *eğreti vermek* to lend

eğri crooked, bent; awry *eğri büğrü* contorted, twisted

eğrilik crookedness

eğrilmek to become bent

eğriltmek to bend, to twist

eh well, all right, well enough

ehemmiyet importance

ehil efficient, capable

ehli tame, domestic

ehlileştirmek to tame, to domesticate

ehliyet efficiency, capacity; driving licence

ehliyetli capable, qualified

ehliyetsiz incapable, unqualified

ehram pyramid

ejderha dragon

ek addition; appendix; joint, patch; *dilb.* affix; additional, supplementary

ekâbir great persons, bigwigs

ekili sown, planted

ekim sowing, planting; October

ekin crop; culture *ekin biçmek* to harvest, to reap

ekinsel cultural

ekip team, group

eklem joint, articulation

eklemek to add; to join together

eklenmek to be added; to be joined

eklenti addition

ekmek bread; food; living, job *ekmek kapısı* a place where one earns his livelihood *ekmek elden su gölden* living on others *ekmek parası* modest livelihood,

living *ekmeğine yağ sürmek* to play into sb's hands *ekmeğini çıkarmak* to make a living *ekmeğini eline almak* to have a job *ekmeğini taştan çıkarmak* to make a living under difficult conditions *ekmeğiyle oynamak* to threaten (one's) job

ekmek to sow, to plant; to spread, to sprinkle; *arg.* to give sb the slip, to drop, to ditch

ekoloji ecology

ekonomi economy; economics

ekonomik economic; economical

ekose checkered, plaided

ekran screen

ekselans Excellency

eksen axis; axle

ekseriya usually

ekseriyet majority

eksi minus; negative

eksik lacking, missing, absent; defective, incomplete; less (than); deficiency, lack, defect *eksik çıkmak* to be lacking *eksik doldurmak* to fill the gap *eksik etmemek* to have always in stock *eksik gedik* small necessities *Eksik olma!* Thank you! *eksik olmamak* always to turn up

eksiklik lack, absence, deficiency

eksiksiz complete, perfect; completely, perfectly

eksilmek to decrease, to lessen

eksiltme reduction; putting up to tender

eksiltmek to reduce, to decrease

ekskavatör excavator

ekspres express (train)

ekstra extra

ekşi sour, acid *ekşi yüzlü/suratlı* sour-faced

ekşilik sourness, acidity

ekşimek to sour; to ferment; (stomach) to be upset

ekşimsi sourish

ekşitmek to make sour

ekvator equator
el hand; forefoot; handle; discharge, shot; times; possession; (cards) deal *el altında* handy, on hand, ready *el altından* underhandedly, secretly *el arabası* wheelbarrow *el atmak* to lay hands upon, to seize; to attempt *el ayak çekilmek* to be deserted and quiet *el bebek gül bebek* spoiled, coy *el bezi* hand towel *el bombası* hand grenade *el çekmek* to give up, to relinquish *el değiştirmek* to change hands *el ele* hand in hand *el ele tutuşmak* to take each other by the hand *el ele vermek* to cooperate *el etmek* to wave (to sb) *el feneri* flashlight *el freni* hand brake *el ilanı* handbill *el işi* handwork; handmade *el kaldırmak* to raise one's hand to (sb) *el kapısı* another's house *el koymak* to seize, to confiscate *el öpmek* to kiss sb's hand (in respect) *el sürmemek* not to touch; not to begin *el şakası* practical joke played on sb using the hand *el üstünde tutmak* to treat with honour, to cherish *el yazısı* handwriting *elde etmek* to get, to obtain *elden çıkarmak* to sell off, to dispose of *elden düşme* secondhand *elden ele* from hand to hand *elden geçirmek* to overhaul, to go over *ele alınır* in good condition *ele almak* to take up, to deal with *ele avuca sığmaz* out of hand, mischievous *ele geçmek* to be caught *ele vermek* to inform, to betray *eli açık* generous *eli ağır* slow-working *eli alışmak* to become skilful; to get used to *eli ayağı buz kesilmek* to be very cold *eli ayağı düzgün* lacking in bodily defects *eli boş dönmek* to return

empty-handed *eli ekmek tutmak* to earn one's bread *eli kulağında* about to happen, impending *eli sıkı* close-fisted, stingy *eli uzun* thievish *eli yüzü düzgün* presentable *eline geçmek* to earn; to find; to catch *elinde kalmak* to remain unsold *elinde olmak* to be in one's power *elinde tutmak* to monopolize; not to sell *elinden bir şey gelmemek* not to be in a position to do sth *elinden geleni yapmak* to do one's best *elinden gelmek* to be able to *elinden kaçırmak* to slip through one's fingers *elinden kurtulmak* to manage to escape from (sb) *elinden tutmak* to help *eline bakmak* to depend on (for a living) *eline düşmek* to be caught; to need sb; to meet, to come across *elini ayağını kesmek* to stop going (to) *elini eteğini çekmek* to withdraw *elini çabuk tutmak* to hurry up *elini sıcak sudan soğuk suya sokmamak* not to do any housework, to lead a comfortable life *eliyle koymuş gibi bulmak* to find very easily *Eller yukarı!* Hands up!
el stranger; people; country *ele güne karşı* in the eyes of everybody *el oğlu* stranger, outsider
elâ (eyes) hazel
elâlem all the world, everybody
elastiki elastic, flexible
elastikiyet elasticity
elbet, elbette of course, certainly
elbirliği cooperation
elbise clothes, garments, dress
elçi ambassador; envoy
elçilik embassy
eldiven glove
elebaşı ringleader, chief
elek sieve
elektrik electricity *elektrik akımı* electric current *elektrik düğmesi*

switch
elektrikçi electrician; electrician's
elektrikli electric; (wire) live
elektrokardiyografi electrocardiography
elektrolit electrolyte
elektroliz electrolysis
elektromanyetik electromagnetic
elektron electron
elektronik electronic; electronics
elem pain, sorrow
eleman staff member, worker; element
eleme elimination; selected, sifted *eleme sınavı* preliminary examination
elemek to sieve; to eliminate, to select
element element
eleştiri criticism
eleştirici, eleştirmen critic
eleştirmek to criticize
elhamdülillah thank God, thank Allah
elim painful, sorrowful
elişi handwork; hand-made
elkitabı handbook, manual
ellemek to touch with the hand, to handle
elli fifty
ellinci fiftieth
elma apple
elmas diamond
elti sister-in-law
elveda farewell, goodbye
elverişli convenient, suitable
elverişsiz inconvenient, unsuitable
elvermek to be convenient; to suffice, to be enough
elyaf fibres
elzem indispensable
emanet trust, deposit; left luggage office, cloakroom *emanet etmek* to commend, to entrust *emanete vermek* to check
emanetçi depository
emaneten on deposit

emare sign, indication
emaye enamel; enamelled
embriyon *anat.* embryo
emek labour, work; pains, effort *emek vermek* to take pains with, to labour *emeği geçmek* to contribute efforts
emekçi proletarian, labourer
emeklemek to creep, to crawl
emekli retired; pensioner *emekli aylığı* pension, retirement pay *emekli olmak* to retire
emeklilik retirement
emeksiz effortless, easy
emektar old and faithful
emel ambition, desire, wish, ideal, goal
emici absorbent
emin confident, sure; safe, secure; trustworthy *emin olmak* to be sure; to make certain
emir emeer
emir order, command *emir almak* to receive orders *emir eri ask.* orderly *emir subayı ask.* adjutant *emir vermek* to order, to command *emre amade* at one's service, ready *emre yazılı senet* promissory note
emirlik emirate
emisyon emission *emisyon hacmi* banknotes/currency issued
emlak real estate, property *emlak komisyoncusu* estate agent *emlak vergisi* property tax
emmek to suck; to absorb, to take in
emniyet safety, security; the police *emniyet altına almak* to make safe, to secure *emniyet amiri* chief of police *emniyet etmek* to trust; to entrust *emniyet kemeri* safety belt *emniyet somunu* lock nut *emniyet supabı* safety valve *emniyet tedbiri* security measure
emniyetli safe, secure

emniyetsiz unsafe, insecure

emperyalist imperialist; imperialistic

emperyalizm imperialism

empresyonist impressionist

empresyonizm impressionism

emprime printed cloth

emretmek to order, to command

emrivaki accomplished fact, fait accompli

emsal similars, equals; peer, compeer

emsalsiz peerless, matchless

emtia goods, merchandise

emzik nipple; (baby's) feeding bottle

emzirmek to breast-feed, to suckle

en most *en aşağı* at least *en az* minimum, least; at least *en başından* from the very beginning *en önce* first of all *en sonra* last of all

en width, breadth

enayi fool, gull, suckle, goof

enayilik foolishness

encik pub, cub

encümen council, committee

endam shape, figure, stature

endamlı well-proportioned, shapely

endeks index

ender rare; rarely

endirekt indirect

endişe anxiety, worry, care *endişe etmek* to be anxious

endişeli anxious, thoughtful

endişesiz unworried, carefree

Endonezya Indonesia

Endonezyalı Indonesian

endüstri industry

endüstrileşmek to be industrialized

endüstriyel industrial

enerji energy

enerjik energetic

enfarktüs infarction

enfeksiyon infection

enfes delicious, excellent

enfiye snuff

enflasyon inflation

enfraruj infrared

engebe rough ground, unevenness

engebeli uneven, rough, broken

engel obstacle, hindrance, barrier *engel olmak* to prevent, to stop, to obstruct *engelli koşu* hurdle race

engellemek to impede, to hinder, to obstruct

engerek adder, viper

engin vast, wide, boundless

enginar artichoke

enik puppy, cup

enikonu thoroughly, fully

eninde sonunda in the end

enine crosswise, breadthways *enine boyuna* in length and breadth; fully, completely

enişte sister's or aunt's husband

enjeksiyon injection

enkaz ruins; wreckage

enlem latitude

enli wide, broad

ense back of the neck, nape

enselemek *arg.* to nab, to nick

ensiz narrow

enstantane snapshot

enstitü institute

enstrüman instrument

ensülin insulin

entari loose robe, dress

entrika intrigue *entrika çevirmek* to intrigue, to plot

envanter inventory

epey, epeyce pretty, fairly

epidemi epidemic

epik epic

e-posta e-mail

er man, male; private (soldier); manly man

erat *ask.* privates, recruits

erbap expert, master

erbaş non-com

erdem virtue

erdemli virtuous

erek aim, goal
ergen adolescent; unmarried
ergenlik adolescence; youthful acne
ergime melting, fusion
ergimek to melt, to fuse
ergin ripe, mature; adult, major
erginleşmek to mature, to ripen
erginlik maturity; *huk.* majority
erguvan judas-tree
erguvani purple
erik plum
eril masculine
erim reach, range
erimek to melt, to fuse, to dissolve, to thaw
erinç peace, rest
erişim access
erişmek to arrive, to reach; to mature, to ripen
erişte vermicelli
eritmek to melt, to dissolve
eriyik solution
erk power
erkân high officials, great men
erke energy
erkek man, male; manly, virile, honest *erkek gibi* mannish
erkekçe manly; manfully
erkeklik masculinity; manliness; courage; male sexual potency, virility
erken early
erkenci early riser
ermek to reach, to attain; to ripen, to mature
ermiş saint
eroin heroin
erotik erotic
erotizm erotism
erozyon erosion
ertelemek to postpone, to delay, to put off
ertesi next, following *ertesi gün* the next/following day
erzak provisions
es *müz.* rest *es geçmek* to pass

over, to skip
esans perfume
esaret slavery
esas foundation, basis, base; fundamental, essential, basic
esasen fundamentally, essentially
esaslı based, founded; principal, basic, main; true, solid
esassız baseless, unfounded
esef regret
esefle regretfully
esen healthy, sound
esenlik health, soundness
eser work (of art); sign, mark, trace
esin inspiration
esinlemek to inspire
esinlenmek to be inspired
esinti breeze
esir slave; prisoner of war, captive *esir düşmek* to be taken prisoner *esir ticareti* slave trade
esirgemek to spare, to protect; to grudge
esirlik slavery, captivity
eski old; ancient; secondhand; old-fashioned; former, ex *Eski çamlar bardak oldu* A lot of water has flowed under the bridge *eski eserler* antiques, antiquities *eskisi gibi* the way it used to be, as before *eski kafalı* (person) old-fashioned *eski püskü* shabby, tattered *eski zaman* antiquity; old days
eskici ragman, ragpicker; cobbler
eskiçağ prehistoric period
eskiden in the past, formerly *eskiden kalma* handed down, passed down
eskilik oldness; seniority
eskimek to wear out, to become old; to get old in the service
Eskimo Eskimo
eskiz sketch
eskrim fencing
eskrimci fencer
esmek (wind) to blow; to come to

one's mind
esmer dark, brown, brunette
esmerleşmek to get brown, to tan
esmerlik darkness, brownness
esna moment, instant
esnaf tradesman, artisan
esnasında during, while
esnek elastic, flexible
esneklik elasticity
esnemek to yawn; to stretch, to bend
espri wit, joke, crack, quip *espri yapmak* to make a wisecrack; to crack a joke
esrar hashish
esrar mystery
esrarengiz mysterious
esrarkeş hashish addict
estağfurullah Don't mention it, Not at all
estetik aesthetic; aesthetics *estetik cerrahi* plastic surgery
estetikçi aesthetician
eş match, counterpart; partner; mate; spouse, consort *eş dost* friends and acquaintances
eşanlamlı synonymous
eşantiyon sample, model
eşarp scarf
eşcinsel homosexual
eşdeğer equivalence
eşdeğerli equivalent
eşek donkey, ass; stupid, ass *eşekten düşmüş karpuza dönmek* to be shocked *Eşek hoşaftan ne anlar* It's like casting pearls before swine *eşek sudan gelinceye kadar dövmek* to give sb a good thrashing *eşek şakası* coarse practical joke
eşekarısı wasp, hornet
eşeklik assinity, stupidity
eşelemek to scratch, to paw
eşey sex
eşeysel sexual
eşgüdüm coordination
eşik threshold

eşinmek to scratch the soil
eşit equal
eşitlik equality
eşkâl forms, figures
eşkenar equilateral
eşkıya bandit, brigand
eşkin canter; cantering
eşlemek to pair, to match; (film) to synchronize
eşlik accompaniment *eşlik etmek* to accompany, to escort
eşmek to dig up, to scratch
eşofman tracksuit
eşraf notables
eşsesli homophone
eşsiz matchless, peerless
eşya things, objects; furniture; luggage, belongings
eşzamanlı synchronic
et meat; flesh; pulp *et suyu* broth *etine dolgun* plump
etajer whatnot
etap stage, lap
etçil carnivorous
etek skirt; bottom; fool *etekleri tutuşmak* to be exceedingly alarmed *etekleri zil çalmak* to walk on air
eteklik skirt
eter ether
Eti Hittite
etiket label, tag, sticker
etiketlemek to label
etilen ethylene
etimoloji etymology
etimolojik etymological
etken factor; *dilb.* active
etki effect, influence; impression
etkilemek to effect, to influence, to impress
etkileşim interaction
etkileyici impressive
etkili effective, effectual; impressive, touching
etkin effective, active
etkinlik activity
etkisiz ineffective, ineffectual

etli fleshy, plump; meaty

etmek to make, to do; to cost, to be worth

etmen factor

etnik ethnic

etnografya ethnography

etobur carnivorous; carnivore

etol stole

etraf surroundings, environment; sides *etrafına*, *etrafında* around, round *etrafına bakınmak* to look around

etraflı detailed, exhaustive

etraflıca in detail, fully

etraftan from all around, from all directions

ettirgen *dilb.* causative

etüt study, research *etüt etmek* to study, to investigate

ev house; home; household, family *ev bark* household *ev bark sahibi* family man *ev halkı* household, family *ev hayvanı* domestic animal *ev idaresi* housekeeping *ev kadını* housewife *ev kirası* (house) rent *ev sahibesi* hostess *ev sahibi* host; landlord *ev tutmak* to rent a house *evde kalmak* (girl) not to be able to get married; to have been left on the shelf

evcek with the whole family

evci weekly boarder

evcil domestic, tame

evcilleştirmek to domesticate

evermek to marry off

evet yes

evham apprehensions, suspicions

evhamlı hypochondriac, suspicious

evirmek to change, to alter *evirip çevirmek* to turn over and over

evlat son, daughter, child *evlat edinmek* to adopt a child

evlatlık adopted child *evlatlıktan reddetmek* to disown

evlendirmek to give in marriage, to marry (off)

evlenmek to get married, to marry

evli married, hitched

evlilik marriage

evliya saint

evrak documents, papers

evre phase

evren universe; cosmos

evrensel universal

evrim evolution

evrimsel evolutionary

evsaf qualities

evvel ago, before, earlier; the first part, beginning *evvel Allah* with God's help *evvel zaman içinde* once upon a time

evvela in the first place, first of all

evvelden previously, formerly

evveliyat first stages, beginnings

evvelki, evvelsi the previous *evvelki gün* the day before yesterday

eyalet province

eyer saddle

eyerlemek to saddle

eylem action; *dilb.* verb

eylemek to make, to do

eylül September

eyvah alas! alack!

eyvallah Thank you!, Thanks!; Goodbye!

eza torment

ezan call to prayer, the azan *ezan okumak* to recite the azan

ezber learning by heart, memorizing

ezberci (a student) who learns parrot fashion

ezbercilik learning parrot fashion

ezbere by heart; without knowing *ezbere konuşmak* to talk without knowing it

ezberlemek to learn by heart, to memorize

ezcümle among other things; for example

ezel past eternity

ezeli eternal *ezeli ve ebedi* without

beginning or end, eternal
ezeliyet past eternity
ezgi tune, melody, song
ezgin crushed, squashed
ezici crushing, overwhelming
ezik crushed, squashed
eziklik worry, depression
ezilmek to be crushed; to be run over
eziyet torment, torture *eziyet çekmek* to suffer pain *eziyet etmek* to torment, to torture
eziyetli painful, fatiguing, hard
ezme crushing; purée, paste; crushed, mashed
ezmek to crush, to squash, to mash; to run over; to tread, to trample; to overwhelm, to suppress; to trounce
Ezrail Azrael

F

fa *müz.* fa
faal active
faaliyet activity
fabl fable
fabrika factory, plant
fabrikasyon fabrication
fabrikatör factory owner
facia disaster, calamity
fagot *müz.* bassoon
fahiş excessive, exorbitant
fahişe prostitute
fahrenhayt Fahrenheit
fahri honorary
faik superior
fail author, agent; *dilb.* subject
faiz interest *faiz oranı* the rate of interest *faize vermek* to lend (money) at interest *faize yatırmak* to put out at interest
faizci usurer, moneylender
faizcilik usury
faizli interest-bearing, at interest

faizsiz free of interest
fakat but
fakir poor *fakir fukara* the poor
fakirleşmek to become poor
fakirlik poverty
faks fax, facsimile
faktör factor
fakülte faculty
fal fortune *fal bakmak* to tell fortunes *falına baktırmak* to have one's fortune told
falaka bastinado
falan such and such, so and so *falan filan* and so on
falanca so-and-so
falcı fortune-teller
falso blunder, error; *müz.* false note
falsolu faulty
familya *biy.* family
fanatik fanatic
fani mortal, transient
fanila flannel, vest
fantezi fancy; fantasy
fanus lantern; lamp glass
far headlight; eye shadow
faraş dustpan
faraza supposing (that)
fare mouse
fark difference *fark etmek* to notice, to realize; to differ *fark etmez* It doesn't make any difference *fark gözetmek* to treat differently *farkına varmak* to realize, to notice *farkında olmak* to be aware of
farklı different
farklılık difference
farksız same, identical
farmakoloji pharmacology
fars farce
Farsça Persian
farz religious precept; obligation; supposition
Fas Morocco
fasa fiso fiddle-faddle, nonsense
fasarya empty talk, nonsense

fasıl chapter, section
fasıla interval
fasikül fascicle
fasulye bean
faşing fasching
faşist fascist
faşizm fascism
fatih conqueror
fatura invoice, bill
faul foul *faul yapmak* sp. to foul
favori whiskers; favourite
fay coğ. fault
fayans faience
fayda use, profit, advantage, benefit *faydalı olmak* to help *fayda etmemek* to cut no ice
faydalanmak to make use of
faydalı useful
faydasız useless
fayton phaeton
faz phase
fazilet virtue
faziletli virtuous
fazla excess, spare; excessive, extra; too much *fazla gelmek* to be too much *Fazla mal göz çıkarmaz* Store is no sore *fazla mesai* overtime *fazla mesai yapmak* to work overtime
fazlalaşmak to increase
fazlalık excess, superfluity
fazlasıyla abundantly
fecaat calamity
feci tragic, terrible
feda sacrifice *feda etmek* to sacrifice
fedai bodyguard, bouncer
fedakâr self-sacrificing
fedakârlık sacrifice
federal federal
federasyon federation
federatif federative
federe federate, federated
felaket disaster, calamity, misfortune *felakete uğramak* to meet with a disaster
felaketzede victim

felç paralysis, apoplexy *felce uğramak* to be paralysed *felce uğratmak* to paralyse
felçli paralytic, paralysed
felek fate, destiny *feleğin çemberinden geçmek* to go through the mill *felekten bir gün çalmak* to have a very enjoyable time
felsefe philosophy
felsefi philosophical
feminist feminist
feminizm feminism
fen science
fena bad *fena halde* badly *fena olmak* to feel bad
fenalaşmak to grow worse; to feel faint
fenalık evil, mischief; harm; fainting *fenalık geçirmek* to feel faint
fener lantern; lighthouse
feodal feudal
feodalite feudalism
feragat abnegation, self-sacrifice; renunciation, cession
ferağ cession, renunciation
ferah roomy, spacious; relieved
ferahlamak to feel relieved
ferahlatmak to relieve
ferahlık spaciousness, roominess; relief
ferdi individual
feribot ferryboat
ferman decree, command
fermantasyon fermentation
fermuar zipper
fersah league, five kilometres
fersiz lustreless, dull
fersizlik lack of lustre
fert individual
feryat cry, scream *feryat etmek* to cry out, to scream
fes fez
fesat faction, conspiracy, intrigue, malice
fesatçı mischief-maker
feshetmek to abolish, to cancel
fesih abolition

fesleğen (sweet) basil
festival festival
fethetmek to conquer
fetih conquest
fetiş fetish
fetişizm fetishism
fettan seducing, cunning
feveran effervescence, ebullition
fevk upper part, top
fevkalade extraordinary
fevkinde above
fıçı barrel, cask *fıçı birası* draught beer
fıkırdak coquettish
fıkırdamak to bubble; to giggle, to flirt
fıkırtı bubbling noise
fıkra anecdote, joke; column; paragraph
fındık hazel-nut
fındıkkıran nutcrackers
Fırat the Euphrates
fırça brush *fırça atmak* to give sb a rocket *fırça çekmek* to scold, to rebuke
fırçalamak to brush
fırdöndü swivel
fırfır furbelow
fırıldak weather-cock; windmill; intrigue, trick *fırıldak çevirmek* to intrigue
fırın oven; furnace; bakery
fırıncı baker
fırınlamak to bake
fırlak protruding
fırlama bastard
fırlamak to rush out, to fly off; to protrude, to stick out
fırlatmak to fling, to launch
fırsat opportunity, chance, occasion *fırsat aramak* to seek an opportunity *fırsat beklemek* to wait for an opportunity *fırsat bulmak* to find an opportunity *fırsat düşkünü* opportunist *fırsat kollamak* to watch for an opportunity *fırsat vermek* to give an op-

portunity *fırsatı kaçırmak* to miss an opportunity *fırsattan yararlanmak* to take advantage of an opportunity
fırtına storm, tempest *fırtınaya yakalanmak* to be caught in a storm
fırtınalı stormy, tempestuous
fısıldamak to whisper
fısıldaşmak to whisper to each other
fısıltı whisper
fıskıye jet, fountain
fıstık peanut, pistachio nut; *arg.* real looker, bundle
fışırdamak to rustle; to fizz
fışırtı a rustling noise
fışkı dung, manure
fışkın shoot, sucker
fışkırmak to gush out, to squirt
fışkırtmak to spout, to spurt
fıtık hernia
fıttırmak to go off one's head, to flip
fıttırtmak to drive sb mad, to go to sb's head
fiberglas fibreglass
fidan sapling, shoot
fidanlık nursery
fide seedling
fidye ransom
figan wail, lamentation
figür figure
figüran walk-on, extra
fihrist index; catalogue, list
fiil act, action; *dilb.* verb, predicate
fikir idea, thought, opinion *fikir edinmek* to form an opinion about *fikir yürütmek* to put forward an idea *fikrinde olmak* to be of the opinion *fikrini almak* to ask sb's opinion *fikrini söylemek* to state one's opinion
fikstür fixture
fil elephant
filaman filament
filarmonik philharmonic

filatelist philatelist

fildişi ivory

file string bag; netting

fileto fillet

filika ship's boat

filinta carbine

Filipin Philippine *Filipin Adaları* Philippine Islands

Filipinli Filipino

Filistin Palestine

Filistinli Palestinian

filiz ore

filiz young shoot; bud, sprout

filizlenmek to sprout

film film *film yıldızı* film star *filme almak/çekmek* to film *filmini çekmek* to film; to x-ray

filmci film maker

filmcilik film industry

filo fleet

filoloji philology

filotilla flotilla

filozof philosopher

filtre filter

Fin Finn; Finnish

final *sp.* final *finale kalmak* to be left in the final *finale katılmak* to take part in the finals

finalist finalist

finans finance**finanse etmek** to finance

finansman financing

fincan cup

fingirdek coquettish, frivolous

fingirdemek to coquet, to flirt

Finlandiya Finland

Finli Finn

firar running away, flight *firar etmek* to run away, to flee

Firavun Pharaoh

fire loss, diminution *fire vermek* to suffer wastage, to diminish

firkete hairpin

firma firm

firuze turquoise

fiske flick, flip *fiske vurmak* to flick

fiskos whispering; gossip *fiskos*

etmek to whisper; to gossip

fistan dress

fistül *hek.* fistula

fiş card, slip; plug; counter, token

fişek cartridge

fit instigation, provocation *fit vermek* to instigate, to incite

fit quits *fit olmak* to be quits

fitçi provoker

fitil wick; *ask.* fuse; *hek.* suppository *fitil gibi sarhoş* blind drunk

fitlemek to incite, to instigate, to denounce

fitne instigation, mischiefmaking

fitneci mischiefmaker, instigator

fitnelemek to denounce, to inform

fitre alms

fiyaka showing-off, ostentation *fiyaka yapmak* to swank, to show off

fiyakacı swaggerer

fiyakalı showy, ostentatious

fiyasko fiasco, failure

fiyat price

fiyonk bow-tie

fiyort *coğ.* fiord

fizibilite feasibility

fizik physics; physique

fizikçi physicist

fiziki, fiziksel physical

fizyoloji physiology

fizyolojik physiological

fizyonomi physiognomy

fizyoterapi physiotherapy

flama signal flag, pennant

flamankuşu flamenco

flaş flash

floresan fluorescent, fluorescence

floş floss silk; flush

flört flirt *flört etmek* to flirt

flu blurred

flurya *hayb.* greenfinch

flüt flute

flütçü flutist

fobi phobia

fodul vain

fodulluk vanity

fok seal
fokurdamak to bubble noisily
fokurtu bubbling noise
fol nest egg
folklor folklore
folklorcu folklorist
folluk egg nest
folyo folio
fon fund; background
fondöten liquid make-up, foundation cream
fonetik phonetics; phonetic
fonksiyon function
fora Open!; Ünfurl!
form form
forma uniform; colours; sheet of 16 pages
formalite formality
formasyon formation
formika formica
formül formula
fors influence, power
forsa galley-slave, convict
forslu influential
forum forum
forvet *sp.* forward
fos false *fos çıkmak* to fizzle out
fosfat phosphate
fosfor phosphorus
fosforlu phosphorous, phosphoric
fosil fosil
fosilleşmek to fossilize
fosseptik septic tank
fosurdatmak to puff
foto photo
fotoğraf photograph *fotoğraf çekmek* to take a photograph *fotoğraf çektirmek* to have one's photo taken *fotoğraf makinesi* camera
fotoğrafçı photographer
fotoğrafçılık photography
fotojenik photogenic
fotokopi photocopy *fotokopi makinesi* photo-copier *fotokopi yapmak* to photocopy
fotomontaj photomontage

fotoroman photo-story
fotosentez *bitk.* photosynthesis
foya foil; fraud, eyewash *foyası meydana çıkmak* to give oneself away *foyasını meydana çıkarmak* to debunk
fötr felt *fötr şapka* felt hat
frak swallow-tailed coat
francala fine white bread
frank franc
Fransa France
Fransız Frenchman; French
Fransızca French
frekans frequency
fren brake *fren yapmak* to brake
frengi syphilis
frengili syphilitic
frenkinciri prickly pear
frenküzümü redcurrant
frenlemek to brake; to restrain, to hold back
fresk fresco
freze milling cutter
frigorifik refrigerated
frikik free kick
fuar fair
fuaye (theatre) foyer
fueloyl fuel-oil
fuhuş prostitution
fukara poor
fukaralık poverty
fular foulard
fulya jonquil
funda heath
fundalık shrubbery
furgon freight-car
furya glut, rush
futbol football *futbol sahası* football field *futbol sezonu* football season *futbol takımı* football team
futbolcu football player, footballer
fuzuli unnecessary
fücceten suddenly
fünye *ask.* primer
füsun charm, enchantment
füze missile, rocket

G

gabardin gabardine
gacır gucur creakily
gacırdamak to creak
gacırtı creak
gaddar cruel, pitiless
gaddarlık cruelty
gaf gaffe, blunder *gaf yapmak* to blunder
gafil inattentive, unwary *gafil avlamak* to catch unawares *gafil avlanmak* to be caught unawares
gaflet inattention, headlessness *gaflete düşmek* to be unaware, to be careless
gaga beak, bill
gaile worry, anxiety
gaileli worried
gailesiz carefree
gaip absent, invisible; the invisible world *gaipten haber vermek* to foretell the future
gaklamak to croak
gala gala, festivity
galaksi galaxy
galebe victory; supremacy *galebe çalmak* to overcome
galeri gallery
galeta hard biscuit, cracker; dried bread, rusk
galeyan excitement, rage, agitation *galeyana gelmek* to get worked up
galiba probably, I think (so); apparently, seemingly
galibiyet victory
galip winner, victor; victorious *galip gelmek* to win, to be victorious
galon gallon
galoş galosh
galvanizlemek to galvanize
galvanizli galvanized
gam care, worry, sadness
gam *müz.* scale
gama gamma *gama ışınları* gamma rays
gamet gamete
gamlı sad, gloomy
gammaz talebearer, informer
gammazlamak to inform, to tell on
gamsız untroubled, light hearted
gamze dimple
gangster gangster
gangsterlik gangsterism
gani abundant, plentiful
ganimet booty, loot
ganyan (horse) winner; winning ticket
gar railway station
garaj garage
garanti guarantee *garanti etmek* to guarantee
garantilemek to guarantee; to make sure, to cinch
garantili guaranteed
garantör guarantor
garaz, garez rancour, grudge *garaz bağlamak* to bear a grudge
gardırop wardrobe
gardiyan prison guard
gargara gargle *gargara yapmak* to gargle
gariban miserable
garip odd, queer, strange; needy, poor *garibine gitmek* to seem odd
gariplik strangeness; poverty
garipsemek to feel out of place; to find strange
gark drowning *gark etmek* to submerge, to drown; to overwhelm, to load with *-e gark olmak* to be submerged; to be overwhelmed (with)
garnitür garnish, trimmings
garnizon garrison
garp west
garson waiter

garsoniyer bachelor's flat

gasp usurpation *gasp etmek* to usurp, to extort

gastrit *hek.* gastritis

gâvur unbeliever, atheist

gayda bagpipe

gaye aim, goal, purpose

gayet extremely, quite

gayret effort, endeavour *gayret etmek* to exert oneself, to strive

gayretli persevering, zealous

gayrı henceforth, henceforward; any more, no more

gayri other than, besides *gayri ihtiyari* involuntary; involuntarily *gayri menkul* real estate *gayri meşru* illegal *gayri resmi* unofficial, informal *gayri safi* gross *gayri tabii* unnatural

gayzer geyser

gaz kerosene; *fiz.* gas *gaz bombası* gas bomb *gaz lambası* oil lamp *gaz maskesi* gas mask *gaz pedalı* accelerator *gaz sobası* gas stove *gaza basmak* (car) to step on the gas

gaza holy war

gazal *hayb.* gazelle

gazap wrath, fury

gazel *yaz.* lyric poem

gazete newspaper, paper

gazeteci journalist

gazetecilik journalism

gazi ghazi, war veteran

gazino musichall

gazlamak to gas; (car) to speed up; *arg.* to run away

gazlı gaseous

gazoz fizzy lemonade, pop

gazyağı kerosene

gebe pregnant *gebe kalmak* to fall pregnant

gebelik pregnancy *gebelik önleyici* contraceptive

gebermek to die, to peg out

gebertmek to kill, to croak

gece night *gece bekçisi* night watchman *gece gündüz* day and night *gece yarısı* midnight *gece yatısına kalmak* to stay the night

gececi night worker

gecekondu shanty, squatter's house

gecelemek to spend the night *geceleyin* at night

gecelik nightdress, nightie

gecikme delay

gecikmek to be late, to delay

geciktirmek to delay, to hold up

geç late *geç kalmak* to be late

geçen last *geçen gün* the other day

geçenlerde recently, lately

geçer current; valid; passing

geçerli current, valid

geçersiz invalid

geçici temporary; infectious

geçim living, livelihood, subsistence

geçimsiz difficult to get on with

geçimsizlik inability to get on with others, incompatibility

geçindirmek to support, to maintain

geçinmek to live on, to subsist; to get along/on well with others; to pretend to be *geçinip gitmek* to scrape along, to keep the pot boiling

geçirgen permeable

geçirmek to pass; (time) to spend; to undergo, to experience; (disease) to get over; (disease) to pass on, to infect; to cure; to see off (a person)

geçiş passing; transition *geçiş üstünlüğü* right of way

geçişli *dilb.* transitive

geçişsiz *dilb.* intransitive

geçiştirmek to avoid, to weather; to evade, to parry

geçit passage; mountain pass; parade *geçit resmi* parade

geçkin elderly; overripe

geçmek to pass; to expire, to lapse;

to surpass, to exceed; to be valid; to blow over; to happen, to take place; to skip, to omit; (disease) to be transmitted; to transfer *geçip gitmek* to go by *geçmek bilmemek* to drag on
geçmiş past
geçmişte in the past
gedik breach, gap
geğirmek to belch
geğirti belch
gelecek future; coming *gelecek zaman dilb.* future tense
gelecekte in the future
gelenek tradition
gelenekçi traditionalist
gelenekçilik traditionalism
geleneksel traditional
gelgelelim however, but
gelgit tides
gelin bride; daughter-in-law *gelin alayı* bridal procession
gelincik *bitk.* poppy; *hayb.* weasel
gelinlik wedding-dress; marriage-able
gelir income, revenue *gelir vergisi* income tax
gelişigüzel casual; casually
gelişim development, progress
gelişmek to develop, to progress
gelişmiş developed
geliştirmek to develop, to improve
gelmek to come; to seem, to appear; to cost *gelip geçici* passing, transient
gem bit *gemi azıya almak* to get out of control *-e gem vurmak* to restrain, to bridle
gemi ship, boat *gemiye binmek* to go on board *gemi mürettebatı* crew
gemici sailor
gemicilik navigation; seaman-ship
gencecik very young
genç young; young man
gençleşmek to become youthful
gençleştirmek to rejuvenate

gençlik youth *gençliğine doyamamak* to die young
gene, yine again; still, yet *gene de* all the same, yet
genel general *genel grev* general strike *genel kurul* general meeting *genel müdür* general director *genel olarak* in general, by and large *genel sekreter* secretary general
genelev brothel
genelge circular, notice
genelkurmay General Staff
genelleme generalization
genellemek to generalize
genellikle generally
general general
generallik generalship
genetik genetics; genetic
geniş broad, wide; spacious, vast *geniş fikirli* broad-minded *geniş ölçüde* on a large scale
genişlemek to broaden, to widen; to expand
genişletmek to widen, to enlarge; to expand
genişlik breadth, width
geniz nasal fossae *genizden konuşmak* to speak through the nose
genleşmek to expand
genlik amplitude
gensoru interpellation
geometri geometry
geometrik geometrical
gerçek true, real; truth, reality *gerçeği söylemek* to tell the truth
gerçekçi realist; realistic
gerçekçilik realism
gerçekdışı unreal
gerçekleşmek to come true, to be realized
gerçekleştirmek to realize
gerçeklik reality
gerçekte in reality
gerçekten in fact, indeed

gerçeküstü surrealist
gerçeküstücülük surrealism
gerçi although, though
gerdan neck, throat
gerdanlık necklace
gerdek nuptial chamber *gerdeğe girmek* to enter the nuptial chamber
gereç material, equipment
gereğince according to
gerek necessary, requisite; necessity
gerek whether ... or
gerekçe reason, justification
gerekirse if necessary
gerekli necessary
gereklik necessity
gerekmek to be necessary, to be needed
gereksinim, gereksinme need, necessity
gereksiz unnecessary *gereksiz yere* unnecessarily
gerektirmek to necessitate, to require, to involve
gergedan rhinoceros
gergef embroidery frame
gergin stretched, tight, tense
gerginleşmek to become tense
gerginlik tension, tightness
geri back; backward; (watch) slow *geri almak* to take back; to put back *geri çekmek* to draw back, to withdraw *geri çekilmek* to withdraw *geri çevirmek* to send back *geri dönmek* to return *geri gelmek* to come back *geri gitmek* to go back *geri göndermek* to send back *geri tepmek* to kick back, to recoil *geri vermek* to give back *geri zekâlı* mentally retarded
gerici reactionary
gericilik reaction
geride behind
gerilemek to draw back, to recede; to retrograde

gerilim tension, stress; voltage
gerilimli tense
gerilla guerilla
gerilmek to be stretched
gerinmek to stretch oneself
germek to stretch, to tense
getirmek to bring
gevelemek to chew; to mumble
geveze talkative, chatty; chatterbox, chatterer
gevezelik babbling, chattering *gevezelik etmek* to babble, to chatter
geviş chewing the cud *geviş getirmek* to chew the cud
gevrek crisp, brittle
gevremek to become brittle
gevşek loose, slack
gevşeklik looseness, slackness
gevşemek to become slack, to loosen; to relax, to slacken
gevşetmek to loosen, to slacken
geyik deer
geyşa geisha
gez back-sight
gezdirmek to take sb for a walk, to walk, to show around
gezegen planet
gezgin traveller
gezi excursion, trip
gezici itinerant, peripatetic
gezinmek to go for a walk, to stroll
gezinti walk, stroll
gezmek to go about, to walk about; to visit, to tour (round) *gezmeğe gitmek* to go for a walk
gıcık tickling sensation in the throat, tickle; *arg.* pain, nuisance
gıcır gıcır very clean; brand-new
gıcırdamak to creak, to squeak
gıcırdatmak to make creak
gıcırtı creak
gıda food, nourishment
gıdaklamak to cackle
gıdalı nutritious
gıdasız undernourished

gıdıklamak to tickle
gıdıklanmak to feel ticklish
gık dememek not to object
gına satiety, disgust *gına gelmek* to be sick (of), to be fed up (with)
gıpta envy *gıpta etmek* to envy
gırgır fun, teasing; carpet sweeper *gırgır geçmek* to make fun (of)
gırtlak windpipe, larynx, throat *gırtlağına kadar borç içinde olmak* to be in debt up to one's neck
gırtlaklamak to strangle
gıyaben in the absence of; by name
gıyabında in his absence
gıyap absence
gibi like *gibi gelmek* to seem, to appear
gider expense, expenditure
giderayak just before leaving
giderek gradually
gidermek to remove; to quench, to satisfy
gidiş going, departure *gidiş dönüş bileti* return ticket, *AE.* round-trip ticket
gidişat course of events, goings-on
girdap whirlpool, vortex
girdi input *girdisini çıktısını bilmek* to have sth at one's fingertips, to know what's what
girgin go-ahead, pushing, bold
girift complicated
girinti recess, indentation *girintili çıkıntılı* serrated, indented
giriş entering; entrance; introduction; *müz.* prelude
girişim enterprise
girişken enterprising, pushful
girişmek to attempt, to undertake
Girit *coğ.* Crete
girmek to go in, to enter *Girilmez!* No entrance!
gişe box office, ticket-office *gişe rekoru kırmak* to be a box-office success

gitar guitar
gitarist guitarist
gitgide gradually
gitmek to go; to suffice, to last
gittikçe gradually
giydirmek to dress, to clothe
giyecek clothing, dress, garment, clothes
giyim clothing, dress, attire *giyim kuşam* clothes, attire
giyinmek to dress oneself, to put on one's clothes *giyinip kuşanmak* to dress oneself up, to prink oneself up
giymek to put on, to wear
giyotin guillotine
giysi clothes, garments, dress
giz secret; mystery
gizem mystery
gizemli mysterious
gizlemek to hide, to secrete, to veil
gizlenmek to hide oneself, to be hidden
gizli secret, hidden *gizli ajan* secret agent *gizli kapaklı* very secret, suspicious *gizli oturum* secret session *gizli oy* secret vote *gizli tutmak* to keep secret
gizlice secretly
gizlilik secrecy
gladyatör gladiator
glikoz glucose
gliserin glycerine
gocuk sheepskin cloak
gocunmak to take offence
gofret chocolate water biscuit
gol goal *gol atmak* to score a goal
golf golf
Golfstrim *coğ.* Gulf Stream
gonca bud
gondol gondola
gonk gong
goril gorilla
gotik Gothic
göbek navel; belly; centre, heart *göbek atmak* to dance a belly-dance *göbek bağı* umbilical cord

göbek bağlamak to become paunchy *göbek dansı* belly-dance

göbeklenmek to become paunchy

göbekli paunchy, pot-bellied

göç emigration, immigration *göç etmek* to migrate, to emigrate, to immigrate

göçebe nomad; nomadic

göçebelik nomadism

göçer nomadic, migratory

göçmek to migrate; to fall down; to die

göçmen emigrant, immigrant; migratory

göçmenlik migration

göçük landslide, landslip

göğüs chest, breast, bosom *göğüs germek* to face, to stand up to *göğsü kabarmak* to swell with pride

göğüslük bib, apron, pinafore

gök sky *gök gürlemek* to thunder *gök gürültüsü* thunder *gök mavisi* sky blue *göklere çıkarmak* to exalt, to extol

gökada galaxy

gökbilim astronomy

gökbilimci astronomer

gökcismi celestial body

gökdelen skyscraper

gökkubbesi celestial vault

gökkuşağı rainbow

gökküresi celestial sphere

göktaşı meteor

gökyakut sapphire

gökyüzü sky, firmament

göl lake

gölcük pond

gölge shadow, shade *gölge etmek* to cast a shadow (upon)

gölgelemek to overshadow

gölgeli shadowy, shady

gölgelik shady spot

gömlek shirt

gömlekçi shirt-maker or seller

gömme burial; let-in, recessed, inset

gömmek to bury; to set in, to build in

gömü treasure

gömüt grave, tomb

gön leather

gönder flag-staff, pole

gönderen sender

gönderme sending; reference

göndermek to send; to transmit; to refer

gönlünce after one's heart

gönül heart, feelings; inclination, desire *gönül almak* to placate, to please *gönül bağlamak* to set one's heart on *gönül eğlencesi* toy of love *gönül eğlendirmek* to amuse oneself, to dally *gönül kırmak* to hurt the feelings *gönül vermek* to lose one's heart to, to fall for *gönlü olmak* to be willing; to be in love with *gönlünü almak* to placate, to make up to *gönlünü etmek* to prevail on, to coax *gönlünü kırmak* to hurt the feelings of

gönüllü volunteer; willing

gönülsüz unwilling

gönye square, setsquare

göre according to, as to

görecilik relativism

göreli relative

görelilik relativity

görenek custom, usage

göreneksel customary

görev duty, task; mission

görevlendirmek to charge, to entrust

görevli in charge (of)

görgü good manners *görgü kuralları* rules of good manners *görgü tanığı* eyewitness

görgülü having good manners

görgüsüz unmannerly, ill-bred

görgüsüzlük unmanneriness

görkem splendour, magnificence

görkemli splendid, magnificent

görmek to see; to notice, to recognize *göresi gelmek* to miss *görüp geçirmek* to go through, to experience

görmemezlik connivance *görmemezlikten gelmek* to pretend not to see, to cut, to ignore

görsel visual

görücü female go-between

görülmemiş unseen, unprecedented

görümce husband's sister, wife's sister-in-law

görünmek to show oneself, to be visible; to appear, to seem

görünmez invisible

görüntü image, picture

görünüm appearance; aspect

görünürde apparently

görünüş appearance; aspect

görünüşte apparently

görüş sight, view; viewpoint, opinion

görüşme talk, conversation, discussion; interview

görüşmek to talk; to have an interview, to confer with

gösterge indicator; sign

gösteri show; demonstration *gösteri yapmak* to demonstrate

gösterici demonstrator

gösterim (film) projection

gösteriş showing-off, ostentation *gösteriş yapmak* to splurge, to show off

gösterişçi ostentatious

gösterişli imposing, showy

gösterişsiz modest, simple

göstermek to show

göstermelik specimen, sample, showpiece

götürmek to take with, to take to; to take away, to carry off; to lead (to); to accompany

götürü in the lump, by the piece *götürü çalışmak* to do piecework *götürü iş* job work, piecework

gövde body, trunk *gövde gösterisi* show of strength

göz eye; drawer; cell; spring, source *göz açıp kapayıncaya kadar* in the twinkling of an eye *göz alıcı* striking, eye-catching *göz almak* to dazzle, to blind *göz aşinalığı* bowing acquaintance, knowing sb by sight *göz atmak* to glance at *göz aydına gitmek* to pay a visit of congratulation *göz banyosu* free show *göz boyamak* to hoodwink *göz dikmek* to long to possess, to covet *göz etmek* to wink at *göz göre göre* openly, publicly *göz kamaştırmak* to dazzle, to blind *göz kırpmadan* without batting an eyelid, pitilessly *göz kırpmak* to wink, to blink *göz koymak* to covet, to lust after *göz kulak olmak* to look after, to watch over *göz nuru* eye-straining work *göz önünde tutmak* to take into consideration *göz ucuyla bakmak* to look out of the corner of one's eye *göz yummak* to close one's eyes (to) *gözden çıkarmak* to sacrifice *gözden düşmek* to fail from favour *gözden geçirmek* to look over, to review *gözden kaçmak* to escape notice *gözden kaybolmak* to disappear *göze batmak* to be very inappropriate *göze çarpmak* to strike the eye *göze gelmek* to be coveted *gözleri fal taşı gibi açılmak* to be moon-eyed *gözleri yollarda kalmak* to have been waiting for a long time *gözü açık* shrewd *gözü doymak* to be quite satisfied *gözü gönlü açılmak* to be cheered up *gözü ısırmak* to seem to know sb *gözü ilişmek* to catch one's eye *gözü kalmak* to hanker after *gözü olmak* to have one's eyes on sth *gözü korkmak* to show the white feather *gözü pek* plucky, bold *gözü tutmak* to take a fancy to *gözünde tütmek* to long for *gözünden uyku akmak* to feel very sleepy *gözüne girmek* to find favour in sb's eyes, to win sb's favour *gözüne kestirmek* to feel oneself capable of *gözünü boyamak* to throw dust in sb's eyes *gözünü dikmek* to stare fixedly *gözünü dört açmak* to keep one's eyes skinned *gözünü kan bürümek* to see red *gözünü korkutmak* to intimidate, to daunt *gözünün içine bakmak* to fuss over sb, to cherish dearly *gözünün yaşına bakmamak* to have no pity (on) *gözüyle bakmak* to regard as, to consider

gözaltı custody, surveillance *gözaltına almak* to take into custody

gözbağı magic, spell

gözbebeği pupil; the apple of one's eye

gözcü watchman

gözdağı intimidation, threat *gözdağı vermek* to intimidate, to threaten

gözde in favour, favourite

göze cell

gözenek pore

gözetim custody, care

gözetleme observation

gözetlemek to watch secretly, to observe

gözetmek to take care, to protect

gözkapağı eyelid

gözlem observation

gözlemci observer

gözlemek to watch (for), to wait (for)

gözlemevi observatory

gözlük spectacles, glasses *gözlük takmak* to wear glasses

gözlükçü optician

göztaşı copper sulfate, bluestone

gözükmek to show oneself, to become visible

gözyaşı tear *gözyaşı dökmek* to shed tears, to weep

grafik graph; graphics

grafit graphite

gram gram

gramer grammar

gramofon gramophone

granit granite

granül granule

gravür engraving

gravyer Gruyere cheese

Grek Greek

Grekçe Greek

grekoromen Greco-Roman *grekoromen güreş* Greco-Roman wrestling

gres lubricating grease

grev strike *grev yapmak* to go on strike, to be on strike

grevci striker

grey(p)frut grapefruit

greyder grader

gri grey

grip influenza, flu *grip olmak* to have influenza

grizu firedamp

gros gross

grosa *tic.* gross, 12 dozen

grotesk grotesque

grup group

gruplaşmak to group

guatr goitre

gudde gland

gudubet ugly, hideous

guguk cuckoo

gulden gulden

gurbet absence from one's home; foreign land

gurbetçi one who lives away from home

gurbette away from home

guruldamak to rumble

gurultu rumbling noise

gurup sunset, sundown
gurur pride *gurur duymak* to feel proud of
gururlanmak to be proud of
gururlu proud
gusül ritual ablution
gut *hek.* gout
guvaş gouache
gübre dung, manure
gübrelemek to manure, to dung
gücendirmek to offend, to hurt
gücenmek to be offended, to be hurt
güç difficult, hard
güç strength, force; power *gücüne gitmek* to offend sb's feelings *gücü yetmek* to afford
güçlendirmek to strengthen, to fortify
güçlenmek to be strengthened, to grow stronger
güçlü strong, powerful
güçlük difficulty, trouble *güçlük çekmek* to have difficulty in *güçlük çıkarmak* to make difficulties
güçlükle with great difficulty, hardly
güçsüz weak, feeble
güderi chamois (leather)
güdü *ruhb.* motive, drive
güdük tailless; incomplete, deficient *güdük kalmak* to be stunted
güdüm driving, management
güdümlü controlled, guided *güdümlü mermi* guided missile
güfte words, lyrics
güğüm copper jug with a handle
gül rose *gül gibi* swimmingly *gül gibi geçinmek* to get along quite well
güldürmek to make laugh
güldürü comedy
güle güle goodbye! bye-bye!
güleç smiling, merry
güler yüzlü cheerful, friendly

gülle cannon ball, shell; *sp.* shot, weight *gülle atmak sp.* to put the shot
gülmece humour
gülmek to laugh *gülmekten katılmak/kırılmak* to split one's sides, to be doubled up with laughter *gülmekten kırmak* to make sb split his sides
gülsuyu rose water
gülücük smile, chuckle
gülümseme smile
gülümsemek to smile
gülünç funny, ridiculous
gülüşmek to laugh together
güm bang! boom! *güm güm atmak* (heart) to throb, to beat violently *güme gitmek* to perish in a confusion; to die in vain
gümbürdemek to boom, to roar
gümbürtü booming, roar
gümeç honeycomb
gümlemek to bang, to boom; (examination) to fail
gümrük customs; tariff, duty *gümrük beyannamesi* customs declaration *gümrük dairesi* customs house *gümrük kontrolü* customs control *gümrük komisyoncusu* customs broker *gümrük vergisi* customs duty *gümrüğe tâbi* dutiable *gümrükçü* customs officer
gümrüksüz duty-free
gümüş silver *gümüş kaplama* silver plating; silver-plated
gümüşbalığı silversides, atherine
gün day; time, period; lady's at-home day *gün ağarmak* (day) to dawn *gün aşırı* every other day *gün batışı* sunset *gün doğmak* (sun, morning) to rise, to dawn *gün görmek* to live happily *gün ışığı* daylight *gün ışığına çıkarmak* to bring to light *günlerce* day after day, for days *günlerden bir gün* once upon a time *günden güne* from day to day,

gradually *günü geçmiş* (bill) overdue *günü gelmek* (bill) to fall due *günü gününe* punctually *günün birinde* one day, some day *gününü gün etmek* to enjoy oneself

günah sin *günah çıkartmak* to confess *günaha girmek* to sin *günaha sokmak* to tempt *günahına girmek* to accuse wrongly *günah işlemek* to commit a sin

günahkâr sinner; sinful

günahsız sinless, innocent

Günaydın! Good morning!

günbegün from day to day

günberi perihelion

güncel actual, current

güncellik actuality

günçiçeği sunflower

gündelik daily; daily wages *gündelikle çalışmak* to work by the day

gündelikçi day-labourer

gündem agenda

gündöndü sunflower

gündönümü solstice

gündüz daytime

gündüzleri, gündüzün in the daytime

gündüzlü day student

gündüzsefası convolvulus, bindweed

günebakan sunflower

güneş sun, sunshine *güneş banyosu* sun bath *güneş çarpmak* to get/have sunstroke *güneş çarpması* sunstroke *güneş görmek* (a place) to be light and sunny *güneş gözlüğü* shades, sunglasses *güneş ışığı* sunlight, sunshine *güneş ışını* sunbeam, sun ray *güneş sistemi* solar system *güneş tutulması* solar eclipse *güneş yanığı* sunburn, tan *güneşte* in the sun *güneşte yanmak* to be sunburnt

güneşlenmek to sun oneself, to sunbathe

güneşli sunny

güneşlik sunshade; sunny place; sun-hat

güney south; southern **güney kutbu** South Pole

güneybatı southwest; southwestern

güneydoğu southeast; southeastern

güneyli Southerner

günlük daily; diary *günlük güneşlik* sunny

günöte aphelion

günübirlik a day visit *günübirliğine gitmek* to make a day visit

güpegündüz in broad daylight

gür abundant, dense, thick

gürbüz robust, sturdy

gürbüzlük sturdiness

Gürcü Georgian

güreş wrestling

güreşçi wrestler

güreşmek to wrestle

gürgen hornbeam

gürlemek to thunder, to roar

gürlük abundance, luxuriance

gürül gürül akmak to flow with a gurgling sound

gürüldemek to burble; to thunder

gürültü noise *gürültü çıkarmak* to kick up a row *gürültü yapmak* to make a noise

gürültücü noisy

gürültülü noisy

gürültüsüz noiseless, quiet

gürültüsüzce noiselessly

gürz iron club, mace

gütmek to drive, to pursue; to nourish, to nurse

güve moth

güveç casserole

güven confidence, trust *güveni olmak* to have confidence in

güvence guarantee

güvenç trust

güvenilir reliable

güvenli safe
güvenlik security
güvenmek to rely on, to trust in
güvenoyu vote of confidence
güvensiz distrustful
güvensizlik distrust
güvercin pigeon
güverte deck
güvey, güveyi bridegroom; son-in-law
güya as if, as though
güz autumn, fall
güzel pretty, beautiful, nice *güzel güzel* calmly, meekly *güzel sanatlar* fine arts
güzelavratotu belladonna
güzelleşmek to become beautiful, to grow handsomer
güzelleştirmek to beautify
güzellik beauty *güzellik enstitüsü* beauty parlour
güzellikle gently, softly
güzergâh route
güzide distinguished, select
güzün in autumn

H

ha I see! Oh yes!; What!; either ... or *ha babam* all the time, continuously *ha bire* continuously *ha bugün ha yarın* soon, in a short time *Ha şöyle.* That's better.
habbe grain, seed, kernel
haber news, information, message *haber ajansı* news agency *haber alma* intelligence *haber almak* to receive information *haber göndermek* to send a message *haber toplamak* to gather news *haber vermek* to inform, to report, to tell *haberini almak* to hear, to learn
haberci messenger, forerunner

haberdar informed *haberdar etmek* to inform sb of sth
haberleşme communication
haberleşmek to communicate
haberli informed, knowing, having knowledge about
habersiz uninformed; not knowing; without warning
habis wicked, evil; malignant
hac pilgrimage (to Mecca) *hacca gitmek* to go on a pilgrimage to Mecca
hacet need, necessity *hacet yok* there is no need
hacı pilgrim, hadji
hacıyatmaz tumbler
hacim volume
haciz sequestration, seizure
hacizli distrained
haczetmek to distrain
haç cross *haça germek* to crucify
Haçlılar the Crusaders
had limit, boundary *haddini aşmak* to go too far *haddini bildirmek* to put sb in his place *haddini bilmek* to know one's place *haddini bilmez* presumptuous *haddinden fazla* excessive; excessively *haddi zatında* in itself, essentially
hadde rolling mill
hademe servant, janitor
hadım eunuch *hadım etmek* to castrate
hadise event, incident *hadise çıkarmak* to provoke an incident
haf *sp.* half-back
hafıza memory
hafif light, slight; easy *hafife almak* to make light of
hafifçe lightly
hafifleşmek to become lightly
hafifletici extenuating
hafifletmek to lighten
hafiflik lightness, slightness
hafifmeşrep frivolous, loose
hafifsemek to make light of

hafifsıklet light-weight
hafiye detective
hafriyat excavation(s)
hafta week *haftalarca* for weeks *haftaya* next week *hafta sonu* weekend
haftalık weekly; weekly wages *haftalık almak* to be paid by the week
haftaym half-time
hain traitor; ungrateful
hainlik treachery
haiz possessing, containing
hak engraving
Hak God *Hakkın rahmetine kavuşmak* to die
hak right *hak etmek* to deserve *hak sahibi* holder of a right *hak vermek* to acknowledge to be right *hak yemek* to be unjust *hakkından gelmek* to get the better of *hakkını vermek* to give sb his due
hakan khan, sultan
hakaret insult *hakaret etmek* to insult *hakarete uğramak* to be insulted
hakça justly, rightly
hakem referee, (tennis) umpire
haki khaki
hakikat truth, reality
hakikaten really, actually
hakikatli faithful
hakiki true, real; genuine
hâkim dominating, ruling; overlooking *hâkim olmak* to dominate; to overlook
hâkim judge
hâkimiyet sovereignty
hakir despicable, mean *hakir görmek* to despise
hakkaniyet justice, equity
hakkaniyetli just, equitable
hakkaniyetsiz unjust
hakketmek to engrave
hakkında about, on
hakkıyla properly, duly

haklamak to beat, to defeat; to kill
haklı right *haklı çıkarmak* to justify *haklı çıkmak* to be justified
haksever just, fair
haksız unjust, unfair *haksız çıkarmak* to put sb in the wrong *haksız çıkmak* to turn out to be in the wrong
haksızlık injustice, unfairness *haksızlık etmek* to act unjustly
haktanır just, equitable
hal condition, state, circumstance, situation; strength, energy *hal hatır sormak* to inquire after sb's health *halden anlamak* to be understanding *hali kalmamak* to have no strength left *hali vakti yerinde* well off
hal market-place
hala aunt
hâlâ still, yet
halat rope
halayık female servant
halazade cousin
halbuki whereas
hale halo; *anat.* areola
halef successor
halel injury, harm **halel gelmek** to be injured
halen at present
halhal bangle, anklet
halı carpet, rug
haliç estuary, bay
Haliç the Golden Horn
halife caliph
halifelik caliphate
halihazır the present time
halihazırda at present
halim gentle, mild
halis pure, genuine
haliyle naturally, consequently
halk people *halk edebiyatı* folk literature *halk kütüphanesi* public library *halk müziği* folk music *halk ozanı* folk poet *halk türküsü* folk song
halka ring, hoop; circle

halkbilim folklore
halkbilimci folklorist
halkçı populist, democrat
halkoylaması referendum
halkoyu people's vote
hallaç (wool or cotton) carder *hallaç pamuğu gibi atmak* to scatter about
halletmek to solve, to settle
halsiz exhausted, weary
halsizlik weakness
halt improper act, blunder *halt karıştırmak/yemek* to make a great blunder
halter *sp.* weight lifting; dumbbell, barbell
halterci weight lifter
ham crude, raw; unripe, green *ham petrol* crude oil
ham hum etmek to hum and haw
hamak hammock
hamal porter, carrier
hamaliye porterage
hamam (Turkish) bath; bathroom *hamam gibi* very hot
hamamböceği cockroach
hamarat hardworking, diligent
hamburger hamburger
hami protector
hamil bearer *hamiline yazılı* (pay) to bearer
hamile pregnant *hamile kalmak* to become pregnant
hamilelik pregnancy
haminne granny
hamiyet public spirit, patriotism
hamiyetli public-spirited
hamla(ş)mak to get out of condition
hamlaç blowpipe
hamle attack, rush; (chess) move, turn *hamle yapmak* to make an attack, to dash
hamlık crudeness; unripeness, greenness
hammadde raw material
hamsi anchovy

hamt giving praise to God *hamt etmek* to praise God *hamt olsun* thank God!; thank Allah
hamule cargo
hamur dough, paste; half-baked *hamur açmak* to roll out dough *hamur işi* pastry *hamur yoğurmak* to knead dough
han inn; large commercial building
han khan
hançer dagger
hançere larynx
handikap handicap
hane house, building; *mat.* column
hanedan dynasty
hanedanlık nobility
hangar hangar
hangi which, what
hangisi Which one
hanım woman, lady; wife *hanım evladı* milksop, mollycoddle
hanımefendi lady, madam
hanımeli honeysuckle
hani where?
hantal clumsy, awkward
hap pill *hapı yutmak* to be in the soup
hapis imprisonment; prison *hapse atmak* to put in jail
hapishane prison *hapishaneyi boylamak* to end up in jail
hapsetmek to put in prison
hapşırmak to sneeze
Hapşu! Atishoo! Atchoo!
harabe ruin
haraç tribute *haraç yemek* to sponge on sb *haraca bağlamak* to lay sb under tribute
haraççı extortionist, racketeer
harakiri harakiri
haram forbidden by religion; unlawful *haram etmek* to forbid the use/enjoyment of
harap ruined *harap etmek* to ruin, to destroy *harap olmak* to fall into ruin
hararet heat, warmth; thirst *ha-*

raret basmak to feel thirsty

hararetli ardent, fervent; vehement, heated

harbi ramrod; straight, trustworthy, outspoken

harcama expenditure

harcamak to spend; to expend, to use; to sacrifice

harcırah travelling allowance

harç expenditure; charge, cost; mortar, plaster

harçlık pocket-money

hardal mustard

harekât operation(s)

hareket movement; action, behaviour; departure *hareket etmek* to move; to act, to behave; to depart, to leave *harekete geçmek* to start action

hareketlendirmek to put into motion

hareketli active, lively

hareketsiz motionless, inactive

harem harem

harf letter

harfiyen word for word

harıl harıl continuously, assiduously *harıl harıl çalışmak* to work hard

haricen externally

harici external

hariciye external diseases

hariciyeci specialist in external diseases; diplomat

hariç except; exterior, outside

harika marvellous, wonderful; wonder, miracle

harikulade marvellous, wonderful

haris ambitious, greedy

harita map

harlamak to flare up

harman harvest; blend, mixture *harman dövmek* to thresh *harman makinesi* threshing machine

harmanlamak to blend

harp war; *müz.* harp

has peculiar to; pure

hasar damage *hasara uğramak* to suffer damage

hasat harvest *hasat etmek* to reap

hasbıhal chitchat *hasbıhal etmek* to have a friendly chat, to chat

haset jealousy, envy *haset etmek* to envy *hasetten çatlamak* to be consumed with jealousy

hasıl resulting, produced *hasıl olmak* to result; to be obtained

hasılat returns, revenue; products

hasım opponent; enemy

hasımlık antagonism; enmity

hasır rush mat, matting

hasis stingy, mean

hasislik stinginess, meanness

haslet virtue, merit

hasret longing, homesickness *hasret çekmek* to long for, to yearn for

hasretlik separation, nostalgia

hasretmek to devote, to dedicate

hassa property, quality

hassas sensitive

hassasiyet sensitivity

hasta sick, ill; patient *hasta etmek* to make ill *hasta olmak* to become ill, to get sick *-ın hastası olmak* to be a fan of sth

hastabakıcı nurse

hastabakıcılık nursing

hastalanmak to become ill

hastalık disease; sickness; passion, addiction

hastalıklı diseased, morbid

hastane hospital *hastaneye kaldırmak* to take to hospital *hastaneye yatırmak* to hospitalize

haşa God forbid!

haşarat insects

haşarı naughty, mischievous

haşat *arg.* very bad, worn out

haşere insect

haşhaş poppy

haşin harsh, rude

haşinlik harshness

haşiye footnote
haşlama boiled
haşlamak to boil; to scold, to reprimand
haşmet majesty
haşmetli majestic
hat line; handwriting, calligraphy
hata fault, error, mistake *hata etmek* to make a mistake
hatalı erroneous, faulty, wrong
hatır hutur yemek to crunch, to munch
hatır memory, mind; consideration, influence; one's feelings, heart *hatır senedi* accommodation bill *hatıra gelmek* to come to mind *hatırda kalmak* to be remembered *hatırda tutmak* to bear in mind *hatırı için* for the sake of *hatırı sayılır* remarkable, considerable; respected *hatırı sayılmak* to have influence *hatırım için* for my sake *hatırına gelmek* to occur to one *hatırına getirmek* to remind sb of sth *hatırından çıkmak* to pass out of one's mind *hatırını kırmak* to hurt the feelings of *hatırını sormak* to inquire after sb's health
hatıra memory, reminiscence; souvenir *hatıra defteri* diary
hatırlamak to remember, to recall, to recollect
hatırlatmak to remind
hatırşinas obliging, considerate
hatim reading the Koran from beginning to end *hatim indirmek* to finish the reading of the whole Koran
hatip orator
hatmetmek to read from beginning to end
hatta even, in fact
hattat calligrapher
hattatlık calligraphy
hatun woman
hav nap, pile

hava weather; air, atmosphere; climate; tune, air *hava akımı* draught *hava akını* air raid *hava almak* to go for a walk in the fresh air; *arg.* to get nothing, to draw a blank *hava atmak* to show off, to cut a dash *hava basıncı* atmospheric pressure *hava boşluğu* atmospheric vacuum *hava geçmez* airtight *hava kabarcığı* bubble *hava kirlenmesi* air pollution *hava koridoru* air corridor *hava kuvvetleri* air forces *hava otobüsü* airbus *hava raporu* weather report *hava üssü* air base *hava yolları* airlines *havaya uçurmak* to blow up
havaalanı airfield
havacı aviator
havacılık aviation
havadan for nothing, out of the blue
havadar airy
havadis news
havagazı coal gas
havai aerial; flighty, frivolous
havalandırmak to air
havalanmak to take off, to fly; to be aired
havale transfer; assignment; money order; *hek.* eclampsia *havale etmek* to transfer; to assign; to refer *havale göndermek* to send a money order
havaleli bulky, top-heavy, cumbersome
havalı airy; attractive, ostentatious; pneumatic
havali neighbourhood
havalimanı airport
havan mortar *havan topu* howitzer
havari apostle
havasız airless, stuffy
havlamak to hark
havlu towel
havra synagogue

havsala comprehension; pelvis *havsalası almamak* to be unable to comprehend

havuç carrot

havuz pond, pool

Havva Eve

havyar caviar

havza *coğ.* river-basin

haya shame, modesty

haya testicle

hayal image; fancy, imagination; phantom, spectre *hayal kurmak* to dream *hayal kırıklığı* disappointment, letdown *hayal kırıklığına uğramak* to be disappointed *hayal kırıklığına uğratmak* to disappoint *hayale dalmak* to fall into a reverie *hayal meyal* faint, indistinct

hayalci daydreamer

hayalet ghost

hayali imaginary

hayalperest dreamer

hayasız shameless

hayat life *hayata atılmak* to begin to work *hayatını kazanmak* to earn one's living *hayat memat meselesi* a matter of life and death *hayat kadını* prostitute

hayati vital

haydi, hadi come on! *Haydi bakalım!* Come on then! *Haydi ordan!* Be off!, Clear out!

haydut bandit, robber, highwayman

Hayhay! All right! Certainly! With pleasure!

hayıflanmak to bemoan, to lament

hayır goodness; benefaction, charity *hayır işlemek* to do good *hayır sahibi* benefactor, donor *hayra alamet değil* it augurs no good *hayra yormak* to interpret favourably *hayrını görmek* to enjoy the advantage of

hayır no

hayırdua blessing

hayırlı auspicious, blessed *hayırlısı olsun* let's hope for the best *Hayırlı yolculuklar!* Bon voyage! Have a good trip!

hayırsever benevolent, charitable

hayırsız useless, good-for-nothing; unfaithful

haykırış shouting, cry

haykırmak to cry out, to shout

haylaz lazy, idle

haylazlık idleness

hayli a good deal (of); fairly, pretty

hayran admirer, lover, fan *hayran bırakmak* to strike with admiration *hayran olmak* to admire

hayranlık admiration

hayranlıkla with admiration

hayrat pious foundations

hayret astonishment, amazement *hayret etmek* to be astonished

Hayrola! What's the matter?

haysiyet dignity, honour

haysiyetli dignified, honourable

haysiyetsiz undignified, dishonourable

haysiyetsizlik dishonour

hayvan animal *hayvanat bahçesi* zoo

hayvanbilim zoology

hayvansal animal

haz pleasure, delight *haz duymak* to feel pleasure

hazan autumn

Hazar Denizi Caspian Sea

hazım digestion

hazımsızlık indigestion

hazır ready *hazır bulunmak* to be present *hazır etmek* to get ready *Hazır ol!* Attention! *hazır olmak* to prepare oneself; to be prepared; to be present (at) *hazır para* ready money, cash

hazırcevap quick-witted, witty

hazırlamak to prepare

hazırlanmak to prepare, to get ready; to be prepared

hazırlık preparation *hazırlık yap-*

mak to make preparations
hazırlıklı prepared
hazırlıksız unprepared
hazırlop hard-boiled
hazin sad, pathetic
hazine treasure; treasury
haziran June
hazmetmek to digest
hazne storehouse; (gun) chamber
heba waste, loss *heba etmek* to waste, to spoil *heba olmak* to be wasted
hece syllable
hecelemek to syllable
hedef target
hediye present, gift *hediye etmek* to give as a gift
hekim physician, doctor
hekimlik medical science, medicine
hektar hectare
hektolitre hectolitre
hektometre hectometre
hela water-closet, toilet
helak destruction *helak etmek* to destroy, to kill *helak olmak* to perish
helal lawful, legitimate *helal etmek* to give up sth to sb
hele especially, above all
helezon spiral
helezoni spiral
helikopter helicopter
helva halvah, halva
helyum *kim.* helium
hem and also; both ... and
hemen at once, immediately *hemen hemen* nearly, almost
hemencecik right away
hemfikir like-minded
hemoglobin hemoglobin
hemoroit hemorrhoid, piles
hemşeri fellow countryman, townsman
hemşerilik citizenship
hemşire nurse
hemzemin geçit level crossing
hendek ditch, trench

hengâme uproar, confusion
hentbol handball
henüz yet, still, just
hep all, whole; always *hep beraber* all together
hepsi all of it; all of them
hepten entirely, completely
her even, each *her an* (at) any moment *her günkü* everyday *her halde* in any case *her kim* whoever *her nasılsa* somehow *her ne* whatever *her nedense* for some reason or other *her ne kadar* although *her ne pahasına olursa olsun* at all costs *her nerede/nereye* wherever *her neyse* anyway, anyhow *her ne zaman* whenever *her şey* everything *her tarafta* everywhere *her taraftan* from everywhere *her yerde/yere* everywhere *her yerinde* all over *her zaman* always
hercai fickle, capricious
hercaimenekşe pansy
hergele scoundrel, rake
herhalde probably
herhangi whoever, whatever, whichever
herif fellow, guy, bloke
herifçioğlu fellow, guy
herkes everybody, everyone
hesap calculation; bill; account *hesabı kapamak* to close the account *hesabına gelmek* to suit *hesap açmak* to open an account *hesap cetveli* slide rule *hesap cüzdanı* bank book, passbook *hesap defteri* account book *hesap etmek* to calculate *hesap görmek* to pay the bill, to settle accounts *hesap pusulası* bill *hesap sormak* to call to account *hesap vermek* to account for
hesaplamak to calculate
hesaplaşmak to settle accounts mutually

hesaplı economical

hesapsız countless, innumerable; unplanned

heterojen heterogeneous

heves desire, inclination *heves etmek* to have a fancy for

hevesli desirous, keen

hey! Look here!

heybe saddle-bag

heybet majesty, grandeur

heybetli majestic, grand

heyecan excitement

heyecanlandırmak to excite

heyecanlanmak to get excited

heyecanlı exciting; excited

heyecansız unexciting; unexcited

heyelan landslide

heyet commission, committee; board

heykel statue

heykeltıraş sculptor

heykeltıraşlık sculpture

hezimet rout *hezimete uğramak* to be completely defeated *hezimete uğratmak* to rout

hıçkırık hiccup, hiccough *hıçkırık tutmak* to have the hiccups

hıçkırmak to hiccup; to sob

hıfzısıhha hygiene

hık mık etmek to hum and haw

hımbıl slothful, slack, bone-lazy

hınç rancour, hatred *hıncını almak* to revenge

hınzır swine

hınzırlık dirty trick

hır row, quarrel *hır çıkarmak* to kick up a row, to start a quarrel

hırçın ill-tempered, peevish, cross

hırçınlaşmak to become cross

hırçınlık bad temper, peevishness

hırdavat hardware

hırgür squabble

hırıldamak to snarl

hırıltı growl, snarling

hırızma nose-ring

Hıristiyan Christian

Hıristiyanlık Christianity

hırka cardigan

hırlamak to snarl, to growl

hırpalamak to maltreat, to maul, to manhandle

hırpani ragged, tattered

hırs ambition, greed; anger, rage *hırsını alamamak* to be unable to vent one's anger *hırsından çatlamak* to be ready to burst with anger *hırsını -dan almak* to wreak one's wrath on sb

hırsız thief, burglar, robber

hırsızlık theft, burglary *hırsızlık etmek* to steal, to burgle

hırslanmak to get angry

hırslı ambitious, avaricious; angry, furious

hısım relative, kin *hısım akraba* kith and kin

hısımlık relationship, kinship

hışım anger, fury

hışırdamak to rustle

hışırtı rustling

hıyanet treachery, treason

hıyar cucumber; duffer, blockhead, dolt

hız speed *hız göstergesi* speedometer *hızını alamamak* to be unable to slow down

hızar large saw

hızlandırmak to accelerate

hızlı quick, fast, rapid; rapidly, speedily, fast

hibe donation *hibe etmek* to donate

hiciv satire

hicvetmek to satirize

hicviye satirical poem

hiç no, none; not at all; ever; never; nothing *hiç değilse* at least *hiçe saymak* to disregard *hiç kimse* nobody, no one *hiç olmazsa* at least *hiç yoktan* for no reason

hiçbir no *hiçbiri* none *hiçbir şekilde* in no way *hiçbir şey* nothing *hiçbir yerde/yere* nowhere *hiçbir*

zaman never
hiççilik nihilism
hiddet anger, rage
hiddetlenmek to become angry
hiddetli angry
hidrat hydrate
hidrodinamik   hydrodynamics;
   hydrodynamic
hidroelektrik hydroelectric
hidrofil hydrophilic; absorbent
hidrofor air pressure tank
hidrograf hydrographer
hidrografi hydrography
hidrojen hydrogen *hidrojen bom-*
   bası hydrogen bomb
hidrokarbon hydrocarbon
hidroklorik asit hydrochloric acid
hidroksil hydroxyl
hidrolik hydraulic; hydraulics
hidroloji hydrology
hidrosfer hydrosphere
hidrostat hydrostat
hidroterapi *hek.* hydrotherapy
hikâye story, tale
hikâyeci short story writer
hikmet wisdom; hidden cause,
   reason
hilafet Caliphate
hilal crescent
hile trick, ruse, shift *hile yapmak*
   to swindle *-e hile karıştırmak* to
   rig
hileci deceitful, tricky
hileli tricky, crooked, false
hilesiz genuine, pure
hilkat creation *hilkat garibesi* freak
himaye protection *himaye etmek*
   to protect *himayesine almak* to
   patronize
himayesiz unprotected
hindi turkey
hindiba chicory
Hindistan India
hindistancevizi coconut
Hindistanlı Indian
Hint Okyanusu Indian Ocean
hintfıstığı physic nut

hintkamışı bamboo
hintkeneviri (Indian) hemp
hintyağı castor oil
hipermetrop hypermetropic, far-
   sighted
hipertansiyon hypertension
hipnotizma hypnotism
hipodrom hippodrome
hipofiz *anat.* hypophysis
hipotenüs hypotenuse
hipotez hypothesis
hippi hippie, hippy
his feeling, sensation; sense *his-*
   lerine kapılmak to be carried
   away by one's feelings
hisar castle, fort
hisli sensitive
hisse share **hisse senedi** share,
   stock share
hissedar shareholder
hisseli divided into shares
hissetmek to feel
hissi sentimental
hissiz insensitive, unfeeling
histoloji histology
hişt! Psst! Look here!
hitabe address, speech
hitaben addressing
hitap addressing *hitap etmek* to
   address
Hitit Hittite
hiyerarşi hierarchy
hiyerarşik hierarchical
hiza level, line *hizaya gelmek* to
   get into line
hizip clique
hizipçilik cliquishness
hizmet service *hizmet etmek* to
   serve
hizmetçi servant
hizmetkâr servant
hoca hodja; teacher
hodbin selfish
hohlamak to breathe (upon)
hokey hockey
hokka inkpot
hokkabaz juggler, conjurer

hokkabazlık jugglery, trickery
hol hall, vestibule
holding *tic.* holding company
Hollanda Holland, the Netherlands
Hollandaca Dutch
Hollandalı Dutchman, Hollander
homojen homogeneous
homolog homologous
homoseksüel homosexual
homoseksüellik homosexuality
homurdanmak to grumble, to grouch
homurtu grumbling, muttering
hoparlör loudspeaker
hoplamak to leap, to hop
hoppa flighty, frivolous
hoppalık flightiness, frivolity
hor contemptible, vile *hor görmek* to look down upon, to despise *hor kullanmak* to misuse
horlamak to ill-treat, to despise
horlamak to snore
hormon hormone
horoz cock, rooster *horoz döğüşü* cockfight
horozlanmak to strut about, to bluster
hortlak ghost
hortlamak to rise from the grave; to arise again
hortum hose; whirlwind; trunk
horuldamak to snore
horultu snore, snoring
hostes stewardess, air hostess
hoş pleasant, nice *Hoş geldiniz!* Welcome! *hoş görmek* to tolerate, to allow *hoş görmemek* to disapprove *hoş karşılamak* to approve, to connive *hoşa gitmek* to be liked *hoşuna gitmek* to appeal (to sb), to relish, to please *Hoşça kalın!* Goodbye!
hoşaf stewed fruit, compote *hoşaf gibi* exhausted
hoşbeş chat
hoşgörü tolerance
hoşgörülü tolerant

hoşgörülülük tolerance
hoşgörüsüz intolerant
hoşgörüsüzlük intolerance
hoşlanmak to enjoy, to like
hoşlanmamak to dislike
hoşnut contented, pleased
hoşnutluk contentment
hoşnutsuz discontented
hoşnutsuzluk discontent
hoşsohbet conversationalist, good company
hovarda gadabout, debauchee, libertine; spendthrift, prodigal
hovardalık debauchery, profligacy *hovardalık etmek* to go to town
hoyrat rough, coarse
hödük boor, bumpkin, hick
höpürdetmek to slurp
hörgüç hump
hörgüçlü humped
höyük mound, tumulus
hububat grain, cereals
hudut border, boundary; limit
hudutsuz boundless, unlimited
hukuk law *Hukuk Fakültesi* the Law Faculty *hukuk müşaviri* legal adviser
hukukçu jurist
hukuki legal
hulasa summary; extract; in short
hulya daydream, fancy
humma fever
hummalı feverish
humus humus
hunhar bloodthirsty
huni funnel
hurafe superstition
hurda scrap, junk *hurda demir* scrap iron *hurda fiyatına* for its scrap value *hurdaya çıkarmak* to scrap, to junk
hurdacı scrap dealer, junkman
huri houri
hurma date
hurufat type
husul occuring, taking place **husule gelmek** to come into existence,

to occur **husule getirmek** to bring about, to produce

husumet hostility

husus matter, subject; point, respect

hususi special, private, personal

hususiyet particularity, peculiarity

husye testicle

huşu deep reverence, awe

huy temper, temperament; habit **huy edinmek** to form the habit of

huylanmak to feel suspicious; to become touchy

huysuz bad tempered, cross, peevish

huysuzlanmak to fret, to become bad-tempered

huysuzluk bad temper, snappishness

huzur peace, comfort

huzurevi old age asylum

huzurlu at ease, in peace

huzursuz uneasy, unquiet

huzursuzluk unease, unrest

hücre cell

hücum attack, assault **hücum etmek** to attack, to assail

hücumbot assault boat

hükmen legally; *sp.* by the decision of the referee **hükmen mağlup sayılmak** to default

hükmetmek to rule, to command; to sentence, to judge

hüküm rule, authority; command; sentence, judgement; importance, effect **hüküm giymek** to be condemned **hüküm sürmek** to reign, to rule

hükümdar monarch, ruler

hükümdarlık sovereignty; kingdom

hükümet government **hükümet darbesi** coup d'état **hükümet konağı** government office

hükümlü sentenced, condemned

hükümran ruling, sovereign

hükümranlık sovereignty

hükümsüz null, invalid

hümanist humanist

hümanizm humanism

hüner skill

hünerli skilful

hünersiz unskilled

hüngürdemek to sob **hüngür hüngür ağlamak** to weep bitterly

hür free, independent

hürmet respect **hürmet etmek** to respect

hürmeten out of respect

hürmetsizlik disrespect

hürriyet freedom, liberty

hüsnükuruntu fond imagination, wishful thinking

hüsnüniyet goodwill

hüsran disappointment **hüsrana uğramak** to be disappointed

hüviyet identity **hüviyet cüzdanı** identity card

hüzün sadness, sorrow, grief

hüzünlenmek to feel sad

hüzünlü sad, sorrowful, gloomy

I

ıhlamur lime tree, linden tree; linden flower tea

ıkınmak to strain while defecating **ıkına sıkına** with great effort **ıkınıp sıkınmak** to grunt and strain

ılgıt ılgıt gently

ılıca hot spring, spa

ılık lukewarm

ılıklaşmak to become lukewarm

ılıklık lukewarmness

ılım moderation

ılıman mild, temperate

ılımlı moderate, equable, temperate

ılımlılık moderation

ılıştırmak to make tepid

ıpıslak very wet, soaked

ıra character
ırak distant, far
Irak Iraq
Iraklı Iraqi, Iraki
ıraksak divergent
ırgalamak to shake; *arg.* to concern, to interest
ırgat day labourer, workman; capstan
ırk race
ırkçı racialist
ırkçılık racialism
ırmak river
ırz chastity *ırz düşmanı* rapist *ırza tecavüz* rape, violation *ırzına geçmek* to violate, to rape
ısı heat
ısıl thermal, thermic
ısın calorie
ısındırmak to break in, to cause to like
ısınma heating, warming up
ısınmak to warm; to warm oneself; *sp.* to warm up
ısıölçer calorimeter
ısırgan nettle
ısırık bite, sting
ısırmak to bite
ısıtıcı heater
ısıtmak to heat, to warm
ıska miss *ıska geçmek* to miss; *arg.* to disregard, to ignore
ıskalamak to miss
ıskarmoz *den.* oarlock, rowlock, thole pin; *hayb.* barracuda
ıskarta discard, scrap; discarded *ıskartaya çıkarmak* to discard, to scrap, to junk
ıskonto discount *ıskonto etmek* to discount
ıskuna schooner
ıslah improvement, reform *ıslah etmek* to improve *ıslah olmak* to improve one's conduct *ıslah olmaz* incorrigible
ıslahat reforms, improvements *ıslahat yapmak* to make reforms

ıslahatçı reformer
ıslahevi reformatory
ıslak wet
ıslaklık wetness
ıslatmak to wet
ıslık whistle *ıslık çalmak* to whistle
ısmarlama order; ordered, made to order
ısmarlamak to order
ıspanak spinach
ıspatula spatula
ıspazmoz spasm
ısrar insistence *ısrar etmek* to insist
ısrarla insistently
ısrarlı insistent
ıssız lonely, deserted
ıssızlık loneliness
ıstakoz lobster
ıstampa inkpad
ıstırap suffering, pain *ıstırap çekmek* to suffer
ışık light; lamp *ışık tutmak* to shed light (on); to light the way (for)
ışıklandırmak to illuminate
ışıklı illuminated, lighted *ışıklı reklam* neon sign
ışıl ışıl sparklingly, glitteringly
ışıldak searchlight, projector
ışıldamak to sparkle, to twinkle
ışıltı glitter, twinkle
ışıltılı glittering
ışımak to glow, to radiate
ışın ray *ışın demeti* ray beam
ışınım radiation
ışınır radiant
ışınlamak to radiate
ışınölçer radiometer
ışınölçüm radiometry
ışıtmak to illuminate
ıtır perfume, aroma *ıtır çiçeği* geranium
ıtırlı aromatic, perfumed
ıtriyat perfumes
ıvır zıvır trifles, baubles, bunkum
ızbandut hulk, colossus *ızbandut gibi* giantlike

ızgara grill, gridiron; grating; grilled *ızgara köfte* grilled meatballs *ızgara yapmak* to grill

İ

iade giving back *iade etmek* to give back, to return *iadeli taahhütlü* registered and reply paid
iane donation, aid
iaşe subsistence, feeding
ibadet worship *ibadet etmek* to worship
ibadethane house of God, temple
ibare sentence, paragraph, clause
ibaret consisting of, composed of
ibibik hoopoe
ibik *hayb.* comb, crest; *anat.* crista
iblis Satan, the Devil
ibra acquittal *ibra etmek* to acquit
İbrani Hebrew
İbranice Hebrew
ibraz presentation *ibraz etmek* to present, to show
ibre needle, pointer
ibret lesson, example *ibret almak* to draw a lesson (from) *ibret olmak* to be a lesson to
ibrik ewer
ibrişim silk thread
icabet acceptance *icabet etmek* (invitation) to accept
icap requirement, necessity *icap etmek* to be necessary *icabına bakmak* to see to *icabında* if needed, if need be, if necessary
icar rent, hire *icara vermek* to let out
icat invention *icat etmek* to invent
icra execution; performance *icra etmek* to execute, to perform *icra memuru* bailiff, executive officer *icraya vermek* to refer to the court bailiff
icraat activities, performances

icracı performer
iç inside, interior; heart, mind; stomach, intestines; kernel; interior, internal, inner *iç açıcı* cheering, pleasant *iç çamaşırı* underclothing *iç çekmek* to sigh *iç etmek* to appropriate, to pocket *iç hastalıkları* internal diseases *iç içe* one within the other *iç lastik* inner tube *iç savaş* civil war *iç sıkıcı* boring *iç sıkıntısı* boredom *iç ticaret* home trade *iç tüketim* home consumption *iç tüzük* house regulations *içi açılmak* to be cheered up *içi cız etmek* to be deeply moved *içi dışı bir* sincere *içi geçmek* to doze off *içi gitmek* to desire strongly *içi içine sığmamak* to be unable to contain oneself *içi içini yemek* to fret about *içi kan ağlamak* to be in deep sorrow *içi parçalanmak* to be cut to the heart *içinden geçirmek* to think *içinden gelmek* to feel like *içinden okumak* to read to oneself *içine almak* to contain *içine dert olmak* to be a thorn in one's flesh *içine doğmak* to have a hunch *içine etmek* to spoil *içine kurt düşmek* to feel suspicious *içini açmak/dökmek* to unburden one's heart
içbükey concave
içderi endoderm
içecek drink, beverage
içedönük introvert
içegöç immigration
içekapanık autistic
içerde inside
içeri inside, interior; in *içeri girmek* to go in, to enter
içerik content
içerlek set back, standing back
içerlemek to resent, to be grieved
içermek to contain, to include, to

comprise

içevlilik endogamy

içgöç internal migration

içgüdü instinct

içgüdüsel instinctive

içgüvey, içgüveysi bridegroom who lives in his wife's house

içilir drinkable

içilmez undrinkable

içim draught, sip

için for

içinde in; inside

içindekiler contents

içinden from the inside

içişleri internal affairs *İçişleri Bakanlığı* Ministry of the Interior *İçişleri Bakanı* Interior Minister

içki drink *içki âlemi* drinking bout, binge *içkiye düşkün* addicted to drink *içkiyi fazla kaçırmak* to have taken a drop too much

içkici drinker

içkili drunk

içkulak inner ear

içli sensitive; sad, touching

içlidışlı familiar, intimate

içme drinking; mineral spring *içme suyu* drinking water

içmek to drink; to smoke

içmimar interior decorator

içmimarlık interior decoration

içten sincere; from within

içtenlik sincerity

içtenlikle sincerely

içtima meeting

içtimai social

içyağı suet

içyüz inside story, real truth

idam capital punishment, execution *idam etmek* to execute

idame continuance

idare management, administration; economy, thrift *idare etmek* to administer, to manage; to economize *idare etmez* it doesn't pay *idare heyeti* board of directors

idareci manager, administrator

idarecilik administration

idareli economical, thrift**yidareli kullanmak** to use economically

idareten temporarily

idari administrative

iddia claim; bet, wager *iddia etmek* to claim; to pretend, to purport *iddiaya girmek/tutuşmak* to bet

iddiacı assertive, persistent

iddialı pretentious

iddianame indictment

iddiasız unpretentious

ideal ideal

idealist idealist; idealistic

idealize etmek to idealize

idealizm idealism

ideoloji ideology

ideolojik ideological

idman workout, training

idrak perception; reaching *idrak etmek* to perceive; to reach

idrar urine *idrar torbası* urinary bladder

idraryolu urethra

ifa performance, execution *ifa etmek* to perform, to execute

ifade expression; deposition, statement *ifadesini almak* to question, to interrogate *ifade vermek* to give evidence, to testify

iffet chastity

iffetli chaste

iffetsiz unchaste

iflah salvation *iflah olmaz* incorrigible *iflahı kesilmek* to be exhausted *iflahını kesmek* to exhaust

iflas bankruptcy *iflas etmek* to go bankrupt *iflas ettirmek* to bankrupt

ifrat excess, overdoing *ifrata kaçmak* to overdo *ifrata vardırmak* to carry to excess

ifraz separation; *biy.* secretion

ifşa divulgation, disclosure *ifşa*

etmek to divulge, to disclose
ifşaat revelations
iftar the breaking of one's fast; the evening meal during Ramadan *iftar etmek* to break one's fast
iftihar pride *iftihar etmek* to be proud of
iftira slander *iftira etmek* to slander
iftiracı slanderer
iğ spindle
iğde oleaster, elaeagnus
iğdiş castrated *iğdiş etmek* to castrate
iğfal rape *iğfal etmek* to rape
iğne needle, pin; fish hook; syringe; biting word, pinprick *iğne deliği* the eye of a needle *iğne olmak* to have an injection *iğne yapmak* to give an injection *iğne ipliğe dönmek* to become skin and bones *iğneye iplik geçirmek* to thread a needle
iğnelemek to pin, to prick; to hurt with words
iğneleyici pricking; biting
iğneli having a pin; biting
iğrenç disgusting, loathsome, abhorrent
iğrençlik repulsiveness
iğrendirmek to disgust
iğrenmek to loathe, to abhor
iğreti borrowed
ihale adjudication, awarding *ihale etmek* to adjudicate, to award *ihaleye çıkarmak* to put out to tender
ihanet treachery, betrayal *ihanet etmek* to betray
ihbar denunciation *ihbar etmek* to denounce
ihbarname notice, warning
ihlal disobeying, violation *ihlal etmek* to break, to violate
ihmal negligence *ihmal etmek* to neglect
ihmalci neglectful

ihracat exports
ihracatçı exporter
ihraç exportation; expulsion *ihraç etmek* to export; to expel
ihsan gift, grant *ihsan etmek* to grant, to bestow
ihtar warning *ihtar etmek* to warn
ihtilaf dispute, conflict
ihtilaflı controversial
ihtilal revolution
ihtilalci revolutionary
ihtimal probability; probably *ihtimal vermek* to deem likely
ihtimam care, painstaking *ihtimam göstermek* to take pains
ihtimamlı painstaking, careful
ihtimamsız careless, slipshod
ihtiras passion
ihtiraslı passionate
ihtisas specialization *ihtisas yapmak* to specialize in
ihtişam magnificence, splendour
ihtiva containing *ihtiva etmek* to contain, to include
ihtiyaç necessity, need *ihtiyacı olmak* to need
ihtiyar choice, option
ihtiyar old, aged
ihtiyari optional
ihtiyarlamak to grow old
ihtiyarlık oldness, old age
ihtiyat precaution; *ask.* reserves *ihtiyat akçesi tic.* reserve fund *ihtiyat kuvvetleri ask.* reserve forces
ihtiyatla cautiously
ihtiyatlı cautious
ihtiyatsız imprudent, incautious
ihtiyatsızlık imprudence, rashness *ihtiyatsızlık etmek* to act imprudently
ihya vivification, revitalization *ihya etmek* to vivify, to revitalize
ikamet dwelling, residing *ikamet etmek* to dwell, to reside
ikametgâh residence
ikaz warning *ikaz etmek* to warn

iken while, when

iki two *iki ayağını bir pabuca sokmak* to hustle *iki dirhem bir çekirdek* dressed up to kill *iki eli kanda olsa* no matter how busy he is *iki yakası bir araya gelmemek* to be unable to make two ends meet *ikide bir* now and then

ikidilli bilingual

ikilem dilemma

ikili bilateral; (cards) two

ikilik disunion, disagreement; duality

ikinci second

ikincil secondary

ikindi afternoon

ikindiüstü in the afternoon

ikircik hesitancy

ikirciklenmek to hesitate

ikircikli hesitant

ikişer two each, two at a time *ikişer ikişer* two by two, in twos

ikiyaşayışlı amphibious

ikiyüzlü hypocritical, twofaced; hypocrite

ikiyüzlülük hypocrisy

ikiz twin

ikizkenar *mat.* isosceles *ikizkenar üçgen* isosceles triangle

İkizler (burcu) Gemini

iklim climate

ikmal completing, finishing; *ask.* supply, reinforcement; (exam) condition, make-up *ikmal etmek* to complete, to finish

ikna persuasion *ikna etmek* to persuade, to convince

ikram honouring; discount *ikram etmek* to show honour to; to offer, to treat to; to discount

ikramiye bonus; prize *ikramiye kazanmak* to win a prize

ikrar confession *ikrar etmek* to confess, to acknowledge

iksir elixir

iktibas quotation *iktibas etmek* to quote

iktidar power *iktidar partisi* the party in power *iktidara gelmek* to come to power *iktidarda olmak* to be in power

iktidarsız impotent

iktidarsızlık impotence

iktisaden economically

iktisadi economic

iktisap acquisition *iktisap etmek* to acquire

iktisat economy; economics *İktisat Fakültesi* the School of Economics

iktisatçı economist

ila to, up to; until

ilaç medicine

ilaçlamak to medicate

ilaçlı medicated

ilah god

ilahe goddess

ilahi divine, heavenly

ilahi hymn, psalm, anthem

ilahiyat theology *İlahiyat Fakültesi* the School of Theology

ilahiyatçı theologian

ilam judicial decree, engrossment

ilan announcement, declaration; advertisement *ilan etmek* to declare, to announce; to advertise

ilave addition; additional *ilave etmek* to add

ilçe county, district

ile with; by; and

ilelebet for ever

ileri forward part, front; future; advanced; forward, ahead *ileri atılmak* to spring forward, to rush forward *ileri gelenler* notables *ileri gitmek* to go forward; to go too far *ileri sürmek* to put forward, to bring forward *ileriyi görmek* to foresee

ilerici progressive

ileride, ilerde in the future; ahead

ilerisi the farther part; the future

ileriye forward

ilerlemek to go forward, to proceed; to progress, to advance; (time) to pass away

iletim transmission; *fiz.* conduction

iletişim communication

iletken conductor

iletkenlik conductivity

iletki protractor

iletmek to transmit, to carry; to conduct, to convey

ilga abolition *ilga etmek* to abolish

ilgi interest; relation, connection *ilgi göstermek* to show interest *ilgi uyandırmak* to arouse sb's interest

ilgilendirmek to interest, to concern

ilgilenmek to be interested (in, ile)

ilgili interested; relevant

ilginç interesting

ilgisiz indifferent, unconcerned

ilgisizlik indifference, unconcern

ilham inspiration

ilik buttonhole

ilik marrow *iliklerine kadar ıslanmak* to be soaked to the skin

iliklemek to button up

ilim science

ilinti connection

ilişik attached; connection, relation *ilişiğini kesmek* to sever one's connection with; to discharge

ilişki relation, connection; affinity, bond *ilişki kurmak* to get in touch with; to have an affair (with)

ilişkili connected, relevant

ilişmek to touch

iliştirmek to attach, to fasten

ilk first; initial *ilk defa* for the first time *ilk fırsatta* at the first opportunity *ilk göz ağrısı* first child; first love

ilkbahar spring

ilkçağ antiquity

ilke principle, basis

ilkel primitive

ilkellik primitiveness

ilkin first, in the first place; at first, at the beginning

ilkokul primary school

ilköğrenim, ilköğretim primary education

ilkönce first of all

ilkyardım first aid

illa, illaki whatever happens, come what may

illallah I'm sick of it!

ille by all means; especially

illet disease

illüstrasyon illustration

ilmek, ilmik loop; noose

ilmi scientific

ilmiklemek to loop

ilmühaber certificate

iltica taking refuge *iltica etmek* to take refuge in

iltifat compliment *iltifat etmek* to pay a compliment

iltihap inflammation

iltihaplanmak to become inflamed

iltimas favouritism, protection *iltimas etmek* to favour, to protect

iltimasçı protector, patron

ima allusion, hint *ima etmek* to hint at, to allude to

imal manufacture *imal etmek* to manufacture, to produce

imalat products

imalatçı manufacturer

imalathane workshop, small factory

imalı allusive

imam imam

imambayıldı a dish of eggplants with olive oil

iman faith, belief *iman etmek* to have faith in Allah (God) *imana gelmek* to be converted to Islam; to see reason *imanı gevremek* to suffer a lot; to be exhausted

imanlı believing, religious

imansız unbelieving; cruel; unbe-

liever
imar improvement, public works *imar etmek* to improve, to render prosperous
imbat daytime summer sea breeze
imbik retort, still *imbikten geçirmek* to distil
imdat help
imece doing a work together for one of the members of the community
imge image
imgelem imagination
imgelemek to imagine
imha destruction *imha etmek* to destroy
imkân possibility, means
imkânsız impossible
imla spelling, orthography
imparator emperor
imparatoriçe empress
imparatorluk empire
imrenmek to envy, to covet
imtihan examination
imtiyaz privilege, distinction
imtiyazlı privileged
imza signature *imza etmek* to sign *imza sahibi* signer, signatory
imzalamak to sign
imzalı signed
imzasız unsigned
in den, lair
inak *fel.* dogma
inan belief
inanç belief; confidence
inançlı believer; believing
inandırıcı persuasive
inandırmak to convince
inanılmaz unbelievable, incredible
inanış belief, faith
inanmak to believe; to trust
inat obstinacy *inat etmek* to be obstinate *inadı tutmak* to have a fit of obstinacy
inatçı stubborn, obstinate
inatçılık obstinacy
inayet favour, grace

ince thin; subtle; slim *inceden inceye* minutely *ince eleyip sık dokumak* to split hairs
incebağırsak *anat.* small intestine
incehastalık *kon.* tuberculosis
inceleme research, study
incelemek to examine, to study
incelik thinness; subtlety; slimness
incelmek to become thin
inceltmek to thin, to make thin
inceyağ thin oil
inci pearl
incik shin *incik kemiği* shinbone
İncil the New Testament; the Gospel
incinmek to be hurt/injured/bruised/sprained
incir fig *incir çekirdeğini doldurmaz* trifling
incitici hurting
incitmek to hurt
inç inch
indeks index
indirgeme reduction
indirgemek to reduce
indirim reduction, discount
indirimli reduced in price *indirimli satış* sale
indirmek to take down, to lower; to bring down, to reduce
inek cow; *arg.* swot, grind
ineklemek *arg.* to swot, to grind
infaz execution *infaz etmek* to execute
infilak explosion *infilak etmek* to explode
infraruj infrared
İngiliz English; Englishman *İngiliz anahtarı* monkey wrench
İngilizce English
İngiltere England
inhisar monopoly
inildemek to moan
inilti moan, groan
inisiyatif initiative
iniş downward slope, descent, downhill *iniş aşağı* downhill,

downwards **iniş çıkış** descent and ascent

inkâr denial, refusal **inkâr etmek** to deny, to gainsay

inkılap revolution

inkıta interruption **inkıtaa uğramak** to be interrupted, to cease

inkişaf development **inkişaf etmek** to develop

inlemek to moan, to groan

inme stroke, apoplexy, paralysis **inme inmek** to have a stroke

inmek to descend; to alight, to dismount; (plane) to land; (prices) to fall

inmeli paralysed

inorganik inorganic

insaf justice, fairness; Have a heart! **insaf etmek** to take pity (on) **insafa gelmek** to show mercy

insaflı just, fair

insafsız unjust, unfairly

insafsızlık injustice, unfairness

insan human being, human **insan hakları** human rights **insan içine çıkmak** to go out in public

insanbilim anthropology

insanbilimci anthropologist

insanca properly, decently

insancıl humanitarian

insani human, humanely

insaniyet humanity, mankind; humaneness, kindness

insaniyetli humane, kind

insaniyetsiz inhuman

insanlık humanity, mankind; humaneness

insanoğlu man, mankind

insanüstü superhuman

inşa building **inşa etmek** to build

inşaat constructions, buildings **inşaat mühendisi** civil engineer

inşaatçı builder, constructor

inşallah God willing!, I hope so!, I hope that ...

integrasyon *mat.* integration

internet Internet **inernette** on the Internet

intiba impression

intibak adaptation **intibak etmek** to adjust oneself to

intifa benefit

intihar suicide **intihar etmek** to commit suicide

intikal transition; perception **intikal etmek** to be inherited

intikam revenge **intikam almak** to revenge, to avenge

intizam order, tidiness

intizamlı tidy, neat

intizamsız untidy, irregular

inzibat discipline; military policeman

inziva seclusion **inzivaya çekilmek** to seclude oneself

ip rope, string **ip atlamak** to skip rope **ipe çekmek** to hang **ipe sapa gelmez** irrelevant, nonsensical **ipin ucunu kaçırmak** to lose control of **iple çekmek** to look forward to

ipek silk **ipek gibi** silken, silky

ipekböceği silkworm

ipince very thin

iplemek to mind, to respect, to heed

iplememek not to give a damn, not to care

iplik thread

ipnotize hypnotized **ipnotize etmek** to hypnotize

ipnotizma hypnotism

ipnotizmacı hypnotizer

ipnoz hypnosis

ipotek mortgage **ipotek etmek** to mortgage

ipotekli mortgaged

ipsiz vagabond

iptal cancellation, annulment **iptal etmek** to cancel, to annual

iptidai primitive

ipucu clue **ipucu vermek** to give a

clue
irade will, volition; command,
decree
iradedışı involuntary
iradeli strongwilled
iradesiz irresolute, weak
iradi voluntary
İran Iran, Persia
İranlı Iranian, Persian
irat income
irdeleme examination
irdelemek to examine, to scruti-
nize, to discuss
irfan knowledge
iri large, huge
iribaş *hayb.* tadpole
irice largish
irikıyım huge; large chopped
irileşmek to become large
irili ufaklı large and small
irilik largeness
irin pus
irinlenmek to suppurate
iris *anat.* iris
iriyarı huge, burly
irkilmek to be startled
İrlanda Ireland
İrlandalı Irish
irmik semolina *irmik helvası*
semolina halva
irs inheritance
irsaliye waybill, shipping papers
irsi hereditary
irsiyet heredity
irtibat connection; communication
irtibat subayı liaison officer
irtica (social) reaction
irtical improvisation
irticalen extemporaneously, im-
promptu
irtifa altitude
is soot
İsa Jesus Christ
isabet hitting (the mark); say-
ing/doing exactly the right
thing; falling by chance to *isabet
etmek* to hit the mark; to say/do

just the right thing; (prize, etc.)
to fall to, to win
isabetli right, exact
isabetsiz inexact, improper
ise if *ise de* even if, although
ishal diarrhoea *ishal olmak* to have
diarrhoea
isilik heat spots *isilik olmak* to
have heat spots
isim name; noun; title *isim takmak*
to nickname *isim vermek* to give
a name, to name
isimsiz anonymous, innominate
iskambil playing card *iskambil
kâğıdı* playing cards *iskambil
oynamak* to play cards
iskân settling *iskân etmek* to
house; to settle
İskandinavya Scandinavia
İskandinavyalı Scandinavian
iskarpin shoe
iskele landing-place, wharf, quay,
pier; scaffolding; seaport *iskele
kurmak* to erect scaffolding
iskelet skeleton; framework
iskemle chair
iskete finch
İskoç Scotch
İskoçya Scotland
İskoçyalı Scotsman, Scot; Scottish
iskonto discount *iskonto etmek* to
discount
iskorbüt scurvy
İslam Islam
İslami Islamic
İslamiyet Islamism
İslamlaştırmak to Islamize
İslav Slav; Slavic
islemek to soot
isli sooty
ismen by name
isnat ascribing, attributing *isnat
etmek* to ascribe, to attribute
İspanya Spain
İspanyol Spaniard; Spanish
İspanyolca Spanish
ispat proof *ispat etmek* to prove

ispati (cards) clubs
ispatlamak to prove
ispinoz chaffinch
ispirto alcohol
ispiyon informer, snitcher
ispiyonlamak to inform on, to sneak, to snitch
israf squandering, waste *israf etmek* to squander, to waste
İsrail Israel; Israeli
istasyon station
istatistik statistics; statistic
istavrit horse mackerel
istavroz cross; crucifix
istek desire, wish; request *istek duymak* to want, to feel a desire for
işteka billiard cue
istekli desirous, willing
isteksiz unwilling, reluctant
isteksizlik reluctance, unwillingness
istem request, demand; *ruhb.* volition
istemek to want, to desire, to wish; to ask for; to need, to want *istemeyerek* unwillingly, reluctantly *istemiye istemiye* unwillingly *ister istemez* willy-nilly *isteyerek* freely, willingly, readily
istemli voluntary
istemsiz involuntary
isteri hysteria
isterik hysterical
istiap capacity *istiap haddi* maximum capacity
istibdat despotism
istida petition
istidat aptitude, talent
istidatlı talented
istif storage, stacking *istif etmek* to stow *istifini bozmamak* to keep up appearances
istifa resignation *istifa etmek* to resign
istifade profit, advantage *istifade etmek* to benefit by, to take advantage of
istifadeli profitable
istifçi packer, stevedore
istifçilik packing, stowage
istiflemek to stow, to pack
istifrağ vomiting *istifrağ etmek* to vomit
istihbarat information, intelligence *istihbarat bürosu* information office *istihbarat dairesi* intelligence department
istihdam employment *istihdam etmek* to employ
istihkak merit, deserts; ration
istihkâm fortification; *ask.* military engineering *istihkâm subayı* engineer officer
istihsal production *istihsal etmek* to produce
istihza irony, sarcasm
istikamet direction
istiklal independence *İstiklal Marşı* the Turkish National Anthem *İstiklal Savaşı* the War of Independence
istikrar stabilization
istikrarlı stabilized, settled
istikrarsız unstable, unsteady
istikrarsızlık instability
istikraz loan
istila invasion *istila etmek* to invade
istilacı invader
istimlak expropriation *istimlak etmek* to expropriate
istinaden based on
istinat support *istinat etmek* to lean upon, to be based *istinat ettirmek* to base, to ground
istirahat rest, repose *istirahat etmek* to rest, to repose
istirham imploring, requesting *istirham etmek* to implore, to plead
istiridye oyster
istismar exploiting *istismar etmek*

to exploit
istismarcı exploiter
istisna exception
istisnai exceptional
istisnasız without exception
istişare consultation *istişare etmek* to consult
istişari consultative
İsveç Sweden
İsveçli Swedish
İsviçre Switzerland
İsviçreli Swiss
isyan rebellion, revolt, mutiny *isyan etmek* to rebel, to revolt
isyancı rebel, mutineer
isyankâr rebellious, mutinous
iş work; job, occupation; business; affair, matter; service *iş başında* at work *iş bitirmek* to finish a job, to conclude *iş bölümü* division of labour *iş çıkarmak* to raise difficulties *iş görmek* to do a job, to work *iş güç* occupation, business *iş günü* working day *iş güvenliği* security of work *iş hukuku* labour legislation *iş kazası* industrial accident *iş işten geçti!* It's too late! *iş olacağına varır* what will be will be *iş sözleşmesi* labour contract *iş olsun diye* just for the sake of doing sth. *iş ve işçi bulma kurumu* employment exchange *işe yaramak* to be of use, to work *işi azıtmak* to go too far *işi başından aşkın olmak* to be up to one's ears in work *işi oluruna bırakmak* to let things take their own course *işi sağlama bağlamak* to make sure of *işi yüzüne gözüne bulaştırmak* to make a mess of things *işinden olmak* to lose one's job *işine gelmek* to suit one's book *işin içinde iş var* there are wheels within wheels *işin içinden çıkamamak* to be unable to settle sth *işin içinden çıkmak* to

get out of a difficulty *işin içyüzü* the inside story, the real truth *işini bitirmek* to finish one's work; to finish sb off *işten çıkarmak* to dismiss, to sack
işadamı businessman
işaret sign, mark; signal *işaret etmek* to point, to point out, to indicate; to make a mark *işaret sıfatı* demonstrative adjective *işaret zamiri* demonstrative pronoun
işaretlemek to mark
işaretparmağı forefinger, index finger
işbaşı hour at which work begins *işbaşı yapmak* to start work, to clock in
işbirliği collaboration
işbirlikçi collaborator
işçi worker, labourer *işçi sınıfı* working class
işçilik workmanship; work, effort
işemek to urinate, to piss
işgal occupation *işgal altında* under military occupation *işgal etmek* to occupy
işgücü working power, laborer-power
işgüzar officious
işgüzarlık officiousness
işitmek to hear *işitmemezlikten gelmek* to pretend not to hear
işitsel auditory
işkadını businesswoman
işkembe paunch; tripe *işkembe çorbası* tripe soup
işkembeci tripe restaurant
işkence torture *işkence etmek* to torture
işkil suspicion
işkillenmek to be suspicious
işkilli suspicious
işlek busy
işlem procedure; *mat.* operation
işleme handwork, embroidery
işlemek to work, to run, to operate;

(a subject) to treat of, to deal with; to embroider; to carve

işlemeli embroidered

işlenmemiş raw, unprocessed

işlenmiş processed

işletme enterprise; running, working; exploitation *İşletme Fakültesi* School of Business Administration *işletme müdürü* managing director

işletmeci administrator, manager

işletmecilik business administration, management

işletmek to operate, to run; to exploit, to work; to have sb on, to hoax

işletmen operator

işlev function

işlevsel functional

işlik workshop

işporta pedlar's pushcart *işporta malı* shoddy goods

işportacı pedlar, peddler

işportacılık peddling

işret carousal

işsiz unemployed

işsizlik unemployment *işsizlik sigortası* unemployment insurance

iştah appetite *iştah açıcı* appetizing *iştah açmak* to whet the appetite

iştahlı having an appetite

iştahsız having no appetite

işte Here! Here it is!; Look! See! *işte böyle* Such is the matter

iştigal occupation

iştirak participation *iştirak etmek* to participate (in)

işve coquetry

işveli coquettish

işveren employer

işyeri office, workplace

it dog *itoğlu it* son of a bitch

itaat obedience *itaat etmek* to obey

itaatli obedient

itaatsiz disobedient

itaatsizlik disobedience

italik italic

İtalya Italy

İtalyan Italian

İtalyanca Italian

itelemek to nudge

itfaiye fire brigade

itfaiyeci fireman

ithaf dedication *ithaf etmek* to dedicate

ithal import, importation *ithal etmek* to import *ithal malı* imported goods

ithalat imports

ithalatçı importer

itham accusation, charge *itham etmek* to accuse, to charge

itibar esteem, prestige, regard *itibar etmek* to esteem, to consider *itibar görmek* to be respected

itibari nominal, fictitious

itibarlı esteemed; influential

itikat creed, belief *itikat etmek* to believe in

itikatlı believing

itilaf entente, agreement

itimat confidence, trust *itimat etmek* to have confidence in, to trust

itimatname credentials

itina care *itina göstermek* to give close attention to *itina ile* carefully

itinalı careful, attentive

itinasız careless, inattentive

itiraf confession, admission

itiraz objection *itiraz etmek* to object

itirazcı objector

itirazsız without any objection

itişmek to push one another *itişip kakışmak* to push and shove one another

itiyat habit *itiyat edinmek* to form the habit of

itmek to push *itip kakmak* to push and shove

ittifak alliance, agreement

ittifakla unanimously

ittihat union

ivedi haste, hurry; urgent

ivedilik urgency

ivedilikle urgently, hurriedly

ivme acceleration

iye possessor

iyelik possession *iyelik adılı (zamiri)* possessive pronoun

iyi good; well *iyi etmek* to cure; to do well *iyi gelmek* to do good, to benefit *iyi gitmek* to go well *iyi gün dostu* fair weather friend *iyi hal kâğıdı* certificate of good conduct *iyi kalpli* kind-hearted *iyi ki* luckily, fortunately *iyi kötü* somehow, more or less *iyi olmak* to recover, to get better *iyisi mi* the best thing to do is ...

iyice pretty well, rather good, thoroughly, completely

iyileşmek to get better, to improve; to recover

iyileştirmek to make better, to cure, to improve

iyilik goodness; favour *iyilik etmek* to do good

iyilikbilir grateful

iyilikbilmez ungrateful

iyiliksever benevolent

iyimser optimist; optimistic

iyimserlik optimism

iyon *kim.* ion

iyot *kim.* iodine

iyotlu iodic

iz trace, track *iz sürmek* to trace, to trail

izafi relative

izafiyet relativity

izah explanation *izah etmek* to explain

izahat explanations

izale removing *izale etmek* to remove

izan understanding, intelligence

izci scout, boy scout

izdiham crowd

izdüşüm *mat.* projection

izin permission; licence *izin almak* to get permission *izin vermek* to permit, to give permission

izinli on leave; on vacation

izinsiz without permission

İzlanda Iceland

İzlandalı Icelander

izlemek to follow, to trace; to watch

izlenim impression

izleyici spectator

izmarit sea bream; cigarette butt, stub

izolasyon isolation

izolatör isolator

izole insulated *izole bant* insulating tape *izole etmek* to isolate, to insulate

izoterm isotherm

izotop isotope

izzet might, honour

izzetinefis self-respect

J

jaguar jaguar

jale dew

jaluzi Venetian blind

jambon ham

jandarma police soldier, gendarme; gendarmerie

jant rim

Japon Japanese

Japonca Japanese

japongülü camellia

Japonya Japan

jarse jersey

jartiyer garter

jelatin gelatine

jelatinli gelatinous

jeneratör generator

jenerik (film) credits

jeodezi geodesy

jeofizik geophysics
jeolog geologist
jeoloji geology
jeolojik geologic
jeopolitik geopolitics; geopolitical
jeotermal geothermal
jeotermik geothermic
jest gesture
jet jet (plane)
jeton token
jigolo gigolo
jikle choke
jilet safety-razor
jimnastik gymnastic
jimnastikçi gymnast
jinekolog gynecologist
jinekoloji gynecology
jiujitsu jiujitsu
joker joker
jokey jockey
jöle jelly
jön juvenile; handsome/young man
judo judo
judocu judoist
jul joule
jumbo jet jumbo jet
jurnal denunciation, report *jurnal etmek* to denounce, to report
jurnalci denouncer, informer
jübile jubilee
Jüpiter Jupiter
jüpon underskirt
jüri jury *jüri üyesi* juror

K

kaba rough *kaba et* buttocks *kaba saba* common, coarse *kaba söz* vulgar expression
kabaca roughly; biggish
kabadayı bully, tough guy, roughneck
kabadayılık bravado *kabadayılık taslamak* to play the tough, to bluster

kabahat fault, offence *kabahat bulmak* to find fault with *kabahati birinin üzerine atmak* to lay the blame on sb
kabahatli faulty, guilty
kabahatsiz innocent, faultless
kabak squash, pumpkin, gourd; bald, bare; (watermelon) unripe *kabak çekirdeği* pumpkin seed *kabak kafalı* baldheaded *kabak başına patlamak* to carry the can *kabak çıkmak* to turn out to be tasteless *kabak tadı vermek* to pall, to cloy *kabak tatlısı* pumpkin with syrup and walnuts
kabakulak *hek.* mumps *kabakulak olmak* to have the mumps
kabalaşmak to become impolite
kabalık roughness, coarseness *kabalık etmek* to behave rudely
kaban hooded overcoat
kabarcık bubble; blister
kabare cabaret
kabarık swollen, puffy
kabarıklık swelling, puffiness
kabarmak to swell, to bloat; to increase; (sea) to become rough
kabartı swelling, bulge
kabartma relief; in relief
kabataslak roughly drawn; in outline
Kabe the Kaaba
kabız constipation; constipated *kabız olmak* to be constipated
kabızlık constipation
kabile tribe, clan
kabiliyet ability, talent
kabiliyetli talented, capable
kabiliyetsiz incapable, untalented
kabin cabin
kabine cabinet; small room
kabir grave, tomb
kablo cable *kablo döşemek* to lay a cable
kabotaj cabotage
kabristan cemetery, graveyard
kabuk (fruit, vegetable) peel, skin,

jacket, shuck; (animal, nut, egg) shell; (bean, pea) pod; (tree) bark; (wound) scab *kabuk bağlamak* to form a crust *kabuğuna çekilmek* to withdraw into one's shell *kabuğunu soymak* to peel, to skin, to husk

kabuklu having a shell, barky *kabuklu deniz hayvanı* shellfish

kabuklular *hayb.* crustaceae

kabuksuz without bark; shelled, peeled

kabul acceptance; reception *kabul etmek* to accept; to receive *kabul salonu* reception-room

kabullenmek to accept; to appropriate

kaburga rib

kâbus nightmare

kabza handle, butt

kabzımal middlemen

kaç how many, how much?

kaça What is the price? How much is it?

kaçak fugitive, escapee; (liquid gas) escape, leakage; smuggled, contraband

kaçakçı smuggler

kaçakçılık smuggling

kaçamak subterfuge, evasion, shift; evasive

kaçamaklı evasive, elusive

kaçar How many each? How much each?

kaçık crazy; cracked, nuts

kaçıklık craziness

kaçılmak to get out of the way

kaçıncı which (in order), how manyth

kaçınılmaz inevitable

kaçınmak to avoid, to shun, to evade, to abstain, to refrain

kaçırmak to kidnap, to abduct, to elope; to hijack, to skyjack; to miss; to drive away, to frighten away

kaçış escape, flight

kaçkın fugitive, runaway

kaçmak to run away, to flee, to escape; (stocking) to ladder, to run; (dust, insect etc.) to get into, to slip into; to avoid, to spare; to verge on

kadar until, till, up to; as ... as; about

kadastro land survey; cadastral

kadavra corpse, cadaver, carcass

kadeh glass, cup, wineglass *kadeh kaldırmak* to propose a toast *kadeh tokuşturmak* to clink glasses

kademe grade, degree; *ask.* echelon

kademeli graded, in steps

kader destiny, fate, fortune *kaderi ilahi* divine providence *kaderin cilvesi* irony of fate

kaderci fatalist

kadercilik fatalism

kadı cadi, Muslim judge

kadın woman *kadın berberi* hairdresser *kadın doktoru* gynaecologist *kadın hastalıkları* gynaecological diseases *kadın peşinde koşmak* to run after women, to philander *kadın terzisi* dressmaker

kadınlık womanhood

kadınsı womanish, effeminate

kadırga galley

kadife velvet *kadife gibi* soft and bright, velvety

kadir powerful, capable

kadir value, worth *Kadir Gecesi* the Night of Power *Kadir Gecesi doğmak* to be born under a lucky star *kadrini bilmek* to appreciate, to know the value of

kadirbilir, kadirşinas appreciative, grateful

kadran dial, face

kadro staff, personnel

kadrolu on the permanent staff

kafa head; mind, brain *kafa dengi*

like-minded *kafa kâğıdı* kon. official identity card *kafa patlatmak* to rack one's brains, to cudgel one's brains *kafa şişirmek* to bore *kafa tutmak* to oppose, to resist *kafa vurmak* to head *kafadan atmak* to talk through one's hat *kafası almamak* to be unable to take in *kafası işlemek* to have a quick mind *kafası kızmak* to fly into a temper *kafasına dank etmek* to dawn on sb *kafasına koymak* to make up one's mind *kafasına sokmak* to din into sb *kafayı çekmek* to drink heavily, to booze

kafadar intimate friend, buddy, chum

kafalı intelligent

kafasız stupid, thickheaded

kafasızlık stupidity

kafatası skull, cranium

kafe caffé, cafe

kafein caffeine

kafes cage

kafeterya cafeteria

kâfi enough *kâfi derecede* sufficiently *kâfi gelmek* to be enough

kafile convoy, procession

kâfir unbeliever

kâfirlik unbelief, irreligion

kafiye rhyme

kafiyeli rhyming

kafiyesiz rhymeless

Kafkasya Caucasia

Kafkasyalı Caucasian

kaftan robe, caftan

kâgir built of stone or brick

kağan khan, ruler

kâğıt paper; playing card; of paper *kâğıt dağıtmak* to deal (out) cards *kâğıt helvası* pastry wafers *kâğıt kaplamak* to paper *kâğıt oynamak* to play cards *kâğıt para* note, bill *kâğıt sepeti* wastepaper basket

kağnı ox-cart

kâh sometimes *kâh ... kâh* now ... now

kahır distress, sorrow, anxiety *kahrını çekmek* to have to put up with sb

kâhin soothsayer

kahkaha loud laughter *kahkaha atmak* to laugh loudly *kahkahayı basmak* to burst into laughter

kahpe prostitute; perfidious, fickle

kahpelik prostitution; perfidious behaviour, dirty trick

kahraman hero

kahramanca heroically

kahramanlık heroic deed; heroism, bravery

kahretmek to overpower, to overwhelm

kahrolası damned, blasted

kahrolmak to be depressed

kahrolsun! kahretsin Damn it! Down with!

kahvaltı breakfast *kahvaltı etmek* to have breakfast

kahve coffee; cafe, coffee house *kahve cezvesi* coffeepot *kahve değirmeni* coffee mill *kahve fincanı* coffee cup *kahve kaşığı* coffee spoon *kahve telvesi* coffee grounds *kahve yapmak* to make coffee

kahveci keeper of a coffee-house

kahvehane coffee house, coffee shop

kahverengi brown

kâhya steward, majordomo

kaide rule; base

kâinat universe

kaka faeces, big one; poop *kaka yapmak* to poo-poo, to defecate

kakao cocoa

kakırdamak to crackle, to rattle

kakma relief work, inlay work

kakmak to push, to prod; to drive in, to nail

kaktüs cactus

kâkül forelock, fringe

kala to; before
kalabalık crowd; crowded
kalan remaining; remainder
kalantor well-to-do man
kalas beam, plank
kalay tin
kalaycı tinner, tinsmith
kalaylamak to tin
kalaylı tinned
kalaysız untinned
kalben cordially, heartily
kalbur sieve, riddle *kalbura çevir-mek* to riddle *kalbura dönmek* to be riddled
kalburüstü select, elite
kalça hip, haunch *kalça kemiği* hipbone
kaldıraç crank, lever
kaldırım pavement *kaldırım kenarı* curb *kaldırım mühendisi* loafer
kaldırmak to lift, to raise, to erect; to wake, to rouse; to bear, to tolerate; to abolish, to repeal
kale fortress, castle; *sp.* goal post
kaleci *sp.* goalkeeper, goalie
kalem pencil, pen *kalem açmak* to sharpen a pencil *kaleme almak* to draw up *kalem aşısı* graft *kalem kutusu* pencil box
kalemtıraş pencil sharpener
kalender carefree, easygoing, unconventional
kalfa assistant master, qualified workman
kalıcı lasting, permanent
kalın thick; coarse *kalın kafalı* thick headed
kalınbağırsak large intestine
kalınlaşmak to thicken
kalınlık thickness
kalıntı remnant; ruin, ruins; residue; mark, trace
kalıp mould; cake; bar; shape, form; pattern *kalıba dökmek* to cast, to mould *kalıbını basmak* *kon.* to be dead certain about
kalıplaşmış stereotyped

kalıtım *biy.* heritage, heredity
kalıtımsal, kalıtsal hereditary
kalibre calibre
kalifiye qualified
kaligrafi calligraphy
kalipso calypso
kalite quality
kaliteli of good quality, high-quality
kalitesiz of poor quality, shoddy
kalkan shield, buckler; *hayb.* turbot
kalker limestone
kalkık raised, risen; erect; lifted
kalkındırmak to develop
kalkınma development, progress
kalkınmak to develop, to make progress
kalkış departure
kalkışmak to attempt, to try, to dare
kalkmak to get up; to leave, to depart; to become erect; to disappear, to lift; (custom) to fall into disuse; to be abolished *kalk borusu* *ask.* reveille *kalk borusu çalmak* to sound the reveille
kalleş untrustworthy, unreliable, deceitful
kalleşlik deceit, treachery *kalleşlik etmek* to play a dirty trick on
kalmak to remain; to be left; to stay, to dwell; to fail (a class); to be inherited, to pass *kala kala* there only remains *kaldı ki* moreover, besides
kalori calorie, calory
kalorifer central heating
kalp false, forged
kalp heart; centre *kalp ağrısı* heartache *kalp atışı* heartbeat *kalp krizi* heart attack *kalp para* counterfeit money *kalbi atmak* to pulsate, to beat *kalbi çarpmak* to palpitate, to throb *kalbini kırmak* to break sb's heart
kalpak fur cap

kalpazan counterfeiter
kalpazanlık counterfeiting
kalpsiz heartless, cruel
kalsiyum *kim.* calcium
kaltak saddletree; whore, floozy
kalyon galleon
kama dagger
kamara (ship) cabin
kamarot steward, cabin boy
kamaşmak to be dazzled
kamaştırmak to dazzle
kambiyo foreign exchange *kambiyo kuru* rate of exchange, exchange rate
kambur hump, hunch; humpbacked, hunchbacked *kamburu çıkmak* to become hunchbacked *kamburunu çıkarmak* to arch, to stoop
kamçı whip, scourge
kamçılamak to whip, to lash; to stimulate, to whip up
kamelya *bitk.* camellia
kamera camera
kameraman cameraman
kameriye arbour, bower
kamış reed, cane; penis
kamp camp *kamp kurmak* to pitch camp *kamp yeri* campground, campsite *kampa çıkmak* to go camping *kampa girmek* sp. to go into camp
kampana bell
kampanya campaign
kampçı camper
kampus campus
kamu the public *kamu düzeni* public order/safety *kamu giderleri* public expenditure *kamu hakları* public rights *kamu hizmeti* public service, civil service *kamu hukuku* public law, civil law *kamu kesimi* public sector *kamu personeli* civil servant *kamu sağlığı* public health *kamu yararı* public interest
kamuflaj camouflage

kamufle camouflaged *kamufle etmek* to camouflage
kamulaştırma nationalization
kamulaştırmak to nationalize
kamuoyu public opinion
kamyon lorry, *AE.* truck
kamyoncu lorry driver, truck driver
kamyonet pickup (truck)
kan blood *kan ağlamak* to shed tears of blood *kan akıtmak* to shed blood *kan almak* to bleed *kan bankası* blood bank *kan basıncı* blood pressure *kan çıbanı* furuncle, boil *kan damarı* blood vessel *kan damlası* drop of blood *kan davası* blood feud, vendetta *kan dolaşımı* circulation (of blood) *kan grubu* blood group, blood type *kan kardeşi* blood brother *kan nakli* blood transfusion *kan sayımı* blood count *kan tahlili* blood test, blood analysis *kan vermek* to donate blood *kana kana* to one's heart's content *kana susamış* bloodthirsty *kanı dindirmek* to stanch blood *kanı kaynamak* to take to sb
kanaat conviction, opinion; contentment, satisfaction *kanaat etmek* to be satisfied *kanaat getirmek* to be convinced, to satisfy oneself
kanaatkâr contented
Kanada Canada
Kanadalı Canadian
kanal canal, waterway; channel
kanalizasyon sewerage, drainage
kanama bleeding
kanamak to bleed
kanarya canary *Kanarya Adaları* Canary Islands
kanat wing
kanatçık winglet
kanatlanmak to take wing, to fly away
kanatlı winged

kanatsız wingless

kanaviçe canvas

kanca hook *kancayı takmak* to get one's knife into, to set one's cap at

kancalı hooked *kancalı iğne* safety pin

kancık bitch; mean

kandırmak to convince, to persuade; to seduce, to cheat

kandil oil lamp

kanepe sofa, couch

kangal coil, skein

kangren gangrene

kanguru *hayb.* kangaroo

kanı conviction, opinion *kanımca* in my opinion *kanısında olmak* be of the opinion that

kanıksamak to be satiated, to be cloyed with

kanır(t)mak to force back, to bend, to twist

kanıt proof

kanıtlamak to prove

kaniş poodle

kanlanmak to be stained with blood

kanlı bloody

kanmak to be persuaded, to believe; to be seduced, to be duped; to be satisfied

kano canoe

kanser cancer

kanserli cancerous

kansız bloodless

kansızlık anaemia

kantar steelyard; weighing-machine

kantin canteen

kanun law *kanun hükmünde olmak* to have the force of law *kanun koymak* to make a law, to legislate *kanun koyucu* legislator *kanun namına* in the name of the law *kanun tasarısı* bill, draft of a law *kanun tasarısını kabul etmek* to pass a bill *kanun tasarısını reddetmek* to throw out a bill *kanuna aykırı* unlawful, illegal

kanun *müz.* zither

kanunen by law, according to the law

kanuni legal, lawful

kanunlaşmak to become a law

kanunsuz lawless, illegal

kanyak cognac, brandy

kanyon canyon

kaos chaos

kap vessel, container *kap kacak* pots and pans

kapak lid, cover

kapaklanmak to fall flat on one's face

kapalı shut, closed; covered; overcast *kapalı çarşı* covered market *kapalı devre* closed circuit *kapalı gişe oynamak* to play to a full house *kapalı spor salonu* arena *kapalı tribün* covered grandstand *kapalı zarf usulüyle* by sealed tender

kapamak to shut, to close; to turn off

kapan trap *kapan kurmak* to set a trap *kapana kısılmak* to be caught in a trap

kapanık confined, shut in; cloudy, dark

kapanış closure; (radio, TV) close down

kapanmak to shut, to close; to confine oneself in, to shut oneself up; (weather) to become overcast

kaparo earnest money, key money

kapasite capacity

kapatma kept woman, mistress

kapatmak to close, to shut; to turn off

kapı door, gate *kapı dışarı etmek* to throw out, to dismiss *kapı gibi* large *kapı kapı dolaşmak* to go from door to door *kapı tokmağı* knocker

kapıcı doorkeeper, caretaker, janitor, porter

kapılanmak to secure a job

kapılmak to be carried away, to yield to, to abandon oneself to

kapış snatch **kapış kapış** grabbingly, greedily **kapış kapış gitmek** to sell like hot cakes

kapışılmak to be sold like hot cakes

kapışmak to snatch (at), to scramble (for); to get to grips with sb

kapital capital, funds

kapitalist capitalist; capitalistic

kapitalizm capitalism

kapitülasyon capitulation

kaplam extension

kaplama coat, plate; coating, plating; coated, plated

kaplamak to cover; to overlay, to plate, to coat

kaplan tiger

kaplıca thermal spring, hot spring

kaplumbağa tortoise, turtle

kapmak to snatch, to seize, to grasp; to learn quickly, to pick up

kaporta bonnet, *AE.* hood

kapris caprice, fancy, whim

kaprisli capricious, whimsical

kapsam scope, coverage, range

kapsamak to comprise, to include, to involve

kapsamlı comprehensive, overall

kapsül capsule

kaptan captain

kapuska cabbage stew

kaput military cloak, greatcoat; condom, rubber; bonnet, hood

kâr profit, gain **kâr bırakmak** to yield a profit **kâr etmek** to make a profit **kâr getirmek** to bring profit **kâr haddi** profit limit **kâr kalmak** to remain as profit **kâr oranı** rate of profit **kâr ve zarar** profit and loss

kar snow **kar gibi** snow-white **kar fırtınası** snowstorm **kar tanesi** snow flake **kar temizleme makinesi** snow plough **kar tutmak** (snow) to stick, to lie **Kar yağıyor** It is snowing **kar yağmak** (snow) to fall, to snow **kardan adam** snowman

kara black; bad, unlucky **kara cahil** utterly ignorant **kara çalmak** to calumniate, to slander **kara gün dostu** a friend in need **kara kara düşünmek** to brood over **kara kutu** flight recorder **kara listeye almak** to blacklist **kara mizah** black humour

kara land, shore; territorial **kara kuvvetleri** land forces **karaya ayak basmak** to land, to disembark **karaya oturmak** (ship) to run aground

karaağaç elm

karabasan nightmare

karabatak cormorant

karabiber black pepper

karaborsa black market **karaborsadan almak** to buy on the black market

karaborsacı black marketeer

karabulut nimbus

karaca roe (deer)

karacı officer or soldier in land office

karaciğer liver

Karadeniz the Black Sea

karafatma cockroach

karagöz Turkish shadow show; *hayb.* sargo, sea bream

karahumma *hek.* typhus

karakabarcık *hek.* anthrax

karakalem charcoal pencil

karakış severe winter, midwinter

karakol police station; patrol

karakter character **karakter oyuncusu** character actor **karakter sahibi** person of firm character

karakteristik characteristic

karaktersiz characterless

karalamak to blacken; to draft, to scribble; to backbite

karalık blackness

karaltı blur, silhouette

karambol collision, smashup

karamela caramel

karamsar pessimistic

karamsarlık pessimism

karanfil carnation

karanlık dark, darkness; obscure, dark *karanlık basmak* (night) to fall *karanlık oda* darkroom

karanlıkta in the dark

karantina quarantine *karantinaya almak* to put in quarantine

karar decision, resolution; judgement; constancy, stability *karar almak* to take a decision *karar vermek* to decide *karara varmak* to come to a decision, to reach a decision

karargâh headquarters

kararlama estimated by guess

kararlamadan at a guess

kararlaştırmak to decide, to arrange, to fix

kararlı decided, determined; stable, fixed

kararlılık determination

kararmak to grow dark, to darken

kararname written decree, decision or agreement

kararsız irresolute, undecided; unstable

kararsızlık indecision, hesitation

karartma blackout

karasaban primitive plough

karasevda melancholy

karasevdalı melancholic

karasinek common housefly

karasu glaucoma

karasuları territorial water

karatavuk blackbird

karate karate

karateci karateist

karavan caravan

karavana mess-tin; mess

karayel northwest wind

karayolu highway, main road

karbon carbon *karbon kâğıdı* carbon paper

karbonat carbonate

karbondioksit carbon-dioxide

karbonhidrat carbohydrate

karbüratör carburettor

kardeş brother, sister

kardeşlik brotherhood, sisterhood

kardinal cardinal

kardiyograf cardiograph

kardiyografi cardiography

kardiyolog cardiologist

kardiyoloji cardiology

kare square *karesini almak* mat. to square

karekök square root *karekökünü almak* mat. to extract the square root of

kareli chequered, squared

karga crow, raven

kargaburnu round pliers

kargacık burgacık yazmak to scrawl, to scribble

kargaşa confusion, disorder, tumult

kargo cargo

karı wife; woman *karı koca* husband and wife

karın belly, abdomen; stomach; abdominal *karın ağrısı* stomachache; pain in the neck, pain *karnı acıkmak* to be hungry *karnı ağrımak* to have stomachache *Karnım tok* I am full *karnını doyurmak* to eat one's fill *karnı zil çalmak* to feel peckish

karınca ant

karıncalanmak to prickle, to have pins and needles

karıncık *anat.* ventricle

karış span, hand span *karış karış* inch by inch, every inch of *karış karış bilmek* to know every inch of (a place)

karışık mixed; complicated, complex; miscellaneous, assorted

karışıklık disorder, confusion *karışıklık çıkarmak* to stir up trouble, to kick up a row

karışım mixture

karışlamak to measure by the span

karışmak to mix, to mingle; to interfere, to meddle; to be involved in

karıştırıcı mixer

karıştırmak to mix, to blend; to confuse, to mix up; to fumble about in, to rummage about

karides shrimp

karikatür cartoon; caricature

karikatürcü caricaturist

kârlı profitable, fruitful

karlı snowy

karma mixed *karma öğretim* co-education

karmak to mix, to blend; (playing cards) to shuffle

karmakarışık in a mess, in utter disorder

karmaşa disorder; complex

karmaşık complex

karnabahar cauliflower

karnaval carnival

karne report card, school report; ration card

karnıyarık dish of eggplants stuffed with mincemeat

karo (playing cards) diamond

karoser (car) body

karpuz watermelon; globe

kârsız profitless

karşı opposite; against; toward, towards *karşı karşıya gelmek* to come face to face with *(karşıdan) karşıya geçmek* to cross over *karşı çıkmak* to oppose; to object *karşı gelmek* to oppose, to buck *karşı koymak* to resist, to withstand *karşı olmak* to be against; to face *karşı casusluk* counterespionage

karşılamak (to go) to meet, to wel-

come; to receive, to greet; to meet, to cover

karşılaşmak to meet, to confront

karşılaştırma comparison

karşılaştırmak to compare, to contrast

karşılaştırmalı comparative

karşılık answer, reply; equivalent; return, recompense *karşılık vermek* to answer back

karşılıklı mutual, reciprocal *karşılıklı olarak* mutually, reciprocally

karşılıksız unreturned, unanswered *karşılıksız çıkmak* (cheque) to bounce

karşın in spite of, despite

karşısında opposite, facing; in the face of

karşıt opposite, contrary

karşıtanlamlı antonymous

karşıtlık contrast

kart card; postcard

kart tough, hard; old

kartal eagle

kartel cartel

kartlaşmak to become tough (old)

kartlık toughness; oldness

karton cardboard, pasteboard

kartonpiyer papier-mâché

kartopu snowball *kartopu oynamak* to play snowball

kartotek card catalogue, card index

kartpostal postcard

kartuş cartridge

kartvizit visiting card, card

karyola bed, bedstead

kas muscle

kasa safe, strongbox; till; cash; case, box; (car) body *kasa açığı* cash deficit *kasa defteri* cash book *kasa hesabı* cash account

kasaba small town *kasaba halkı* townsfolk, townspeople

kasabalı townsman, townswoman

kasadar cashier

kasap butcher; butcher's shop

kasatura bayonet
kasavet gloom, depression
kasavetli gloomy, depressed, desolate
kasdoku muscular tissue
kâse bowl
kaset cassette
kasık groin
kasılmak to contract; to give oneself airs, to swank, to swagger
kasım November
kasımpatı chrysanthemum
kasıntı swagger, swank
kasırga whirlwind, cyclone
kasıt intention, purpose
kasıtlı intentional, deliberate
kaside eulogy
kasiyer cashier
kaskatı very hard, rigid
kasket cap
kasko automobile insurance
kaslı muscular
kasmak to stretch tight; (garment) to take in *kasıp kavurmak* to terrorize, to tyrannize
kasnak rim, hoop
kasten on purpose, intentionally
kastetmek to mean
kasti deliberate, intentional
kasvet depression, gloom *kasvet basmak* to become depressed *kasvet vermek* to depress
kasvetli sad, depressing, gloomy
kaş eyebrow *kaş(larını) çatmak* to knit one's brows, to frown *kaş göz etmek* to wink at *kaşla göz arasında* in the twinkling of an eye *kaş yapayım derken göz çıkarmak* to make matters worse (while trying to be helpful)
kaşağı currycomb, back-scratcher
kaşağılamak to curry, to groom
kaşar a kind of yellow cheese made of sheep's milk
kaşarlanmış callous, hard-boiled
kaşe cachet
kaşık spoon

kaşıkçıkuşu pelican
kaşıklamak to spoon up
kaşımak to scratch
kaşındırmak to irritate
kaşınmak to itch; to scratch oneself; to ask for a beating
kaşıntı itching, irritation
kâşif explorer, discoverer
kaşkol scarf, neckerchief
kat storey, floor; layer, stratum; coat, coating; times *kat kat* in layers; much more, by far *kat mülkiyeti* ownership of a flat, condominium
katafalk catafalque
katakulli cheat, ruse
kataliz catalysis
katalizör catalyst
katalog catalogue
katar file; train
katarakt *hek.* cataract
katedral cathedral
kategori category
katetmek to travel, to cover
katı hard, rigid, stiff; (egg) hard-boiled *katı yürekli* hard hearted
katık anything eaten with bread, relish
katıksız pure, unmixed
katılaşmak to harden
katılık hardness, rigidity, stiffness
katılım participation, joining in
katılmak to be added, to be mixed; to participate, to join (in); to agree with; to get out of breath (from laughing)
katır kutur with a crunching sound
katır mule
katışık mixed
katışıksız pure
katıyağ grease
kati decisive, definite, final
kâtibe woman secretary
katil murderer, killer
kâtip clerk, secretary
katiyen definitely, absolutely

katiyet definiteness

katkı contribution, addition **katkıda bulunmak** to contribute to

katkısız pure, unadulterated

katlamak to fold, to pleat

katlanır folding, collapsible

katlanmak to put up with, to bear, to stand

katletmek to kill, to murder

katliam massacre, slaughter

katma added, additional **katma bütçe** supplementary budget **katma değer vergisi, KDV** value added tax, VAT

katmak to add, to join

katman layer, stratum

katmer layer

katmerli in layers, manifold, multiplied

Katolik Catholic

Katoliklik Catholicism

katot cathode **katot ışınları** cathode rays

katran tar

katranlamak to tar

katranlı tarred

katsayı mat. coefficient

katyon cation

kauçuk rubber

kavaf dealer in ready-made shoes

kavak poplar

kaval pipe, flageolet

kavalkemiği fibula

kavalye escort, partner

kavanoz jar, pot

kavga quarrel, brawl, fight **kavga çıkarmak** to kick up a row **kavga etmek** to quarrel, to fight

kavgacı quarrelsome

kavgalı quarrelled, angry

kavim ethny, tribe

kavis bend, curve

kavram concept, notion

kavrama comprehension; coupling, clutch **kavrama pedalı** clutch pedal

kavramak to grab, to seize, to clutch; to comprehend, to grasp, to understand

kavrayış comprehension, conception

kavrayışlı quick-witted

kavrayışsız thick-witted

kavşak junction, crossroads

kavuk quilted turban

kavun melon

kavuniçi light yellow colour

kavurma fried meat; fried

kavurmak to fry, to roast

kavuşmak to meet; to reach, to attain

kavuşturmak to bring together, to unite

kaya rock **kaya gibi** rocky **kayalara bindirmek** to run on the rocks

kayabalığı goby

kayağan slippery

kayak ski **kayak yapmak** to ski

kayakçı skier

kayakçılık skiing

kayalık rocky

kaybetmek to lose

kaybolmak to be lost; to disappear

kaydetmek to enrol, to register; to note down

kaydırak hopscotch; slide; flat round stone

kaygan slippery

kayganlık slipperiness

kaygı worry, anxiety

kaygılandırmak to worry, to make anxious

kaygılanmak to worry, to feel anxious

kaygılı worried, anxious

kaygısız carefree, jaunty

kayık boat, rowboat

kayıkçı boatman

kayıkhane boathouse

kayın beech

kayın brother-in-law

kayınbaba father-in-law

kayınbirader brother-in-law

kayınpeder father-in-law

kayınvalide mother-in-law

kayıp loss; casualties; lost *kayıp eşya* lost property *kayıplara karışmak* to disappear, to vanish

kayırmak to protect, to favour, to back

kayısı apricot

kayış strap, belt

kayıt enrolment, registration *kayıt defteri* register *kayda değer* noteworthy *kayda geçirmek* to register *kaydını silmek* to delete the record of

kayıtlı registered, recorded

kayıtsız unregistered; indifferent, unconcerned *kayıtsız kalmak* to be indifferent (to) *kayıtsız şartsız* unconditionally

kayıtsızlık indifference, unconcern

kaykılmak to lean (back)

kaymak cream

kaymak to slip, to slide, to skate

kaymakam head official of a district

kaymaklı creamy

kaynaç geyser

kaynak spring, fountain; source *kaynak suyu* spring water

kaynak weld, welding *kaynak çubuğu* welding bar *kaynak yapmak* to weld

kaynakça bibliography

kaynakçı welder

kaynaklanmak to arise from, to result from

kaynama boiling *kaynama noktası* boiling point

kaynamak to boil; to swarm, to crawl with

kaynana mother-in-law

kaynanadili cactus

kaynanazırıltısı rattle, clacker

kaynarca spring; hot spring

kaynaşmak to unite, to coalesce; to be welded; to swarm, to mill around

kaynata father-in-law

kaynatmak to boil

kaypak slippery, shifty

kaytan braid, cord

kaytarmak to shirk, to dodge, to goldbrick

kaz goose *kaz adımı* goosestep *kaz kafalı* stupid, thickheaded

kaza (administrative) district

kaza accident, mishap, crash *kaza sigortası* accident insurance *kaza yapmak* to have an accident *kazaen, kaza ile* by accident, by chance *kazaya uğramak* to have an accident

kazak pullover, jersey; (husband) despotic, dominating

kazan boiler, cauldron *kazan kaldırmak* to rebel against

kazanç profit, earnings; benefit, gain

kazançlı gainful, lucrative; advantageous

kazanmak to win; to acquire, to obtain

kazara by chance, by accident

kazazede wrecked, ruined, victim

kazı excavation

kazıbilim archaeology

kazıbilimci archaeologist

kazık stake, pale; trick, cheat, overcharge; exorbitant *kazık atmak* to overcharge, to stick, to soak

kazıkçı trickster, extortioner, extortionist

kazıklamak to overcharge; to swindle

kazıklanmak to be overcharged, to pay through the nose

kazıklıhumma tetanus

kazımak to scrape

kazıntı scrapings

kazma pickaxe, mattock

kazmak to dig, to excavate

kebap roasted meat, roast meat, kebap

keçap ketchup, catchup

keçe felt; mat

keçi goat; obstinate **keçileri kaçırmak** to go out of one's mind

keçiboynuzu carob (bean)

keçisakal goatee

keçiyolu path

keder grief, sorrow.

kederlenmek to become sorrowful

kederli grieved, sorrowful

kedi cat

kedigözü rear reflector

kefal grey mullet

kefalet bail **kefalet senedi** surety bond

kefaletle on bail **kefaletle salıvermek** to release on bail

kefaletname surety bond, bail bond

kefaret atonement, expiation **kefareti ödemek** to atone, to expiate

kefe (balance) scale

kefen shroud **kefeni yırtmak** to cheat death

kefil guarantor, sponsor **kefil olmak** to stand as surety

kefillik guarantee, security

kehanet soothsaying, prediction **kehanette bulunmak** to predict, to prophesy

kehribar amber

kek cake

keke stuttering, stammering

kekelemek to stutter, to stammer

kekeme stutterer, stammerer

kekemelik stuttering, stammer

kekik thyme

keklik partridge

kekre acrid, pungent

kekrelik acridity

kel bald **kel olmak** to become bald-headed

kelaynak ibis, kahlibis

kelebek butterfly; throttle

kelek unripe melon; *arg.* stupid, silly

kelepçe handcuffs; pipe clip **kelepçe takmak** to put handcuffs on sb

kelepçelemek to handcuff

kelepir bargain, buy **kelepire konmak** to get a bargain

kelepirci bargain hunter

keleş brave; beautiful, handsome; hairless

kelime word **kelimesi kelimesine** word for word

kelle head, bean **kellesini uçurmak** to decapitate, to behead

kellifelli well-dressed, dignified

kellik baldness

kem bad, evil

kem küm etmek to hum and haw

Kemalist Kemalist

Kemalizm Kemalism

keman violin

kemancı violinist

kemençe *müz.* small violin with three strings

kement lasso **kement atmak** to throw a lasso at

kemer belt, girdle; arch **kemerini sıkmak** to tighten one's belt

kemik bone **kemik çıkmak** (bone) to be dislocated **kemik gibi** as hard as a bone; bone-dry **kemik veremi** tuberculosis of the bones

kemikli bony, large boned; having bones

kemiksiz boneless, without bones

kemirmek to gnaw, to nibble

kemiyet quantity

kenar edge, border, brink **kenar mahalle** slums, outskirts **kenara çekilmek** to get out of the way, to step aside **kenara kaldırmak** to put aside

kenarortay median

kendi self; own **kendi âleminde yaşamak** to live in one's own world **kendi başına** on one's own, by himself **kendi derdine düşmek** to be preoccupied with one's own troubles **kendi düşen ağlamaz** as you make your bed, so you must lie in it **kendi hal-**

inde harmless, quiet **kendi kazdığı kuyuya kendi düşmek** to be hoist with one's own petard **kendi kendime** by myself, to myself **kendi kendine gelin güvey olmak** to reckon without one's host **kendi kendisine** by himself, to himself **kendi yağıyla kavrulmak** to stand on one's own feet **kendileri** themselves **kendiliğinden** by oneself, automatically **kendim** myself **kendimiz** ourselves **kendinden geçmek** to lose one's self-control; to lose consciousness **kendinde olmamak** to be unconscious **kendinden pay biçmek** to live and let live **Kendine gel!** Pull yourself together! **kendine gelmek** to come round, to come to oneself again **kendine ... süsü vermek** to pretend to be **kendine yediremmek** to be unable to bring oneself to **kendini beğenmek** to be full of oneself **kendini beğenmiş** self-satisfied, conceited **kendini beğenmişlik** conceitedness **kendini bilmez** presumptuous, impertinent **kendini bir şey sanmak** to think oneself important **kendini fasulye gibi nimetten saymak** to think no small beer of oneself **kendini toparlamak** to pull oneself together **kendini ...ye vermek** to devote oneself to, to give oneself over to **kendiniz** yourself; yourselves
kendir hemp
kene tick
kenef water-closed
kenet clamp
kenetlemek to clamp (together)
kenetli clamped together
kenevir hemp
kent city, town
kentleşme urbanization
kentleşmek to be urbanized

kentsoylu bourgeois
kepaze vile, contemptible, ridiculous **kepaze etmek** to disgrace, to dishonour **kepaze olmak** to disgrace oneself, to be humiliated
kepazelik vileness, ignominy
kepçe ladle, scoop
kepek bran; dandruff (in the hair), scurf
kepeklenmek to become scurfy
kepekli containing bran; scurfy
kepenk pull-down shutter
keramet miracle
kerata shoehorn; son of a gun, dog; cuckold
kere time(s)
kereste timber, lumber; *arg.* lout, boor
kereviz celery
kerhane brothel, whorehouse
kerhen unwillingly
keriz *arg.* sucker, dupe
kerkenez kestrel
kermes fair, kermis, flea market
kerpeten pincers
kerpiç sun-dried brick, adobe
kerrat cetveli multiplication table
kerte degree, point
kertenkele lizard
kerteriz bearing
kertik notch, tally
kertikli notched
kertmek to notch, to gash
kervan caravan
kesat slackness; stagnant, slack
kese purse; pouch; coarse bath glove; cyst **kesenin ağzını açmak** to loosen one's purse strings
kese shortcut
kesecik small purse; *anat.* saccule
kesekâğıdı paper bag
keselemek to rub the body with a bath glove
keseliler *hayb.* marsupials
kesen secant
keser adze

kesici cutting, incisive; cutter

kesicidiş incisor

kesif dense, thick

kesik cut, broken *kesik kesik* brokenly

kesikli discontinued

kesiksiz continuous

kesilmek to be cut; to be interrupted; to cease, to stop; to pretend to be

kesim cutting, slaughter; section, sector

kesimevi slaughterhouse

kesin definite, certain *kesin olarak* for certain, certainly

kesinkes decisive, definite; decisively, definitely

kesinleşmek to become definite

kesinlik decisiveness, certainty

kesinlikle definitely, definitively

kesinti deduction; interruption

kesintili interrupted, discontinuous

kesintisiz uninterrupted, continuous; without deductions

kesir traction

kesirli fractional

kesişmek to intersect, to cross

kesit section, cross-section

keskin sharp *keskin nişancı* sharp shooter, marksman *keskin viraj* hairpin bend *keskin zekâlı* sharp-witted

keskinleştirmek to sharpen

keskinlik sharpness

kesme cutting; *mat.* sector *kesme almak* to pinch one's cheek

kesmece (watermelon) on condition that it is cut for examination

kesmek to cut; to interrupt; to stop, to kill; *arg.* to shut up, to cut the cackle; *arg.* to ogle at (a girl) *kesip atmak* to settle once and for all

kesmeşeker lump sugar

kestane chestnut *kestane kebabı* roasted chestnuts

kestanerengi reddish brown, auburn

kestaneşekeri candied chestnuts

kestirme direct, decisive *kestirme yol* short cut *kestirmeden gitmek* to take a short cut

kestirmek to cause to cut; to estimate, to guess; to have a snap, to doze

keşfetmek to discover, to explore

keşif discovery, exploration; *ask.* reconnaissance

keşiş monk

keşişleme southeast wind

keşke I wish, if only

keşkül milk pudding with coconut

keşmekeş great confusion, disorder

ket obstacle *ket vurmak* to hinder

ketçap ketchup, catchup, catsup

keten flax; linen *keten bezi* linen cloth

kevgir colander, skimmer

keyfi arbitrary

keyfiyet quality; state of affairs, circumstance

keyif pleasure, enjoyment, joy; disposition, inclination, humour *keyif çatmak* to enjoy oneself *keyif için* for fun, for pleasure *keyif sürmek* to lead a life of pleasure *keyif vermek* to intoxicate *keyfi gelmek* to feel in a good humour *keyfi kaçmak* to be out of spirits, to be annoyed *keyfi olmamak* to be out of sorts *keyfi yerinde olmak* to be in high spirits *keyfine bakmak* to take one's ease *keyfini çıkarmak* to get a kick out to, to enjoy *keyfini kaçırmak* to dispirit

keyiflenmek to become merry

keyifli in high spirits, merry

keyifsiz out of sorts, unwell

keyifsizlik indisposition, ailment

kez time

keza also, too; likewise

kezzap nitric acid, aqua fortis

kıble direction of Mecca

Kıbrıs Cyprus

Kıbrıslı Cypriot

kıç buttock, behind, bottom

kıdem seniority, priority

kıdemli senior

kıdemsiz junior

kıkırdak cartilage

kıkırdakdoku cartilaginous tissue

kıkırdamak to giggle, to chuckle

kıl hair; bristle *kıl payı* by a neck *kıl payı kaybetmek* to lose by a hair's breadth *kıl payı kurtulmak* to escape by a hair's breadth *kıl testere* fretsaw *kılı kırk yarmak* to split hairs *kılına dokunmamak* not to lay a finger on sb *kılını bile kıpırdatmamak* not to turn a hair

kılavuz guide; leader

kılcal capillary *kılcal boru* capillary (tube) *kılcal damar* capillary vessel

kılçık fishbone

kılçıklı bony

kılçıksız without bones

kılıbık henpecked

kılıç sword *kılıç çekmek* to draw the sword *kılıçtan geçirmek* to put to the sword

kılıçbalığı swordfish

kılıf case, cover

kılık appearance, shape *kılık değiştirmek* to disguise oneself *kılık kıyafet* attire, dress *kılığında* in the guise of

kılıksız shabby, frumpish

kıllanmak to become hairy

kıllı hairy

kılmak to make, to render

kılsız hairless

kımıldamak to move, to stir

kımıldatmak to move, to budge

kın sheath, scabbard *kınına koymak* to sheathe *kınından çıkarmak* to unsheathe

kına henna *kına sürmek* to dye

with henna

kınaçiçeği balsam

kınakına cinchona tree

kınamak to condemn, to blame

kınkanatlılar beetles

kınnap twine, string

kıpırdamak to move, to quiver, to budge

kıpırdatmak to move, to budge

kıpırtı stirring, quiver

kıpkırmızı crimson, very red *kıpkırmızı olmak* (face) to glow

kır country, countryside *kır çiçeği* wildflower *kır koşusu* cross-country run

kır grey, gray *kır düşmek* to turn grey *kır saçlı* grey haired

kıraathane coffee house

kıracak nutcrackers

kıraç barren, arid

kırağı hoarfrost *kırağı çalmak* to become frostbitten

kırat carat

kırbaç whip

kırbaçlamak to whip

kırçıl grizzled

kırgın offended, hurt, resentful

kırgınlık offence, resentment

kırıcı offensive

kırık broken; break, fracture; (school) bad mark *kırık dökük* in pieces

kırıkçı bone-setter

kırıklık fatigue, indisposition

kırılgan brittle, fragile

kırılmak to be broken; to take offence

Kırım Crimea

kırım slaughter, massacre

kırıntı fragment; crumb

kırışık wrinkle; wrinkled

kırışmak to become wrinkled; to divide among/between themselves

kırıştırmak to wrinkle; to carry on with, to flirt with

kırıtkan coquettish, mincing

kırıtmak to mince, to coquet
kırk forty *kırk yılda bir* once in a blue moon
kırkayak centipede
kırkıncı fortieth
kırkmak to shear
kırlangıç swallow
kırlangıçbalığı gurnard
kırmak to break, to fracture; to fold, to pleat; to offend, to hurt; (price) to lower *kırıp dökmek* to destroy *kırıp geçirmek* to tyrannize, to rage
kırmızı red *kırmızı balık* goldfish
kırmızıbiber red pepper, cayenne pepper
kırmızılaşmak to redden
kırmızılık redness
kırmızımsı reddish
kıro bumpkin, yokel, yahoo
kırpıntı clippings
kırpıştırmak to blink
kırpmak to clip, to shear; (eye) to wink
kırsal rural
kırtasiye stationery
kırtasiyeci stationer; bureaucrat
kırtasiyecilik bureaucracy, red tape; the stationery business
kısa short *kısa dalga* short wave *kısa devre* short circuit *kısa kesmek* to cut short *kısa sürmek* to take a short time
kısaca shortly
kısacık very short
kısalık shortness
kısalmak to become short, to shorten; to shrink
kısaltma abbreviation
kısaltmak to shorten; to abbreviate
kısas retaliation, reprisal *kısasa kısas* an eye for an eye
kısık turned down; hoarse, choked *kısık sesli* hoarse voiced
kısım part, portion; section
kısıntı restriction, curtailment
kısır sterile, barren

kısırdöngü vicious circle
kısırganmak to grudge, to skimp
kısırlaşmak to become sterile
kısırlaştırmak to make sterile
kısırlık sterility, barrenness
kısıtlama restriction
kısıtlamak to restrict
kısıtlayıcı restrictive
kısıtlı restricted
kıskaç pincers, pliers; *tek.* grips
kıskanç jealous
kıskançlık jealousy
kıskandırmak to make jealous
kıskanmak to be jealous of, to envy
kıskıvrak tightly
kısmak to reduce, to cut down; (radio, lamp) to turn down; (eyes) to narrow
kısmen partly, partially
kısmet destiny, lot, fortune, chance *kısmet olmamak* not to be possible *kısmeti açık* fortunate, lucky *kısmeti açılmak* to be in luck; (girl) to receive a marriage proposal
kısmetli lucky
kısmetsiz unlucky
kısmi partial
kısrak mare
kıssa story, tale *kıssadan hisse* the moral of the story; the lesson learned from an experience
kıstak *coğ.* isthmus
kıstas criterion
kıstırmak to pinch, to corner
kış winter *kış kıyamet* severe winter weather *kış uykusu hayb.* hibernation *kışı çıkarmak* to spend the whole winter *kışı geçirmek* to spend the winter *kışta kıyamette* in the depth of winter
kışın in (the) winter
kışır crust, bark, peel
kışkırtıcı provocative; instigator, provoker
kışkırtıcılık provocation
kışkırtmak to incite, to provoke

kışla barracks

kışlamak (winter) to set in; to winter

kışlık wintery, hibernal

kıt scarce, scanty *kıt kanaat geçinmek* to live from hand to mouth, to make both ends meet

kıta continent; stanza; *ask.* detachment *kıta sahanlığı* continental shelf

kıtalararası intercontinental

kıtır kıtır brittle, crisp; with a cracking sound *kıtır kıtır yemek* to munch

kıtlaşmak to become scarce

kıtlık scarcity; famine

kıvam thickness, density; the right moment/stage

kıvanç pleasure, joy; pride *kıvanç duymak* to feel proud of

kıvançlı joyful; proud

kıvılcım spark

kıvırcık curly, frizzy *kıvırcık salata* cabbage lettuce; head lettuce

kıvırmak (hair) to curl, to frizz; to twist, to bend; to pull off, to bring off; to make up, to invent

kıvrak brisk, agile, lithe

kıvraklık briskness, agility

kıvrandırmak to convulse, to torment

kıvranmak to writhe, to squirm

kıvrık curled; bent, crooked

kıvrım curl, twist

kıyafet dress, costume, attire, clothes *kıyafet balosu* fancy dress ball

kıyak fine, smart, swell, great

kıyamamak not to have the heart to

kıyamet doomsday; tumult, uproar *kıyamet gibi* heaps of *kıyamet günü* day of judgement *kıyameti koparmak* to make a row, to raise hell/the roof

kıyas comparison *kıyasla* in comparison (with)

kıyasıya mercilessly

kıyaslamak to compare

kıyı edge, border; shore, coast

kıyıcı cruel

kıyım mincing, cutting; wrongdoing

kıyma minced meat

kıymak to mince, to chop up fine; not to spare, to sacrifice

kıymet value, worth *kıymet biçmek* to evaluate, to value *kıymet vermek* to esteem, to appreciate *kıymet takdir etmek* to value *kıymetini bilmek* to appreciate *kıymetten düşmek* to depreciate

kıymetlendirmek to evaluate, to appraise

kıymetlenmek to rise in value, to gain value

kıymetli valuable

kıymetsiz valueless

kıymık splinter

kız girl; maiden, virgin; (cards) queen *kız evlat* daughter *kız gibi* new; girlish *kız kaçırmak* to kidnap a girl *kız kardeş* sister *kız kurusu* old maid, spinster *kız tarafı* the bride's relatives *kız oğlan kız* virgin

kızak sledge, sled *kızak kaymak* to sledge *kızağa çekmek* to lay on the stocks *kızaktan indirmek* (ship) to launch

kızamık measles *kızamık çıkarmak* to have the measles

kızarmak to turn red; to blush *kızarıp bozarmak* to change colour

kızarmış fried, roasted, toasted; reddened *kızarmış ekmek* toast

kızartma fried, roasted

kızartmak to make red; to fry, to grill, to roast, to toast

kızdırmak to make angry, to annoy

kızgın hot; angry, furious

kızgınlık hotness; anger, fury

kızıl red, scarlet; scarlet fever;

communist *Kızıl Deniz* the Red Sea *kızıl saçlı* red haired

kızılağaç alder

Kızılay Red Crescent

Kızılderili American Indian

Kızılhaç Red Cross

kızıllık redness

kızılötesi infrared

kızışmak to become heated, to get hot

kızıştırmak to excite, to incite

kızlık virginity; girlhood *kızlık zarı* hymen

kızmak to get angry; to get hot

ki who, which, that

kibar polite, refined

kibarca politely

kibarlaşmak to become polite

kibarlık politeness, refinement *kibarlık taslamak* to play the fine gentleman

kibir pride, conceit

kibirlenmek to become haughty

kibirli haughty, conceited

kibrit match *kibrit çakmak* to strike a match *kibrit çöpü* match stick *kibrit kutusu* match box

kifayet sufficiency

kil clay, argil

kile bushel

kiler larder, pantry

kilim rug, kilim

kilise church

kilit lock, padlock *kilit açmak* to unlock *kilit noktası* key position *kilit vurmak* to lock

kilitlemek to lock

kilitli locked

kilo kilo *kilo almak* to put on weight *kilo vermek* to lose weight

kilogram kilogramme

kilohertz kilohertz

kilometre kilometre *kilometre kare* square kilometre

kilovat kilowatt

kim who *Kim bilir?* Who knows?

Kim o? Who is it?

kime to whom, for whom, whom, who

kimi some *kimi zaman* sometimes

kimi whom, who

kimin whose

kimlik identity (card)*kimlik belgesi/kartı* identity card

kimono kimono

kimse somebody, someone; anyone; nobody, no one *Kimsecikler yok.* There is not a soul here.

kimsesiz without relations/friends; empty, forlorn

kimsesizlik destitution

kimya chemistry *kimya mühendisi* chemical engineer *kimya mühendisliği* chemical engineering

kimyacı chemist; teacher of chemistry

kimyager chemist

kimyasal chemical *kimyasal maddeler* chemicals

kimyon cumin

kin grudge, hatred *kin beslemek* to bear a grudge

kinaye allusion, innuendo

kinci vindictive

kinetik kinetics; kinetic

kinin quinine

kip mood

kir dirt, filth

kira hire, rent *kira ile tutmak* to hire, to rent, to tenant *kira müddeti* lease, tenancy *kira sözleşmesi* lease, rental contract *kira getirmek* to rent *kiraya vermek* to let, to rent, to lease, to rent out

kiracı tenant, leaseholder *kiracıyı çıkartmak* to evict

kiralamak to hire, to rent, to tenant

kiralayan lessee

kiralık for hire, to let *kiralık ev* house to let *kiralık katil* hired

killer
kiraz cherry
kireç lime, chalk *kireç gibi* very white *kireç kuyusu* lime pit *kireç ocağı* limestone quarry
kireçlenmek to be limed; to calcify
kireçli calcareous, limy
kiremit tile *kiremit kaplamak* to tile
kiriş joist, rafter; string; *mat.* chord; *anat.* tendon *kirişi kırmak* to take to one's heels
kirlenmek to become dirty/filthy
kirletmek to make dirty, to dirty, to pollute
kirli dirty, filthy, foul *kirli çamaşır* dirty linen *kirli çamaşırlarını ortaya çıkarmak* to wash one's dirty linen in public
kirlilik dirtiness, filthiness
kirpi hedgehog
kirpik eyelash
kist cyst
kişi person, individual
kişileştirmek to personify
kişilik personality
kişilikli having a strong personality
kişiliksiz characterless
kişisel personal
kişnemek to neigh, to whinny
kitabe inscription, epitaph
kitabevi bookshop, bookstore
kitap book *kitaba el basmak* to swear on the Koran
kitapçı bookseller; publisher
kitaplık library; bookcase
kitapsever bibliophile
kitle mass *kitle iletişim araçları* mass media
klakson horn
klan clan
klarnet clarinet
klasik classic; classical
klasman classification
klasör file
klavye keyboard
klik clique

klima air-conditioner
klimalı air-conditioned
klinik clinic; clinical
klişe cliché; trite
klişeleşmek to become hackneyed
klor chlorine
klorlamak to chlorinate
klorofil chlorophyll
kloroform chloroform
kloş bell-shaped, flared
koalisyon coalition
kobalt *kim.* cobalt
kobay guinea pig
kobra cobra
koca husband *koca bulmak* to find a hubby *kocaya kaçmak* to elope *kocaya vermek* to marry off
koca large, huge
kocakarı old woman, crone
kocalı having a husband
kocalık husbandhood
kocamak to grow old, to age
kocaman huge, large, enormous
kocasız unmarried; widow
Koç (burcu) Aries
koç ram
koçan corn cob; stump
kod code
kodaman magnate, big pot, big shot
kodeks codex
kodes jail, clink, jug
kodlamak to codify
kof hollow
kofana large bluefish
kofluk hollowness
kofra conduit box
koğuş ward; dormitory
kok coke
kokain cocaine
kokarca polecat, skunk
koklamak to smell, to sniff
koklatmak to cause to smell, to let smell; to give a very tiny bit of
kokmak to smell; to go bad
kokmuş rotten, spoiled, putrid
kokoreç roasted sheep's intestines

kokteyl cocktail
koku smell, scent; perfume
kokulu fragrant, perfumed, odorous
kokusuz scentless
kokuşmak to go bad, to putrefy
kokutmak to stink out, to smell up
kol arm; sleeve; handle, bar; patrol; column *kol düğmesi* cuff-link *kol gezmek* to go the rounds, to patrol *kol kola* arm in arm *kol saati* wrist watch *koluna girmek* to take sb by the arm
kola cola
kola starch
kolaçan rummage, prowl *kolaçan etmek* to rummage about, to prowl
kolalamak to starch
kolalı starched
kolay easy *Kolay gelsin!* May it be easy! *kolay iş* easy job, cushy *kolayını bulmak* to find an easy way
kolayca easily
kolaylamak to break the back of
kolaylaşmak to become easier
kolaylaştırmak to facilitate, to make easy
kolaylık easiness; facility, means
kolaylıkla easily
kolcu guard, watchman
kolej private high school
kolejli student at a private high school
koleksiyon collection
koleksiyoncu collector
kolektif collective, joint *kolektif ortaklık* general partnership
kolektör collector
kolera cholera
kolestrol cholesterol
koli parcel, packet
kolit colitis
kollamak to watch for; to protect, to look after
kolluk cuff; armband

Kolombiya Colombia
kolon column
koloni colony
kolonya cologne
kolordu army corps
koltuk armchair; armpit; protection *koltuk altı* armpit *koltuk değneği* crutch *koltukları kabarmak* to swell with pride
koltuklamak to take sth under the arm; to flatter
kolye necklace, chain
koma coma *koma halinde* comatose *komaya girmek* to go into a coma
komandit limited partnership
komando commando
kombina combine
kombine combined
kombinezon slip
komedi comedy
komedyen comedian
komi bellboy
komik funny
komiser superintendent of police
komisyon commission
komisyoncu commission agent
komite committee
komodin commode, bedside table
kompartıman compartment
kompas caliper rule
kompetan expert
komple full, complete
kompleks complex
komplikasyon complication
komplike complicated
kompliman compliment *kompliman yapmak* to pay compliments to
komplo plot, conspiracy *komplo kurmak* to conspire
komposto compote
kompozisyon composition
kompozitör composer
komprador comprador
kompresör compressor
komprime *hek.* tablet

komşu neighbour; neighbouring **komşu açı** adjacent angle
komşuluk neighbourhood
komut order, command
komuta command
komutan commander
komutanlık commandership
komünist communist
komünistlik, komünizm communism
komütatör commutator
konak mansion
konaklamak to stay for the night
konca bud
konç leg (of a boot/a stocking)
konçerto *müz.* concerto
kondansatör condenser
kondisyon condition, form
kondurmak to put on
kondüktör conductor
konfederasyon confederation
konfedere confederate
konfeksiyon ready-made clothes
konfeksiyoncu ready-made seller
konferans lecture **konferans vermek** to give a lecture
konferansçı lecturer
konfor comfort, ease
konforlu comfortable, comfy
kongre congress
koni cone
konik conic, conical
konjonktür conjuncture
konkordato concordat
konmak to settle on, to alight
konsantrasyon concentration
konsantre concentrated **konsantre olmak** to concentrate (on)
konser concert **konser vermek** to give a concert
konservatuvar conservatoire, conservatory
konserve tinned food; preserved, tinned
konsey council
konsol chest of drawers
konsolos consul

konsolosluk consulate
konsomatris hostess (in a bar)
konsorsiyum consortium
konsültasyon medical consultation
konşimento bill of lading
kont count, earl
kontak short circuit; ignition **kontak açmak** to turn on the engine **kontak anahtarı** car key **kontak kapamak** to turn off the engine
kontaklens contact lens
kontenjan quota; contingent
kontes countess
kontluk county
kontralto contralto
kontrat contract
kontratak counterattack
kontrbas contrabass
kontrbasçı contra bassist
kontrol control **kontrol etmek** to control
kontrolör controller
kontrplak plywood
konu komşu the neighbours
konu subject, topic
konuk guest, visitor
konukevi guest house
konuksever hospitable
konukseverlik hospitality
konum position, location
konuşkan talkative
konuşkanlık talkativeness
konuşma talk, conversation; speech
konuşmacı speaker
konuşmak to talk, to speak
konut house, residence
konvansiyonel conventional
konveks convex
konvertibilite convertibility
konvertisör convertor
konvoy convoy
konyak brandy, cognac
kooperatif cooperative
koordinasyon coordination
koordinat *mat.* coordinate
koparmak to pluck, to pick; to

break off; to extort, to wangle

kopça hook and eye

kopçalamak to hook

kopmak to break, to snap; to break out, to burst

kopuk broken; *kon.* hobo, bum

kopya copy; cheating *kopya çekmek* to cheat, to crib from *kopya kâğıdı* carbon paper

kopyacı copyist; cribber, cheater

kor ember

koramiral vice-admiral

kordiplomatik diplomatic corps

kordon cordon

Kore Korea

Koreli Korean

koreografi choreography

korgeneral lieutenant-general

koridor corridor

korkak cowardly; coward

korkaklık cowardice

korkmak to be afraid (of), to be scared

korku fear, dread, scare *korku salmak* to spread terror *korkuya kapılmak* to be seized with tear

korkulu frightening, dreadful

korkuluk scarecrow; balustrade, banister

korkunç terrible, dreadful, awful

korkusuz fearless, undaunted

korkusuzca fearlessly

korkusuzluk fearlessness

korkutmak to frighten, to scare, to daunt

korna horn *korna çalmak* to honk the horn

kornea *anat.* cornea

korner corner *korner atışı* corner kick

kornet cornet

korniş cornice

koro chorus *koro halinde* in chorus

korsan pirate, hijacker

korsanlık piracy, hijacking *korsanlık etmek* to pirate, to hijack

kortej cortege

koru grove, copse

korucu forest watchman

korugan blockhouse

korumak to protect, to defend

korunma defence

korunmak to defend oneself

koruyucu protective, preventive; protector

kosinüs cosine

koskoca enormous, huge

koskocaman colossal, huge

kostüm costume

koşmak to run

koşturmak to cause to run; to buzz about, to scurry

koşu race, running *koşu alanı* hippodrome *koşu atı* racehorse

koşucu runner

koşul condition

koşullandırmak to condition

koşullu conditional, conditioned

koşulsuz unconditional, unconditioned

koşuluyla on condition that

koşum harness

koşuşmak to run about

kot jeans

kota quota

kotarmak to dish up; to complete, to fulfil

kotra cutter

kova bucket **Kova burcu** Aquarius

kovalamak to run after, to chase

kovan hive; cartridge case

kovboy cowboy

kovmak to drive away, to expel, to discharge

kovuk hollow, cavity

kovuşturma prosecution *kovuşturma açmak* to start a prosecution

kovuşturmak to prosecute

koy bay, inlet

koy(u)vermek to let go, to release

koymak to put, to place; *arg.* to upset, to move, to affect

koyu thick, dense; (colour) dark;

extreme, fanatic

koyulaşmak to become dense; to become dark

koyulaştırmak to thicken; to darken

koyulmak (work) to set to; to become dense/dark

koyultmak to darken; to thicken

koyuluk density; (colour) depth

koyun bosom, breast *koynuna girmek* to go to bed with sb

koyun sheep *koyun eti* mutton

koz (cards) trump; walnut *kozunu oynamak* to play one's trump card *kozunu paylaşmak* to settle accounts (with)

koza cocoon

kozalak cone

kozmetik cosmetic

kozmopolit cosmopolitan

köfte meatball

köfteci seller of meat balls

köftehor rascal, son of a gun

köhne old, ramshackle, dilapidated

kök root; origin *kök işareti* radical sign *kök salmak* to take root *kökünden sökmek* to uproot *kökünü kurutmak* to extirpate, to eradicate

kökboyası madder, alizarin

köken origin, source

kökenbilim etymology

köklemek to uproot

köklenmek to take root

kökleşmek to take root

köklü rooted

köknar fir

köksüz rootless

kökten radical

köktenci radical

köktencilik radicalism

köle slave

kölelik slavery

kömür charcoal; coal *kömür gibi* as black as coal *kömür kovası* coal scuttle *kömür ocağı* coal mine

kömürcü coal dealer

kömürleşmek to become carbonized

kömürlük coalhole

köpek dog

köpekbalığı shark, dogfish

köpekdişi canine tooth

köprü bridge *köprü kurmak* to build a bridge; (wrestling) to bridge

köprücük collar bone, clavicle

köpük foam, froth

köpüklü frothy, foamy

köpürmek to froth, to foam; (soap) to lather

köpürtmek to froth up

kör blind; (knife, etc.) blunt *kör dövüşü* muddle *kör kütük* blind drunk *kör olası(ca)* cursed, damned; bloody *kör şeytan* evil destiny *kör talih* bad luck *kör topal* after a fashion, perfunctorily *körü körüne* blindly *körler alfabesi* Braille alphabet

körbağırsak cecum, blind gut

kördüğüm Gordian knot

körebe blind man's buff

körelme *biy.* atrophy

körelmek to become blunt; to atrophy; to become extinct

körfez gulf, bay

körkaya submerged rock

körkuyu dry well

körleşmek to become blunt; to become blind

körletmek to blunt; to deaden, to damp

körlük blindness; bluntness

körpe fresh, tender

körpecik very fresh

körük bellows

körüklemek to fan with bellows; to incite, to fan

körüklü having bellows

köse beardless

kösele stout leather

kösnü lust

kösnül lustful, erotic

köstebek mole

kösteklemek to fetter; to hobble; to foil, to hinder

köşe corner *köşe atışı* corner-kick *köşe başı* street-corner *köşe bucak* even nook and cranny *köşe kapmaca* puss-in-the-corner *köşeyi dönmek* to strike it rich

köşebent angle iron

köşegen diagonal

köşeli cornered, angled

köşk villa, summer-house

kötek beating *kötek atmak* to give a beating *kötek yemek* to get a beating

kötü bad, evil *kötü kadın* prostitute *kötüye kullanmak* to abuse, to misuse *kötü yola düşmek* to be on the streets *kötü niyetli* evilminded, malicious

kötücül malicious; malignant

kötülemek to speak ill of, to run down

kötüleşmek to grow worse, to worsen

kötülük wickedness, badness; harm, wrong *kötülük etmek* to do sb harm

kötümsemek to think ill of, to disparage

kötümser pessimist; pessimistic

kötümserlik pessimism

kötürüm crippled; cripple *kötürüm olmak* to be paralysed

köy village *köy muhtarı* village headman

köylü villager, peasant

köz embers, cinders

közlemek to barbecue

kraker cracker

kral king; tycoon *kral naibi* regent

kralcı royalist

kralcılık royalism

kraliçe queen

kraliyet, krallık kingdom, royalty

kramp cramp *kramp girmek* to have cramp

krampon crampon, cleat

krank crankshaft

krater crater

kravat necktie, tie

kredi credit *kredi açmak* to give credit *kredi ile almak* to buy sth on credit *kredi kartı* credit card *kredi mektubu* letter of credit *kredili satış* sale on credit

krem cream *krem rengi* cream *krem şantiyi* whipped cream

krema cream

kremşantiye whipped cream

krepon crepon

kreş nursery

kreşendo crescendo

kriket cricket

kriko jack

kriminoloji criminology

kristal crystal

kriter criterion

kritik critical

kriz crisis; heart attack

krizantem chrysanthemum

kroki sketch

krom chromium

kromozom chromosome

kronik chronic

kronoloji chronology

kronolojik chronological

kronometre chronometer

kros cross-country race

kroşe (boxing) hook

krupiye croupier

kruvaze double-breasted

kruvazör cruiser

kuaför hairdresser, coiffeur

kuartet *müz.* quartet

kubbe dome, cupola

kubbeli domed

kucak lap, embrace *kucak açmak* to receive with open arms *kucağına almak* to take on one's lap *kucağına oturmak* to sit on sb's lap

kucaklamak to embrace, to hug

kucaklaşmak to embrace one another

kudret power, strength **kudret helvası** manna
kudretli powerful
kudretsiz powerless
kudurgan furious, raging
kudurmak to go mad; to be enraged, to fume
kudurmuş mad; rabid, furious
kudurtmak to enrage, to infuriate
kuduruk rabid; enraged, furious
kuduz rabies; mad, rabid
Kudüs Jerusalem
kuğu swan
kukla puppet
kukuleta hood, cowl
kukumav little owl *kukumav gibi* all alone
kul slave; human being, man *kul köle olmak* to be at sb's back and call
kulaç fathom; *sp.* stroke
kulak ear *kulak ağrısı* earache *kulak ardı etmek* to turn a deaf ear *kulak asmak* to pay attention *kulak dolgunluğu* knowledge picked up here and there *kulak iltihabı* otitis *kulak kabartmak* to prick up one's ears *kulak kesilmek* to be all ears *kulak misafiri olmak* to overhear *kulak vermek* to give ear, to listen *kulağı ağır işitmek* to be hard of hearing *kulağı ağrımak* to have an earache *kulağına çalınmak* to come to one's ears *kulağına söylemek* to whisper in sb's ear *kulağını açmak* to open one's ears *kulağını çekmek* to pull sb's ears *Kulakları çınlasın!* I hope his ears are burning! *Kulaklarıma inanamadım!* I couldn't believe my ears! *kulaktan kapmak* to pick up a language *kulaktan kulağa* on the grapevine
kulakçık auricle
kulakkepçesi earlap
kulaklık headphone, earphone; hearing aid
kulakmemesi earlobe
kulakzarı eardrum
kulampara pederast, bugger
kule tower
kulis back stage, wing
kullanılmış used, second hand
kullanım use, usage
kullanış use, usage
kullanışlı handy, practical
kullanışsız unhandy
kullanmak to use, to employ
kulluk slavery; worship
kulp handle *kulp takmak* to invent a pretext
kuluçka broody hen *kuluçka dönemi* incubation period *kuluçka makinesi* incubator *kuluçkaya yatmak* to brood
kulunç shoulder pain, pain
kulübe hut, shed
kulüp club
kulvar track, course
kum sand *kum fırtınası* sandstorm *kum saati* hourglass
kuma second wife, fellow wife
kumanda command *kumanda etmek* to command
kumandan commander
kumandanlık commandership
kumanya portable rations
kumar gambling, gamble *kumar oynamak* to gamble
kumarbaz, kumarcı gambler
kumarbazlık gambling
kumarhane casino, gambling house
kumaş cloth, fabric
kumbara moneybox
kumlu sandy
kumluk sandy place
kumpanya company; troupe
kumpas plot, conspiracy *kumpas kurmak* to conspire
kumral light brown
kumru turtledove *kumrular gibi sevişmek* to bill and coo

kumsal beach, sands
kundak swaddling clothes
kundakçı incendiary, arsonist
kundakçılık arson
kundaklamak to swaddle; to set fire (to)
kundura shoe
kunduracı shoemaker
kunduz beaver
kupa cup; (cards) hearts
kupkuru bone-dry
kupon coupon
kupür cutting
kur courtship, flirtation *kur yapmak* to pay court to
kur rate of exchange; course (of studies)
kura drawing of lots; lot *kura çekmek* to draw lots
kurabiye cookie, cooky
kurak arid, dry
kuraklık drought
kural rule
kuraldışı exceptional
kurallı regular
kuralsız irregular
kuram theory
kuramsal theoretical
Kuran the Koran
kurbağa frog, toad
kurbağalama breaststroke, frogstyle
kurban sacrifice, offering; victim *Kurban Bayramı* the Moslem Festival of Sacrifices *kurban kesmek* to kill as a sacrifice *kurban olmak* to be a victim *kurban vermek* to lose as casualties
kurbanlık sacrificial
kurcalamak to monkey with, to meddle with
kurdele ribbon
kurdeşen rash, urticaria
kurgu montage, editing
kurmak to set up, to establish, to found; to make up, to form; to set, to lay; to wind (up)

kurmay staff *kurmay subay* staff officer
kurnaz sly, cunning, foxy
kurnazlık slyness, cunning, foxiness
kurs course *kurs görmek* to take a course
kurs disc, disk
kursak crop, craw
kurşun lead; bullet *kurşun geçirmez* bullet-proof *kurşuna dizmek* to execute by shooting
kurşuni grey, leaden
kurşunkalem pencil
kurşunlamak to shoot
kurşunlu leaden
kurt wolf; worm *kurt gibi aç* ravenous *kurt dökmek* to pass a worm *kurtlarını dökmek* to have one's fling *kurt köpeği* wolf dog, wolfhound
kurtağzı dovetail
kurtarıcı liberator
kurtarma saving, rescue *kurtarma ekibi* rescue party
kurtarmak to save, to rescue
kurtçuk larva
kurtlanmak to become maggoty; to fidget
kurtlu maggoty, wormy; fidgety
kurtulmak to escape; to be saved; to get rid of
kurtuluş escape, liberation, independence *Kurtuluş Savaşı* Turkish War of Independence
kuru dry; dried *kuru fasulye* haricot bean(s) *kuru gürültü* much ado about nothing *kuru hava* dry weather *kuru iftira* sheer calumny *kuru incir* dried fig *kuru kalabalık* useless crowd *kuru pil* dry cell *kuru temizleme* dry cleaning *kuru temizleyici* dry cleaner's *kuru üzüm* raisin
kurucu founder *kurucu meclis* constituent assembly
kurukafa skull

kurukahve (roasted and ground) coffee

kurul committee, council

kurulamak to dry

kurulmak to be set up; to nestle down; to swagger, to pose

kurultay congress, assembly

kuruluk dryness

kuruluş organization, establishment, foundation; *dilb.* construction

kurum institution, association, foundation; swagger, swank; soot *kurum kurum kurulmak* to be stuck-up *kurum satmak* to put on airs, to swagger

kurumak to get dry, to dry

kurumlu sooty; conceited

kuruntu delusion, fancy, illusion

kuruntulu suspicious, hypochondriac

kurusıkı blank (shot); bluff

kuruş Turkish piastre, kurush

kurutma drying *kurutma kâğıdı* blotting paper

kurutmak to dry

kurye courier

kuskus couscous

kusmak to vomit; to throw up

kusmuk vomit, puke

kusur defect, fault, flaw *kusur bulmak* to find fault with *Kusura bakma!* I beg your pardon!, Excuse me! *kusura bakmamak* to overlook, to excuse

kusurlu defective, faulty

kusursuz perfect, faultless

kuş bird *kuş beyinli* bird-brained *kuş kafesi* bird cage *kuş uçmaz kervan geçmez* out-of-the-way, desolate *kuş uçurtmamak* to keep a sharp lookout *kuşa benzetmek* to mess up, to spoil

kuşak sash, girdle; generation; zone

kuşanmak to gird on, to carry; to dress

kuşatma *ask.* siege

kuşatmak to surround, to besiege

kuşbakışı bird's-eye view

kuşbaşı in small chunks; in big flakes

kuşekâğıdı glazed paper

kuşet couchette, berth

kuşkonmaz asparagus

kuşku suspicion, doubt *kuşku duymak* to feel suspicious

kuşkucu suspicious

kuşkulanmak to suspect

kuşkulu suspicious, doubtful

kuşkusuz of course, certainly

kuşluk midmorning

kuşpalazı diphtheria

kuşsütü any nonexistent thing *kuşsütüyle beslemek* to cherish, to pamper

kuştüyü down *kuştüyü yatak* feather bed

kuşüzümü currant

kutlama celebration; congratulation

kutlamak to celebrate; to congratulate

kutlu blessed, lucky, happy

kutsal sacred, holy

kutsallık sacredness, holiness

kutsama sanctification

kutsamak to sanctify

kutu box, case

kutulamak to box

kutup pole

Kutupyıldızı the North Star, Polaris

kuvars quartz

kuvvet strength, power *kuvvetten düşmek* to lose strength

kuvvetle strongly

kuvvetlendirmek to strengthen, to reinforce

kuvvetlenmek to become strong, to strengthen

kuvvetli strong, powerful

kuvvetsiz weak

kuyruk tail; queue *kuyruğu kapana kısılmak* to have one's back against the wall **kuyruk olmak** to queue up **kuyruk sallamak** to wag the tail; to play up to, to cringe

kuyruklu tailed **kuyruklu piyano** grand piano **kuyruklu yalan** whopper, big lie

kuyrukluyıldız comet

kuyruksokumu sacrum

kuyruksuz tailless

kuytu snug; out-of-the-way, cosy

kuyu well **kuyu açmak** to dig a well **kuyusunu kazmak** to dig a pit for sb

kuyumcu jeweller **kuyumcu dükkânı** jeweller's shop

kuzen cousin

kuzey north; northern **kuzey kutbu** northpole

kuzeybatı northwest

kuzeydoğu northeast

kuzeyli northern

kuzgun raven

kuzu lamb **kuzu gibi** as meek as a lamb

kuzudişi milk tooth

kuzugöbeği bitk. button mushroom

kuzukulağı sheep's sorrel

kuzulamak to lamb

kuzumantarı morel

Küba Cuba

kübik cubic

kübizm cubism

küçücük tiny, wee

küçük small, little; child **küçük aptes** urination **küçük dilini yutmak** to fall off one's chair **küçük düşmek** to lose face **küçük düşürmek** to humiliate, to abase **küçük düşürücü** humiliating **küçük harf** minuscule, lower case **küçük su dökmek** to urinate, to make water, to piss

Küçükayı Little Bear, Asia Minor

küçükbaş sheep and goats

küçükdil uvula

küçüklük smallness, littleness; childhood

küçülmek to become small; to be humiliated

küçültmek to make smaller, to diminish; to belittle, to humiliate

küçültücü humiliating

küçümsemek to belittle, to look down on, to scorn

küf mould **küf bağlamak** to become mouldy

küfe pannier

küfelik basketful; dead drunk **küfelik olmak** to be blind drunk

küflenmek to mould, to mildew

küflü mouldy, musty

küfretmek to curse, to swear

küfür oath, bad language, cursing; blasphemy **küfürü basmak** to swear, to cuss

küfürbaz foul-mouthed

küfürlü foul-mouthed

küheylan purebred Arab horse

kükremek to roar

kükürt sulphur

kükürtlü sulphurous

kül ash **kül etmek** to ruin **kül olmak** to be reduced to ashes **kül tablası** ashtray **kül yutmak** to be sucked, to be duped

külah conical hat; cone, cornet **külah giydirmek** to play a trick on sb **Külahıma anlat!** Tell me another! **külahları değişmek** to fall out with

külbastı grilled cutlet

külçe ingot

külfet trouble, burden, inconvenience

külfetli troublesome

külfetsiz easy, painless

külhanbeyi rowdy, roughneck, tough

külliyat complete works

küllü ashy

küllük ashtray

külot (men's) underpants, briefs, undershorts; (women's) panties

külotlu çorap tights

külrengi ashy, grey

kültür culture

kültürel cultural

kültürfizik gymnastics

kültürlü cultured

kültürsüz uncultured

külüstür ramshackle, dilapidated, shabby; beat-up *külüstür otomobil* jalopy, rattletrap

kümbet cupola, dome

küme heap, pile; group; sp. league

kümebulut cumulus

kümelemek to heap

kümelenmek to form a group

kümes coop *kümes hayvanları* poultry

kümülüs cumulus

künk water pipe

künye personal data; identification bracelet, identification tag

küp cube *küp kök* cube root

küp large earthenware jar *küplere binmek* to fly into a rage *küpünü doldurmak* to feather one's nest

küpe earring *küpe takmak* to wear earrings

küpeçiçeği fuchsia

küpeşte gunwale, bulwark

kür health cure

kürdan toothpick

küre globe, sphere

kürek shovel; oar *kürek çekmek* to row

kürekçi oarsman, rower

kürekkemiği shoulder blade

küremek to shovel up

küresel spherical

kürk fur

kürkçü furrier *kürkçü dükkânı* furrier's shop

kürkçülük furriery, furring

kürsü podium, pulpit, rostrum; professorship, chair *kürsü başkanı* chairman

kürtaj curetting, curettage

küs offended, peeved

küskü crowbar

küskün offended, sore, sulky

küskünlük sulk, vexation

küsmek to be offended, to sulk, to miff

küspe bagasse, residue

küstah insolent, impertinent

küstahça insolently

küstahlaşmak to start behaving insolently

küstahlık insolence, impertinence *küstahlık etmek* to act insolently

küstümotu mimosa

küsur remainder, odd

küsurat fractions, remainder

küsüşmek not to be on speaking terms

küt blunt, obtuse *küt küt etmek* (heart) to pound

kütle mass

kütleşmek to become blunt

küttedek with a thud

kütük trunk; stump, stub; ledger, register *kütüğe kaydetmek* to enrol in the register *kütük gibi* greatly swollen; dead drunk

kütüklük cartridge-pouch

kütüphane library; bookcase

kütüphaneci librarian

kütür kütür (fruit) crisp, fresh; crunchingly

kütürdemek to make a crashing sound, to crack

kütürdetmek to snap, to crunch

kütürtü crunching sound, crunch

küvet bath-tub; washbasin, sink

L

labada *bitk.* patience dock

labirent labyrinth

laborant laboratory assistant

laboratuvar laboratory, lab

lacivert navy blue, dark blue
laçka slack *laçka olmak* to get slack
lades a bet with a wishbone *lades kemiği* wishbone *lades tutuşmak* to make a bet by pulling a wishbone
ladin spruce
laf word; talk, chat; empty words *laf altında kalmamak* to be quick to retort *laf anlamaz* thickheaded, obstinate *laf aramızda* between us *laf atmak* to make passes at (a girl), to molest *laf dinlemek* to listen to advice *laf ebesi* chatterbox *laf etmek* to gossip *laf işitmek* to be told off *Laf ola beri gele!* Stuff and nonsense! *laf olsun diye* just for the sake of conversation *laf taşımak* to be a talebearer *lafa dalmak* to be lost in conversation *lafa karışmak* to interrupt, to chime in *lafa tutmak* to buttonhole *lafı ağzından almak* to take the words out of sb's mouth *lafı ağzına tıkamak* to shut sb up *lafı çevirmek* to change the subject *lafı ağzında gevelemek* to beat about the bush *Lafı mı olur?* It is not worth mentioning *lafını bilmek* to weigh one's words *lafını esirgememek* not to mince one's words *lafını etmek* to talk about, to mention *lafını kesmek* to interrupt sb *lafla peynir gemisi yürümez* fine words butter no parsnips
lafazan talkative, windy
laflamak to chat away
lağım sewer, drain
lağımcı sewerman
lağvetmek to cancel
lağvolmak to be cancelled
lahana cabbage *lahana turşusu* pickled cabbage
lahit tomb, sarcophagus
lahza instant

laik secular
laikleştirmek to secularize
laiklik secularism, laicism
lakap nickname *lakap takmak* to give a nickname (to)
lakayt indifferent, unconcerned *lakayt kalmak* to be indifferent (to)
lakaytlık indifference, unconcern
lake lacquer; lacquered
lakırdı word, talk *lakırdı etmek* to talk
lakin but, however
laklak chatter, clatter
laktoz lactose
lale tulip
lalettayin whatsoever, any; at random, indiscriminately
lam microscope slide
lama *hayb.* lama; Lama, the Buddhist monk
lamba lamp
lamine laminated
lan bud, buddy, man
lanet curse, damnation; cursed, damned *lanet etmek* to curse, to damn *Lanet olsun!* Damn it!
lanetlemek to curse, to damn
lanetli cursed
langust spiny lobster, langouste
lanse launched *lanse etmek* to launch, to introduce
lapa porridge, mushy *lapa gibi* soft, mushy *lapa lapa* in large flakes
lappadak with a plop
larenjit *hek.* laryngitis
largetto larghetto
larva larva
lastik rubber; tyre, tire
laterna *müz.* barrel organ
latife joke, leg-pull *latife etmek* to joke
latifeci joker
latilokum Turkish delight
Latin Latin *Latin harfleri* Latin characters
Latince Latin language, Latin

laubali saucy, pert, free and easy
laubalileşmek to become saucy
laubalilik sauciness, pertness
lav lava
lavabo washbasin
lavaj washing
lavanta lavender water
lavantaçiçeği lavender
layık worthy of, deserving *layık olmak* to deserve *layığını bulmak* to get one's deserts
layıkıyla properly, duly
layiha proposal, memorandum
Laz Laz
lazer laser
lazım necessary *lazım olmak* to be necessary
lazımlık chamber pot
leblebi roasted chickpeas
legorn *hayb.* leghorn
leğen basin; *anat.* pelvis
leh benefit *lehimde* in my favour *lehinde* in favour of him (her) *lehinde karar vermek* to decide in favour of *lehine* in one's favour
Leh Pole; Polish
lehçe dialect
lehim solder
lehimlemek to solder
lehimli soldered
lejyon legion
leke stain, blot *leke çıkarmak* to remove stain *leke etmek* to stain *leke olmak* to become stained *leke sürmek* to besmirch *leke yapmak* to stain
lekelemek to stain, to soil; to blemish, to taint
lekeli stained, spotted
lekesiz spotless, stainless
lenf lymph
lens lens
leopar leopard
lepiska flaxen, fair
leş carcass *leş gibi kokmak* to stink, to reek

leşkargası hooded crow
levazım supplies, provisions *levazım subayı* commissary officer
levha sign, signboard
levrek sea bass
levye lever; crank
leylak lilac
leylek stork
lezbiyen lesbian
leziz delicious
lezzet taste, flavour *lezzet almak* to find pleasure in
lezzetlenmek to become tasty
lezzetli tasty, savoury
lezzetsiz tasteless
lıkırdamak to gurgle
lıkırtı gurgle
liberal liberal
liberalizm liberalism
libero sweeper
libretto libretto
Libya Libya
Libyalı Libyan
lider leader
liderlik leadership
lif fibre; loofah
lifli fibrous
lig league
likör liqueur
liman harbour, seaport
limanlamak to anchor in a harbour
lime strip *lime lime* in strips
limit *mat.* limit
limitet şirket limited company
limon lemon *limon gibi olmak* to turn pale
limonata lemonade
limoni pale yellow; touchy; bad, sour
limonlu lemon-flavoured
limonluk greenhouse; lemon squeezer
limontuzu citric acid
limuzin limousine
linç lynching *linç etmek* to lynch
linear *mat.* linear
linotip linotype

linyit lignite
lir lyre
lira lira, pound
liret Italian lira
lirik lyrical
lirizm lyricism
lisan language
lisansüstü postgraduate
lise high school, lycée
liseli high school student
liste list
literatür literature
litografya lithography
litre litre, liter
liyakat merit, capacity
liyakatli capable, efficient
liyakatsiz incapable, inefficient
lobi lobby
loca (theatre) box; masonic lodge
lodos southwest wind
logaritma logarithm
logaritmik logarithmic
loğusa woman in child-bed
loğusalık lying-in, confinement
lojistik logistic; logistics
lojman flat/house (provided to employees/workers)
lokal club; local
lokanta restaurant
lokantacı restaurateur
lokavt lockout
lokma morsel
lokmanruhu ether
lokomotif locomotive
lokum Turkish delight
lombar *den.* port
lomboz port-hole
lonca guild
Londra London
Londralı Londoner
lop round and soft *lop et* boneless meat *lop yumurta* hard-boiled egg
lort lord
lostra shoe polish **lostra salonu** shoeshine shop
losyon lotion

loş dim, murky, dark
lotus lotus
lökosit leucocyte
lösemi leukemia
lumbago lumbago
lunapark amusement park
Lübnan Lebanon
Lübnanlı Lebanese
lüfer bluefish
lügat dictionary *lügat paralamak* to use a pompous language
lüks luxury; luxurious *lüks mevki* de luxe class
lüle curl, ringlet, fold; spout
lületaşı meerschaum
lüp windfall *lüp diye yutmak* to gulp down
lüpçü sponger, moocher
lütfen please
lütfetmek to be so kind as to, to deign, to condescend
lütuf favour, kindness
lütufkâr gracious, kind
lüzum necessity *lüzum görmek* to deem necessary
lüzumlu necessary

M

maada besides
maalesef unfortunately
maarif education, instruction
maaş salary *maaş günü* payday
maaşlı salaried
mabet temple
Macar Hungarian
Macarca Hungarian language
Macaristan Hungary
macera adventure *macera aramak* to seek adventure *macera romanı* adventure novel
maceracı adventurer
maceralı adventurous
macun paste; putty
maç match, game, bout

maça spade *maça beyi* jack of spades *maça kızı* queen of spades

maçuna *den.* crane, winch, derrick

madalya medal

madalyon medallion

madam madam

madde matter, substance; article, clause, paragraph

maddeci materialist

maddecilik materialism

maddesel material

maddeten materially

maddi material, physical, corporal

maddiyat material things

madem, mademki since, as, now that

maden mine, mineral; metal *maden işçisi* miner *maden cevheri* mineral ore *maden mühendisi* mining engineer *maden ocağı* mine *maden yatağı* ore-bed

madenci miner

madencilik mining

madeni mineral, inorganic; metallic

madenkömürü coal

madensel mineral; metallic

madensuyu mineral water

madenyünü mineral wool

madik trick *madik atmak* to cheat

madrabaz middleman; cheat, crook

madrabazlık cheating, trickery

maestro *müz.* maestro

mafiş finished

mafsal articulation, joint

mafya Mafia, Maffia

magazin magazine

magma magma

magnezyum magnesium

mağara cave *mağara adamı* caveman

mağaza large store

mağdur wronged; victim, dupe

mağduriyet unjust treatment

mağfiret forgiveness

mağlubiyet defeat

mağlup defeated, overcome *mağlup etmek* to defeat, to overcome *mağlup olmak* to be defeated

mağrur proud, conceited

mağrurluk conceit

mahal place, spot *mahal vermemek* not to give occasion for *mahallinde* on the spot

mahalle quarter, district

mahalli local

maharet skill, dexterity

maharetli skilful, dexterous

maharetsiz unskilful

mahcubiyet shyness

mahcup shy, ashamed *mahcup etmek* to shame, to mortify *mahcup olmak* to be ashamed, to be embarrassed

mahdum son

mahdut limited

mahfaza case, box

mahıv destruction

mahiyet nature, character

mahkeme court *mahkeme kararı* sentence, verdict

mahkûm sentenced, condemned; convict *mahkûm etmek* to condemn, to sentence *mahkûm olmak* to be sentenced, to be condemned

mahkûmiyet sentence, condemnation

mahlep *bitk.* mahaleb

mahluk creature

mahmur sleepy, drowsy

mahmurluk sleepiness, drowsiness

mahmuz spur

mahmuzlamak to spur

mahpus prisoner; imprisoned

mahpushane prison

mahrem secret, private, intimate

mahremiyet privacy, intimacy

mahrum deprived *mahrum etmek* to deprive of

mahrumiyet deprivation *mahrumi-*

yet bölgesi hardship area **mahrumiyet içinde yaşamak** to lead a life of privation, to rough it

mahsuben to the account of

mahsul crop, produce; product

mahsur confined, cut off; stuck **mahsur kalmak** to be stuck (in)

mahsus special, peculiar to; on purpose, deliberately

mahşer the place where people will gather on the Day of Judgement

mahşeri (crowd) tremendous

mahvetmek to destroy

mahvolmak to be destroyed

mahzen cellar, granary

mahzun sad, gloomy

mahzur drawback, objection

mahzurlu disadvantageous, objectionable

maiyet suite, retinue, attendants

majeste majesty

majör *müz.* major

majüskül capital letter

makale article

makam position, office; tune

makara bobbin, reel, spool **makaraya almak** to make fun (of)

makarna macaroni

makas scissors, shears **makas almak** to pinch sb's cheek

makaslamak to scissor; to pinch sb's cheek; to censor (films)

makat anus

makber grave

makbul acceptable, welcome **makbule geçmek** to be welcome

makbuz receipt

Makedonya Macedonia

Makedonyalı Macedonian

maket model

maki bush, scrub

makine machine **makine dairesi** engine room **makine mühendisi** mechanical engineer

makineci mechanic

makineleştirmek to mechanize

makineli having a machine **makineli tüfek** machine-gun

makineyağı lubricating oil, machine oil

makinist engine-driver; mechanic

makrama macramé

makro macro

maksadıyla with the intention of

maksat purpose, intention

maksatlı purposeful

maksatsız purposeless

maksi maxi

maksimum maximum

maktul killed, murdered

makul reasonable, sensible

makyaj make-up **makyaj yapmak** to make up

mal goods, merchandise; property; wealth; cattle; hash, heroin; loose woman **mal bildirimi** declaration of property **mal canlısı** avaricious **mal etmek** to appropriate for oneself; to produce at **mal müdürü** head of the finance office **mal mülk** property, goods **mal olmak** to cost **mal sahibi** owner **malın gözü** tricky, sly; (woman) loose

mala trowel

malak buffalo calf

malarya malaria

Malezya Malaysia

mali financial, fiscal **mali yıl** fiscal year

malik owning, possessing; owner, possessor **malik olmak** to have, to own

malikâne large estate, stately home

maliye finance **Maliye Bakanı** Minister of Finance **Maliye Bakanlığı** Ministry of Finance

maliyeci financier

maliyet cost **maliyet fiyatı** cost price

malmüdürü head of the finance office

malt malt

Malta Malta
maltaeriği loquat
malul invalid, disabled
maluliyet disablement
malum known *malum olmak* to sense, to surmise
malumat information *malumat vermek* to inform *malumatı olmak* to know about
malzeme material, necessaries
mama baby's food
mamafih however, yet
mamul manufactured
mamulat manufactures
mamur prosperous
mamut *hayb.* mammoth
mana meaning *mana vermek* to interpret
manalı meaningful
manasız meaningless
manastır monastery
manav greengrocer, fruiteror; greengrocer's
mancınık catapult
manda mandate
manda water buffalo
mandal clothes-peg, *AE.* clothes-pin; latch, tumbler
mandalina mandarin, tangerine
mandallamak to peg up, *AE.* to pin up; to latch
mandıra dairy farm
mandolin mandolin
manen morally, spiritually
manevi moral, spiritual *manevi evlat* adopted child
maneviyat morale *maneviyatı bozulmak* to lose morale
manevra manoeuvres *manevra fişeği ask.* blank cartridge *manevra yapmak* to manoeuvre
manga *ask.* squad
mangal brazier *mangal kömürü* charcoal
manganez *kim.* manganese
mangır money, dough
mangırsız penniless, broke

mangiz *arg.* money, dough, brass
mâni hindrance, impediment, obstacle *mâni olmak* to prevent, to hinder, to obstruct
mânia obstacle, barrier
manifatura drapery, textiles
manifaturacı draper
manifesto manifest
manikür manicure *manikür yapmak* to manicure
manikürcü manicurist
manita girlfriend, bird, *AE.* chick
manivela lever, crank
mankafa blockheaded, thick-headed
manken model
mankenlik modelling
manolya magnolia
manometre manometer
mansiyon honourable mention
Manş Denizi the English Channel
manşet head-line; cuff
manşon muff
mantar mushroom; fungus; cork *mantar gibi yerden bitmek* to mushroom
mantık logic *mantığa aykırı* against logic
mantıkçı logician
mantıkdışı alogical
mantıki, mantıklı, mantıksal logical, reasonable
mantıksız illogical, unreasonable
mantıksızlık illogicality, unreasonableness
manto coat
manyak maniac
manyakça maniacal; maniacally
manyetik magnetic *manyetik alan* magnetic field *manyetik bant* magnetic tape *manyetik kutup* magnetic pole
manyetizma megnetism
manyeto magneto
manyezi magnesia
manzara view, landscape, panorama

manzaralı having a fine view, scenic

manzum in verse

manzume poem

marangoz joiner, carpenter

marangozluk joinery, carpentry

maraton marathon

maraz disease, illness

marazi pathological, morbid

mareşal marshal

mareşallik marshalship

margarin margarine

marifet skill

marifetli skilled

mariz *arg.* beating, thrashing

marizlemek to beat, to thrash

marj margin

marka make, mark, brand; ticket, counter

markaj (football) marking

markalamak to mark

markalı marked

marke etmek (football) to mark

marki marquis, marquess

markiz marchioness

marley vinyl floor covering

marmelat marmalade

maroken morocco (leather)

marpuç tube of a water-pipe

mars gammon *mars etmek* to gammon, *AE.* to skunk

Mars Mars

marş starter; march; Forward march! *marşa basmak* to press the starter *Marş marş! ask.* Run!; *kon.* Get going!

marşandiz goods train

mart March *Mart kapıdan baktırır, kazma kürek yaktırır ats.* Cast ne'er a clout till May is out.

martaval bunkum, hot air, humbug, baloney *martaval atmak/okumak* to spin a yarn

martavalcı liar, bullshitter

martı sea-gull

martini martini

maruf known, notorious

marul cos lettuce, cos

maruz exposed to *maruz kalmak* to experience, to be exposed to

maruzat representations, petitions

masa table; desk *masa örtüsü* table cloth

masaj massage *masaj yapmak* to massage

masal tale, story; lie, yarn *masal okumak* to spin a yarn *masal anlatmak* to tell a tale

masalcı story teller

masatenisi table tennis, ping pong

masatopu table tennis, ping pong

masif massive

mask mask

maskara buffoon, clown; mascara; frisky, playful *maskara etmek* to make a laughing-stock *maskaraya çevirmek* to make a fool of

maskaralık drollery, buffoonery *maskaralık etmek* to play the fool

maske mask *maskesi düşmek* to show one's true colours

maskelemek to mask

maskeli masked **maskeli balo** masked ball

maskot mascot

maslahat affair, business

maslahatgüzar charge d'affaires

masmavi very blue

mason freemason, mason

masonluk freemason

masör masseur

masraf expense, expenditure, cost *masrafa girmek* to put oneself to expense *masrafa sokmak* to put sb to expense *masraf etmek* to go to expense *masrafı çekmek* to bear the expense *masrafı karşılamak* to cover expenses *masrafını çıkarmak* to pay for itself *masraftan kaçmak* to avoid expense *masraftan kaçmamak* to spare no expense

masraflı expensive
masrafsız without expense
mastar infinitive
mastika mastic
mastürbasyon masturbation
masum innocent
masumiyet innocence
masura bobbin
maşa tongs; cat's-paw, tool *maşa gibi kullanmak* to use sb as a tool *maşası olmak* to be sb's pawn
maşallah May God preserve him from evil!; Wonderful!, Magnificent!
maşrapa mug
mat checkmate *mat etmek* to checkmate *mat olmak* to be checkmated
mat dull, mat
matador matador, bullfighter
matah thing, object
matara canteen, waterbottle
matbaa printing-press, press
matbaacı printer
matbaacılık printing
matbu printed
matbua printed matter
matbuat the Press
matem mourning *matem tutmak* to mourn
matematik mathematics
matematikçi mathematician; mathematics teacher
matemli mournful
materyal material
materyalist materialist
materyalizm materialism
matine matinée
matkap drill, gimlet; auger
matmazel mademoiselle, Miss
matrah tax assessment
matrak joke, fun; droll, funny *matrağa almak* to make fun of *matrak geçmek* to rib, to tease
matris matrix
maun mahogany

maval story, yarn, lie *maval okumak* to tell lies
mavi blue
mavilik blueness
mavimsi bluish
mavna barge, lighter
mavzer Mauser rifle
maya ferment, yeast, leaven
mayalamak to ferment, to leaven
mayalanma fermentation
mayalanmak to ferment
mayalı fermented
mayasıl hemorrhoids, piles
maydanoz parsley
mayhoş sourish, tart
mayhoşluk tartness
mayın ask. mine *mayın detektörü* mine detector *mayın gemisi* mine-layer *mayın taramak* to sweep mines *mayın tarama gemisi* mine-sweeper *mayın tarlası* mine-field
mayınlamak to mine
mayıs May
mayısböceği cockchafer, maybeetle
mayi liquid, fluid
maymun monkey, ape *maymun iştahlı* capricious, inconstant
mayna down sails *mayna etmek* to down sails, to haul down
mayo bathing suit, trunks
mayonez mayonnaise
mayonezli dressed with mayonnaise
maytap fireworks
mazeret excuse, apology *mazeret beyan etmek* to make excuses
mazeretli excused
mazeretsiz unexcused
mazgal embrasure
mazgallı embrasured
mazı arborvitae
mazi past, bygone *maziye karışmak* to belong to past days
mazlum wronged, oppressed
mazoşist masochist; masochistic
mazoşizm masochism

mazot diesel oil, fuel oil

mazur excused, excusable *mazur görmek* to excuse, to pardon

mebus deputy, member of Parliament

mecal strength, power *mecali kalmamak* to have no strength left

mecaz figure of speech, trope

mecazi figurative, metaphorical

mecbur compelled, forced, bound *mecbur etmek* to compel, to force *mecbur olmak* to be compelled

mecburen compulsorily

mecburi compulsory, obligatory *mecburi iniş* forced landing *mecburi istikamet* one way

mecburiyet compulsion, obligation *mecburiyetinde kalmak* to be obliged to, to have to

meclis assembly, council

mecmua magazine

mecnun madly in love, love-crazed

mecra watercourse, conduit

Mecusi Zoroastrian, Mazdean

Mecusilik Zoroastrianism

meç (hair) streak, hair-piece

meç rapier, foil

meçhul unknown

meddücezir ebb and flow

medeni civilized, civil *medeni cesaret* moral courage *medeni haklar* civil rights *medeni kanun* civil code, civil law

medenileşmek to become civilized

medenileştirmek to civilize

medeniyet civilization

medeniyetsiz uncivilized

medet help, aid *medet ummak* to hope for help

medrese Moslem theological school, medresseh, madrasa

medya media, mass-media, mass communications

medyum fortune teller; medium

mefhum concept

mefkure ideal

mefruşat furnishings; fabrics

meftun infatuated, fascinated

megafon megaphone

megalomani *ruhb.* megalomania

megaton megaton

megavat *fiz.* megawatt

meğer but, however

Mehmetçik the Turkish Tommy

mehtap moonlight

mehter band of musicians performing military music

mekân place; residence, abode; space

mekanik mechanics; mechanical

mekanize mechanized

mekanizm *fel.* mechanism

mekanizma mechanism

mekik shuttle *mekik dokumak* to shuttle

Mekke Mecca

mektep school

mektup letter

mektuplaşma correspondence

mektuplaşmak to correspond

melamin melamine

melankoli melancholy

melankolik melancholic

melek angel *melek gibi* angelic

meleke faculty, aptitude, bent, knack

melekotu angelica

meleme bleat

melemek to bleat

melez cross-bred, hybrid

melezlemek to cross

melezleşmek to become crossed

melhem ointment

melodi melody

melodram melodrama

melodramatik melodramatic

melon bowler-hat

meltem breeze

melun cursed, damned

memba spring, fountain **memba suyu** spring water

meme breast, nipple, boobs *me-*

meden kesmek to wean *meme emmek* to suckle *meme vermek* to suckle

memeli mammiferous *memeli hayvanlar* mammals

memleket country

memnun glad, happy, pleased *memnun etmek* to please, to satisfy *memnun olmak* to be pleased

memnunluk gladness, pleasure

memorandum memorandum

memur official, employee *memur etmek* to appoint, to commission

memuriyet government job, official post, charge

memurluk official post, charge

menajer manager

mendebur disgusting, slovenly

menderes meander

mendil handkerchief *mendil açmak* to beg

mendirek breakwater, mole

menecer manager

menekşe violet

menekşegülü China rose, Bengal rose

menenjit meningitis

menetmek to forbid

menfaat interest, advantage

menfaatçi, menfaatperest self-seeking

menfi negative

mengene vice; press; clamp

meni sperm, semen

menkıbe legend

menkul movable, transferable *menkul değerler* stocks and bonds *menkul mallar* movable goods

menopoz menopause

mensubiyet relationship

mensucat textiles

mensup belonging to; member

menşe origin

menteşe hinge

menteşeli hinged

mentol menthol

mentollü mentholated

menzil range

mera pasture

merak curiosity; worry, anxiety; hobby, whim, bug *Merak etme!* Don't worry! *merak etmek* to worry, to be curious about sth *merak sarmak* to develop a passion for *merakta bırakmak* to keep sb in suspense

meraklanmak to worry, to be anxious

meraklı curious, inquisitive; fond of, devotee, bug, hound

meraksız indifferent, uninterested

meram intention, aim *meramını anlatmak* to explain oneself

merasim ceremony *merasim kıtası* guard of honour, honour guard

mercan coral

mercanada atoll

mercanbalığı red seabream

mercanköşk marjoram

mercanotu pearlweed

mercek lens

merci reference, recourse

mercimek lentil *mercimeği fırına vermek* to fall in love with

merdane cylinder, roller

merdiven stairs; steps; ladder *merdiven basamağı* step, stair *merdiven parmaklığı* balustrade *merdiven sahanlığı* landing

meret damn

merhaba Hello! Hi! *merhabayı kesmek* to break off with sb

merhabalaşmak to greet one another

merhale stage, phase

merhamet pity, mercy *merhamete gelmek* to become merciful *merhamet etmek* to pity

merhametli pitiful, merciful

merhametsiz merciless, pitiless

merhametsizlik mercilessness, cruelty

merhem ointment, salve
merhum deceased, the late
meridyen meridian
Merih Mars
merinos merino
merkep donkey, ass
merkez centre, center; headquarters; police station *Merkez Bankası* Central Bank
merkezci centralist
merkezcilik centralism
merkezi central *merkezi ısıtma* central heating
merkezileşmek to centralize
merkeziyet centralization
merkeziyetçi centralist
merkeziyetçilik centralism
merkezkaç centrifugal
Merkür Mercury
mermer marble
mermi bullet, projectile
merserize mercerized
mersi thank you
mersin myrtle
mersinbalığı sturgeon
mersiye elegy
mert brave, manly
mertçe bravely
mertebe rank, grade
mertlik bravery
Meryem Ana the Virgin Mary
mesafe distance
mesai efforts, work *mesai saatleri* working hours *mesaiye kalmak* to work overtime
mesaj message
mesane bladder
mescit small mosque
mesel proverb, parable
mesela for example, for instance
mesele problem; matter *mesele çıkarmak* to make a fuss *mesele yapmak* to make a to-do about sth
meshetmek to wipe with the palm of the hand
Mesih Messiah

mesire promenade
mesken dwelling, house
meskûn inhabited
meslek profession, career
mesleki professional
meslektaş colleague
mesnet support, prop
mest drunk; enchanted *mest etmek* to intoxicate; to enrapture *mest olmak* to be intoxicated; to be enraptured
mest light soleless boot
mesul responsible
mesuliyet responsibility
mesuliyetli responsible
mesut happy
meşakkat trouble, hardship
meşakkatli troublesome, difficult
meşale torch
meşe oak
meşgale occupation, activity
meşgul busy *meşgul etmek* to keep busy *meşgul olmak* to be busy (with)
meşguliyet occupation, activity
meşhur famous *meşhur olmak* to become famous
meşin leather
meşru legitimate, lawful *meşru müdafaa* self-defence
meşrubat beverage, drinks
meşrutiyet constitutional government
meşum inauspicious, portentous
met high tide
meta merchandise
metabolizma *biy.* metabolism
metafaz *biy.* metaphase
metafizik metaphysics; metaphysical
metal metal
metalbilim metallurgy
metalurji metallurgy
metamorfoz metamorphosis
metan *kim.* methane
metanet firmness, fortitude *metanet göstermek* to show firmness

metanetli firm, steady

metanetsiz spineless, yielding, weak

metapsişik metapsychical

metastaz metastasis

metazori by force

metelik red cent, bean **meteliğe kurşun atmak** to be stony broke, **metelik vermemek** not to care a fig

meteliksiz stony broke, penniless

meteor meteor

meteoroloji meteorology

meteorolojik meteorological

methetmek to praise, to extol

methiye eulogy, panegyric

metil methyl**metil alkol** methyl alcohol

metilen methylene

metin firm, solid

metin text

metodoloji methodology

metodolojik methodological

metot method

metotlu methodic

metotsuz unmethodical

metraj measurement in metres

metre metre, meter **metre kare** square metre **metre küp** cubic metre

metres mistress, keptie **metres tutmak** to keep a mistress

metrik metric **metrik sistem** metric system

metris ask. entrenchment, breastwork

metro underground, tube, AE. subway

metronom müz. metronome

metropol metropolis

metropolit metropolitan

metruk abandoned, deserted

mevcudiyet existence; presence

mevcut existent, existing **mevcut olmak** to exist, to be present

mevduat deposits **mevduat hesabı** deposit account

mevki place; site; position, post; seat, class

Mevla God

mevlit poem depicting the birth and life of Mohammed

mevsim season

mevsimlik seasonal

mevsimsiz unseasonable, untimely

mevzi place, position **mevzi almak** ask. to take up a position

mevzu subject, topic

mevzuat the laws, the regulations

mevzubahis in question

meyankökü liquorice root

meydan square, open space **meydana atılmak** to come forward, to offer oneself **meydana atmak** to put forward, to suggest **meydana çıkarmak** to bring out, to bring to light; to reveal, to disclose **meydana çıkmak** to come into view, to appear; to come out, to be revealed **meydana gelmek** to happen, to occur; to come into existence **meydana getirmek** to bring into being, to produce **meydanda** clear, obvious **meydanı boş bulmak** to do what ever he wants in the absence of rivals **meydan muharebesi** pitched battle **meydan okumak** to challenge **meydan vermek** to give an opportunity **meydan vermemek** to avoid, to prevent

meyhane bar, saloon, pub, joint

meyhaneci barkeep, barkeeper

meyil slope, slant; inclination, tendency **meyil vermek** to fall in love with

meyilli sloping, slanting; inclined

meyletmek to incline

meymenetsiz inauspicious, unlucky, sulky, disagreeable

meyve fruit **meyve bahçesi** orchard **meyve suyu** fruit juice **meyve vermek** to fruit

meyveli fruitful, fruited

meyvesiz fruitless

mezar grave, tomb **mezarlık** cemetery, graveyard

mezat auction **mezata çıkarmak** to put up for auction **mezat malı** cheap, ordinary merchandise

mezatçı auctioneer

mezbaha slaughterhouse

meze appetizer, snack, hors d'oeuvre

mezgit whiting

mezhep creed, denomination

meziyet virtue, merit

meziyetli virtuous, meritorious

mezoderm mesoderm

mezon *fiz.* meson

mezosfer mesosphere

mezozoik *coğ.* mesozoic

mezun graduated from; graduate

mezuniyet graduation

mezura tape-measure

mezzosoprano *müz.* mezzo-soprano

mıh nail, stud

mıhlamak to nail

mıhlanmak to be nailed; to be nailed to the spot

mıknatıs magnet

mıknatısiyet magnetism

mıknatıslamak to magnetize

mıknatıslı magnetic

mıncıklamak to squeeze and squash, to knead

mıntıka district, zone

mırıldanmak to murmur, to mutter

mırıltı murmur, mutter

mırın kırın etmek to show reluctance

mırnav miaow

Mısır Egypt

mısır maize, *AE.* corn **mısır koçanı** corncob **mısır patlatmak** to pop corn **mısır tarlası** cornfield

Mısırlı Egyptian

mısıryağı corn oil

mısra line (of poetry)

mışıl mışıl soundly **mışıl mışıl uyumak** to sleep soundly

mıymıntı sluggish, slack

mızıka military band

mızıkçılık spoilsport, killjoy **mızıkçılık etmek** not to play the game

mızmız fussy, pernickety, whiny

mızmızlanmak to make a fuss about trifles

mızrak lance, spear

mızrap plectrum

mi *müz.* mi

miço cabin boy

mide stomach **mide bozukluğu** stomach upset **mide bulantısı** nausea **mide bulandırmak** to turn one's stomach **mide iltihabı** gastritis **mide kanaması** gastric bleeding **mideye oturmak** to lie heavy on the stomach

midesiz having bad taste; eating anything

midi midi

midilli pony

midye mussel

migren migraine

miğfer helmet

mihenk touchstone, test

mihmandar host, hostess

mihnet trouble, worry **mihnet çekmek** to suffer

mihrace maharaja, maharajah

mihrap niche in a mosque, mihrab

mihver axis

mika mica

mikado mikado

mikro- micro

mikrobik microbic

mikrobiyoloji microbiology

mikrofilm microfilm

mikrofon microphone

mikrofonik microphonic

mikrometre micrometer

mikron micron

mikroorganizma microorganism

mikrop microbe, germ

mikroplu microbic
mikropsuz sterilized
mikroskop microscope
mikroskopik microscopic
mikser mixer
miktar quantity, amount
mikyas scale
mil mile
mil pivot, axle, axis
miladi of the Christian era *miladi takvim* the Gregorian calendar
milat birth of Christ *milattan önce, MÖ.* before Christ, B.C. *milattan sonra, MS.* after Christ, A.D.
mili- milli
milibar millibar
miligram milligramme
milim millimetre *milimi milimine* exactly
milimetre millimetre
milis militia
militan militant
millet nation, people *Millet Meclisi* the National Assembly
milletlerarası international
milletvekili deputy *milletvekili dokunulmazlığı* parliamentary immunity
milli national *Milli Eğitim Bakanlığı* the Ministry of Education *milli gelir* national income *milli marş* national anthem *Milli Savunma Bakanlığı* the Ministry of Defence *milli takım* national team
millileştirmek to nationalize
milliyet nationality
milliyetçi nationalist
milliyetçilik nationalism
milyar milliard, *AE.* billion
milyarder billionaire
milyon million
milyoner millionaire
mimar architect
mimari architectural; architecture
mimarlık architecture
mimlemek to mark down, to blacklist

mimoza *bitk.* mimosa
minare minaret
minber pulpit (in a mosque)
minder mattress, cushion; wrestling mat
mine enamel
mineçiçeği vervain, verbena
mineral mineral
mineraloji mineralogy
mini mini *mini etek* miniskirt
minibüs minibus
minicik tiny, wee
minik small and nice
minimal minimal
minimini teensy-weensy, tiny
minimum minimum
mink *hayb.* mink
minnacık teeny-weeny, wee
minnet gratitude, indebtedness *minnet altında kalmak* to be under obligation *minnet altında kalmamak* to repay a favour *minnet etmek* to ask a favour, to plead
minnettar grateful, indebted
minnettarlık gratitude, indebtedness
minnoş little darling
minör *müz.* minor
minüskül minuscule
minyatür miniature
minyon petite, slender, small
miraç the Prophet Mohammed's ascent to heaven
miras inheritance, heritage *mirasa konmak* to inherit
mirasçı heir, inheritor
mirasyedi (one) who has inherited a fortune; spendthrift, prodigal
mis musk *mis gibi* fragrant; excellent, proper
misafir guest, visitor *misafir ağırlamak* to entertain a guest *misafir etmek* to put sb up *misafir odası* guestroom *misafireten* as a guest
misafirhane guesthouse

misafirlik visit *misafirliğe gitmek* to pay a visit to; to go on a visit to

misafirperver hospitable

misafirperverlik hospitality

misal example

misil equal, like *misliyle mukabele* retaliation

misilleme retaliation *misillemede bulunmak* to retaliate *misilleme olarak* as a reprisal

misina fishline

misket marble

miskin indolent, bone-lazy, supine

miskinleşmek to become indolent

miskinlik indolence, sluggishness

mistik mystic, mystical

misyon mission

misyoner missionary

mit myth

miting meeting, demonstration *miting yapmak* to hold a public demonstration

mitoloji mythology

mitolojik mythological

mitoz *biy.* mitosis

mitral *anat.* mitral

mitralyöz machine gun

miyar standard; *kim.* reagent

miyav miaow, meow

miyavlamak to miaow, to meow

miyop nearsighted, shortsighted

miyopluk shortsightedness, myopia

mizaç temperament, nature

mizah humour *mizah dergisi* humour magazine

mizahçı humorist

mizahi humorous

mizanpaj page-setting, layout

mizanpli (hair) set

mizansen mise-en-scéne

mobilya furniture

mobilyacı maker/seller of furniture; furniture shop

mobilyalı furnished

moda fashion *moda(da)* in fashion *moda olmak* to be in fashion

modası geçmek to be out of fashion *modası geçmiş* old-fashioned, out of date *modaya uygun* fashionable *modayı izlemek* to follow the fashion

modacı fashion designer, modiste

model model

modellik modelling

modem modem

moderato *müz.* moderato

modern modern

modernize modernized

modernleşmek to become modern

modernleştirmek to modernize

modernlik modernity

modül module

modülasyon modulation

Moğol Mongol; Mongolián

Moğolistan Mongolia

mokasen moccasin

mola pause, break *mola vermek* to halt, to take a break

molekül molecule

moleküler molecular

molla mullah, mollah

molotof kokteyli Molotov cocktail

moloz rubble, debris; *arg.* goodfor-nothing

moment momentum

monarşi monarchy

monarşik monarchic

monarşist monarchist

monarşizm monarchism

monitör monitor

monogami *topb.* monogamy

monografi monograph

monolog monologue

monopol monopoly

monoteist monotheist; monotheistic

monoteizm monotheism

monotip monotype

monoton monotonous

monotonluk monotony

mont coat, jacket

montaj mounting, assembly

montajcı assembler

monte etmek to mount, to assemble, to put together

mor violet, purple

moral morale *moral vermek* to cheer sb up, to reassure *morali bozulmak* to become low-spirited *morali düzelmek* to recover one's morale *moralini bozmak* to get sb down, to demoralize

morarmak to turn purple, to be black and blue

morartı bruise

morartmak to make purple; to make black and blue

moratoryum moratorium

morfem *dilb.* morpheme

morfin morphine

morfinman morphine addict

morfoloji morphology

morfolojik morphologic

morg morgue

morina cod, codfish

morötesi ultraviolet

Mors Morse **Mors alfabesi** Morse Alphabet

morto dead *mortoyu çekmek* to kick the bucket, to die

moruk *arg.* old man

mosmor deep purple; black and blue all over *mosmor kesilmek* to turn red in the face

mostra sample, pattern

mostralık figurehead; sample, model

motel motel

motif motif

motivasyon motivation

motor engine, motor; motorboat; motorcycle

motorbot motorboat

motorize motorized

motorlu motorized

motorsuz motorless

motosiklet motorcycle

mozaik mosaic

möble furniture

möbleli furnished

möblesiz unfurnished

mönü menu

mösyö Monsieur

muadil equivalent

muaf exempt, freed *muaf tutmak* to exempt (from)

muafiyet exemption

muallak suspended *muallakta* in suspense, in abeyance *muallakta kalmak* to remain in suspense

muamele treatment, conduct; transaction, procedure *muamele etmek* to treat

muamma enigma, mystery

muaşeret social intercourse *muaşeret adabı* etiquette

muavin helper, assistant

muayene examination *muayene etmek* to examine

muayenehane consulting room, surgery

muayyen certain, definite

muazzam enormous, tremendous

mubah permissible, tolerated

mucibince in accordance with

mucip cause, reason

mucit inventor

mucize miracle *mucizeler yaratmak* to work miracles

mucizevi miraculous

muço cabin-boy

mudi depositor

muğlak abstruse, recondite, obscure

muhabbet affection, love *muhabbet etmek* to have a friendly chat *muhabbet tellalı* procurer, pimp

muhabbetçiçeği mignonette

muhabbetkuşu lovebird, budgerigar

muhabere correspondence, communication *muhabere sınıfı ask.* signal corps

muhabir correspondent

muhafaza protection *muhafaza*

altına almak to guard, to protect
muhafaza etmek to keep, to protect, to preserve
muhafazakâr conservative
muhafazakârlık conservatism
muhafız guard, defender *muhafız alayı* troop of guardsmen
muhakeme trial; reasoning *muhakeme etmek* to hear a cause, to judge; to reason
muhakkak certain, sure; certainly
muhalefet opposition *muhalefet etmek* to oppose *muhalefet partisi* the opposition party
muhalif opponent
muhallebi milk pudding *muhallebi çocuğu* milksop, namby-pamby
muharebe battle, war *muharebe meydanı* battlefield
muharip combatant, belligerent
muharrik motive, moving; agitator, instigator
muhasara siege
muhasebe accountancy, bookkeeping
muhasebeci accountant
muhatap one spoken to; *tic.* drawee
muhayyel imaginary
muhayyer on approval
muhayyile imagination
muhbir informer
muhit surroundings, environment
muhkem strong, firm
muhtaç needy, dependent, destitute *muhtaç olmak* to be in need of
muhtar autonomous; headman, chief
muhtelif various
muhtemel probable, likely
muhtemelen probably
muhterem respected
muhteşem magnificent, splendid
muhteva contents
muhteviyat contents
muhtıra memorandum

mukabele retaliation, retort, response *mukabelede bulunmak* to return, to repay *mukabele etmek* to retaliate, to reciprocate
mukabil counter; equivalent, counterpart; in response to; in return for
mukadderat destiny, fate
mukaddes holy, sacred
mukavele agreement, contract *mukavele yapmak* to make a contract
mukavemet resistance *mukavemet etmek* to resist *mukavemet göstermek* to show resistance *mukavemet koşusu* long distance race
mukavemetli resisting, strong
mukavemetsiz resistless
mukavva cardboard
mukayese comparison *mukayese etmek* to compare
mukoza mucosa
muktedir capable *muktedir olmak* to be able to
mum candle; wax *mumla aramak* to crave for, to hanker for
mumçiçeği waxflower
mumlu waxed *mumlu kâğıt* stencil
mumya mummy
mumyalamak to mummify
mundar unclean, filthy
munis sociable
muntazam regular; regularly
muntazaman regularly
murakabe inspection, supervision
murakıp inspector, supervisor
murat desire, wish *muradına ermek* to attain one's desire
murdar dirty, filthy
Musa Moses
musahhih proof reader
musallat worrying, pestering *musallat olmak* to worry, to pester
Musevi Jew; Jewish
Mushaf the Koran
musibet calamity, disaster

musiki music
muska amulet, charm
muslin muslin
musluk tap, faucet
muson monsoon
mustarip suffering *mustarip olmak* to suffer
muşamba oilcloth, oilskin
muşmula medlar
muşta brass knuckles
muştu good news
mut happiness
mutaassıp fanatical
mutabakat agreement, conformity
mutabık conforming, agreeing *mutabık kalmak* to agree upon
mutasyon mutation
mutat habitual, usual
muteber esteemed, respected; trustworthy; valid
mutedil moderate; *coğ.* temperate
mutemet fiduciary, paymaster, trustee
mutena select, choice, elaborate
mutfak kitchen *mutfak takımı* set of kitchen utensils
mutlak absolute; absolutely
mutlaka absolutely, certainly
mutlakıyet absolutism; autocracy
mutlu happy, lucky
mutluluk happiness
mutsuz unhappy
mutsuzluk unhappiness
muvafakat consent *muvafakat etmek* to agree, to consent
muvaffak successful
muvaffakıyet success
muvakkat temporary
muvakkaten temporarily
muvazene equilibrium, balance
muvazeneli balanced
muvazzaf *ask.* regular *muvazzaf hizmet ask.* active service *muvazzaf subay* active officer
muvezenesiz unbalanced
muz banana
muzaffer victorious

muzır harmful, detrimental; mischievous
muzırlık harmfulness; mischievousness
muzip teasing, tormenting; mischievous
muziplik teasing, practical joke
mübadele exchange
mübalağa exaggeration *mübalağa etmek* to exaggerate
mübalağacı exaggerator
mübalağalı exaggerated
mübarek holy, sacred; fertile, bountiful; auspicious
mübaşir usher
mücadele struggle, fight, combat *mücadele etmek* to struggle, to fight
mücadeleci combative
mücahit combatant, fighter
mücbir compelling *mücbir sebep* force majeure
mücehhez equippedmücehhez olmak to be equipped
mücellit bookbinder
mücerret abstract
mücevher jewel
mücevherat jewellery
mücevherci jeweller
müdafaa defence *müdafaa etmek* to defend
müdafaasız defenceless
müdafi defender
müdahale interference, intervention *müdahale etmek* to interfere, to intervene
müdavim habitué, frequenter
müddet period, duration
müdire directress, manageress
müdür director, manager; headmaster, principal
müdürlük, müdüriyet directorate; directorship
müebbeden forever
müebbet perpetual, eternal; lifelong *müebbet hapis* life imprisonment

müessese establishment, institution, foundation

müessif regrettable, sad

müessir effective, effectual

müeyyide sanction

müezzin muezzin

müfettiş inspector

müfettişlik inspectorship

müflis bankrupt

müfredat details *müfredat programı* curriculum

müfreze *ask.* detachment

müfrit excessive

müftü mufti

mühendis engineer

mühendislik engineering

mühim important

mühimmat *ask.* munitions

mühlet delay, respite, term

mühür seal *mühür basmak* to seal

mühürlemek to seal

mühürlü sealed

mühürsüz unsealed

müjde good news

müjdeci herald, harbinger

müjdelemek to give a piece of good news

mükâfat reward

mükâfatlandırmak to give a reward

mükellef charged, obliged; taxpayer

mükellefiyet obligation, liability

mükemmel perfect, excellent

mükemmelen perfectly

mükemmeliyet perfection

mükerrer repeated, reiterated

mülakat interview *mülakat yapmak* to have an interview (with)

mülayim mild, gentle

mülk property, real estate *mülk sahibi* property owner, landowner

mülkiyet possession, ownership

mülteci refugee

mümbit fertile

mümessil representative, agent

mümessillik agency

mümeyyiz examiner

mümin believer

mümkün possible

mümtaz distinguished

münafık hypocrite, double-dealer

münakaşa argument, dispute *münakaşa etmek* to argue, to dispute

münasebet relation, connection

münasebetiyle on the occasion of

münasebetsiz improper, unseemly; inconsiderate, tactless, impertinent

münasebetsizlik impertinence

münasip suitable, proper *münasip görmek* to see fit, to approve

münavebe alternation *münavebe ile* alternately

münazara debate, discussion

müneccim astrologer

münevver enlightened, intellectual

münferit separate

münhal vacant, empty

münzevi reclusive, hermitic

müphem vague, uncertain

müptela addicted to *müptela olmak* to be addicted to

müracaat application; information desk *müracaat etmek* to apply (to), to consult

müracaatçı applicant

mürdümeriği damson

mürebbiye governess

müreffeh prosperous

mürekkep ink

mürekkepbalığı cuttlefish

mürekkepli inky, having ink *mürekkepli kalem* fountain pen

mürettebat crew

mürettip typesetter, compositor

mürit disciple

müruruzaman *huk.* prescription, limitation

mürüvvet joy felt by parents when they see their child get married, be circumcised etc. *mürüvvetini görmek* to live to see one's children grow up and get married

müsaade permission *müsaade etmek* to permit, to allow

müsabaka competition, contest

müsademe *ask.* clash, skirmish

müsadere confiscation, seizure *müsadere etmek* to confiscate, to seize

müsait suitable, convenient

müsamaha indulgence, tolerance *müsamaha etmek* to indulge, to tolerate

müsamahakâr indulgent, tolerant

müsamahalı indulgent, tolerant

müsamahasız intolerant

müsamere (school) show

müsavi equal

müseccel officially registered *müseccel marka* registered trademark

müsekkin sedative, tranquillizer

müshil purgative, laxative

Müslüman Moslem, Muslim; pious, religious

Müslümanlık Islam

müspet positive

müsrif spendthrift, prodigal

müstahak deserving, worthy *müstahakını bulmak* to get one's deserts

müstahdem employee, servant

müstahkem fortified

müstahzar preparation

müstakbel future, prospective

müstakil independent

müstebit despotic, tyrannical

müstehcen obscene, smutty, pornographic

müstehcenlik obscenity

müsterih at ease *müsterih olmak* to be at ease

müstesna exceptional, extraordinary; except, excluding

müsteşar undersecretary

müsteşarlık undersecretaryship

müsvedde rough copy, draft *müsvedde defteri* notebook, exercise book

müşahede observation *müşahede altına almak* to place under observation *müşahede etmek* to observe

müşavere consultation

müşavir adviser, consultant

müşerref honoured *müşerref olmak* to be honoured

müşfik kind, tender, compassionate

müşkül difficult, hard

müşkülat difficulties *müşkülat çıkarmak* to raise difficulties

müşkülpesent particular, fastidious, fussy

müştemilat annexes, outhouses

müşterek common, collective, joint *müşterek bahis* pari-mutuel

müşteri customer, buyer, purchaser, client

mütalaa observation, comment, opinion *mütalaa etmek* to examine, to scrutinize

mütareke armistice, truce

müteaddit numerous, many

müteahhit (building) contractor

müteakiben subsequently

müteakip following, subsequent

mütecaviz aggressor

müteessir grieved, sorry *müteessir olmak* to be grieved, to be sorry

mütehakkim domineering, bossy

müteharrik moving, movable; driven by, powered by

mütehassıs specialist

mütehassis moved, touched *mütehassis olmak* to be moved

mütemadi continual, continuous

mütemadiyen continually, continuously

mütemayil inclined

mütercim translator

mütereddit undecided, hesitant

müteselsil uninterrupted; *huk.* joint *müteselsil alacaklılar* joint creditors *müteselsil borçlular*

N

joint debtors *müteselsil mesuli-
yet* joint liability
müteşebbis enterprising
müteşekkil composed (of)
müteşekkir thankful, grateful
mütevazı humble, modest
müteveccih aimed, directed
müteveffa the deceased
mütevekkil resigned
mütevelli trustee *mütevelli heyeti*
board of trustees
mütevellit caused, resulting
müthiş extraordinary, terrible,
awful, fearful, amazing, super,
terrific
müttefik allied; ally
müvekkil client
müvezzi distributor
müzakere discussion, deliberation,
consultation; oral exam *müzak-
ere etmek* to discuss, to debate,
to talk over
müzayede auction
müze museum
müzeci museum curator
müzecilik museology
müzelik worth putting in a mu-
seum; *kon.* ramshackle, ancient
müzevir sneak, talebearer, telltale
müzevirlemek to sneak, to tell on
müziç troublesome
müzik music
müzikal musical
müzikbilim musicology
müzikbilimci musicologist
müzikçi musician; teacher of music
müzikhol music hall
müzikli musical
müzikolog musicologist
müzikoloji musicology
müziksever music lover
müzisyen musician
müzmin chronic *müzmin bekâr*
confirmed bachelor
müzminleşmek to become chronic

na, nah There it is
naaş corpse
nabız pulse *nabzı atmak* to pulsate
nabzına bakmak to feel sb's
pulse *nabzına göre şerbet ver-
mek* to handle sb with tact
nabzını yoklamak to put out a
feeler, to sound sb out
nacak hatchet
naçar helpless
naçiz worthless, insignificant
naçizane humbly
nadas fallowing *nadasa bırakmak*
to fallow
nadide rare, curious
nadir rare, scarce; rarely
nadiren rarely, seldom
nafaka *huk.* alimony; subsistence,
livelihood
nafile in vain, useless *nafile yere* in
vain, uselessly
naftalin naphthalene
nağme tune, melody
nahiye sub-district
nahoş unpleasant
nail who attains/gains/obtains **nail
olmak** to attain, to gain
naip regent
nakarat refrain
nakavt knock-out
nakden in cash
nakış embroidery *nakış işlemek* to
embroider
nakil transport, transfer; trans-
planting; narration *nakil vasıta-
ları* means of transport
nakit ready money, cash
naklen live *naklen yayın* live
broadcast
nakletmek to transport, to convey,
to transfer; to narrate, to relate
nakliyat transport, freighting,
forwarding
nakliyatçı freighter, shipper

nakliye transport, shipping; transport expenses, freight

nakliyeci freighter, shipper

nakşetmek to imprint, to engrave

nal horseshoe *nalları dikmek* to peg out, to croak

nalbant horseshoer, farrier

nalbantlık horseshoeing, farriery

nalbur hardware dealer, ironmonger; hardware store

nalça iron tip (on a boot)

nalın clogs, pattens

nallamak to shoe; *arg.* to kill, to croak

nam name; fame, reputation *nam kazanmak* to become famous

namağlup undefeated

namaz ritual worship, prayer, namaz *namaz kılmak* to perform the namaz *namaz vakti* prayer time

name (love) letter

namert cowardly, despicable

namertlik cowardice, vileness

namına on behalf of, in sb's name

namında called, named

namıyla under the name of

namlu (gun) barrel

namus honour, chastity; honesty

namuslu honourable, chaste; honest

namussuz dishonourable, unchaste; dishonest

namussuzca dishonestly

namussuzluk dishonesty, deceit, unchasteness

namüsait unfavourable

namzet candidate *namzet göstermek* to nominate

nanay *arg.* there isn't

nane mint, peppermint *nane yemek* to make a blunder

naneli (pepper) minty

nanemolla weakling

naneruhu oil of peppermint

naneşekeri peppermint

nanik yapmak to cock a snook at, to make a long nose

nankör ungrateful, unthankful

nankörlük ungratefulness, ingratitude *nankörlük etmek* to show ingratitude

napalm napalm

nar pomegranate *nar gibi* well toasted/roasted

nara cry, shout *nara atmak* to shout out, to yell

narenciye citrus fruits

nargile water-pipe, hubble bubble, narghile

narh officially fixed price *narh koymak* to set a fixed price

narin slender, slim; delicate, fragile

narinlik slimness, slenderness; delicacy

narkotik narcotic

narkoz narcosis *narkoz vermek* to narcotize

narsisizm narcissism

nasıl how

nasılsa in any case, somehow or other

nasır corn, callus *nasır bağlamak* to become calloused

nasırlaşmak to form a corn

nasırlı calloused, warty

nasihat advice, counsel *nasihat etmek/vermek* to advise *nasihat tutmak* to follow sb's advice

nasip portion, share; destiny, luck *nasip etmek* to vouchsafe *nasip olmak* to be vouchsafed *nasibini almak* to enjoy

natüralist naturalist; naturalistic

natüralizm naturalism

natürel natural

natürist naturist

natürizm naturism

natürmort still life

navlun freight charge for cargo

naylon nylon

naz coquetry, whims; disdain, coyness *naz etmek/yapmak* to feign reluctance *nazı geçmek* to have influence (over) *nazını çekmek* to put up with sb's whims

nazar look, glance; the evil eye; opinion *nazara almak* to take into account *nazar boncuğu* blue bead (worn to avert the evil eye) *nazar değmek* to be affected by the evil eye *Nazar değmesin!* Touch wood! *nazarı dikkatini çekmek* to attract sb's attention into consideration *nazarıyla bakmak* to consider, to regard as

nazaran in comparison to; according to

nazarımda in my opinion

nazari theoretical

nazariye theory

nazarlık amulet, charm

nazım verse

nazır overlooking, facing

nazik kind, polite; delicate, ticklish

nazikane politely

nazikleşmek to become delicate

naziklik politeness; delicacy

nazlanmak to behave coquettishly; to feign reluctance

nazlı spoilt, petted; coquettish, coy

ne what *ne alemde?* How? *ne biçim?* what kind of? *ne çare!* It can't be helped! *ne çıkar?* so what? *ne de olsa* after all *ne demek* what does it mean?; Not at all! *ne demeye?* why (on earth)? *ne denli* how *ne diye?* why (on earth)? *Ne ekersen onu biçersin* As you sow, so shall you reap. *ne gibi?* what sort? *ne güzel!* How nice! *ne haber?* what's the news? *ne haddine?* how would he dare? *Ne hali varsa görsün!* Let him stew in his own juice! *ne hikmetse* heaven knows why *ne için?* what for? why? *ne kadar?* how much?; how *Ne münasebet!* Not by a long chalk! Of course not!

ne oldum delisi parvenu *Ne olur!* Please *ne olur ne olmaz* just in case *ne pahasına olursa olsun* at any cost, at all costs *ne var?* what's the matter? *ne var ki* but *ne var ne yok?* what's the news? *ne vakit?* when? *ne zaman?* when? *ne ... ne* neither ... nor

nebat plant

nebati vegetable, botanical *nebati yağ* vegetable oil

nebi prophet

nebülöz nebula

nebze particle, bit, trace

nece what language

neceftaşı rock-crystal

neci of what trade?

nedamet regret, remorse

neden cause, reason; why? what for? *neden olmak* to cause *nedenini açıklamak* to account for sth

nedeniyle because of, due to

nedenli having a reason

nedense for some reason or other

nedensiz without a reason, causeless

nedime lady-in-waiting

nefaset excellence, exquisiteness

nefer *ask.* private

nefes breath *nefes aldırmamak* to give no rest *nefes almak* to breathe; to catch one's breath *nefes borusu* *anat.* trachea *nefes darlığı* asthma *nefesi daralmak* to be short of breath *nefesi kesilmek* to be out of breath *nefesini kesmek* to take sb's breath away *nefes nefese* out of breath *nefes nefese kalmak* to get out of breath *nefes vermek* to breathe out

nefesli çalgılar wind instruments

nefis exquisite, delicious

nefis self, essence; one's desires, concupiscence *nefsine düşkün* self indulgent *nefsine uymak* to yield to the flesh, to sin *nefsine yediramemek* to be unable to bring oneself to do sth *nefsini köreltmek* to take the edge off one's desire

nefret hatred, abhorrence, hate *nefret etmek* to hate, to abhor, to loathe *nefret uyandırmak* to arouse hatred

nefretle with hatred

nefrit *hek.* nephritis

nefsi sensual

neft naphtha

negatif negative

nehir river *nehir ağzı* mouth of a river *nehir kenarı* riverside *nehir kıyısı* bank *nehir yatağı* riverbed, channel

nekahet convalescence

nekes stingy, mean

nektar nectar

nem moisture, damp

nemelazımcı indifferent, unconcerned

nemelazımcılık indifference, unconcern

nemlendirici moisturizing, humidifying; moisturizer

nemlenmek to become damp

nemli moist, damp, humid

nemrut cruel, grim, obstinate

nene granny

neolitik neolithic

neon *kim.* neon *neon lambası* neon lamp

neozoik Neozoic

Neptün Neptune

nerde, nerede where *nerede ise, neredeyse* before long, soon

nere what place, what part, whatsoever place

nereden from where, whence

nereli where from *Nerelisiniz?* Where are you from?, Where do you come from?

neresi what place, what part

nereye where, to what place

nergis narcissus

nesil generation

nesir prose

nesne thing, object

nesnel objective

nesnellik objectivity

neşe gaiety, joy *neşesi yerinde olmak* to be in high spirits

neşelendirmek to cheer up, to make cheerful

neşelenmek to grow merry, to cheer up

neşeli cheerful, merry, joyful

neşesiz in low spirits, joyless

neşretmek to spread; to publish

neşriyat publications

neşter lancet

net clear; net *net ağırlık* net weight *net gelir* net income

netameli sinister; accident-prone

netice result, outcome

neticelendirmek to bring to an end

neticelenmek to result in, to come to a conclusion

neticesiz fruitless, useless

nevale food, chow

nevi kind, sort *nevi şahsına münhasır* the only one of its kind

nevir complexion *nevri dönmek* to become angry

nevralji neuralgia

nevrasteni neurasthenia

nevresim sheet of a quilt

nevroloji neurology

nevropot neuropathic

nevroz neurosis

ney reed flute

neyse anyway *neyse ki* luckily, fortunately

neyzen flute player

nezaket politeness

nezaketli polite

nezaketsiz impolite

nezaketsizlik impoliteness

nezaret surveillance, custody; inspection *nezaret altına almak* to take under surveillance

nezaret etmek to superintend, to inspect

nezarethane custodial prison

nezih pure, clean

nezle cold, common cold, catarrh **nezle olmak** to catch (a) cold

nışadır ammonia, sal ammoniac

nice how many, many a; how **nice nice** a great many

nicel quantitative

nicelik quantity

niçin why, what for

nifak discord, strife **nifak sokmak** to bring discord into

nihai final, ultimate

nihayet end; at last, finally

nihayetsiz endless, infinite

nihilist nihilist; nihilistic

nihilizm nihilism

nikâh marriage **nikâh dairesi** marriage office **nikâh düşmek** (marriage) to be legally possible **nikâh kıymak** to perform a marriage ceremony

nikâhlı married

nikâhsız unmarried, out of wedlock **nikâhsız yaşamak** to cohabit

nikel nickel

nikotin nicotine

Nil coğ. the Nile

nilüfer water lily

nimbus nimbus

nimet blessing; food, bread

nine granny, grannie

ninni lullaby **ninni söylemek** to sing a lullaby

nirengi triangulation

nisaiye gyn(a)ecology

nisaiyeci gyn(a)ecologist

nisan April

nispet proportion, ratio **nispet vermek/yapmak** to say sth out of spite

nispeten comparatively, relatively

nispetle in comparison (with)

nispetli proportional

nispetsiz disproportional

nispi proportional; relative **nispi temsil** proportional representation

nişan mark, sign; engagement, betrothal; decoration, order; target **nişan almak** to take aim at **nişan koymak** to make a mark **nişan yapmak** to arrange an engagement **nişan yüzüğü** engagement ring **nişanı bozmak** to break off an engagement

nişanlamak to engage, to betroth; to take aim at

nişanlanmak to get engaged (to)

nişanlı engaged; fiancé, fiancée

nişasta starch

nitekim just as, besides

nitel qualitative

niteleme qualification **niteleme sıfatı** descriptive adjective

nitelemek to qualify

nitelendirmek to qualify

nitelik quality

nitelikli qualified

niteliksiz unqualified

nitrat nitrate

nitrik nitric **nitrik asit** nitric acid

nitrogliserin nitroglycerin(e)

nitrojen nitrogen

niyaz entreaty **niyaz etmek** to entreat for

niye why?

niyet intention, intent, purpose **niyet etmek** to intend **niyeti bozuk** having an evil intention

niyetiyle with the intention of

niyetli who has an intention; fasting

nizam order, regularity; law, regulation

nizami regular; legal

nizamiye the regular army **nizamiye kapısı** the main entrance (to a barracks or garrison)

nizamlı regular; legal

nizamname regulation

nizamsız irregular; illegal

Noel Christmas *Noel ağacı* Christmas tree *Noel arifesi* Christmas Eve *Noel Baba* Father Christmas, *AE.* Santa (Claus)

nohut chickpea

noksan deficiency, defect, want; deficient, defective, wanting, lacking

noksanlık deficiency, lack

noksansız complete, perfect

nokta dot, point; speck, spot; full stop, *AE.* period

noktalama punctuation *noktalama işareti* punctuation mark

noktalamak to punctuate; to finish

noktalı punctuated; dotted *noktalı virgül* semicolon

noktasız undotted

nonoş little darling

norm norm

normal normal

normalleşmek to normalize

normallik normality, *AE.* normalcy

Norveç Norway

Norveççe Norwegian

Norveçli Norwegian

not note; (school) mark, grade *not etmek* to note down *not tutmak* to take notes *not vermek* to give marks to; to size up

nota *müz.* note; (diplomatic) note

noter notary (public)

nöbet turn; guard, watch; fit, attack *nöbet beklemek/tutmak* stand guard

nöbetçi sentry, watchman; on duty, on guard *nöbetçi subayı* duty officer

nöbetleşe in turns

nöbetleşmek to take turns

nörolog neurologist

nöroloji neurology

nöron *biy.* neuron

nötr neutral

nötrleşmek to be neutralized

nötrlük neutrality

nötron neutron

Nuh Noah *Nuh'un gemisi* Noah's Ark

numara number; size, number; trick, blind, stall *numara yapmak* to act, to pretend

numaracı faker, phony

numaralamak to number

numaralı numbered

numarasız unnumbered

numune sample, model

numunelik sample

nur light, brilliance *Nur içinde yatsın!* May he rest in peace! *Nur ol!* Bravo! *nur topu gibi* (baby) healthy and beautiful

nurlu shining, bright

nutuk speech, oration *nutuk atmak/çekmek* to sermonize *nutuk vermek* to make a speech

nüfus population, inhabitants *nüfus kâğıdı* identity card, identity certificate *nüfus kütüğü* state register of persons *nüfus memurluğu* Registry of Births *nüfus patlaması* population explosion *nüfus planlaması* family planning *nüfus sayımı* census *nüfus yoğunluğu* population density

nüfusbilim demography

nüfuz influence, hold; penetration *nüfuz etmek* to penetrate; to influence *nüfuz sahibi* influential

nüfuzlu influential

nükleer nuclear *nükleer enerji* nuclear energy *nükleer reaktör* nuclear reactor, atomic reactor *nükleer santral* nuclear power station *nükleer savaş* nuclear war *nükleer silahlar* nuclear arms, nuclear weapons

nükleon nucleon

nüksetmek to relapse, to recur

nükte witticism *nükte yapmak* to make witty remarks

nükteci witty

nükteli witty

nüsha copy; (newspaper, etc.) issue, number
nüve nucleus
nüzul apoplexy, stroke

O

o he; she; it *o anda* at that moment *o gün bugün(dür)* since that day *o halde* then, in that case *o kadar* so ..., so much; that's all *o taktirde* in that case *o taraflı olmamak* to take no notice of
oba large nomad tent; nomad group
obelisk obelisk
obje object, thing
objektif objective
obua *müz.* oboe
obuacı oboist
obur gluttonous, greedy
oburca greedily
oburlaşmak to become gluttonous
oburluk gluttony, greediness
obüs howitzer
ocak cooker, range, oven; fireplace, hearth; quarry, mine *ocağına düşmek* to be at the mercy of *ocağına incir dikmek* to ruin sb's family, to destroy the family of
ocak January
ocakçı chimney sweep; stoker
oda room; chamber *oda hizmetçisi* chamber maid *oda müziği* chamber music *oda orkestrası* chamber orchestra
odacı janitor, servant
odak focus, focal point
odaklamak to focus
odaklanmak to be focused
odun firewood, log
oduncu woodcutter, seller of firewood
odunkömürü charcoal
odunluk woodshed

ofis office
oflamak to breathe a sigh
ofsayt *sp.* offside
ofset ofset (printing) *ofset baskı* offset printing
oğalamak to rub
oğlak kid *Oğlak burcu* Capricorn *Oğlak dönencesi* tropic of Capricorn
oğlan boy; (cards) jack, knave; queen, catemite
oğmak to rub
oğul son; swarm of bees
oğulcuk little son; *biy.* embryo
oğulluk sonship; adopted son
oğulotu balm
oğuşturmak to rub
oh ah! good! *oh çekmek* to gloat over another's misfortunes *oh demek* to have a breather
oha stop! whoa!
ohm ohm *Ohm yasası* Ohm's Law
oje nail polish
ok arrow *ok atmak* to shoot arrows
okaliptüs eucalyptus
okçu archer
okka oke (a weight of 2.8 pounds) *okkanın altına gitmek* to bear the brunt
okkalı heavy; large, big
oklava rolling-pin
okluk quiver
oksijen oxygen *oksijen çadırı* oxygen tent *oksijen maskesi* oxygen mask
oksijenli oxygenic, oxygenous
oksit oxide
oksitlemek to oxidize
okşamak to caress, to pat, to pet; to beat, to trash
oktan octane
oktav octave
okul school *okul arkadaşı* schoolmate, schoolfellow *okul harcı* tuition *okul kaçağı* truant, hooky *okul müdürü* headmaster, principal *okuldan kaçmak* to play

truant **okulu asmak** to cut classes **okulu bırakmak** to drop out **okulu kırmak** *arg.* to cut classes

okulöncesi preschool time; preschool

okulsonrası post-school time; post-school

okuma reading **okuma yazma** reading and writing

okumak to read; to sing

okumamış uneducated

okumuş educated, well-read, learned

okunaklı legible

okunaksız illegible

okunuş way of reading; pronunciation

okur reader

okuryazar literate

okuryazarlık literacy

okutmak to teach, to instruct; *arg.* to dispose of, to sell, to fob off on

okutman lecturer

okutmanlık lectureship

okuyucu reader

okyanus ocean

olabilir possible

olabilirlik possibility

olacak suitable; reasonable; something inevitable **Olacak gibi değil** It's impossible **Olacak iş (şey) değil** It's incredible

olagelmek to go on, to continue

olağan usual, ordinary, common

olağandışı unusual, abnormal

olağanüstü extraordinary; unusual

olamaz impossible

olanak possibility, chance **olanak vermek** to enable

olanaklı possible

olanaksız impossible

olanaksızlık impossibility

olanca utmost, all of

olarak being, as

olası probable, likely, possible

olasılık probability

olay event, incident, case **olay çıkarmak** to kick up a fuss/row **olay yeri** scene

olaylı eventful

olaysız uneventful

oldu all right! okay!

oldubitti fait accompli **oldubittiye getirmek** to confront sb with a fait accompli

oldukça rather, fairly

olgu fact, event

olgucu positivist; positivistic

olguculuk *fel.* positivism

olgun ripe; mature

olgunlaşmak to become ripe; to become mature

olgunlaştırmak to ripen; to mature

olgunluk ripeness; maturity

oligarşi oligarchy

olimpiyat Olympiad **olimpiyat oyunları** (the) Olympic games

olmadık unusual; impossible, unreasonable

olmak to be; to become, to get, to grow; to happen, to take place **olanlar** happenings **olan oldu** what's done is done, it's too late now

olmamış unripe

olmaz no, impossible

olmuş ripe, mature

olsa olsa at most

olsun let it be; never mind! **olsun olsun** at most **olup bitenler** events, happenings

olta fishing-line **olta iğnesi** fish hook **olta yemi** bait

oluk gutter, pipe; groove

oluklu grooved

olumlu positive, affirmative

olumsuz negative

olur possible; all right, okay, OK **olur şey değil** It's incredible **olur olmaz** whatever, any; whoever, anybody **oluruna bırakmak** *kon.* to let sth ride

oluş state of being or becoming

oluşma formation

oluşmak to come into existence/being; to be formed; to take shape

oluşturmak to form, to constitute

oluşum formation

om ohm

omlet omelette

omur *anat.* vertebra

omurga spine, backbone

omurgalılar *hayb.* vertebrates

omurgasızlar *hayb.* invertebrates

omurilik *anat.* spinal cord

omuz shoulder *omuz omuza* shoulder to shoulder *omuz silkmek* to shrug one's shoulders *omuza vurmak* to shoulder *omuzuna almak* to shoulder

omuzlamak to shoulder

omuzluk epaulette

on ten *on altı* sixteen *on altıncı* sixteenth *on beş* fifteen *on beşinci* fifteenth *on bir* eleven *on birinci* eleventh *on dokuz* nineteen *on dokuzuncu* nineteenth *on dört* fourteen *on dördüncü* fourteenth *on sekiz* eighteen *on sekizinci* eighteenth *on üç* thirteen *on üçüncü* thirteenth *on yedi* seventeen *on yedinci* seventeenth *on para etmez* worthless

ona (to) him; (to) her; (to) it

onamak to approve

onar ten each *onar onar* ten by ten

onarım repair

onarımcı repairman

onarmak to repair, to mend

onay approval, consent, okay, OK

onaylamak to approve, to certify

onaylı approved *onaylı suret* certified copy

onbaşı corporal

onca in his/her opinion, according to him/her; so much, so many

ondalık a tenth; decimal *ondalık*

hanesi decimal place *ondalık kesir* decimal fraction *ondalık sayı* decimal number *ondalık sistem* decimal system *ondalık virgülü* decimal point

ondan for that reason; from him/her/it *ondan sonra* then, thereafter

ondülasyon permanent wave

ondüle curled, curly

ongun productive; prosperous; happy; totem

onikiparmakbağırsağı duodenum

onlar they

onlara (to) them

onları them

onlu (cards) the ten

onmak to heal, to recover; to be happy

onmaz, onulmaz incurable

ons ounce

onsuz without him/her/it

onu him, her, it

onun his, her, its *onun için* for that reason, that's why

onunki his, hers

onur honour; self respect, pride *onur vermek* to honour

onurlandırmak to honour

onurlanmak to be honoured

onurlu self respecting, dignified, proud

onursal honorary

onursuz dishonourable, undignified

onursuzluk dishonour

onuruna in honour of *onuruna dokunmak* to hurt sb's pride *onuruna yedirememek* not to be able to stomach

opera opera

operasyon operation

operatör surgeon; operator

operet operetta

optimum optimum

ora that place

oracıkta just over there

orada there *orada burada* here and there

orak sickle

oraları those places

oralı of that place *oralı olmamak* to pay no attention

oramiral vice-admiral

oran proportion, ratio, rate

orangutan orangutan, orangoutang

oranla in proportion (to)

oranlamak to measure, to calculate; to estimate; to compare

oranlı proportioned

oransız badly proportioned

orantı proportion

orantılı proportional

orası that place

oratoryo oratorio

oraya there

ordino delivery order

ordonat *ask.* ordnance

ordövr hors d'oeuvre, appetizer

ordu army; crowd

ordubozan spoil-sport, marplot

orduevi officer's club

ordugâh military camp

organ organ, member *organ nakli* transplantation

organik organic

organizasyon organization

organizatör organizer

organizma *biy.* organism

orgazm orgasm, climax

orgeneral full general

orijinal original

orijinallik originality

orkestra orchestra *orkestra şefi* conductor, maestro

orkide *bitk.* orchid

orkinos tuna fish

orlon orlon

orman forest, wood *orman bekçisi* ranger *Orman Fakültesi* School of Forestry

ormancı forester

ormancılık forestry

ormanlık wooded, covered with trees *ormanlık arazi* timberland

ornitoloji ornithology

orospu prostitute, whore, hustler

orospuluk prostitution

orsa *den.* windward side *Orsa alabanda!* Down with the helm!

orsalamak to hug the wind

orta middle, centre; average, medium; intermediate *orta boy* middle size *orta dalga* medium-wave *orta direk* mainmast; *kon.* middleclass *orta halli* of moderate means *orta karar* moderate *orta malı* common to all; prostitute *orta sınıf* middle class *orta yaşlı* middle aged *ortada bırakmak* to leave sb in the lurch *ortada* in the middle; clear, obvious, apparent *ortada kalmak* to be in a fix *ortadan kaldırmak* to destroy, to remove *ortadan kaybolmak* to disappear *ortaya atılmak* to come forward, to offer oneself; to be put forward *ortaya atmak* to put forward, to bring up, to throw up, to suggest *ortaya çıkarmak* to bring to light; to discover *ortaya çıkmak* to show oneself, to appear; to come out, to be revealed *ortaya koymak* to put forward, to expose

ortaç *dilb.* participle

ortaçağ the Middle Ages; medieval

ortadamar median vein

ortaderi mesoderm

Ortadoğu the Middle East

ortaelçi minister plenipotentiary, minister

ortak partner, associate; common, joint *ortak çarpan mat.* ratio of a geometrical progression *ortak olmak* to become a partner (with); to share

ortakkat *mat.* common multiple

ortaklaşa in common, collectively

ortaklık partnership; company,

firm *ortaklık sözleşmesi* deed of partnership

ortakulak middle ear, tympanum

ortakyapım joint production, coproduction

ortakyaşama symbiosis

ortakyönetim coalition

ortalama average *ortalama olarak* on an average

ortalamak to centre

ortalık surroundings, the world around *ortalık ağarmak* (dawn) to break *ortalığı birbirine katmak* to turn the place upside down *ortalık kararmak* (night) to close in *ortalık karışmak* to be upside down *ortalığı toplamak* to tidy up

ortalıkta in sight, around

ortam environment, surroundings; atmosphere

ortanca *bitk.* hydrangea

ortanca middle, middling; middle child of three

ortaokul secondary school, middle school, *AE.* junior high school

ortaöğretim secondary education

ortasıklet middleweight

Ortodoks Orthodox

Ortodoksluk Orthodoxy

ortopedi orthopaedics

ortopedik orthopaedic

oruç fast, fasting *oruç bozmak* to break the fast *oruç tutmak* to fast *oruç yemek* not to observe the fast

Osmanlı Ottoman *Osmanlı İmparatorluğu* the Ottoman Empire

Osmanlıca the Ottoman Turkish language

osurmak to fart, to break wind

osuruk fart

ot grass, herb

otağ, otak pavilion

otel hotel

otelci hotel-keeper

otlak pasture, grassland

otlakçı sponger, parasite

otlakçılık sponging, freeloading *otlakçılık etmek* to sponge on

otlamak to graze, to pasture; to sponge

otluk haystack

oto- auto

oto car, auto

otoban motorway *BE.*, expressway *AE.*, freeway *BE.*

otobiyografi autobiography

otobur *hayb.* herbivorous

otobüs bus; coach *otobüs durağı* bus stop

otogar coach station, bus terminal

otokrasi autocracy

otokritik self-criticism

otomasyon automation

otomat automaton

otomatik automatic *otomatik olarak* automatically

otomatikleştirmek to automatize

otomatikman automatically

otomobil car, auto, motorcar, automobile *otomobil tamircisi* car mechanic

otomotiv automotive

otonom autonomous

otonomi autonomy

otopark *BE.* car park, *AE.* parking lot

otopsi autopsy

otorite authority

otoriter authoritarian

otostop hitchhiking *otostop yapmak* to hitchhike

otostopçu hitchhiker

otoyol motorway, expressway

otsu, otsul herbaceous

oturacak seat

oturak seat; chamber pot

oturaklı well settled, foursquare; sober, dignified; well-chosen, timely

oturma sitting *oturma odası* living room, sitting room

oturmak to sit; to live, to stay; to settle

oturtmak to seat, to place

oturum session, sitting

otuz thirty

otuzar thirty each

otuzuncu thirtieth

ova plain

oval oval

ovalamak to massage, to knead

ovalık grass land

ovmak to rub with the hand, to massage

ovuşturmak to massage, to rub, to knead

oy vote *oy çokluğuyla* by a large majority *oy pusulası* ballot-paper *oy sandığı* ballot box *oy vermek* to vote *oya koymak* to put sth to the vote

oya pinking, embroidery

oyalamak to put sb off, to stall; to amuse, to divert

oyalanmak to dally, to linger, to loiter

oyalı pinked

oybirliği unanimity

oybirliğiyle by a unanimous vote

oylama voting

oylamak to put sth to the vote

oyluk thigh

oylum volume, size

oyma carving, engraving; carved, engraved

oymacı carver, engraver

oymak to carve, to engrave; to bore; *arg.* to punish, to beat, to tell off

oymak tribe, clan; troop of boy-scouts

oymalı caned engraved

oynak playful, frisky; fickle, flirtatious; loose, shifting

oynamak to play; to dance; to fiddle with, to trifle; to move; to be loose; (film, play) to be on

oynaş lover, lovemate

oynaşmak to play with one another; to carry on a love affair

oynatmak (to cause) to play; (to cause) to dance; to move, to stir; to lose one's mind

oysa, oysaki yet, but, however, whereas

oyuk hollowed out; cavity, hollow

oyun play, game; performance; trick; gamble *oyun oynamak* to play a trick on, to deceive *oyun yazarı* playwright *oyuna gelmek* to be deceived

oyunbaz playful, frisky

oyunbozan spoilsport, killjoy

oyunbozanlık being a killjoy *oyunbozanlık etmek* to be a killjoy

oyuncak toy, plaything; laughing-stock, plaything; child's play, cinch

oyuncu player; actor, actress; dancer

oyunculuk acting

oyunlaştırmak to dramatize

ozalit blueprint

ozan poet

ozon *kim.* ozone

Ö

öbek heap, group *öbek öbek* in groups

öbür the other *öbür dünya* the other world *öbür gün* the day after tomorrow

öbürkü, öbürü the other one

öbürleri the other ones

öcü ogre, bogyman

öç revenge *öç almak* to take revenge on *öcünü almak* to revenge

öd gall, bile *ödü kopmak/patlamak* to be frightened to death *ödünü koparmak/patlatmak* to frighten sb out of his wits

ödeme payment *ödeme emri* order of payment *ödeme gücü* solvency *ödemeli (teslim)* cash on delivery (C.O.D.)
ödemek to pay
ödenek appropriation, allowance *ödenek ayırmak* to appropriate funds (for)
ödenti subscription, fee
ödeşmek to settle accounts (with one another)
ödev duty; homework
ödkesesi gallbladder
ödlek cowardly, timid
ödleklik cowardice
ödül prize, award, reward *ödül kazanmak* to win a prize
ödüllendirmek to reward
ödün concession, compensation *ödün vermek* to make concessions
ödünç loan; borrowed *ödünç almak* to borrow *ödünç alan* borrower *ödünç veren* lender *ödünç vermek* to lend, to loan
ödünleme compensation
ödünlemek to compensate
öfke anger, fury, rage
öfkelendirmek to anger, to make angry
öfkelenmek to get angry
öfkeli choleric, hot tempered; angry, furious
öğe element
öğle noon, midday *öğle üstü* around noon *öğle yemeği* lunch *öğleden önce* in the forenoon *öğleden sonra* in the afternoon
öğleyin at noon
öğrenci student, pupil *öğrenci yurdu* students' hostel
öğrenim education, study *öğrenim görmek* to receive education
öğrenmek to learn
öğreti doctrine
öğretici instructive, didactic
öğretim instruction, education

öğretim görevlisi lecturer **öğretim üyesi** professor, assistant professor, lecturer *öğretim yılı* academic year, school year
öğretmek to teach, to instruct
öğretmen teacher, instructor, tutor *öğretmen okulu* teacher's training school
öğretmenlik teacher's profession, teaching
öğün meal
öğünmek to boast, to brag
öğür of the same age, peer; used to, accustomed *öğür olmak* to get used to
öğürmek to retch; to bellow
öğürtü retching
öğüt advice *öğüt vermek* to give advice
öğütlemek to advise, to recommend
öğütmek to grind, to mill
öğütücü diş molar
ökçe heel
ökçeli heeled
ökçesiz heelless
ökse birdlime
ökseotu mistletoe
öksü firebrand, half-burnt piece of wood
öksürmek to cough
öksürük cough
öksüz orphan, motherless *öksüz kalmak* to be orphaned
öksüzlük orphanage
öküz ox; lout, oat, stupid person *öküz gibi bakmak* to stare like a fool
ölçek measure, scale
ölçme measuring
ölçmek to measure *ölçüp biçmek* to consider carefully
ölçü measure; measurement; moderation; (poetry) metre *ölçüsünü almak* to take the measurements of *ölçüyü kaçırmak* to pass the limit, to overdo

ölçülü measured; moderate
ölçüm measure; measurement
ölçüsüz unmeasured; immoderate
ölçüt criterion
öldüresiye to death, ruthlessly
öldürmek to kill, to murder
öldürücü mortal, deadly
ölesiye excessively
ölgün faded, withered
ölmek to die
ölmez immortal, eternal
ölmüş dead, lifeless
ölü dead; dead body, corpse
ölüm death *ölüm cezası* capital punishment, death-penalty *ölüm kalım meselesi* a matter of life or death *ölüm döşeğinde olmak* to be on one's deathbed *ölümü göze almak* to risk one's life *ölümüne susamak* to run into the jaws of death
ölümcül deadly, mortal
ölümlü mortal, transitory
ölümsüz immortal
ölümsüzleştirmek to immortalize
ölümsüzlük immortality
ömür life, existence *ömür boyu maaş* pension for life *ömür boyu hapis* life imprisonment, life sentence *ömür çürütmek* to waste one's life *ömrü vefa etmemek* not to live long enough to
ömürsüz short-lived
ön front *ön ayak olmak* to pioneer, to lead *önde* ahead *önde gelmek* to be in the most important place *önden* from the front *önden çekişli* (car) front-wheel drive *öne* to the front *öne geçmek* to go to the fore *öne sürmek* to put forward, to bring forward *önü alınmak* to be prevented *önümüzdeki* next *önünde* in front of *önüne düşmek* to show sb the way *önüne gelen* anyone, everybody

önünü kesmek to waylay
önalım preemption *önalım hakkı* right of preemption
önce before, ago; first, at first
önceden beforehand, in advance
önceki the former
öncel predecessor
önceleri previously, formerly
öncelik priority
öncü avant-garde; *ask.* vanguard
öncül premise, premiss
öncülük pioneering *öncülük etmek* to pioneer
önder leader, chief
önderlik leadership
öndeyiş *yaz.* prologue
önek prefix
önem importance *önem vermek* to attach importance to
önemli important
önemsiz unimportant
önerge motion, proposal *önerge vermek* to make a motion
öneri proposal, suggestion *öneride bulunmak* to propose, to suggest
önerme proposition
önermek to propose, to suggest, to offer
önerti antecedent
öngörmek to anticipate, to foresee
öngörü foresight, prudence
öngörülü farseeing, prudent
önkol forearm
önlem measure, precaution *önlem almak* to take measures
önlemek to prevent
önleyici preventive
önlük apron
önseçim primary election
önsel a priori
önsezi presentiment, intuition
önsöz preface, foreword
önsözleşme preliminary agreement
önyargı prejudice
önyargılı prejudiced
önyüzbaşı lieutenant commander, senior captain

öpmek to kiss, to smooch

öpücük kiss, smooch *öpücük göndermek* to kiss one's hand to sb

öpüşmek to kiss (each other)

ördek duck

ördekbalığı striped wrasse

ördekbaşı greenish blue

ören ruin

örf custom, convention *örf ve âdet* usage and custom

örfi customary, conventional *örfi idare* martial law, state of siege

örgen organ

örgü knitting; plait, braid

örgülü plaited, braided

örgüt organization

örgütlemek to organize

örgütlenmek to be organized

örgütlü organized

örgütsel organizational

örme knitting; knitted

örmek to knit, to plait

örneğin for example, for instance

örnek sample, pattern, model; example; exemplary *örnek almak* to take sb/sth as one's model *örnek olmak* to be a model, to set an example

örnekle(ndir)mek to give an example of, to illustrate

örs anvil

örselemek to spoil, to batter, to rumple

örtbas hushing up *örtbas etmek* to hush up, to suppress, to conceal

örtmece euphemism

örtmek to cover

örtü cover, wrap

örtülü covered; shut, closed

örtünmek to cover oneself

örümcek spider *örümcek ağı* spider's web, cobweb *örümcek bağlamak* to be covered with cobwebs *örümcek kafalı* old-fashioned, square

örümcekkuşu shrike

östaki borusu *anat.* eustachian tube

öte the farther side; farther, further *öte yandan* on the other hand

öteberi this and that, various things

ötede over there *ötede beride* here and there

öteden from the other side *öteden beri* for a long time

öteki the other *öteki beriki* anybody and everybody

ötleğen *hayb.* warbler

ötmek to sing, to warble

öttürmek to sound, to blow

ötücü singing *ötücü kuş* singing bird, songbird

ötürü because of

övendire ox-goad

övgü praise, panegyric *övgüye değer* praiseworthy

övmek to praise, to extol *övülmeye değer* praiseworthy

övülmek to be praised *övülmeye değer* praiseworthy

övünç pride, self-respect

övüngen boastful, bragging; boaster, braggart

övünmek to boast, to brag, to blow *Övünmek gibi olmasın* I don't mean to boast, but ...

öykü story

öykücü (short) story writer

öykülemek to narrate

öykünmek to imitate

öyle such; so *öyle mi?* Is that so? *öyle olsun!* So be it! *öyle ya* Of course! *öyle yağma yok* Not on your life!

öyleyse if so, then

öz self; essence, kernel; essential, real *öz anne* one's own mother *öz kardeş* full brother/sister *öz Türkçe* pure Turkish

Özbek Uzbek

Özbekistan Uzbekistan

özbeöz real, true, german
özdek matter
özdekçilik *fel.* materialism
özden genuine, true
özdenetim *ruhb.* selfcontrol
özdeş identical
özdeşleşme identification
özdeşleşmek to identify oneself with
özdeşleştirmek to identify
özdeşlik identity
özdevim automation
özdevinim automatism
özdeyiş aphorism, saying
özdirenç resistivity
özek centre
özel private; personal; special *özel ad dilb.* proper noun *özel ders* private lesson *özel dedektif* private detective *özel hastane* private hospital *özel hayat* private life *özel mülkiyet* private property *özel okul* private school *özel sekreter* private secretary *özel uçak* private plane *özel ulak* express delivery
özeleştiri self-criticism
özellik peculiarity, property, characteristic
özellikle especially, particularly
özen care, pains *özen göstermek* to take pains *özene bezene* painstakingly
özendirmek to encourage, to tempt
özenli painstaking, careful
özenmek to take pains; to ape, to imitate *özenip bezenmek* to take great pains
özensiz careless
özensizlik carelessness
özenti affectation, emulation
özentili affected
özentisiz genuine
özerk autonomous
özerklik autonomy
özet summary, outline, synopsis
özetle in brief, briefly

özetlemek to summarize
özezerlik *ruhb.* masochism
özge other (than)
özgeci altruist
özgecilik altruism
özgeçmiş autobiography, curriculum vitae, CV
özgü peculiar to, proper to
özgül specific *özgül ağırlık* specific gravity *özgül ısı* specific heat
özgülemek to devote
özgün original; authentic, genuine
özgünlük originality
özgür free
özgürce freely
özgürlük freedom, liberty
özgürlükçü liberalist; liberalistic
özgüven self-confidence
özlem longing, yearning; aspiration, desire
özlemek to long for, to miss, to yearn for
özleştirmek to purify
özlü sappy, juicy; pithy, concise, terse
özlük essence, nature; individual, person *özlük işleri* personnel affairs
özne subject
öznel subjective
öznellik subjectivity
özöğrenim self-education
özöğrenimli selfeducated
özsaygı self-respect
özseverlik narcissism
özsu juice, sap
özümleme assimilation
özümlemek to assimilate
özümsemek to assimilate
özür excuse, apology, put-off; defect *özür dilemek* to apologize *özürü kabahatinden büyük* his excuse is worse than his fault
özürlü having an excuse; defective
özürsüz inexcusable; nondefective
özveren self-sacrificing
özveri self-denial, self-sacrifice

özverili self-denying, self-sacrificing

özyaşamöyküsü autobiography

P

pabuç shoe *pabuç bırakmamak* not to be discouraged by *pabucu dama atılmak* to fall into discredit

paça lower part of the trouser leg; trotters *paçaları sıvamak* to gird up one's loins *paçaları tutuşmak* to be in a stew *paçasını kurtarmak* to evade, to elude

paçavra rag *paçavraya çevirmek* to make a mess of, to botch

padavra shingle

padişah (Ottoman) ruler, sultan

padişahlık sultanate; reign

pafta section of a large map

pagan pagan

paganizm paganism

paha price, value *paha biçilmez* priceless *paha biçmek* to estimate a price *pahadan düşmek* to fall in price

pahalanmak to become (more) expensive

pahalı expensive, dear

pahalılaşmak to become (more) expensive

pahalılık expensiveness

pak clean, pure

paket package, parcel *paket etmek* to parcel up, to pack up

paketlemek to parcel up, to pack up

Pakistan Pakistan

Pakistanlı Pakistani

paklamak to clean

pakt pact

pala scimitar

palabıyık long thick and curved moustache

palamar *den.* hawser

palamut *bitk.* valonia oak

palamut *hayb.* bonito

palanga tackle, pulley-block

palas sumptuous building, palace *palas pandıras* helter-skelter

palaska cartridge belt, bandolier

palavra bunk, baloney, humbug *palavra atmak* to shoot the bull, to swagger

palavracı braggart, boaster, blowhard

palaz duckling, squab, gosling

palazlanmak to grow fat; (child) to grow up

paldır küldür headlong, pell-mell

paleontoloji paleontology

paleozoik paleozoic

palet palette; *den.* flippers; caterpiller tread

palmiye palm-tree, palm

palto overcoat

palyaço clown, buffoon

pamuk cotton *pamuk gibi* very soft

pamukçuk *hek.* aphtha, thrush

pamuklu of cotton; cotton cloth

pamuktaş travertine

Panama Panama

Panamalı Panamanian

panayır fair, market *panayır yeri* fairground

pancar beet, beetroot *pancar gibi olmak, pancar kesilmek* to turn as red as a beetroot *pancar şekeri* beet sugar

pancur shutter

panda *hayb.* panda

pandantif pendant

pandispanya sponge cake

pandomima pantomime

panel panel discussion

panik panic *paniğe kapılmak* to be seized with panic *panik yaratmak* to cause a panic

Panislamizm Panislamism

Panislavizm Panslavizm

panjur shutter

pankart banner
pankreas *anat.* pancreas
pankreas *sp.* pancratium
pano panel, notice board
panorama panorama
pansiyon boarding-house, pension
pansiyoncu boarding-house keeper
pansiyoner boarder, lodger
pansuman dressing *pansuman yapmak* to dress (a wound)
panteizm *fel.* pantheism
panter panther, leopard
pantolon trousers
panzehir antidote
panzer panzer
papa Pope
papağan parrot
papalık papacy
papara dish of dry bread and broth; scolding *papara yemek* to get a rocket
papatya daisy
papaz priest, monk; (cards) king *papaza dönmek* (one's hair) to be too long (and untidy) *papaza kızıp oruç (perhiz) bozmak* to cut off one's nose to spite one's face
papazlık priesthood
papirüs papyrus
papyon bow-tie
para money *para babası* money-bags *para basmak* to mint *para biriktirmek* to save money *para birimi* monetary unit *para bozdurmak* to change money *para cezası* fine, penalty *para cüzdanı* wallet, purse *para çekmek* to draw money *para çıkarmak* to issue money *para çıkışmamak* (money) not to suffice *para darlığı* deflation *para dökmek* to spend a lot of money *para etmek* to be worth; to tell, to work *para getirmek* to bring in money *para harcamak* to spend money *para ile değil* very cheap *para kazanmak* to earn

money *para kesmek* to mint; to rake in money *para kırmak* to rake in money *para saymak* to pay *para sızdırmak* to squeeze money out of sb *para tutmak* to save money *para yapmak* to earn money *para yedirmek* to bribe *para yemek* to play ducks and drakes with money; to accept a bribe *parasını sokağa atmak* to throw one's money away *para parayı çeker* money begets money *parasını yemek* to live at sb's expense *paraya çevirmek* to cash in *paraya kıymak* to spare no expense *parayı bayılmak/sökülmek* to shell out *parayı denize atmak* to waste money *Parayı veren düdüğü çalar* He who pays the piper calls the tune.
parabol parabola
parabolik parabolic
paradoks paradox
parafe initialled *parafe etmek* to initial
parafin paraffin
paragöz money-grubber
paragraf paragraph
paraka groundline, setline
parakete multi-hooked fishing line, *AE.* setline; *den.* logline
paralamak to tear to pieces
paralanmak to be broken to pieces; to strain every nerve; to become rich
paralel parallel
paralelkenar parallelogram
paralellik parallelism
paralı moneyed, rich; requiring payment
parametre parameter
paramparça all in pieces *paramparça etmek* to break to pieces *paramparça olmak* to be broken to pieces
paranoya paranoia

paranoyak paranoiac
parantez parenthesis
parasal monetary
parasız penniless, broke; free, gratis
parasızlık pennilessness
paraşüt parachute
paraşütçü parachutist, paratrooper
paratoner lightning conductor
paravan (folding) screen
parazit parasite; atmospherics, interference
parça piece *parça başına* per piece *parça mal* piece goods *parça parça* in pieces *parça parça etmek* to break to pieces *parça parça olmak* to be broken to pieces
parçalamak to break into pieces, to shatter
parçalı in parts, pieced
pardon pardon me, excuse me
pardösü light overcoat
parfüm perfume
parfümeri perfumery
parıl parıl brilliantly, glitteringly *parıl parıl parlamak* to shine brightly
parıldamak to gleam, to glitter, to sparkle
parıltı gleam, glitter, sparkle
parıltılı gleaming, glittering, sparkling
park park; car park, *AE.* parking lot *park etmek* to park
parka parka
parke parquet, parquetry
parkur course, track
parlak bright, shining, brilliant
parlaklık brightness, brilliance
parlamak to shine, to beam; to flare up; to gain distinction, to shine
parlamenter member of parliament, parliamentary
parlamento parliament
parmak finger *parmak atmak arg.*

to goose sb *parmak basmak* to draw attention (to) *parmak hesabı* counting on the fingers *parmak ısırtmak* to astonish *parmak izi* fingerprint *parmak izini almak* to fingerprint sb *parmak kaldırmak* to raise the hand *parmağı olmak* to have a finger in *parmağında oynatmak* to twist sb round one's little finger *parmağını bile kıpırdatmamak* not to move a finger *parmakla göstermek* to point at *parmakla gösterilmek* to be pointed at
parmaklamak to finger
parmaklık railing, balustrade
parodi parody
parola password, watchword
pars leopard
parsa money (collected from onlookers/listeners) *parsa toplamak* to pass the hat round *parsayı başkası toplamak* sb else to get the benefit
parsel plot, parcel
parsellemek to divide into parcels
parşömen parchment
partal worn out, shabby
parti party; (goods) consignment *parti vermek* to give a party *partiyi kaybetmek* to lose the game
partici partisan
particilik partisanship
partisyon *müz.* score
partizan partisan
partizanlık partisanship
parttaym part-time
pas rust, tarnish *pas tutmak* to rust
pas *sp.* pass *pas vermek sp.* to pass; (woman) to give (sb) the glad eye
pasaj arcade; passage
pasak dirt, filth
pasaklı slovenly, dowdy, slipshod

pasaport passport
pasif passive; *tic.* liabilities
paskalya Easter
paslanmak to rust
paslanmaz rustless
paslaşmak *sp.* to pass the ball to each other; *arg.* to give each other the glad eye
paslı rusty
paso pass
paspal slovenly, untidy
paspas doormat
pasta cake, pastry, tart
pastane pastry shop
pastırma pastrami, preserve of dried meat *pastırmasını çıkarmak* to give a good beating (to) *pastırma yazı* Indian Summer
pastil lozenge, pastille
pastoral pastoral
pastörize pasteurized
paşa pasha general
pat thud! whop! *pat diye* with a thud
patak beating, hiding
pataklamak to beat, to thrash
patates potato *patates tava* fried potatoes
patavatsız indiscreet, tactless
paten skate
patent patent, licence
patentli patented
patırdamak to make a knocking noise, to patter
patırtı noise, clatter, patter; tumult, row *patırtı çıkarmak* to kick up a row *patırtıya vermek* to put into confusion
patırtılı noisy, tumultuous
patik bootee
patika path, track
patinaj ice skating; skidding *patinaj yapmak* to skid, to slip *patinaj zinciri* antiskid chain
patiska cambric
patlak burst; puncture *patlak gözlü* goggle-eyed, pop eyed *patlak*

vermek to break out
patlama explosion
patlamak to burst, to explode
patlangaç pop-gun
patlatmak to blow up, to blast, to burst; (blow) to land, to slap
patlayıcı explosive
patlıcan egg-plant, aubergine
patoloji pathology
patolojik pathological
patrik patriarch
patrikhane patriarchate
patron boss, employer
pattadak, pattadan all of a sudden, suddenly
pavyon night club; pavilion
pay share, lot, portion *pay bırakmak* to leave a margin *pay biçmek* to take as an example *pay etmek* to share out *payını almak* to get one's share
payanda prop, support
payda denominator
paydaş partner, shareholder
paydos break, rest *paydos etmek* to stop working, to knock off
paye rank, grade
paylamak to scold
paylaşmak to share
payreks Pyrex
paytak bandy-legged
payton phaeton
pazar market, marketplace *pazara çıkarmak* to put on sale *pazar kurmak* to set up an open market
pazar Sunday
pazarcı seller in a market
pazarlama marketing
pazarlamacı marketing expert
pazarlamak to market
pazarlık bargaining *pazarlık etmek* to bargain
pazartesi Monday
pazaryeri market-place
pazen cotton flannel
pazı biceps, muscle

pazı *bitk.* chard
pazıbent armlet
peçe veil
peçeli veiled
peçete napkin
pedagog pedagogue
pedagoji pedagogy
pedal pedal
peder father
pederşahi *topb.* patriarchal
pediatri paediatrics
pedikür pedicure
pehlivan wrestler
pejmürde shabby, ragged
pek very; hard, firm ***pek çok*** very much
pekâlâ very good; all right! okay!
pekdoku collenchyma
peki all right! okay!
pekişmek to harden
pekiştirmek to harden, to stiffen
peklik constipation ***peklik çekmek*** to suffer from constipation
pekmez grape-molasses
peksimet hardtack, ship biscuit
pelerin cape, cloak
pelesenk balsam, balm
pelesenkağacı balsam tree
pelikan *hayb.* pelican
pelin wormwood
pelit acorn, valonia
pelte jelly
peltek lisping ***peltek konuşmak*** to lisp
pelteklik lisp
pelteleşmek to jelly
pelür onion skin ***pelür kâğıdı*** onion skin paper
pelüş plush
pembe pink
pembeleşmek to turn pink
pembelik rosiness
pembemsi pinkish
penaltı *sp.* penalty
pencere window
pencüdü a five and a two
pencüse a five and a three

pencüyek a five and a one
pençe paw, claw; (shoe) sole ***pençe atmak*** to paw, to claw ***pençe vurmak, pençelemek*** to claw, to paw; to sole (a shoe)
pençeleşmek to grapple (with), to struggle
penguen penguin
peni penny, pence
penis penis
penisilin penicillin
pens pliers; (dress) pleat
pense pliers
pentatlon *sp.* pentathlon
pepe stammering
pepelemek to stammer, to stutter
pepsin *biy.* pepsin
perakende retail ***perakende fiyatı*** retail price ***perakende satın almak*** to buy sth retail ***perakende satmak*** to retail
perakendeci retailer
perçem tuft of hair
perçin clinch bolt, rivet
perçinlemek to rivet, to clench
perçinli riveted, clenched
perdah sheen, finish
perdahlı polished
perdahsız unpolished
perde curtain; screen; (play) act ***perde inmek*** (eye) to have cataract ***perdeyi kapamak*** to draw the curtain
perdelemek to curtain, to veil; to conceal
perdeli curtained, veiled
perende somersault ***perende atmak*** to turn a somersault
performans performance
pergel pair of compasses ***pergelleri açmak*** to take long steps
perhiz diet ***perhiz yapmak*** to diet
perhizli on a diet
peri fairy ***peri gibi*** fairylike
peribacası fairy chimney, earth pyramid, earth pillar
perihastalığı epilepsy; hysteria

perikart pericardium

perili haunted

periskop periscope

perişan perturbed, miserable, ruined; scattered, disordered *perişan etmek* to perturb, to ruin; to scatter *perişan olmak* to become miserable, to be wretched; to be scattered

periyodik periodic; periodical

perma(nant) permanent

permanganat permanganate

permi permit

peroksit peroxide

peron platform

personel personnel, staff

perspektif perspective

perşembe Thursday

peruk, peruka wig

perukalı wigged

pervane propeller, screw

pervasız fearless

pervasızca fearlessly

pervaz cornice, fringe

pes (voice) low, soft *pes demek* to give in, to say uncle *pes etmek* to cry small, to give in *pes doğrusu* that beats all!

pesek (tooth) tartar

peseta peseta

pespaye vulgar, common

pespembe very pink

pestil dried fruit pulp *pestile çevirmek* to tire out *pestili çıkmak* to be tired out *pestilini çıkarmak* to beat sb to a jelly

peş back *peş peşe* one after the other *peşi sıra* behind him, following him *peşinde dolaşmak* to go around with sb *peşinde koşmak* to run after *peşinden gitmek* to go after *peşine düşmek* to pursue *peşine takılmak* to tail after *peşini bırakmak* to stop following

peşin paid in advance, ready; in advance, beforehand *peşin al-*

mak to buy for cash *peşin fiyat* cash price *peşin hüküm* prejudice *peşin para* ready money, cash *peşin satış* cash sale *peşin söylemek* to tell in advance *peşin yargı* prejudice

peşinat advance payment

peşinen in advance, beforehand

peşkir napkin; towel

peşrev overture, prelude

peştemal cloth worn around the waist

petek honeycomb

petrol petroleum, oil *petrol boru hattı* pipeline *petrol bulmak* to strike oil *petrol kuyusu* oil well *petrol rafinerisi* oil refinery

pey earnest money, deposit *pey akçesi* earnest money, deposit *pey sürmek* to make a bid

peyda manifest, visible *peyda etmek* to beget, to create *peyda olmak* to appear, to spring up

peydahlamak to procure

peyderpey step by step, little by little

peygamber prophet

peygamberağacı guaiacum, lignum vitae

peygamberçiçeği cornflower

peygamberlik prophethood, prophecy

peyk satellite

peylemek to book, to engage

peynir cheese

peynirli containing cheese

peyzaj landscape

pezevenk pimp, procurer

pezevenklik procuration *pezevenklik etmek* to pimp, to procure

pezo Peso

pıhtı clot, coagulum

pıhtılaşmak to clot, to coagulate

pılı pırtı junk, traps; belongings

pınar spring

pır whirring, whizzling *pır pır*

etmek to whirr, to whizz
pırasa leek
pırıl pırıl glittering, sparkling; brand-new; very clean
pırıldamak to glitter, to gleam
pırıltı glitter, gleam, sparkle
pırlamak (bird) to flutter; to take to one's heels
pırlanta brilliant
pırtlak bulging
pısırık diffident, pusillanimous
pısırıklık diffidence
pıtırdamak to crackle, to patter
pıtırtı tapping, patter
pıtrak burr
piç bastard *piç kurusu* brat
pide fat bread
pigment pigment
pijama pyjamas
pik cast iron *pik boru* cast iron pipe
pikap record player; pick-up
pike nosedive *pike yapmak* to nosedive
pike piqué
piknik picnic *piknik yapmak* to picnic, to have a picnic
pil battery
pilav pilaf, rice
piliç chicken
pilot pilot
pilotluk pilotage
pim pin
pineklemek to doze, to slumber
pingpong ping-pong
pinti miserly, stingy
pintileşmek to become stingy
pintilik miserliness, stinginess
pipo pipe *pipo içmek* to smoke a pipe
piramit pyramid
pire flea *pire gibi* very agile *pire için yorgan yakmak* to cut off one's nose to spite one's face
pireyi deve yapmak to make a mountain out of a molehill
pirelendirmek to make suspicious

pirelenmek to become flea-ridden; to smell a rat
pirinç brass
pirinç rice
pirzola cutlet, chop
pis dirty, filthy *pis pisine* for nothing, in vain *pis pis bakmak* to leer (at) *pis pis gülmek* to grin, to chuckle
pisboğaz greedy
pisi pussy-cat
pisibalığı plaice
piskopos bishop
pislemek to dirty, to soil
pisletmek to dirty, to soil
pislik dirt, filth; dirtiness, filthiness
pissu sewage
pist running track; dance floor; runway
piston piston
pişik prickly heat, heat rash
pişirim amount to be cooked at one time
pişirmek to cook, to bake
pişkin well-cooked, well-done; experienced, hardened
pişkinlik being well-cooked; experience, maturity
pişman regretful, penitent, sorry *pişman etmek* to make sb feel sorry *pişman olmak* to feel sorry, to repent
pişmanlık regret, penitence
pişmek to be cooked; to become experienced, to toughen *pişmiş kelle gibi sırıtmak* to grin like a Cheshire cat
pişti a card game
piton *hayb.* phyton
pitoresk picturesque
piyade infantry, infantryman
piyango lottery *piyango bileti* lottery ticket *piyango çıkmak* to win a lottery
piyanist pianist
piyano piano
piyasa market *piyasaya çıkarmak* to

put on the market *piyasaya çıkmak* to come on the market; to show oneself, to appear *piyasaya sürmek* to throw on the market
piyaz bean salad
piyes play
piyon pawn
plaj beach
plak record
plaka number plate
plaket plate, plaque
plan plan *plan yapmak* to make a plan *plan kurmak* to plan
planet planet
plankton plankton
planlamak to plan
planlı planned
planör glider
plantasyon plantation
planya carpenter's plane
plasenta placenta
plasman investment
plaster plaster
plastik plastic *plastik ameliyat* plastic surgery *plastik sanatlar* the plastic arts
platform platform
platin platinum
plato plateau
platonik platonic
plazma plasma
plevra pleura
pleybek playback
pli pleat, fold
pliyosen pliocene
podyum podium, dais
pofurdamak to snort, to puff *pofur pofur* in great puffs
poğaça flaky pastry
pohpoh flattery
pohpohçu flatterer
pohpohlamak to flatter
poker poker
polarma polarization
polarmak to polarize
polemik polemic

polen pollen
poli- poly-
poliandri *topb.* polyandry
poliçe bill of exchange, draft; insurance policy
polietilen polyethylene
poligami polygamy
poligon gunnery range, artillery range; polygon
polijini *topb.* polygyny
poliklinik polyclinic
polimer *kim.* polymer
polip polyp
polis police; policeman
polisiye detective *polisiye film* detective film *polisiye roman* detective novel
politeizm *topb.* polytheism
politeknik polytechnic
politik political
politika politics; policy *politikaya atılmak* to go into politics
politikacı politician
poliüretan polyurethane
poliyester polyester
Polonya Poland
Polonyalı Polish, Pole
pomat pomade
pompa pump
pompalamak to pump
ponpon pompon, pompom; powder puff
pop pop *pop müzik* pop music
poplin poplin
popo buttocks, butt, bum
popüler popular
pornografi pornography
pornografik pornographic
porselen porcelain
porsiyon portion, helping
porsuk badger
porsumak to shrivel up, to be wizened
portakal orange
portakalrengi orange
portatif portable, movable
porte *müz.* stave

Portekiz Portugal; Portuguese
Portekizce Portuguese
Portekizli Portuguese
portföy wallet, purse
portmanto coat-stand, hallstand
portre portrait
posa sediment, dregs *posasını çıkarmak* to squeeze almost to death
posbıyık having a bushy moustache
post skin, hide *postu deldirmek* to be shot, to be killed *postu kurtarmak* to save one's skin *postu sermek* to outstay one's welcome
posta post, mail; postal service *posta havalesi* postal order, money order *posta kartı* postcard *posta koymak* to cow, to intimidate *posta kutusu* post box *posta pulu* postage stamp *postaya atmak* to post *postayla göndermek* to post
postacı postman
postal combat boot, half boot
postalamak to post
postane post office
postrestant poste restante
poşet small bag
pot crease, pucker; blunder, boner, howler *pot kırmak* to drop a brick, to put one's foot in it
pota crucible, cupel
potansiyel potential
potasyum potassium
potin boot
potpuri *müz.* potpourri
pound pound
poyra (wheel) hub
poyraz northeast wind
poz pose; exposure *poz vermek* to pose for
pozisyon position
pozitif positive
pöf ugh!
pörsük shrivelled up, wizened
pörsümek to shrivel up, to be wiz-

ened
pörtlek (eye) bulging
pösteki sheepskin *pösteki saydırmak* to make sb do a tiresome job *pöstekisini sermek* to beat sb all to pieces
pranga shackles, fetters *prangaya vurmak* to shackle, to fetter
pratik practical; practice
pratisyen general practitioner
prehistorik prehistoric
prehistorya prehistory
prelüd prelude
prens prince
prenses princess
prensip principle
prenslik principality; princedom
pres press
presbitlik presbyopia
prevantoryum sanatorium for the early stages of tuberculosis
prezantabl presentable
prezervatif condom, rubber
prim premium; bonus
primadonna *müz.* prima donna
primatlar *hayb.* primates
printer printer
priz socket, wall-plug
prizma prism
problem problem
prodüksiyon production
prodüktivite productivity
prodüktör producer
profesör professor
profesörlük professorship
profesyonel professional
profesyonellik professionalism
profil profile
program programme, program
programcı programmer
programlamak to program
programlı systematical, programmed
proje project
projeksiyon projection
projektör projector
proletarya proletariat

proleter proletarian
propaganda propaganda ***propaganda yapmak*** to propagandize
propagandacı propagandist
prosedür procedure
prospektüs prospectus
prostat *anat.* prostate
protein protein
proteinli proteinaceous
Protestan Protestant
Protestanlık Protestantism
protesto protest ***protesto çekmek*** to make a formal protest ***protesto etmek*** to protest
protez prosthesis
protokol protocol
proton proton
protoplazma protoplasm
prova fitting; rehearsal; proof ***prova etmek*** (dress) to try on
provizyon provision
provokasyon provocation
provokatör provocateur
pruva *den.* bow, head
psikanaliz psychoanalysis
psikanalizci psychoanalyst
psikiyatr psychiatrist
psikiyatri psychiatry
psikolog psychologist
psikoloji psychology
psikolojik psychological
psikopat psychopath
psikoterapi psychotherapy
psikoz psychosis
psişik psychic, psychical
puan point ***puan almak*** to score
puanlamak to grade (a test)
puding pudding
pudra powder
pudralı powdered
pudralık, pudriyer compact, powderbox
pudraşeker castor sugar
puf pouf, poufle, pouff
pufla eider, eider duck
puflamak to puff, to blow
puhu eagle owl

pul stamp; (fish) scale; washer, nut
pulcu seller of stamps; philatelist
pulculuk philately
pullamak to stamp; to ornament with spangles
pullu stamped; scaly
pulluk plough
Pulman Pullman
pulsuz unstamped
puma puma
punç punch
punt appropriate time ***punduna getirmek*** to find a suitable opportunity
punto size (of type)
pupa stern ***pupa yelken gitmek*** to go in full sail
puro cigar
pus haze, mist; (on fruit) bloom
pusarmak to get misty
puset pram
puslu hazy, misty
pusmak to crouch down
pusu ambush ***pusu kurmak*** to lay in ambush ***pusuya düşürmek*** to trap ***pusuya yatmak*** to lie in wait
pusula compass ***pusulayı şaşırmak*** to lose one's bearings
pusula note, memorandum
puşt catamite, fairy; son of a bitch, bastard
put idol; cross ***put gibi*** as still as a statue ***put kesilmek*** to be petrified
putperest idolater
putperestlik idolatry
putrel iron beam
püf puff ***püf noktası*** the weak spot (of sth)
püflemek to blow out, to blow on
püfür püfür gently and coolingly ***püfür püfür esmek*** to blow gently
pünez drawing pin, thumbtack
püre purée, puree
pürtük knob, protuberance ***pürtük pürtük*** full of knobs

pürtüklü knobby, rough

pürüz roughness, unevenness; difficulty, hitch

pürüzlü rough, uneven; difficult, knotty

pürüzsüz smooth, even; without a hitch

püskül tassel

püsküllü tasseled *püsküllü bela* a great nuisance

püskürme eruption

püskürmek to spray from one's mouth; (volcano) to erupt

püskürteç atomizer, spray

pütür small protuberance, knob *pütür pütür* full of small protuberances, rough; chapped, cracked

pütürlü rough, shaggy; chapped, cracked

R

Rab God

Rabbim my God

rabıta relation, connection, tie

rabıtalı coherent; regular

rabıtasız incoherent; irregular

raca rajah, raja

racon way, method, procedure; showing off, swagger *racon kesmek* to show off, to swagger

radar radar

radde degree, point

radikal radical

radikalizm radicalism

radyan radian

radyasyon radiation

radyatör radiator

radyo radio

radyoaktif radioactive

radyoaktivite radioactivity

radyoevi broadcasting studio/house

radyografi radiography

radyolog radiologist

radyoloji radiology

radyoskopi radioscopy

radyoskopik radioscopic

radyoterapi radiotherapy

radyum radium

raf shelf *rafa koymak/kaldırmak* to shelve, to postpone

rafadan (egg) soft-boiled

rafine refined, purified

rafineri refinery

rağbet demand; popular approval, popularity *rağbet etmek* to demand, to like *rağbet görmek* to be in demand *rağbetten düşmek* to be no longer in demand

rağmen in spite of, despite

rahat comfort, peace; comfortable; at ease! *rahat durmak* to behave oneself *rahat etmek* to be at ease *rahat vermemek* to bother, to pester *rahat yüzü görmemek* to have no peace *rahatına bakmak* to mind one's own comfort, to see to one's pleasures

rahatça comfortably

rahatlamak to feel relieved

rahatlatmak to relieve, to reassure, to relax

rahatlık comfort, quiet

rahatlıkla easily

rahatsız uncomfortable; ill, unwell; uneasy, anxious *rahatsız etmek* to disturb, to bother, to annoy *rahatsız olmayın!* Don't trouble yourself!

rahatsızlanmak to become ill, to fall ill

rahatsızlık discomfort, illness *rahatsızlık vermek* to disturb, to bother

rahibe nun

rahim uterus, womb

rahip monk; priest

rahle low reading-desk

rahmet God's compassion, clemency; rain

rahmetli the deceased, the late

rahvan ambling; amble

rakam figure, number

raket (in tennis) racket; (in table tennis) bat

rakı (Turkish) raki, arrack

rakım altitude

rakip rival

rakipsiz unrivalled

rakkas pendulum

ralli rally

ramak kalmak almost to happen

ramazan Ramadan, Ramazan

rampa incline, slope, grade

randevu appointment, date *randevu almak* to get an appointment (from/with) *randevu vermek* to make an appointment (with) *randevusu olmak* to have an appointment (with, ile)

randevuevi unlicensed brothel

randıman output, yield

randımanlı productive

ranza bunk, berth

rapor report *rapor vermek* to make a report *rapor yazmak* to draw up a report

raportör reporter

rapsodi *müz.* rhapsody

raptetmek to attach, to fasten

raptiye drawing pin, thumbtack

raptiyelemek to thumbtack

rasat observation

rasathane observatory

rasgele at random, casually, haphazardly *Rasgele!* Good luck!

raspa scraper

raspalamak to scrape

rast getirmek to choose the right time, to watch for the best time; (God) to allow to succeed

rast gitmek to come across, to run into, to encounter

rastık kohl

rastlamak to meet by chance, to come across, to run into, to encounter; to coincide with, to fall on

rastlantı chance, encounter, coincidence

rastlaşmak to chance upon each other

rasyonalist rationalist; rationalistic

rasyonalizm rationalism

rasyonel rational

raşitizm rachitis, rickets

raunt *sp.* round

ray rail, track *raydan çıkmak* to go off the rails *rayına oturmak* to set to rights *rayına girmek* to begin to go smoothly

rayiç market price, current value

razı contented, willing *razı etmek* to persuade, to satisfy *razı olmak* to consent, to agree to

re *müz.* re

reaksiyon reaction

reaktör reactor

realist realist

realizm realism

reçel jam

reçete prescription; recipe

reçine resin

reçineli resinous

redaksiyon redaction

redaktör redactor, editor

reddetmek to refuse, to reject, to turn down

redingot frock coat

redoks redox

refah prosperity, comfort

refakat accompaniment; companionship *refakat etmek* to accompany

refakatçi companion

referandum referendum

referans reference

refleks reflex

reflektör reflector

reform reform

reformcu reformer, reformist

regülatör regulator

rehabilitasyon rehabilitation

rehavet slackness, languor *rehavet çökmek* to feel sluggish

rehber guide; guide book

rehberlik guidance *rehberlik etmek* to guide

rehin pledge, pawn *rehine koymak* to pawn, to pledge

rehinci pawnbroker

rehine hostage *rehine olarak tutmak* to hold as a hostage

reis chief, head

rejim regime; diet *rejim yapmak* to diet

rejisör director

rekabet rivalry *rekabet etmek* to rival, to compete

reklam advertisement *reklamını yapmak* to advertise, to boom

reklamcı advertiser

reklamcılık advertising *reklam acentası* advertising agency

rekolte harvest, crop

rekor record *rekor kırmak* to break a record

rekortmen record-holder

rektör rector, president

rektörlük presidency, rectorship

rektum rectum

rencide hurt, injured *rencide etmek* to hurt

rençper farm-hand; farmer

rende (carpenter's) plane; grater

rendelemek to plane; to grate

rengârenk multicoloured

rengeyiği reindeer

renk colour *renk atmak* to lose colour, to fade *rengi atmak* to turn pale *renk körlüğü* colour blindness *renkten renge girmek* to go all shades of red, to change colour *renk vermemek* not to show one's colours

renklendirmek to add colour; to liven up, to enliven

renklenmek to become colourful; to become more amusing/interesting

renkli coloured; colourful

renksemez achromatic

renkser chromatic

renksiz colourless; nondescript, dull

reorganizasyon reorganization

repertuar repertoire, repertory

replik (theatre) cue

re'sen on one's own account

resepsiyon reception

reseptör receiver

resif reef

resim picture, photograph, drawing, painting; due, duty *resim çekmek* to take a photograph *resim yapmak* to draw, to paint *resmini çekmek* to take a photograph of

resimlemek to illustrate

resimli illustrated, pictorial *resimli roman* comic (strip)

resital *müz.* recital

resmen officially, formally; *kon.* openly, publicly

resmetmek to draw, to picture; to describe, to depict

resmi official; formal *resmi elbise* uniform *resmi gazete* official gazette

resmiyet formality, ceremony; officialism, officiality *resmiyete dökmek* to officialize; to become official in one's tone

ressam artist, painter

restoran restaurant

restorasyon restoration

restore etmek to restore

resul prophet

reşit adult, major

ret refusal, denial

retina retina

retorik rhetoric

reva suitable *reva görmek* to deem proper

revaç demand, request

revaçta in demand *revaçta olmak* to be in demand

revak porch, colonnade

reverans courtesy

revir infirmary; *den.* sickbay
revizyon revision *revizyondan geçirmek* to overhaul
revizyonist revisionist
revü revue
rey vote
reyhan sweet basil
reyon department
rezalet scandal, disgrace *rezalet çıkarmak* to cause a scandal
reze hinge
rezene *bitk.* fennel
rezerv reserve
rezervasyon reservation
rezil vile, scandalous, disgraceful *rezil etmek* to disgrace *rezil olmak* to be disgraced
rezillik disgrace, scandal
rezistans resistance
rezonans resonance
rıhtım quay, wharf
rıza consent, approval *rıza göstermek* to consent
rızk one's daily bread, food *rızkını çıkarmak* to earn daily bread
riayet respect, esteem; obedience *riayet etmek* to respect, to obey
rica request *rica etmek* to ask, to request
ricat retreat *ricat etmek* to retreat
rimel mascara
ring ring
ringa herring
risk risk
riskli risky
ritim rhythm
ritmik rhythmic
rivayet rumour, hearsay *rivayete göre* rumour has it that *rivayet olunmak* to be rumoured
riya hypocrisy
riyakâr hypocritical
riyakârlık hypocrisy
riziko risk
rizikolu risky
robdöşambr dressing-gown
robot robot

rodeo rodeo
Rodos Rhodes
roket rocket *roket atmak* to launch a rocket
rokoko rococo
rol role, part *rol almak* to have a part (in) *rol oynamak, rolü olmak* to play a part in *rolünü oynamak* to act, to play the part of *rol yapmak* to act
rom rum
Roma Rome
Romalı Roman
roman novel
romancı novelist
romans romance
romantik romantic
romantizm romanticism
Romanya Romania
romatizma rheumatism
romatizmalı rheumatic
Romen Roman *Romen rakamları* Roman numerals
rosto roast meat
rot rod
rota ship's course
rotasyon rotation
rozet badge, rosette
rölanti (engine) idling *rölantide çalışmak* to idle *rölantiye almak* to idle
rölativite relativity
röle relay
rölyef relief
römork trailer
römorkör tugboat
Rönesans Renaissance
röntgen X-ray; *arg.* peeping *röntgenini çekmek* to X-ray
röntgenci X-ray specialist; *arg.* peeper
röportaj interview, reporting *röportaj yapmak* to interview
röportajcı interviewer, reporter
röprodüksiyon reproduction
rötar delay
rötarlı delayed

rötuş retouch *rötuş etmek* to retouch
rövanş return match
ruble rouble, ruble
rugbi *sp.* rugby
ruh soul, spirit; essence; energy *ruh çağırma* necromancy *ruh haleti* the psychological condition, mood *ruh hastası* psychopath *ruh hekimi* psychiatrist *ruh hekimliği* psychiatry *ruhu şad olsun* May his soul be happy
ruhani spiritual
ruhban clergy
ruhbilim psychology
ruhbilimci psychologist
ruhbilimsel psychological
ruhi psychological
ruhsal psychological
ruhsat licence *ruhsat vermek* to license
ruhsatlı licensed
ruhsatname permit, licence
ruhsatsız unlicensed
ruhsuz inanimate, lifeless, spiritless
ruj lipstick
rulet roulette
rulman bearing
rulo roll, rouleau
Rum Greek (of Turkish nationality)
Rumca modern Greek
Rumeli European Turkey, Roumelia, Rumelia
Rumen Romanian, Roumanian, Rumanian
Rumence Romanian
rumuz symbol
Rus Russian
Rusça Russian
Rusya Russia
rutubet humidity, dampness
rutubetlenmek to become damp
rutubetli damp, humid
rüçhan priority, preference *rüçhan hakkı* precedence, priority
rüküş comically dressed

rüsum dues, taxes
rüşt majority
rüşvet bribe, pay-off *rüşvet almak* to accept a bribe *rüşvet vermek* to bribe
rüşvetçilik bribery
rütbe rank *rütbe almak* to rise in rank
rüya dream *rüya görmek* to dream, to have a dream *rüya tabiri* interpretation of dreams *rüya gibi* dreamlike
rüzgâr wind, breeze *rüzgâr altı den.* lee side *rüzgâr üstü den.* windward side *Rüzgâr eken fırtına biçer ats.* Sow the wind and reap the whirlwind
rüzgârgülü compass rose
rüzgârlı windy, breezy

S

saadet happiness
saat hour; watch, clock; meter *saat gibi işlemek* to run smoothly *saat kaç?* what's the time? what time is it? *saat kaçta?* at what time? *saat kulesi* clock tower *saat tutmak* (a race) to time *saati kurmak* to wind a watch *saati saatine* punctually
saatçi maker/seller of watches/clocks, watchmaker, watchseller
saatli bomba time bomb
sabah morning; in the morning *sabah akşam* all the time *sabah sabah* early in the morning *sabahın köründe* early in the morning
sabahçı early riser
sabahki morning's
sabahlamak to sit up all night
sabahları in the morning; every morning

sabahleyin in the morning
sabahlık dressing gown
saban plough *saban sürmek* to plough
sabanbalığı fox shark
sabankemiği *anat.* vomer
sabık former, previous, ex
sabıka previous conviction
sabıkalı previously convicted
sabır patience *sabrını taşırmak* to put sb out of patience
sabırla patiently
sabırlı patient
sabırsız impatient
sabırsızlanmak to grow impatient, to champ
sabırsızlık impatience
sabırsızlıkla impatiently
sabit fixed, stationary *sabit fikir* fixed idea *sabit olmak* to be fixed; to be confirmed
sabitleştirmek to fix
sabitlik fixity
sabotaj sabotage *sabotaj yapmak* to sabotage
sabotajcı saboteur
sabote etmek to sabotage
sabretmek to show patience, to be patient *Sabreden derviş muradına ermiş* Everything comes to him who waits.
sabuklama delirium
sabun soap
sabunlamak to soap
sabunlanmak to soap oneself
sabunlu soapy
sabunotu soapwort
sabuntaşı soapstone, steatite
sac sheet iron
sacayağı, sacayak trivet
saç hair *saç bağı* hair-band *saç boyası* hair dye *saç filesi* hair-net *saç kurutma makinesi* hair drier *saç örgüsü* plait *saç saça baş başa gelmek* to come to blows *saçı başı ağarmak* to grow old *saçına ak düşmek* (hair) to turn

grey *saçını başını yolmak* to tear out one's hair *saçını süpürge etmek* (woman) to exert oneself *saçını kestirmek* to have one's hair cut *saçları dökülmek* to lose one's hair
saçak eaves (of a house); fringe
saçakbulut cirrus
saçaklı eaved; fringed
saçkıran alopecia, ringworm
saçma scattering; nonsense, bilge, piffle; buckshot, pellet; nonsensical *saçma sapan konuşmak* to talk nonsense
saçmak to scatter, to strew *saçıp savurmak* to play ducks and drakes with (money), to squander
saçmalamak to talk nonsense, to piffle
saçmalık nonsense
sadaka alms
sadakat faithfulness, loyalty *sadakat göstermek* to show loyalty
sadakatli faithful, loyal
sadakatsiz unfaithful, disloyal
sade simple, plain
sadece only, simply
sadeleşmek to become simple
sadeleştirmek to simplify
sadelik simplicity, plainness
sadet point, subject *sadede gelmek* to come to the point
sadeyağ clarified butter, run butter
sadık loyal, faithful; true, accurate
sadist sadist; sadistic
sadizm sadism
sadrazam Grand Vizier
saf pure, unmixed; ingenuous, naive, gullible
saf row, line *saf saf* in rows
safa *bkz. sefa*
safari safari
safha phase
safi pure; net; merely, purely
safir sapphire
safkan purebred, thoroughbred

saflık purity; ingenuousness

safra bile, gall

safran *bitk.* saffron

safsata sophistry, casuistry

safsatacı sophist, casuist

sağ alive *sağ kalanlar* the survivors *sağ kalmak* to remain alive, to survive *sağ kurtulmak* to save one's skin *sağ ol* Thank you! *sağ olmak* to be alive *sağ salim* safe and sound

sağ right *sağ yapmak* (auto) to pull over to the right *sağa* to the right *sağa dönmek* to turn right *sağda* on the right *sağda solda* right and left, everywhere *sağdan* from the right *sağdan gidiniz!* Keep to the right! *sağına soluna bakmak* to look about one *sağı solu olmamak* to chop and change *sağlı sollu* right and left, on both sides

sağalmak to become well, to recover

sağaltıcı curative, healing

sağaltım medical treatment

sağaltmak to cure, to heal

sağanak downpour

sağbeğeni good taste

sağcı rightist

sağcılık rightism

sağdıç (bridegroom's) best man

sağduyu common sense

sağgörü foresight

sağgörülü farsighted

sağı bird excrement

sağım milking; milk-giving animal

sağımlı milch

sağır deaf *sağır etmek* to deafen

sağırlaşmak to grow deaf

sağırlık deafness

sağıryılan adder, viper

sağlam strong, solid, firm; secure, safe, sound; healthy *sağlama bağlamak* to make sure

sağlama *mat.* check, proof

sağlamak to supply, to obtain, to

get

sağlamlaşmak to become sound

sağlamlaştırmak to strengthen, to consolidate

sağlamlık solidity, firmness; safety

sağlık health *sağlık görevlisi* government health official *sağlık ocağı* village clinic *Sağlık olsun!* Never mind! *sağlık sigortası* health insurance *sağlığında* while he was alive *Sağlığınıza* To your health! Cheers!

sağlıkbilgisi hygiene

sağlıklı healthy

sağlıksız unhealthy

sağmak to milk

sağmal milk-giving, milch

sağrı rump

saha area, field

sahaf dealer in old books

sahan shallow cooking pan

sahanlık lending; platform

sahi really, truly

sahibe female owner

sahici genuine, real

sahiden really, truly

sahil coast, shore

sahip owner; master *sahip çıkmak* to claim

sahiplik ownership

sahipsiz ownerless; unprotected

sahne stage; scene *sahneye çıkmak* to appear *sahneye koymak* to stage

sahra desert, wilderness *sahra topu ask.* field-gun

sahte false, counterfeit, forged, sham, phoney

sahtekâr forger, counterfeiter

sahtekârlık forgery, counterfeiting

sahur meal before dawn

sair other

saka water-carrier

saka, sakakuşu goldfinch

sakağı glanders

sakal beard *sakal bırakmak* to grow a beard *sakalı ele vermek* to alsakallı 492

low oneself to be led by the nose
sakallı bearded
sakalsız beardless
sakar butterfingered, clumsy, awkward
sakarin saccharine
sakaroz saccharose
sakat disabled, invalid, crippled; unsound, defective
sakatat offals, giblets
sakatlamak to damage, to maim, to cripple
sakatlık impairment, disability, handicap
sakın Mind! Beware! Don't do it!
sakınca drawback, objection
sakıncalı objectionable
sakıngan cautious, prudent
sakınmak to avoid, to abstain (from), to beware (of)
sakız mastic, chewing gum *sakız çiğnemek* to chew gum
sakızkabağı vegetable marrow
sakin calm, quiet; inhabitant
sakinleşmek to calm down
sakinleştirmek to calm down, to soothe
saklamak to hide, to conceal; to mask, to disguise
saklambaç hide-and-seek
saklanmak to hide
saklı hidden; secret
saksağan magpie
saksı flowerpot, vase
saksofon *müz.* saxophone
saksofoncu saxophonist
sal raft
salahiyet authority
salak silly, foolish
salaklık silliness
salam salami
salamandra *hayb.* salamander
salamanje dining room
salamura brine, pickle; pickled
salapurya *den.* small lighter
salata salad
salatalık cucumber

salça tomato sauce
saldırgan aggressive; attacker, aggressor
saldırganlık aggressiveness
saldırı aggression, attack
saldırmak to attack
saldırmazlık nonaggression *saldırmazlık antlaşması* nonaggression agreement
salep salep
salgı secretion
salgılamak to secrete
salgın epidemic
salhane slaughterhouse
salı Tuesday
salık advice *salık vermek* to recommend, to advise
salıncak swing
salınım oscillation
salınmak to sway; to oscillate
salıvermek to let go, to release
salimen safe and sound, safely
salkım bunch, cluster *salkım saçak* hanging down in rags
salkımsöğüt weeping-willow
sallamak to swing, to rock; to shake, to wag, to whisk
sallanmak to swing, to sway, to bob; to linger over, to loiter
sallantı swinging, rocking *sallantıda bırakmak* to leave up in the air
sallapati tactless; tactlessly, carelessly
sallasırt etmek to shoulder
salmak to let go, to loose, to release
salmastra gasket
salon parlour, hall; sitting room
saloz *arg.* stupid
salt mere; merely, solely *salt çoğunluk* absolute majority
saltanat sovereignty, reign *saltanat sürmek* to reign; to live in great splendour
saltık absolute
salvo salvo

salya saliva

salyangoz snail

sam samiel, simoom, simoon

saman straw *saman altından su yürütmek* to act on the sly, to do sth secretly *saman gibi* insipid *saman nezlesi* hay fever

samankâğıdı tracing paper

samankapan amber

samanlık hayloft, barn

samanrengi straw yellow

Samanyolu the Milky Way

samba samba

Sami Semitic

samimi sincere

samimiyet sincerity

samimiyetle sincerely

samimiyetsiz insincere

samimiyetsizlik insincerity

samur sable *samur kürk* sable skin coat

samyeli samiel, simoom

san reputation

sana to you, for you *sana ne?* What's that to you?

sanal virtual *sanal âlem* cyberspace *sanal seks* cybersex

sanat art; trade, craft *sanat eseri* work of art

sanatçı artist

sanatkâr artist; artisan, craftsman

sanatoryum sanatorium

sanatsal artistic

sanayi industry *sanayi devrimi* industrial revolution

sanayileşme industrialization

sanayileşmek to industrialize

sancak flag, standard; starboard side

sancı pain, grips, stitch

sancılanmak to have a pain

sancımak to ache

sandal rowboat

sandalcı boatman

sandalet sandal

sandalye chair

sandık chest, box, coffer

sandıklamak to crate, to box

sandviç sandwich

sanı supposition

sanık accused

saniye second

sanki as if, as though

sanlı famous

sanmak to think, to suppose

sanrı hallucination

sansar marten

sansasyon sensation *sansasyon yaratmak* to cause a sensation

sansasyonel sensational

Sanskrit Sanskrit; Sanskritic

sansür censorship

sansürcü censor

sansürlemek to censor

santigram centigramme

santigrat centigrade

santilitre centilitre

santim centimetre

santimetre centimetre *santimetre kare* square centimetre *santimetre küp* cubic centimetre

santra (football) centre spot

santral telephone exchange, switchboard

santrfor (football) centreforward

santrifüj centrifugal

santur *müz.* dulcimer

sap handle; stem, stalk *sapına kadar* to the core, utterly

sapa out-of-the-way, secluded

sapak turnoff, turning

sapan sling; catapult

saparta broadside

sapasağlam in the pink; quite healthy

sapık perverted; pervert

sapıklık perversion

sapınç deviation; aberration

sapır sapır dökülmek to fall abundantly and continuously

sapıtmak to go off one's head; to drivel, to rave

sapkın perverse, astray

saplama thrusting; stud

saplamak to thrust into, to plunge into

saplanmak to sink into, to be stuck in, to lodge

saplantı fixed idea

sapma deviation

sapmak to turn off into, to swing into; to deviate, to digress

saprofit saprophyte

sapsarı yellow; very pale *sapsarı kesilmek* to turn pale

saptamak to fix, to determine

saptırmak to turn; to deviate

sara epilepsy *sarası tutmak* to have an epileptic fit

saraç saddler

saralı epileptic

sararmak to turn yellow, to turn pale

saray palace; government house

sardalye sardine, pilchard

sardunya geranium

sarf expenditure *sarf etmek* to spend, to expend; to use, to exert

sarfınazar apart from *sarfınazar etmek* to disregard, to overlook

sarfiyat expenses, expenditure

sargı bandage *sargı sarmak* to bandage

sarhoş drunk; boozer *sarhoş etmek* to make drunk, to intoxicate *sarhoş olmak* to get drunk

sarı yellow

sarıağız *hayb.* maigre, shadefish

sarıasma golden oriole

sarıçalı barberry

sarıgöz *hayb.* sargo

sarıhumma yellow fever

sarık turban

sarıkanat medium-sized bluefish

sarılgan *bitk.* climbing

sarılık yellowness; *hek.* jaundice

sarılmak to embrace, to hug; to be surrounded; to be bandaged

sarımsı, sarımtırak yellowish

sarınmak to wrap oneself in

sarısabır *bitk.* aloe

sarısalkım laburnum

sarışın blond, blonde

sarih clear, evident

sarkaç pendulum

sarkık hanging, pendulous, flabby

sarkıntılık molestation *sarkıntılık etmek* to molest

sarkıt stalactite

sarkmak to hang down, to dangle, to droop

sarmak to wrap up, to muffle up, to lap; to wind ... round, to wrap ... around; to appeal to, to interest

sarmal spiral

sarman enormous; yellow cat

sarmaş dolaş in a close embrace *sarmaş dolaş olmak* to be locked in a close embrace

sarmaşan winding

sarmaşık ivy

sarmısak garlic

sarnıç cistern

sarp arduous, precipitous *sarpa sarmak* to become complicated

sarpa sea-bream

sarplaşmak to become steep

sarraf money-changer

sarsak shaky, tottery

sarsılmak to be shaken; to be shocked; to be enfeebled

sarsıntı shake, jolt; earthquake; *hek.* concussion; *ruhb.* shock

sarsıntılı shaky, jolty

sarsıntısız smooth

sarsmak to shake, to jolt; to shock, to shake

sataşmak to tease, to annoy, to taunt; to ask for trouble; to molest

saten satin

sathi superficial, shallow

satı sale *satıya çıkarmak* to put up for sale

satıcı seller, salesman

satıcılık salesmanship

satıh surface
satılık for sale, on sale *satılığa çıkarmak* to put up for sale
satım sale
satın almak to buy
satır line; meat cleaver
satırbaşı paragraph indentation
satış safe *satışa çıkarmak* to put up for sale
satlıcan *hek.* pleurisy
satmak to sell *satıp savmak* to sell all one has
satranç chess *satranç tahtası* chessboard *satranç taşı* piece
Satürn Saturn
sauna sauna
sav assertion, thesis
savaş war, battle
savaşçı combatant, fighter
savaşım struggle *savaşım vermek* to struggle
savaşkan bellicose, warlike
savaşmak to fight, to struggle, to combat
savcı public prosecutor
savcılık attorney generalship
savmak to drive away, to dismiss; to escape from, to avoid
savruk untidy, slapdash, messy
savrulmak to stand aside, to get out of the way
savsaklamak to neglect
savulmak to stand aside **Savulun!** Get out of the way!
savunma defence, defense
savunmak to defend; to advocate, to champion, to maintain
savunmasız defenceless
savurgan prodigal, extravagant
savurganlık prodigality, extravagance
savurmak to throw, to scatter, to hurl, to fling
savuşmak to slip away, to sneak off
savuşturmak to fend off; to avoid, to escape, to evade
saya vamp, shoe-upper

sayaç counter, meter
saydam transparent
saydamlık transparency
saye protection, assistance *sayesinde* thanks to, owing to
sayfa page
sayfiye summer house
saygı respect, esteem, regard *saygı duymak* to respect *saygı göstermek* to show respect *saygılarımla* yours respectfully
saygıdeğer estimable, respected
saygılı respectful
saygın respected, esteemed
saygınlık esteem, prestige, credit
saygısız disrespectful
saygısızca disrespectfully
saygısızlık disrespect, disregard
sayı number; issue, number *sayı saymak* to count
sayıboncuğu abacus
sayıklamak to talk in one's sleep, to rave
sayılı counted; numbered; limited; top-notch
sayım enumeration; census
sayın esteemed, honourable; dear
sayısal numerical
sayısız innumerable, countless
sayışmak to settle accounts with one another
Sayıştay the Government Accounting Bureau
saymaca nominal, arbitrary
saymak to count; to respect; to consider, to regard *sayıp dökmek* to enumerate
sayman accountant
saymanlık accountancy
sayrı sick, ill
sayrılık sickness, disease
sayvan awning, tent
saz rush, reed
saz Turkish guitar; musical instrument**saz şairi** minstrel
sazan carp
seans sitting, session

sebat perseverance **sebat etmek** to persevere

sebatkâr persevering

sebatsız inconstant, fickle

sebebiyet vermek to cause

sebebiyle because of, owing to

sebep cause, reason **sebep olmak** to cause

sebeplenmek to get a share of the pie

sebepsiz without any reason

sebil public fountain; free distribution of water

sebze vegetable

sebzeci greengrocer

seccade prayer rug

secde prostrating oneself (while performing the namaz)

seçenek alternative

seçici selector

seçim election; choice, preference **seçimini yapmak** to make one's choice

seçimle by election

seçkin distinguished, select, choice

seçme choice; select, choice

seçmece by choice, for choice

seçmek to choose, to select, to elect; to distinguish, to discern, to spot

seçmeli elective, optional

seçmen elector, voter **seçmen kütüğü** electoral roll, register of electors

seda sound, voice

sedef mother-of-pearl, nacre **sedef hastalığı** psoriasis

sedefotu rue

sedir *bitk.* cedar

sedir divan, sofa

sedye stretcher

sefa enjoyment, pleasure **sefa bulduk** Thank you! (said in reply to 'welcome!') **sefa geldin(iz)** Welcome! **sefa geldine gitmek** to visit sb in order to welcome him **sefa sürmek** to enjoy oneself, to

have a good time **sefasını sürmek** to enjoy sth to the utmost

sefahat dissipation, debauch

sefalet misery, poverty **sefalet çekmek** to suffer privation

sefaret embassy

sefer expedition, journey; time

seferber mobilized for war **seferber etmek** to mobilize **seferber olmak** to be mobilized

seferberlik mobilization

seferi expeditionary

sefertası travelling food box

sefil miserable, poor

sefir ambassador

sefire ambassadress

seğirdim (gun) recoil; footrace

seğirmek to flicker, to twitch

seğirtmek to run, to rush

seher daybreak, dawn

sehpa coffee table, end table; easel

seki tenace, bench, shelf

sekiz eight

sekizer eight each

sekizinci eighth

sekmek to hop; to ricochet, to skim

sekreter secretary

sekreterlik secretariat, secretaryship

seks sex

seksapel sex appeal

seksek hopscotch

seksen eighty

seksener eighty each

sekseninci eightieth

seksi sexy

seksoloji sexology

seksüel sexual

sekte stoppage, interruption **sekte vurmak** to interrupt, to impede

sektör sector

sel flood **sel basmak** to flood

selam greeting, salutation **Selam dur!** Present arms! **selam göndermek** to send one's compliments **selamı sabahı kesmek** to break with **selam söylemek** to

give one's kind regards to **selam vermek** to greet, to salute
selamet safety, security; healthiness, soundness **selamete çıkmak** to reach safety
selamlamak to greet, to salute
selamlaşmak to greet each other
Selanik Salonica
Selçuklu Seljuk, Seljukian
sele flattish basket; saddle
selef predecessor
selektör selector
selenterler coelentera
selfservis self-service
selim *hek.* benign
seloteyp sellotape
selüloit celluloid
selüloz cellulose
selvi cypress
sema sky
semafor semaphore
semaver samovar
semavi celestial
sembol symbol
sembolik symbolic, symbolical
semender *hayb.* salamander
semer packsaddle; pad, stout **semer vurmak** to put a packsaddle (on)
semere fruit **semeresini vermek** to prove fruitful
seminer seminar
semirgin fat and lazy
semirmek to grow fat
semirtmek to fatten
semiyoloji *hek.* semiology
semiz fat, sleek
semizotu purslane
sempati attraction, liking **sempati duymak** to take to, to like
sempatik likable, congenial; *anat.* sympathetic **sempatik sinir sistemi** sympathetic nervous system
sempatizan sympathizer
sempozyum symposium
semptom *hek.* symptom

semt neighbourhood, quarter **semtine uğramamak** to stop going
sen you
senarist scenarist
senaryo scenario, script
senato senate
senatör senator
sence in your opinion
sendelemek to totter, to stagger, to stumble
senden from you
sendika trade union, labour union
sendikacı trade unionist
sendikacılık trade unionism
sendrom *hek.* syndrome
sene year
senelik yearly, annual
senet voucher, security; promissory note **senet vermek** to give sb written certification; to guarantee
senetleşmek to give one another written certifications
senetli certified
senetsiz uncertified
senfoni *müz.* symphony **senfoni orkestrası** symphony orchestra
senfonik symphonic
seni you
senin your
seninki yours
senkronizasyon synchronization
senlibenli free-and-easy, familiar **senlibenli olmak** to hobnob with
sentaks syntax
sentetik synthetic
sentez synthesis
sepet basket **sepet havası çalmak** to give sb the boot
sepetlemek to get rid of, to fire, to sack
sepettopu basketball
sepi tanning
sepici tanner
sepilemek to tan
sera greenhouse

seramik ceramic; ceramics

serap mirage

serbest free *serbest bırakmak* to set free *serbest bölge* free zone *serbest güreş* catch-as-catch-can (wrestling) *serbest meslek sahibi* selfemployed person *serbest nazım* free verse *serbest stil* freestyle *serbest vuruş* (football) free kick

serbestçe freely

serbesti freedom

serbestlik freedom

serçe sparrow

serçeparmak little finger

serdümen quartermaster

sere serpe yatmak to sprawl out

seren *den.* yard

serenat serenade

sergi exhibition

sergilemek to exhibit

seri series *seri halinde* in series *seri imalat* mass production *seri numarası* serial number

seri swift, rapid

serifgrafi serigraphy, silk screen

serin cool

serinkanlı cool-headed

serinlemek to become cool

serinletmek to cool

serinlik coolness

serkeş rebellious

serkeşlik rebelliousness

sermaye capital; riches, wealth; prostitute *sermaye koymak* to invest capital

sermayeci, sermayedar capitalist

sermayeli having a capital

sermayesiz without capital

sermek to spread, to lay; to beat down to the ground; to neglect

serpelemek to sprinkle down, to drizzle

serpilmek to be sprinkled; to grow

serpinti drizzle, sprinkle

serpiştirmek (rain) to drizzle, to mizzle; (snow) to spit down; to sprinkle, to scatter

serpmek to sprinkle, to scatter, to strew

sersem stupid, silly; stunned, dazed

sersemlemek to be stunned

sersemletmek to daze, to stun

serseri tramp, vagabond, vagrant; stray

serserilik vagabondage, vagrancy

sert hard, tough; severe, harsh

sertifika certificate

sertleşmek to become hard

sertleştirmek to harden

sertlik hardness, toughness; severity, harshness

serum serum

serüven adventure

serüvenci adventurous; adventurer

serüvenli adventurous

servet riches, wealth

servi cypress

servis service *servis yapmak* to serve food (to); *sp.* to serve the ball

serzeniş reproach *serzenişte bulunmak* to reproach

ses sound, voice; noise *ses çıkarmamak* to shut up *sesini çıkarmamak* to say nothing *sesini kesmek* to shut up *sesini kısmak* to turn down *ses dalgası* sonic wave

sesbilgisi phonetics

sesbilim phonology

seselim resonance

sesgeçirmez soundproof

seslenmek to call out

sesli voiced; aloud *sesli harf* vowel *sesli okumak* to read aloud

sessiz soundless, voiceless; silent, quiet, meek *sessiz harf* consonant

sessizce silently

sessizlik silence

sesteş *dilb.* homophone

set barrier, dam; *sp.* set *set çekmek*

to dike; to hinder, to barricade

sevap good deed *sevaba girmek* to acquire merit in God's sight *sevap işlemek* to acquire merit

sevda love, passion *sevda çekmek* to be passionately in love

sevdalanmak to fall in love (with), to lose one's heart (to)

sevdalı in love

sevecen compassionate, kind

sevgi love

sevgili darling, lover, sweetie

sevi love

sevici lesbian

sevicilik lesbianism

sevimli lovable, congenial, charming

sevimsiz unlikeable, unattractive, charmless

sevinç joy, delight *sevincinden uçmak* to exult, to walk on air

sevinçli joyful, glad

sevindirmek to gladden, to delight, to please

sevinmek to be pleased, to rejoice

sevişmek to love one another; to make love

seviye level

sevk sending, consignment, dispatch; inciting, urging *sevk etmek* to send, to consign, to dispatch; to incite, to urge

sevkıyat consignments; *ask.* dispatch of troops

sevmek to love *seve seve* with pleasure, willingly

seyahat travel, journey, voyage *seyahat acentası* travel agency *seyahat çeki* traveller's cheque *seyahat etmek* to travel

seyahatname book of travels

seyir course, progress; looking at, watching; cruising *seyir defteri* logbook

seyirci spectator, onlooker *seyirci kalmak* not to be involved in, to be a mere spectator *seyirciler* audience

seyis groom

seyrek wide apart; rare; rarely

seyretmek to watch, to see; to move, to sail, to cruise

seyyah traveller

seyyar travelling, itinerant; movable *seyyar satıcı* street hawker, pedlar

sezaryen caesarean operation *sezaryenle doğmak* to be born by caesarean section

sezgi intuition

sezgili intuitive

sezi intuition

sezinlemek to sense, to feel

sezmek to perceive, to sense, to discern

sezon season

sıcacık cosy, cozy

sıcak hot, warm *sıcak renkler* warm colours *sıcak tutmak* to keep warm *sıcağı sıcağına* while the iron is hot

sıcakkanlı warm blooded; friendly, warm-hearted

sıcaklık heat, warmth

sıçan rat, mouse

sıçankuyruğu rat-tailed file

sıçanotu arsenic

sıçmak to defecate, to shit

sıçrama jumping *sıçrama tahtası* springboard

sıçramak to jump, to spring, to leap

sıçratmak to splash, to spatter

sıfat capacity, position; *dilb.* adjective

sıfatıyla in the capacity of

sıfır zero, nought, nil *sıfırdan başlamak* to start from zero

sığ shallow

sığa capacity

sığdırmak to cram in, to jam in, to thrust in

sığınak shelter

sığınık refugee

sığınmak to take shelter, to shelter

sığıntı person whose presence is unwanted, intruder, sponger

sığır cattle *sığır eti* beef

sığırcık starling

sığırtmaç herdsman, drover

sığışmak to squeeze into

sığmak to go into, to fit into

sıhhat health *Sıhhatinize!* To your health!, Cheers! *Sıhhatler olsun!* Good health to you!

sıhhatli healthy

sıhhi hygienic

sıhhiye sanitary matters

sık close, dense, thick *sık sık* often, frequently

sıkacak squeezer

sıkboğaz etmek to keep on at, to rush sb, to importune sb

sıkı fıkı intimate *sıkı fıkı olmak* to be on intimate terms (with)

sıkı tight, firm; strict, rigorous; stingy; trouble, straits *sıkı çalışmak* to work hard *sıkı durmak* to hold fast *sıkı tutmak* to hold tight; to control firmly

sıkıca firmly, tightly

sıkıcı boring, dull

sıkıdenetim censorship

sıkıdüzen discipline

sıkılgan shy, bashful

sıkılganlık shyness

sıkılık tightness, firmness

sıkılmak to be pressed; to be ashamed; to be bored; to be in straits

sıkılmaz shameless

sıkınmak to constrain oneself

sıkıntı boredom; bother, hardship, trouble, distress *sıkıntı çekmek* to have troubles *sıkıntıda olmak* to be in straits *sıkıntı vermek* to annoy, to bother *sıkıntıya düşmek* to be hard up *sıkıntıya gelememek* to be unable to stand the gaff

sıkıntılı troublesome, trying, un-easy

sıkışık tight; close, serried, crowded *sıkışık durumda olmak* to be hardpressed

sıkışmak to be jammed in, to squeeze into; to be in straits; to be taken short; to stick

sıkıştırmak to press, to squeeze

sıkıyönetim martial law

sıkkın annoyed

sıklaşmak to become frequent

sıklet weight

sıklık density; frequency

sıkmak to press, to squeeze; to tighten; to annoy, to bother; to put pressure on

sıla (one's) home, homeplace; re-union *sılaya gitmek* to go home

sımsıkı very tight; tightly

sınai industrial

sınamak to try, to test

sınav examination, exam *sınav vermek* to pass an exam *sınava girmek* to take an exam *sınavda kalmak* to fail in an exam, to flunk

sınıf class; category; classroom *sınıfta çakmak* to flunk *sınıfta kalmak* to fail

sınıflandırma classification

sınıflandırmak to classify

sınır frontier, border *sınır dışı etmek* to deport *sınır koymak* to limit *sınırı geçmek* to cross the frontier

sınırdaş bordering

sınırlama limitation

sınırlamak to border, to limit

sınırlı limited

sınırsız limitless

sıpa donkey foal

sır glaze

sır secret, mystery *sır saklamak/tutmak* to keep (a) secret *sır vermek* to betray a secret *sırra kadem basmak* to vanish into thin air

501 siftah

sıra desk; row; line; turn *sıra bek-
lemek* to await one's turn *sıra
olmak* to be lined up *sıra sıra* in
rows *sırası gelmişken* by the way
sırasını savmak to have done
one's turn *sıraya girmek* to line
up *sıraya koymak* to put in order
sıraca *hek.* scrofula
sıradağ mountain range
sıradan ordinary
sıralamak to set up in order
sıralı in due order
sırasında when necessary
sırasız untimely, inconvenient,
inopportune
Sırbistan Serbia
sırça glass
sırdaş confidant
sırf pure, mere, sheer
sırık pole *sırıkla atlama sp.* pole
vault
sırılsıklam *bkz.* sırsıklam
sırım leather thong *sırım gibi* wiry
sırıtkan given to grinning
sırıtmak to grin; (a defect) to show
up
sırlamak to glaze; to silver
sırlı glazed
sırma silver thread *sırma saçlı*
golden haired
sırnaşık pestering, importunate,
saucy
sırnaşmak to pester, to importune
Sırp Serb; Serbian
Sırpça Serbian
sırsıklam soaked to the skin
sırsıklam âşık head over heels in
love
sırt back *sırt çevirmek* to turn
one's back on *sırtından geçin-
mek* to live at sb's expense
sırtını yere getirmek to over-
come *sırtı yere gelmek* to be
overcome *sırt sırta* back to back
sırtlan hyena
sırtüstü on one's back *sırtüstü
gelmek* to lie on one's back

sıska puny, skinny
sıtma malaria *sıtmaya tutulmak* to
get malaria
sıtmalı malarial
sıva plaster *sıva vurmak* to plaster
sıvacı plasterer
sıvalı plastered
sıvamak to plaster; to roll up, to
tuck up
sıvazlamak to stroke, to caress
sıvı liquid, fluid
sıvışmak to slip away, to sneak
away
sıyırmak to skin, to graze, to
scrape
sıyrık scrape, graze; scraped,
grazed
sıyrılmak to be skinned; to get out
of, to squeak through, to wriggle
out ot
sıyrıntı scrapings; scratch
sızdırmak to cause to ooze out; to
squeeze (money) out of
sızı ache, pain
sızıltı complaint
sızıntı leakage, ooze
sızlamak to smart, to ache
sızlanmak to complain, to lament;
to groan
sızmak to leak, to ooze; to drop
into a drunken slumber
si *müz.* ti, te
sicil register *sicile kaydetmek* to
enter into the register
sicilli registered
Sicilya Sicily
Sicilyalı Sicilian
sicim string
sidik urine
sidikborusu *anat.* ureter
sidiktorbası *anat.* bladder
sidikyolu urethra
sidikzoru *hek.* dysuria
sif *tic.* c.i.f.
sifilis syphilis
sifon siphon; flush tank
siftah first sale of the day, handsel

siftah etmek to make the first sale of the day

sigara cigarette *sigara içmek* to smoke (a cigarette) *Sigara içilmez!* No smoking! *sigara sarmak* to roll a cigarette

sigorta insurance; fuse *sigorta atmak* (fuse) to blow *sigortayı attırmak* to blow the fuses *sigorta etmek* to insure *sigorta poliçesi* insurance policy *sigorta primi* insurance premium

sigortacı insurer

sigortalamak to insure

sigortalı insured

sigortasız uninsured

siğil wart

sihir magic, sorcery

sihirbaz magician, sorcerer

sihirbazlık magic, sorcery

sihirli bewitched, enchanted; bewitching, enchanting

silah weapon, arm *silah altına almak* to call to arms *Silah başına!* To arms! *silah çatmak* to pile arms

silahlanma armament *silahlanma yarışı* arms race

silahlanmak to arm oneself

silahlı armed *silahlı kuvvetler* armed forces

silahsız unarmed

silahsızlandırma disarmament

silahsızlandırmak to disarm

silahşor musketeer, warrior

silecek bath towel; windscreen wiper

silgi duster; eraser, rubber

silik rubbed out; indistinct, insignificant

silikon silicone

silindir cylinder; roller *silindir şapka* top hat

silindirik cylindrical

silinmek to wipe oneself dry; to wear away

silinmez indelible

silinti erasure

silis silica

silisyum silicon

silkelemek to shake off

silkinmek to shake oneself

silkmek to shake (out)

sille slap, box

silme wiping; full to the brim, brimful

silmek to rub off, to erase, to expunge; to wipe

silo silo

silsile chain, series

siluet silhouette

sima face; personage, figure

simetri symmetry

simetrik symmetric, symmetrical

simge symbol

simgelemek to symbolize

simgesel symbolic, symbolical

simit ring-shaped roll of bread covered with sesame seeds; life buoy

simpozyum symposium

simsar broker; middleman

simsarlık brokerage

simsiyah jet-black

simya alchemy

simyacı alchemist

sin grave, tomb

sinagog synagogue

sincap squirrel

sindirim digestion

sindirmek to digest; to cow, to daunt

sine breast, bosom *sineye çekmek* to take sth lying down

sinek fly; (cards) clubs *sinek avlamak* (shopkeeper) to sit idly (because of no customers)

sinekkapan flycatcher

sinekkaydı (shave) very close

sinekkuşu hummingbird

sineklik fly-whisk

sineksıklet (boxing) feather weight

sinema cinema, movies

sinemaskop cinemascope

sini round metal or wooden tray
sinik cynical; cynic
sinir nerve; sinew *sinir argınlığı* neurasthenia *sinir harbi* war of nerves *sinir hastalığı* neuropathy *sinir hücresi* nerve cell *sinir kesilmek* to become all nerves *sinir sistemi* nervous system *siniri tutmak* to have a fit of nerves *sinirine dokunmak* to get on sb's nerves *sinirleri altüst olmak* to be very upset *sinirleri bozmak* to get on sb's nerves
sinirbilim neurology
sinirce neurosis
sinirdoku neural tissue
sinirkanatlılar neuroptera, ant lions
sinirlendirmek to make nervous, to annoy, to rub sb the wrong way
sinirlenmek to get nervous, to become irritated
sinirli nervous, edgy; quick-tempered
sinirotu *bitk.* ribwort plantain
sinirsel neural, nervous
sinizm cynicism
sinmek to crouch down, to cower; to sink into, to penetrate
sinsi stealthy, sneaky
sinsice stealthily
sinsilik stealthiness
sinüs *anat.* sinus; *mat.* sine
sinüzit sinusitis
sinyal signal
sipahi cavalry soldier
sipariş order *sipariş almak* to receive an order *sipariş etmek/vermek* to order
siper shelter, shield; *ask.* trench
sipsivri very sharp
sirayet contagion *sirayet etmek* (disease) to spread
siren siren
sirk circus
sirke vinegar
sirkülasyon circulation

sirküler circular
sis fog, mist
sisli foggy, misty
sismograf seismograph
sistem system
sistematik systematic
sistemleştirmek to systematize
sistemli systematical
sistemsiz unsystematic
sistit *hek.* cystitis
site housing estate; city-state
sitem reproach *sitem etmek* to reproach
sitil style
sitoplazma *biy.* cytoplasm
sivil civilian, civil
sivilce pimple
sivilceli pimpled, pimply
sivri pointed, sharp *sivri akıllı* eccentric
sivribiber long green pepper
sivrilmek to become pointed; to come into prominence, to distinguish oneself
sivriltmek to make pointed, to sharpen
sivrisinek mosquito
siya *den.* rowing backwards
siyah black
siyahımsı blackish
siyahi black, negro
siyahlık blackness
siyanür cyanide
siyasa diplomacy, politics
siyasal political
siyaset politics
siyasi political, diplomatic
siyatik *hek.* sciatica
siyek *anat.* urethra
Siyonizm Zionism
siz you **siz bilirsiniz** it's up to you, as you like
size to you, for you
sizi you
sizin your
sizinki yours
skandal scandal

skeç sketch
skleroz *hek.* sclerosis
skolastik scholastic
Slav Slav; Slavic
slayt slide
slogan slogan
smokin dinner jacket, tuxedo
soba stove
soda soda water
sodyum sodium
sofa hall, anteroom
sofizm sophism
sofra (dining) table *sofra başında* at the table *sofra örtüsü* tablecloth *sofra takımı* table service *sofraya oturmak* to sit down to a meal *sofrayı kaldırmak* to clear away *sofrayı kurmak* to lay the table
sofu religious, devout; devotee
soğan onion; bulb
soğancık *anat.* medulla oblongata
soğuk cold *soğuk almak* to catch cold *soğuk algınlığı* cold *soğuk damga* embossed stamp *soğuk davranmak* to give sb the cold shoulder *soğuk espri* joke in bad taste *soğuk savaş* cold war *soğuktan donmak* to be frozen to death
soğukkanlı cool-headed, calm
soğukluk coldness; *ruhb.* frigidity; cold sweat, compote
soğumak to get cold, to cool; to take a dislike to, to go off
soğurmak to absorb
soğutmak to cool, to chill; to alienate, to put off
soğutucu cooling, refrigerative
sohbet chat, conversation *sohbet etmek* to have a chat
sokak road, street *sokak çocuğu* street Arab, street urchin *sokak kadını* street walker
sokmak to introduce, to put in, to insert; to let in, to admit; to sting, to bite
sokulgan sociable, friendly, folksy

sokulmak to be inserted in; to insinuate oneself (into), to snuggle up
sokuşturmak to squeeze (into)
sol left *sol yapmak* to steer to the left *sola dön* turn left *solda* on the left *solda sıfır* a mere cypher
sol *müz.* sol
solak left-handed
solaryum solarium
solcu leftist
solculuk leftism
soldurmak to fade, to discolour
solfej *müz.* solfége, solfeggio
solgun pale, faded
solist soloist
sollamak to overtake
solmak to fade, to wither
solmaz (colour) fast, fadeless
solo *müz.* solo *solo yapmak* to solo
solucan worm
soluk breath *soluk aldırmamak* to give no respite *soluk almak* to breathe; to have a rest *soluk borusu* trachea, windpipe *soluk kesici* breathtaking *soluğu kesilmek* to be out of breath *soluk soluğa* out of breath
soluk pale; faded
soluklanmak to take a breather
solumak to pant, to snort
solungaç gill
solunum respiration *solunum aygıtı/sistemi* respiratory system
som *hayb.* salmon
som solid
somun loaf (of bread)
somun nut
somurtkan sulky, sullen
somurtmak to pout, to sulk
somut concrete
somutlaştırmak to concretize
somya spring mattress
son end; last, final *son defa* (for) the last time *son derece* extremely *son kozunu oynamak* to play one's last card *son nefes*

one's last breath **sona ermek** to end, to be over **Sona kalan dona kalır** The early bird catches the worm **sondan bir önceki** next to the last **sonunu düşünmek** to think of the consequences

sonat *müz.* sonata

sonbahar autumn, *AE.* fall

sonda probe, sound; drill

sondaj test bore; sounding **sondaj yapmak** to bore; to sound

sondalamak to sound; to bore

sone *yaz.* sonnet

sonek *dilb.* suffix

sonra after; then, later, afterwards

sonradan later, afterwards **sonradan görme** parvenu, upstart

sonraki following, subsequent

sonrasız eternal

sonsuz endless, infinite

sonsuzlaştırmak to eternalize

sonsuzluk infinity, eternity

sonuç result, outcome, consequence **sonuç çıkarmak** to draw a conclusion

sonuçlandırmak to conclude, to bring to a conclusion

sonuçlanmak to come to a conclusion, to conclude; to result (in, ile)

sonuçsuz fruitless, vain

sonuncu last, final

sonunda in the end, finally

sopa stick, cudgel; beating **sopa atmak** to give a beating (to) **sopa yemek** to get a beating

soprano soprano

sorgu interrogation **sorguya çekmek** to interrogate

sorguç crest

sorgulamak to interrogate

sormak to ask

soru question **soru işareti** question mark

sorumak to suck

sorumlu responsible (for, -den)

sorumluluk responsibility

sorumsuz irresponsible

sorumsuzluk irresponsibility

sorun problem, question, matter

soruşturma investigation

soruşturmak to investigate

sos sauce

sosis sausage

sosyal social **sosyal bilimler** social sciences

sosyalist socialist

sosyalizm socialism

sosyalleşme socialization

sosyete the upper classes, society

sosyoekonomik socioeconomic

sosyokültürel sociocultural

sosyolog sociologist

sosyoloji sociology

sosyolojik sociological

sote sauté

Sovyet Soviet

soy lineage, descent, family; ancestors **soy sop** family, relations **soya çekmek** to take after one's family

soya soybean

soyaçekim heredity

soyadı family name, surname

soyağacı family tree, genealogical tree

soydaş of the same race

soygun robbery

soyguncu robber

soygunculuk robbery

soykırımı genocide

soylu noble

soyluluk nobility

soymak to undress; to rob; to shell, to peel, to shuck **soyup soğana çevirmek** to clean out, to rifle

soysuz of bad race; ignoble

soysuzlaşmak to degenerate

soytarı clown, buffoon

soyunmak to undress oneself

soyut abstract

soyutlamak to abstract

söğüş boiled meat

söğüt willow

sökmek to pull up, to uproot; to take to pieces, to tear ... down; to unsew, to unravel; *arg.* to work, to tell

sökük unravelled, unstitched; rent, tear

sökülmek to come unstitched; to be uprooted; *arg.* to pay up, to shell out

sömestr semester

sömürge colony

sömürgeci colonist

sömürgecilik colonialism

sömürgeleştirmek to colonize

sömürmek to exploit

sömürü exploitation

söndürmek to put out, to extinguish; to turn off, to switch off; to deflate

sönmek to go out

sönük extinguished; dull, lifeless; deflated

sövgü swearword

sövmek to swear, to curse *sövüp saymak* to curse and swear

söylem discourse

söylemek to say, to tell; to pronounce

söylence myth

söyleniş pronunciation

söylenmek to be said; to be told; to be pronounced; to grumble, to mutter

söylenti rumour

söyleşi conversation, chat

söyleşmek to chat, to converse

söylev speech *söylev vermek* to give a speech

söz remark, word; rumour, gossip; promise *söz almak* to begin to speak; to obtain a promise *söz altında kalmamak* to give as good as one gets, to be quick to retort *söz anlamak* to be reasonable *söz aramızda* between you and me *söz dinlemek* to listen to advice, to obey *söz etmek* to talk

about, to mention *söz geçirmek* to make oneself listened to *söz götürmez* beyond doubt, indisputable *söz işitmek* to be told off *söz kesmek* to agree to give in marriage *söz konusu* in question *söz olmak* to be the subject of gossip *söz vermek* to promise *söze karışmak* to interrupt by speaking *sözü ağzına tıkamak* to shut sb up *sözü ağzında gevelemek* to mince one's words *sözü çevirmek* to change the subject *sözü geçmek* to be talked about; to be influential *sözü uzatmak* to be wordy *sözünde durmamak* to break one's word *sözünden dönmek* to go back on one's word *sözünü esirgememek* not to mince one's words *sözünü geri almak* to retract *sözünü tutmak* to keep one's word *sözünün eri* a man of his word

sözbirliği unanimity *sözbirliği etmek* to agree to say/do the same thing, to be unanimous in

sözbölükleri *dilb.* parts of speech

sözcü spokesman

sözcük word

sözcükbilim lexicology

sözde so-called, alleged, would-be

sözdizimi *dilb.* syntax

sözdizimsel syntactic

sözgelimi for example

sözgelişi for example

sözlendirici (film) dubber

sözlendirmek (film) to dub

sözleşme agreement, contract

sözleşmek to agree mutually; to make an appointment

sözlü oral, verbal; engaged; fiancé, fiancée *sözlü sınav* oral exam

sözlük dictionary

sözlükçü lexicographer

sözlükçülük lexicography

sözümona so-called, alleged

spazm spasm
spektroskop spectroscope
spekülasyon speculation
spekülatif speculative
spekülatör speculator
sperm(a) sperm
spiker announcer
spiral spiral; *hek.* loop
spontane spontaneous; spontaneously
spor *biy.* spore
spor sport; sports *spor araba* sports car *spor yapmak* to play sports
sporcu sportsman
sporsever sports fan
sportif sports; sportmanlike
sportoto football pools, pools
sprey spray; sprayer
stadyum stadium
staj apprenticeship, training *staj görmek* to be under training
stajyer trainee, probationer, intern
standart standard
statik static
statü status; statute
statüko status quo
steno shorthand, stenography; stenographer
stenograf stenographer
stenografi stenography
step steppe
stepne spare tyre
stereo stereo
stereofoni stereophony
stereofonik stereophonic
stereoskop stereoscope
steril sterile
sterilizasyon sterilization
sterilize, sterile sterilized *sterilize etmek* to sterilize
sterlin sterling
stetoskop stethoscope
steyşın station wagon
stil style
stoacılık *fel.* stoicism
stok stock *stok etmek* to stock
stokçu hoarder, stockist

stop stop *stop etmek* to stop
stopaj stoppage at source
stoplazma *biy.* cytoplasm
strateji strategy
stratejik strategical
stratosfer stratosphere
stres *hek.* stress
striptiz striptease
stüdyo studio
su water; broth; juice *su almak* (boat) to make water, to leak *su baskını* flood *su basmak* to flood *su cenderesi* hydraulic press *su çekmek* to draw water *su değirmeni* water mill *su dökmek* to make water, to urinate *su geçirmez* waterproof *su gibi bilmek* to know perfectly *su gibi para harcamak* to spend money like water *su götürmez* incontestable, indisputable *su götürür* disputable *su koyuvermek* to overstep the mark, to back on one's word *su perisi* nymph *su sayacı* water meter *su toplamak* to blister *su vermek* to water; (steel) to temper *su yüzüne çıkmak* to come to light *su çıkmış balığa dönmek* to be like a fish out of water *sudan ucuz* very cheap *sularında* about, around *suya düşmek* to fall to the ground, to fizzle out, to miscarry *suya sabuna dokunmamak* to avoid meddling *suyunca gitmek* to rub sb the right way *suyunu çekmek* to run out
sual question
sualtı underwater
suare evening performance
suaygırı hippopotamus
subay officer
sucu water seller
sucuk sausage *sucuğunu çıkarmak* to give a good beating; to tire out *sucuk gibi ıslanmak* to be wet through

sucul hydrophile

suç offence, crime *suç işlemek* to commit an offence *suçu bağışlamak* to forgive an offence, to pardon

suçiçeği *hek.* chicken pox

suçlamak to accuse

suçlu guilty *suçlu bulunmak* to be found guilty

suçluluk guilt

suçortağı accomplice

suçsuz innocent

suçsuzluk innocence

suçulluğu common sandpiper

suçüstü in flagrante delicto, red-handed

sudan flimsy, trivial, lame

Sudan the Sudan

Sudanlı Sudanese

suflör prompter

suiistimal abuse, misuse *suiistimal etmek* to abuse, to misuse

suikast conspiracy

suikastçı conspirator

sukabağı white gourd

sukamışı *bitk.* reedmace

sukeleri newt

sukemeri aqueduct

sukut fall

sulak watery

sulama watering; irrigation

sulamak to water; to irrigate

sulandırmak to dilute with water

sulanmak to be irrigated; to become watery; to water; *arg.* to get fresh with

sulh peace *sulh hâkimi* judge of the peace *sulh mahkemesi* court of first instance, minor court

sultan sultan, sultana

sulu watery; juicy; importunate, saucy

suluboya water colour

sulusepken sleet

sumen writing-pad

suna drake

sunak altar

sundurma shed, penthouse

sungur white falcon

suni artificial

sunmak to present, to offer; to perform, to play, to sing

sunturlu severe, awful

sunu offer *sunu ve istem tic.* offer and demand

sunucu compere, emcee

supap valve

sur city wall, rampart

surat face *surat asmak* to make a sour face *suratından düşen bin parça olmak* to pull a long face *suratını buruşturmak* to grimace *surat mahkeme duvarı* brazen-faced, sulky

suratsız sulky; ugly

sure section of the Koran, sura

suret copy; form, shape; manner, way *suret çıkarmak* to make a copy

Suriye Syria

Suriyeli Syrian

susak thirsty

susam sesame

susamak to be thirsty; to thirst for

susamış thirsty

susamuru common otter

suskun taciturn, quiet

susmak to hold one's tongue, to hush, to be quiet *suspus olmak* to keep silent, to be silenced

susta safety catch

sustalı clasp knife, flick knife *sustalı çakı* flick knife, switchblade

susturmak to silence, to hush, to shut up; to gag, to muzzle

susturucu silencer, *AE.* muffler

susuz thirsty; waterless, arid, dry

susuzluk thirst; waterlessness

sutopu water polo

sutyen brassiere, bra

suvarmak to water (animals)

suyılanı grass-snake

suyolu waterline; watermark

suyosunu seaweed

suyuk body fluid, fluid
sübjektif subjective
sübvansiyon subvention
süet suede
süklüm püklüm with one's tail between one's legs, sheepishly
sükse success, hit *sükse yapmak* to make a splash
sükûn, sükûnet calm, quiet
sükût silence *sükût ikrardan gelir* silence gives consent
sülale family line, lineage
sülfat sulphate
sülfürik sulphuric *sülfürik asit* sulphuric acid
sülük leech *sülük gibi yapışmak* to cling like a leech
sülün pheasant
sümbül hyacinth
Sümer Sumerian
sümkürmek to blow one's nose
sümsük sluggish, slothful, uncouth
sümük mucus, snot
sümüklü mucous, snotty; snivelling
sümüklüböcek slug
sümüksü mucous
sünepe sluggish, slovenly
sünger sponge *(üzerine) sünger çekmek* to pass the sponge over sth *sünger gibi* spongy
süngerdoku spongy parenchyma
süngertaşı pumice-stone
süngü bayonet
süngülemek to bayonet
sünnet circumcision *sünnet etmek* to circumcise *sünnet olmak* to be circumcised
sünnetli circumcised
sünnetsiz uncircumcised
Sünnilik Sunnism
süper super *süper benzin* highoctane gasoline
süpermarket supermarket
süprüntü sweepings
süpürge broom
süpürgelik baseboard, mopboard

süpürmek to sweep
sürahi jug, decanter, pitcher
sürat speed
süratle quickly
süratli quick, rapid
sürç stumble *sürçü lisan* slip of the tongue
sürçmek to stumble, to slip; to make a mistake
sürdürmek to keep up, to continue
süre time, period *süresi sona ermek* to expire
süreaşımı prescription, limitation
süreç process
süredurum *fiz.* inertia
süregelen lasting, continual
süregelmek to continue
süreğen chronic
sürek duration; drove **sürek avı** drive
sürekli continuous, permanent
süreksiz transitory, transient
süreli periodical
süresince throughout
süresiz for an indefinite period of time, indefinitely
süreyazar chronograph
sürgü bolt; bedpan; harrow
sürgülemek to bolt; to harrow
sürgülü bolted; sliding *sürgülü cetvel* slide rule
sürgün exile; *hek.* diarrhoea; *bitk.* shoot *sürgün etmek* to banish, to exile *sürgüne göndermek* to send into exile
sürme kohl *sürme çekmek* to tinge with kohl
sürmek to continue, to last; to drive; to exile; to lay on, to spread, to smear; to plough; (life) to lead
sürmelemek to bolt (a door); to tinge with kohl
sürmenaj exhaustion (from overwork)
sürpriz surprise *sürpriz yapmak* to surprise (sb)

sürrealizm surrealism
sürtmek to rub (against); to loiter
sürtük (woman) gadabout; street-walker
sürtünmek to rub oneself (against); to seek a quarrel
sürtüşme conflict, disagreement
sürtüşmek to rub against each other; to disagree, to dispute.
sürü herd, flock
sürücü driver; drover
sürüklemek to drag, to trail; to carry with one, to absorb
sürükleyici absorbing, engrossing
sürüm demand, sale
sürümek to drag along
sürümlü in great demand
sürünceme delay *süründcemede bırakmak* to drag out *sürüncemede kalmak* to be left hanging in the air, to drag on
süründürmek to make crawl; to lead sb a dog's life
sürüngen reptile
sürünmek to creep, to crawl; to rub against; to rub on, to rub in; to vegetate, to rough it, to lead a dog's life
süs ornament, decoration *süsü vermek* to pose as, to pretend to, to pass oneself off as
süsen iris
süslemek to adorn, to decorate, to ornament *süsleyip püslemek* to smarten up
süslenmek to be decorated; to deck oneself out *süslenip püslenmek* to smarten oneself up, to primp, to prink
süslü ornamented, decorated
süsmek to butt, to toss
süspansiyon suspension
süssüz unadorned, plain
süt milk *süt çocuğu* suckling *süt dökmüş kedi gibi* with his tail between his legs *süt gibi* white and clean *süt kuzusu* suckling

lamb, suckling *süt sağmak* to milk *Sütten ağzı yanan yoğurdu üfleyerek yer* ats. Once bitten, twice shy *sütü bozuk* base, ignoble *süt vermek* to suckle, to nurse; (cow) to milk
sütana, sütanne wet nurse
sütbaba fosterfather
sütbaşı cream
sütbeyaz milk-white
sütçü milkman
sütdişi milk tooth, baby tooth
sütkardeş foster brother, foster sister
sütkız foster daughter
sütlaç rice pudding
sütleğen *bitk.* spurge
sütliman dead calm
sütlü milky *sütlü kahve* coffee with milk; white coffee
sütnine wet nurse
sütoğul foster son
sütsüz without milk; untrustworthy, base
süttozu milkpowder
sütun column
süvari rider; cavalryman
süveter sweater
Süveyş Suez **Süveyş Kanalı** the Suez Canal
süzek sprayhead, rose
süzgeç strainer, filter
süzgün languid, languorous
süzmek to strain, to filter; to eye from head to foot, to look attentively
süzülmek to be filtered; to flow, to run; to get thin; to slip into, to creep in

Ş

şablon pattern
şadırvan water tank with a fountain

şafak dawn, daybreak *şafak atmak* to dawn on sb *şafak sökmek* (dawn) to break

şaft shaft

şah (horse) rearing *şaha kalkmak* (horse) to rear

şah shah, king; (chess) king

şahadet witnessing; martyrdom

şahadetname diploma, certificate

şahadetparmağı index finger

şahane magnificent, wonderful

şahdamarı aorta

şaheser masterpiece, masterwork

şahıs person, individual; *yaz.* character

şahin *hayb.* falcon

şahit witness *şahit olmak* to witness

şahitlik witnessing, testifying

şahlanmak (horse) to rear; to fly into a passion

şahmerdan battering-ram

şahsen in person; personally; by sight

şahsi personal, private

şahsiyet personality; individuality

şahsiyetli having a strong personality

şahsiyetsiz characterless

şair poet

şairane poetic, poetical

şaka joke, jest, fun *şaka bir yana* joking apart *şaka değil* it's no joke *şaka etmek* to joke *şaka götürmemek* not to be a joking matter *şaka kaldırmak* to be able to take a joke *şaka olarak söylemek* to say sth in jest *şaka söylemek* to joke *şaka yapmak* to play a joke on sb *şakaya bozmak/dökmek* to turn sth into a joke *şakaya vurmak* to laugh sth off

şakacı joker, person given to joking

şakacıktan as a joke

şakak *anat.* temple

şakalaşmak to joke with one another

şakayık peony

şakımak to warble

şakırdamak to clank, to jingle, to rattle

şakırdatmak to clank, to rattle, to jingle

şakırtı clatter, rattle

şakkadak unexpectedly, all of a sudden

şaklaban buffoon, jester

şaklamak to crack, to snap

şaklatmak to crack, to snap

şakrak jovial, lively, mirthful

şakrakkuşu bullfinch

şakşak slap-stick; applause

şakşakçı toady

şal shawl

şalgam turnip

şalter power switch; circuit breaker

şalvar baggy trousers

şamandıra buoy, float

şamanizm Shamanism

şamar slap, box on the ear *şamar atmak* to slap *şamar oğlanı* scapegoat

şamata commotion, hubbub, uproar

şamatacı noisy, boisterous

şamatalı noisy

şamdan candlestick

şamfıstığı pistachio nut

şampanya champagne

şampiyon champion

şampiyona championship

şampuan shampoo

şampuanlamak to shampoo

şan glory, fame, reputation *şanına yakışmak* to befit one's dignity

şangırdamak to clink, to crash *şangır şungur* with a crash

şangırtı crash

şanlı glorious, great

şans chance *şans eseri* by chance *şansı olmak* to have a chance *şansı ters gitmek* to have a run of bad luck *şansı yaver gitmek* to be lucky *şansını denemek* to take one's chance

şanslı lucky

şanssız unlucky

şanssızlık misfortune, bad luck

şantaj blackmail, racket, shakedown *şantaj yapmak* to blackmail

şantajcı blackmailer, racketeer

şantiye shipyard; building-site

şantör male singer

şantöz female singer

şanzıman gearbox, shift

şap alum

şapırdamak to smack

şapırdatmak to smack

şapırtı smack

şapka hat

şaplak smack, slap *şaplak atmak* to give a smack

şaplamak to make a smacking noise, to smack

şappadak all of a sudden

şapşal silly, stupid; slovenly, untidy

şarampol shoulder (of a road)

şarap wine

şarapnel shrapnel

şarbon anthrax

şarıldamak to flow with a splashing noise

şarıltı splash, splashing sound

şarj charge *şarj etmek* to charge

şarjör clip

şarkı song *şarkı söylemek* to sing (a song)

şarkıcı singer

şarküteri delicatessen

şarlatan charlatan, quack

şarlatanlık charlatanism, quackery

şart condition, stipulation *şart koşmak* to stipulate *şart olmak* to become inevitable *şartıyla* on condition that

şartlandırmak to condition

şartlı conditional, conditioned

şartsız unconditional, uncondi-

tioned

şaryo carriage

şasi chassis

şaşakalmak to be taken aback

şaşalamak to be bewildered

şaşı cross-eyed, squinting

şaşılası surprising, weird

şaşılık crosseye, squint

şaşırmak to be surprised; to be confused *şaşırıp kalmak* to be at a loss

şaşırtıcı amazing, surprising

şaşırtmak to amaze, to astonish, to surprise; to confuse, to baffle, to floor

şaşkın bewildered, confused, blank; stupid *şaşkına dönmek* to be stupefied *şaşkına çevirmek* to stupefy

şaşmak to be surprised; to deviate

şatafat ostentation, pomp

şatafatlı ostentatious, pompous

şato castle, chateau

şayan worthy, deserving

şayet if

şayia rumour

şebboy wallflower

şebek baboon

şebeke network; (student's) pass

şebnem dew

şecere genealogical tree

şef chief, leader *şef garson* headwaiter

şefaat intercession *şefaat etmek* to intercede

şeffaf transparent

şefkat compassion, affection

şefkatli compassionate, affectionate

şefkatsiz without affection

şeftali peach

şehir city, town

şehirlerarası interurban; long-distance (telephone call)

şehirli city dweller, townsman

şehit martyr

şehriye vermicelli

şehvani sensual

şehvet sexual desire, lust

şehvetli lustful, sensual

şehzade sultan's son, prince

şeker sugar; sweet, candy; *hek.* diabetes *şeker Bayramı* the Ramadan holiday, the Lesser Bairam *şeker gibi* sweet *şeker hastalığı* diabetes

şekerci confectioner; candyseller; candymaker

şekerkamışı *bitk.* sugar cane

şekerleme candy, goody; nap, doze *şekerleme yapmak* to have a nap

şekerlemek to sugar

şekerleşmek to sugar

şekerli sugared; diabetic

şekerlik sugar bowl

şekerpancarı sugar beet

şekersiz unsugared, unsweetened

şekil form, shape; diagram, illustration *şekil almak* to take shape *şekil vermek* to give a form

şekilci formalist

şekilcilik formalism

şekillendirmek to shape, to form

şekillenmek to take shape

şekilsiz shapeless

şeklen in form

şelale waterfall

şelf shelf

şema diagram, plan

şematik diagrammatic

şempanze chimpanzee

şemsiye umbrella, parasol

şen cheerful, joyful, merry

şenlendirmek to cheer, to enliven

şenlenmek to become cheerful, to cheer up; to be populated

şenlik cheerfulness, merriment; festival

şer evil, wickedness

şerbet sweet drink, sherbet

şerbetçiotu hop

şeref honour *şeref vermek* to honour, to grace

şerefe Cheerio! Cheers!

şerefine in honour of

şereflendirmek to honour, to grace

şerefli honoured, esteemed

şerefsiz dishonest, honourless

şerefsizlik dishonour

şerh explanation

şeriat Islamic law, canonical law

şerif sheriff

şerit ribbon, tape

şeş six *şeşi beş görmek* to get confused

şevk enthusiasm, eagerness *şevke gelmek* to become eager *şevki kırılmak* to be dispirited

şevkle eagerly

şey thing

şeyh sheik(h)

şeytan Satan, devil *şeytan aldatmak* to have nocturnal emissions *şeytan diyor ki* I have a good/half a mind to ... *şeytan gibi* as cunning as a fox *şeytan kulağına kurşun* Touch wood! *şeytan tüyü olmak* to have an attractive personality *şeytana uymak* to yield to temptation *şeytanın bacağını kırmak* to get the show on the road at last

şeytanca devilish; devilishly

şeytani devilish, diabolical

şeytanlık devilment; mischief, trick

şezlong deck chair, chaise longue

şık alternative

şık smart, elegant, chic, high-hat

şıkır şıkır with a clinking noise

şıkırdamak to clink, to jingle

şıkırdatmak to clink, to jingle

şıkırtı clink, jingle

şıllık gaudily dressed woman

şımarık spoiled, saucy

şımarıklık sauciness, impertinence

şımarmak to get spoilt

şımartmak to spoil, to pamper

şıngırdamak to clink, to rattle

şıngırtı clink, rattle

şıp diye quickly, unexpectedly

şıpıdık heelless slipper

şıpırtı splash
şıpsevdi susceptible
şıra grape juice, must
şırak crack!, crash!
şırakkadak all of a sudden
şırfıntı tramp, slut
şırıldamak to splash, to babble
şırıltı splashing, babble
şırınga syringe
şiddet violence; intensity, strength *şiddete başvurmak* to resort to violence *şiddet kullanmak* to use violence
şiddetlendirmek to intensify
şiddetlenmek to become violent; to become intensified
şiddetli violent, impetuous, severe; hard, strong
şifa recovery *şifa bulmak* to recover health *şifa vermek* to restore to health *şifayı kapmak* to fall ill
şifahen orally
şifahi oral, verbal
şifalı healing, curative
şifon chiffon
şifoniyer chiffonier, chest of drawers
şifre code, cipher
şifrelemek to cipher *şifreyi çözmek* to decipher, to decode
şifreli in cipher
ªii Shiite
ªiilik Shiism
şiir poem
şikâyet complaint, grouch *şikâyet etmek* to complain, to grouch
şikâyetçi complainant
şike *sp.* rigging (a game/match/race)
şikeli *sp.* rigged
şilem slam
şilep cargo vessel, freighter
ªili Chile
ªilili Chilean
şilin Shilling
şilt shield

şilte mattress
şimdi now, at present *şimdiye kadar* until now, up to now
şimdiden from now on
şimdiki the present
şimdilik for the present, for the time being
şimşek lightning *şimşek çakmak* (lightning) to flash *şimşek gibi* like lightning
şimşir boxwood
şipşak quickly, in a flash
şiraze headband
şirin charming, pretty, lovely
şirket company, firm
şirpençe carbuncle
şirret bad-tempered, malicious, fractious, quarrelsome
şist schist
şiş spit, skewer; knitting-needle *şiş kebap* shish kebab; roasted meat on skewers
şiş swelling; swollen
şişe bottle
şişelemek to bottle
şişinmek to puff oneself up, to swell with importance
şişirmek to swell, to bloat, to inflate; to exaggerate; to knock off, to scamp, to skimp
şişkin swollen, puffy
şişkinlik swelling, puffiness
şişko fat, fatty
şişlemek to skewer, to spit; *arg.* to stab
şişlik swelling, bulge
şişman fat, obese
şişmanlamak to grow fat, to fatten
şişmanlık fatness, obesity
şişmek to swell, to be inflated, to be distended
şive accent
şizofren schizophrenic
şizofreni schizophrenia
şofben gas heater, geyser
şoför driver; chauffeur *şoför ehliyetnamesi* driving licence

şok shock
şoke shocked
şom ominous, sinister **şom ağızlı** who always predicts misfortune
şort shorts
şose paved road
şoson galoshes
şov show
şoven chauvinist; chauvinistic
şovenizm chauvinism
şöhret fame, reputation, renown
şöhretli famous, renowned
şölen feast, banquet
şömine fireplace
şövale easel
şövalye knight
şövalyelik chivalry
şöyle in this way, like this, like that, thus; this kind of, that kind of, such **şöyle böyle** so so **şöyle dursun** let alone **şöyle ki** in such a way that; as follows **şöylece** in this way, thus
şu that, this **şu günlerde** in these days **şu halde** in that case, then **şu var ki** however, only **şundan bundan konuşmak** to talk of this and that **şunu bunu bilmem** I'm not accepting any excuses! But me no buts! **şunun şurasında** just, only
şua ray
şubat February
şube branch; department, section
şuh coquettish, pert
şuhluk coquettishness, pertness
şunlar those
şûra council
şura that place, this place
şurada there **şurada burada** here and there
şuralarda in these parts
şuraları these places
şuram this part of me
şurup syrup
şut (football) shoot **şut çekmek** to shoot

şuur the conscious, consciousness
şuuraltı subconscious
şuurlu conscious
şuursuz unconscious
şükran gratitude, thanks
şükretmek to thank God; to give thanks (to)
şükür gratitude
şüphe doubt, suspicion; uncertainty **şüphe etmek** to doubt, to suspect **şüphe uyandırmak** to cause suspicion
şüpheci sceptic, suspicious
şüphelendirmek to make ... suspicious
şüphelenmek to doubt, to suspect
şüpheli suspicious; doubtful; uncertain
şüphesiz doubtless, certain; certainly, of course! no doubt!

T

ta even until, even as far as **ta ki** so that, even
taahhüt undertaking, commitment **taahhüt etmek** to undertake
taahhütlü (letter, etc.) registered
taahhütname written contract
taammüden *huk.* with premeditation, intentionally
taammüt *huk.* premeditation
taarruz attack, assault **taarruz etmek** to attack, to assault
taassup fanaticism
tab printing
taba tobacco-coloured
tabak plate, dish
tabak tanner
tabaka layer, stratum; (of paper) sheet; class, group
tabakhane tannery
tabaklamak to tan, to curry
taban sole; base; floor **taban fiyat** the lowest price, minimum price

taban tabana zıt diametrically opposite, antipodal **taban tepmek** to walk a long way **tabanları yağlamak** to take to one's heels

tabanca pistol, gun **tabanca çekmek** to draw one's gun

tabansız soleless; cowardly

tabanvayla on foot **tabanvayla gitmek** to go on foot, to walk

tabela sign, signboard; list of food; car of treatment

tabelacı sign-painter

tabetmek to print

tabi subject, dependent **tabi olmak** to be dependent on **tabi tutulmak** to be subjected to

tabiat nature; character, temperament **tabiatıyla** naturally **tabiat bilgisi** nature study **tabiat kanunu** law of nature

tabiatüstü supernatural

tabii natural; naturally, of course

tabiiyet nationality

tabip doctor, physician

tabir expression, idiom, phrase; (a dream) interpretation **tabir caizse** if I may put in this way **tabir etmek** to express; to interpret (a dream)

tabla ashtray; circular tray

tabldot table d'hôte

tablet tablet

tablo painting, picture

tabu taboo

tabur *ask.* battalion; line, row, file

taburcu discharged from a hospital **taburcu etmek** to discharge **taburcu olmak** to be discharged

tabure stool, footstool

tabut coffin

tabya *ask.* bastion, redoubt

tacir merchant

taciz annoyance, disturbing, harassment **taciz etmek** to annoy, to bother, to harass

crown; corolla; *sp.* touchdown

taç giymek to be crowned

taçlandırmak to crown

taçlı crowned

taçsız uncrowned

taçyaprağı petal

tadım taste, small amount tasted; the sense of taste

tadımlık just enough to taste

tadil modification **tadil etmek** to modify, to amend

tadilat modifications

taflan cherry laurel

tafra conceit, pride

tafsilat details

tafsilatlı detailed

tafta taffeta

tahakkuk realization; verification **tahakkuk etmek** to be realized, to come true

tahakküm domination, oppression **tahakküm etmek** to dominate, to oppress, to tyrannize

tahammül endurance, patience **tahammül etmek** to put up with, to endure, to stand

taharet cleanliness; canonical purification

tahayyül imagination, fancy **tahayyül etmek** to imagine, to fancy

tahdit limitation **tahdit etmek** to limit

tahıl grain; cereal

tahin sesame oil

tahinhelvası halvah, halavah

tahkik investigation **tahkik etmek** to investigate

tahkikat investigations, inquiries

tahkim strengthening, fortification **tahkim etmek** to strengthen, to fortify

tahkir insult, affront **tahkir etmek** to insult, to affront

tahlil analysis **tahlil etmek** to analyse

tahliye evacuation, vacating; release; (cargo) discharge, unloading **tahliye etmek** to evacuate, to vacate; to release, to discharge; (cargo) to discharge, to unload

tahmin estimate, guess **tahmin etmek** to estimate, to guess

tahminen approximately

tahmini approximate

tahribat destruction, devastation

tahrif falsification, distortion **tahrif etmek** to falsify, to distort

tahrifat falsification, alterations

tahrik provocation, incitement, excitation **tahrik etmek** to provoke, to incite, to excite **tahrik edici** provocative

tahrip destruction, devastation, ruining **tahrip etmek** to destroy, to devastate, to ruin

tahriş irritation **tahriş etmek** to irritate

tahsil education, study; (money) collection **tahsil etmek** (money, taxes) to collect; to study **tahsil görmek** to receive an education

tahsilat collection of revenues

tahsildar tax-collector

tahsilli educated

tahsis assignment, allocation, allotment **tahsis etmek** to assign, to allot, to allocate

tahsisat allowance, fund

taht throne **tahta çıkmak** to ascend the throne **tahta geçirmek** to enthrone **tahttan indirmek** to dethrone

tahta board, plank, wood; wooden **tahtadan** wooden **tahtası eksik** having a screw loose, screwy **tahtaya kaldırmak** to call (a student) to the blackboard

tahtakurdu woodworm

tahtakurusu bug, bedbug

tahtalı boarded, planked **tahtalı köy** arg. cemetery **tahtalı köyü boylamak** arg. to kick the bucket, to die

tahvil debenture, bond **tak** knock **tak tak vurmak** to knock repeatedly

tak arch

taka small sailing-boat

takaddüm precedence **takaddüm etmek** to precede

takas clearing; exchange, barter **takas etmek** to clear; to exchange, to barter

takat strength **takati kalmamak** to be exhausted

takatsız exhausted, weak

takdim presentation; introduction **takdim etmek** to present, to offer; to introduce

takdir appreciation; predestination, fate **takdir etmek** to appreciate **takdirini kazanmak** to win sb's approval

takdirde in the event of, if

takdirname letter of appreciation

takdis sanctification **takdis etmek** to sanctify

takı wedding present; jewellery, ornament; dilb. case ending

takılgan plaguing, teasing

takılmak to kid, to josh; to be afixed; to get stuck on, to get snagged on; arg. to frequent, to visit

takım team; gang, band, crew; set, service; suit; ask. platoon **takım taklavat** sag and baggage, the whole push

takımada archipelago

takımyıldız constellation

takınmak to put on, to wear; to assume, to affect

takıntı relation, affair; small debt; subject which a student has flunked; condition

takırdamak to clatter, to rattle

takırtı clatter, rattle

takışmak to quarrel with each other, to squabble

takibat huk. prosecution

takip following, pursuit *takip et-mek* to follow, to pursue

takipçi follower, pursuer

takke skullcap

takla somersault *takla atmak* to turn a somersault

taklit imitation; counterfeit; imitated, counterfeit, sham *taklit etmek* to imitate; to counterfeit

taklitçi imitator; mimic

takma attaching; attached; false *takma ad* nickname *takma diş* false teeth *takma saç* false hair, wig

takmak to affix, to attach, to fix; to wear, to put on; *arg.* to fail, to flunk *takıp takıştırmak* to put on one's best bib and tucker

takmamak *arg.* to have no regard for, not to give a damn

takoz wooden wedge, chock *takoz koymak* to put a wedge

takriben approximately, about

takribi approximate

takrir *huk.* motion, proposal

taksi taxi, *AE.* cab *taksi tutmak* to take a taxi

taksim division *taksim etmek* to divide

taksimetre taximeter

taksirat sins, faults

taksit instalment

taksitle by instalments *taksitle satış* instalment sale

taktik tactics

takunya clog, patten

takvim calendar

takviye reinforcement *takviye etmek* to reinforce

talan pillage, plunder *talan etmek* to pillage, to plunder

talaş wood shavings; sawdust

talebe student, pupil

talep demand *talep etmek* to demand, to request

tali secondary, subordinate

talih luck, good fortune *talih kuşu*

good luck *talihi yaver gitmek* to be lucky *talihine küsmek* to curse one's fate

talihli lucky, fortunate

talihsiz luckless, unlucky

talihsizlik bad luck

talim teaching; practice, exercise *talim etmek* to have to eat (the same food)

talimat instructions *talimat vermek* to give instructions

talimatname regulations

talimname field manual

talip desirous, seeking *talip olmak* to put oneself in for, to desire, to seek

talk talc *talk pudrası* talcum powder

taltif gratifying; rewarding *taltif etmek* to gratify; to reward

tam complete, entire, whole; exact, precise, perfect *tam adamına düşmek* to find the very man *tam gelmek* to fit well *tamı tamına* just, exactly *tam üstüne basmak* to hit the nail on the head *tam vaktinde* just in time *tam yetki* full authority *tam yol* full speed

tamah avarice, greed *tamah etmek* to covet, to desire

tamahkâr avaricious, greedy

tamam complete, ready; finished, over; correct, right; all right! OK! *tamam olmak* to end, to be over

tamamen, tamamıyla completely, entirely, fully

tamamlamak to complete, to finish

tamamlayıcı complementary, supplementary

tambur a stringed instrument similar to the mandolin

tamim circular *tamim etmek* to circulate

tamir repair *tamir etmek* to repair, to mend

tamirat repairs

tamirci repairman

tamirhane repair shop

tamlama noun phrase, prepositional phrase

tamlanan *dilb.* noun modified by an adjective or a noun

tamlayan *dilb.* noun modifier **tamlayan durumu** *dilb.* genitive case

tampon bumper, buffer; *hek.* wad, plug **tampon devlet** buffer state

tamsayı *mat.* whole number, integer

tamtakır completely empty

tamtam tom-tom

tan dawn **tan ağarmak** (day) to break, to dawn

tane grain, seed, pip; piece **tane tane** piece by piece **tane tane konuşmak** to speak distinctly, to articulate

tanecik granule

tanelemek to granulate

tangırdamak to clang

tangırtı clang, clatter

tango tango

tanı diagnosis

tanıdık acquaintance

tanık witness **tanık olmak** to witness

tanıklık testimony, witness **tanıklık etmek** to give evidence

tanım definition

tanımak to know; to recognize, to acknowledge **tanımazlıktan gelmek** to pretend not to know

tanımlama definition

tanımlamak to define

tanınmak to be known; to be recognized

tanınmış well-known, famous

tanış acquaintance

tanışık acquaintance

tanışmak to get acquainted (with), to know one another, to meet

tanıştırmak to introduce

tanıtıcı introductory, promotional

tanıtım, tanıtma introduction, presentation; *tic.* promotion

tanıtma to introduce, to represent; to advertise, to promote

tanjant tangent

tank tank

tanker tanker

tanksavar antitank

Tanrı God **Tanrı misafiri** unexpected guest **Tanrı vergisi** gift, talent **Tanrı'nın günü** even blessed day

Tanrıbilim theology

Tanrıbilimci theologian

tanrıça goddess

tanrılaşmak to be deified

tanrılaştırmak to deify

tanrısal divine

tanrıtanımaz atheistic; atheist

tanrıtanımazlık atheism

tansiyon blood pressure **tansiyon düşüklüğü** hypotension **tansiyon yüksekliği** hypertension

tantal *kim.* tantalum

tantana pomp, display

tantanalı pompous

tanyeli zephyr, dawn breeze

tanyeri daybreak, dawn

tanzim putting in order, arrangement; organizing **tanzim etmek** to put in order; to arrange; to organize **tanzim satışı** sale of foodstuffs by a municipality so as to regulate the prices

tanzimat reforms

Tanzimat the political reforms made in the Ottoman State in 1839

tapa stopper, plug; fuse

tapınak temple

tapıncak fetish

tapınmak to worship, to adore

tapmak to worship, to adore

tapon trashy, shoddy

taptaze very fresh

tapu title-deed

tapulamak to register with a title-deed

taraça terrace

taraf side; place, site **tarafa çıkmak** to take the part (of) to support **taraf tutmak** to take sides

taraflı having sides; supporter

tarafsız impartial

tarafsızlık impartiality

taraftar partisan, supporter **taraftar olmak** to be in favour of

taraftarlık partisanship, partiality

tarak comb; harrow, rake

taraklamak to comb; to harrow, to rake

tarakotu teasel

taramak to comb; to harrow, to rake; to search thoroughly, to comb; to scan, to rake

taranmak to be combed; to be raked; to comb oneself

tarçın cinnamon

taret ask. turret

tarh flower-bed; imposition (of a tax)

tarım agriculture

tarımcı agriculturist

tarımsal agricultural

tarif definition; description; recipe **tarif etmek** to describe; to define

tarife tariff; time-table; recipe

tarih history; date **tarih atmak** to date **tarihe geçmek** to make history **tarihe karışmak** to be a thing of the past, to vanish

tarihçe short history

tarihçi historian

tarihi historic; historical

tarihli dated

tarihöncesi prehistory

tarihsel historic; historical

tarihsiz undated

tarikat religious order

tarla field

tarlafaresi vole

tarlakuşu skylark

tartaklamak to manhandle, to harass

tartı weight; weighing; scale, balance **tartıya vurmak** to weigh

tartılı weighed; balanced

tartılmak to be weighed; to weigh oneself

tartışılmaz indisputable

tartışma discussion; argument, dispute

tartışmacı debater

tartışmak to discuss; to argue, to dispute

tartışmalı argumentative, controversial

tartmak to weigh; to balance

tarumar scattered, topsy-turvy **tarumar etmek** to rout, to disarray

tarz manner, way, style

tas bowl, cup **tası tarağı toplamak** to pack bag and baggage

tasa worry, anxiety **tasa çekmek/etmek** to worry **Tasası sana mı düştü?** It's none of your business! Mind your own business!

tasalı anxious

tasar plan

tasarçizim design

tasarçizimci designer

tasarı project; draft taw, bill

tasarım imagination, envisagement; design

tasarlamak to plan, to project, to contrive

tasarruf saving, thrift, economy **tasarruf etmek** to save, to economize

tasarruflu economical, thrifty

tasasız carefree, lighthearted

tasavvuf Islamic mysticism, Sufism

tasavvufi mystical, Sufic

tasavvur imagination; idea **tasavvur etmek** to imagine

tasdik affirmation, confirmation; approval, ratification**tasdik etmek** to affirm, to confirm; to ratify

tasdikli certified

tasdikname certificate

tasdiksiz uncertified

tasfiye purification, cleaning; discharge (of the employees); *tic.* liquidation *tasfiye etmek* to purify, to refine; to discharge; to liquidate

tashih correction

taslak draft, sketch *taslak halinde* in draft

taslamak to pretend to, to feign, to fake

tasma collar

tasnif classification *tasnif etmek* to classify

tastamam absolutely complete

tasvip approval *tasvip etmek* to approve *tasvip etmemek* to disapprove

tasvir description, depiction *tasvir etmek* to describe, to depict

taş stone *taş atmak* to make an allusion at sb *taş çıkartmak* to make rings round sb, to surpass *taş devri* stone age *taş gibi* very hard, stony *taş kesilmek* to be petrified *taş taş üstünde bırakmamak* to level with the ground *taşa tutmak* to stone *taşı gediğine koymak* to hit the nail on the head

taşak *arg.* testicle, ball

taşbaskı, taşbasması lithography

taşbebek doll

taşıl fossil

taşıllaşmak to fossilize

taşımacı transporter

taşımacılık transport

taşımak to carry; to transport, to convey

taşınır movable

taşınmaz immovable

taşırmak (to cause) to overflow

taşıt vehicle, conveyance

taşıyıcı carrier; porter

taşkın overflowing; exuberant, rowdy; flood

taşkınlık exuberance, rowdiness

taşkömürü coal

taşküre lithosphere

taşlama stoning; grinding; *yaz.* satire

taşlaşmak to be petrified

taşlı stony

taşmak to overflow, to flood; to boil over, to run over

taşocağı stone quarry

taşpamuğu asbestos

taşra the provinces

taşralı provincial

taşyuvarı lithosphere

taşyürekli stony-hearted, hard-hearted

tat taste *tat almak* to taste; to enjoy *tat vermek* to flavour *tadı damağında kalmak* to be unable to forget the delicious flavour of *tadı kaçmak* to lose its taste, to pall *tadı tuzu yok* tasteless *tadına bakmak* to taste *tadında bırakmak* not to overdo *tadını almak* to taste, to enjoy *tadını çıkarmak* to enjoy fully *tadını kaçırmak* to mar, to spoil, to go too far

Tatar Tartar, Tatar

tatarcık sandfly

tatbik application *tatbik etmek* to apply *tatbik sahasına koymak* to put into practice

tatbikat applications; *ask.* manoeuvres

tatbikatta in practice

tatbiki applied

tatil holiday, vacation *tatil etmek* to close temporarily *tatil olmak* to be closed (for a holiday) *tatil yapmak* to take a holiday *tatile çıkmak* to go on a holiday

tatlandırmak to sweeten; to flavour

tatlanmak to sweeten

tatlı sweet *tatlı bela* sweet curse *tatlı dil* soft words *tatlı dilli* soft-spoken *tatlı su* fresh water *tatlıya bağlamak* to settle amicably

tatlılık sweetness; pleasantness

tatlılıkla kindly, gently

tatmak to taste; to experience

tatmin satisfaction *tatmin etmek* to satisfy *tatmin olmak* to be satisfied

tatminkâr satisfactory

tatsız tasteless

tatsızlık insipidity, unpleasantness, disagreeableness

tav proper heat; right moment *tav vermek* to dampen *tavına getirmek* to bring to the right condition

tava frying pan

tavan ceiling *tavan arası* attic *tavan fiyatı* maximum price, ceiling price

taverna tavern

tavır manner, attitude *tavır takınmak* to assume an attitude

taviz concession; compensation *taviz vermek* to compensate

tavla backgammon; stable

tavlamak to anneal; to cheat, to hoodwink; to pick up, to seduce

tavsiye recommendation *tavsiye etmek* to recommend, to advise *tavsiye mektubu* letter of recommendation

tavşan hare, rabbit

tavşandudağı harelip

tavşankanı bright carmine colour; (tea) dark and strong

tavşankulağı *bitk.* cyclamen

tavuk hen

tavukkarası night blindness

tavus peacock

tay colt, foal

tay counterpoise; equal, peer *tay durmak* (baby) to stand up

tayf spectrum

tayfa crew

tayfun typhoon

tayın ration

tayin appointment; designation *tayin etmek* to appoint; to designate

tayyör tailor-made costume

taze fresh; new, recent *taze fasulye* green beans *taze kan* fresh blood

tazelemek to freshen, to renew

tazelik freshness

tazı greyhound

taziye condolence

tazmin indemnification *tazmin etmek* to indemnify

tazminat indemnity, compensation *tazminat davası* action for damages

tazyik pressure

teamül custom, practice

teati exchange

tebaa subject

tebdil change, alteration *tebdili kıyafet* disguise

tebdilihava change of air

teberru donation *teberru etmek* to donate

tebessüm smile *tebessüm etmek* to smile

tebeşir chalk

tebligat notification

tebliğ notification, communiqué *tebliğ etmek* to notify, to communicate

tebrik congratulation *tebrik etmek* to congratulate

tecavüz attack, aggression; transgression, violation *tecavüz etmek* to attack; to transgress

tecelli manifestation; destiny *tecelli etmek* to be manifested, to appear

tecil delay, postponement *tecil etmek* to postpone

tecim commerce, trade

tecrit separation, isolation *tecrit etmek* to separate, to isolate

tecrübe trial, test; experience *tecrübe etmek* to try, to test

tecrübeli experienced

tecrübesiz inexperienced

teçhiz equipping **teçhiz etmek** to equip

teçhizat equipment

tedarik procurement, preparation **tedarik etmek** to procure, to provide, to prepare

tedarikli prepared

tedariksiz unprepared

tedavi (medical) treatment **tedavi etmek** to treat

tedavül circulation; currency **tedavülde olmak** to circulate **tedavülden kalkmak** to be taken out of circulation **tedavüle çıkarmak** to put into circulation

tedbir measure, step, precaution **tedbir almak** to take measures

tedbirli prudent, cautious

tedbirsiz improvident, incautious

tedhiş terror

tedirgin uneasy, restless **tedirgin etmek** to discompose, to disquiet

tedirginlik uneasiness

tediye payment

tedricen gradually

teessüf regret **teessüf etmek** to regret

teessür sadness, sorrow

tef tambourine

tefeci usurer

tefecilik usury

tefekkür reflection, contemplation

teferruat details

teferruatlı detailed, exhaustive

tefsir commentary **tefsir etmek** to comment

teftiş inspection **teftiş etmek** to inspect

teğet tangent

teğmen lieutenant

teğmenlik lieutenancy

tehdit threat, menace **tehdit etmek** to threaten, to menace

tehir delay, postponement **tehir etmek** to delay, to postpone, to put off

tehlike danger **tehlikeye atılmak** to court danger **tehlikeye atmak** to risk **tehlikeye sokmak** to endanger

tehlikeli dangerous

tehlikesiz without danger

tehlikesizce safely

tek single; alone; only; unique; (number) odd **tek başına** alone **tek mi çift mi?** odd or even? **tek taraflı/yanlı** unilateral, one-sided **tek tek, teker teker** one by one **tek tük** only a few

tekdir scolding, reprimand

tekdüze monotonous

tekdüzelik monotony

teke male goat, he-goat

tekel monopoly **tekeli altına almak** to monopolize

tekelci monopolist

tekelcilik monopolism

teker wheel

tekerkçi monarchist

tekerkçilik monarchism

tekerklik monarchy

tekerlek wheel

tekerleme rigmarole

tekerlemek to roll

tekerlenmek to roll round; to topple over

tekeşlilik monogamy

tekhücreli unicellular

tekil *dilb.* singular

tekin deserted, empty; auspicious

tekir (kedi) tabby; (balık) red mullet

tekke dervish lodge

teklemek to thin out; (piston of the engine) to work singly; *arg.* to stammer, to stutter

teklif proposal, offer **teklif etmek** to propose, to offer

teklifsiz unceremonious, familiar

teklik oneness

tekme kick **tekme atmak** to give a kick **tekme yemek** to get a kick

tekmelemek to kick
tekmil the whole, all
tekne trough; vessel, craft
teknik technique; technical
teknikçi technician
tekniker technician
teknikokul technical school
tekniköğretim technical training
teknisyen technician
teknokrasi technocracy
teknoloji technology
teknolojik technological
tekrar repetition; again *tekrar etmek* to repeat *tekrar tekrar* again and again
tekrarlamak to repeat
tekrarlanmak to be repeated
teksesli *müz.* monophonic
teksif concentration, condensation *teksif etmek* to concentrate, to condense
teksir multiplication; duplication *teksir etmek* to multiply; to duplicate *teksir makinesi* duplicator, mimeograph
tekstil textile
tektanrıcı monotheist; monotheistic
tektanrıcılık monotheism
tektonik tectonics; tectonic
tekzip contradiction, denial *tekzip etmek* to contradict, to deny
tel wire; string; fibre; telegram, cable *tel çekmek* to enclose with wire; to send a wire, to cable *tel örgü* wire fence *tel şehriye* vermicelli
telaffuz pronunciation *telaffuz etmek* to pronounce
telafi compensation *telafi etmek* to compensate
telakki consideration; viewpoint *telakki etmek* to consider, to regard as
telaş hurry, flurry *telaş etmek* to bustle, to be flustered *telaşa düşmek* to get flurried, to take

alarm
telaşçı restless, nervous
telaşlanmak to get flurried
telaşlı flurried, agitated
telaşsız unagitated, calm
telef destruction; waste *telef olmak* to be destroyed, to perish
teleferik cable railway
telefon telephone, phone *telefon etmek* to telephone, to phone, to call (up), to ring (up) *telefon kulübesi* telephone booth *telefon rehberi* telephone directory *telefonu kapatmak* to hang up
telekız call girl
telekomünikasyon telecommunication
teleks telex
telem teletype, teleprinter
telemetre telemeter
teleobjektif teleobjective, telelens
telepati telepathy
teleskop telescope
televizyon television *televizyonda göstermek* to show on television, to televise
telgraf telegram, telegraph *telgraf çekmek* to send a telegram, to telegraph
telif compilation *telif hakkı* copyright *telif hakkı ücreti* royalty
telkin inspiration, suggestion *telkin etmek* to inspire, to inculcate
tellak bath attendant
tellemek to send a telegram, to wire
tellendirmek to smoke
telli wired *telli çalgılar müz.* stringed musical instruments
telliturna demoiselle crane
telsiz wireless *telsiz telgraf* wireless telegraph
telsizci wireless operator
telve coffee-grounds
telyazı telegram, telegraph
temas contact *temas etmek* to

touch **temasa geçmek** to get in touch (with, ile)

temaşa show, spectacle

temayül inclination, tendency

tembel lazy

tembelleşmek to grow lazy

tembellik laziness

tembih warning **tembih etmek** to warn

temel foundation, base; main, chief; basic, fundamental **temel atmak** to lay a foundation **temel taşı** foundation stone, cornerstone

temelli having a foundation; well-founded; permanently, for good

temelsiz without foundation; unfounded, groundless

temenni wish, desire **temenni etmek** to wish, to desire

temin assurance; procurement **temin etmek** to assure, to ensure; to procure, to provide

teminat guarantee; security **teminat akçesi** guaranteed fund

teminatlı guaranteed, secured

teminatsız insecure, unsecured

temiz clean; virtuous; clear, net **temiz bir dayak atmak** to give a good thrashing **temize çekmek** to make a fair copy **temize çıkarmak** to clear, to acquit **temiz raporu** certificate of good health

temizlemek to clean; to eat up, to polish off, to finish off; *arg.* to kill, to bump off, to rub out

temizlik cleanliness

temkin self-possession, poise

temkinli self-possessed, poised

temmuz July

tempo time, tempo **tempo tutmak** to keep time

temsil representation; performance **temsil etmek** to represent; (play) to present; to symbolize

temsilci representative, agent

temyiz discernment; *huk.* appeal **temyiz etmek** to discern; to appeal **temyiz mahkemesi** court of appeal

ten complexion; flesh, skin

tencere saucepan **Tencere yuvarlanmış kapağını bulmuş** ats. Birds of a feather flock together

teneffüs respiration; recess, break **teneffüs etmek** to breathe

teneke tin

teneşir the bench on which the corpse is washed

tenezzül deigning, condescension, lowering oneself **tenezzül etmek** to condescend, to deign

tenha uncrowded, lonely, solitary

tenis tennis **tenis kortu** tennis court

tenkıye *hek.* enema, clyster

tenkit criticism **tenkit etmek** to criticize

tenor tenor

tente awning

tentene lace

tentür *kim.* tincture

tentürdiyot tincture of iodine

tenya tapeworm, taenia

tenzilat reduction of prices

tenzilatlı reduced in price **tenzilatlı satış** sale

teokrasi theocracy

teoloji theology

teorem theorem

teori theory

teorik theoretical

tepe hill; peak, top **tepeden bakmak** to look down on **tepeden tırnağa** from top to toe **tepesi atmak** to fly into a rage **tepesinin tası atmak** to fly into a rage **tepe(si) üstü** head first, headlong

tepecam skylight

tepecik little hill; *bitk.* stigma

tepelemek to tread; to defeat; to give a severe thrashing

tepelidalgıç great crested grebe

tepelitavuk hoatzin
tepetaklak headlong, headfirst
tepi *ruhb.* impulse
tepinmek to kick and stamp
tepişmek to kick one another; to push and shove one another
tepke reflex
tepki reaction
tepkime reaction
tepkimek to react
tepmek to kick; (illness) to relapse; to spurn, to scorn
tepsi tray
ter sweat, perspiration *ter basmak* to break out into a sweat *ter boşanmak* to perspire suddenly *ter dökmek* to sweat
terapi therapy
teras terrace
Terazi (burcu) libra, Balance
terazi balance, scales
terazilemek to balance
terbiye education; training; good manners; seasoning *terbiye etmek* to bring up, to educate, to train; to season *terbiye görmek* to be trained *terbiyesini bozmak* to be rude
terbiyeli good-mannered, polite; flavoured (with a sauce etc.)
terbiyesiz ill-mannered, rude
terbiyesizce rudely, impolitely
terbiyesizlik rudeness *terbiyesizlik etmek* to behave rudely
tercih preference *tercih etmek* to prefer
tercihen preferably
tercihli preferential
tercüman translator, interpreter
tercümanlık work of interpreter *tercümanlık etmek* to act as translator/interpreter
tercüme translation *tercüme etmek* to translate (into)
tere cress
terebentin turpentine
tereci seller of cress *tereciye tere*

satmak to teach one's grandmother to suck eggs
tereddüt hesitation *tereddüt etmek* to hesitate
terek shelf
terementi turpentine
teres *arg.* pimp, procurer
tereyağı butter *tereyağından kıl çeker gibi* very easily
terfi promotion *terfi etmek* to be promoted *terfi ettirmek* to promote
terhis *ask.* discharge, demobilization *terhis etmek* to discharge, to demobilize *terhis olmak* to be discharged *terhis tezkeresi* discharge papers
terilen terylene
terim term
terk abandonment *terk etmek* to abandon, to leave
terki back of a saddle
terkip composition, compound *terkip etmek* to compose, to compound
terlemek to sweat, to perspire
terli sweaty, perspiry
terlik slippers
termal thermal
termik thermic
terminal terminal
terminoloji terminology
termodinamik thermodynamics; thermodynamic
termoelektrik thermoelectric; thermoelectricity
termometre thermometer
termonükleer thermonuclear
termos thermos bottle, flask
termosifon hot-water heater; thermosiphon
termostat thermostat
terör terror
terörist terrorist
terörizm terrorism
ters reverse; opposite; awkward; inverted; upside down; back-

wards; sharp, curt; sharply, curtly; excrement, feces **ters anlamak** to misunderstand **ters gitmek** to go wrong **ters tarafından kalkmak** to get out of the wrong side **ters ters bakmak** to look daggers at

tersane dockyard

tersim drawing

tersine on the contrary **tersine çevirmek** to turn inside out

tersinir reversible

tersinirlik reversibility

terslemek to bite sb's head off, to snap at, to snub

terslik contrariness, setback; peevishness, awkwardness

tersyüz turning inside out **tersyüz etmek** to turn inside out **tersyüz geri dönmek** to return emptyhanded **tersyüzüne çevirmek** to send back **tersyüzüne dönmek** to turn back

tertemiz absolutely clean

tertibat arrangement; mechanism, apparatus

tertip arrangement, setup; composition; plot, trick **tertip etmek** to arrange; to organize

tertipçi organizer; planner; conspirator

tertiplemek to organize, to arrange

tertipli well-organized; tidy, neat

tertipsiz disarranged, disorderly, untidy

terzi tailor, dressmaker; tailor's shop

tesadüf chance, coincidence, encounter **tesadüf etmek** to meet by chance, to come across; to coincide with

tesadüfen by chance, by accident

tesadüfi fortuitous, casual, accidental

tescil registration

tescilli registered

tescilsiz unregistered

teselli consolation, comfort **teselli bulmak** to console oneself **teselli etmek** to console, to comfort **teselli mükâfatı** consolation prize

tesir effect, influence **tesir etmek** to act, to affect; to influence, to impress

tesirli effective; impressive

tesirsiz ineffective

tesis establishment, foundation **tesis etmek** to found, to establish

tesisat installation

tesisatçı installer

teskin soothing, tranquilization **teskin etmek** to soothe, to calm, to pacify

teslim delivery; surrender, submission **teslim almak** to take delivery of, to collect **teslim bayrağı çekmek** to strike one's flag, to yield **teslim etmek** to deliver; to admit, to concede **teslim olmak** to surrender, to submit

teslimiyet submission

teslis Trinity

tespih prayer beads, rosary **tespih çekmek** to tell one's beads

tespit fixing **tespit etmek** to fix

test test

testere saw

testerebalığı sawfish

testi pitcher, jug

tesviye levelling, smoothing **tesviye etmek** to level, to smooth

tesviyeci fitter

tesviyecilik fitting

teşbih simile **teşbihte hata olmaz** let it not be misunderstood

teşebbüs attempt; enterprise **teşebbüs etmek** to attempt

teşekkül formation; organization **teşekkül etmek** to be formed; to consist (of, -den)

teşekkür (giving) thanks **teşekkür etmek** to thank **teşekkür ederim!** Thank you!

teşhir exhibition, display **teşhir etmek** to exhibit, to display **teşhir salonu** showroom

teşhirci *ruhb.* exhibitionist

teşhircilik exhibitionism

teşhis identification, recognition; *hek.* diagnosis **teşhis etmek** to identify, to recognize; *hek.* to diagnose

teşkil formation **teşkil etmek** to form, to constitute

teşkilat organization

teşkilatçı organizer

teşkilatlandırmak to organize

teşkilatlanmak to be organized

teşkilatlı organized

teşkilatsız unorganized

teşrif honouring; visit, arrival **teşrif etmek** to honour

teşrifat protocol

teşrifatçı master of the ceremonies

teşriki mesai cooperation

teşvik encouragement **teşvik etmek** to encourage **teşvik edici** encouraging

tetanos *hek.* tetanus

tetik trigger; alert, vigilant **tetikte beklemek** to be on the alert

.tetkik study, examination **tetkik etmek** to study, to examine

tevazu humility, modesty

tevcih turning towards; conferring **tevcih etmek** to turn towards; to confer

tevdi entrusting **tevdi etmek** to entrust

teveccüh turning towards; favour, kindness **teveccüh göstermek** to show favour, to be kind (to)

tevekkeli for no reason, for nothing

tevkif arrest **tevkif etmek** to arrest

Tevrat Pentateuch Torah

tevzi distribution **tevzi etmek** to distribute

teyel tacking, basting

teyellemek to tack, to baste

teyp tape recorder **teybe almak** to tape-record, to tape

teyze (maternal) aunt

tez quick, prompt; quickly, promptly **tez canlı** hustling, impetuous, impatient **tez elden** without delay

tez thesis

tezahür appearing **tezahür etmek** to appear

tezat contrast, contradiction **tezata düşmek** to contradict oneself

tezek dried dung

tezgâh counter, workbench; loom

tezgâhlamak to concoct, to hatch

tezgâhtar shop assistant, salesman, saleswoman; *AE.* sales clerk, salesgirl

tezgâhtarlık salesmanship

tezkere note, memorandum; permit, licence; *ask.* discharge papers **tezkere almak** *ask.* to receive one's discharge papers **tezkeresini eline vermek** to give sb his marching orders, to fire

tıbben medically

tıbbi medical

tıbbiye medical school

tıbbiyeli medical student

tıfıl child, kiddie, nipper

tığ crochet-needle **tığ gibi** wiry

tıka basa crammed full **tıka basa doldurmak** to cram full, to stuff **tıka basa yemek** to make a pig of oneself

tıkaç plug, stopper

tıkaçlamak to plug

tıkalı stopped up

tıkamak to stop up, to plug, to stuff; to obstruct, to block

tıkanık stopped up

tıkanıklık stoppage; (traffic) bottleneck, jam

tıkanmak to be stopped up; to lose one's breath

tıkır rattle **tıkırında gitmek** to go like clockwork

tıkırdamak to rattle

tıkırtı rattle, clatter
tıkız plump, dumpy
tıklatmak to tap
tıklım tıklım chock-a-block
tıkmak to cram, to jam
tıknaz plumpish, dumpy
tıknefes short-winded, pursy
tıksırık sneeze (with the mouth shut)
tıksırmak to sneeze
tılsım talisman, charm
tılsımlı enchanted
tımar grooming *tımar etmek* to groom
tımarhane insane asylum, mental hospital *tımarhane kaçkını* nutty, crazy
tınaz haystack
tıngır clinking noise
tıngırdamak to clink
tıngırtı clang, rattle
tınlamak to ring, to resound
tınmak to make a sound
tınmamak to take no notice
tıp medicine
tıpa plug, stopper
tıpatıp exactly
tıpırdamak to patter
tıpırtı patter
tıpış tıpış patteringly *tıpış tıpış gitmek* to patter, to toddle; to go willy-nilly
tıpkı exactly like, just like
tırabzan handrail, banister
tıraş shaving; haircut; *arg.* boring talk, bragging *tıraş bıçağı* razor blade *tıraş etmek* to shave; to cut *tıraş fırçası* shaving-brush *tıraş macunu* shaving cream *tıraş makinesi* safety razor; electric shaver *tıraş olmak* to shave (oneself); to have a haircut
tıraşlı shaved
tıraşsız unshaved
tırıs trot *tırıs gitmek* to trot
tırmalamak to scratch
tırmanmak to climb

tırmık scratch; harrow, rake
tırmıklamak to scratch; to claw
tırnak fingernail, toenail; claw, hoof *tırnak boyası* nail varnish, nail polish *tırnak işareti* inverted commas, quotation marks *tırnaklarını yemek* to bite one's nails
tırnaklamak to scratch; to harrow, to rake
tırpan scythe
tırtık nick, notch
tırtıl *hayb.* caterpillar; caterpillar tread
tıs hiss
tıslamak to hiss
ticaret trade, commerce *ticaret filosu* merchant marine *ticaret gemisi* trader, merchantman *ticaret mahkemesi* commercial court *ticareti yapmak* to deal in *ticaret merkezi* commercial centre *Ticaret Odası* Chamber of Commerce *ticaret yasası* commercial law
ticarethane business, firm
ticari commercial
tifo typhoid fever
tiftik mohair
tifüs typhus
tik tic
tiksindirici loathsome, disgusting
tiksindirmek to sicken, to disgust
tiksinmek to loathe, to abhor
tiksinti disgust, loathing
tilki fox
tim team
timsah crocodile, alligator
timsal symbol
tin soul, spirit
tiner thinner
tinsel spiritual
tip type
tipi blizzard, snowstorm
tipik typical
tipografya typography
tir tir **titremek** to shake like a leaf

tiraj (of a newspaper) circulation
tirbuşon corkscrew
tire hyphen, dash
tire sewing cotton
tirildemek to quiver, to shiver
tiroit *anat.* thyroid
tirsi *hayb.* shad
tiryaki addict *tiryakisi olmak* to be addicted to
tişört T-shirt
titiz fussy, fastidious, particular
titizlik fussiness, fastidiousness
titizlikle fastidiously
titrek shaky, tremulous
titremek to tremble, to shiver, to quiver
titreşim vibration
titreşmek to tremble, to quake; to vibrate
tiyatro theatre
tiz high-pitched, sharp
tohum seed
tok full; (cloth) thick, close; (voice) deep *tok karnına* on a full stomach *tok olmak* to be full
toka buckle
toka shaking hands *toka etmek* to shake hands
tokalaşmak to shake hands
tokat blow, slap, cuff *tokat atmak* to slap, to cuff *tokat yemek* to be slapped
tokatlamak to slap, to cuff
tokgözlü contented, satiated
tokmak mallet, beetle; door-knocker
tokmakçı *arg.* gigolo
toksin toxin
toksözlü outspoken
tokurdamak to bubble
tokurtu bubble
tokuşmak to collide
tokuşturmak to clink glasses
tolerans tolerance
toleranslı tolerant
toleranssız intolerant
tolga helmet

tomar roll
tombala lotto
tombalak plump, rounded
tombul plump
tomruk heavy log
tomurcuk bud
ton ton; tone
tonaj tonnage
tonbalığı tunny
tonga *arg.* trick *tongaya basmak* to be trapped, to be taken in *tongaya bastırmak* to trap, to take in
tonik tonic
tonilato tonnage
tonoz vault
tonton darling, dear
top ball *top oynamak* to play football *top sürmek* to dribble *topa tutmak* to bombard *topu atmak* to go bankrupt *topu topu* in all, altogether
topaç top, teetotum *topaç çevirmek* to spin a top
topak lump
topal lame, crippled
topallamak to limp
topallık lameness
toparlak round
toparlamak to collect (together); to tidy; to summarize
toparlanmak to be collected (together); to recover oneself; to pull oneself together
topçu artilleryman
topçuluk gunnery
toplaç collector
toplam total
toplama addition *toplama kampı* concentration camp
toplamak to collect, to gather; to pick, to pluck; to convene, to convoke; to sum up; to tidy up
toplanmak to be collected; to gather, to assemble
toplantı meeting
toplardamar vein

toplaşmak to gather together
toplu collected; plump; tidy; collective **toplu konut** housing estate
topluiğne pin
topluluk community; group
toplum society
toplumbilim sociology
toplumbilimci sociologist
toplumsal social **toplumsal ayrım** social discrimination **toplumsal baskı** social repression **toplumsal ilerleme** social progress
toplusözleşme collective agreement
toplutaşıma mass transport
topografya topography
toprak earth, soil; land; country **toprağa vermek** to bury
toptan wholesale; collectively **toptan satış** wholesale trade
toptancı wholesaler
topuk heel
topuz (hair) knob, bun
topyekûn total; totally
toraman robust, sturdy
torba bag **torbada keklik** It's in the bag
torik large bonito
torna lathe
tornacı turner
tornavida screwdriver
tornistan den. stern-way **tornistan etmek** den. to go astern
torpido torpedo boat
torpil torpedo; kon. pull, influence, backer, supporter **torpil yaptırmak** to pull strings
torpilli having a backer
tortu sediment, dregs, residue
torun grandchild
tos butt **tos vurmak** to butt
tosbağa tortoise
toslamak to butt; to bump, to ram; arg. to pay, to shell out
tost toast
tostoparlak quite round

tosun young bull, bullock
totaliter totalitarian
totem totem
toto sp. pools
toy hayb. bustard
toy inexperienced, raw
toynak hoof
toz dust; powder **toz bezi** dustcloth **toz bulutu** cloud of dust **toz kondurmamak** not to allow anything to be said against **toz koparmak** to raise the dust **toz olmak** arg. to run away **tozu dumana katmak** to rise clouds of dust; to kick up a dust **tozunu silkmek** to beat out the dust
tozlanmak to become dusty
tozlu dusty
tozluk gaiter
tozşeker granulated sugar
tozutmak to raise a dust
töhmet imputation
tökezlemek to stumble
töre custom, usage
törebilim ethics
törel moral, ethic
tören ceremony
törensel ceremonial
törpü file, rasp
törpülemek to tile, to rasp
tövbe penitence, repentance **tövbe etmek** to forswear, to repent
tövbekâr, tövbeli penitent, repentant
trafik traffic **trafik ışığı** traffic light **trafik işaretleri** traffic signs **trafik polisi** traffic policeman **trafik sıkışıklığı** bottleneck, jam
trafo transformer
trahom trachoma
trajedi tragedy
trajik tragic
traktör tractor
Trakya Thrace
trampa barter, exchange **trampa etmek** to barter, to exchange
trampet side drum, snare drum

trampetçi drummer
tramplen springboard
tramvay streetcar, tram, trolley
transatlantik transatlantic
transfer transfer
transformasyon transformation
transformatör transformer
transfüzyon transfusion
transistor transistor
transit transit
transplantasyon transplantation
trapez trapeze
travers railway sleeper
travma *hek.* trauma
tren train *trene binmek* to get on
    the train *trenden inmek* to get
    off the train
trençkot trench coat
treyler trailer
tribün grandstand
trigonometri trigonometry
trigonometrik trigonometric
triko knitted fabric, tricot
trikotaj knitting
trilyon trillion
triptik pass sheet, triptyque
triyo *müz.* trio
trol trawl
troleybüs trolleybus
trombon *müz.* trombone
tromboncu trombonist
trompet trumpet
trompetçi trumpeter
tropik tropic
tropikal tropical
trotuar pavement
tröst trust
tufan flood
tugay *ask.* brigade
tuğ horse-tail
tuğamiral rear admiral
tuğgeneral brigadier general
tuğla brick
tuhaf strange, odd, queer, weird
tuhafiye millinery, drapery
tuhafiyeci draper, milliner
tuluat improvisations *tuluat yap-*

mak to improvise
tulum overalls; bagpipeş
tulumba pump
tulumcuk *biy.* utricle
tulumpeyniri cheese encased in a
    skin
tumturak bombast
tumturaklı bombastic, pompous
Tuna the Danube
tunç bronze
tungsten tungsten
Tunus Tunisia
tur tour; round *tur atmak* to take a
    stroll
turfanda early (vegetables, fruit)
turist tourist *turist rehberi* tourist
    guide
turistik touristic(al)
turizm tourism *turizm acentesi*
    tourist agency
turkuaz turquoise
turna crane *turnayı gözünden*
    vurmak to hit the jackpot
turnabalığı pike
turne tour *turneye çıkmak* to go on
    tour
turnike turnstile
turnusol litmus
turnuva tournament, tourney
turp radish *turp gibi* hale and
    hearty, robust
turşu pickle *turşu gibi* worn-out,
    exhausted *turşu kurmak* to
    pickle *turşusu çıkmak* to be
    worn-out, to be exhausted
turuncu orange (colour)
turunç Seville orange
tuş key (of a piano, etc.)
tutacak pot holder
tutam pinch
tutamak handle, grip
tutanak minutes, record
tutar sum, total
tutarlı coherent, consistent
tutarlık coherence, consistency
tutarsız incoherent, inconsistent
tutarsızlık incoherence, inconsis-

tency

tutkal glue, size

tutkallamak to glue, to size

tutku passion

tutkulu passionate

tutkun in love, smitten with, nuts over

tutmak to hold; to restrain, to bridle; to keep, to retain; to engage, to hire; to back up, to support; to amount; to tally, to agree with

tutsak prisoner, captive

tutsaklık captivity

tutturmak to cause to hold; to insist

tutucu conservative

tutuculuk conservatism

tutuk tongue-tied, stuttering; shy, timid

tutuklamak to arrest

tutuklu arrested; prisoner

tutukluluk detention, imprisonment

tutulmak to be held; to be eclipsed; to fall in love with, to fall for; to catch on, to succeed, to click with

tutum conduct, attitude; thrift, economy

tutumlu thrifty, economical

tutumsuz thriftless, spendthrift

tutunmak to take a hold, to cling; to resist, to hold out

tutuşmak to catch fire, to ignite

tutuşturmak to set on fire, to ignite

tuval canvas

tuvalet water closet, lavatory, toilet; evening dress, toilet *tuvalet kâğıdı* toilet paper *tuvalet masası* dressing table

tuz salt *tuz ekmek* to salt *tuzla buz etmek* to smash to smithereens *tuzla buz olmak* to be smashed to smithereens *tuzu kuru olmak* to have nothing to worry about,

to sit pretty

tuzak trap *tuzağa düşürmek* to entrap *tuzağa düşmek* to fall into a trap *tuzak kurmak* to lay a trap

tuzla saltpan

tuzlamak to salt

tuzlu salted, salty; expensive

tuzluk saltcellar, saltshaker

tuzruhu *kim.* hydrochloric acid

tuzsuz unsalted

tüberküloz tuberculosis

tüccar merchant

tüfek rifle, gun *tüfek atmak* to fire a rifle *tüfek çatmak* to stack arms

tükenmek to be used up, to run out; to become exhausted

tükenmez inexhaustible

tükenmezkalem ball-point pen

tüketici consumer

tüketim consumption

tüketmek to use up, to consume; to exhaust, to tire out

tükürmek to spit

tükürük spit, spittle *tükürük bezleri* salivary glands

tül tulle

tülbent gauze, muslin

tüm whole

tümamiral vice-admiral

tümce sentence

tümdengelim *fel.* deduction

tümel universal

tümen *ask.* division

tümgeneral major-general

tümleç *dilb.* complement

tümlemek to complete

tümler *mat.* complementary *tümler açılar* complementary angles

tümör tumour

tümsek small mound; protuberance

tümtanrıcılık pantheism

tünek perch

tüneklemek to perch

tünel tunnel

tünemek to perch
tüp tube
tür kind, sort; species
türban turban
türbe shrine, tomb
türdeş homogeneous
türedi parvenu, mushroom
türemek to spring up, to appear
türetmek to originate, to produce; to derive
türev derivative
Türk Turk; Turkish
Türkçe Turkish
Türkçesi in plain Turkish
Türkçülük Turkism
Türkistan Turkistan
Türkiye Turkey *Türkiye Cumhuriyeti* the Turkish Republic
Türkmen Turkoman
Türkoloji Turcology
türkü folk song *türkü çağırmak/söylemek* to sing a song
türlü various, diverse; meat and vegetable stew *türlü türlü* all sorts of
tütmek to smoke, to fume
tütsü incense; smoke
tütsülemek to cense; to smoke
tüttürmek to smoke
tütün tobacco *tütün içmek* to smoke (tobacco)
tüvit tweed
tüy feather, down; hair *tüy gibi* as light as a feather *tüyleri diken diken olmak* (hair) to stand on end, to get goose bumps *tüyler ürpertici* hair-raising, horrifying
tüylenmek to grow feathers; to become rich
tüylü feathered
tüymek *arg.* to scram, to flee, to slip away
tüysıklet featherweight
tüysüz unfeathered; beardless, young
tüze jurisprudence, law
tüzel legal; judicial

tüzelkişi corporate body, juristic person
tüzük regulations, statutes
tvist twist

U

ucube freak, monstrosity
ucuz cheap, inexpensive *ucuz atlatmak/kurtulmak* to get off cheap *ucuza* on the cheap *ucuza almak* to get sth on the cheap
ucuzlamak to become cheap
ucuzlatmak to lower the price of
ucuzluk cheapness
uç point, tip; end *uç uca* end to end *uç uca gelmek* to be just enough *ucu bucağı olmamak* to be endless *ucunu kaçırmak* to lose the thread of
uçak aeroplane, airplane, plane *uçak kaçırmak* to skyjack *uçak korsanı* sky-jacker
uçaksavar antiaircraft weapon
uçandaire flying saucer
uçantop volleyball
uçarı unruly, incorrigible
uçkur waistband, waiststring *uçkuruna gevşek* promiscuous
uçlanmak *arg.* to give, to pay, to shell out
uçmak to fly; to evaporate; (colour) to fade; to vanish, to disappear
uçsuz pointless *uçsuz bucaksız* immense, vast
uçucu flying; volatile
uçuçböceği ladybird
uçuk pale, faded; *hek.* blain, bleb; herpes
uçurmak to fly; (wind) to blow; to blow up
uçurtma kite *uçurtma uçurmak* to fly a kite
uçurum precipice, abyss
uçuş flight, flying

uçuşmak to fly about
udi lute player
ufacık tiny, minute **ufacık tefecik** tiny
ufak small **ufak çapta** on a small scale **ufak para** small change **ufak tefek** (person) small and short; unimportant **ufak ufak** in small pieces; *arg.* slowly
ufaklık smallness; small change; kid, boy
ufalamak to break up, to crumble
ufalmak to become smaller; to shorten, to shrink
ufarak somewhat small, smallish
uflamak to say "oof" **uflayıp puflamak** to keep saying "oof"
ufuk horizon
uğrak much frequented place, resort
uğramak to drop in, to stop by, to stop off; to call, to call at, to call in; to experience, to undergo
uğraş occupation, job; struggle
uğraşı occupation
uğraşmak to strive, to struggle
uğraştırmak to make sb struggle (with), to raise difficulties
uğuldamak to hum, to buzz
uğultu hum, buzz
uğur good luck **uğur getirmek** to bring good luck **uğurlar olsun!** Have a good trip!
uğur purpose, aim **uğruna** for the sake of
uğurböceği ladybird
uğurlamak to see sb off
uğurlu lucky, auspicious
uğursuz inauspicious, ill-omened
uğursuzluk bad luck, ill-omen
ukala wiseacre, know-it-all
ulak courier, messenger
ulam category
ulamak to join, to add
ulan hey! hi! man alive!
ulaşım communication, transport
ulaşmak to reach

ulaştırma communication **Ulaştırma Bakanlığı** Ministry of Communications
ulaştırmak to communicate, to transport
ulema theological scholars
ulu great
ululamak to extol, to exalt
ulumak to howl
uluorta rashly, recklessly
ulus nation, people
ulusal national
ulusallaştırmak to nationalize
ulusçu nationalist
ulusçuluk nationalism
uluslararası international
umacı ogre, bugaboo
ummadık unexpected
ummak to hope; to expect, to count on
umuduyla in the hope of
umulmadık unexpected
umum the public; general, universal
umumi general, public
umumiyet generality
umumiyetle in general
umur concern, minding **umurumda değil!** I don't care! I don't give a damn!
umursamak to care, to heed
umursamamak not to care, to be indifferent to
umursamaz indifferent
umursamazlık indifference
umut hope, expectation **umut etmek** to hope **umudunu kesmek** to give up hope of **umut vermek** to give hope to **umudunu kırmak** to destroy a person's hopes, to frustrate, to disappoint
umutlandırmak to give hope, to encourage
umutlanmak to be hopeful
umutlu hopeful
umutsuz hopeless
umutsuzluk hopelessness, despair

umutsuzluğa düşmek to sink into despair **umutsuzluğa düşürmek** to drive to despair **umutsuzluğa kapılmak** to abandon oneself to despair

un flour **un ufak olmak** to be broken into pieces

unlamak to flour

unlu floury

unsur element

unutkan forgetful

unutkanlık forgetfulness

unutmabeni *bitk.* forget-me-not

unutmak to forget

unutulmaz unforgettable

unvan title

upuzun very long, very tall

ur tumour

urağan hurricane

Uranüs Uranus

uranyum uranium

urgan rope

us reason, intelligence **usa vurmak** to reason

usanç boredom **usanç getirmek** to be bored **usanç vermek** to bore, to disgust

usandırmak to bore, to sicken

usanmak to become bored, to be fed up (with)

usare sap, juice

usçu rationalist; rationalistic

usdışı irrational

uskumru mackerel

uskur propeller, screw

uslanmak to become sensible, to listen to reason

uslu well-behaved, docile, sensible **uslu durmak** to keep quiet **uslu oturmak** to sit still

ussal rational

usta master workman; foreman; clever, skilful

ustabaşı foreman

ustaca skilfully, cunningly

ustalık mastery, skill

ustura razor

usturmaça fender, padding

usul method, system; procedure **usul usul** slowly, gently

usulsüz unmethodical; irregular

usulsüzlük irregularity

uşak male servant; boy, child

utanacak shameful

utanç shame **utancından yerin dibine geçmek** to feel cheap, to feel like 30 cents

utandırmak to make ashamed, to embarrass, to wither

utangaç shy, timid

utangaçlık shyness

utanmak to be ashamed, to feel ashamed; to blush

utanmaz shameless, impudent

utanmazlık shamelessness, impudence

utku victory, triumph

uvertür *müz.* overture

uyak rhyme

uyandırmak to awake, to wake; to arouse, to excite

uyanık awake; wide awake, sharp

uyanmak to wake up; to be aroused

uyaran stimulant

uyarı warning

uyarıcı stimulus

uyarınca in accordance with

uyarlama adaptation

uyarlamak to adapt

uyarmak to warn; to stimulate; to excite

uydu satellite

uydurma making up, fabrication; made-up, invented

uydurmak to invent, to fabricate

uydurmasyon invention, fable; made-up, invented

uyduruk made-up, invented

uygar civilized

uygarlaşmak to be civilized

uygarlık civilization

uygulama application; practice **uygulamaya koymak** to put into

practice
uygulamak to apply
uygulamalı applied, practical
uygulayım technics
uygun appropriate, fit; suitable; proper; (fiyat) reasonable *uygun bulmak/görmek* to see fit (to) *uygun gelmek* to suit
uygunluk suitability, fitness
uygunsuz inappropriate, unsuitable; improper, indecorous
uygunsuzluk unsuitability, unfitness; impropriety
Uygur Uighur
uyku sleep *uyku basmak* to feel very sleepy *uyku gözünden akmak* to be very sleepy *uyku hapı* sleeping pill *uyku sersemliği* drowsiness *uyku tutmamak* to be unable to get to sleep *uykusu açılmak* (one's sleepiness) to pass off *uykusu ağır* heavy sleeper *uykusu gelmek* to feel sleepy *uykusu hafif* light sleeper *uykusu kaçmak* to lose one's sleep *uykusunu almak* to sleep the night through *uykuya dalmak* to fall asleep
uykucu late riser, sleepyhead
uykulu sleepy, drowsy
uykusuz sleepless
uykusuzluk sleeplessness, insomnia
uyluk thigh
uymak to fit, to suit; to agree with, to hew, to harmonize; to adapt oneself, to suit oneself; to follow, to listen to
uyruk subject, citizen
uyrukluk citizenship, nationality
uysal docile, easygoing, compliant, flexible
uysallık docility, compliance
uyuklamak to doze, to drowse, to slumber
uyum harmony; accord
uyumak to sleep, to kip

uyumlu harmonious
uyumsuz inharmonious
uyuntu indolent, lazy
uyurgezer sleepwalker, somnambulist
uyurgezerlik somnambulism
uyuşmak to become numb; to reach an agreement, to come to terms
uyuşmazlık disagreement
uyuşturmak to numb; to deaden; to anaesthetize
uyuşturucu narcotic *uyuşturucu madde* narcotic drug
uyuşuk numb, insensible; indolent, bovine
uyuşukluk numbness; indolence
uyutmak to send to sleep; to deceive, to fool
uyuz scabies, itch; mangy, scabby; sluggish, indolent *uyuz etmek* to irritate *uyuz olmak* to have the itch; to become irritated
uyuzböceği itch mite
uyuzotu scabious
uz good, fine; skilful; appropriate, fitting
uzaduyum telepathy
uzak far, distant, remote, off; distant place *uzak akraba* distant relative *uzak durmak* to keep away from *uzağı görmek* to have foresight *Uzaktan davulun sesi hoş gelir* Distance lends enchantment to the view
Uzakdoğu Far East
uzaklaşmak to go away
uzaklaştırmak to take away, to send away
uzaklık distance; remoteness
uzamak to grow longer, to lengthen
uzanmak to stretch oneself out; to extend, to stretch
uzantı extension, prolongation
uzatma extension, prolongation; lengthening, protraction

uzatmak to extend, to stretch, to prolong; to lengthen, to elongate, to protract *uzatmıyalım* in short
uzatmalı prolonged
uzay space *uzay elbisesi* space suit *uzay geometri* solid geometry *uzay kapsülü* space capsule *uzay mekiği* space shuttle
uzayadamı spaceman, astronaut
uzaygemisi spaceship, spacecraft
uzgörür farseeing, farsighted
uziletişim telecommunication
uzlaşma agreement, understanding
uzlaşmak to come to an agreement, to come to terms
uzlaşmaz intransigent
uzlaşmazlık intransigence, disagreement
uzlaştırma conciliation *uzlaştırma kurulu* conciliation commission
uzlaştırmak to reconcile, to conciliate
uzluk skill, ability
uzman specialist, expert
uzmanlaşmak to specialize (in)
uzmanlık speciality, expertness
uzun long *uzun araç* long vehicle *uzun atlama* long jump *uzun boylu* tall *uzun çizgi* dash (-) *uzun dalga* long wave *uzun hikâye* long story *uzun sözün kısası* in short *uzun uzadıya* in great detail *uzun uzun* at length
uzunçalar long play
uzuneşek leapfrog
uzunluk length
uzuv organ, limb

Ü

ücra out-of-the-way, remote
ücret pay, wage; fee, charge; cost, price
ücretli paid, salaried
ücretsiz unpaid; free
üç three *üç aşağı beş yukarı* approximately *üç buçuk atmak* to shake in one's shoes
üçboyutlu three dimensional
üçdüzlemli trihedral
üçgen triangle
üçkâğıt swindling, trick *üçkâğıda getirmek* to deceive, to dupe
üçkâğıtçı crook, swindler
üçlü (playing card) the three; *müz.* trio; ternary
üçteker three-wheeler; tricycle
üçüncü third *Üçüncü Dünya Ülkeleri* Third World
üçüncül tertiary
üçüz triplet
üfleç nozzle, blowpipe
üflemek to blow; to blow out
üfürmek to blow, to puff
üfürük exhaled breath
üfürükçü quack who claims to cure by breathing
uğrüm nutation
üleşmek to go shares, to divide
üleştirmek to share out, to distribute
ülke country; kingdom
Ülker the Pleiades
ülkü ideal
ülkücü idealist
ülkücülük idealism
ülküleştirmek to idealize
ülser ulcer
ültimatom ultimatum
ültraviyole ultraviolet
ümit hope *ümit etmek* to hope *ümit vermek* to give hope *ümidini kesmek* to give up hope of
ümitlendirmek to fill with hope
ümitlenmek to be hopeful
ümitli hopeful
ümitsiz hopeless
ümitsizlik hopelessness, despair *ümitsizliğe kapılmak* to give way to despair

ümmet community, people *ümmeti Muhammet* the Moslems

ümük throat

ün fame, reputation, renown *ün kazanmak/salmak* to become famous; to acquire fame

üniforma uniform

ünite unit

üniversite university

ünlem interjection

ünlemek to cry out

ünlü famous; *dilb.* vowel

ünsüz unknown; *dilb.* consonant

Ürdün Jordan

Ürdünlü Jordanian

üre urea

üreme reproduction *üreme organları* genitals

üremek to reproduce; to multiply, to increase

üremi uremia

üreteç generator

üretici producer; productive

üretim production *üretim araçları* means of production

üretken productive

üretkenlik productiveness

üretmek to produce; to breed, to raise

ürkek timid, fearful *ürkek ürkek* timidly

ürkmek to be scared, to start, to flinch, to wince

ürküntü sudden fright, panic

ürkütmek to frighten

ürolog urologist

üroloji urology

ürpermek to shudder, to shiver

ürperti shudder, shiver

ürtiker *hek.* urticaria

ürümek to howl, to yowl, to bay

ürün product

üs base; *mat.* exponent

üslup style, manner

üst upper part, top; outside surface; clothing, dress; body; (money) remainder, change; upper, uppermost *üst baş* clothes *üste* in addition *üste vermek* to give in addition *üstesinden gelmek* to overcome, to cope with *üstü kalsın!* Keep the change! *üstü kapalı* covert, veiled *üstü kapalı söylemek* to hint *Üstüme iyilik sağlık!* Good heavens! *üstünde* on, over *üstünden atmak* not to take over the the duty, to get rid of *üstüne* about, on; onto, on, over *üstüne almak* to lay the blame on *üstüne basmak* to emphasize, to hit the nail on the head *üstüne bir bardak soğuk su iç!* You can whistle for it! *üstüne düşmek* to be very interested in *üstüne gitmek* to force, to press (sb to do sth) *üstüne kalmak* to be saddled with *üstüne oturmak* to appropriate, to pocket *üstüne titremek* to fuss over *üstüne toz kondurmamak* to consider above blame *üstüne tuz biber ekmek* to rub salt in the wound, to be the last straw *üst üste* one on the top of the other; one after the other, successively *üstüne varmak* to keep on at sb; to attack *üstüne yatmak* not to give back, to appropriate

üstat master, expert

üstbitken epiphyte

üstçavuş *ask.* staff sergeant

üstçene upper jaw

üstderi epidermis

üstdil metalanguage

üstdudak upper lip

üsteğmen first lieutenant

üstelemek to dwell on, to insist; to recur, to relapse

üstelik furthermore, moreover, in addition

üstenci contractor

üstgeçit flyover, *AE.* overpass

üstsubay senior officer

üstübeç white lead

üstün superior *üstün gelmek* to surpass, to exceed *üstün olmak* to be superior to *üstün tutmak* to prefer

üstünkörü superficial; superficially

üstünlük superiority *üstünlük derecesi dilb.* the comparative (degree) *üstünlük duygusu/kompleksi* superiority complex

üstüpü oakum, tow

üstyapı superstructure

üşengeç lazy, slothful

üşengeçlik laziness, sloth

üşenmek to be too lazy to

üşümek to be cold

üşüşmek to flock together, to crowd

üşütmek to catch cold; to go off one's head

üşütük nutty, crazy

ütopya utopia

ütü iron; crease

ütülemek to iron, to press

ütülü ironed

üvendire ox-goad

üvey step *üvey ana* stepmother *üvey baba* stepfather *üvey evlat* stepchild *üvey kardeş* stepbrother, stepsister *üvey kız* stepdaughter *üvey oğul* step-son *üvey evlat muamelesi yapmak* to ill-treat, to treat unfairly

üvez rowan, rowanberry

üye member

üyelik membership

üzengi stirrup

üzengikemiği stirrup bone, stapes

üzere just about to; (in order) to; on condition of

üzeri top; outer surface; clothing, attire; body; (money) remainder, change

üzgün unhappy, sad

üzmek to upset, to distress

üzücü upsetting, distressing

üzülmek to be upset, to be sorry

üzüm grape *üzüm asması* grapevine *üzüm salkımı* bunch of grapes

üzüntü sorrow, sadness

üzüntülü unhappy, sad

üzüntüsüz trouble-free, carefree

V

vaat promise *vaat etmek* to promise *vaatte bulunmak* to make a promise; to promise

vaaz sermon *vaaz etmek* to preach

vacip necessary

vade due date, fixed term *vadesi geçmek* to be overdue *vadesi gelmek/dolmak* to fall due *vadesini uzatmak* to prolong a term

vadeli having a fixed term *vadeli hesap/mevduat* time deposit *vadeli satış* forward sale

vadesiz having no fixed term *vadesiz hesap/mevduat* current account, *AE.* checking account

vadi valley

vaftiz baptism *vaftiz etmek* to baptize

vagina, vajina vagina

vagon railway car, railway wagon *vagon restoran* wagon restaurant, dining car

vah vah What a pity!

vaha oasis

vahdet unity

vahim grave, serious

vahim groundless fear

vahşet atrocity, savage

vahşi savage, wild; brutal

vahşice wild, brutal; barbarously, brutally

vahşileşmek to become wild

vahşilik savageness; brutality

vaiz preacher

vaka event
vakar dignity, gravity
vakfetmek to devote, to dedicate
vakıf (pious) foundation
vâkıf aware, knowing
vaki happening, taking place **vaki olmak** to happen, to take place
vakit time **vakit geçirmek** to pass the time **vakit kaybetmek** to lose time **vakit kazanmak** to play for time **Vakit nakittir** ats. Time is money **vakit öldürmek** to kill time **vaktini almak** to take sb's time
vakitli timely **vakitli vakitsiz** at all sorts of times
vakitsiz unseasonable, premature, untimely
vaktinde on time
vakur dignified, grave
vakvak duck
vale (cards) knave, jack
valf valve
vali governor
valide mother
valilik governorship
valiz suitcase
vallahi by God! I swear it's so!
vals waltz **vals yapmak** to waltz
vampir vampire
vana valve
vanilya vanilla
vantilatör fan
vapur steamer, steamship; ship
var existent, available; there is, there are **var etmek** to create **varı yoğu** all that he has **var ol!** May you live long! **var olmak** to exist, to be
varagele *den.* pass-rope
varda Keep clear! Make way!
vardiya shift, relay; watch **vardiyalı çalışmak** to work in relays
vargel shaper
varış arrival
varil barrel, cask
vâris heir, inheritor

varis varicose vein, varix
varlık existence, presence; riches, wealth **varlık göstermek** to make one's presence felt **varlık içinde yaşamak** to live in easy circumstances
varlıklı wealthy
varlıksız needy
varmak to arrive (at), to get to, to reach
varolmak to exist, to be
varoluş existence, being
varoluşçuluk existentialism
varoş suburb
varsayım hypothesis
varsayımlı hypothetical
varsaymak to suppose
varyant variant
varyasyon variation
varyete variety show
vasat average
vasıf quality
vasıflandırmak to qualify
vasıflı qualified, skilled
vasıfsız unqualified, unskilled
vasıta means; vehicle
vasıtasıyla by means of
vasi guardian; executor
vasiyet will, testament **vasiyet etmek** to bequeath
vasiyetname written will
vaşak lynx
vat watt
vatan motherland, fatherland, native country
vatandaş fellow countryman, citizen, compatriot
vatandaşlık citizenship
vatansever patriot; patriotic
vatanseverlik patriotism
vatansız stateless
vatka pad
vay Oh! Woe! **vay canına** by heaven! **vay vay** ey, Well, well!
vazelin vaseline
vazetmek to preach
vazgeçirmek to dissuade, to deter

vazgeçmek to give up, to quit, to abandon

vazife duty, task

vazifeli in charge; on duty

vazifeşinas dutiful

vaziyet position, situation

vazo vase

ve and

veba plague, pestilence

vebal sin

vecibe obligation

vecit ecstasy, rapture

veciz terse, laconic

vecize saying, maxim

veda farewell **veda etmek** to say farewell (to)

vedalaşmak to say good-bye to each other

vefa loyalty, faithfulness

vefakâr/vefalı faithful, loyal

vefasız disloyal, faithless

vefat death, decease **vefat etmek** to die, to decease

vejetaryen vegetarian

vekâlet attorneyship, procuration **vekâlet etmek** to represent, to deputize, to substitute **vekâlet vermek** to give the procuration

vekâleten by proxy

vekâletname power of attorney, proxy **vekil** representative, agent

vektör *mat.* vector

velet child, brat **veledi zina** bastard

velhasıl in short

veli guardian, protector; saint

veliaht heir to the throne

velinimet benefactor

Venüs Venus

veraset inheritance

verecek debt

verecekli debtor

verem tuberculosis

veremli tuberculous

veresiye on credit, on the cuff

vergi tax, duty; gift, talent **vergi beyannamesi** tax return **vergi mükellefi** tax-payer **vergi tahsil-**

darı tax collector **vergiye tabi** taxable

vergilendirmek to tax

veri datum

verici transmitter

verim output, yield, production

verimli productive

verimlilik productivity

verimsiz fruitless

verimsizlik fruitlessness

veriştirmek to swear at, to vituperate

verkaç *sp.* pass and run, one-two

vermek to give, to hand

vermut vermouth

vernik varnish

verniklemek to varnish

veronika veronica

vesaire etcetera

vesait means, ways

vesayet guardianship, executorship

vesika document

vesile means, cause; opportunity, occasion

vestiyer cloakroom

vesvese anxiety, misgiving

vesveseli scrupulous, apprehensive

veteriner veterinarian

veto veto **veto etmek** to veto

veya, veyahut or

vezin metre, meter

vezir vizier, vizir; (chess) queen

vezne cashier's desk, treasury

veznedar treasurer, cashier

vıcık sticky, gooey

vınlamak to buzz

vırlamak to nag

vırvır tiresome talk **vırvır etmek** to nag

vız buzz **vız gelmek** to be a matter of indifference **vız gelir tırıs gider** I don't give a damn

vızıldamak to buzz, to hum

vızıltı whiz, buzz

vızır vızır continuously

vızlamak to buzz, to hum

vicdan conscience **vicdan azabı** the

pangs of conscience, remorse
vicdanlı conscientious
vicdansız remorseless, unscrupulous
vida screw
vidalamak to screw
video video; video player; video recorder
videoteyp videotape
Vietnam Vietnam
Vietnamlı Vietnamese
vikont viscount
vilayet province, vilayet
villa villa
vinç crane, winch
viraj curve, bend
viran devastated, ruined
virane ruin
virgül comma
virtüöz virtuoso
virüs virus
viski whisky
vişne morello cherry
vitamin vitamin
vites gear *vites değiştirmek* to shift gears *vites kolu* gear lever, *AE.* gear shift *vites kutusu* gearbox *viteste* in gear
vitray stained-glass
vitrin shop window; display cabinet
viyak squawk *viyak viyak* squawking
viyaklamak to squawk
viyola *müz.* viola
viyolin violin
viyolonist violinist
vize visa
vizite doctor's fee; medical visit
vizon mink
volan flywheel
vole volley *vole vurmak* to volley
voleybol volleyball
volkan volcano
volkanik volcanic
volt volt
volta *den.* fouling of a cable; *arg.*

pacing back and forth *volta atmak* to pace back and forth
voltaj voltage
votka vodka
vuku occurrence, event *vuku bulmak* to happen, to occur
vukuat events, incidents; police case, crime
vurdumduymaz thick-skinned
vurgu stress, accent
vurgulamak to stress, to emphasize
vurgulu stressed, accented
vurgun struck on, smitten, sweet on; booty, scoop, killing *vurgun vurmak* to make a killing, to pull a deal
vurguncu profiteer, speculator
vurgunculuk profiteering
vurgusuz unstressed
vurmak to hit, to strike, to knock; to shoot; (shoe) to pinch
vurucu striking, hitting; hitter *vurucu güç* striking power
vuruntu knock, detonation
vuruş blow, hit, stroke
vuruşkan combative
vuruşmak to strike one another, to have a fight
vücut body *vücut bulmak* to come into existence *vücuda getirmek* to bring into being, to create

Y

ya ... ya ... either ... or ...
ya yes, of course; but what if
yaban wilderness; stranger *yabana atmak* to sniff at, to sneeze at
yabanarısı wasp
yabancı foreigner; stranger; foreign *yabancı dil* foreign language *yabancı düşmanlığı* xenophobia *yabancı gelmemek* to ring a bell *yabancısı olmak* to be a stranger

to
yabancıl exotic
yabancılaşma estrangement, alienation
yabancılaşmak to estrange oneself
yabandomuzu wild boar
yabangülü shrub rose, dog rose
yabanıl primitive; wild
yabani wild, untamed
yabankazı wild goose, greylag
yabankedisi wildcat
yabanördeği wild duck, mallard
yabansı strange, weird
yabansımak to find strange
yabanturpu horseradish
yâd remembrance *yâd etmek* to remember
yad strange *yad elde* in a foreign land, away from home
yadırgamak to find strange
yadigâr souvenir
yadsımak to deny, to gainsay
Yafa Jaffa *Yafa portakalı* navel orange
yafta label
yağ oil, fat, butter; grease *yağ bağlamak* to put on fat *yağ çekmek* to butter sb up, to flatter, to toady *yağ sürmek* to butter (bread) *yağ tulumu* fatty *yağdan kıl çeker gibi* as easy as falling off a log
yağcı seller of oil/butter; toady, softsoaper, apple-polisher
yağcılık flattery
yağdanlık oil-can
yağış rain
yağışlı rainy
yağışsız dry, arid
yağız swarthy, dark
yağlamak to oil, to grease, to lubricate
yağlı oily, fatty, greasy; lucrative, profitable
yağlıboya oil paint
yağma booty, loot *yağma etmek* to plunder; to loot, to pillage

yağma yok Sold again! Nothing doing!
yağmacı plunderer, pillager
yağmak to rain
yağmalamak to pillage, to plunder
yağmur rain *yağmurdan kaçarken doluya tutulmak* to jump out of the frying pan into the fire *yağmur yağmak* to rain
yağmurkuşu golden plover
yağmurlu rainy, wet
yağmurluk raincoat, mackintosh
yağmursuz without rain, dry
yağsız oilless; butterless; greaseless
yağyakıt fuel oil
yahni ragout, fricassee
yahu See here! Look here!; on earth
Yahudi Jew; Jewish
Yahudilik Jewishness; Judaism
yahut or
yak yak
yaka collar; shore, side *yaka paça* by the head and ears, by force *yaka silkmek* to be fed up (with) *yakası açılmadık* unheard-of *yakasına yapışmak* to collar, to badger *yakayı ele vermek* to be caught *yakayı kurtarmak* to escape, to evade
yakacak fuel
yakalamak to catch, to seize
yakamoz phosphorescence
yakarış entreaty
yakarmak to entreat
yakasız collarless
yakı plaster, cautery
yakıcı burning; caustic
yakın near *yakın akraba* close relative, near relation
yakında, yakınlarda near; soon, recently
yakından closely
Yakındoğu Near East
yakınlık closeness *yakınlık göstermek* to behave warmly, to be

friendly
yakınmak to complain
yakınsak *mat.* convergent
yakışık suitability **yakışık almak** to be suitable
yakışıklı handsome, comely
yakışıksız unsuitable, unbecoming
yakışmak to suit, to become
yakıştırmak to regard sth as suitable; to ascribe, to impute
yakıt fuel
yaklaşık approximate **yaklaşık olarak** approximately
yaklaşım approach
yaklaşmak to come near, to approach
yakmak to burn, to light; (light) to turn on
yakut ruby
yalabık sparkling
yalak trough
yalama worn **yalama olmak** to be worn
yalamak to lick
yalan lie; false, untrue **yalan söylemek** to lie, to tell lies **yalanını çıkarmak** to show up sb's lies
yalancı liar; false, counterfeit **yalancı çıkarmak** to belie, to contradict
yalancıktan in pretence
yalandan in pretence **yalandan yapmak** to pretend
yalanlamak to deny, to contradict
yalapşap superficially, perfunctorily
yalaz flame
yalçın steep, precipitous
yaldız gilding
yaldızlamak to gild
yaldızlı gilt
yalı waterside residence
yalım flame; blade
yalın simple **yalın durum** *dilb.* nominative case
yalınayak barefooted

yalınkat flimsy, weak; superficial
yalınkılıç drawn sword
yalıtım insulating
yalıtmak to isolate, to insulate
yalnız alone, lonely; only, solely
yalnızlık loneliness
yalpa rollingg, lurching **yalpa vurmak** to roll, to lurch
yalpak friendly
yalpalamak to roll, to lurch
yaltak, yaltakçı fawning, cringing
yaltakçılık flattery, fawning
yaltaklanmak to fawn (on), to toady (to)
yalvarmak to beg, to implore
yama patch **yama vurmak** to put a patch (on)
yamaç slope, side
yamak assistant, apprentice
yamalamak to patch
yamalı patched
yamamak to patch; to pin on, to palm off (on)
yaman excellent, smart, crack
yamanmak to be patched on; to foist oneself on
yampiri crabwise
yampiri crabwise
yamuk bent, crooked; *mat.* trapezium
yamulmak to become crooked
yamyam cannibal
yamyamlık cannibalism
yamyassı very flat
yan side **yan bakmak** to look askance **yan çizmek** to shirk, to evade **yan gözle bakmak** to look askance; to look at hostilely **yan hakemi** linesman **yan ödeme** fringe benefits **yan ürün** by-product **yanına almak** to take into one's service **yanına bırakmamak** not to leave unpunished, to get even **yan yana** side by side
yanak cheek
yanardağ volcano
yanardöner shot, chatoyant

yanaşık adjacent

yanaşma approaching; hireling

yanaşmak to draw near, to approach; to draw up alongside; (ship) to dock; to be willing (to), to incline

yanaştırmak to bring sth near to; to draw up alongside

yandaş partisan, supporter

yandaşlık partisanship, support

yangı inflammation

yangılanmak to become inflamed

yangın fire *yangın bombası* incendiary bomb *yangın çıkarmak* to start a fire *yangına körükle gitmek* to add fuel to the flames *yangını söndürmek* to put out the fire

yanık burnt; burn *yanık kokmak* to smell of burning

yanılgı mistake, error

yanılmak to make a mistake, to be mistaken

yanılmaz infallible

yanıltıcı misleading

yanıltmaca fallacy

yanıltmak to lead into error

yanıt answer

yanıtlamak to answer

yani that is, namely

yankesici pickpocket

yankı echo

yankıla(n)mak to echo

yanlamasına sideways

yanlış mistake; incorrect, wrong *yanlış kapı çalmak* to bark up the wrong tree

yanlışlık mistake

yanlışlıkla by mistake

yanmak to burn, to be on fire; (plant) to be blighted; to be ruined; (bulb) to blow

yansımak to be reflected

yansıtıcı reflector

yansıtmak to reflect

yansız impartial, neutral

yansızlık impartiality, neutrality

yantümce subordinate clause, dependent clause

yapağı wool

yapay artificial

yapayalnız all alone

yapı building, construction; structure

yapıbilim morphology

yapıcı maker; builder; constructive

yapılabilirlik feasibility

yapım making, building, manufacture; production

yapımcı maker, producer

yapımevi factory, workshop

yapısal structural

yapışıcı sticky

yapışık stuck on, joined together

yapışkan sticky, adhesive; pertinacious, importunate

yapışkanlık stickiness; pertinacity

yapışmak to stick, to adhere; to stick to, to hang on

yapıştırıcı adhesive

yapıştırmak to stick on, to fasten, to attach

yapıt work (of art/literature etc)

yapıtaşı building stone

yapma doing, making; artificial, false; sham, feigned

yapmacık artificial, affected, put on; affectation

yapmacıksız sincere, cordial

yapmak to do, to make; to build, to construct

yaprak leaf; sheet (of paper) *yaprak dolması* stuffed vine-leaves

yaptırım sanction

yapyalnız all alone

yâr lover *yâr olmak* to assist

yar precipice

yara wound, injury *yarası olan gocunsun* if the cap fits wear it

Yaradan Creator

yaradılış creation; nature, temperament

yaralamak to wound, to injure

yaralanmak to be wounded

yaralı wounded, injured

yaramak to be of use; to do good, to benefit

yaramaz useless; naughty, mischievous

yaramazlık uselessness; naughtiness; misbehaviour *yaramazlık etmek* to misbehave

yaranmak to curry favour (with), to cozy up (to)

yarar advantage, profit, use

yararlanmak to profit, to benefit, to utilize

yararlı useful *yararlı olmak* to help, to benefit

yararsız useless

yarasa bat

yaraşmak to be fit, to suit, to become

yaratıcı creative; creator

yaratıcılık creativeness

yaratık creature

yaratmak to create; to cause, to occasion

yarbay lieutenant-colonel

yarda yard

yardakçı accomplice

yardakçılık complicity

yardım help, assistance, aid *yardım etmek* to help, to assist, to aid

yardımcı helper, assistant *yardımcı fiil* auxiliary verb

yardımlaşmak to help one another

yardımsever benevolent, charitable

yaren friend

yarenlik chat *yarenlik etmek* to have a chat

yargı judgement

yargıç judge

yargılamak to try, to judge

Yargıtay Supreme Court of Appeal

yarı half; *sp.* half time *yarıda bırakmak* to interrupt, to discontinue *yarıda kalmak* to be left half-finished *yarı yarıya* fifty-fifty *yarı yolda* half-way *yarı yolda bırakmak* to leave in the lurch

yarıcı share-cropper

yarıçap radius

yarık split; crack, fissure, split

yarıküre hemisphere

yarılamak to be half-way through; to half finish

yarılmak to split

yarım half *yarım ağızla* half-hearted *yarım saat* half an hour *yarım yamalak* perfunctory; incompletely, inadequately

yarımada peninsula

yarımay half-moon, crescent

yarımgün part-time

yarımküre hemisphere

yarın tomorrow *yarın akşam* tomorrow night *yarın sabah* tomorrow morning

yarınki of tomorrow

yarısaydam semitransparent

yarış race *yarış etmek* to race

yarışma competition, contest

yarışmacı competitor, contestant

yarışmak to race, to compete, to contest

yarıyıl semester

yarma splitting; cleft, fissure; *ask.* breakthrough *yarma şeftali* free-stone peach

yarmak to split, to cleave, to chop; *ask.* to break through

yas mourning *yas tutmak* to be in mourning

yasa law

yasadışı illegal

yasak prohibition, ban; prohibited, forbidden *yasak etmek* to forbid, to prohibit

yasaklamak to forbid, to prohibit

yasal legal, lawful

yasallaştırmak to legalize

yasama legislation

yasamak to make laws

yasemin jasmine

yaslamak to prop, to lean

yaslanmak to lean against

548

yaslı in mourning
yassı flat
yastık pillow, cushion; pad **yastık yüzü** pillowcase, pillow slip
yaş age **yaşına başına bakmadan** regardless of his age **yaşını başını almak** to be old **yaş günü** birthday **yaşını göstermek** to look one's age **kaç yaşındasın?** How old are you?
yaş damp, moist, wet; tear **yaş dökmek** to shed tears **yaş tahtaya basmak** to be cheated
yaşadık We are in luck!
yaşam life
yaşamak to live; to experience
yaşamöyküsü biography
yaşantı experience
yaşarmak to moisten, to water
yaşatmak to cause to live, to revive; to keep alive, to keep up
yaşdönümü (women) menopause; (men) andropause
yaşıt of the same age
yaşlanmak to age, to grow old
yaşlı aged, old
yaşlık wetness
yaşlılık old age
yaşmak veil
yat yacht
yatak bed; den, lair; bearing **yatağa düşmek** to take to one's bed **yatak odası** bedroom **yatak örtüsü** counterpane, coverlet **yatak takımı** set of bedding
yatakhane dormitory
yataklı having beds **yataklı vagon** sleeping car
yatalak bedridden
yatay horizontal
yatık leaning to one side
yatılı boarding; boarder **yatılı okul** boarding school **yatılı öğrenci** boarder
yatır saint
yatırım investment **yatırım yapmak** to invest in

yatırımcı investor
yatırmak to put to bed; to lay down
yatışmak to calm down, to cool down
yatıştırıcı calming, soothing
yatıştırmak to calm, to soothe
yatkın apt, inclined, predisposed
yatkınlık aptness, inclination, predisposition
yatmak to go to bed, to kip down, to flop; to be in bed; to lie (down), to lie flat
yatsı time about two hours after sunset
yavan (food) plain, dry; insipid, tasteless
yavaş slow; (voice) low, soft; slowly **yavaş yavaş** slowly
yavaşça slowly, gently
yavaşlamak to slow down
yaver aide-de-camp
yavru young
yavuklu betrothed, engaged; darling
yavuz good, excellent
yay bow; spring; arc **Yay (burcu)** Sagittarius
yaya pedestrian, walker **yaya geçidi** zebra crossing **yaya kaldırımı** pavement, sidewalk
yayan on foot **yayan gitmek** to go on foot
yaygara clamour, uproar, outcry **yaygarayı basmak** to make a great to do about nothing
yaygaracı noisy, clamorous, brawling
yaygı ground cloth
yaygın widespread, common
yaygınlaşmak to spread, to become common
yayık churn
yayılımcı imperialist; imperialistic
yayılımcılık imperialism
yayılmak to spread; to be spread abroad; to graze, to browse
yayım publication

yayımcı publisher
yayımlamak to publish; to broadcast
yayın publication
yayınbalığı sheatfish
yayınevi publishing house
yayınım, yayınma diffusion
yayla plateau, tableland
yaylanmak to spring, to bounce; *arg.* to go away, to take a powder
yaylı having springs, springy
yaylım spreading **yaylım ateşi** volley
yaymak to spread
yayvan broad and shallow
yaz summer **yaz kış** in summer and winter **yaz saati** summer time
yazar writer, author
yazarlık authorship
yazgı destiny
yazı writing; article; destiny **yazı dili** literary language **yazı kâğıdı** writing paper **yazı makinesi** typewriter **yazı mı tura mı?** Heads or tails? **yazı tura atmak** to toss up **yazı tahtası** blackboard
yazıcı scribe, secretary
yazıhane office
yazık pity, shame; what a pity! **yazıklar olsun sana!** Shame on you!
yazılı written; destined; written examination
yazılım software
yazım spelling, orthography
yazın in summer
yazın literature; in summer
yazışma correspondence
yazışmak to correspond
yazıt inscription
yazlık summer resort
yazma writing; manuscript; handwritten
yazmak to write
yazman secretary, clerk

yedek spare, extra **yedek parça** spare part **yedekte** *sp.* on the bench **yedek(te) çekmek** to tow
yedeksubay reserve officer
yedi seven
yedinci seventh
yedirmek to cause to eat, to feed
yedişer seven each
yegâne unique
yeğ better, preferable **yeğ tutmak** to prefer
yeğen nephew, niece
yeğlemek to prefer
yeis despair
yek one
yeknesak monotonous
yekpare in one piece
yekûn sum, total
yel wind **yel değirmeni** windmill **yel gibi** fast, quickly **yel yeperek** in a great hurry
yele mane
yelek waistcoat, vest
yelken sail **yelken açmak** to hoist sails **yelkenleri indirmek** to lower sails **yelkenleri suya indirmek** to knuckle under, to sing small
yelkenli sailboat
yelkovan minute-hand (of a clock/watch)
yellemek to fan
yellenmek to break wind, to fart
yelpaze fan
yeltenmek to try, to attempt
yem fodder, feed; bait
yemek food; meal; dish, course **yemek borusu** esophagus; bugle-call for food **yemek listesi** menu **yemek seçmek** to be choosy in eating **yemek yemek** to eat
yemek to eat; to spend; to consume **yiyecekmiş gibi bakmak** to glower at **yiyip içmek** to eat and drink
yemekhane dining hall
yemekli with food

yemeni hand-printed scarf

yemin oath **yemin etmek** to swear, to take an oath **yeminini bozmak** to break one's oath

yeminli under oath

yemiş fruit **yemiş vermek** to bear fruit

yemişçi fruiterer

yemlemek to feed; to bait

yemlik manger, trough; nose-bag; bribe

yemyeşil very green

yen sleeve; cuff

yenge affinal aunt, uncle's wife; sister-in-law, brother's wife

yengeç crab **Yengeç (burcu)** Cancer **Yengeç dönencesi** Tropic of Cancer

yeni new; recent; newly, recently, just **yeni baştan** over again

yeniay new moon, crescent

Yeniçeri Janissary

yeniden again

yenidünya the Japanese medlar, loquat

Yenidünya the New World, America

yenik defeated **yenik düşmek** to be defeated

yenilemek to renew

yenileşmek to become new; to be modernized

yenileştirmek to renovate; to modernize

yenilgi defeat **yenilgiye uğramak** to suffer defeat, to get a beating

yenilik newness, novelty

yenilikçi reformist

yenilmek to be eaten; to lose

yenilmez invincible

yenir edible

yenişmek to beat one another

yeniyetme teenager

yenmek to defeat; to be eaten; to conquer; to beat; to master, to subdue

yepyeni brand-new, crisp

yer place, space; ground, floor; earth; seat; situation; position **yer açmak** to make room for **yer almak** to take part in **yer etmek** to leave a mark; to make an impression **yer tutmak** to reserve a place; to occupy a place **yer vermek** to give place to **yerden göğe kadar** very much **yere inmek** to land **yerin dibine geçmek** to feel like 30 cents **yerinde** in its place; appropriate, timely **yerin kulağı var** walls have ears **yerinde saymak** to mark time; to make no progress **yerine** instead of, in place of **yerine geçmek** to substitute, to replace **yerine getirmek** to carry out, to fulfil, to perform **yerine koymak** to replace to substitute; to take sb for **yerini tutmak** to substitute for **yerle bir etmek** to level

yeraltı underground **yeraltı geçidi** underground passage

yerbilim geology

yerbilimci geologist

yerçekimi gravitation, gravity

yerel local **yerel seçim** local election

yerelması Jerusalem artichoke

yerey terrain

yerfıstığı peanut

yergi satire

yerinmek to feel sad; to be sorry for, to repent

yerkabuğu crust of the earth

yerleşik established, settled

yerleşme, yerleşim settlement

yerleşmek to settle in; to settle oneself in

yerleştirmek to settle; to place

yerli native; local **yerli malı** home product **yerli yerinde** in its proper place **yerli yersiz** in season and out of season

yermek to run down, to disparage, to decry; to satirize

yermeli pejorative
yermerkezli geocentric
yermeşesi wall germander
yersakızı bitumen
yersarsıntısı earthquake
yersel terrestrial
yersiz homeless; out of place, irrelevant, untimely
yersolucanı earthworm
yeryuvarlağı terrestrial globe
yeryüzü the earth's surface, world
yeşermek to green
yeşil green *yeşil biber* green pepper *yeşil ışık* green light
Yeşilay the Green Crescent
yeşilbaş wild duck, mallard
yeşilimsi greenish
yeşillenmek to become green; to get fresh with, to molest
yeşillik greenness; greens; meadow
yeşim jade
yetenek aptitude, ability, gift, capacity
yetenekli talented, gifted, capable
yeteneksiz inefficient, incapable
yeter sufficient, enough
yeterince sufficiently
yeterli adequate, sufficient
yeterlik adequecy, efficiency, proficiency
yetersiz insufficient, inadequate, inefficient
yetersizlik insufficiency, inadequacy, inefficiency
yeti faculty, power
yetim orphan
yetimhane orphanage
yetimlik orphanage
yetinmek to be contented with
yetişkin grown-up, adult
yetişmek to reach; to catch; to be enough; to be brought up; to grow Yetişin! Help!
yetişmiş grown-up, mature
yetiştirici producer, breeder
yetiştirmek to grow, to raise; to breed; to bring up

yetke authority
yetki authority, power *yetki vermek* to give power, to authorize
yetkili authorized; competent; authority
yetkin perfect
yetkinlik perfection
yetmek to be enough, to suffice
yetmiş seventy
yetmişinci seventieth
yevmiye daily pay, day's wages
yezit scamp, devil
yığılmak to be heaped up, to bank up, to accumulate; to crowd together; to fall in a faint
yığın heap, pile, mass; lot, set
yığınak *ask.* concentration
yığınla in heaps
yığıntı accumulation, heap
yığışmak to crowd together
yığmak to pile (up), to heap (up)
yıkamak to wash
yıkanmak to be washed; to wash oneself, to have a bath, to bathe
yıkıcı destructive
yıkık fallen down, broken, ruined
yıkılış ruin, fall
yıkılmak to be destroyed; to fall down, to collapse
yıkım ruin; disaster
yıkıntı ruins, debris
yıkmak to destroy, to ruin, to demolish; to overthrow, to subvert
yıl year
yılan snake
yılanbalığı eel
yılancık *hek.* erysipelas
yılankavi spiral, winding
yılbaşı the New Year
yıldırım thunderbolt, lightning *yıldırım çarpmış* struck by lightning *yıldırım telgrafı* urgent telegram *yıldırımla vurulmuşa dönmek* to be thunderstruck
yıldırımlık, yıldırımkıran, yıldırımsavar lightning rod
yıldırmak to daunt, to cow

yıldız star; ace **yıldız falı** astrology, astromancy **yıldızı parlamak** to be lucky, to boom **yıldızları barışmak** to get along well with each other

yıldızçiçeği dahlia

yıldızkarayel north-north-west wind

yıldızlı stary; starred

yıldızpoyraz north-north-east wind

yıldızyağmuru meteoric shower

yıldönümü anniversary

yılgı phobia, terror

yılgın daunted, cowed

yılışık obtrusive, saucy, sticky

yılışmak to grin unpleasantly, to behave smarmily

yıllanmak to grow old, to age

yıllarca for years

yıllık annual, yearly; ... years old; yearly salary; yearbook, annual

yılmak to be daunted, to dread

yılmaz undaunted

yıpranmak to wear out; to fray, to frazzle

yıpratıcı exhausting, wearing

yıpratmak to wear out

yırtıcı rapacious, ferocious **yırtıcı hayvan** beast of prey

yırtık torn, rent; shameless, forward **yırtık pırtık** in rags

yırtınmak to shout at the top of one's voice; to strain even nerve, to wear oneself out

yırtmaç slit

yırtmak to tear, to rend

yiğit brave, courageous

yiğitçe bravely

yiğitlik bravery, courage **yiğitliğe leke sürmemek** to save one's face

yine (once) again; nevertheless, still

yineleme repetition

yinelemek to repeat

yirmi twenty **yirmi yaş dişi** wisdom tooth

yirminci twentieth

yirmişer twenty each

yitik lost

yitirmek to lose

yiv groove; chamfer

yivli grooved; chamfered

yiyecek food

yiyici corrupt, sharp

yobaz fanatic, bigot

yobazlık fanaticism, bigotry

yoga yoga

yoğun thick, dense; intensive

yoğunlaşmak to become dense

yoğunlaştırmak to condense

yoğunluk density, thickness

yoğurmak to knead

yoğurt yoghurt, yogurt

yok there is not; non-existent, absent, lacking **Yok canım!** You don't say! **Yok devenin başı!** Impossible!, Incredible! **yok etmek** to annihilate, to destroy, to exterminate, to remove **yok olmak** to be annihilated, to disappear, to vanish **yok pahasına** dirt cheap **yok yere** without reason

yoklama quiz; roll-call

yoklamak to finger, to grope, to search, to grabble; to try, to test; to examine, to inspect

yokluk absence, non-existence; poverty

yoksa otherwise, if not, or

yoksul poor, needy

yoksullaşmak to grow poor

yoksulluk poverty, neediness

yoksun deprived of, devoid of **yoksun bırakmak** to deprive of

yokuş ascent, slope **yokuş aşağı** downhill **yokuş yukarı** uphill **yokuşa sürmek** to make difficulties

yol road, way, street; method, manner; means, medium; stripe **yol açmak** to open a road; to make way for; to bring about, to give rise to, to cause **yol almak**

to advance, to proceed; to get up speed **yol göstermek** to show the way, to guide **yol kesmek** to waylay **yol vermek** to make way for; to discharge, to dismiss **yola çıkmak** to set out, to start out **yola gelmek** to come to reason; to come round **yola getirmek** to chasten, to bring to reason **yoluna** for the sake of, for **yoluna girmek** to come right **yoluna koymak** to put right **yolunda** all right, well **yolunda gitmek** to go like clockwork **yolunu bulmak** to find a way (out); to make an illicit profit **yolunu kaybetmek** to lose one's way **yolunu şaşırmak** to go astray

yolcu passenger, traveller; goner

yolculuk travel, journey, voyage

yoldaş fellow traveller; companion, friend; comrade

yollamak to send, to dispatch, to forward

yollanmak to be sent; to set off, to advance, to head

yollu having roads; striped; (woman) loose

yolluk travelling expenses; provisions for a journey

yolmak to pluck, to pull out; to tear out, to uproot

yolsuz roadless; unlawful, irregular; flat broke, penniless

yolsuzluk irregularity, malpractice

yoluyla by way of, via; by means of, through; properly, duly

yonca clover, trefoil

yonga chip

yontma chipping, cutting; chipped, cut **yontma taş** dressed stone **yontma taş çağı** paleolithic age

yontmak to chip, to cut

yontulmak to be chipped; to learn manners

yontulmamış uncut; unrefined, rough

yordam agility; method, way

yorga jogtrot

yorgan quilt **yorgan iğnesi** quilt-ingneedle

yorgun tired, weary **yorgun argın** dead tired **yorgun düşmek** to be tired out

yorgunluk tiredness, fatigue **yorgunluktan canı çıkmak** to be worn out with fatigue

yormak to interpret; to tire, to weary

yortu Christian feast

yorulmak to get tired, to be tired

yorum comment, commentary; interpretation **yorum yok** No comment!

yorumcu commentator

yorumlamak to comment; to interpret

yosma coquette, vamp

yosun moss

yosunlanmak to get mossy, to moss

yosunlu mossy

yozlaşmak to degenerate

yön direction; aspect, side **yön vermek** to direct

yönelim inclination; tropism

yönelmek to tend, to incline; to go towards

yöneltmek to direct towards; to aim, to point (at)

yönerge instructions, directive

yönetici administrator, manager; executive, managing

yöneticilik administration

yönetim direction, administration, management **yönetim kurulu** board of directors

yönetmek to direct, to administer; to manage, to run

yönetmelik regulations, statutes

yönetmen director

yönlendirmek to direct, to orient

yöntem method

yöntembilim methodology

yöntemli methodic, methodical
yöre environs, vicinity, neighbourhood
yöresel local
yörük nomad
yörünge orbit
yudum sip, gulp, sup
yudumlamak to sip, to sup
yufka thin layer of dough *yufka yürekli* softhearted, tenderhearted
Yugoslav Yugoslav
Yugoslavya Yugoslavia
Yugoslavyalı Yugoslavian
yuha boo, hoot *yuha çekmek* to boo, to hoot
yuhalamak to boo, to hoot
yukarda above; upstairs
yukardaki above; above-mentioned
yukardan from above
yukarı upper part, top; up, upwards, above *yukarı çekmek* to hike up, to hitch up
yulaf oats
yular halter
yumak ball
yummak (eyes) to close; (fist) to clench
yumru lump, bump
yumruk fist; blow
yumruklamak to hit with the fist
yumulmak (eye) to shut, to close; to attack, to fall on, to wade into
yumurcak brat, urchin, kid
yumurta egg *yumurta akı* the white of an egg *yumurta sarısı* yolk
yumurtalık egg-cup; ovary
yumurtlamak to lay eggs; to invent, to blurt out
yumuşacık very soft
yumuşak soft, mild, tender *yumuşak başlı* docile, tractable
yumuşakça mollusc
yumuşamak to become soft, to soften; to relent, to mellow
Yunan Greek

Yunanca Greek
Yunanistan Greece
Yunanlı Greek
yunmak to wash oneself
yunusbalığı dolphin, porpoise
yurt native land, country, home; student dormitory, hostel
yurtsever patriotic; patriot
yurtseverlik patriotism
yurtsuz homeless
yurttaş fellow countryman, compatriot citizen
yurttaşlık citizenship *yurttaşlık bilgisi* civics
yusufçuk turtledove; dragonfly
yusyuvarlak very round
yutkunmak to swallow, to gulp
yutmak to swallow
yutturmak to cause to swallow; to make believe, to sell; to fob off on
yuva nest; home; den, lair; day nursery, kindergarten; socket *yuva bozmak* to break up a home *yuva kurmak* to build a nest; to set up a home *yuvasını yapmak* to teach sb a lesson *yuvasını yıkmak* to break up sb's marriage
yuvar corpuscle
yuvarlak round, spherical; globe, sphere; ball *yuvarlak hesap* even account *yuvarlak sayı* round number
yuvarlaklık roundness
yuvarlamak to roll; to roll up; to gulp down
yuvarlanmak to roll; to roll over, to tumble *yuvarlanıp gitmek* to rub along
yüce high, lofty, exalted
yücelik height, loftiness
yücelmek to become high
yüceltmek to exalt
yük burden, load, cargo *yük hayvanı* pack animal *yükünü tutmak* to feather one's nest *yükünü*

boşaltmak to unload, to unship
yüklem predicate
yüklemek to load, to burden; to impute, to attribute
yüklenmek to be loaded; to take upon oneself, to assume
yüklü loaded; pregnant
yüksek high; superior; (voice) loud **yüksek atlama** high jump **yüksek basınç** high pressure **yüksek sesle okumak** to read aloud **yüksekten atmak** to boast, to bluster **yüksekten bakmak** to look down upon
yükseklik height, altitude
yüksekokul institution of higher education, college
yükseköğrenim higher education
yükseköğretim higher instruction
yükseliş ascent, rise
yükselmek to go up, to rise, to ascent
yükseltmek to raise, to boost; to elevate, to uplift; to promote, to advance
yüksük thimble
yüküm obligation
yükümlü bound, liable
yükümlülük liability, obligation
yün wool; woollen
yünlü woollen, woolly
yürek heart; courage, guts **yürek istemek** to take a lot of nerve **yüreği ağzına gelmek** to have one's heart in one's mouth **yüreği kabarmak** to feel nauseated **yüreğine inmek** to be struck with great fear **yürekler acısı** heartbreaking
yüreklendirmek to hearten, to encourage
yürekli plucky, brave
yüreksiz faint-hearted, cowardly
yürekten sincerely, hearty
yürümek to walk; to succeed, to work **yürüyen merdiven** moving stairs, *AE.* escalator

yürürlük validity **yürürlüğe girmek** to come into force **yürürlükte olmak** to be in force **yürürlüğe konulmak** to be put into effect **yürürlüğe koymak** to bring into force
yürütme carrying out, execution **yürütme gücü** executive power **yürütme kurulu** executive council
yürütmek to cause to walk; to carry out, to execute; *arg.* to walk off with, to pilfer, to filch
yürüyüş march, walk
yüz face; surface; impudence, cheek **yüz bulmak** to be spoilt by **yüz bulunca astar ister** if you give him an inch, he will take a mile **yüz çevirmek** to turn away from **yüz göz olmak** to be too familiar with **yüz kızartıcı** shameful, dishonourable **yüz suyu hürmetine** out of respect to, for the sake of **yüz tutmak** to tend, to begin **yüz vermek** to countenance, to spoil **yüz vermemek** to keep sb at arm's length, to give sb the cold shoulder **yüz yüze gelmek** to come face to face with, to meet **yüze çıkmak** to come to the surface; to show up, to manifest itself **yüze gülmek** to feign friendship **yüzü gülmek** to be happy **yüzü kızarmak** to blush, to flush **yüzü olmamak** not to dare, not to have the face to **yüzünden düşen bin parça olmak** to pull a long face **yüzüne gözüne bulaştırmak** to make a bungle of, to bollix up **Yüzünü gören cennetlik** You're a sight for sore eyes **yüzüne gülmek** to feign friendship **yüzüne karşı** to sb's face **yüzünü buruşturmak** to make a sour face **yüzünü güldürmek** to make happy

yüz hundred
yüzbaşı captain
yüzde percentage *yüzde on* ten per cent *yüzde yüz* a hundred per cent; definitely
yüzdelik percentage, commission
yüzdürmek to sail, to float
yüzer floating *yüzer havuz* floating dock
yüzer hundred each
yüzergezer amphibious
yüzey surface
yüzeysel superficial, shallow
yüzgeç fin
yüzkarası disgrace, black sheep
yüzlemek to rub sb's nose in it, to rub in it
yüzlerce hundreds of
yüzleşmek to be confronted with one another
yüzleştirmek to confront
yüzme swim, swimming *yüzme havuzu* swimming pool *yüzmeye gitmek* to go for swimming
yüzmek to skin, to flay
yüzmek to swim; to float
yüznumara lavatory, toilet
yüzölçümü *mat.* area
yüzsüz cheeky, brassy, impudent
yüzsüzlük impudence
yüzücü swimmer
yüzük ring *yüzüğü geri çevirmek* to break off an engagement
yüzükoyun prone, face downwards *yüzükoyun yatmak* to lie face downwards
yüzükparmağı ring finger
yüzüncü hundredth
yüzünden because of, due to
yüzüstü face downwards *yüzüstü bırakmak* to leave sth unfinished; to leave sb in the lurch *yüzüstü kalmak* to be left unfinished
yüzyıl century
yüzyıllık one hundred years old, centennial

Z

zaaf weakness
zabıt minutes, record *zabıt tutmak* to take minutes, to write down a report
zabıta police
zaçyağı sulfuric acid
zafer victory *zafer kazanmak* to win a victory
zafiyet weakness
zağanos large owl
zağar hound, hunting dog
zahire stock of grain *zahire ambarı* granary
zahmet trouble, pains, bother *zahmet çekmek* to suffer trouble *zahmet etmek* to take pains, to bother, to trouble *zahmete sokmak* to put sb to trouble *zahmet vermek* to trouble
zahmetli troublesome, painful
zahmetsiz easy
zahmetsizce easily
zakkum oleander
zalim cruel; tyrant
zalimlik cruelty
zam addition, rise, *AE.* raise
zaman time; period, epoch, era; *dilb.* tense *zamanında* at the right time *zaman kazanmak* to gain time, to buy time *zaman öldürmek* to kill time *zaman zaman* from time to time, occasionally *zamana uymak* to keep up with the times
zamanaşımı *huk.* prescription
zamanla in the course of time
zamanlama timing
zamanlamak to time
zamanlı timely
zamansız untimely
zamazingo gadget, thingamabob; *arg.* mistress, kept woman

zambak lily

zamir pronoun

zamk gum, glue

zamklamak to gum

zampara woman chaser, woman-izer, lecher

zamparalık running after women ***zamparalık etmek*** to run after women, to womanize

zan supposition, surmise; suspicion

zanaat craft, trade

zanaatçı craftsman

zangır rattlingly ***zangır zangır titremek*** to tremble like an aspen leaf

zangırdamak to rattle, to clatter

zangırtı rattle

zangoç verger

zannetmek to think, to suppose

zapt restraining; seizure; conquest ***zapt etmek*** to hold back, to re-strain; to seize; to conquer

zar dice ***zar atmak*** to throw dice

zar membrane, film

zar zor hardly, barely

zarafet elegance, grace

zarar damage, harm, injury ***zarar etmek*** to lose money; to make a loss ***zarar görmek*** to be dam-aged ***zararına satmak*** to sell at loss ***zararı yok!*** Never mind! ***zarar vermek*** to damage, to harm, to injure

zararlı harmful ***zararlı çıkmak*** to end up a loser

zararsız harmless

zarf envelope; *dilb.* adverb

zarfında during, within

zarflamak to put into an envelope

zargana garfish, garpike

zarif elegant, graceful

zariflik elegance

zarkanatlılar hymenoptera

zart zurt bluster ***zart zurt etmek*** to bluster

zaruret necessity; poverty ***zaruret halinde*** in case of necessity

zaruri necessary

zat person individual ***zatı âlileri*** your exalted person

zaten, zati as a matter of fact; besides, already

zatürree *hek* pneumonia

zavallı poor, miserable

zayıf weak, feeble; thin

zayıflamak to grow weak; to be-come thin

zayıflık weakness, thinness

zayi lost ***zayi etmek*** to lose ***zayi olmak*** to be lost

zayiat losses, casualties ***zayiat vermek*** to suffer casualties

zebani demon (of hell)

zebella huge man, strapper

zebra zebra

Zebur the Psalms of David

zedelemek to bruise, to contuse

zefir zephyr

zehir poison

zehirlemek to poison

zehirli poisonous

zehirsiz non-poisonous

zekâ intelligence

zekât alms

zeki intelligent, clever, shrewd

zelzele earthquake

zemberek spring

zemheri coldest time in winter

zemin ground; background ***zemin katı*** ground floor

zencefil ginger

zenci negro

zengin rich, wealthy

zenginleşmek to become rich

zenginlik riches, wealth; richness

zeplin zeppelin

zerdali wild apricot

Zerdüşt Zoroaster

zerk injection ***zerk etmek*** to inject

zerre atom, particle, bit ***zerre ka-dar*** in the slightest degree

zerrin jonquil

zerzevat vegetables

zerzevatçı vegetable seller

zevk pleasure, delight, fun **zevk almak** to enjoy, to find pleasure in **zevk için** for fun **zevk vermek** to give pleasure **zevkini çıkarmak** to enjoy sth to the full **zevkten dört köşe olmak** to be as happy as lark, to be as happy as Larry

zevklenmek to take pleasure; to make fun of

zevkli enjoyable, tasteful

zevksiz tasteless; unpleasant, boring, dull

zevzek silly, talkative

zevzeklik boring chatter, silly behaviour

zeytin olive

zeytinlik olive grove

zeytinyağı olive oil

zıbarmak to die; to sleep

zıbın wadded jacket for a baby

zıkkım poison

zıkkımlanmak to stuff oneself with, to eat

zılgıt dressing down, scolding **zılgıt yemek** to be told off, to be dressed down

zımba punch

zımbalamak to punch

zımbırdatmak to twang, to strum

zımbırtı twang; thingamabob, thingy, doohickey

zımnen indirectly, implicitly

zımpara emery **zımpara kâğıdı** emery paper, sandpaper

zımparalamak to sandpaper, to emery

zındık atheist

zıngırdamak to rattle, to clatter

zıngırtı rattling noise, rattle

zınk diye suddenly, with a jolt **zınk diye durmak** to come to an abrupt stop

zıpçıktı parvenu, upstart

zıpır cracked, loony, wild

zıpkın harpoon

zıpkınlamak to harpoon

zıplamak to jump, to bounce

zıpzıp marble

zırdeli raving mad

zırh armour

zırhlı armoured

zırıldamak to clatter continuously, to grumble; to weep continuously, to blubber

zırıltı continuous clatter; squabble, wrangle

zırlamak to bawl, to weep, to blubber

zırnık yellow arsenic, orpiment; the smallest bit **zırnık (bile) koklatmamak** not to give (even) a smallest bit

zırt pırt at any time whatsoever

zırva foolish talk, nonsense, bunkum, bullshit

zırvalamak to talk nonsense

zıt contrary, opposite **zıttına gitmek** to rile

zıtlık contrariness

zıvana tenon **zıvanadan çıkmak** to fly into a rage **zıvanadan çıkarmak** to infuriate

zibidi oddly dressed; crazy, screwy

zifaf entering the nuptial chamber **zifaf gecesi** wedding night **zifaf odası** nuptial chamber

zifir deposit in a pipe stem; dark

zifiri pitch-black **zifiri karanlık** pitch-dark

zifos splash of mud **zifos atmak** to slander, to spatter

zift pitch

ziftlemek to pitch

ziftli coated with pitch

zihin mind, intelligence; memory **zihni karışmak** to be confused **zihnini bulandırmak** to make one suspicious **zihnini karıştırmak** to confuse **zihnini kurcalamak** to strain one's mind, to worry **zihnini bir şeyle bozmak** to be obsessed by **zihinde tutmak** to bear in mind **zihin yor-**

mak to rack one's brains *zihin yorgunluğu* mental fatigue

zihinsel mental

zihnen mentally

zihniyet mentality

zikzak zigzag *zikzak yapmak* to zigzag

zikzaklı zigzagging

zil bell

zilzurna blind drunk

zimmet debt *zimmetine geçirmek* to embezzle, to peculate

zina adultery

zincir chain *zincire vurmak* to chain

zincirleme successive *zincirleme kaza* pileup

zindan dungeon

zinde active, alive, energetic

zira because, for

ziraat agriculture

zirai agricultural

zirkon zircon

zirve summit, top, peak

zirzop crazy, loony, screwy

ziyade more, much; excessive *ziyade olsun* Thank you!

ziyadesiyle largely, excessively

ziyafet feast, banquet *ziyafet vermek* to give a feast

ziyan loss, damage, harm *ziyan etmek* to waste *ziyanı yok* Never mind!

ziyaret visit *ziyaret etmek* to visit

ziyaretçi visitor

ziynet ornament

Zodyak zodiac

zom dead drunk, blotto

zonklamak to throb

zoolog zoologist

zooloji zoology

zor difficult, hard; difficulty; obligation, compulsion; force, strength; barely, hardly *zor gelmek* to be difficult for *zor kullanmak* to use force *zora gelememek* to be unable to withstand hardship *zora koşmak* to raise difficulties *zorun ne?* What's the matter with you? What do you want? *zorunda kalmak* to have to, to be obliged to *zoru zoruna* with great difficulty

zoraki forced

zoralım confiscation

zorba violent, despotic; extortioner, bully, bruiser

zorbalık bullying, bruising *zorbalık etmek* to bully

zorbela with great difficulty

zorla by force *zorla almak* to usurp *zorla girmek* to break in

zorlamak to force; to compel, to coerce, to oblige

zorlaşmak to grow difficult

zorlayıcı coercive, compelling

zorlu powerful, forceful; difficult, hard

zorluk difficulty *zorluk çıkarmak* to make things difficult

zorlukla with difficulty

zorunlu necessary, obligatory

zorunluk necessity, obligation

zula hiding place, cache

zulmetmek to oppress, to tyrannize

zulüm persecution, cruelty, tyranny

zücaciye glassware

züğürt penniless, broke *züğürt tesellisi* cold comfort

züğürtleşmek to become penniless

züğürtlük pennilessness

zührevi venereal *zührevi hastalıklar* venereal diseases

zülüf sidelock, earlock

zümre group, party, class

Zümrüdüanka phoenix

zümrüt emerald

züppe dandy, snob; snobbish, snobby

züppelik foppishness, snobbery

zürafa giraffe

zürriyet progeny, offspring

DÜZENSİZ FİİLLER (Irregular Verbs)

Infinitive	Past Tense	Past Participle
abide	abided (abode)	abided (abode)
arise	arose	arisen
awake	awoke	awoken
backbite	backbitten	backbitten
backslide	backslid	backslid
be	was/were	been
bear	bore	borne
beat	beat	beaten
become	became	become
befall	befell	befallen
beget	begot	begotten
begin	began	begun
behold	beheld	beheld
bend	bent	bent
beset	beset	beset
bespeak	bespoke	bespoke, bespoken
bestride	bestrode	bestridden
bet	bet, betted	bet, betted
bid	bade (bid)	bidden (bid)
bind	bound	bound
bite	bit	bitten
bleed	bled	bled
bless	blessed	blessed, blest
blow	blew	blown (blowed)
break	broke	broken
breed	bred	bred
bring	brought	brought
broadcast	broadcast	broadcast
browbeat	browbeat	browbeaten
build	built	built
burn	burnt, burned	burnt, burned
bust	bust, busted	bust, busted
buy	bought	bought
cast	cast	cast

catch	caught	caught
chide	chided, chid	chided, chid, chidden
choose	chose	chosen
cleave	cleaved, cleft, clove	cleaved, cleft, cloven
cling	clung	clung
come	came	come
cost	cost	cost
countersink	countersank	countersunk
creep	crept	crept
crow	crowed	crowed
cut	cut	cut
deal	dealt	dealt
dig	dug	dug
dive	dived (AE. dove)	dived
do	did	done
draw	drew	drawn
dream	dreamt, dreamed	dreamt, dreamed
drink	drank	drunk
drive	drove	driven
dwell	dwelt	dwelt
eat	ate	eaten
fall	fell	fallen
feed	fed	fed
feel	felt	felt
fight	fought	fought
find	found	found
flee	fled	fled
fling	flung	flung
floodlight	floodlighted, floodlit	floodlighted, floodlit
fly	flew	flown
forbear	forbore	forborne
forbid	forbade, forbad	forbidden
forecast	forecast(ed),	forecast(ed)
foresee	foresaw	foreseen
foretell	foretold	foretold
forget	forgot	forgotten
forgive	forgave	forgiven
forsake	forsook	forsaken

forswear	forswore	forsworn
freeze	froze	frozen
gainsay	gainsaid	gainsaid
get	got	got (AE. gotten)
gild	gilded	gilded
gird	girded, girt	girded, girt
give	gave	given
go	went	gone
grind	ground	ground
grow	grew	grown
hamstring	hamstringed, hamstrung,	hamstringed, hamstrung
hang	hung (hanged)	hung (hanged)
have	had	had
hear	heard	heard
heave	heaved, hove	heaved, hove
hew	hewed	hewed, hove
hide	hid	hidden
hit	hit	hit
hold	held	held
hurt	hurt	hurt
inlay	inlaid	inlaid
input	input, inputted	input, inputted
inset	inset	inset
interweave	interwove	interwoven
keep	kept	kept
ken	kenned, kent	kenned
kneel	knelt, (AE. kneeled)	knelt (AE. kneeled)
knit	knitted (knit)	knitted (knit)
know	knew known	
lay	laid	laid
lead	led	led
lean	leant, leaned	leant, leaned
leap	leapt, leaped	leapt, leaped
learn	learnt, learned	learnt, learned
leave	left	left
lend	lent	lent
let	let	let

lie	lay	lain
light	lighted, lit	lighted, lit
lose	lost	lost
make	made	made
mean	meant	meant
meet	met	met
miscast	miscast	miscast
misdeal	misdealt	misdealt
mishear	misheard	misheard
mishit	mishit	mishit
mislay	mislaid	mislaid
mislead	misled	misled
misread	misread	misread
misspell	misspelt, misspelled,	misspelt, misspelled
misspend	misspent	misspent
mistake	mistook	mistaken
misunderstand	misunderstood	misunderstood
mow	mowed	mown, mowed
outbid	outbid	outbid
outdo	outdid	outdone
outfight	outfought	outfought
outgrow	outgrew	outgrown
output	output, outputted	output, outputted
outrun	outran	outrun
outsell	outsold	outsold
outshine	outshone	outshone
overbid	overbid	overbid
overcome	overcame	overcome
overdo	overdid	overdone
overdraw	overdrew	overdrawn
overeat	overate	overeaten
overfly	overflew	overflown
overhang	overhung	overhung
overhear	overheard	overheard
overlay	overlaid	overlaid
overpay	overpaid	overpaid
override	overrode	overridden
overrun	overran	overrun

oversee	oversaw	overseen
overshoot	oversoht	overshot
oversleep	overslept	overslept
overtake	overtook	overtaken
overthrow	overthrew	overthrown
partake	partook	partaken
pay	paid	paid
plead	pleaded, (AE. pled)	pleaded, (AE. pled)
prepay	prepaid	prepaid
prove	proved	proved (AE. proven)
put	put	put
quit	quit, quitted	quit, quitted
read	read	read
rebind	rebound	rebound
rebuild	rebuilt	rebuilt
recast	recast	recast
redo	redid	redone
rehear	reheard	reheard
remake	remade	remade
rend	rent	rent
repay	repaid	repaid
rerun	reran	rerun
resell	resold	resold
reset	reset	reset
resit	resat	resat
retake	retook	retaken
retell	retold	retold
rewrite	rewrote	rewritten
rid	rid	rid
ride	rode	ridden
ring	rang	rung
rise	rose	risen
run	ran	run
saw	sawed	sawn (AE. sawed)
say	said	said
see	saw	seen
seek	sought	sought
sell	sold	sold

send	sent	sent
set	set	set
sew	sewed	sewn, sewed
shake	shook	shaken
shear	sheared	shorn, sheared
shed	shed	shed
shine	shone (shined)	shone (shined)
shit	shitted, shat	shitted, shat
shoe	shod	shod
shoot	shot	shot
show	showed	shown, showed
shrink	shrank, shrunk	shrunk
shrive	shrived, shrove	shrived, shriven
shut	shut	shut
sing	sang	sung
sink	sank	sunk
sit	sat	sat
slay	slew	slain
sleep	slept	slept
slide	slid	slid
sling	slung	slung
slink	slunk	slunk
slit	slit	slit
smell	smelt, smelled	smelt, smelled
smite	smote	smitten
sow	sowed	sown, sowed
speak	spoke	spoken
speed	sped (speeded)	sped (speeded)
spell	spelt, spelled	spelt, spelled
spend	spent	spent
spill	spilt, spilled	spilt, spilled
spin	spun	spun
spit	spat (AE. spit)	spat (AE. spit)
split	split	split
spoil	spoilt, spoiled	spoilt, spoiled
spread	spread	spread
spring	sprang	sprung
stand	stood	stood
stave	staved (stove)	staved (stove)

steal	stole	stolen
stick	stuck	stuck
sting	stung	stung
stink	stank, stunk	stunk
strew	strewed	strewed, strewn
stride	strode	stridden
strike	struck	struck
string	strung	strung
strive	strove	striven
sublet	sublet	sublet
swear	swore	sworn
sweep	swept	swept
swell	swelled	swollen, swelled
swim	swam	swum
swing	swung	swung
take	took	taken
teach	taught	taught
tear	tore	torn
tell	told	told
think	thought	thought
thrive	thrived, throve	thrived
throw	threw	thrown
thrust	thrust	thrust
tread	trod	trodden, trod
unbend	unbent	unbent
underbid	underbid	underbid
undercut	undercut	undercut
undergo	underwent	undergone
underlie	underlay	underlain
underpay	underpaid	underpaid
undersell	undersold	undersold
understand	understood	understood
undertake	undertook	undertaken
underwrite	underwrote	underwritten
undo	undid	undone
unfreeze	unfroze	unfrozen
unsay	unsaid	unsaid
unwind	unwound	unwound
uphold	upheld	upheld

upset	upset	upset
wake	woke	woken
waylay	waylaid	waylaid
wear	wore	worn
weave	wove (weaved)	woven (weaved)
wed	wedded, wed	wedded, wed
weep	wept	wept
wet	wet, wetted	wet, wetted
win	won	won
wind	wound	wound
withdraw	withdrew	withdrawn
withhold	withheld	withheld
withstand	withstood	withstood
wring	wrung	wrung
write	wrote	written

ÜLKELER

Ülke	Uyruk (Dil)
Afghanistan /efgeni'sta:n/ Afganistan	**Afghan** /'efgen/ Afganlı
Albania /el'beynıı/ Arnavutluk	**Albanian** /el'beynıın/ Arnavut (Arnavutça)
Algeria /el'cıırıı/ Cezayir	**Algerian** /el'cıırıın/ Cezayirli
Argentina /a:cın'ti:nı/ Arjantin	**Argentinian** /a:cın'tinıın/ Arjantinli
Australia /ostreylıı/ Avustralya	**Austrlian** /ostreylıın/ Avustralyalı
Belgium /'belcım/ Belçika	**Belgian** /'belcın/ Belçikalı
Bermuda /bı'myu:dı/ Bermuda	**Bermudan** /bı'myu:dın/ Bermudalı
Bolivia /bı'livıı/ Bolivya	**Bolivian** /bı'livıın/ Bolivyalı
Brazil /brı'zil/ Brezilya	**Brazilian** /brı'zilıın/ Brezilyalı
Bulgaria /bal'geırıı/ Bulgaristan	**Bulgarian** /bal'geırıın/ Bulgar (Bulgarca)
Canada /'kenıdı/ Kanada	**Canadian** /kı'neydıın/ Kanadalı
Chad /çed/ Çad	**Chadian** /'çedıın/ Çadlı

Chile /'çili/
Şili

Chilean /'çiliın/
Şilili

China /'çaynı/
Çin

Chinese /çay'ni:z/
Çinli

Cuba /'kyu:bı/
Küba

Cuban /'kyu:bın/
Kübalı

Cyprus /'saypris/
Kıbrıs

Cypriot /'siprıt/
Kıbrıslı

Denmark /'denma:k/
Danimarka

Danish /'deyniş/
Danimarkalı (Danca)

Egypt /'i:cipt/
Mısır

Egyptian /i'cipşın/
Mısırlı

England /'inglınd/
İngiltere

English /'ingliş/
İngiliz (İngilizce)

Ethiopia /i:ti'oupiı/
Etyopya

Ethiopian /i:ti'oupiın/
Etyopyalı

Finland /'finlınd/
Finlandiya

Finn /fin/, **Finnish** /'finiş/
Finli (Fince)

France /fra:ns/
Fransa

French /frenç/
Fransız (Fransızca)

Germany /'cö:mıni/
Almanya

German /'cö:mın/
Alman (Almanca)

Ghana /'ga:nı/
Gana

Ghanaian /ga:'neyın/
Ganalı

Greece /gri:s/
Yunanistan

Greek /gri:k/
Yunan (Yunanca)

Guatemala /gwa:tı'ma:lı/
Guatemala

Guatemalan /gwa:tı'ma:lın/
Guatemalalı

Holland /'holınd/
Hollanda

Dutch /daç/
Hollandalı (Flemenkçe)

Hungary /'hangıri/
Macaristan

Hungarian /han'geıriın/
Macar (Macarca)

India /'indıı/
Hindistan

Indian /'indiın/
Hintli

Indonesia /indı'ni:zıı/
Endonezya

Indonesian /indı'ni:ziın/
Endonezyalı

Iran /i'ra:n/
İran

Iranian /i'reyniın/
İranlı

Irak /i'ra:k/
Irak

Iraqi /i'ra:ki/
Iraklı

Ireland /'ayılınd/
İrlanda

Irish /'ayıriş/
İrlandalı

Israel /'izreyl/
İsrail

Israeli /iz'reyli/
İsrailli

Italy /'itıli/
İtalya

Italian /i'teliın/
İtalyan

Japan /cı'pen/
Japonya

Japanese /cepı'ni:z/
Japon (Japonca)

Jordan /'co:dın/
Ürdün

Jordanian /co:'deyniın/
Ürdünlü

Kenya /'kenyı/
Kenya

Kenyan /'kenyın/
Kenyalı

Korea /kı'rıı/
Kore

Korean /kı'rıın/
Koreli

Kuwait /ku'weyt/
Kuveyt

Kuwaiti /ku'weyti/
Kuveytli

Lebanon /'lebının/
Lübnan

Lebanese /lebı'ni:z/
Lübnanlı

Libya /'libyı/
Libya

Libyan /'libyın/
Libyalı

Luxemburg /'laksımbö:g/
Lüksemburg

Luxemburger /'laksımbö:gı/
Lüksemburglu

Malaysia /mı'leyzıı/
Malezya

Malaysian /mı'leyzıın/
Malezyalı

Mexico /'meksikou/
Meksika

Mexican /'meksikın/
Meksikalı

Netherlands /'nedılındz/
Hollanda

Dutch /daç/
Hollandalı (Felemenkçe)

New Zealand /nyu: 'zi:lınd/
Yeni Zelenda

New Zealander /nyu: 'zi:lındı/
Yeni Zelendalı

Nicaragua /nikı'regyuı/
Nikaragua

Nicaraguan /nikı'regyuın/
Nikaragualı

Nigeria /nay'cıırıı/
Nijerya

Nigerian /nay'cıırıın/
Nijeryalı

Norway /'no:wey/
Norveç

Norwegian /no:'wi:cın/
Norveçli (Norveççe)

Pakistan /pa:ki'sta:n/
Pakistan

Pakistani /pa:ki'sta:ni/
Pakistanlı

Palestine /'pelıstayn/
Filistin

Palestinian /pelı'stiniın/
Filistinli

Panama /'penıma:/
Panama

Panamanian /penı'meyniın/
Panamalı

Paraguay /'perıgway/
Paraguay

Paraguayan /perı'gwayın/
Paraguaylı

Peru /pı'ru:/
Peru

Peruvian /pı'ru:viın/
Perulu

Philippines /'filipi:nz/
Filipinler

Philippino /fili'pi:nou/
Filipinli

Poland /'poulınd/
Polonya

Polish /'pouliş/
Leh (Lehçe)

Portugal /'po:çugıl/
Portekiz

Portuguese /po:çu'gi:z/
Portekizli (Portekizce)

Romania /ru:'meyniı/
Romanya

Romanian /ru:'meyniın/
Rumen (Rumence)

Russia /'raşı/
Rusya

Russian /'raşın/
Rus (Rusça)

Saudi Arabia /saudi ı'reybiı/
Suudi Arabistan

Saudi /'saudi/
Suudi Arabistanlı

Scotland /'skotlınd/
İskoçya

Scottish /'skotiş/
İskoç

Senegal /seni'go:l/
Senegal

Senegalese /senigı'li:z/
Senegalli

Singapore /singı'po:/
Singapur

Singaporean /singı'po:rıın/
Singapurlu

Somalia /sı'ma:lıı/
Somali

Somali /sı'ma:li/
Somalili (Somalice)

South Africa /saut 'efrikı/
Güney Afrika

South African /saut 'efrikın/
Güney Afrikalı

Spain /speyn/
İspanya

Spanish /'speniş/
İspanyol (İspanyolca)

Sri Lanka /sri:'lenkı/
Sri Lanka

Sri Lankan /sri:'lenkın/
Sri Lankalı

Sudan /su:'dan/
Sudan

Sudanese /su:dı'ni:z/
Sudanlı

Sweden /'swi:dın/
İsveç

Swedish /'swi:diş/
İsveçli (İsveççe)

Switzerland /'switsılınd/
İsviçre

Swiss /swis/
İsviçreli

Syria /'sirıı/
Suriye

Syrian /'sirıın/
Suriyeli

Taiwan /tay'wa:n/
Tayvan

Taiwanese /tayvı'ni:z/
Tayvanlı

Thailand /'taylend/
Tayland

Thai /tay/
Taylandlı (Tayca)

Tunisia /tyu:'nizıı/
Tunus

Tunisian /tyu:'niziın/
Tunuslu

Turkey /'tö:ki/
Türkiye

Turkish /'tö:kiş/
Türk (Türkçe)

Uganda /yu:'gendı/
Uganda

Ugandan /yu:'gendın/
Ugandalı

United States of America
Amerika Birleşik Devletleri

American / ı'merikı/
Amerikalı

Uruguay /'yuırıgway/
Uruguay

Uruguayan /yuırı'gwayın/
Uruguaylı

Venezuela /veni'zweylı/
Venezuela

Venezuelen /veni'zweylın/
Venezuelalı

Vietnam /vyet'nem/
Vietnam

Vietnamese /vyetnı'mi:z/
Vietnamlı (Vietnamca)

Wales /weylz/
Galler

Welsh /welş/
Galli

Yemen /'yemın/
Yemen

Yemeni /'yemıni/
Yemenli

Yugoslavia /yu:gou'sla:vıı/
Yugoslavya

Yugoslavian /yu:gou'sla:vıın/
Yugoslav

Zambia /'zembıı/
Zambiya

Zambian /'zembıın/
Zambiyalı